Accédez au matériel en ligne :

- Livre numérique
- Activités interactives
- Animations GeoGebra
- Cahiers d'exercices à remplir
- Exercices de révision des concepts
- Outils pour les étudiants

Plus qu'un livre, une expérience d'apprentissage complète !

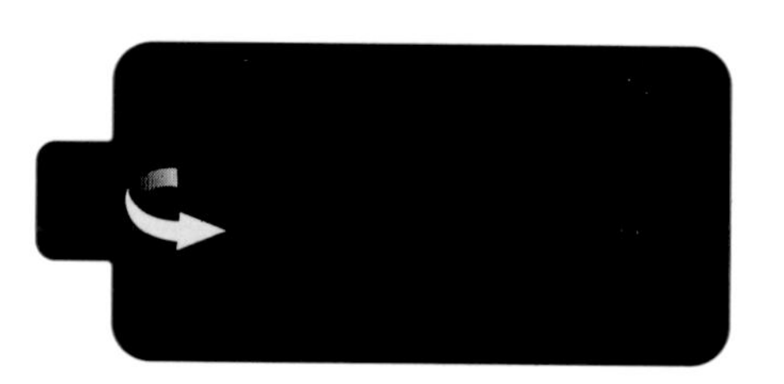

iplusinteractif.com

ERPI Soutien technique : 1 877 471-0002

VOUS ÊTES ENSEIGNANT ?
Demandez votre code d'accès à votre représentant pour expérimenter et évaluer le matériel numérique exclusif.

(PRJ009580) ISBN 978-2-7661-5728-0

MATHÉMATIQUES

JOSÉE **HAMEL**
LUC **AMYOTTE**

CALCUL **DIFFÉRENTIEL**

Animations GeoGebra
Jo-Annie Bédard et Olivier Turcotte

ERPI

Développement de produits
Yasmine Mazani

Supervision éditoriale
Sylvie Chapleau

Révision linguistique
Carole Côté

Correction des épreuves
Catherine Baron

Conception graphique de l'intérieur
Benoit Pitre

Conception et réalisation de la couverture
Benoit Pitre

Édition électronique
Info GL

L'achat en ligne est réservé aux résidants du Canada.

1611, boulevard Crémazie Est, 10e étage
Téléphone: 514 334-2690
Télécopieur: 514 334-4720
information@erpi.com
erpi.com

Dépôt légal – Bibliothèque et Archives nationales du Québec, 2024
Dépôt légal – Bibliothèque et Archives Canada, 2024

Imprimé au Canada

1234567890 ITIB 27 26 25 24
ISBN 978-2-7661-5728-0 (PRJ009580)

Ce projet est financé en partie par le gouvernement du Canada | Canada

Catalogage avant publication de Bibliothèque et Archives nationales du Québec et Bibliothèque et Archives Canada

Titre : Calcul différentiel / Josée Hamel, Luc Amyotte.

Noms : Hamel, Josée, auteur. | Amyotte, Luc, auteur.

Description : 3e édition. | Comprend des références bibliographiques et un index.

Identifiants : Canadiana 20240002873 | ISBN 9782766157280 | ISBN 9782766157419 (ensemble)

Vedettes-matière : RVM : Calcul différentiel—Manuels d'enseignement supérieur. | RVMGF : Manuels d'enseignement supérieur.

Classification : LCC QA304.H35 2024 | CDD 515/.33—dc23

ANIMATIONS GEOGEBRA

CHAPITRE 1

CHAPITRE 2

CHAPITRE 3

CHAPITRE 4

CHAPITRE 5

CHAPITRE 6

ANNEXE

CONTEXTES ET APPLICATIONS

CHAPITRE 1

CHAPITRE 2

CHAPITRE 3

CHAPITRE 4

CHAPITRE 5

CHAPITRE 6

DÉCOUVREZ LE MANUEL

Conçu pour répondre à la fois aux exigences des enseignants et aux besoins des étudiants, ce manuel présente des caractéristiques pédagogiques novatrices qui facilitent le travail des premiers et favorisent la réussite des seconds.

CHAPITRE 2

DÉRIVÉE DES FONCTIONS ALGÉBRIQUES

Que sont ces fluxions? Les vitesses d'incréments évanouissants, et que sont ces mêmes incréments évanouissants? Ce ne sont ni des quantités finies, ni des quantités infiniment petites, ni pourtant rien. Ne pouvons-nous les appeler les fantômes des quantités défuntes?

George Berkeley

Dans le premier chapitre, nous avons abordé les notions de limite et de continuité. Parmi toutes les limites que nous avons étudiées, il y en a une qui est fondamentale:

$$\lim_{\Delta x \to 0} \frac{f(x + \Delta x) - f(x)}{\Delta x}$$

Cette limite, qui donne le taux de variation instantané de la fonction $f(x)$, est si importante qu'on lui attribue un nom particulier: la dérivée. Comme tout concept clé, la dérivée se traduit par une notation qui en facilite l'utilisation, et que nous verrons dans ce chapitre.

La dérivée peut, selon le contexte, représenter une pente de tangente, une vitesse instantanée, une accélération, un taux de croissance de population, un taux de propagation d'une rumeur ou d'une maladie, un taux de diffusion d'une technologie, un taux de désintégration d'une substance radioactive, etc. Le fait qu'une même expression puisse être appliquée à des situations aussi variées que celles que nous venons d'énumérer est une illustration éloquente de sa richesse et de son intérêt.

Le calcul différentiel consiste essentiellement dans l'étude du concept de dérivée, qui permet de mesurer le rythme auquel change une quantité variable définie par une fonction. En revanche, l'utilité du calcul différentiel serait grandement réduite s'il fallait évaluer, à l'aide des astuces développées dans le premier chapitre, la limite de la forme indéterminée servant à définir la dérivée. Heureusement, comme nous le verrons sous peu, il existe des algorithmes simples qui permettent de trouver l'expression de la dérivée d'une fonction sans avoir à procéder à l'évaluation d'une limite. Nous allons également porter un intérêt particulier au signe de la dérivée, qui s'avère particulièrement révélateur.

CHAPITRE 2

Les chapitres commencent par une **introduction** qui établit un lien avec les chapitres précédents.

OBJECTIFS

- Évaluer la pente de la sécante passant par deux points d'une courbe (2.1).
- Calculer un taux moyen (2.1) et un taux instantané de variation (2.2).
- Évaluer la pente de la tangente à une courbe en un point (2.2 et 2.5).
- Trouver l'équation de la droite tangente ou l'équation de la droite normale à une courbe en un point (2.2, 2.5 et 2.9).
- Évaluer la dérivée d'une fonction en un point à l'aide de la définition (2.3).
- Trouver la fonction dérivée d'une fonction à l'aide de la définition (2.3).
- Interpréter une dérivée (2.3).
- Reconnaître et utiliser différentes notations de la dérivée et de la dérivée en un point d'une fonction (2.3).
- Déterminer l'ensemble sur lequel une fonction est dérivable (2.4).
- Démontrer des formules de dérivation (2.5).
- Dériver des fonctions à l'aide des formules de dérivation (2.5 et 2.8).
- Interpréter le signe d'une dérivée (2.6).
- Esquisser le graphique de la dérivée d'une fonction simple (2.6).
- Évaluer des dérivées d'ordre supérieur à 1 (2.7).
- Dériver de manière implicite (2.9).

SOMMAIRE

ANIMATIONS GEOGEBRA

Chaque chapitre comporte un **sommaire**, une **liste d'objectifs** d'apprentissage mis en relation avec les sections correspondantes du chapitre et une **liste des animations GeoGebra** figurant dans le chapitre.

Les **exemples** illustrant un concept sont généralement suivis de **questions éclair** ou d'**exercices** qui permettent de vérifier son degré de compréhension et d'établir un lien durable entre une nouvelle notion et ses connaissances antérieures.

EXEMPLE 3.70

On veut évaluer $\lim\limits_{x\to\sqrt{3}} \dfrac{x^2-1}{\text{arctg}\,x}$. On a

$$\lim_{x\to\sqrt{3}} \frac{x^2-1}{\text{arctg}\,x} = \frac{\left(\sqrt{3}\right)^2-1}{\text{arctg}\left(\sqrt{3}\right)} = \frac{2}{\pi/3} = \frac{6}{\pi}$$

En appliquant aveuglément la règle de L'Hospital, on obtient

$$\begin{aligned}\lim_{x\to\sqrt{3}} \frac{x^2-1}{\text{arctg}\,x} &= \lim_{x\to\sqrt{3}} \frac{2x}{\dfrac{1}{1+x^2}} \quad \text{mauvaise application de la règle de L'Hospital}\\ &= \lim_{x\to\sqrt{3}} \left[2x(1+x^2)\right]\\ &= 2\sqrt{3}(4)\\ &= 8\sqrt{3}\end{aligned}$$

Ce dernier résultat est faux, d'où l'importance de vérifier les conditions d'application de la règle de L'Hospital avant de l'utiliser.

EXERCICE 3.11

Évaluez la limite.

a) $\lim\limits_{x\to 0} \dfrac{\text{tg}(4x)}{\sin(3x)}$

b) $\lim\limits_{x\to -2} \dfrac{e^{x+2}}{x^2+4}$

c) $\lim\limits_{x\to 0} \dfrac{\arcsin x}{x^2+3x}$

d) $\lim\limits_{x\to\infty} \dfrac{x-2x^2}{3x^2+5x}$

e) $\lim\limits_{x\to\pi} \dfrac{\sin^2 x}{x\cos(x/2)}$

f) $\lim\limits_{x\to\infty} \dfrac{2x}{\ln(3x+e^x)}$

g) $\lim\limits_{x\to\left(\frac{1}{2}\right)^-} \dfrac{\ln(1-2x)}{\text{tg}(\pi x)}$

h) $\lim\limits_{x\to\pi^-} \dfrac{6\cot\text{g}\,x}{2+3\text{cosec}\,x}$

EXEMPLE 4.11

On veut recouvrir un fil de métal de 20 cm de long et de 1,5 cm de diamètre d'une gaine isolante de 0,05 cm d'épaisseur sans recouvrir les extrémités du fil. À l'aide des différentielles, estimons les augmentations absolue et relative du volume occupé par le fil après l'ajout de la gaine isolante.

Le volume d'un cylindre est $V = \pi r^2 h$. Pour estimer l'augmentation du volume du fil, il suffit donc d'estimer la variation du volume ΔV lorsque le rayon passe de 0,75 cm (rayon du fil de métal) à 0,8 cm (rayon du fil de métal auquel on ajoute l'épaisseur de la gaine isolante). La valeur de h demeure toujours de 20 cm puisqu'on ne met pas de gaine isolante sur les extrémités du fil.

On a $\dfrac{dV}{dr} = \dfrac{d}{dr}(20\pi r^2) = 40\pi r$ et, par conséquent, $dV = 40\pi r dr$. Lorsque $r = 0{,}75$ cm et que $\Delta r = dr = 0{,}8 - 0{,}75 = 0{,}05$ cm, on obtient

$$\Delta V \approx dV = 40\pi r\,dr = 40\pi(0{,}75)(0{,}05) = 1{,}5\pi\,\text{cm}^3$$

L'ajout de la gaine isolante provoque une augmentation de volume d'environ $1{,}5\pi$ cm³, soit d'environ 4,71 cm³. Quant au gain de volume relatif dû à l'ajout de la gaine isolante, il est donné par

$$\frac{\Delta V}{V} \approx \frac{dV}{V} = \frac{40\pi r\,dr}{20\pi r^2} = \frac{2}{r}dr = \frac{2}{0{,}75}(0{,}05) = 0{,}1\overline{3} = 13{,}\overline{3}\ \%$$

Ainsi, le volume occupé par la gaine isolante est d'environ 4,71 cm³, ce qui représente environ 13,3 % du volume occupé par le fil métallique.

QUESTION ÉCLAIR 4.5

Une surface métallique carrée de 4 cm de côté se contracte sous l'effet du froid. Utilisez les différentielles pour estimer la variation et le pourcentage de variation de l'aire de la surface métallique si, sous l'effet du froid, la mesure du côté a subi une diminution de 0,1 cm.

Des **rappels** judicieusement placés dans le texte présentent chaque notion préalable à la compréhension d'un concept au moment opportun. Ils sont accompagnés d'un renvoi à la page de l'**annexe Rappels de notions mathématiques** où cette notion est traitée de manière plus approfondie.

RAPPEL Le domaine d'une fonction

Le **domaine d'une fonction** $f(x)$ est l'ensemble des valeurs de x pour lesquelles la fonction $f(x)$ est définie. On note cet ensemble par Dom_f.

Les valeurs de x pour lesquelles la fonction n'existe pas ($\nexists$) sont exclues du domaine de la fonction. Par exemple, si une valeur x entraîne une division par 0 ou une valeur négative sous une racine paire (racine carrée, racine quatrième, etc.), alors on exclura cette valeur x du domaine de la fonction $f(x)$.

Soit la fonction $f(x) = \dfrac{x+1}{x-2}$. Alors, $x = 1$ fait partie du domaine de la fonction f, car $f(1) = \dfrac{1+1}{1-2} = -2$.

En revanche, $x = 2$ ne fait pas partie du domaine de la fonction f, car $f(2)$ n'existe pas puisqu'on ne doit pas effectuer une division par 0.

Soit la fonction $g(x) = \sqrt{3-2x}$. Alors, $x = 0$ fait partie du domaine de la fonction g, car $g(0) = \sqrt{3-0} = \sqrt{3}$.

En revanche, $x = 3$ ne fait pas partie du domaine de la fonction g, car $g(3) = \sqrt{3-6} = \sqrt{-3}$ et donc $g(3)$ n'existe pas puisqu'on ne peut pas extraire la racine carrée d'un nombre négatif dans l'ensemble des nombres réels.

Voir l'annexe Rappels de notions mathématiques, p. 414.

1.1 LA LIMITE : UNE APPROCHE INTUITIVE

DANS CETTE SECTION : *vitesse moyenne – vitesse instantanée – taux de variation moyen – taux de variation instantané.*

Trouvez cette animation sur la plateforme *i+ Interactif*.

La limite est une notion fondamentale dans l'étude du calcul différentiel et intégral. Elle permet d'analyser le comportement d'une fonction autour d'une valeur. Elle permet également de définir le concept de dérivée, dont les applications sont nombreuses, comme nous le verrons dans les prochains chapitres. Illustrons ce concept clé à l'aide de quelques exemples.

Les **animations GeoGebra** permettant l'illustration interactive d'un concept ou d'un exemple sont bien identifiées en marge. Il suffit de scanner le code QR ou de se rendre dans la plateforme *i+ Interactif* pour y accéder.

Des **graphiques** en couleurs et de nombreuses **illustrations** enrichissent l'exposé, le rendant plus dynamique et visuellement plus attrayant.

On veut alimenter en électricité une île en reliant un point A situé sur l'île au réseau électrique déjà existant situé en un point B sur la rive, ainsi que l'illustre la FIGURE 5.33.

FIGURE 5.33

Alimentation en électricité d'une île

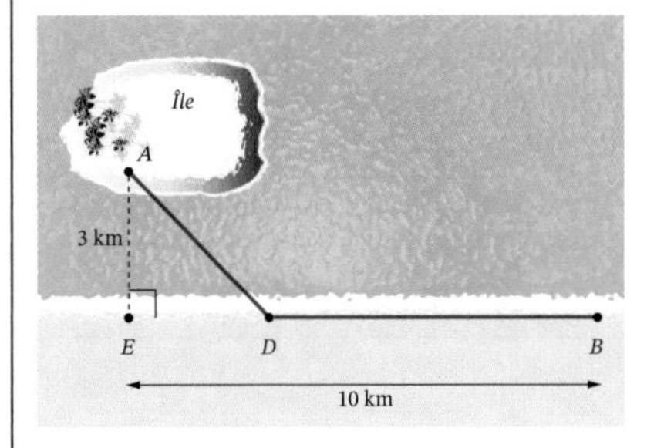

Pour y arriver, il y a plusieurs façons de procéder: on peut relier directement A et B en passant la ligne électrique sous l'eau; on peut relier A et E sous l'eau, et ensuite E et B sur la terre ferme; ou bien on peut relier A et D sous l'eau, et ensuite D et B sur la terre ferme.

Déterminons la solution qui minimisera les coûts d'installation de la ligne électrique, sachant qu'il en coûte 2 fois plus cher du kilomètre pour passer la ligne électrique sous l'eau que sur la terre ferme.

Soit x la distance (en kilomètres) entre le point E et le point D. Alors $x \in [0, 10]$, la distance entre D et B est $10 - x$, et celle entre A et D est $\sqrt{x^2 + 9}$ (FIGURE 5.34).

L'idée qu'on se fait généralement d'une **droite tangente** à la courbe décrite par une fonction $f(x)$ en un point $(a, f(a))$ est celle d'une droite qui ne fait qu'effleurer cette courbe au point $(a, f(a))$ sans la couper. Toutefois, cette conception d'une droite tangente n'est pas tout à fait juste, et il faut donc la raffiner en recourant au concept de limite. La figure 2.4 (p. 77) présente la droite sécante passant par les points $(a, f(a))$ et $(b, f(b))$. Si on fait tendre b vers a, la droite sécante pivote sur le point $(a, f(a))$ pour s'approcher de plus en plus d'une droite appelée la droite tangente à la courbe décrite par la fonction $f(x)$ en $x = a$ (FIGURE 2.5).

FIGURE 2.5

Droite tangente à la courbe décrite par $f(x)$ en $x = a$

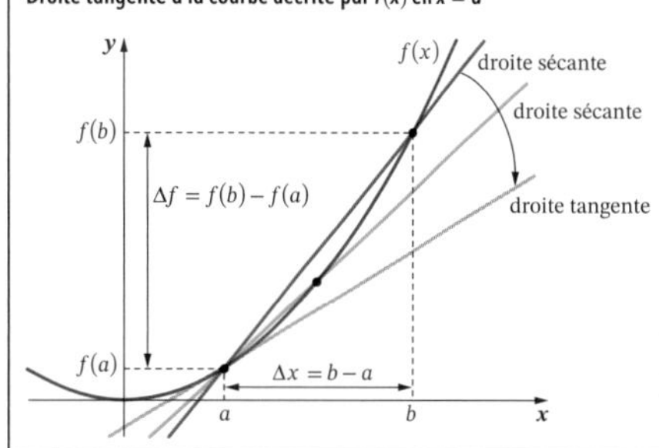

Les **théorèmes** sont numérotés et faciles à repérer.

THÉORÈME 3.3

Si $u(x)$ est une fonction dérivable, alors

$$\frac{d}{dx}(e^u) = e^u \frac{du}{dx} \qquad \text{(formule 10)}$$

PREUVE

Commençons par démontrer que $\frac{d}{dx}(e^x) = e^x$. On a

$$\begin{aligned}\frac{d}{dx}(e^x) &= \lim_{\Delta x \to 0} \frac{e^{x+\Delta x} - e^x}{\Delta x} \\ &= \lim_{\Delta x \to 0} \frac{e^x e^{\Delta x} - e^x}{\Delta x} \quad \text{propriété}: b^p b^q = b^{p+q} \\ &= \lim_{\Delta x \to 0} \frac{e^x(e^{\Delta x} - 1)}{\Delta x} \\ &= \lim_{\Delta x \to 0} \left(e^x \frac{e^{\Delta x} - 1}{\Delta x}\right) \\ &= e^x \left(\lim_{\Delta x \to 0} \frac{e^{\Delta x} - 1}{\Delta x}\right) \\ &= e^x(1) \\ &= e^x\end{aligned}$$

Par conséquent, en vertu du théorème 2.10 (p. 128), on a

$$\frac{d}{dx}(e^u) = \left[\frac{d}{du}(e^u)\right] \frac{du}{dx} = e^u \frac{du}{dx}$$

Les **exercices récapitulatifs** à faire après chaque section sont clairement signalés aux endroits opportuns.

EXERCICES 3.3

1. Déterminez la dérivée de la fonction à l'aide des formules de dérivation.
   a) $f(x) = x^4 + 4^x + 4^{-x} - 4x$
   b) $g(t) = e^{2t} + 2e^{-3t} - e^{\pi}$
   c) $h(x) = (2x^3 + 1)e^{-x^2}$
   d) $f(t) = \frac{2^t - 2^{-t}}{2^t + 2^{-t}}$
2. Déterminez $\frac{dy}{dx}$ si $2^{xy} = (x + y)^3$.

Vous pouvez maintenant faire les exercices récapitulatifs 12 à 41.

Accélération
L'accélération $a(t)$ d'un mobile est le taux de variation de la vitesse $v(t)$ de ce mobile.

Une application physique très importante de la dérivée seconde est l'**accélération** d'un mobile. Nous avons vu précédemment que la vitesse $v(t)$ d'un mobile est le taux de variation de la position $s(t)$ de ce mobile, c'est-à-dire

$$v(t) = \frac{ds}{dt}$$

Les **définitions des termes clés** (en gras dans le texte) sont bien mises en évidence dans les marges et sont reprises dans un **glossaire** à la fin du livre.

GLOSSAIRE

Accélération (p. 122)
L'accélération $a(t)$ d'un mobile est le taux de variation de la vitesse $v(t)$ de ce mobile.

Approximation linéaire (p. 259)
Soit une fonction dérivable $f(x)$. L'expression

$$f(x) + f'(x)dx$$

Dérivation logarithmique (p. 178)
La dérivation logarithmique est une technique de dérivation qui consiste à appliquer le logarithme naturel à chaque membre d'une équation, puis à utiliser les propriétés des logarithmes pour simplifier chaque membre de l'équation ainsi obtenue et, finalement, à dériver implicitement pour obtenir $\frac{dy}{dx}$.

UN PORTRAIT DE
Maria Gaetana Agnesi

Les **rubriques historiques** ajoutent une dimension culturelle importante au contenu théorique.

Maria Gaetana Agnesi

Maria Gaetana Agnesi naquit à Milan le 16 mai 1718. Son père, Pietro Agnesi, était issu d'une famille qui avait fait fortune dans le commerce de la soie. Il eut 21 enfants de trois mariages. Maria était l'aînée de la famille. Après la mort de sa mère, elle dut veiller à l'éducation de ses nombreux frères et sœurs.

Comme il était relativement à l'aise financièrement, Pietro Agnesi put engager des tuteurs compétents pour faire instruire tous ses enfants, d qualité.

Maria éta langues e Il organisa Maria don fique deva société lo d'une de c fit une allo à l'enseign d'une de c Maria étai gance et éloquence, non seulement su questions scientifiques comme la prop pace. En 1738, Maria publia d'ailleurs u traitant des sujets qu'elle avait abordé

Comme nous l'avons dit précédemmen moine Ramiro Rampinelli, qui enseign dans la formation mathématique de Ma découvertes de l'époque, mais aussi lui de Reyneau et du marquis de L'Hospit frères et de ses sœurs, se mit à écrire du calcul. Ce qui commença comme u l'ampleur. Rampinelli encouragea Mari qu'elle fit avec empressement. Le prem

UN PEU D'HISTOIRE

Le concept de dérivée tire son origine du problème géométrique de la recherche d'une tangente à une courbe et du problème physique du calcul d'une vitesse instantanée.

Les Grecs de l'Antiquité résolurent quelques problèmes de tangente. Ainsi, Euclide (330-275 avant notre ère) montra que la tangente à tout point d'un cercle est perpendiculaire au rayon du cercle passant par ce point. Archimède (287-212 avant notre ère) établit une procédure pour produire la tangente à une spirale. Apollonius (262-190 avant notre ère) décrivit des méthodes pour trouver les tangentes aux coniques. Toutefois, ces illustres mathématiciens traitèrent les problèmes de tangentes comme des questions propres à chacune des courbes, comme des problèmes isolés de nature purement géométrique, et ne purent donc pas inventer le concept de dérivée.

Beaucoup plus tard, Galileo Galilei (1564-1642) s'intéressa à la physique du mouvement et établit des liens entre la distance, la vitesse et l'accélération sans toutefois formuler ces liens à l'aide de la dérivée.

La création de la géométrie analytique par René Descartes (1596-1650) et Pierre de Fermat (1601-1665) contribua également à faire progresser les idées vers la création du concept de dérivée. Ainsi, Fermat décrivit la tangente comme étant la position limite de sécantes, ce qui est essentiellement la démarche encore utilisée aujourd'hui pour définir la tangente à une courbe en un point. Dans sa célèbre *Géométrie* (1637), Descartes produisit une méthode pour trouver la normale à une courbe, c'est-à-dire une droite perpendiculaire à la courbe, résultat à partir duquel il est facile de produire la tangente à la courbe. En Angleterre, Isaac Barrow (1630-1677) raffina les méthodes de Fermat et de Descartes en introduisant un triangle, dit triangle différentiel, et en définissant la tangente à une courbe en un point *P* comme la limite d'une corde *PQ* lorsque le point *Q* se rapproche de *P*.

Suivant les traces de Barrow, Isaac Newton (1642-1727) s'intéressa à la notion de vitesse et de taux de variation instantané. Il élabora le calcul des fluxions, qui est essentiellement une forme de calcul différentiel.

Fasciné par les mathématiques, le diplomate et philosophe allemand G. W. Leibniz (1646-1716) adopta une approche plus analytique.

Leibniz inventa la notation de la différentielle et fut le premier à interpréter l'expression $\frac{dy}{dx}$ comme une pente de tangente lorsque *y* est une fonction de *x*, même s'il ne se servit pas de ce résultat pour définir la dérivée. De plus, Leibniz formula de nombreuses règles de dérivation, soit celle d'une somme, d'un produit, d'un quotient et d'une puissance. Il cherchait à créer une véritable arithmétique de l'infiniment petit. La notation de Leibniz était tellement supérieure à celle de Newton qu'elle est encore en usage de nos jours.

Peu de temps après, en 1696, s'inspirant des leçons particulières qu'il avait reçues de Jean Bernoulli (1667-1748), Guillaume François Antoine de l'Hospital (1661-1704) publia *Analyse des infiniment petits, pour l'in* manuel de calcu les plus célèbres et de Leonhard

Leibniz et Newt fonctions ration (les fonctions tri Pour sa part, Th vation de la fon formula celles exponentielles.

Le calcul élabor corrects, mais s Newton avait d limite, mais il ne proposa une app qu'il fallait le for ticien Augustin- tion classique d infiniment petit,

admet une limi appelée fonctio

* *Instituzioni analiti*
** *Introductio in ana* *Institutiones calcu*

Des MOTS et des SYMBOLES

Les notations *dx* pour désigner une différentielle et $\frac{dy}{dx}$ pour désigner une dérivée ont pour auteur G. W. Leibniz (1646-1716), à qui on attribue, avec Newton*, l'invention du calcul différentiel et intégral. C'est dans une lettre manuscrite du 11 novembre 1675 que ces notations furent proposées. Il fallut cependant attendre une publication de 1684 pour que la notation *dx* apparaisse pour la première fois dans un imprimé** sans que l'on y trouve toutefois l'expression $\frac{dy}{dx}$, probablement à cause des problèmes typographiques occasionnés par cette dernière notation.

Par ailleurs, l'emploi de $f'(x)$, $f''(x)$, ... pour désigner les dérivées première, seconde, etc., est attribuable à J. L. Lagrange (1736-1813), à qui l'on doit également non seulement le mot *dérivée*, mais également le mot *primitive*.

Quant à Newton, il utilisa la notation $\dot{x}$ pour désigner une fluxion, soit l'équivalent newtonien d'une dérivée. Évidemment, cette notation peut se généraliser pour des dérivées d'ordre supérieur: $\ddot{x}$ pour une dérivée seconde, $\dddot{x}$ pour une dérivée troisième, etc. Bien que cette notation soit maintenant presque disparue, certains physiciens et mathématiciens, surtout dans des pays à tradition britannique, l'utilisaient encore au XXe siècle. De plus, on en trouve encore des vestiges en sciences économiques. Ainsi, certains économistes, respectant la notation préconisée par les grands économistes britanniques, utilisent $\dot{P}$ pour désigner un taux d'inflation, soit le taux de variation des prix par rapport au temps.

* Dans *A History of Mathematics*, V. Katz dit qu'il faut attribuer la paternité du calcul à Newton et à Leibniz plutôt qu'à leurs prédécesseurs, et cela pour quatre raisons: 1) ils ont tous deux créé deux concepts généraux (les fluxions et les fluentes pour Newton, les dérivées et les intégrales pour Leibniz) liés aux problèmes de base du calcul, soit l'optimisation et l'évaluation de l'aire d'une surface; 2) ils ont inventé des notations et des algorithmes permettant d'utiliser efficacement ces concepts; 3) ils ont établi la relation de réciprocité entre ces deux concepts clés; 4) ils ont résolu des problèmes difficiles à l'aide de ces concepts.

** «*Nova methodus pro maximis et minimis, itemque tangentibus, quae nec fractas nec irrationales quantitates moratur, et singulare pro illis calculi genus*» («Une nouvelle méthode pour les maxima et minima, aussi bien que pour les tangentes, laquelle peut aussi être appliquée aux quantités fractionnaires et irrationnelles, et un calcul ingénieux s'y rapportant»), article paru dans la revue savante *Acta eruditorum* créée en 1682 et publiée jusqu'en 1776.

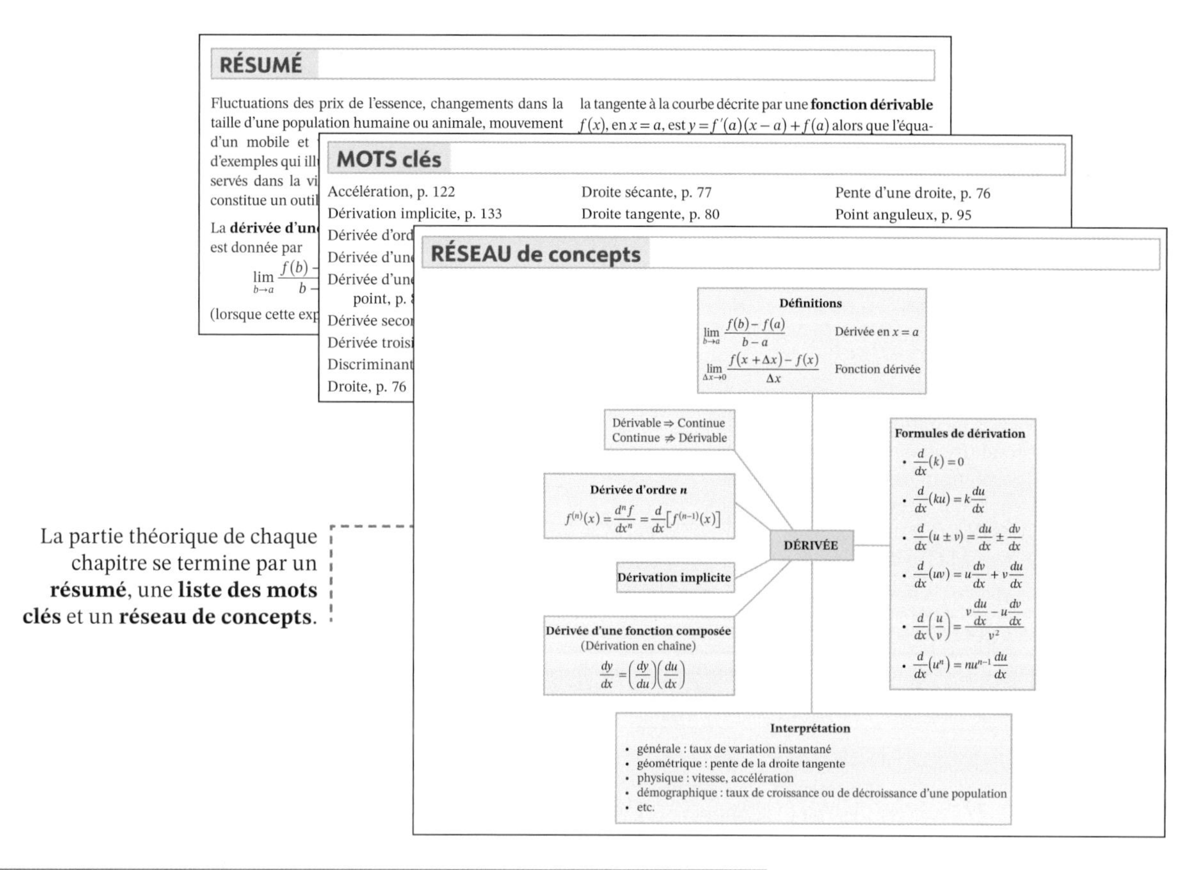

RÉSUMÉ

Fluctuations des prix de l'essence, changements dans la taille d'une population humaine ou animale, mouvement d'un mobile et [...] d'exemples qui ill[...] servés dans la vi[...] constitue un outil [...]

La **dérivée d'un**[...] est donnée par

$\lim_{b \to a} \frac{f(b) - ...}{b - ...}$

(lorsque cette exp[...]

la tangente à la courbe décrite par une **fonction dérivable** $f(x)$, en $x = a$, est $y = f'(a)(x - a) + f(a)$ alors que l'équa-

MOTS clés

Accélération, p. 122
Dérivation implicite, p. 133
Dérivée d'ord[...]
Dérivée d'un[...]
Dérivée d'un[...] point, p. [...]
Dérivée secon[...]
Dérivée trois[...]
Discriminant[...]
Droite, p. 76

Droite sécante, p. 77
Droite tangente, p. 80

Pente d'une droite, p. 76
Point anguleux, p. 95

RÉSEAU de concepts

Définitions

$\lim_{b \to a} \frac{f(b) - f(a)}{b - a}$ Dérivée en $x = a$

$\lim_{\Delta x \to 0} \frac{f(x + \Delta x) - f(x)}{\Delta x}$ Fonction dérivée

Dérivable ⇒ Continue
Continue ⇏ Dérivable

Dérivée d'ordre *n*

$f^{(n)}(x) = \frac{d^n f}{dx^n} = \frac{d}{dx}[f^{(n-1)}(x)]$

Dérivation implicite

Dérivée d'une fonction composée
(Dérivation en chaîne)

$\frac{dy}{dx} = \left(\frac{dy}{du}\right)\left(\frac{du}{dx}\right)$

DÉRIVÉE

Formules de dérivation

- $\frac{d}{dx}(k) = 0$
- $\frac{d}{dx}(ku) = k\frac{du}{dx}$
- $\frac{d}{dx}(u \pm v) = \frac{du}{dx} \pm \frac{dv}{dx}$
- $\frac{d}{dx}(uv) = u\frac{dv}{dx} + v\frac{du}{dx}$
- $\frac{d}{dx}\left(\frac{u}{v}\right) = \frac{v\frac{du}{dx} - u\frac{dv}{dx}}{v^2}$
- $\frac{d}{dx}(u^n) = nu^{n-1}\frac{du}{dx}$

Interprétation

- générale : taux de variation instantané
- géométrique : pente de la droite tangente
- physique : vitesse, accélération
- démographique : taux de croissance ou de décroissance d'une population
- etc.

La partie théorique de chaque chapitre se termine par un **résumé**, une **liste des mots clés** et un **réseau de concepts**.

EXERCICES récapitulatifs

56. Un treuil installé au sommet d'un édifice de 25 m de hauteur soulève l'extrémité d'une poutre dont la longueur est également de 25 m et dont la base est appuyée contre le mur de l'édifice, comme cela est indiqué dans le schéma.

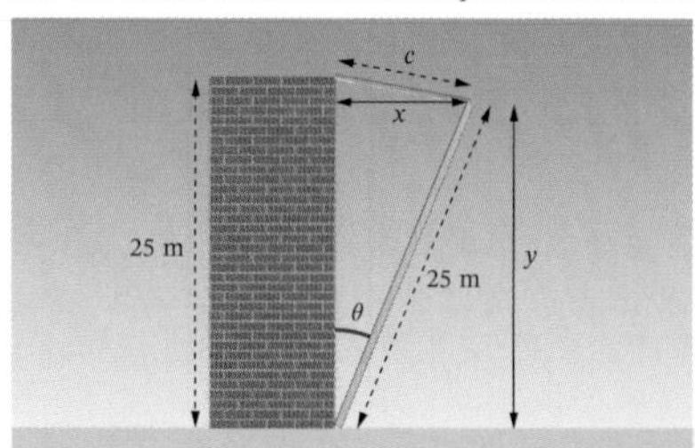

Le câble liant le treuil à l'extrémité de la poutre est enroulé à raison de 0,2 m/s. Notez x la distance séparant l'extrémité de la poutre du mur, y la distance entre l'extrémité de la poutre et le sol et c la longueur du câble.

a) Donnez le sens et la valeur de $\frac{dy}{dt}$ lorsque l'extrémité de la poutre est située à 20 m au-dessus du sol.

b) Donnez le sens et la valeur de $\frac{dx}{dt}$ lorsque l'extrémité de la poutre est située à 20 m au-dessus du sol.

c) À quel rythme l'angle θ varie-t-il lorsque l'extrémité de la poutre est située à 20 m au-dessus du sol ?

41. Le corps humain réagit à un stimulus selon l'intensité de celui-ci. Ainsi, la pupille réagit lorsqu'elle est soumise à une source lumineuse. La relation entre l'aire $A(x)$ (en millimètres carrés) d'une pupille et l'intensité x d'une source lumineuse est donnée par $A(x) = \frac{40 + 24x^4}{1 + 4x^4}$. On peut vérifier que plus la source lumineuse est intense, plus la pupille se contracte, c'est-à-dire que l'aire de la pupille diminue.

Iris
Pupille

Icônes représentant les applications et les démonstrations

 Sciences de la vie

 Physique et ingénierie

 Chimie

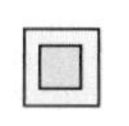 Démonstrations

Les **exercices récapitulatifs** à la fin de chaque chapitre sont nombreux, variés et gradués selon leur degré de difficulté : un triangle vert (▲) indique un exercice facile, un carré jaune (■) indique un exercice un peu plus difficile et un pentagone rouge (⬟) signale un exercice plus difficile encore.

Les exercices récapitulatifs sont associés aux sections du manuel qui en traitent.

EXERCICES de révision

1. Encerclez la lettre qui correspond à la bonne réponse.

a) Si $f(x) = \sqrt{x^2 - 4}$, que vaut $f'(x)$?

A. $\sqrt{2x}$
B. $\frac{1}{2\sqrt{x^2 - 4}}$
C. $\frac{x}{\sqrt{x^2 - 4}}$
D. 1
E. $\frac{1}{\sqrt{2x}}$
F. Aucune de ces réponses.

b) Si $f(x) = (2x - 1)^2(3x^2 + 4)$, que vaut $\frac{dy}{dx}$?

A. $48x^3 - 36x^2 + 38x - 16$
B. $48x^2 - 24x$
C. $20x^3 - 14x^2 + 18x - 8$
D. $36x^3 - 30x^2 + 22x - 8$
E. $24x^2 - 12x$
F. Aucune de ces réponses.

Les **exercices de révision** qui suivent les exercices récapitulatifs de chacun des chapitres permettent de se placer dans un contexte d'évaluation et de repérer ses faiblesses de manière précise.

RÉPONSES AUX **EXERCICES récapitulatifs**

CHAPITRE 1

1. a) $f(2) = 4$
   b) $\lim_{x \to 2^-} f(x) = 4$
   c) $\lim_{x \to 2^+} f(x) = 4$
   d) $\lim_{x \to 2} f(x) = 4$
   g) $\lim_{x \to -2^+} f(x) = 4$
   h) $\lim_{x \to -2} f(x)$ n'existe pas.
   i) $f(1)$ n'existe pas.
   j) $\lim_{x \to 1^-} f(x) = 1$
   l) $\lim_{x \to 1} f(x) = 1$
   m) $f(3) = 0$
   n) $\lim_{x \to 3^-} f(x) = 2$
   o) $\lim_{x \to 3^+} f(x) = 0$

Les **réponses** à tous les exercices récapitulatifs se trouvent à la fin du manuel. Certaines sont détaillées.

L'**annexe** contient des rappels détaillés de notions vues au secondaire et des exercices permettant de vérifier la compréhension de ces notions. Les réponses de ces exercices sont données à la fin du manuel.

ANNEXE

RAPPELS DE NOTIONS MATHÉMATIQUES

A.1 LES OPÉRATIONS SUR LES ENSEMBLES

Un **ensemble** est un regroupement d'éléments. Lorsqu'on énumère les éléments faisant partie d'un ensemble en les séparant par des virgules et en les plaçant […]nit l'ensemble en **extension**. On peut également décrire […]mble en indiquant les caractéristiques qu'ils doivent res[…]le définition en **compréhension**.

RÉPONSES AUX **EXERCICES de l'annexe**

Exercices A.1

1. a) Faux c) Vrai e) Vrai
   b) Faux d) Faux f) Vrai

2. $A \cup B = \{1, 2, 3, 4, 6, 8, 9, 12, 15, 18, 21, 24, 27\}$
   $A \cap B = \{3, 6, 12, 24\}$
   $A \backslash B = \{9, 15, 18, 21, 27\}$
   $B \backslash A = \{1, 2, 4, 8\}$

MATHÉMATIQUES

JOSÉE **HAMEL**
LUC **AMYOTTE**

AIDE-MÉMOIRE
CALCUL **DIFFÉRENTIEL**

3e édition

ERPI

L'**aide-mémoire** qui accompagne le manuel présente une synthèse des notions préalables, expose les concepts clés du calcul différentiel et propose des stratégies pour résoudre des problèmes.

AVANT-PROPOS

J'aime à penser que la mathématique est un instrument de musique
sur lequel on peut interpréter une quantité infinie de belles mélodies.

Plusieurs générations de mathématiciens ont utilisé des tonalités riches
qui nous offrent un nombre illimité de combinaisons harmonieuses.

Donald E. Knuth

La mathématique est la musique de l'esprit humain.

La musique est la mathématique de l'âme.

Anonyme

Tout comme une symphonie, l'analyse mathématique est une œuvre complexe, comportant plusieurs mouvements, le premier étant le calcul différentiel, et le second, le calcul intégral. Malheureusement, les étudiants n'en apprécient pas toujours toutes les subtilités mélodiques et perçoivent souvent le calcul comme une suite de recettes à suivre.

Devant un tel constat, nous avons décidé d'écrire cet ouvrage de calcul différentiel dans le but avoué d'en rendre l'apprentissage plus stimulant par un habile dosage de formalisme et d'intuition, de façon à faciliter la compréhension des concepts tout en répondant aux exigences de la rigueur mathématique.

Nous avons évidemment abordé tous les sujets habituels d'un cours de calcul différentiel (limite, continuité, dérivation, taux liés, différentielle, optimisation, tracé de courbes, etc.), mais en les inscrivant dans des contextes, en mettant l'accent sur le sens à donner aux calculs effectués et en insistant sur les stratégies de résolution de problèmes.

Ainsi, dès le premier chapitre, où nous traitons des concepts de limite et de continuité, nous avons donné des exemples variés illustrant la pertinence de l'étude de ces concepts. Nous avons également précisé la signification à donner au comportement asymptotique de fonctions dans des contextes appliqués.

De même, dans le chapitre 2, portant sur la dérivée des fonctions algébriques, nous avons insisté sur le signe de la dérivée, celui-ci étant crucial dans l'interprétation des résultats, que ce soit dans l'étude des taux liés, dans les problèmes d'optimisation ou dans les tracés de courbes.

Nous avons consacré le chapitre 3 à la dérivation des fonctions transcendantes et à la règle de L'Hospital. Cette séparation des fonctions algébriques et transcendantes permet aux enseignants qui le désirent de voir les applications de la dérivation des fonctions algébriques avant de voir les fonctions transcendantes. Un document relatif à une séquence d'utilisation différente du manuel est d'ailleurs disponible dans le matériel complémentaire offert aux enseignants.

Le chapitre 4 est consacré aux problèmes de taux liés, au concept de différentielle, aux problèmes de variation absolue et de variation relative, aux calculs d'incertitudes et à l'approximation linéaire. Il pourrait facilement être vu après le chapitre 5 ou après le chapitre 6, selon la vision pédagogique de chacun. Le chapitre 5 porte sur la recherche des extremums relatifs et absolus de fonctions et sur les problèmes d'optimisation dans différents contextes.

Nous avons terminé le livre avec le chapitre 6 portant sur le tracé de courbes. Ce chapitre constitue une excellente synthèse puisqu'on y recourt aux notions de limites, de dérivée première et de dérivée seconde.

À PROPOS DE *CALCUL DIFFÉRENTIEL*, 3e ÉDITION

L'expérience nous a montré que la réussite dans un cours de calcul différentiel dépend du nombre d'exercices que les étudiants effectuent. C'est pourquoi la troisième édition de *Calcul différentiel* comporte quatre catégories d'exercices (questions éclair, exercices, exercices récapitulatifs et exercices de révision) remplissant des fonctions différentes.

Comme leur nom l'indique, les questions éclair admettent généralement des réponses brèves. Si elle ou il les utilise en classe, l'enseignante ou l'enseignant peut ainsi vérifier rapidement qu'un point particulier est bien compris ou encore qu'une étape de la résolution d'un problème en comportant plusieurs est bien maîtrisée.

Tout comme les questions éclair, les exercices se trouvent dans le corps du texte, mais généralement à la fin d'une section. Leur résolution demande plus de temps et plus de réflexion de la part des étudiants que les questions éclair. Ils peuvent être utilisés en lieu et place des exemples donnés dans le livre pour rendre la présentation en classe plus dynamique. Les questions éclair et les exercices sont repris dans les cahiers d'exercices à remplir offerts sur la plateforme *i+ Interactif*.

Les exercices récapitulatifs se trouvent à la fin de chacun des chapitres. Ils portent sur les concepts vus dans une ou plusieurs sections ; des renvois dans le texte précisent le moment où les étudiants peuvent s'y attaquer. Ils sont suivis des exercices de révision, qui sont l'occasion de faire la synthèse de l'ensemble des sujets traités antérieurement. Ainsi, les exercices de révision du chapitre 6 ont pour objet l'ensemble de la matière et permettent aux étudiants de se préparer à un examen final.

Comme dans la deuxième édition, les réponses (certaines détaillées) à tous les exercices récapitulatifs de fin de chapitre se trouvent à la fin du manuel. En revanche, les solutions des exercices (dans le corps du texte), des questions éclair et des exercices de révision ne sont donnés que dans le matériel complémentaire offert aux enseignants utilisateurs, qui peuvent, si elles ou ils le souhaitent, les rendre disponibles aux étudiants ou encore utiliser ces exercices (tout comme les exercices supplémentaires) à des fins d'évaluation formative ou sommative.

Le manuel contient aussi une annexe regroupant des rappels de notions mathématiques enseignées au secondaire. Cette annexe renferme des exemples et des exercices permettant aux étudiants de réviser les concepts vus antérieurement. Les enseignants peuvent facilement s'y référer au moment opportun pour leur rappeler les notions mathématiques de base nécessaires à la compréhension du calcul différentiel.

Le manuel est accompagné d'un aide-mémoire résumant les concepts clés du cours de calcul différentiel et contenant les notions mathématiques de base nécessaires à leur maîtrise.

Les enseignants ne sont pas en reste puisqu'on retrouve également dans le matériel complémentaire en ligne une banque impressionnante d'exercices supplémentaires solutionnés qui peuvent être utilisés à des fins d'évaluations formatives ou sommatives.

À la suite de commentaires des utilisateurs et pour répondre aux nouvelles exigences du devis ministériel, nous avons apporté les changements suivants lors de la rédaction de la troisième édition de *Calcul différentiel* :

- Ajout d'une section sur les graphiques des fonctions trigonométriques inverses (section 3.3.1).
- Ajout d'une section sur la règle de L'Hospital et d'exercices sur le sujet (section 3.4).
- Ajout d'une section sur l'ordonnée à l'origine et les zéros d'une fonction (section 6.3).
- Ajout d'exemples appliqués pour illustrer les concepts théoriques (exemple 1.21, exemple 1.26, etc.).
- Ajout d'exemples de routine pour faciliter la compréhension d'une définition (exemple 2.3, exemple 2.12, exemple 2.14, etc.).
- Ajout (ou modification) de questions éclair et d'exercices dans le corps des chapitres.

- Amélioration de la section 1.6.1 par l'ajout de deux capsules de rappels (évaluation d'une fonction en un point et mise au même dénominateur) permettant de mieux séparer les exemples de calculs de limites et les questions éclair.
- Amélioration de la section 1.6.2 par l'ajout d'un exemple et d'un exercice sur la recherche d'asymptotes horizontales à l'aide des limites.
- Amélioration de la section 1.7 par la reformulation de la définition de la continuité sur un intervalle et la modification d'exemples et d'exercices.
- Amélioration de la section 2.6 en inversant la section sur le tableau des signes d'une fonction (2.6.2) et celle sur l'interprétation du signe de la dérivée (2.6.3) permettant ainsi un meilleur réinvestissement des connaissances.
- Regroupement des sections 4.2 à 4.5 pour faire une seule section sur la différentielle et ses applications.
- Ajouts des coordonnées des points d'intérêts (maximums et minimums) dans les graphiques du chapitre 5.
- Séparation de la section 5.3 (problèmes d'optimisation) en deux sous-sections.
- Utilisation de la règle de L'Hospital (lorsqu'elle est applicable) dans les chapitres 5 et 6 permettant le réinvestissement des connaissances.
- Ajout d'une étape (pour la recherche de l'ordonnée à l'origine et des zéros d'une fonction) dans la démarche pour l'analyse complète d'une fonction au chapitre 6.
- Ajouts des coordonnées des points d'intérêts (ordonnée à l'origine, zéros, maximums, minimums et points d'inflexion) dans les graphiques du chapitre 6.
- Ajout d'exercices récapitulatifs dans tous les chapitres. Reclassement de ces exercices.
- Séparation de plusieurs exercices récapitulatifs de routine en 2 ou 3 exercices selon leur niveau de difficulté.
- Ajout de plusieurs schémas dans les exercices récapitulatifs permettant une meilleure compréhension.
- Modification de certains exercices de révision (dans tous les chapitres).
- Amélioration de tous les solutionnaires par l'ajout d'étapes dans la résolution et l'ajout de figures pour faciliter la compréhension.

En bref, *Calcul différentiel*, 3e édition, c'est :

- 249 exemples pour bien illustrer les notions théoriques ;
- 86 questions éclair pour valider rapidement la compréhension des étudiants ;
- 114 exercices insérés à l'intérieur des chapitres pour consolider continûment l'apprentissage des différentes notions ;
- 427 exercices récapitulatifs à la fin des chapitres pour atteindre une plus grande maîtrise des concepts du calcul différentiel ;
- 59 exercices de révision pour faire une synthèse des notions vues dans le chapitre et dans les chapitres précédents ;
- 32 animations GeoGebra pour visualiser les concepts et les exemples ;
- une annexe contenant 66 exemples, 43 exercices et 5 animations GeoGebra pour approfondir les notions vues au secondaire ;
- 228 exercices de révision des concepts (avec leurs solutions) dans le matériel complémentaire en ligne offert aux étudiants ;
- plus de 300 exercices supplémentaires (avec leurs solutions) dans le matériel complémentaire en ligne offert aux enseignants.

OFFRE

Calcul différentiel, 3e édition, est plus qu'un manuel. Il permet la réussite de l'apprentissage grâce au contenu de *i+ Interactif* : les animations GeoGebra, le manuel numérique, les activités interactives et le matériel complémentaire.

Animations GeoGebra

L'enseignant ou l'enseignante peut projeter en classe très facilement les 32 animations GeoGebra offertes sur la plateforme *i+ Interactif*, et les étudiants peuvent y accéder à leur guise. De plus, chaque animation est accompagnée d'activités visant à l'exploiter. Un code QR dans les pages appropriées du livre permet aussi d'accéder rapidement aux animations à l'aide d'un appareil mobile. Une liste complète des animations est donnée au tout début du livre.

Manuel numérique

Le manuel numérique propose les fonctions « surligneur » et « annotation », qui permettent de sélectionner le texte du manuel, de le surligner et d'ajouter une note au texte surligné. Les enseignants peuvent partager ces notes avec leurs étudiants.

Matériel complémentaire

Les étudiants trouveront aussi dans la plateforme *i+ Interactif* tout le matériel complémentaire qui leur est destiné :

- L'aide-mémoire ;
- Des cahiers d'exercices à remplir ;
- Des exercices de révision des concepts (avec leurs solutions) pour chaque chapitre ;
- Les démonstrations des identités trigonométriques ;
- La démonstration rigoureuse de la règle de L'Hospital (en utilisant le théorème de Rolle, le théorème de Lagrange et le théorème de Cauchy) ;
- Une chronologie de l'évolution du calcul différentiel et intégral ;
- Des adresses de sites Internet qui traitent des mathématiques ;
- Des laboratoires qui illustrent l'utilisation du logiciel Maple (version 18) en calcul différentiel.

En plus du matériel complémentaire destiné aux étudiants, les enseignants y trouveront aussi tout le matériel complémentaire qui leur est destiné :

- Une séquence différente d'utilisation du manuel qui propose d'aborder les fonctions transcendantes après les applications des fonctions algébriques ;
- Des cahiers qui reprennent les exercices et les questions éclair se trouvant dans l'exposé théorique (et leurs solutions détaillées) et qu'il est possible d'utiliser en classe ;
- Une imposante banque d'exercices supplémentaires (et leurs solutions détaillées) regroupées par chapitre et par thème. Ces exercices peuvent être utilisés comme questions d'examens ;
- Un recueil des solutions détaillées de tous les exercices, exercices récapitulatifs, exercices de révision et exercices de l'annexe ;
- Des fichiers JPEG des figures, encadrés et tableaux du manuel.

QUELQUES CONSEILS AUX ÉTUDIANTS

Un bon manuel peut sans doute faciliter le travail des étudiants, mais il ne suffit pas. Personne, même ceux dont on dit qu'ils ont la « bosse des maths », ne peut réussir un cours de mathématiques sans efforts. Voici donc des conseils à propos des attitudes qui contribuent à augmenter sensiblement les chances de réussite :

- Se préparer avant chaque cours en faisant une lecture sommaire des sections qui y seront abordées.
- Se concentrer en classe et essayer de comprendre les explications de l'enseignante ou de l'enseignant plutôt que de simplement retranscrire le texte écrit au tableau.
- En classe, éviter de se placer à côté d'une personne qui peut nous déranger, comme un ami ou une amie avec qui on aurait le goût de parler plutôt que d'écouter les explications de l'enseignante ou de l'enseignant : la classe n'est pas un lieu de socialisation, mais un lieu de travail.

- Poser des questions en classe, au centre d'aide ou au bureau de l'enseignante ou de l'enseignant dès qu'on éprouve une difficulté plutôt que d'attendre que celle-ci devienne insurmontable.
- Ne pas hésiter à faire appel à un ou à une camarade de classe qui a d'excellents résultats : les gens sont généralement flattés d'être reconnus pour leurs aptitudes et répondent avec empressement.
- Après chaque cours, relire attentivement ses notes avant même de tenter d'effectuer les exercices (Pourquoi avoir pris des notes si on ne les relit pas ?). Devant un exemple, lire l'énoncé, tenter de le refaire par soi-même plutôt que de simplement relire la solution présentée par l'enseignante ou l'enseignant, comparer sa solution avec celle de l'enseignante ou de l'enseignant, prendre note des passages qui posent des problèmes et, s'il y a lieu, demander de l'aide.
- Refaire chaque exemple figurant dans le manuel jusqu'à pouvoir le reproduire par soi-même, sans aide, et être satisfait du résultat. Les étudiants qui adoptent cette stratégie sont généralement agréablement surpris de constater que les exercices proposés par l'enseignante ou l'enseignant sont plus faciles à faire.
- Porter une grande attention aux définitions des termes mathématiques : on ne peut pas apprendre une langue comme les mathématiques sans connaître le sens des mots.
- Effectuer les exercices proposés par l'enseignante ou l'enseignant en ayant toujours l'aide-mémoire à portée de main. En cas de retard, effectuer un exercice sur deux, ou un sur trois, afin de rattraper le temps perdu. Il ne faut pas oublier qu'en règle générale, les questions d'examens sont des problèmes semblables à ceux qu'on trouve dans les exercices.
- Se préparer aux examens en effectuant les exercices de révision proposés après les exercices récapitulatifs de chaque chapitre.
- Après chaque examen, refaire les problèmes manqués parce que les questions d'examen portent généralement sur les points essentiels de la matière, ceux qui seront utiles pour le reste du cours ou pour les cours qui suivront.

REMERCIEMENTS

Dans un premier temps, nous tenons à remercier les membres de nos familles respectives qui nous ont soutenus tout au long de la rédaction de cet ouvrage. Sans cet appui indéfectible, nous n'aurions pu mener à bien ce travail si exigeant.

Nous voulons également souligner l'encouragement que nous avons reçu de nos collègues actuels et retraités du département de mathématiques du Cégep de Drummondville : ils nous ont généreusement offert leurs conseils et ont toujours accepté de répondre avec empressement à nos questions, ce qui a grandement contribué à améliorer les qualités pédagogiques du manuel.

Nous avons sollicité des enseignants du réseau collégial à plus d'un titre lors des deux premières éditions : relecture de l'ouvrage à différents stades de développement, participation à des groupes de discussion, essai du manuscrit en classe, etc. Nous leur en savons gré.

Nous voulons également signaler la qualité du travail de Carole Côté à la révision linguistique. Ses suggestions furent toujours à propos et ont rendu l'ouvrage beaucoup plus agréable à lire. Carole, qui a enseigné les mathématiques au cégep de 1976 à 2003, a également revu tous les corrigés et nous a fait des recommandations des plus pertinentes. Grâce à son efficacité et à sa perspicacité, *Calcul différentiel*, 3e édition, est vraisemblablement exempt d'erreurs.

Nous ne pouvons pas oublier Sylvie Chapleau et Yasmine Mazani, des Éditions du Renouveau Pédagogique, qui nous ont prodigué de nombreux conseils et qui ont su répondre avec enthousiasme à toutes nos demandes tout en nous rappelant les échéances incontournables à respecter.

Josée Hamel
Luc Amyotte

LES AUTEURS

Josée Hamel est enseignante de mathématiques au Cégep de Drummondville depuis 1996. Elle a également enseigné aux cégeps de Saint-Hyacinthe, de Granby Haute-Yamaska et de Victoriaville, ainsi qu'à l'Institut de technologie agroalimentaire de Saint-Hyacinthe. Elle est titulaire d'un baccalauréat et d'une maîtrise en mathématiques. Elle a été consultante pour de nombreux ouvrages en mathématiques, en sciences de la nature et en soins infirmiers auprès des Éditions du Renouveau Pédagogique. Elle est l'auteure de trois ouvrages dont certains ont été primés :

- *Calcul différentiel : sciences humaines* (avec Luc Amyotte, ERPI, 2023) ;
- *Calcul différentiel* (3e édition, avec Luc Amyotte, ERPI, 2024). Prix Adrien-Pouliot de l'AMQ (2007) et prix de la ministre de l'Éducation, du Loisir et du Sport (2007) ;
- *Mise à niveau mathématique* (2e édition, ERPI, 2017). Prix Adrien-Pouliot de l'Association mathématique du Québec (AMQ) (2013).

En 2012, le Cégep de Drummondville l'honorait en lui décernant le prix de la réussite en enseignement en raison de ses méthodes pédagogiques novatrices, de la qualité de son implication auprès de ses étudiants et de ses actions centrées sur les valeurs éducatives favorisant la réussite de ses étudiants. Également en 2012, l'Association québécoise de pédagogie collégiale lui décernait une mention d'honneur pour souligner son engagement pédagogique et sa contribution à la qualité de l'enseignement collégial. En 2023, le Cégep de Drummondville l'honorait à nouveau en lui décernant le prix Roch-Nappert pour l'excellence de ses approches pédagogiques, sa grande disponibilité auprès de ses étudiants, sa passion et son engagement dans les activités du cégep.

Luc Amyotte a enseigné les mathématiques au Cégep de Drummondville de 1977 à 2010. Il est titulaire d'un brevet d'enseignement, d'un certificat en sciences sociales, d'un baccalauréat en mathématiques, d'un baccalauréat en administration des affaires, d'un baccalauréat en sciences économiques, d'une maîtrise en mathématiques et d'une maîtrise en enseignement des mathématiques. Il est auteur ou co-auteur de plusieurs ouvrages couronnés par de nombreux prix :

- *Introduction à l'algèbre linéaire et à ses applications* (5e édition, ERPI, 2024). Prix du ministre de l'Éducation – Notes de cours (1999) ;
- *Calcul différentiel : sciences humaines* (avec Josée Hamel, ERPI, 2023) ;
- *Calcul différentiel* (3e édition, avec Josée Hamel, ERPI, 2024). Prix Adrien-Pouliot de l'AMQ (2007) et prix de la ministre de l'Éducation, du Loisir et du Sport (2007) ;
- *Méthodes quantitatives : applications à la recherche en sciences humaines* (5e édition, avec Jean-Nicolas Pépin, ERPI, 2023). Prix du ministre de l'Enseignement supérieur, de la Recherche, de la Science et de la Technologie (2012-2013) ;
- *Complément de méthodes quantitatives : applications à la recherche en sciences humaines* (3e édition, avec Jean-Nicolas Pépin, ERPI, 2024) ;
- *Calcul intégral* (3e édition, ERPI, 2024). Mention (notes de cours) au concours des prix du ministre de l'Éducation, du Loisir et du Sport (2005) et prix Frère-Robert de l'AMQ (2006) ;
- *Méthodes quantitatives : formation complémentaire* (ERPI, 1998). Mention au concours des prix du ministre de l'Éducation (1999) et prix Adrien-Pouliot de l'Association mathématique du Québec (AMQ) (1999) ;
- *Introduction au calcul avancé et à ses applications en sciences* (ERPI, 2004). Prix Frère-Robert de l'AMQ (2002) et prix du ministre de l'Éducation (2003).

En 2004, le Cégep de Drummondville l'honorait en lui décernant le prix Roch-Nappert pour la qualité de son enseignement. En 2005, l'Association québécoise de pédagogie collégiale lui décernait une mention d'honneur pour souligner l'excellence et le professionnalisme de son travail dans l'enseignement collégial. En 2010, le Cégep de Drummondville l'honorait à nouveau en lui décernant le prix de la réussite en enseignement en raison de ses méthodes pédagogiques novatrices, de son engagement auprès de ses étudiantes et de ses étudiants, et de ses actions axées sur les valeurs éducatives. Il a été le premier lauréat de ce prix. En 2014, le Cégep de Drummondville lui adjugeait le prix « Bâtisseur » remis à un retraité qui a contribué de manière exemplaire à l'essor de l'organisation par l'efficacité de ses interventions, son travail rigoureux et ses idées novatrices. Enfin, la Chambre de commerce et d'industrie de Drummond l'a mis en nomination au titre de personnalité de l'année en 2003 et en 2014.

TABLE DES MATIÈRES

CHAPITRE 2

CHAPITRE 3

Dérivée des fonctions transcendantes

CHAPITRE 4

Taux liés et différentielles

ANNEXE

Rappels de notions mathématiques 391

CHAPITRE 1

LIMITE ET CONTINUITÉ

> La notion de limite est la vraie métaphysique du calcul différentiel.
>
> **Jean Le Rond d'Alembert**

L'être humain a élaboré des systèmes de numération pour tenir une comptabilité, il a créé la géométrie et la trigonométrie pour mesurer le territoire, et il a conçu l'algèbre pour formuler et résoudre des équations. Avec le temps, ces avancées intellectuelles importantes, mais rudimentaires, se révélèrent insuffisantes. C'est alors qu'apparurent des idées sophistiquées comme celles de fonction, de limite, de continuité et de dérivée, qui sont à la base du calcul différentiel.

Le calcul différentiel est la partie des mathématiques supérieures qui a pour objet l'étude de la sensibilité d'une fonction à de faibles fluctuations de son argument. Il est indispensable à l'analyse mathématique du mouvement et du changement, c'est-à-dire à l'étude des phénomènes dynamiques. Dans ce chapitre, nous aborderons donc les notions de limite et de continuité, qui permettent de mettre en place les fondements théoriques du calcul différentiel. Nous traiterons également du concept d'infini dans le but précis d'étudier le comportement asymptotique d'une fonction.

OBJECTIFS

- Illustrer l'utilisation du concept de limite dans des situations concrètes (1.1).
- Traduire en ses mots une expression symbolique où apparaît le concept de limite (1.2, 1.4, 1.5 et 1.6).
- Traduire de manière symbolique une situation décrite dans la langue courante (1.2, 1.5 et 1.6).
- Utiliser les différentes notations de limite (limite en un point, limite à gauche, limite à droite, limite à l'infini, limite infinie, etc.) de manière appropriée (1.2, 1.3, 1.4, 1.5 et 1.6).
- Estimer une limite à partir d'un graphique ou d'un tableau de valeurs approprié (1.2).
- Donner l'équation d'une asymptote horizontale ou d'une asymptote verticale à la courbe décrite par une fonction (1.2).
- Utiliser les propriétés des limites pour évaluer une limite ou dire pourquoi celle-ci n'existe pas (1.3, 1.4 et 1.5).
- Lever une indétermination de la forme $\frac{0}{0}$, $\frac{\infty}{\infty}$ ou $\infty - \infty$ (1.6).
- Déterminer (de manière graphique ou à l'aide de la définition) si une fonction est continue en un point ou sur un intervalle (1.7).
- Déterminer, s'il y a lieu, en quels points une fonction admet une discontinuité (1.7).
- Donner la nature d'une discontinuité d'une fonction (1.7).

SOMMAIRE

ANIMATIONS GEOGEBRA

UN PORTRAIT DE
Karl Theodor Wilhelm Weierstrass

Karl Theodor Wilhelm Weierstrass

Karl Theodor Wilhelm Weierstrass est né le 31 octobre 1815 à Osterfelde en Allemagne. Il était l'aîné des quatre enfants de Wilhelm Weierstrass et de Theodora Vonderforst. Wilhelm était fonctionnaire, et son emploi l'obligeait à déménager fréquemment, de sorte que Karl fréquenta de nombreuses écoles. En dépit de cela, et bien qu'il dût travailler à temps partiel pour subvenir aux besoins de la famille, Karl réussissait très bien à l'école secondaire. Adolescent, il lisait déjà régulièrement le *Journal de Crelle*, une des premières et des plus prestigieuses revues savantes, entièrement consacré aux mathématiques. Constatant le talent de son fils pour les chiffres, le père de Karl l'orienta vers des études en administration, en droit et en finance à l'Université de Bonn afin qu'il devînt comptable. Karl obtempéra, mais il n'acheva pas sa formation, consacrant plutôt son temps à pratiquer l'escrime et à boire dans les nombreuses tavernes de la région. Toutefois, son intérêt pour les mathématiques ne se démentit pas durant cette période trouble de sa vie. En fait, il eut le temps de lire la célèbre *Mécanique céleste* de P. S. Laplace (1749-1827), des travaux sur les fonctions et les intégrales elliptiques de C. G. J. Jacobi (1804-1851) et les notes de cours de C. Gudermann (1798-1852).

Après avoir quitté l'Université de Bonn, Karl s'inscrivit à une académie de Münster pour obtenir un brevet d'enseignement, qui lui fut décerné en 1841. Au cours de ses études à Münster, il suivit des cours de C. Gudermann, qui allait l'influencer grandement. En 1842, il entreprit sa carrière d'enseignant. Il dut enseigner non seulement les mathématiques, mais également la physique, la botanique, l'histoire, l'allemand, la calligraphie et même la gymnastique. Isolé des milieux de la recherche et submergé par une charge d'enseignement très lourde, Weierstrass n'avait que peu de temps à consacrer au développement de concepts mathématiques. Pourtant en 1854, à 39 ans, âge généralement considéré comme très avancé pour une première publication, Weierstrass publia *Zur Theorie der Abelschen Functionem* dans le *Journal de Crelle*. Cet article se révéla si important et si remarquable que l'Université de Königsberg lui décerna un doctorat honorifique le 31 mars 1854. À partir de ce moment, de nombreuses universités allemandes et autrichiennes le courtisèrent pour lui offrir un poste de professeur. C'est ainsi qu'en 1856, il commença sa carrière de professeur d'université, d'abord dans un institut technique, puis à l'Université de Berlin.

Au cours de ses nombreuses années d'enseignement secondaire, Weierstrass avait acquis des habiletés pédagogiques remarquables, qui ne firent que se développer à l'université. Les étudiants affluaient de partout dans le monde, et par centaines, pour suivre ses cours, non seulement parce qu'il abordait des thématiques avancées et innovatrices, mais également parce que ses exposés étaient d'une grande limpidité malgré la difficulté inhérente des sujets traités.

Tout au long de sa carrière universitaire, Weierstrass insista sur l'importance de la rigueur en mathématiques, à ce point qu'on le considère encore aujourd'hui comme le « père de l'analyse mathématique moderne ».

Parmi les contributions remarquables de Weierstrass aux mathématiques, soulignons qu'il fut le premier à présenter une fonction continue partout sur les réels, mais dérivable en aucun point, soit la fonction

$$f(x) = \sum_{n=0}^{\infty} a^n \cos(\pi b^n x)$$

où $0 < a < 1$, b est un entier impair plus grand que 1 et $ab > 6$. Ce résultat est tellement contraire à l'intuition que le célèbre mathématicien Charles Hermite (1822-1901) déclara: « Je me détourne avec effroi et horreur de cette plaie lamentable des fonctions continues qui n'ont pas de dérivées. » Weierstrass fut également le premier à donner la définition moderne du concept de limite à l'aide des ε et des δ. De plus, il définit avec plus de rigueur encore que ses prédécesseurs la notion de continuité, et il introduisit le concept de convergence uniforme. Enfin, c'est lui qui fut le premier à utiliser le symbole | | pour désigner la valeur absolue d'un nombre. Dans les dictionnaires de mathématiques, le nom de Weierstrass est associé à plusieurs concepts et théorèmes, les plus importants étant sans doute le critère de convergence uniforme de Weierstrass, le théorème d'approximation de Weierstrass (dit aussi de Stone-Weierstrass), le théorème de Bolzano-Weierstrass et le théorème de Lindemann-Weierstrass.

Même si Weierstrass ne publia pas beaucoup, il laissa un héritage considérable aux mathématiques, plusieurs de ses élèves s'étant révélés des mathématiciens et des mathématiciennes hors pair. Signe de sa grande ouverture d'esprit pour l'époque, il fut notamment le directeur de thèse de Sonya Kovalevsky (1850-1891), la première femme de l'histoire à recevoir un doctorat en mathématiques.

Weierstrass fut très malade tout au long de sa vie. Il souffrait de vertiges, à tel point qu'il lui arrivait de tomber en classe. Vers la fin de sa vie, il donnait ses cours assis pendant qu'un étudiant doué transcrivait ses propos au tableau. Il mourut d'une pneumonie le 19 février 1897 à Berlin.

1.1 LA LIMITE : UNE APPROCHE INTUITIVE

DANS CETTE SECTION : *vitesse moyenne – vitesse instantanée – taux de variation moyen – taux de variation instantané.*

Animations GeoGebra
Introduction au calcul différentiel

Trouvez cette animation sur la plateforme *i+ Interactif.*

La limite est une notion fondamentale dans l'étude du calcul différentiel et intégral. Elle permet d'analyser le comportement d'une fonction autour d'une valeur. Elle permet également de définir le concept de dérivée, dont les applications sont nombreuses, comme nous le verrons dans les prochains chapitres. Illustrons ce concept clé à l'aide de quelques exemples.

EXEMPLE 1.1

Considérons un aquarium vide. On y verse de l'eau à un certain rythme. Notons h la fonction donnant la hauteur du niveau de l'eau (en centimètres) dans l'aquarium au temps t (en secondes), et $V(h)$ la fonction donnant le volume d'eau (en centimètres cubes) dans l'aquarium au même moment (FIGURE 1.1).

FIGURE 1.1
Volume d'eau en fonction du temps

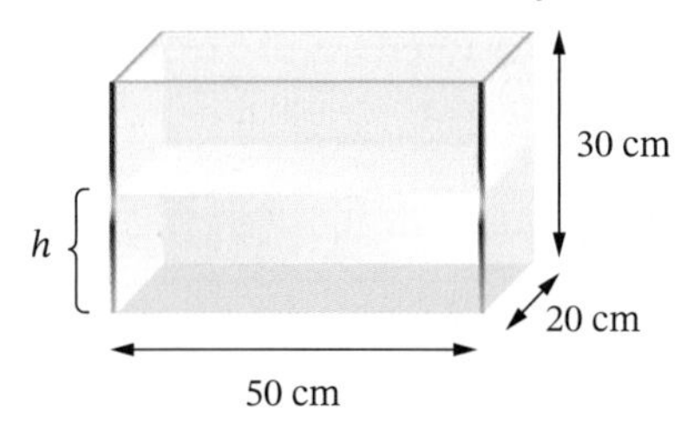

Lorsque la hauteur du niveau de l'eau s'approche de 10 cm, on peut vouloir trouver la valeur de laquelle s'approche le volume d'eau dans l'aquarium. Il s'agit là d'un problème simple dont la solution est tout aussi simple.

En effet, on sait qu'il y a un lien entre le volume d'eau dans l'aquarium et la hauteur du niveau de l'eau. Ce lien est donné par la fonction

$$V(h) = 50 \times 20 \times h = 1\,000 \times h \text{ cm}^3$$

Plus la hauteur (h) s'approche de 10 cm, plus le volume (V) s'approche de 10 000 cm^3 (soit $50 \times 20 \times 10$).

On écrira alors $\lim\limits_{h \to 10} V(h) = 10\,000$ cm^3, ce qui se traduit par « la limite du volume d'eau $V(h)$, lorsque la hauteur h s'approche de 10 cm, est de 10 000 cm^3 ».

Nous verrons plus loin que, lorsqu'on a des fonctions liées (comme la hauteur et le volume dans cet exemple), on peut déduire la vitesse à laquelle une des fonctions varie en connaissant la vitesse de variation de l'autre fonction. C'est ce qu'on appelle un problème de taux liés.

EXEMPLE 1.2

Animations GeoGebra
Approche intuitive de la limite

Trouvez cette animation sur la plateforme *i+ Interactif.*

Un des problèmes de base en calcul différentiel est le calcul d'une vitesse instantanée. Considérons la situation ci-dessous.

On lance une balle vers le haut à partir d'une hauteur de 1 m avec une vitesse initiale de 9,8 m/s. En vertu de lois physiques, la position de la balle (sa hauteur mesurée en mètres) est donnée par la fonction $s(t) = -4{,}9t^2 + 9{,}8t + 1$, où t est le temps (en secondes) écoulé depuis le lancement.

On veut déterminer la vitesse (instantanée) de la balle 0,5 s après son lancement.

Vitesse moyenne
La vitesse moyenne d'un mobile est le quotient de la distance parcourue par le mobile par rapport au temps de parcours.

Calculons d'abord la **vitesse moyenne** de la balle entre 0,5 s et 1 s. Il faut se rappeler qu'une vitesse s'exprime comme le quotient d'une distance par rapport au temps. Ainsi, la vitesse moyenne est donnée par

$$v_{\text{moyenne}} = \frac{\text{Variation de la position de la balle}}{\text{Variation du temps}} = \frac{\Delta s}{\Delta t}$$

$$= \frac{s(1) - s(0{,}5)}{1 - 0{,}5} = \frac{5{,}9 - 4{,}675}{0{,}5} = 2{,}45 \text{ m/s}$$

La vitesse moyenne s'exprime en mètres par seconde, car, au numérateur, on retrouve une variation de la position de la balle (exprimée en mètres), et, au dénominateur, une variation de temps (exprimée en secondes).

On note Δs la variation de la position de la balle sur l'intervalle de temps considéré et Δt la variation du temps (ou la longueur de l'intervalle de temps). La lettre grecque Δ (delta) correspond au D de notre alphabet et, dans le contexte, elle signifie différence ou variation.

Graphiquement (FIGURE 1.2), cette vitesse moyenne représente la pente de la droite sécante au graphique de la fonction $s(t)$ passant par les points $(0{,}5;4{,}675)$ et $(1;5{,}9)$.

Pour trouver la vitesse de la balle lorsque $t = 0{,}5$ s, considérons des intervalles de temps de plus en plus courts à partir de $t = 0{,}5$ (TABLEAU 1.1).

FIGURE 1.2

Position d'une balle en fonction du temps

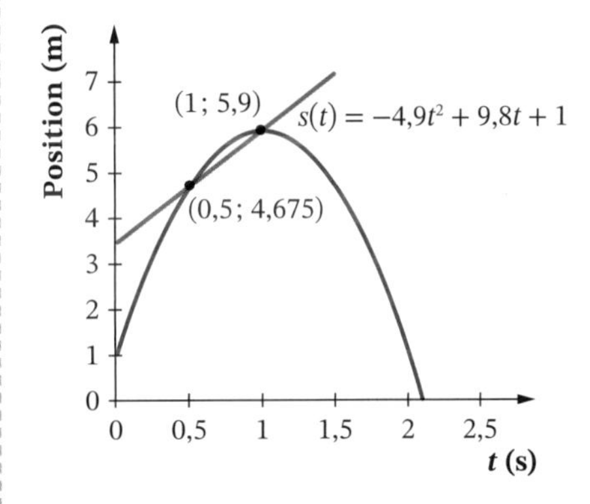

TABLEAU 1.1

Calcul d'une vitesse moyenne

Intervalle de temps (s)	Vitesse moyenne sur l'intervalle (m/s)
[0,5; 1]	2,45
[0,5; 0,6]	4,41
[0,5; 0,51]	4,851
[0,5; 0,501]	4,895 1
[0,5; 0,500 1]	4,899 51
[0,5; 0,500 01]	4,899 951

On remarque que, plus l'intervalle de temps est petit, plus la vitesse moyenne s'approche de 4,9 m/s. Il est plausible de penser que la vitesse instantanée de la balle après 0,5 s, soit la vitesse de la balle à cet instant précis, est de 4,9 m/s.

Vitesse instantanée

La vitesse instantanée d'un mobile est la limite des vitesses moyennes du mobile lorsque la longueur des intervalles de temps sur lesquels les vitesses moyennes sont calculées tend vers 0.

On obtiendrait le même résultat en se rapprochant de $t = 0{,}5$ par des valeurs inférieures à ce nombre (TABLEAU 1.2).

On définit la **vitesse instantanée** comme la limite des vitesses moyennes lorsque la longueur des intervalles sur lesquels les vitesses moyennes sont calculées s'approche de 0.

TABLEAU 1.2

Calcul d'une vitesse moyenne

Intervalle de temps (s)	Vitesse moyenne sur l'intervalle (m/s)
[0; 0,5]	7,35
[0,4; 0,5]	5,39
[0,49; 0,5]	4,949
[0,499; 0,5]	4,904 9
[0,499 9; 0,5]	4,900 49
[0,499 99; 0,5]	4,900 049

Comme on peut le constater sur la FIGURE 1.3, au fur et à mesure que l'intervalle de temps se rétrécit, la sécante dont on calcule la pente pour trouver la vitesse moyenne se déplace et se rapproche de plus en plus de la droite tangente à la courbe lorsque $t = 0{,}5$ s, c'est-à-dire la droite qui ne fait qu'effleurer la courbe lorsque $t = 0{,}5$ s. Ainsi, la vitesse instantanée est donnée par la pente de la droite tangente au graphique de $s(t)$ lorsque $t = 0{,}5$ s.

FIGURE 1.3

Interprétation géométrique de la vitesse instantanée

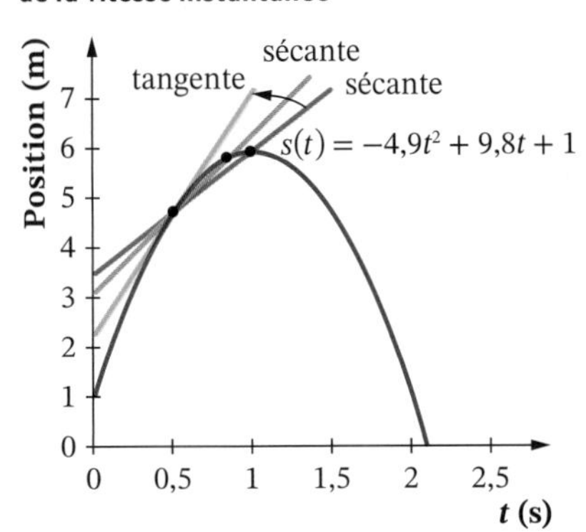

Cet exemple de taux de variation instantané nous servira à introduire la notion de dérivée au chapitre 2.

EXEMPLE 1.3

Animations GeoGebra
Approche intuitive de la limite

Trouvez cette animation sur la plateforme *i+ Interactif*.

La démarche proposée à l'exemple précédent ne sert pas seulement en physique. On la retrouve dans une multitude d'applications. Voyons comment on peut s'en servir pour étudier la croissance d'une population.

Soit une population dont la taille (en milliers d'individus) au temps t (en années) est donnée par la fonction $N(t) = \dfrac{200t}{1+t} + 60$.

On veut déterminer le taux de variation instantané (aussi appelé taux de croissance) de la population après 1 an.

Taux de variation moyen

Le taux de variation moyen d'une fonction $f(x)$ sur un intervalle $[a, b]$ est le quotient obtenu en divisant la variation de la fonction sur l'intervalle par la longueur de cet intervalle, soit $\dfrac{\Delta f}{\Delta x} = \dfrac{f(b) - f(a)}{b - a}$.

Calculons d'abord le **taux de variation moyen** de la taille de la population (aussi appelé taux de croissance moyen) sur l'intervalle $[1, 2]$. Il correspond au quotient obtenu en divisant la variation de la taille de la population sur cet intervalle par la variation du temps (ou la longueur de l'intervalle de temps).

$$\begin{aligned}\text{Taux de croissance moyen} &= \frac{\text{Variation de la taille de la population}}{\text{Longueur de l'intervalle de temps}} \\ &= \frac{\Delta N}{\Delta t} \\ &= \frac{N(2) - N(1)}{2 - 1} \\ &= \frac{193{,}\overline{3} - 160}{1} \\ &= 33{,}\overline{3} \text{ milliers d'individus/année}\end{aligned}$$

Ainsi, sur l'intervalle de temps $[1, 2]$, la population augmente au rythme d'environ 33,3 milliers d'individus par année. Le taux de croissance moyen s'exprime en milliers d'individus par année, car, au numérateur, on retrouve une variation de la taille de la population (exprimée en milliers d'individus), et, au dénominateur, une variation de temps (exprimée en années).

Graphiquement (**FIGURE 1.4**), ce taux de varition moyen (ou taux de croissance moyen) représente la pente de la droite sécante au graphique de la fonction $N(t)$ passant par les points $(1; 160)$ et $(2; 193{,}\overline{3})$.

Pour trouver le taux de variation instantané (ou taux de croissance) de la population lorsque $t = 1$ an, considérons des intervalles de temps de plus en plus courts à partir de $t = 1$ (**TABLEAU 1.3**).

FIGURE 1.4
Population en fonction du temps

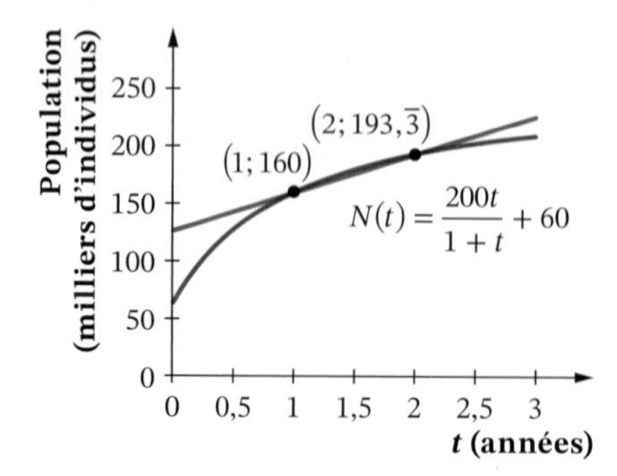

TABLEAU 1.3
Calcul d'un taux de croissance moyen

Intervalle de temps (année)	Taux de croissance moyen (milliers d'individus/année)
[1; 2]	33,333
[1; 1,5]	40
[1; 1,1]	47,619
[1; 1,01]	49,751
[1; 1,001]	49,975
[1; 1,000 1]	49,998

On remarque que, plus l'intervalle de temps est petit, plus le taux de croissance moyen s'approche de 50 milliers d'individus par année. Il est plausible de penser que le taux de variation instantané (ou taux de croissance) de la population après 1 an est de 50 milliers d'individus par année.

On obtiendrait le même résultat en se rapprochant de $t = 1$ par des valeurs inférieures à ce nombre.

Taux de variation instantané
Le taux de variation instantané d'une fonction est la limite des taux de variation moyens lorsque la longueur des intervalles sur lesquels ces taux de variation moyens sont calculés tend vers 0.

On définit le **taux de variation instantané** (ou taux de croissance) de la population comme la limite des taux de variation moyens (ou des taux de croissance moyens) lorsque la longueur des intervalles sur lesquels ces taux de variation moyens sont calculés s'approche de 0.

Graphiquement (FIGURE 1.5), le taux de croissance de la population après 1 an est la pente de la droite tangente au graphique de $N(t)$ lorsque $t = 1$ an. Comme précédemment, la droite tangente est celle qui ne fait qu'effleurer la courbe lorsque $t = 1$.

FIGURE 1.5
Interprétation géométrique du taux de variation instantané

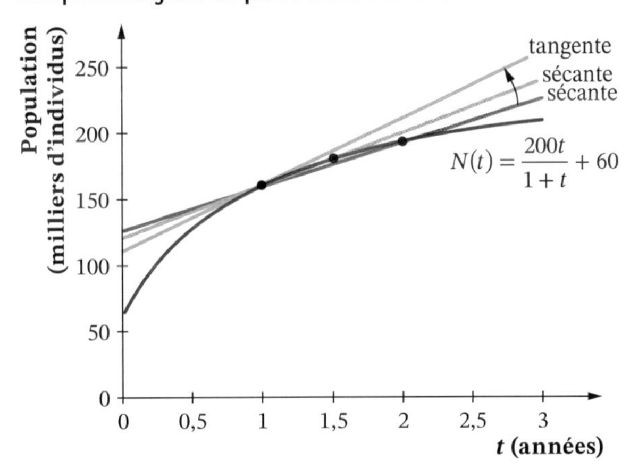

Comme nous venons de le constater, la démarche pour trouver le taux de croissance est exactement la même que celle utilisée à l'exemple 1.2 (p. 6) pour trouver la vitesse instantanée. Encore une fois, la notion de limite est sous-jacente à la résolution du problème.

Animations GeoGebra
Approximations d'une aire sous une courbe

Trouvez cette animation sur la plateforme *i+ Interactif*.

EXEMPLE 1.4

Supposons que l'on veuille déterminer l'aire de la région ombrée dans la FIGURE 1.6.

On ne connaît pas de formule permettant d'obtenir facilement la valeur de l'aire de la surface, parce qu'une partie de sa frontière est curviligne. On peut cependant approximer cette aire à l'aide d'une somme d'aires de rectangles (FIGURE 1.7).

FIGURE 1.6
Aire sous une courbe

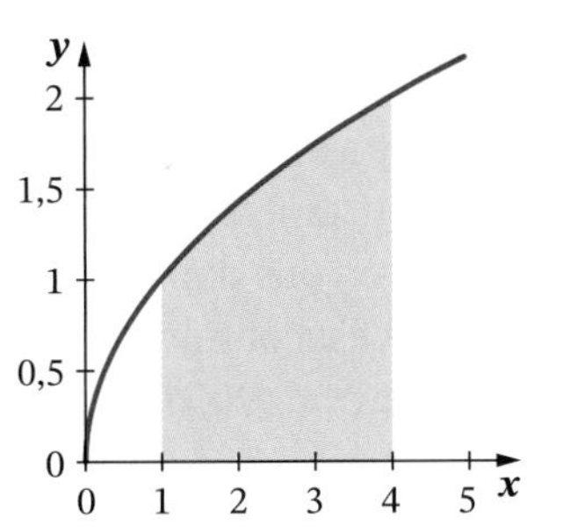

FIGURE 1.7
Approximations d'une aire sous une courbe

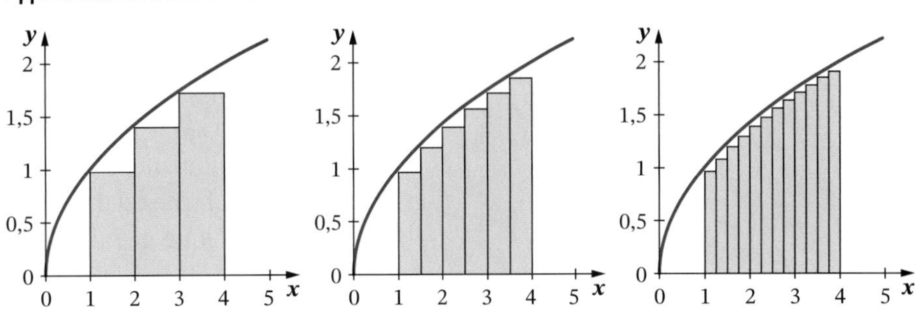

On remarque que, plus le nombre de rectangles augmente et plus leur largeur diminue, plus la somme des aires des rectangles se rapproche de l'aire de la région ombrée.

On peut donc penser que l'aire cherchée est la limite de la somme des aires des rectangles quand le nombre de rectangles devient de plus en plus grand et que ceux-ci deviennent de plus en plus minces. C'est ce procédé de limite qui est utilisé en calcul intégral.

EXEMPLE 1.5

La tarification de type D (domiciles) d'Hydro-Québec pour l'utilisation de l'électricité est une fonction un peu particulière qui dépend de la consommation en kilowattheure (kWh). Pour une période de 30 jours, la facture* d'un abonné est calculée de la façon suivante :

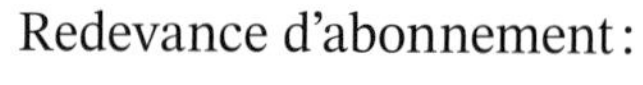

Redevance d'abonnement :	43,505 ¢ par jour
Les 1 200 premiers kWh :	6,509 ¢ le kWh
Consommation excédant 1 200 kWh :	10,041 ¢ le kWh

Le coût $C(x)$ de la facture d'un abonné ayant une consommation (pour une période de 30 jours) de x kWh (où $x \leq 1\,200$) est donné par

$$C(x) = 43{,}505(30) + 6{,}509x = 6{,}509x + 1\,305{,}15$$

Par ailleurs, le coût $C(x)$ de la facture d'un abonné ayant une consommation (pour une période de 30 jours) de x kWh (où $x > 1\,200$) est donné par

$$C(x) = 43{,}505(30) + 6{,}509(1\,200) + 10{,}041\underbrace{(x - 1\,200)}_{\text{Excédent de consommation}} = 10{,}041x - 2\,933{,}25$$

Pour une période de 30 jours, le coût $C(x)$ de la consommation de x kWh d'un abonné d'Hydro-Québec est donc donné par la fonction

$$C(x) = \begin{cases} 6{,}509x + 1\,305{,}15 & \text{si } x \leq 1\,200 \\ 10{,}041x - 2\,933{,}25 & \text{si } x > 1\,200 \end{cases}$$

Quel sera le montant facturé à un client qui a une consommation (pour une période de 30 jours) voisine de 1 200 kWh ? Ici, il faut faire attention, car la fonction coût n'est pas la même pour une consommation inférieure à 1 200 kWh que pour une consommation supérieure à 1 200 kWh.

Si ce client a une consommation légèrement inférieure à 1 200 kWh, le coût de sa facture sera voisin de $6{,}509(1\,200) + 1\,305{,}15 = 9\,115{,}95$ ¢ (environ 91,16 $).

Si ce client a une consommation légèrement supérieure à 1 200 kWh, le coût de sa facture sera voisin de $10{,}041(1\,200) - 2\,933{,}25 = 9\,115{,}95$ ¢ (environ 91,16 $).

On peut donc penser que la limite de la fonction donnant le coût de la facture d'un abonné quand la consommation (pour une période de 30 jours) s'approche de 1 200 kWh est égale à 9 115,95 ¢.

Il peut sembler surprenant qu'on obtienne le même coût pour une consommation voisine de 1 200 kWh avec des fonctions différentes. Pourtant, cela semble être confirmé graphiquement (**FIGURE 1.8**). Comme nous le verrons dans la section 1.7, cette particularité est due au fait que la fonction coût est continue, c'est-à-dire que son graphique ne présente pas de brisure lorsque $x = 1\,200$ kWh.

* Tarifs en vigueur en date du 1 avril 2023.

FIGURE 1.8

Coût en fonction de la consommation

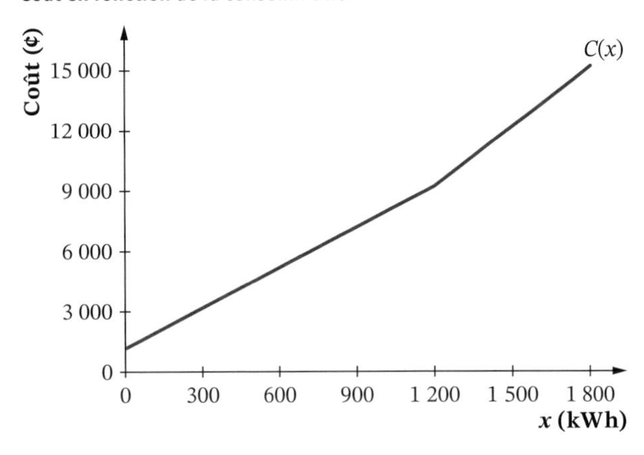

EXEMPLE 1.6

Pour stationner votre voiture sur un terrain de stationnement, vous devez payer 3 $ pour la première heure (ou fraction d'heure) et 2 $ pour chaque heure (ou fraction d'heure) additionnelle jusqu'à un maximum de 10 $ par jour.

Animations GeoGebra

Estimation d'une limite finie ou infinie

Trouvez cette animation sur la plateforme *i+ Interactif*.

Quel sera le coût de votre stationnement si vous laissez votre voiture pour une durée d'environ 2 h sur ce terrain ?

La fonction donnant le coût de stationnement en fonction du temps t (en heures) est donnée par

$$C(t) = \begin{cases} 3 & \text{si } 0 < t \leq 1 \\ 5 & \text{si } 1 < t \leq 2 \\ 7 & \text{si } 2 < t \leq 3 \\ 9 & \text{si } 3 < t \leq 4 \\ 10 & \text{si } 4 < t \leq 24 \end{cases}$$

Comme on peut le constater sur la FIGURE 1.9, si le temps de stationnement est légèrement inférieur à 2 h, il en coûtera 5 $ pour le stationnement. En revanche, si le temps de stationnement est légèrement supérieur à 2 h, il en coûtera 7 $.

FIGURE 1.9

Coût en fonction du temps

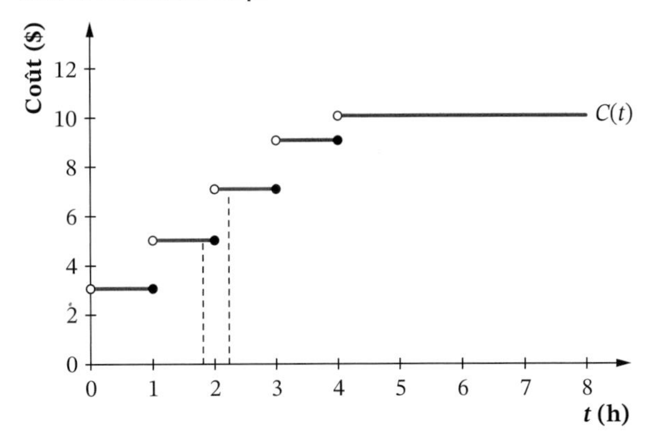

On ne peut toutefois pas dire quel sera le coût de stationnement si on laisse la voiture pour une durée d'environ 2 h à cet endroit, car le prix diffère selon que le temps est légèrement inférieur ou légèrement supérieur à 2 h.

On peut donc dire que la limite de la fonction coût de stationnement lorsque le temps de stationnement est voisin de 2 h n'existe pas.

Comme nous le verrons à la section 1.7, une fonction qui a un tel comportement est dite discontinue en $t = 2$ parce que son graphique présente une brisure en cette valeur.

1.2 ESTIMATION D'UNE LIMITE À L'AIDE D'UN GRAPHIQUE OU D'UN TABLEAU DE VALEURS

DANS CETTE SECTION : *limite – domaine d'une fonction – limite à gauche – limite à droite – limite infinie – asymptote – asymptote verticale – limite à l'infini – limite à moins l'infini – asymptote horizontale.*

Comme nous venons de le constater, la notion de limite s'applique à plusieurs contextes très différents les uns des autres. Nous allons donc nous y intéresser un peu plus.

1.2.1 ESTIMATION D'UNE LIMITE FINIE

Évaluer une limite, c'est étudier le comportement d'une fonction $f(x)$ quand x devient de plus en plus proche d'une certaine valeur.

Animations GeoGebra
Estimation d'une limite finie ou infinie

Trouvez cette animation sur la plateforme *i+ Interactif.*

EXEMPLE 1.7

Considérons la fonction $f(x) = x^2$. De quelle valeur la fonction f s'approche-t-elle quand x est de plus en plus proche de 2?

Sur la FIGURE 1.10, on constate que plus x s'approche de 2, plus la valeur de la fonction $f(x) = x^2$ se rapproche de 4. On dit alors que la limite de la fonction $f(x)$ quand x tend vers 2 est égale à 4, ce qui se traduit symboliquement par l'expression mathématique $\lim_{x \to 2} f(x) = 4$.

FIGURE 1.10
$\lim_{x \to 2} x^2$

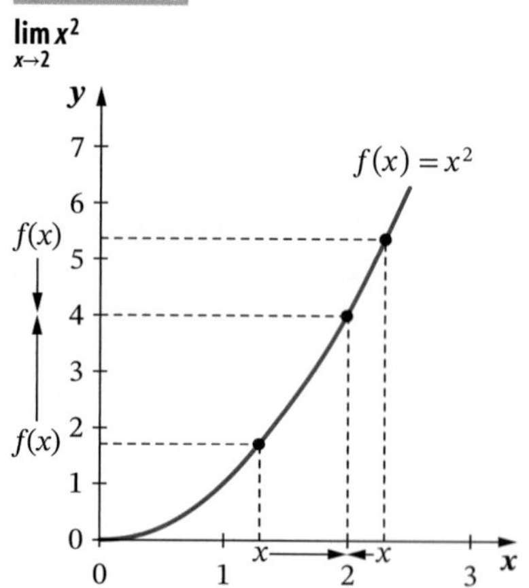

On peut également estimer cette limite à l'aide d'un tableau de valeurs (TABLEAU 1.4).

TABLEAU 1.4
$\lim_{x \to 2} x^2$

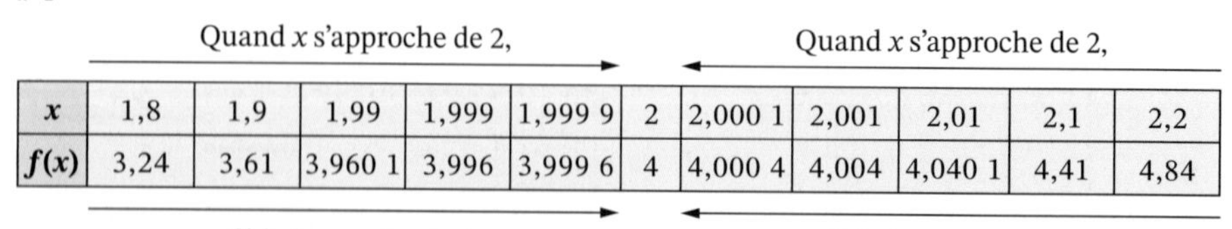

Quand x s'approche de 2, → ← Quand x s'approche de 2,

x	1,8	1,9	1,99	1,999	1,999 9	2	2,000 1	2,001	2,01	2,1	2,2
$f(x)$	3,24	3,61	3,960 1	3,996	3,999 6	4	4,000 4	4,004	4,040 1	4,41	4,84

$f(x)$ s'approche de 4. → ← $f(x)$ s'approche de 4.

On obtient bien sûr le même résultat que celui obtenu à partir du graphique : plus x s'approche de 2 (par des valeurs inférieures ou supérieures à 2), plus la valeur de la fonction $f(x)$ s'approche de 4.

On dit que la **limite** de la fonction $f(x)$ quand x tend vers a vaut L, si la fonction $f(x)$ prend des valeurs de plus en plus proches de L lorsque x prend des valeurs de plus en plus proches de a, mais différentes de a. On écrira alors $\lim_{x \to a} f(x) = L$. Ainsi, dans l'exemple 1.7, on écrirait $\lim_{x \to 2} x^2 = 4$.

Limite
On dit que la limite de la fonction $f(x)$ quand x tend vers a vaut L si la fonction $f(x)$ prend des valeurs de plus en plus proches de L lorsque x prend des valeurs de plus en plus proches de a, mais différentes de a. On écrit alors $\lim_{x \to a} f(x) = L$.

RAPPEL Le domaine d'une fonction

Domaine d'une fonction
Le domaine d'une fonction $f(x)$ est l'ensemble des valeurs de x pour lesquelles la fonction $f(x)$ est définie. On note cet ensemble par Dom_f.

Le **domaine d'une fonction** $f(x)$ est l'ensemble des valeurs de x pour lesquelles la fonction $f(x)$ est définie. On note cet ensemble par Dom_f.

Les valeurs de x pour lesquelles la fonction n'existe pas ($\nexists$) sont exclues du domaine de la fonction. Par exemple, si une valeur x entraîne une division par 0 ou une valeur négative sous une racine paire (racine carrée, racine quatrième, etc.), alors on exclura cette valeur x du domaine de la fonction $f(x)$.

Soit la fonction $f(x) = \dfrac{x+1}{x-2}$. Alors, $x = 1$ fait partie du domaine de la fonction f, car $f(1) = \dfrac{1+1}{1-2} = -2$.

En revanche, $x = 2$ ne fait pas partie du domaine de la fonction f, car $f(2)$ n'existe pas puisqu'on ne doit pas effectuer une division par 0.

Soit la fonction $g(x) = \sqrt{3-2x}$. Alors, $x = 0$ fait partie du domaine de la fonction g, car $g(0) = \sqrt{3-0} = \sqrt{3}$.

En revanche, $x = 3$ ne fait pas partie du domaine de la fonction g, car $g(3) = \sqrt{3-6} = \sqrt{-3}$ et donc $g(3)$ n'existe pas puisqu'on ne peut pas extraire la racine carrée d'un nombre négatif dans l'ensemble des nombres réels.

Voir l'annexe Rappels de notions mathématiques, p. 414.

EXEMPLE 1.8

On veut estimer $\lim\limits_{x \to 1} \dfrac{x^2+x-2}{x-1}$. Traçons d'abord le graphique de la fonction $f(x) = \dfrac{x^2+x-2}{x-1}$.

Notons que $f(1)$ n'existe pas, car $x = 1$ entraîne une division par 0. Par conséquent, $x = 1$ ne fait pas partie du domaine de la fonction f.

De plus, si $x \neq 1$, on a $f(x) = \dfrac{x^2+x-2}{x-1} = \dfrac{(x+2)\cancel{(x-1)}}{\cancel{x-1}} = x + 2$, qui est l'équation d'une droite. Le graphique de la fonction f est donc celui d'une droite avec un trou (symbolisé par un cercle vide) en $x = 1$ puisque la fonction n'existe pas en ce point, ce qui équivaut à dire qu'elle n'est pas définie en ce point.

FIGURE 1.11
$\lim\limits_{x \to 1} \dfrac{x^2+x-2}{x-1}$

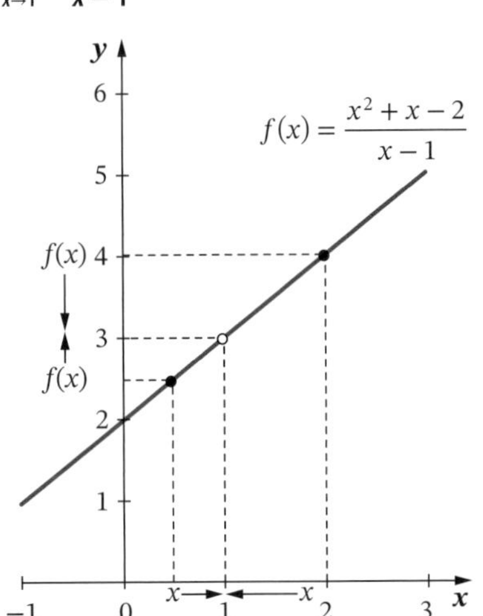

On constate, sur la FIGURE 1.11, que plus x est proche de 1, plus la valeur de la fonction $f(x)$ est proche de 3. Par conséquent, on estime que

$$\lim_{x \to 1} \frac{x^2+x-2}{x-1} = 3$$

Cet exemple nous permet de constater que, même si la fonction n'est pas définie en $x = 1$, on peut quand même évaluer la limite de cette fonction quand x s'approche de 1.

On constate également que $\lim\limits_{x \to 1} \dfrac{x^2+x-2}{x-1} = 3$ à l'aide d'un tableau de valeurs (TABLEAU 1.5, p. 14).

TABLEAU 1.5
$\lim_{x \to 1} \frac{x^2 + x - 2}{x - 1}$

Quand x s'approche de 1, → ← Quand x s'approche de 1,

x	0,8	0,9	0,99	0,999	0,999 9	1	1,000 1	1,001	1,01	1,1	1,2
$f(x)$	2,8	2,9	2,99	2,999	2,999 9	∄	3,000 1	3,001	3,01	3,1	3,2

$f(x)$ s'approche de 3. → ← $f(x)$ s'approche de 3.

QUESTION ÉCLAIR 1.1

Traduisez la phrase sous la forme d'un énoncé écrit avec le symbolisme mathématique approprié.

a) La fonction $f(x) = 2x - 3$ prend des valeurs de plus en plus proches de -2 lorsque x prend des valeurs de plus en plus proches de $1/2$.

b) La fonction $f(x) = \frac{\sqrt{1 - 2x}}{2}$ prend des valeurs de plus en plus proches de $3/2$ lorsque x prend des valeurs de plus en plus proches de -4.

1.2.2 LIMITE À GAUCHE ET LIMITE À DROITE

Certaines fonctions sont plus complexes à étudier. Parfois, une fonction se comporte différemment à gauche d'une valeur de x et à droite de celle-ci. Ce qui nous amène à établir les concepts de limite à gauche et de limite à droite.

Animations GeoGebra
Estimation d'une limite finie ou infinie

Trouvez cette animation sur la plateforme *i+ Interactif.*

EXEMPLE 1.9

Soit la fonction $f(x) = \begin{cases} 4 - x^2 & \text{si } x \leq 1 \\ x - 2 & \text{si } x > 1 \end{cases}$. Étudions le comportement de la fonction autour de $x = 1$ (**FIGURE 1.12**).

FIGURE 1.12
$\lim_{x \to 1} f(x)$

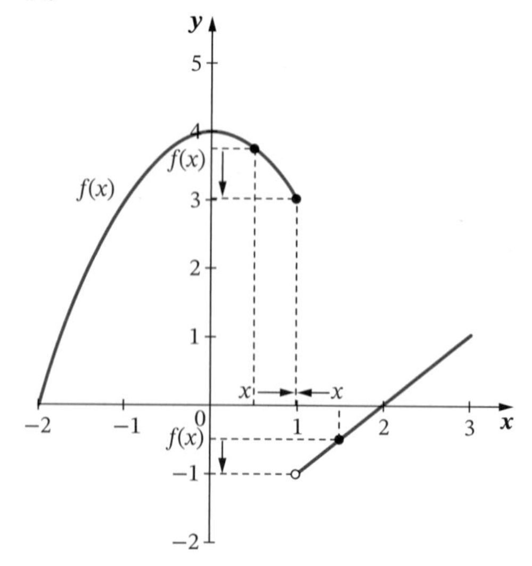

Si x prend des valeurs proches de 1 mais inférieures à 1 (ce qui se traduit en langage symbolique par $x \to 1^-$), alors la valeur de la fonction $f(x)$ s'approche de 3. Cette limite s'appelle limite à gauche, et on la note $\lim_{x \to 1^-} f(x) = 3$.

Si x prend des valeurs proches de 1 mais supérieures à 1 (ce qui se traduit en langage symbolique par $x \to 1^+$), alors la valeur de la fonction $f(x)$ s'approche de -1. Cette limite s'appelle limite à droite, et on la note $\lim_{x \to 1^+} f(x) = -1$.

On remarque ici que $\lim_{x \to 1^-} f(x) \neq \lim_{x \to 1^+} f(x)$. Dans un cas comme celui-ci, c'est-à-dire lorsque la limite à gauche diffère de la limite à droite, on dira que la limite de la fonction $f(x)$ quand x s'approche de 1 n'existe pas et on écrira

$$\lim_{x \to 1} f(x) \text{ n'existe pas } \left[\text{ou } \lim_{x \to 1} f(x) \nexists\right]$$

On aurait également pu obtenir ce résultat avec un tableau de valeurs (**TABLEAU 1.6**).

TABLEAU 1.6

$\lim_{x \to 1} f(x)$

Quand x s'approche de 1 par la gauche ($x \to 1^-$), → ; ← Quand x s'approche de 1 par la droite ($x \to 1^+$),

x	0,8	0,9	0,99	0,999	0,999 9	1	1,000 1	1,001	1,01	1,1	1,2
$f(x)$	3,36	3,19	3,019 9	3,001 999	3,000 199 99	3	−0,999 9	−0,999	−0,99	−0,9	−0,8

$f(x)$ s'approche de 3. → ; ← $f(x)$ s'approche de −1.

On a $\lim_{x \to 1^-} f(x) = 3$ et $\lim_{x \to 1^+} f(x) = -1$. Par conséquent, $\lim_{x \to 1} f(x)$ n'existe pas.

L'exemple 1.9 a permis d'introduire le concept de **limite à gauche**. On dit que la limite de la fonction $f(x)$, quand x tend vers a par la gauche, vaut L [ce qui se traduit en langage symbolique par $\lim_{x \to a^-} f(x) = L$], si la fonction $f(x)$ prend des valeurs de plus en plus proches de L lorsque x prend des valeurs de plus en plus proches de a, mais inférieures à a.

Le concept de **limite à droite** se définit de façon similaire. On dit que la limite de la fonction $f(x)$, quand x tend vers a par la droite, vaut L [ce qui se traduit en langage symbolique par $\lim_{x \to a^+} f(x) = L$], si la fonction $f(x)$ prend des valeurs de plus en plus proches de L lorsque x prend des valeurs de plus en plus proches de a, mais supérieures à a.

Limite à gauche
On dit que la limite de la fonction $f(x)$, quand x tend vers a par la gauche, vaut L [ce qui se traduit en langage symbolique par $\lim_{x \to a^-} f(x) = L$] si la fonction $f(x)$ prend des valeurs de plus en plus proches de L lorsque x prend des valeurs de plus en plus proches de a, mais inférieures à a.

Limite à droite
On dit que la limite de la fonction $f(x)$, quand x tend vers a par la droite, vaut L [ce qui se traduit en langage symbolique par $\lim_{x \to a^+} f(x) = L$] si la fonction $f(x)$ prend des valeurs de plus en plus proches de L lorsque x prend des valeurs de plus en plus proches de a, mais supérieures à a.

Ces deux définitions nous amènent au théorème 1.1.

THÉORÈME 1.1 Existence de la limite d'une fonction

$$\lim_{x \to a} f(x) = L \text{ si et seulement si } \lim_{x \to a^-} f(x) = \lim_{x \to a^+} f(x) = L \text{ où } L \in \mathbb{R}$$

Le théorème 1.1, que nous admettons sans démonstration, nous indique que la limite existe si et seulement si la limite à gauche est égale à la limite à droite. On utilise généralement le symbole $\Leftrightarrow$ (ou l'abréviation ssi) pour représenter l'expression « si et seulement si ».

QUESTIONS ÉCLAIR 1.2

1. Dites dans vos mots ce que signifie l'expression $\lim_{x \to 4^+} (x^2 - 2x + 1) = 9$.

2. Dites dans vos mots ce que signifie l'expression $\lim_{x \to -1^-} \left(\sqrt{x+2} - 3\right) = -2$.

3. Que vaut $\lim_{x \to -4} f(x)$ si $\lim_{x \to -4^-} f(x) = 7$ et $\lim_{x \to -4^+} f(x) = 7$?

4. Que vaut $\lim_{x \to 2/3} f(x)$ si $\lim_{x \to 2/3^-} f(x) = 5/6$ et $\lim_{x \to 2/3^+} f(x) = 7/6$?

EXERCICES 1.1

Animations GeoGebra
Estimation d'une limite finie

Trouvez cette animation sur la plateforme *i+ Interactif*.

1. Estimez l'expression à partir du graphique (FIGURE 1.13).

FIGURE 1.13
$f(x)$

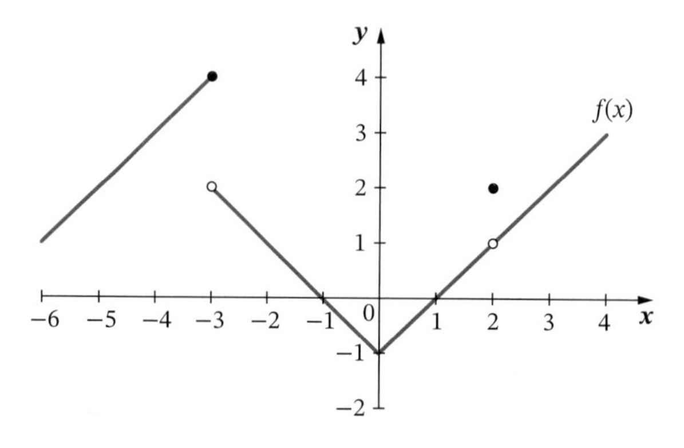

a) $\lim_{x \to -1} f(x)$

b) $\lim_{x \to 3} f(x)$

c) $\lim_{x \to 2^-} f(x)$

d) $\lim_{x \to 2^+} f(x)$

e) $\lim_{x \to 2} f(x)$

f) $f(2)$

g) $\lim_{x \to -3^-} f(x)$

h) $\lim_{x \to -3^+} f(x)$

i) $\lim_{x \to -3} f(x)$

j) $f(-3)$

2. Complétez le tableau de valeurs (TABLEAU 1.7) pour estimer $\lim_{x \to -2} \dfrac{x^3 + 2x^2}{x + 2}$.

TABLEAU 1.7
$\lim_{x \to -2} \dfrac{x^3 + 2x^2}{x + 2}$

x	−2,1	−2,01	−2,001	−2,000 1	−2	−1,999 9	−1,999	−1,99	−1,9
$f(x)$									

3. À l'aide d'un tableau de valeurs, estimez $\lim_{x \to 3} f(x)$ où

$$f(x) = \begin{cases} 11 - x^2 & \text{si } x \leq 3 \\ \sqrt{x+1} & \text{si } x > 3 \end{cases}$$

4. À l'aide d'un tableau de valeurs, estimez $\lim_{x \to 2} f(x)$ où

$$f(x) = \begin{cases} x^3 & \text{si } x < 2 \\ \dfrac{3x^2}{4 - x} & \text{si } x \geq 2 \end{cases}$$

Vous pouvez maintenant faire les exercices récapitulatifs 1 à 6.

1.2.3 LIMITE INFINIE

L'exemple 1.10 nous permettra de constater que la limite d'une fonction n'est pas toujours un nombre réel.

EXEMPLE 1.10

Soit la fonction $f(x) = \dfrac{1}{(x-2)^2}$. Estimons $\lim_{x \to 2} f(x)$ à l'aide d'un tableau de valeurs (**TABLEAU 1.8**).

Animations GeoGebra
Estimation d'une limite finie ou infinie

Trouvez cette animation sur la plateforme *i+ Interactif*.

TABLEAU 1.8

$\lim_{x \to 2} \dfrac{1}{(x-2)^2}$

Quand x s'approche de 2 par la gauche ($x \to 2^-$), → ← Quand x s'approche de 2 par la droite ($x \to 2^+$),

x	1,8	1,9	1,99	1,999	2	2,001	2,01	2,1	2,2
$f(x)$	25	100	10 000	1 000 000	$\nexists$	1 000 000	10 000	100	25

$f(x)$ devient de plus en plus grand. → ← $f(x)$ devient de plus en plus grand.

On constate que plus x se rapproche de 2, plus la valeur de la fonction $f(x)$ devient grande, de sorte que la limite est infinie, la valeur de la fonction augmentant sans fin. Pour décrire un tel comportement d'une fonction, on utilise le symbole mathématique de l'infini, soit ∞. Ainsi, on écrira $\lim_{x \to 2^-} f(x) = \infty$ et $\lim_{x \to 2^+} f(x) = \infty$. Par conséquent, $\lim_{x \to 2} f(x) = \infty$.

La **FIGURE 1.14** permet de confirmer ce résultat.

FIGURE 1.14

$f(x) = \dfrac{1}{(x-2)^2}$

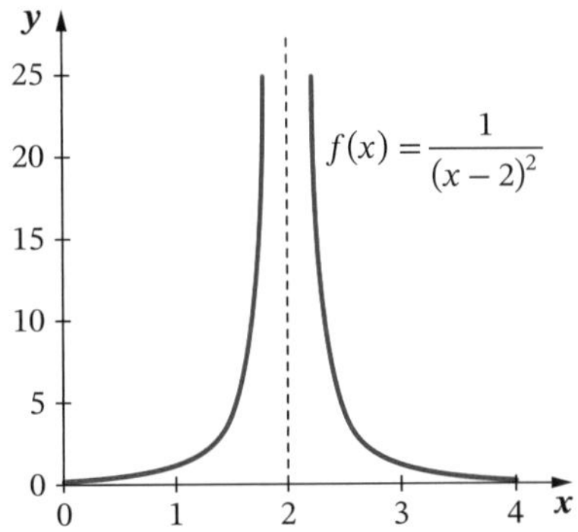

L'exemple 1.10 nous amène à définir le concept de **limite infinie**. Lorsqu'on écrit $\lim_{x \to a^-} f(x) = \infty$ [respectivement $\lim_{x \to a^+} f(x) = \infty$], cela signifie que $f(x)$ prend des valeurs de plus en plus grandes [c'est-à-dire $f(x) \to \infty$] quand $x \to a^-$ (respectivement $x \to a^+$).

Lorsqu'on écrit $\lim_{x \to a^-} f(x) = -\infty$ [respectivement $\lim_{x \to a^+} f(x) = -\infty$], cela signifie que $f(x)$ prend des valeurs de plus en plus petites [c'est-à-dire $f(x) \to -\infty$] quand $x \to a^-$ (respectivement $x \to a^+$).

Le théorème 1.1 (p. 15) est aussi valide pour les limites infinies. On aura donc

$$\lim_{x \to a} f(x) = \infty \quad \Leftrightarrow \quad \lim_{x \to a^-} f(x) = \lim_{x \to a^+} f(x) = \infty$$

et

$$\lim_{x \to a} f(x) = -\infty \quad \Leftrightarrow \quad \lim_{x \to a^-} f(x) = \lim_{x \to a^+} f(x) = -\infty.$$

Soulignons toutefois que ∞ et $-\infty$ ne sont pas des nombres. Ce ne sont que des symboles mathématiques commodes pour désigner le comportement d'une variable ou d'une fonction.

Limite infinie

Lorsqu'on écrit $\lim_{x \to a^-} f(x) = \infty$ [respectivement $\lim_{x \to a^+} f(x) = \infty$], cela signifie que $f(x)$ prend des valeurs de plus en plus grandes [c'est-à-dire $f(x) \to \infty$] quand $x \to a^-$ (respectivement $x \to a^+$).

Lorsqu'on écrit $\lim_{x \to a^-} f(x) = -\infty$ [respectivement $\lim_{x \to a^+} f(x) = -\infty$], cela signifie que $f(x)$ prend des valeurs de plus en plus petites [c'est-à-dire $f(x) \to -\infty$] quand $x \to a^-$ (respectivement $x \to a^+$).

Dans les deux cas, on parle de limite infinie.

QUESTION ÉCLAIR 1.3

Traduisez la phrase sous la forme d'un énoncé écrit avec le symbolisme mathématique approprié.

a) La fonction $f(x) = \frac{2}{x-3}$ prend des valeurs de plus en plus petites [c'est-à-dire $f(x) \to -\infty$] lorsque x prend des valeurs de plus en plus proches de 3, mais inférieures à 3.

b) La fonction $f(x) = \frac{x+1}{x^2-25}$ prend des valeurs de plus en plus grandes [c'est-à-dire $f(x) \to \infty$] lorsque x prend des valeurs de plus en plus proches de -5, mais supérieures à -5.

Des MOTS et des SYMBOLES*

Le Britannique John Wallis (1616-1703) fut le premier à utiliser le symbole ∞ pour désigner l'infini. Dans *De sectionibus conicis* (1655), il écrivit: « ∞ *nota numeri infiniti* » (« ∞ désigne un nombre infini »). Comme Wallis était érudit, certains supposèrent qu'il avait créé ce symbole à partir de l'ancien signe romain CIↃ, qui ressemble à deux zéros joints et désignait la valeur 1 000 (un grand nombre dans la Rome antique), ou encore à partir de ω, la dernière lettre de l'alphabet grec.

* La plupart des informations réunies dans les rubriques « Des mots et des symboles » ont été tirées de F. CAJORI, *A History of Mathematical Notations*, New York, Dover, 1993 (réimpression de l'édition de 1928-29), de B. HAUCHECORNE, *Les mots & les maths. Dictionnaire historique et étymologique du vocabulaire mathématique*, Paris, Ellipses, 2003, ainsi que des sites Internet < https://mathshistory.st-andrews.ac.uk/Miller/mathsym > et < https://mathshistory.st-andrews.ac.uk/Miller/mathword >.

Animations GeoGebra

Estimation d'une limite finie ou infinie

Trouvez cette animation sur la plateforme *i+ Interactif*.

EXEMPLE 1.11

Soit la fonction $f(x) = \frac{1}{x+1}$. Estimons $\lim_{x\to -1} f(x)$ à l'aide d'un tableau de valeurs (**TABLEAU 1.9**).

TABLEAU 1.9

$\lim_{x\to -1} \frac{1}{x+1}$

Quand x s'approche de -1 par la gauche ($x \to -1^-$), $f(x)$ devient de plus en plus petit [$f(x) \to -\infty$]. Quand x s'approche de -1 par la droite ($x \to -1^+$), $f(x)$ devient de plus en plus grand [$f(x) \to \infty$].

x	−1,2	−1,1	−1,01	−1,001	−1	−0,999	−0,99	−0,9	−0,8
$f(x)$	−5	−10	−100	−1 000	∄	1 000	100	10	5

On a $\lim_{x\to -1^-} f(x) = -\infty$ et $\lim_{x\to -1^+} f(x) = \infty$. Par conséquent, $\lim_{x\to -1} f(x)$ n'existe pas. La **FIGURE 1.15** permet de constater que le comportement de la fonction n'est pas le même à gauche de -1 et à droite de -1.

FIGURE 1.15

$f(x) = \frac{1}{x+1}$

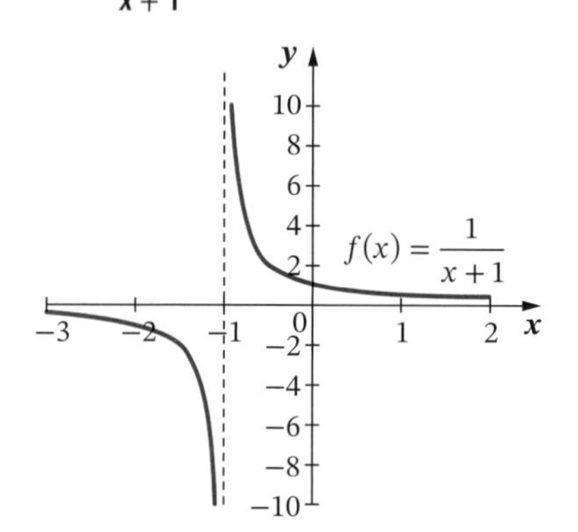

1.2.4 ASYMPTOTE VERTICALE

Les graphiques de $f(x) = \dfrac{1}{(x-2)^2}$ (figure 1.14, p. 17) et de $f(x) = \dfrac{1}{x+1}$ (figure 1.15) illustrent le comportement asymptotique de ces deux fonctions, respectivement en $x = 2$ et en $x = -1$.

Asymptote
Une asymptote est une droite dont la distance aux points d'une courbe tend vers 0 lorsqu'on laisse un point sur la courbe s'éloigner de l'origine à l'infini.

Asymptote verticale
La droite $x = a$ (où $a \in \mathbb{R}$) est une asymptote verticale à la courbe décrite par la fonction $f(x)$ si au moins une des deux limites $\lim\limits_{x \to a^-} f(x)$ ou $\lim\limits_{x \to a^+} f(x)$ donne ∞ ou $-\infty$.

Une **asymptote** est une droite dont la distance aux points d'une courbe tend vers 0 lorsqu'on laisse un point sur la courbe s'éloigner de l'origine à l'infini. Nous étudierons deux types d'asymptotes : verticale et horizontale.

La droite $x = a$ (où $a \in \mathbb{R}$) est une **asymptote verticale** à la courbe décrite par la fonction $f(x)$ si $\lim\limits_{x \to a^-} f(x) = \infty$ (ou $-\infty$) ou encore si $\lim\limits_{x \to a^+} f(x) = \infty$ (ou $-\infty$). Ainsi, la droite $x = 2$ est une asymptote verticale à la courbe décrite par la fonction $f(x) = \dfrac{1}{(x-2)^2}$ puisque $\lim\limits_{x \to 2^-} f(x) = \infty$ et $\lim\limits_{x \to 2^+} f(x) = \infty$. De même, la droite $x = -1$ est une asymptote verticale à la courbe décrite par la fonction $f(x) = \dfrac{1}{x+1}$ puisque $\lim\limits_{x \to -1^-} f(x) = -\infty$ et $\lim\limits_{x \to -1^+} f(x) = \infty$.

Les valeurs susceptibles de produire une asymptote verticale sont notamment les valeurs de la variable indépendante qui annulent un dénominateur ou encore les valeurs de la variable indépendante qui annulent l'argument d'un logarithme.

QUESTION ÉCLAIR 1.4

Si $\lim\limits_{x \to 1/4^-} f(x) = -\infty$ et $\lim\limits_{x \to 1/4^+} f(x) = -\infty$, que peut-on dire de la droite $x = 1/4$?

1.2.5 LIMITE À L'INFINI

Il arrive souvent qu'on veuille analyser le comportement d'une fonction quand x devient de plus en plus grand ($x \to \infty$) ou de plus en plus petit ($x \to -\infty$).

Animations GeoGebra
Estimation d'une limite à l'infini

Trouvez cette animation sur la plateforme *i+ Interactif*.

EXEMPLE 1.12

Soit la fonction $f(x) = x^3$ (FIGURE 1.16). Estimons $\lim\limits_{x \to -\infty} f(x)$ et $\lim\limits_{x \to \infty} f(x)$.

On constate que, lorsque x devient de plus en plus petit ($x \to -\infty$), la valeur de la fonction $f(x) = x^3$ devient de plus en plus petite $[f(x) \to -\infty]$. De plus, lorsque x devient de plus en plus grand ($x \to \infty$), la valeur de la fonction $f(x) = x^3$ devient de plus en plus grande $[f(x) \to \infty]$. Par conséquent, $\lim\limits_{x \to -\infty} f(x) = -\infty$ et $\lim\limits_{x \to \infty} f(x) = \infty$.

FIGURE 1.16
Comportement à l'infini de $f(x) = x^3$

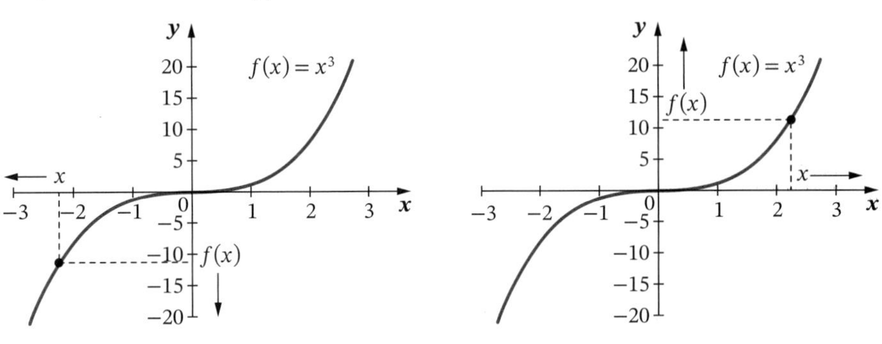

Confirmons ces résultats à l'aide de tableaux de valeurs (**TABLEAUX 1.10** et **1.11**).

TABLEAU 1.10

$\lim_{x \to -\infty} x^3$

Quand x devient de plus en plus petit ($x \to -\infty$),

x	−100	−10	−1	0
$f(x)$	−1 000 000	−1000	−1	0

$f(x)$ devient de plus en plus petit $[f(x) \to -\infty]$.

TABLEAU 1.11

$\lim_{x \to \infty} x^3$

Quand x devient de plus en plus grand ($x \to \infty$),

x	0	1	10	100
$f(x)$	0	1	1 000	1 000 000

$f(x)$ devient de plus en plus grand $[f(x) \to \infty]$.

EXEMPLE 1.13

Animations GeoGebra
Estimation d'une limite à l'infini

Trouvez cette animation sur la plateforme *i+ Interactif*.

Soit la fonction $f(x) = 2 + \frac{1}{x}$ (**FIGURE 1.17**). Estimons $\lim_{x \to -\infty} f(x)$ et $\lim_{x \to \infty} f(x)$.

FIGURE 1.17

Comportement à l'infini de $f(x) = 2 + \frac{1}{x}$

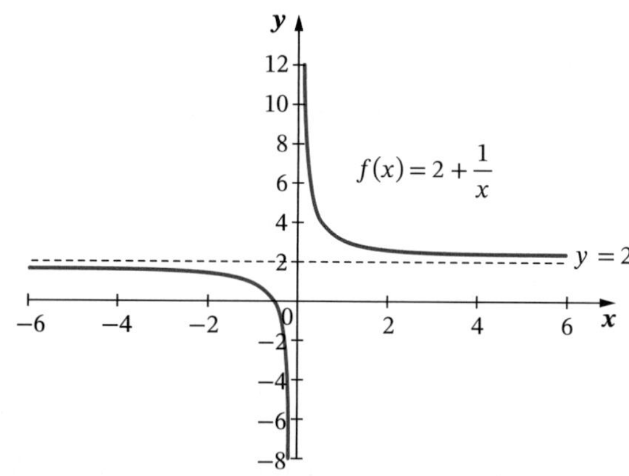

On constate que, lorsque x devient de plus en plus petit ($x \to -\infty$), la valeur de la fonction $f(x) = 2 + \frac{1}{x}$ s'approche de 2. De plus, lorsque x devient de plus en plus grand ($x \to \infty$), la valeur de la fonction $f(x) = 2 + \frac{1}{x}$ s'approche de 2. Par conséquent, $\lim_{x \to -\infty} f(x) = 2$ et $\lim_{x \to \infty} f(x) = 2$.

Confirmons ces résultats à l'aide de tableaux de valeurs (**TABLEAUX 1.12** et **1.13**).

TABLEAU 1.12

$\lim_{x \to -\infty} \left(2 + \frac{1}{x}\right)$

Quand x devient de plus en plus petit ($x \to -\infty$),

x	−1 000	−100	−10	−1
$f(x)$	1,999	1,99	1,9	1

$f(x)$ s'approche de 2.

TABLEAU 1.13

$\lim_{x \to \infty} \left(2 + \frac{1}{x}\right)$

Quand x devient de plus en plus grand ($x \to \infty$), →

x	1	10	100	1 000
$f(x)$	3	2,1	2,01	2,001

→ $f(x)$ s'approche de 2.

QUESTION ÉCLAIR 1.5

Dites dans vos mots ce que signifie l'expression $\lim_{x \to \infty} \frac{2x - 4}{3x + 5} = \frac{2}{3}$.

Les exemples 1.12 et 1.13 nous permettent de constater que la limite d'une fonction quand $x \to \infty$ (ou $x \to -\infty$) peut être un nombre réel ou non.

Limite à l'infini

La limite à l'infini d'une fonction $f(x)$, notée $\lim_{x \to \infty} f(x)$, représente le comportement de la fonction quand $x \to \infty$. Elle peut être finie, infinie ou ne pas exister.

Limite à moins l'infini

La limite à moins l'infini d'une fonction $f(x)$, notée $\lim_{x \to -\infty} f(x)$, représente le comportement de la fonction quand $x \to -\infty$. Elle peut être finie, infinie ou ne pas exister.

La **limite à l'infini** d'une fonction est le comportement de cette fonction lorsque $x \to \infty$, tandis que la **limite à moins l'infini** ($-\infty$) d'une fonction est le comportement de cette fonction lorsque $x \to -\infty$. Ces limites peuvent être finies, infinies ou ne pas exister.

Lorsqu'on écrit $\lim_{x \to \infty} f(x) = L$ [respectivement $\lim_{x \to -\infty} f(x) = L$], cela signifie que $f(x)$ prend des valeurs de plus en plus proches de L quand $x \to \infty$ (respectivement $x \to -\infty$).

Lorsqu'on écrit $\lim_{x \to \infty} f(x) = \infty$ [respectivement $\lim_{x \to -\infty} f(x) = \infty$], cela signifie que $f(x)$ prend des valeurs de plus en plus grandes [$f(x) \to \infty$] quand $x \to \infty$ (respectivement $x \to -\infty$).

Lorsqu'on écrit $\lim_{x \to \infty} f(x) = -\infty$ [respectivement $\lim_{x \to -\infty} f(x) = -\infty$], cela signifie que $f(x)$ prend des valeurs de plus en plus petites [$f(x) \to -\infty$] quand $x \to \infty$ (respectivement $x \to -\infty$).

1.2.6 ASYMPTOTE HORIZONTALE

Asymptote horizontale

La droite $y = b$ (où $b \in \mathbb{R}$) est une asymptote horizontale à la courbe décrite par la fonction $f(x)$ si $\lim_{x \to \infty} f(x) = b$ ou si $\lim_{x \to -\infty} f(x) = b$.

L'étude du comportement de la fonction $f(x)$ lorsque $x \to \infty$ (ou lorsque $x \to -\infty$) permet de déterminer si la courbe qu'elle décrit admet une asymptote horizontale. La droite $y = b$ (où $b \in \mathbb{R}$) est une **asymptote horizontale** à la courbe décrite par la fonction $f(x)$ si $\lim_{x \to \infty} f(x) = b$ [ou bien $\lim_{x \to -\infty} f(x) = b$]. Ainsi, la droite $y = 2$ est une asymptote horizontale à la courbe décrite par la fonction $f(x) = 2 + \frac{1}{x}$ puisque $\lim_{x \to -\infty} f(x) = 2$ et $\lim_{x \to \infty} f(x) = 2$ (figure 1.17).

QUESTIONS ÉCLAIR 1.6

1. Si $\lim_{x \to -\infty} f(x) = -5$ et $\lim_{x \to \infty} f(x) = \infty$, la fonction $f(x)$ admet-elle une ou des asymptotes horizontales ? Si oui, donnez-en l'équation ou les équations.
2. Si $\lim_{x \to -\infty} f(x) = 3$ et $\lim_{x \to \infty} f(x) = 1$, la fonction $f(x)$ admet-elle une ou des asymptotes horizontales ? Si oui, donnez-en l'équation ou les équations.

3. Si $\lim_{x \to -\infty} f(x) = -\infty$ et $\lim_{x \to \infty} f(x) = -\infty$, la fonction $f(x)$ admet-elle une ou des asymptotes horizontales ? Si oui, donnez-en l'équation ou les équations.

EXERCICES 1.2

1. Soit la fonction $f(x) = \dfrac{2x}{x-1}$. Estimez la limite à partir de la FIGURE 1.18 et à l'aide d'un tableau de valeurs. Utilisez le symbole ∞ ou $-\infty$, s'il y a lieu.

   a) $\lim_{x \to \infty} f(x)$
   b) $\lim_{x \to 1^+} f(x)$

FIGURE 1.18

$f(x) = \dfrac{2x}{x-1}$

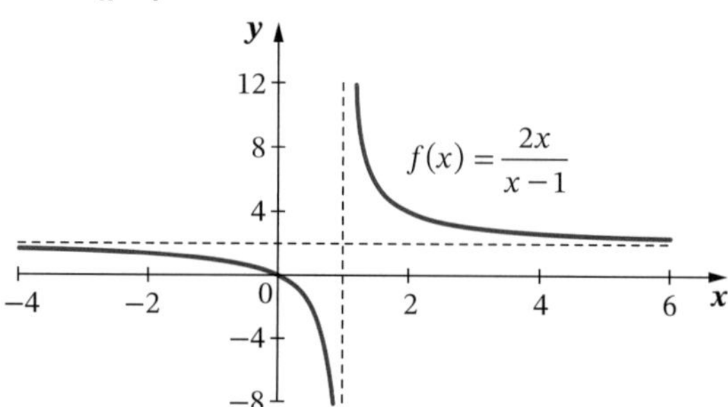

2. La courbe décrite par la fonction $f(x) = \dfrac{2x}{x-1}$ (figure 1.18) admet une asymptote verticale et une asymptote horizontale. Quelles sont les équations de ces asymptotes ?

3. Soit la fonction $f(x) = \dfrac{4x^2 - 4}{x^2 - 4}$. Estimez la limite à partir de la FIGURE 1.19. Utilisez le symbole ∞ ou $-\infty$, s'il y a lieu.

   a) $\lim_{x \to \infty} f(x)$
   b) $\lim_{x \to -\infty} f(x)$
   c) $\lim_{x \to 2^-} f(x)$
   d) $\lim_{x \to 2^+} f(x)$
   e) $\lim_{x \to 2} f(x)$

FIGURE 1.19

$f(x) = \dfrac{4x^2 - 4}{x^2 - 4}$

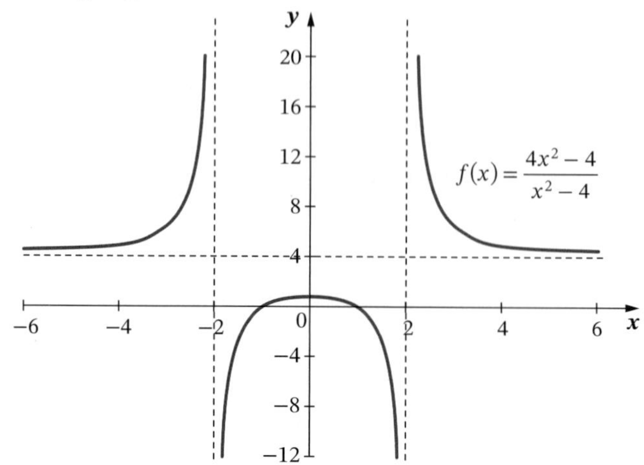

Vous pouvez maintenant faire les exercices récapitulatifs 7 à 10.

4. La courbe décrite par la fonction $f(x) = \dfrac{4x^2 - 4}{x^2 - 4}$ (figure 1.19) admet deux asymptotes verticales et une asymptote horizontale. Quelles sont les équations de ces asymptotes ?

1.3 ÉVALUATION D'UNE LIMITE

Pour évaluer algébriquement des limites, il faut en connaître les propriétés de base. Admises sans démonstration, ces propriétés sont énumérées dans le TABLEAU 1.14.

TABLEAU 1.14
Propriétés des limites

Si a et k sont des nombres réels, si n est un entier positif et si $f(x)$ et $g(x)$ sont deux fonctions telles que $\lim\limits_{x\to a} f(x)$ et $\lim\limits_{x\to a} g(x)$ existent, alors
1. $\lim\limits_{x\to a} k = k$
2. $\lim\limits_{x\to a} x = a$
3. $\lim\limits_{x\to a} kf(x) = k\lim\limits_{x\to a} f(x)$
4. $\lim\limits_{x\to a}[f(x) \pm g(x)] = \lim\limits_{x\to a} f(x) \pm \lim\limits_{x\to a} g(x)$
5. $\lim\limits_{x\to a}[f(x)g(x)] = [\lim\limits_{x\to a} f(x)][\lim\limits_{x\to a} g(x)]$
6. $\lim\limits_{x\to a} \dfrac{f(x)}{g(x)} = \dfrac{\lim\limits_{x\to a} f(x)}{\lim\limits_{x\to a} g(x)}$ si $\lim\limits_{x\to a} g(x) \neq 0$
7. $\lim\limits_{x\to a}[f(x)]^n = [\lim\limits_{x\to a} f(x)]^n$
8. $\lim\limits_{x\to a} \sqrt[n]{f(x)} = \sqrt[n]{\lim\limits_{x\to a} f(x)}$ si n est impair ou si $\lim\limits_{x\to a} f(x) > 0$ quand n est pair

Toutes les propriétés énoncées dans le tableau 1.14 sont également valides si $x \to a^-$ ou si $x \to a^+$.

EXEMPLE 1.14

Évaluons $\lim\limits_{x\to 2}(x^2 + 2x + 1)$. On a

$$\begin{aligned}\lim_{x\to 2}(x^2 + 2x + 1) &= \lim_{x\to 2}(x^2) + \lim_{x\to 2}(2x) + \lim_{x\to 2} 1 && \text{propriété 4}\\ &= \left(\lim_{x\to 2} x\right)^2 + 2\left(\lim_{x\to 2} x\right) + 1 && \text{propriétés 1, 3 et 7}\\ &= 2^2 + 2(2) + 1 && \text{propriété 2}\\ &= 9\end{aligned}$$

Si l'on regarde attentivement l'exemple ci-dessus, on constate que, si $P(x) = x^2 + 2x + 1$, alors

$$\lim_{x\to 2}(x^2 + 2x + 1) = 2^2 + 2(2) + 1 = P(2)$$

Il en sera toujours ainsi dans le cas d'un polynôme, comme l'indique le théorème 1.2 (p. 24).

THÉORÈME 1.2

Si $P(x)$ est un polynôme et si a est un nombre réel (c'est-à-dire que $a \in \mathbb{R}$), alors $\lim\limits_{x \to a} P(x) = P(a)$.

PREUVE

Soit un polynôme $P(x) = a_n x^n + a_{n-1}x^{n-1} + \cdots + a_1 x + a_0$, où $a_i \in \mathbb{R}$ (pour $i = 0, 1, ..., n$). Alors,

$$\begin{aligned}
\lim_{x \to a} P(x) &= \lim_{x \to a}(a_n x^n + a_{n-1}x^{n-1} + \cdots + a_1 x + a_0) \\
&= \lim_{x \to a}(a_n x^n) + \lim_{x \to a}(a_{n-1}x^{n-1}) + \cdots + \lim_{x \to a}(a_1 x) + \lim_{x \to a}(a_0) && \text{propriété 4} \\
&= a_n \lim_{x \to a}(x^n) + a_{n-1}\lim_{x \to a}(x^{n-1}) + \cdots + a_1 \lim_{x \to a} x + a_0 && \text{propriétés 1 et 3} \\
&= a_n \left(\lim_{x \to a} x\right)^n + a_{n-1}\left(\lim_{x \to a} x\right)^{n-1} + \cdots + a_1 a + a_0 && \text{propriétés 2 et 7} \\
&= a_n a^n + a_{n-1}a^{n-1} + \cdots + a_1 a + a_0 && \text{propriété 2} \\
&= P(a)
\end{aligned}$$

■

Des MOTS et des SYMBOLES

Les principaux ensembles de nombres sont désignés par des symboles qui sont assez explicites. Ainsi, le symbole $\mathbb{N}$, choisi par l'Italien Giuseppe Peano (1858-1932), est la première lettre du mot italien *naturale*, et il désigne les nombres naturels. Ce même mathématicien a aussi utilisé le symbole $\mathbb{Q}$, première lettre du mot italien *quotiente*, pour désigner les nombres rationnels, cet ensemble étant formé des quotients des nombres entiers. L'Allemand Julius Wilhelm Richard Dedekind (1831-1916) proposa le symbole $\mathbb{Z}$ pour désigner les nombres entiers, cette lettre étant la première du mot allemand *Zahl*, qui signifie « nombre », et $\mathbb{R}$ pour désigner les nombres réels (*real* en allemand). Enfin, selon la même logique, c'est-à-dire l'utilisation de l'initiale du nom de l'ensemble, les mathématiciens ont adopté le symbole $\mathbb{C}$ pour désigner les nombres complexes.

C'est également Peano qui a créé les principaux symboles de la théorie des ensembles, notamment $\in$ pour désigner l'appartenance d'un élément à un ensemble, $\subset$ pour désigner l'inclusion d'un ensemble dans un autre, $\cap$ pour désigner l'intersection de deux ensembles, $\cup$ pour désigner l'union de deux ensembles, $\exists$ pour désigner l'existence d'une quantité et $\nexists$ pour désigner la non-existence d'une quantité. Quant au quantificateur universel $\forall$ (pour tout), il a été établi par David Hilbert (1862-1943).

EXEMPLE 1.15

Évaluons $\lim\limits_{x \to 3} \dfrac{4 - 2x}{3x + 1}$. On a

$$\begin{aligned}
\lim_{x \to 3} \frac{4 - 2x}{3x + 1} &= \frac{\lim\limits_{x \to 3}(4 - 2x)}{\lim\limits_{x \to 3}(3x + 1)} && \text{propriété 6, car } \lim_{x \to 3}(3x + 1) \neq 0 \\
&= \frac{4 - 2(3)}{3(3) + 1} && \text{théorème 1.2} \\
&= -\frac{1}{5}
\end{aligned}$$

EXEMPLE 1.16

Évaluons $\lim_{x \to -2} \sqrt{2x^2 - 1}$. On a

$$\begin{aligned}\lim_{x \to -2} \sqrt{2x^2 - 1} &= \sqrt{\lim_{x \to -2} (2x^2 - 1)} && \text{propriété 8, car } \lim_{x \to -2} \left(2x^2 - 1\right) > 0 \\ &= \sqrt{2(-2)^2 - 1} && \text{théorème 1.2} \\ &= \sqrt{7}\end{aligned}$$

EXEMPLE 1.17

Évaluons $\lim_{x \to 1} \left[(5x - 1)^2 \sqrt[3]{x + 1}\right]$. On a

$$\begin{aligned}\lim_{x \to 1} \left[(5x - 1)^2 \sqrt[3]{x + 1}\right] &= \lim_{x \to 1} (5x - 1)^2 \times \lim_{x \to 1} \sqrt[3]{x + 1} && \text{propriété 5} \\ &= \left[\lim_{x \to 1} (5x - 1)\right]^2 \times \sqrt[3]{\lim_{x \to 1} (x + 1)} && \text{propriétés 7 et 8} \\ &= \left[5(1) - 1\right]^2 \times \sqrt[3]{1 + 1} && \text{théorème 1.2} \\ &= 16\sqrt[3]{2}\end{aligned}$$

EXEMPLE 1.18

Soit la fonction $f(x) = \begin{cases} 4 - x^2 & \text{si } x \leq 1 \\ x - 2 & \text{si } x > 1 \end{cases}$. Évaluons $\lim_{x \to 1} f(x)$.

Ici, nous devons utiliser la limite à gauche et la limite à droite pour étudier le comportement de la fonction $f(x)$ autour de $x = 1$, car la définition de $f(x)$ n'est pas la même à gauche de $x = 1$ et à droite de $x = 1$.

$$\lim_{x \to 1^-} f(x) = \lim_{x \to 1^-} (4 - x^2) = 4 - 1^2 = 3 \quad \text{théorème 1.2}$$

$$\lim_{x \to 1^+} f(x) = \lim_{x \to 1^+} (x - 2) = 1 - 2 = -1 \quad \text{théorème 1.2}$$

Puisque la limite à gauche diffère de la limite à droite, on en conclut que $\lim_{x \to 1} f(x)$ n'existe pas.

QUESTION ÉCLAIR 1.7

Soit la fonction $f(x) = \begin{cases} 5 - 2x & \text{si } x \leq -2 \\ x^2 + x + 7 & \text{si } x > -2 \end{cases}$. Évaluez la limite.

a) $\lim_{x \to -4} f(x)$ b) $\lim_{x \to 0} f(x)$ c) $\lim_{x \to -2} f(x)$

EXERCICE 1.3

Évaluez la limite.

a) $\lim_{x \to -2} (x^3 + 4x^2 - 5)$

b) $\lim_{t \to -2} \dfrac{t + 2}{t^2 + 4}$

c) $\lim_{x \to 0} \dfrac{\sqrt[3]{2x - 5}}{4x - 3}$

d) $\lim_{x \to -1} \left[(x+3)^3 (2-4x)^2 \right]$

e) $\lim_{x \to 5} f(x)$ si $f(x) = \begin{cases} 11 - x^2 & \text{si } x \leq 3 \\ \sqrt{x+1} & \text{si } x > 3 \end{cases}$

f) $\lim_{x \to 3} f(x)$ si $f(x) = \begin{cases} 11 - x^2 & \text{si } x \leq 3 \\ \sqrt{x+1} & \text{si } x > 3 \end{cases}$

Vous pouvez maintenant faire les exercices récapitulatifs 11 à 16.

1.4 ÉVALUATION D'UNE LIMITE DE LA FORME $\frac{c}{0}$ (OÙ c EST UNE CONSTANTE NON NULLE)

On dit que $\lim_{x \to a} \frac{f(x)}{g(x)}$ est une forme $\frac{c}{0}$ lorsque $\lim_{x \to a} f(x) = c \neq 0$ et que $\lim_{x \to a} g(x) = 0$. Autrement dit, lorsque $x \to a$, le numérateur tend vers une constante non nulle c, tandis que le dénominateur tend vers 0. Pour évaluer de telles limites, il faudra généralement utiliser la limite à gauche et la limite à droite.

EXEMPLE 1.19

Évaluons $\lim_{x \to 2} \frac{9 - x^2}{3x - 6}$. On ne peut pas utiliser la propriété 6, car

$$\lim_{x \to 2} (3x - 6) = 3(2) - 6 = 0$$

Nous sommes en présence d'une limite de la forme $\frac{5}{0}$. Évaluons la limite à gauche et la limite à droite.

Commençons par la limite à gauche. On a $\lim_{x \to 2^-} (9 - x^2) = 9 - 2^2 = 5$. De plus, quand $x \to 2^-$, la fonction $3x - 6$ s'approche de 0, mais est toujours négative (ce qu'on écrit $3x - 6 \to 0^-$). D'où

$$\underbrace{\lim_{x \to 2^-} \frac{9 - x^2}{3x - 6}}_{\text{forme } \frac{5}{0^-}} = -\infty$$

Le numérateur étant positif et le dénominateur négatif, le quotient est négatif. De plus, diviser 5 par un nombre de plus en plus proche de 0 donnera un nombre de plus en plus éloigné de 0, de sorte que $\lim_{x \to 2^-} \frac{9 - x^2}{3x - 6} = -\infty$.

Un raisonnement similaire donne

$$\underbrace{\lim_{x \to 2^+} \frac{9 - x^2}{3x - 6}}_{\text{forme } \frac{5}{0^+}} = \infty$$

Le numérateur et le dénominateur étant positifs, le quotient est positif. De plus, diviser 5 par un nombre de plus en plus proche de 0 donnera un nombre de plus en plus éloigné de 0, de sorte que $\lim_{x \to 2^+} \frac{9 - x^2}{3x - 6} = \infty$.

Puisque la limite à gauche diffère de la limite à droite, on en conclut que $\lim_{x \to 2} \frac{9 - x^2}{3x - 6}$ n'existe pas.

QUESTION ÉCLAIR 1.8

Complétez l'expression. Utilisez le symbole ∞ ou $-\infty$, s'il y a lieu.

a) $\underbrace{\lim_{x\to 4^+} \frac{5-3x}{8-2x}}_{\text{forme}\,\ldots\ldots} = \ldots\ldots$ b) $\underbrace{\lim_{x\to -3^-} \frac{1-x^2}{|x+3|}}_{\text{forme}\,\ldots\ldots} = \ldots\ldots$

EXEMPLE 1.20

Évaluons $\lim\limits_{x\to -1} \frac{\sqrt[3]{2x-6}}{(1+x)^2}$. Nous avons une forme $\frac{-2}{0}$, car $\lim\limits_{x\to -1} \sqrt[3]{2x-6} = \sqrt[3]{-8} = -2$ et $\lim\limits_{x\to -1} (1+x)^2 = \left[1+(-1)\right]^2 = 0$. Évaluons la limite à gauche et la limite à droite.

Remarquons que lorsque $x \to -1^-$, alors l'expression $1 + x \to 0^-$, de sorte que l'expression $(1+x)^2 \to 0^+$. De plus, lorsque $x \to -1^+$, alors l'expression $1 + x \to 0^+$, de sorte que l'expression $(1+x)^2 \to 0^+$.

On obtient donc

$$\underbrace{\lim_{x\to -1^-} \frac{\sqrt[3]{2x-6}}{(1+x)^2}}_{\text{forme } \frac{-2}{0^+}} = -\infty \text{ et } \underbrace{\lim_{x\to -1^+} \frac{\sqrt[3]{2x-6}}{(1+x)^2}}_{\text{forme } \frac{-2}{0^+}} = -\infty$$

Par conséquent, on a $\lim\limits_{x\to -1} \frac{\sqrt[3]{2x-6}}{(1+x)^2} = -\infty$.

EXEMPLE 1.21

Une distance de 250 km sépare deux villes. Le temps t (en heures) requis pour se déplacer d'une ville à l'autre dépend de la vitesse v (en kilomètres par heure) à laquelle on se déplace et il est donné par la fonction $t(v) = \frac{250}{v}$.

Par exemple, pour une vitesse de 100 km/h, on a $t(100) = \frac{250}{100} = 2{,}5$ h, c'est-à-dire que ça prendra 2 heures et demie pour parcourir la distance séparant les deux villes en roulant à 100 km/h.

Évaluons $\lim\limits_{v\to 0^+} t(v)$.

$$\lim_{v\to 0^+} t(v) = \underbrace{\lim_{v\to 0^+} \frac{250}{v}}_{\text{forme } \frac{250}{0^+}} = \infty$$

Ainsi, plus la vitesse de déplacement s'approche de 0 km/h, plus le temps pour parcourir la distance séparant les deux villes augmente.

EXERCICES 1.4

1. Évaluez la limite. Utilisez le symbole ∞ ou $-\infty$, s'il y a lieu.

a) $\lim\limits_{x\to 3} \frac{\sqrt{x+1}}{9-x^2}$ b) $\lim\limits_{x\to 0} \frac{3-x}{x^4}$

2. Déterminez si la droite $x = -2$ est une asymptote verticale à la courbe décrite par la fonction $f(x) = \frac{x-1}{3x+6}$.

1.5 ÉVALUATION D'UNE LIMITE À L'INFINI

DANS CETTE SECTION : *fonction racine carrée – fonction valeur absolue.*

Pour évaluer des limites à l'infini, il faut ajouter des propriétés à celles du tableau 1.14 (p. 23). Admises sans démonstration, ces propriétés additionnelles sont énumérées dans le **TABLEAU 1.15**.

TABLEAU 1.15
Propriétés des limites

Si k est un nombre réel et si n est un entier positif, alors
9. $\lim\limits_{x\to-\infty} k = k$ et $\lim\limits_{x\to\infty} k = k$
10. $\lim\limits_{x\to\infty} x^n = \infty$
11. $\lim\limits_{x\to-\infty} x^n = \begin{cases}\infty & \text{si } n \text{ est pair}\\ -\infty & \text{si } n \text{ est impair}\end{cases}$
12. $\lim\limits_{x\to-\infty} \frac{1}{x^n} = 0$ et $\lim\limits_{x\to\infty} \frac{1}{x^n} = 0$
13. $\lim\limits_{x\to\infty} \sqrt[n]{x} = \infty$
14. $\lim\limits_{x\to-\infty} \sqrt[n]{x} = -\infty$ si n est impair et $\lim\limits_{x\to-\infty} \sqrt[n]{x}$ n'existe pas si n est pair

En plus de ces propriétés, on peut utiliser les propriétés 3 à 8 du tableau 1.14 (p. 23), qui sont aussi valides quand $x \to \infty$ (ou $x \to -\infty$), pour autant que

$$\lim_{x\to\infty} f(x)\ \left[\text{ou } \lim_{x\to-\infty} f(x)\right] \text{ et } \lim_{x\to\infty} g(x)\ \left[\text{ou } \lim_{x\to-\infty} g(x)\right]$$

existent toutes les deux.

Il faut faire très attention lorsqu'on manipule des expressions contenant le symbole ∞. On ne doit pas oublier que l'infini (∞) et moins l'infini ($-\infty$) ne sont pas des nombres réels et ne se comportent donc pas comme tels. Tout au plus, ces deux symboles décrivent notamment le comportement d'une fonction qui croît $\left[f(x) \to \infty\right]$ ou décroît $\left[f(x) \to -\infty\right]$ sans borne.

1.5.1 ARITHMÉTIQUE DE L'INFINI

Dans l'évaluation d'une limite, on peut obtenir des assemblages contenant une ou plusieurs expressions du type ∞, $-\infty$, 0^- ou 0^+. Selon la forme, le résultat de l'assemblage apparaît dans le **TABLEAU 1.16**, où k est une constante réelle.

TABLEAU 1.16
Arithmétique de l'infini

Forme	Résultat
$\infty \pm k$	∞
$\infty + \infty$	∞
$\infty \times \infty$	∞
$k \times \infty$	$\begin{cases}\infty & \text{si } k > 0\\ -\infty & \text{si } k < 0\end{cases}$
$\frac{k}{\infty}$	0
$\frac{k}{0^+}$	$\begin{cases}\infty & \text{si } k > 0\\ -\infty & \text{si } k < 0\end{cases}$
$\frac{k}{0^-}$	$\begin{cases}-\infty & \text{si } k > 0\\ \infty & \text{si } k < 0\end{cases}$

Par exemple, si $\lim\limits_{x\to a} f(x) = \infty$ et si $\lim\limits_{x\to a} g(x) = \infty$, alors $\underbrace{\lim\limits_{x\to a}\left[f(x) + g(x)\right]}_{\text{forme } \infty+\infty} = \infty$.

Dans le cas d'expressions de la forme $\infty - \infty$, $\frac{\infty}{\infty}$, $0 \times \infty$, ∞^0 ou 1^∞, le résultat varie selon les circonstances et c'est pour cette raison qu'on les qualifie de formes indéterminées. Nous traiterons certaines d'entre elles à la section 1.6.

EXEMPLE 1.22

Évaluons $\lim\limits_{x\to-\infty} (2x - 4)$. On a $\lim\limits_{x\to-\infty} x = -\infty$ (propriété 11) et $\lim\limits_{x\to-\infty} 4 = 4$ (propriété 9). Alors $\lim\limits_{x\to-\infty} 2x = -\infty$ (forme $k \times -\infty$). Par conséquent,

$$\underbrace{\lim_{x\to-\infty} (2x - 4)}_{\text{forme } -\infty\ -k} = -\infty$$

EXEMPLE 1.23

Évaluons $\lim_{x\to\infty}(2x^2+3x)$. Puisque $\lim_{x\to\infty}x^2=\infty$ et $\lim_{x\to\infty}x=\infty$ (propriété 10), alors $\lim_{x\to\infty}2x^2=\infty$ et $\lim_{x\to\infty}3x=\infty$ (forme $k\times\infty$). Par conséquent,

$$\underbrace{\lim_{x\to\infty}(2x^2+3x)}_{\text{forme } \infty+\infty}=\infty$$

EXEMPLE 1.24

Évaluons $\lim_{x\to\infty}x^2\sqrt{x}$. On a $\lim_{x\to\infty}x^2=\infty$ (propriété 10) et $\lim_{x\to\infty}\sqrt{x}=\infty$ (propriété 13). Par conséquent,

$$\underbrace{\lim_{x\to\infty}x^2\sqrt{x}}_{\text{forme } \infty\times\infty}=\infty$$

EXEMPLE 1.25

On veut évaluer $\lim_{x\to-\infty}\frac{2}{x^2-x}$. Or, l'expression au dénominateur est de la forme $\infty+\infty$ puisque $\lim_{x\to-\infty}x^2=\infty$ et que $\lim_{x\to-\infty}x=-\infty$ (propriété 11). Par conséquent,

$$\underbrace{\lim_{x\to-\infty}\frac{2}{x^2-x}}_{\text{forme } \frac{k}{\infty}}=0$$

EXEMPLE 1.26

On a donné à un patient atteint d'une forte fièvre un médicament destiné à faire chuter sa température. La température C (en Celsius) du patient après un temps t (en heures) est donnée par la fonction $C(t)=36{,}6+\frac{6}{\sqrt{{}^1\!/\!_2\,t+4}}$.

Évaluons $C(0)$ et $\lim_{t\to\infty}C(t)$. On a

$$C(0)=36{,}6+\frac{6}{\sqrt{{}^1\!/\!_2(0)+4}}=39{,}6\ °\text{C}$$

Au moment de l'absorption du médicament, le patient a une température de 39,6 °C. Par ailleurs,

$$\lim_{t\to\infty}C(t)=\underbrace{\lim_{t\to\infty}\left(36{,}6+\frac{6}{\sqrt{{}^1\!/\!_2\,t+4}}\right)}_{\text{forme } 36{,}6+\frac{6}{\infty}}=36{,}6+0=36{,}6$$

À long terme, le médicament fera chuter la température du patient à 36,6 °C.

1.5.2 STRATÉGIES UTILES À L'ÉVALUATION DE LIMITES

À l'occasion, lors de l'évaluation de certaines limites, il faut recourir à différentes stratégies (mettre en évidence, mettre au même dénominateur, multiplier par le conjugué, etc.).

RAPPEL La mise en évidence simple

La mise en évidence simple est une technique de factorisation qui repose sur la distributivité de la multiplication sur l'addition.

$$ab + ac = a(b + c)$$

Par exemple, $x^2 + 2x = x(x + 2)$ si on met x en évidence.

Voir l'annexe Rappels de notions mathématiques, p. 402.

On obtient $x^2 + 2x = x^2(1 + 2/x)$ si on met plutôt x^2 en évidence.

QUESTION ÉCLAIR 1.9

Complétez l'équation.

a) $3x - 5 = x(\ldots\ldots\ldots\ldots\ldots\ldots)$

b) $x^2 - 4x + 3 = x^2(\ldots\ldots\ldots\ldots\ldots\ldots)$

c) $4 + 2x - x^3 = x^3(\ldots\ldots\ldots\ldots\ldots\ldots)$

RAPPEL La fonction racine carrée

Fonction racine carrée

La fonction racine carrée, notée $f(x) = \sqrt{x}$, est la fonction qui associe à chaque nombre réel $x \geq 0$, le nombre $k \geq 0$ tel que $k^2 = x$. On a alors,

$$f(x) = \sqrt{x} = k \text{ si } k \geq 0 \text{ et } k^2 = x$$

La **fonction racine carrée**, notée $f(x) = \sqrt{x}$, est la fonction qui associe à chaque nombre réel $x \geq 0$, le nombre $k \geq 0$ tel que $k^2 = x$ (FIGURE 1.20).

Voici quelques propriétés de la fonction racine carrée.

$$\sqrt{ab} = \sqrt{a}\sqrt{b} \text{ si } a \geq 0 \text{ et } b \geq 0$$

$$\sqrt{\frac{a}{b}} = \frac{\sqrt{a}}{\sqrt{b}} \text{ si } a \geq 0 \text{ et } b > 0$$

$$\sqrt{a} = a^{1/2} \text{ si } a \geq 0$$

$$\sqrt{a^2} = |a| \text{ si } a \in \mathbb{R}$$

FIGURE 1.20

$f(x) = \sqrt{x}$

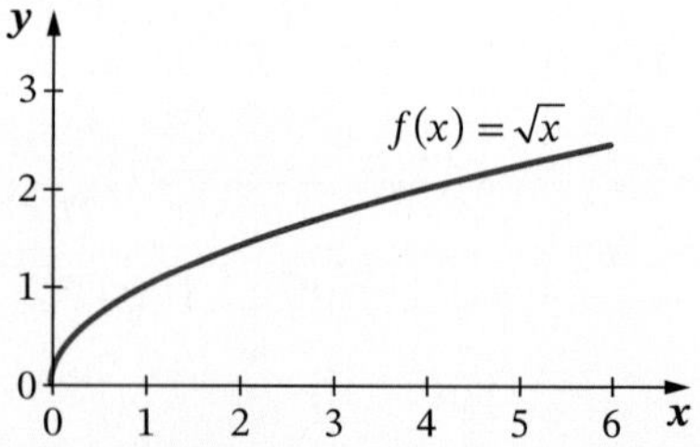

Fonction valeur absolue

La fonction valeur absolue est la fonction qui donne la distance séparant un nombre réel x de l'origine. Elle est notée $f(x) = |x|$ et est définie par

$$f(x) = |x| = \begin{cases} -x & \text{si } x < 0 \\ x & \text{si } x \geq 0 \end{cases}$$

Dans la dernière propriété, on retrouve la **fonction valeur absolue**. Cette fonction est celle qui donne la distance entre un nombre réel x et l'origine. Rappelons que $f(x) = |x| = \begin{cases} -x & \text{si } x < 0 \\ x & \text{si } x \geq 0 \end{cases}$ (FIGURE 1.21).

FIGURE 1.21

$f(x) = |x|$

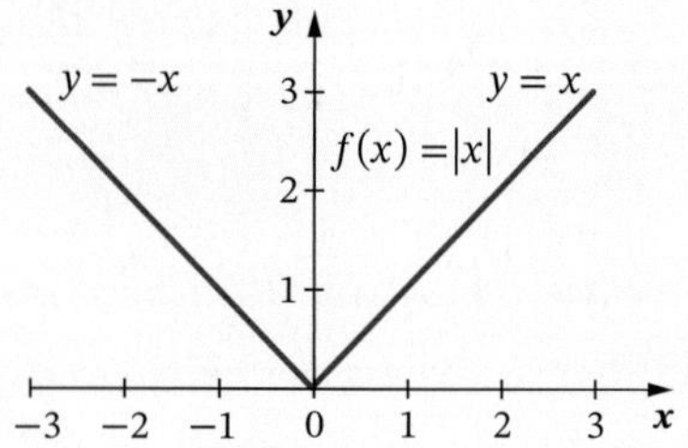

Illustrons la propriété $\sqrt{a^2} = |a|$ avec un nombre positif et un nombre négatif.

Si $a = 4$ alors $\sqrt{4^2} = \sqrt{16} = 4 = |4|$.

Voir l'annexe Rappels de notions mathématiques, p. 424.

Si $a = -3$ alors $\sqrt{(-3)^2} = \sqrt{9} = 3 = |-3|$.

QUESTION ÉCLAIR 1.10

Complétez : $\sqrt{16x^2} = \sqrt{16}\sqrt{\ldots\ldots} = 4\ldots\ldots$

EXEMPLE 1.27

Évaluons $\lim_{x\to\infty} \sqrt{3x+1}$.

$$\lim_{x\to\infty} \sqrt{3x+1} = \lim_{x\to\infty} \sqrt{x(3 + {}^1\!/_x)} \quad \text{mise en évidence simple}$$

$$= \lim_{x\to\infty} \left(\sqrt{x}\sqrt{3 + {}^1\!/_x}\right) \quad \text{propriété des radicaux : } \sqrt{ab} = \sqrt{a}\sqrt{b}$$

$$= \infty \quad \text{forme } \infty\sqrt{3+0} \text{ par les propriétés 12 et 13}$$

EXEMPLE 1.28

Évaluons $\lim_{x\to-\infty} \sqrt{x^2 - 2x}$.

$$\lim_{x\to-\infty} \sqrt{x^2 - 2x} = \lim_{x\to-\infty} \sqrt{x^2(1 - {}^2\!/_x)} \quad \text{mise en évidence simple}$$

$$= \lim_{x\to-\infty} \left(\sqrt{x^2}\sqrt{1 - {}^2\!/_x}\right) \quad \text{propriété des radicaux : } \sqrt{ab} = \sqrt{a}\sqrt{b}$$

$$= \lim_{x\to-\infty} \left(|x|\sqrt{1 - {}^2\!/_x}\right) \quad \text{propriété des radicaux : } \sqrt{x^2} = |x|$$

$$= \lim_{x\to-\infty} \left[-x\sqrt{(1 - {}^2\!/_x)}\right] \quad |x| = -x \,(\text{lorsque } x \text{ est négatif})$$

$$= \infty \quad \text{forme } -(-\infty)\sqrt{1-0} \text{ par les propriétés 11 et 12}$$

Des MOTS et des SYMBOLES

Le symbole | | a été proposé en 1876 par Karl Weierstrass (1815-1897) pour désigner la « valeur absolue » d'un nombre complexe : « Ich bezeichne den absoluten Betrag einer complex Groesse *x* mit |*x*|. » (« Je note la valeur absolue du nombre complexe *x* par |*x*|. ») Toutefois, en analyse complexe, le nom de *valeur absolue* ne fut pas retenu, et on parle plutôt aujourd'hui de *module* d'un nombre complexe. Tiré d'une forme ancienne du participe passé du verbe *absoudre* (« débarrasser de ses péchés »), le mot *absolu* semble ici faire allusion à l'élimination de l'impureté que constitue le signe du nombre.

Le symbole √ a été proposé par le mathématicien allemand Christoff Rudolff (1499-1545) dans *Die Coss*, un ouvrage de 1525 traitant d'arithmétique. Il utilisa ce symbole pour désigner une extraction de racine. Plus tard, René Descartes (1596-1650) ajouta une barre horizontale à ce symbole, ce qui a produit la notation moderne, soit $\sqrt{\ }$. Selon le célèbre mathématicien Leonhard Euler (1707-1783), le symbole du radical est une déformation de la lettre *r*, première lettre du mot latin *radix* (qui veut dire « racine »), mais l'historien des mathématiques F. Cajori ne partage pas cette hypothèse.

Le mot *racine* doit être compris dans le sens d'« origine », c'est-à-dire que 5 est la racine carrée de 25 dans la mesure où 25 tire son origine du nombre 5 qu'on a mis au carré. Lorsque le nombre n'est pas un carré parfait, son origine (sa racine) étant inconnue, il faut donc l'extraire, d'où l'expression « extraire la racine carrée d'un nombre ».

Par ailleurs, l'introduction d'un indice dans l'ouverture du radical, comme $\sqrt[3]{\ }$ pour désigner une racine troisième, aurait été proposée en 1629 par Albert Girard (1595-1632).

EXERCICES 1.5

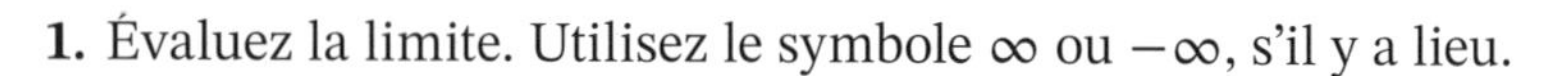

1. Évaluez la limite. Utilisez le symbole ∞ ou $-\infty$, s'il y a lieu.

   a) $\lim\limits_{x\to\infty}(x^2+2x)$

   b) $\lim\limits_{x\to-\infty}\dfrac{4}{x^3-4x^2-5}$

   c) $\lim\limits_{x\to\infty}\sqrt{2x-5}$

   d) $\lim\limits_{x\to-\infty}\sqrt{x^2-x-2}$

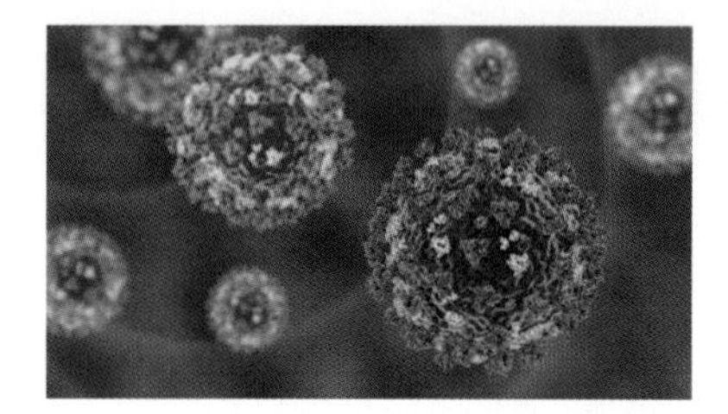

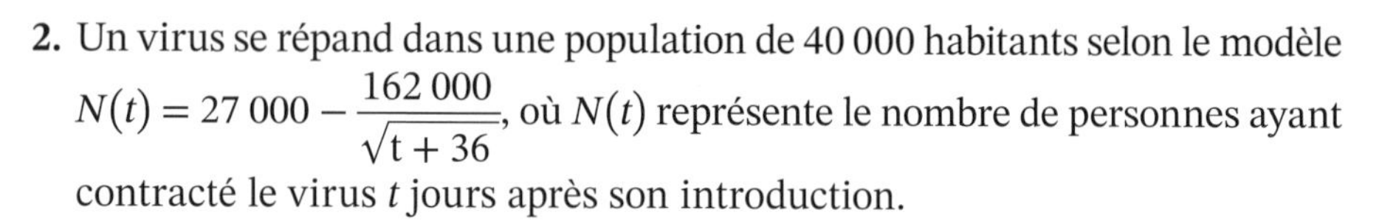

2. Un virus se répand dans une population de 40 000 habitants selon le modèle $N(t) = 27\,000 - \dfrac{162\,000}{\sqrt{t+36}}$, où $N(t)$ représente le nombre de personnes ayant contracté le virus t jours après son introduction.

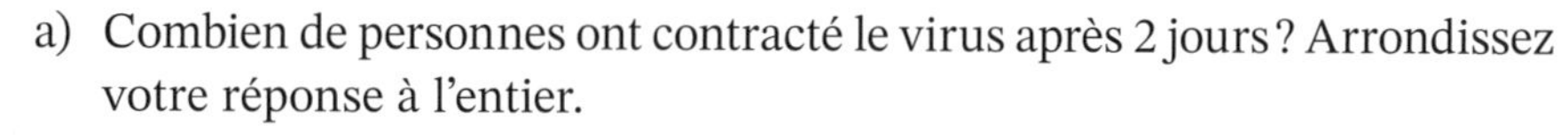

   a) Combien de personnes ont contracté le virus après 2 jours ? Arrondissez votre réponse à l'entier.

   b) Combien de personnes ont contracté le virus après 7 jours ? Arrondissez votre réponse à l'entier.

   c) Si rien n'est fait pour enrayer la propagation du virus, combien de personnes contracteront le virus à long terme ?

Vous pouvez maintenant faire les exercices récapitulatifs 17 à 21.

1.6 ÉVALUATION DE LA LIMITE D'UNE FORME INDÉTERMINÉE

DANS CETTE SECTION : *forme indéterminée – fonction rationnelle – zéro d'un polynôme – conjugué.*

Forme indéterminée
On dit d'une expression qu'elle présente une forme indéterminée en x_0 si cette expression évaluée en x_0 prend l'une des formes $\frac{0}{0}$, $\frac{\infty}{\infty}$, $\infty - \infty$, $0 \times \infty$, 1^∞, 0^0 ou ∞^0.

On dit d'une expression qu'elle présente une **forme indéterminée** en x_0 si cette expression évaluée en x_0 prend l'une des formes suivantes : $\frac{0}{0}$, $\frac{\infty}{\infty}$, $\infty - \infty$, $0 \times \infty$, 1^∞, 0^0 ou ∞^0. On qualifie ces formes d'indéterminées parce que la limite d'une telle expression lorsque $x \to x_0$ peut donner un nombre réel, ∞ ou $-\infty$, ou encore ne pas exister sans qu'on puisse savoir à priori laquelle de ces situations se produira. Nous verrons comment, à l'aide de transformations algébriques, lever l'indétermination des trois premières formes indéterminées. Pour lever une indétermination en recourant au processus de limite, il faut utiliser différentes stratégies (mettre en évidence, mettre au même dénominateur, factoriser, multiplier par un conjugué, etc.).

1.6.1 INDÉTERMINATION DE LA FORME $\frac{0}{0}$

Fonction rationnelle
Une fonction rationnelle est une fonction de la forme $f(x) = \dfrac{P(x)}{Q(x)}$, où $P(x)$ et $Q(x)$ sont des polynômes, c'est-à-dire une fonction qui se présente sous la forme d'un quotient où le numérateur et le dénominateur sont des polynômes.

Zéro d'un polynôme
Soit $P(x) = a_nx^n + a_{n-1}x^{n-1} + \cdots + a_1x + a_0$, où $a_i \in \mathbb{R}$ (pour $i = 0, 1, ..., n$) et où $a_n \neq 0$, un polynôme en x de degré $n \geq 1$. Le nombre réel r est un zéro (ou une *racine*) du polynôme $P(x)$ si $P(r) = 0$.

On rencontre notamment l'indétermination de type $\frac{0}{0}$ lorsqu'on a une **fonction rationnelle**, c'est-à-dire un quotient de polynômes, dont le numérateur et le dénominateur tendent tous les deux vers 0 quand x s'approche d'une certaine valeur. Pour lever l'indétermination, on utilise le théorème de factorisation de polynômes (théorème 1.3).

RAPPEL La factorisation de polynômes

Soit $P(x) = a_nx^n + a_{n-1}x^{n-1} + \cdots + a_1x + a_0$, où $a_i \in \mathbb{R}$ (pour $i = 0, 1, ..., n$) et où $a_n \neq 0$, un polynôme en x de degré $n \geq 1$. Le nombre réel r est un **zéro** (ou une *racine*) **du polynôme** $P(x)$ si $P(r) = 0$.

Par exemple, $x = -1$, $x = 1$ et $x = 2$ sont des zéros du polynôme $P(x) = 2x^3 - 4x^2 - 2x + 4$, car

$$P(-1) = 2(-1)^3 - 4(-1)^2 - 2(-1) + 4 = 0$$
$$P(1) = 2(1)^3 - 4(1)^2 - 2(1) + 4 = 0$$

et

$$P(2) = 2(2)^3 - 4(2)^2 - 2(2) + 4 = 0$$

THÉORÈME 1.3 **Théorème de factorisation**

Soit $P(x) = a_n x^n + a_{n-1} x^{n-1} + \cdots + a_1 x + a_0$, où $a_i \in \mathbb{R}$ (pour $i = 0,1, ..., n$) et où $a_n \neq 0$, un polynôme en x de degré $n \geq 1$. Si r est un zéro (ou une *racine*) du polynôme $P(x)$, alors $P(x) = (x - r)Q(x)$ où $Q(x)$ est un polynôme en x de degré $n - 1$.

Par exemple, on a déterminé que $x = 1$ était un zéro du polynôme $P(x) = 2x^3 - 4x^2 - 2x + 4$. On peut donc écrire

$$P(x) = (x - 1)Q(x)$$

Pour déterminer $Q(x)$, on peut effectuer une division de polynômes.

$$Q(x) = \frac{P(x)}{x - 1}$$

$$\begin{array}{rl} 2x^3 - 4x^2 - 2x + 4 & \big| \ x - 1 \\ \underline{-(2x^3 - 2x^2)} & \quad 2x^2 - 2x - 4 \leftarrow Q(x) \\ -2x^2 - 2x + 4 & \\ \underline{-(-2x^2 + 2x)} & \\ -4x + 4 & \\ \underline{-(-4x + 4)} & \\ 0 & \end{array}$$

Voir l'annexe Rappels de notions mathématiques, p. 402.

D'où $P(x) = (x - 1)(2x^2 - 2x - 4)$.

QUESTIONS ÉCLAIR 1.11

1. Vérifiez que $x = 3$ est un zéro du polynôme $P(x) = 2x^2 - 5x - 3$ et factorisez ce dernier.
2. Vérifiez que $x = -1$ est un zéro du polynôme $P(x) = 4x^3 + 6x^2 + 5x + 3$ et factorisez ce dernier.

EXEMPLE 1.29

Évaluons $\lim\limits_{x \to -2} \dfrac{3x^3 + 5x^2 - 2x}{x^2 + 2x}$.

Nous sommes en présence d'une indétermination de la forme $\frac{0}{0}$, car le numérateur et le dénominateur sont nuls quand $x = -2$, de sorte que $x = -2$ est un zéro de chacun de ces polynômes. Le numérateur et le dénominateur sont divisibles par $x-(-2)$, soit $x+2$, de sorte que

$$\lim_{x\to-2}\frac{3x^3+5x^2-2x}{x^2+2x}=\lim_{x\to-2}\frac{x(3x^2+5x-2)}{x(x+2)} \quad \text{mise en évidence}$$

$$=\lim_{x\to-2}\frac{\cancel{x}\cancel{(x+2)}(3x-1)}{\cancel{x}\cancel{(x+2)}} \quad \text{théorème 1.3}$$

$$=\lim_{x\to-2}(3x-1) \quad \text{simplification des facteurs communs}$$

$$=3(-2)-1$$

$$=-7$$

La simplification des facteurs communs est possible puisque $x+2$ et x sont différents de 0 lorsque $x\to-2$. En effet, lorsque $x\to-2$, x est voisin de -2 sans être égal à -2 et $x+2$ est donc différent de 0.

EXEMPLE 1.30

Évaluons $\lim\limits_{x\to1}\dfrac{x^3+x^2-5x+3}{x^3-3x+2}$.

Nous sommes en présence d'une indétermination de la forme $\frac{0}{0}$, car le numérateur et le dénominateur sont nuls quand $x=1$, de sorte que $x=1$ est un zéro de chacun de ces polynômes. Le numérateur et le dénominateur sont donc divisibles par $x-1$, et

$$\lim_{x\to1}\frac{x^3+x^2-5x+3}{x^3-3x+2}=\lim_{x\to1}\frac{\cancel{(x-1)}(x^2+2x-3)}{\cancel{(x-1)}(x^2+x-2)} \quad \text{théorème 1.3}$$

$$=\lim_{x\to1}\frac{x^2+2x-3}{x^2+x-2} \quad \text{simplification du facteur commun}$$

Cette expression est aussi de la forme $\frac{0}{0}$. Appliquons à nouveau le théorème 1.3 (p. 33). On obtient

$$\lim_{x\to1}\frac{x^3+x^2-5x+3}{x^3-3x+2}=\lim_{x\to1}\frac{x^2+2x-3}{x^2+x-2} \quad \text{théorème 1.3 et simplification}$$

$$=\lim_{x\to1}\frac{\cancel{(x-1)}(x+3)}{\cancel{(x-1)}(x+2)} \quad \text{théorème 1.3}$$

$$=\lim_{x\to1}\frac{x+3}{x+2} \quad \text{simplification du facteur commun}$$

$$=\frac{4}{3}$$

RAPPEL Évaluation d'une fonction en une valeur

Pour évaluer une fonction $y=f(x)$ en une valeur (numérique ou non), il suffit de remplacer tous les x par cette valeur dans l'équation afin d'obtenir la valeur de $f(x)$ ou de y.

Par exemple, si $f(x)=4-5x$, alors

$$f(3)=4-5(3)=-11$$

$$f(x-2)=4-5(x-2)=4-5x+10=14-5x$$

$$f(x+h)=4-5(x+h)=4-5x-5h$$

Voir l'annexe Rappels de notions mathématiques, p. 414.

ATTENTION

$f(x + h) \neq f(x) + f(h)$ et $f(x + h) \neq f(x) + h$. Pour évaluer $f(x + h)$, il faut remplacer x par $x + h$ dans l'expression de $f(x)$.

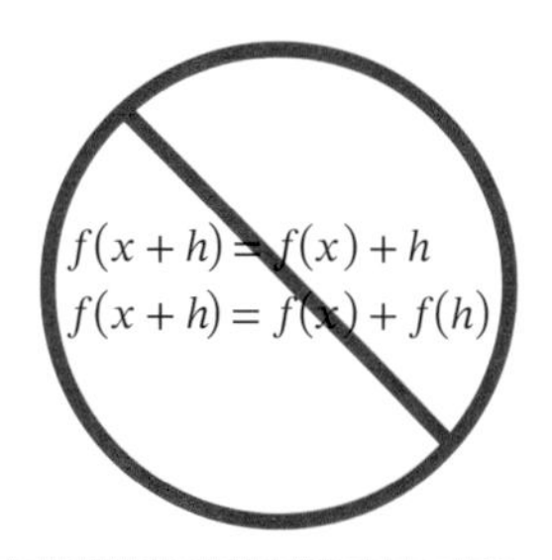

QUESTIONS ÉCLAIR 1.12

1. Si $f(x) = 2x + 3$, évaluez $f(x + 3)$.
2. Si $f(x) = \sqrt{3 - x}$, évaluez $f(x - 1)$.
3. Si $f(x) = 4x^2 - 1$, évaluez $f(x + h)$.
4. Si $f(x) = \dfrac{4}{5 - 3x}$, évaluez $f(x + \Delta x)$.

EXEMPLE 1.31

On lance une balle vers le haut à partir d'une hauteur de 1 m avec une vitesse initiale de 9,8 m/s. La position de la balle (sa hauteur mesurée en mètres) est donnée par la fonction $s(t) = -4{,}9t^2 + 9{,}8t + 1$, où t est le temps (en secondes) écoulé depuis le lancement. On veut déterminer la vitesse (instantanée) de la balle 0,5 s après son lancement.

Nous avons trouvé la réponse à cette question de façon intuitive à l'exemple 1.2 (p. 6). Essayons maintenant de trouver cette vitesse instantanée de manière plus formelle.

La vitesse instantanée à $t = 0{,}5$ s correspond à la limite de la vitesse moyenne lorsque la longueur de l'intervalle de temps sur lequel celle-ci est mesurée se rapproche de 0. On note généralement la longueur de cet intervalle par le symbole Δt; la lettre grecque Δ (delta) correspond au *D* de notre alphabet et désigne ici une faible « différence ». Dans le contexte, Δt signifie une faible variation du temps, soit une faible variation de t.

La vitesse moyenne calculée sur un intervalle de temps de longueur Δt autour de 0,5 s, soit sur l'intervalle $[0{,}5; 0{,}5 + \Delta t]$, est donc donnée par

$$\begin{aligned}\text{Vitesse moyenne} &= \frac{\text{Variation de la position de la balle sur l'intervalle}}{\text{Longueur de l'intervalle}}\\ &= \frac{s(0{,}5 + \Delta t) - s(0{,}5)}{(0{,}5 + \Delta t) - 0{,}5}\\ &= \frac{s(0{,}5 + \Delta t) - s(0{,}5)}{\Delta t}\end{aligned}$$

Pour obtenir la vitesse instantanée à $t = 0{,}5$ s, il suffit de laisser Δt tendre vers 0:

$$\text{Vitesse instantanée} = \lim_{\Delta t \to 0} \frac{s(0{,}5 + \Delta t) - s(0{,}5)}{\Delta t}$$

Nous sommes en présence d'une forme $\frac{0}{0}$. Comme $s(t) = -4{,}9t^2 + 9{,}8t + 1$, on a $s(0{,}5 + \Delta t) = -4{,}9(0{,}5 + \Delta t)^2 + 9{,}8(0{,}5 + \Delta t) + 1$. Alors,

$$\begin{aligned}
\text{Vitesse instantanée} &= \lim_{\Delta t \to 0} \frac{s(0{,}5 + \Delta t) - s(0{,}5)}{\Delta t} \\
&= \lim_{\Delta t \to 0} \frac{\left[-4{,}9(0{,}5 + \Delta t)^2 + 9{,}8(0{,}5 + \Delta t) + 1\right] - \left[-4{,}9(0{,}5)^2 + 9{,}8(0{,}5) + 1\right]}{\Delta t} \\
&= \lim_{\Delta t \to 0} \frac{\left[-4{,}9\left(0{,}25 + \Delta t + (\Delta t)^2\right) + 4{,}9 + 9{,}8\Delta t + 1\right] - 4{,}675}{\Delta t} \\
&= \lim_{\Delta t \to 0} \frac{\left[-1{,}225 - 4{,}9\Delta t - 4{,}9(\Delta t)^2 + 5{,}9 + 9{,}8\Delta t\right] - 4{,}675}{\Delta t} \\
&= \lim_{\Delta t \to 0} \frac{4{,}9\Delta t - 4{,}9(\Delta t)^2}{\Delta t} \\
&= \lim_{\Delta t \to 0} \frac{4{,}9\cancel{\Delta t}(1 - \Delta t)}{\cancel{\Delta t}} \\
&= \lim_{\Delta t \to 0} 4{,}9(1 - \Delta t) \\
&= 4{,}9 \text{ m/s}
\end{aligned}$$

La vitesse instantanée de la balle 0,5 s après le lancement est de 4,9 m/s, résultat que nous avions déjà anticipé.

La vitesse instantanée s'exprime en mètres par seconde, car, au numérateur, on retrouve une variation de la position de la balle (exprimée en mètres), et, au dénominateur, une variation de temps (exprimée en secondes).

RAPPEL Mise au même dénominateur

Lorsqu'on fait la somme (ou la différence) de deux fractions, on doit d'abord mettre les deux fractions au même dénominateur. On additionne ensuite les numérateurs (ou on soustrait le deuxième numérateur du premier). Le dénominateur du résultat est le dénominateur commun.

$$\frac{P}{Q} \pm \frac{R}{S} = \frac{PS}{QS} \pm \frac{QR}{QS} = \frac{PS \pm QR}{QS}$$

On simplifie ensuite la fraction obtenue, si possible.

Voir l'annexe Rappels de notions mathématiques, p. 408.

QUESTION ÉCLAIR 1.13

Effectuez l'opération en utilisant la mise au même dénominateur, puis simplifiez le résultat, si possible.

a) $\frac{3}{3x + 1} - \frac{4}{5 - x}$ b) $\frac{4}{x + 1} + \frac{8x}{1 - x^2}$

Une autre stratégie qu'on peut employer pour lever une indétermination de la forme $\frac{0}{0}$ est la mise au même dénominateur, comme l'illustrent les exemples 1.32 et 1.33.

EXEMPLE 1.32

Évaluons $\lim_{x \to 3} \dfrac{\frac{1}{4} - \frac{x}{12}}{x - 3}$.

Nous sommes en présence d'une indétermination de la forme $\frac{0}{0}$, car le numérateur et le dénominateur sont nuls quand $x = 3$. Puisque le numérateur est la différence de deux fractions, utilisons la mise au même dénominateur.

$$\begin{aligned}
\lim_{x \to 3} \frac{\frac{1}{4} - \frac{x}{12}}{x - 3} &= \lim_{x \to 3} \frac{\frac{1(3)}{4(3)} - \frac{x}{12}}{x - 3} && \text{mise au même dénominateur} \\
&= \lim_{x \to 3} \left(\frac{3 - x}{12} \cdot \frac{1}{x - 3} \right) \\
&= \lim_{x \to 3} \frac{3 - x}{12(x - 3)} \\
&= \lim_{x \to 3} \frac{-\cancel{(x - 3)}}{12\cancel{(x - 3)}} && \text{mise en évidence} \\
&= \lim_{x \to 3} \left(-\frac{1}{12} \right) && \text{simplification du facteur commun} \\
&= -\frac{1}{12}
\end{aligned}$$

EXEMPLE 1.33

Soit la fonction $f(x) = \dfrac{1}{2x + 1}$. Évaluons $\lim_{h \to 0} \dfrac{f(x + h) - f(x)}{h}$. Nous sommes en présence d'une forme $\frac{0}{0}$.

Puisque $f(x) = \dfrac{1}{2x + 1}$, alors $f(x + h) = \dfrac{1}{2(x + h) + 1} = \dfrac{1}{2x + 2h + 1}$. Ainsi,

$$\begin{aligned}
\lim_{h \to 0} \frac{f(x + h) - f(x)}{h} &= \lim_{h \to 0} \frac{\frac{1}{2(x + h) + 1} - \frac{1}{2x + 1}}{h} \\
&= \lim_{h \to 0} \frac{\frac{1(2x + 1)}{(2x + 2h + 1)(2x + 1)} - \frac{1(2x + 2h + 1)}{(2x + 1)(2x + 2h + 1)}}{h} \\
&= \lim_{h \to 0} \left[\frac{(2x + 1) - (2x + 2h + 1)}{(2x + 2h + 1)(2x + 1)} \cdot \frac{1}{h} \right] \\
&= \lim_{h \to 0} \frac{\cancel{2x} + \cancel{1} - \cancel{2x} - 2h - \cancel{1}}{h(2x + 2h + 1)(2x + 1)} \\
&= \lim_{h \to 0} \frac{-2\cancel{h}}{\cancel{h}(2x + 2h + 1)(2x + 1)} \\
&= \lim_{h \to 0} \frac{-2}{(2x + 2h + 1)(2x + 1)} \\
&= \frac{-2}{(2x + 0 + 1)(2x + 1)} \\
&= \frac{-2}{(2x + 1)^2}
\end{aligned}$$

Dans le prochain chapitre, nous définirons la fonction dérivée de $f(x)$ de la façon suivante : $\lim\limits_{\Delta x \to 0} \dfrac{f(x+\Delta x)-f(x)}{\Delta x}$. Il est donc très important de bien comprendre l'exemple que nous venons de voir puisque vous devrez effectuer des opérations de même nature dans les sections et les chapitres qui suivent.

Ce ne sont pas seulement les fonctions rationnelles (c'est-à-dire les quotients de deux polynômes) qui peuvent conduire à une indétermination de la forme $\frac{0}{0}$. On peut également rencontrer des radicaux dans le quotient de fonctions. Multiplier le numérateur et le dénominateur par le conjugué de l'expression au numérateur ou au dénominateur est une stratégie qu'on peut employer pour lever de telles indéterminations.

RAPPEL Le conjugué d'une expression

Conjugué

Le conjugué de l'expression $f(x)+g(x)$ est $f(x)-g(x)$. Réciproquement, le conjugué de l'expression $f(x)-g(x)$ est $f(x)+g(x)$.

Le **conjugué** de l'expression $f(x)+g(x)$ est $f(x)-g(x)$. Réciproquement, le conjugué de l'expression $f(x)-g(x)$ est $f(x)+g(x)$.

Par exemple, le conjugué de $2\sqrt{x}-8$ est $2\sqrt{x}+8$ et le conjugué de $\sqrt{x+1}+\sqrt{x-5}$ est $\sqrt{x+1}-\sqrt{x-5}$.

La multiplication de conjugués permet l'élimination de radicaux. Ainsi,

$$\begin{aligned}(2\sqrt{x}-8)(2\sqrt{x}+8) &= (2\sqrt{x})^2 + \cancel{16\sqrt{x}} - \cancel{16\sqrt{x}} - 64\\ &= 4x-64\end{aligned}$$

et

$$\begin{aligned}&(\sqrt{x+1}+\sqrt{x-5})(\sqrt{x+1}-\sqrt{x-5})\\ &\quad= (\sqrt{x+1})^2 - \cancel{\sqrt{x+1}\sqrt{x-5}} + \cancel{\sqrt{x-5}\sqrt{x+1}} - (\sqrt{x-5})^2\\ &\quad= (x+1)-(x-5) = \cancel{x}+1-\cancel{x}+5\\ &\quad= 6\end{aligned}$$

Voir l'annexe Rappels de notions mathématiques, p. 399.

QUESTIONS ÉCLAIR 1.14

1. Multipliez l'expression $\sqrt{3x+1}-5$ par son conjugué.
2. Multipliez l'expression $\sqrt{2x-1}+\sqrt{3-4x}$ par son conjugué.

EXEMPLE 1.34

Évaluons $\lim\limits_{x\to 0}\dfrac{2-\sqrt{4-x}}{x}$.

Nous sommes en présence d'une indétermination de la forme $\frac{0}{0}$, car le numérateur et le dénominateur sont nuls quand $x=0$. En multipliant le numérateur et le dénominateur par le conjugué de l'expression au numérateur, on obtient

$$\lim_{x\to 0}\frac{2-\sqrt{4-x}}{x} = \lim_{x\to 0}\frac{(2-\sqrt{4-x})(2+\sqrt{4-x})}{x(2+\sqrt{4-x})} \qquad \text{multiplication par le conjugué}$$

$$= \lim_{x\to 0}\frac{4+\cancel{2\sqrt{4-x}}-\cancel{2\sqrt{4-x}}-(\sqrt{4-x})^2}{x(2+\sqrt{4-x})} \qquad \text{distributivité au numérateur}$$

$$= \lim_{x \to 0} \frac{4-(4-x)}{x\left(2+\sqrt{4-x}\right)}$$

$$= \lim_{x \to 0} \frac{\cancel{x}}{\cancel{x}\left(2+\sqrt{4-x}\right)}$$

$$= \lim_{x \to 0} \frac{1}{2+\sqrt{4-x}}$$ simplification du facteur commun

$$= \frac{1}{2+\sqrt{4-0}}$$

$$= \frac{1}{4}$$

EXEMPLE 1.35

Évaluons $\lim_{x \to 3} \frac{6-2x}{\sqrt{2x+3}-3}$.

Nous sommes en présence d'une indétermination de la forme $\frac{0}{0}$, car le numérateur et le dénominateur sont nuls quand $x = 3$. En multipliant le numérateur et le dénominateur par le conjugué de l'expression au dénominateur, on obtient

$$\lim_{x \to 3} \frac{6-2x}{\sqrt{2x+3}-3} = \lim_{x \to 3} \frac{(6-2x)\left(\sqrt{2x+3}+3\right)}{\left(\sqrt{2x+3}-3\right)\left(\sqrt{2x+3}+3\right)}$$ multiplication par le conjugué

$$= \lim_{x \to 3} \frac{(6-2x)\left(\sqrt{2x+3}+3\right)}{\left(\sqrt{2x+3}\right)^2 + \cancel{3\sqrt{2x+3}} - \cancel{3\sqrt{2x+3}} - 9}$$ distributivité au dénominateur

$$= \lim_{x \to 3} \frac{(6-2x)\left(\sqrt{2x+3}+3\right)}{(2x+3)-9}$$

$$= \lim_{x \to 3} \frac{-\cancel{(2x-6)}\left(\sqrt{2x+3}+3\right)}{\cancel{2x-6}}$$ mise en évidence

$$= \lim_{x \to 3} \left[-\left(\sqrt{2x+3}+3\right)\right]$$ simplification du facteur commun

$$= -\left(\sqrt{2(3)+3}+3\right)$$

$$= -6$$

EXERCICE 1.6

Évaluez la limite.

a) $\lim_{x \to 2} \frac{4x^2-7x-2}{x^2+3x-10}$

b) $\lim_{x \to 1} \frac{x^3-2x^2+x}{x^3-x^2-x+1}$

c) $\lim_{\Delta x \to 0} \frac{f(2+\Delta x)-f(2)}{\Delta x}$ où $f(x) = 2-x^2$

d) $\lim_{h \to 0} \frac{f(x+h)-f(x)}{h}$ où $f(x) = \frac{2}{1-x}$

e) $\lim_{x \to 8} \dfrac{8 - x}{\sqrt{2x} - 4}$

f) $\lim_{x \to -2} \dfrac{\sqrt{2 - x} - \sqrt{x + 6}}{x^2 - 4}$

Vous pouvez maintenant faire les exercices récapitulatifs 22 à 28.

1.6.2 INDÉTERMINATION DE LA FORME $\frac{\infty}{\infty}$ OU DE LA FORME $\infty - \infty$

On rencontre des indéterminations de la forme $\frac{\infty}{\infty}$ lorsqu'on est en présence d'un quotient dont le numérateur et le dénominateur deviennent de plus en plus grands quand x s'approche d'une certaine valeur. La mise en évidence simple est une stratégie qu'on peut utiliser pour lever ce type d'indétermination. Il faut faire attention de ne pas présumer que la limite d'une indétermination de la forme $\frac{\infty}{\infty}$ donnera toujours 1, comme on peut le constater dans les exemples 1.36 à 1.39.

EXEMPLE 1.36

Évaluons $\lim_{x \to -\infty} \dfrac{2x^3 - x^2 + 1}{4x^2 - x - 3}$.

Le numérateur tend vers $-\infty$ et le dénominateur tend vers ∞ quand $x \to -\infty$: on est donc en présence d'une forme $\frac{-\infty}{\infty}$. Une mise en évidence simple permet de lever cette indétermination.

$$\lim_{x \to -\infty} \frac{2x^3 - x^2 + 1}{4x^2 - x - 3} = \lim_{x \to -\infty} \frac{x^3(2 - 1/x + 1/x^3)}{x^2(4 - 1/x - 3/x^2)} \quad \text{mise en évidence}$$

$$= \lim_{x \to -\infty} \frac{x(2 - 1/x + 1/x^3)}{4 - 1/x - 3/x^2} \quad \text{simplification du facteur commun}$$

$$= -\infty \quad \text{forme } \frac{-\infty\,(2 - 0 + 0)}{4 - 0 - 0}$$

EXEMPLE 1.37

On veut évaluer $\lim_{x \to \infty} \dfrac{5 - 2x}{x^2 - 2x + 4}$. Effectuons une mise en évidence simple.

$$\lim_{x \to \infty} \frac{5 - 2x}{x^2 - 2x + 4} = \lim_{x \to \infty} \frac{x(5/x - 2)}{x^2(1 - 2/x + 4/x^2)} \quad \text{mise en évidence}$$

$$= \lim_{x \to \infty} \frac{5/x - 2}{x(1 - 2/x + 4/x^2)} \quad \text{simplification du facteur commun}$$

$$= 0 \quad \text{forme } \frac{0 - 2}{\infty\,(1 - 0 + 0)}$$

EXEMPLE 1.38

Soit une population dont la taille N (en milliers d'individus) au temps t (en années) est donnée par la fonction $N(t) = \dfrac{200t}{1 + t} + 60$. Quelle sera la taille de cette population à long terme ?

Comme l'expression $\dfrac{200t}{1+t}$ est de la forme $\frac{\infty}{\infty}$ lorsque $t \to \infty$, effectuons une mise en évidence simple pour lever l'indétermination.

$$\begin{aligned}
\lim_{t\to\infty} N(t) &= \lim_{t\to\infty}\left(\frac{200t}{1+t}+60\right) \\
&= \lim_{t\to\infty}\left[\frac{200\cancel{t}}{\cancel{t}(1/t+1)}+60\right] && \text{mise en évidence} \\
&= \frac{200}{0+1}+60 && \text{simplification du facteur commun} \\
&= 260
\end{aligned}$$

À long terme, il y aura 260 milliers d'individus (ou 260 000 individus) dans cette population.

QUESTION ÉCLAIR 1.15

Évaluez la limite. Utilisez le symbole ∞ ou $-\infty$, s'il y a lieu.

a) $\displaystyle\lim_{x\to\infty}\frac{3x^2+2x+1}{x^2+4}$

b) $\displaystyle\lim_{x\to-\infty}\frac{1-x^4}{x^3+2}$

EXEMPLE 1.39

Déterminons, s'il y en a, les asymptotes horizontales à la courbe décrite par la fonction $f(x) = \dfrac{3x}{\sqrt{x^2+4}}$.

Il faut évaluer $\displaystyle\lim_{x\to\infty}\frac{3x}{\sqrt{x^2+4}}$ et $\displaystyle\lim_{x\to-\infty}\frac{3x}{\sqrt{x^2+4}}$. La première limite est de la forme $\frac{\infty}{\infty}$, tandis que la deuxième est de la forme $\frac{-\infty}{\infty}$. La stratégie pour lever ces deux indéterminations est sensiblement la même dans les deux cas.

$$\begin{aligned}
\lim_{x\to\infty}\frac{3x}{\sqrt{x^2+4}} &= \lim_{x\to\infty}\frac{3x}{\sqrt{x^2(1+4/x^2)}} && \text{mise en évidence} \\
&= \lim_{x\to\infty}\frac{3x}{\sqrt{x^2}\sqrt{1+4/x^2}} && \text{propriété des radicaux : } \sqrt{ab}=\sqrt{a}\sqrt{b} \\
&= \lim_{x\to\infty}\frac{3x}{|x|\sqrt{1+4/x^2}} && \text{propriété des radicaux : } \sqrt{x^2}=|x| \\
&= \lim_{x\to\infty}\frac{3\cancel{x}}{\cancel{x}\sqrt{1+4/x^2}} && |x| = x\ (\text{quand } x\to\infty) \\
&= \lim_{x\to\infty}\frac{3}{\sqrt{1+4/x^2}} \\
&= \frac{3}{\sqrt{1+0}} \\
&= 3
\end{aligned}$$

Pour calculer la deuxième limite, les trois premières étapes sont exactement les mêmes.

$$\begin{aligned}\lim_{x\to-\infty}\frac{3x}{\sqrt{x^2+4}} &= \lim_{x\to-\infty}\frac{3x}{|x|\sqrt{1+4/x^2}}\\ &= \lim_{x\to-\infty}\frac{3\cancel{x}}{-\cancel{x}\sqrt{1+4/x^2}} \quad |x|=-x\,(\text{quand } x\to-\infty)\\ &= \lim_{x\to-\infty}\frac{-3}{\sqrt{1+4/x^2}}\\ &= \frac{-3}{\sqrt{1+0}}\\ &= -3\end{aligned}$$

La courbe décrite par la fonction $f(x)=\dfrac{3x}{\sqrt{x^2+4}}$ admet donc deux asymptotes horizontales : $y=-3$ et $y=3$.

Le dernier type de forme indéterminée que nous illustrerons est la forme indéterminée $\infty-\infty$. Encore une fois, il ne faut pas sauter aux conclusions et dire que ces limites valent toutes 0. Pour lever l'indétermination et évaluer ces limites, la mise en évidence simple, la mise au même dénominateur ou la multiplication par un conjugué sont généralement des stratégies appropriées.

EXEMPLE 1.40

On veut évaluer $\lim\limits_{x\to\infty}(4x^3+2x^2-5x+1)$. Or, cette expression est de la forme $\infty-\infty$ puisque $\underbrace{\lim_{x\to\infty}(4x^3+2x^2)}_{\text{forme } \infty+\infty}=\infty$ et que $\underbrace{\lim_{x\to\infty}(-5x+1)}_{\text{forme } -\infty+1}=-\infty$.

Il s'agit d'une forme indéterminée. On peut utiliser la mise en évidence simple de la plus haute puissance de x pour lever cette indétermination.

$$\begin{aligned}\lim_{x\to\infty}(4x^3+2x^2-5x+1) &= \lim_{x\to\infty}\left[x^3\left(4+2/x-5/x^2+1/x^3\right)\right] \quad \text{mise en évidence}\\ &= \infty \quad \text{forme } \infty(4+0-0+0) \text{ par les propriétés 9, 10 et 12}\end{aligned}$$

QUESTION ÉCLAIR 1.16

Évaluez $\lim\limits_{x\to-\infty}(2x^3-3x+2)$. Utilisez le symbole ∞ ou $-\infty$, s'il y a lieu.

EXEMPLE 1.41

On veut évaluer $\lim\limits_{x\to2^-}\left(\dfrac{1}{2-x}-\dfrac{2x}{4-x^2}\right)$.

On est en présence d'une forme indéterminée du type $\infty-\infty$ puisque

$$\underbrace{\lim_{x\to2^-}\frac{1}{2-x}}_{\text{forme } \frac{1}{0^+}}=\infty \text{ et } \underbrace{\lim_{x\to2^-}\frac{2x}{4-x^2}}_{\text{forme } \frac{4}{0^+}}=\infty$$

Pour évaluer cette limite, mettons d'abord les deux fractions au même dénominateur.

$$\lim_{x\to 2^-}\left(\frac{1}{2-x}-\frac{2x}{4-x^2}\right)=\lim_{x\to 2^-}\left[\frac{1}{2-x}-\frac{2x}{(2-x)(2+x)}\right]$$ décomposition en facteurs

$$=\lim_{x\to 2^-}\left[\frac{1(2+x)}{(2-x)(2+x)}-\frac{2x}{(2-x)(2+x)}\right]$$ mise au même dénominateur

$$=\lim_{x\to 2^-}\left[\frac{(2+x)-2x}{(2-x)(2+x)}\right]$$ soustraction de fractions

$$=\lim_{x\to 2^-}\left[\frac{\cancel{2-x}}{\cancel{(2-x)}(2+x)}\right]$$ regroupement des termes semblables

$$=\lim_{x\to 2^-}\frac{1}{2+x}$$ simplification du facteur commun

$$=\frac{1}{4}$$

EXEMPLE 1.42

On veut évaluer $\lim\limits_{x\to\infty}\left(\sqrt{x+4}-\sqrt{2x+1}\right)$.

On a une forme indéterminée du type $\infty - \infty$. Pour calculer cette limite, multiplions par le conjugué.

$$\lim_{x\to\infty}\left(\sqrt{x+4}-\sqrt{2x+1}\right)=\lim_{x\to\infty}\frac{\left(\sqrt{x+4}-\sqrt{2x+1}\right)\left(\sqrt{x+4}+\sqrt{2x+1}\right)}{\sqrt{x+4}+\sqrt{2x+1}}$$

$$=\lim_{x\to\infty}\frac{\left(\sqrt{x+4}\right)^2+\cancel{\sqrt{x+4}\sqrt{2x+1}}-\cancel{\sqrt{2x+1}\sqrt{x+4}}-\left(\sqrt{2x+1}\right)^2}{\sqrt{x+4}+\sqrt{2x+1}}$$

$$=\lim_{x\to\infty}\frac{(x+4)-(2x+1)}{\sqrt{x+4}+\sqrt{2x+1}}$$ simplification du numérateur

$$=\lim_{x\to\infty}\frac{3-x}{\sqrt{x+4}+\sqrt{2x+1}}$$ regroupement des termes semblables

$$=\lim_{x\to\infty}\frac{x(3/x-1)}{\sqrt{x}\left(\sqrt{1+4/x}+\sqrt{2+1/x}\right)}$$ mise en évidence

$$=\lim_{x\to\infty}\frac{\sqrt{x}(3/x-1)}{\sqrt{1+4/x}+\sqrt{2+1/x}}$$ propriété des exposants : $\frac{x^1}{x^{1/2}}=x^{1-1/2}=x^{1/2}=\sqrt{x}$

$$=-\infty$$ forme $\frac{\infty(0-1)}{\sqrt{1+0}+\sqrt{2+0}}$

EXERCICES 1.7

1. Évaluez la limite. Utilisez le symbole ∞ ou $-\infty$, s'il y a lieu.

a) $\lim\limits_{x\to-\infty}\frac{x^2-x+2}{1-x^3}$

b) $\lim\limits_{x\to\infty}\frac{4x^3-8}{2x^3+x-1}$

c) $\lim\limits_{x\to-\infty}\frac{3-x^2}{2x+1}$

d) $\lim\limits_{x\to 1^+}\left[\frac{3}{(x-1)^2}-\frac{2}{x-1}\right]$

e) $\lim\limits_{x\to -4^-}\left(\frac{24}{16-x^2}-\frac{3}{x+4}\right)$

f) $\lim\limits_{x\to\infty}\left(\sqrt{x+1}-\sqrt{x}\right)$

2. Déterminez, s'il y en a, les asymptotes horizontales à la courbe décrite par la fonction $f(x) = \dfrac{\sqrt{4x^2 - 1}}{x + 2}$.

3. Une rumeur se propage dans une population de 60 000 habitants selon le modèle $N(t) = \dfrac{250\,000\,t}{5t + 12}$, où $N(t)$ représente le nombre de personnes au courant de la rumeur t jours après sa divulgation. Si rien n'est fait pour la démentir, combien de personnes auront eu vent de la rumeur à long terme?

Vous pouvez maintenant faire les exercices récapitulatifs 29 à 37.

UN PEU D'HISTOIRE

La notion de limite est à la base du calcul différentiel et du calcul intégral. Tous les concepts du calcul (continuité, discontinuité, dérivée, intégration, convergence, divergence, etc.) lui sont associés; en fait, l'idée de limite est ce qui distingue essentiellement le calcul (différentiel et intégral) des mathématiques que vous avez apprises à l'école secondaire.

Par ailleurs, la notion de limite est très complexe et n'a été solidement établie qu'à compter du milieu du XIXe siècle, même si de nombreuses générations de mathématiciens y ont recouru sans en donner une définition formelle. Cette approche intuitive n'est pas exclusive au concept de limite. En effet, l'histoire des mathématiques et des sciences abonde en exemples où une idée s'est développée longuement avant qu'on ne réussisse à la définir correctement et de façon plus permanente: les grandes idées mettent du temps à atteindre leur maturité.

Déjà, les Grecs de l'Antiquité avaient une intuition de cette idée maîtresse qu'est la limite. Zénon d'Élée (490-430 avant notre ère) formula plusieurs paradoxes, comme celui d'Achille et de la Tortue, dont la résolution exige les concepts de limite et d'infini, qu'il ne maîtrisait pas. En cherchant une approximation du nombre 2π, Archimède inscrivit dans un cercle de rayon 1 des polygones réguliers à nombre croissant de côtés. Sa démarche reposait sur le raisonnement selon lequel à mesure que le nombre de côtés du polygone augmente, le périmètre de ce dernier se rapproche de celui du cercle et, «à la limite», en donne la valeur exacte, soit 2π.

Beaucoup plus tard, à l'époque de la création de la géométrie analytique par René Descartes (1596-1650), Pierre de Fermat (1601-1665) traita de quantités infinitésimales, c'est-à-dire qui tendent vers 0. Encore une fois, l'idée de limite était présente dans le raisonnement. Puis, vinrent Isaac Newton (1642-1727) et Gottfried Wilhelm Leibniz (1646-1716), qui mirent véritablement au monde le calcul différentiel et intégral en le dotant d'une terminologie, de symboles particuliers, d'algorithmes et de procédures qui permettent de résoudre des problèmes complexes et variés. Mais encore là, l'idée de limite demeurait sous-jacente et indéfinie.

Jean Le Rond d'Alembert (1717-1783) fut le premier à reconnaître que le concept de limite est essentiel au développement du calcul différentiel et intégral. Dans les articles scientifiques qu'il rédigea pour l'*Encyclopédie*, il essaya de donner une idée du concept de limite, qu'il qualifia de «vraie métaphysique du calcul différentiel».

Vint ensuite Augustin-Louis Cauchy (1789-1857), qui montra clairement l'importance du concept de limite en calcul et qui en donna une définition s'approchant de celle que l'on connaît aujourd'hui: «Lorsque les valeurs successivement attribuées à une même variable s'approchent indéfiniment d'une valeur fixe, de manière à finir par en différer aussi peu que l'on voudra, cette dernière est appelée la limite de toutes les autres.» Et Cauchy d'ajouter: «On dit qu'une quantité variable devient infiniment petite lorsque sa valeur numérique décroît indéfiniment de manière à converger vers la limite 0.»

Ce fut finalement le mathématicien allemand Karl Weierstrass (1815-1897) qui élabora une définition du concept de limite qu'on peut qualifier de moderne. Dans sa définition, Weierstrass quantifia l'expression «s'approche indéfiniment d'une valeur fixe». Il en vint à une définition en termes de δ et de ε: «S'il est possible de déterminer une borne δ telle que, pour toute valeur de h plus petite en valeur absolue que δ, $f(x + h) - f(x)$ soit plus petite qu'une quantité ε aussi petite que l'on veut, alors on dira qu'on a fait correspondre à une variation infiniment petite de la variable une variation infiniment petite de la fonction.»

Cela nous amène directement à la définition moderne de limite. Ainsi, on dira que $\lim\limits_{x \to a} f(x) = L$ si et seulement si $\forall\varepsilon > 0$, $\exists\delta > 0$ tel que $|f(x) - L| < \varepsilon$ lorsque $0 < |x - a| < \delta$.

1.7 CONTINUITÉ

DANS CETTE SECTION: *discontinuité non essentielle par trou – discontinuité non essentielle par déplacement – discontinuité essentielle par saut – discontinuité essentielle infinie – fonction continue en un point – fonction discontinue en un point – fonction composée – fonction continue sur un intervalle.*

Dans le langage courant, le mot «continu» désigne un phénomène qui ne présente pas d'interruptions ni de changements brusques ou instantanés d'état dans le temps. Ainsi, un objet en mouvement ne peut pas disparaître et réapparaître à un autre endroit pour continuer son déplacement. Le déplacement d'un objet en fonction du temps est donc un phénomène continu. Il en est de même pour la vitesse et l'accélération de cet objet.

La croissance d'un individu, d'un animal ou d'une plante se fait elle aussi de façon continue. La désintégration d'une substance radioactive, la quantité de médicament présente dans le sang d'un patient après son ingestion et l'évolution de la température extérieure au cours d'une journée sont des phénomènes très différents, mais tous continus.

1.7.1 TYPOLOGIE DES DISCONTINUITÉS POSSIBLES D'UNE FONCTION

Mais comment peut-on, à l'aide du graphique ou de l'équation d'une fonction, déterminer si celle-ci est continue ou non? Intuitivement, on devrait pouvoir tracer le graphique d'une fonction continue sans avoir à lever la pointe du crayon (FIGURE 1.22).

FIGURE 1.22
Graphiques de fonctions continues en $x = a$

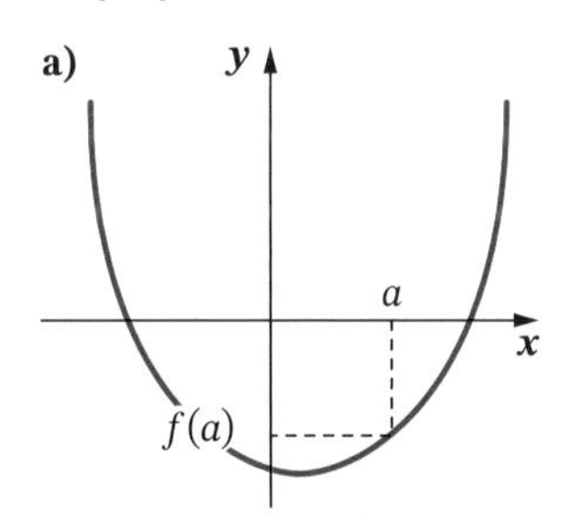

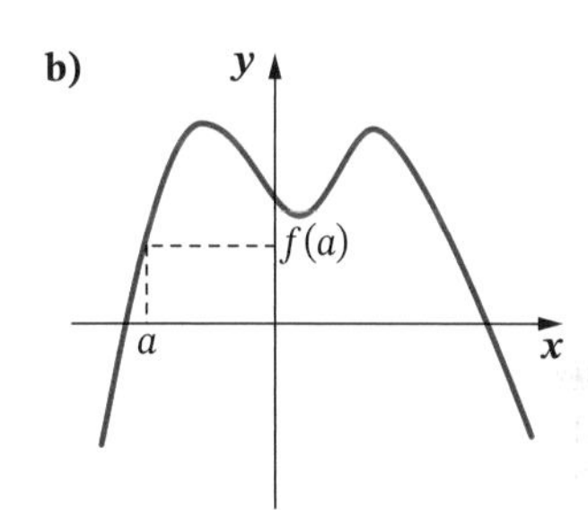

Lorsqu'on trace le graphique des fonctions présentées dans la figure 1.22, il n'est pas nécessaire de lever la pointe du crayon en $x = a$. Par conséquent, on peut penser que les fonctions sont continues en ce point. Par ailleurs, on remarque que $f(a)$ existe et que $\lim_{x \to a} f(x) = f(a)$ pour ces deux fonctions.

Intuitivement, le graphique d'une fonction qui n'est pas continue devrait comporter des trous ou des sauts, qui empêcheraient de le tracer sans lever la pointe du crayon (FIGURE 1.23).

FIGURE 1.23
Graphiques de fonctions discontinues en $x = a$

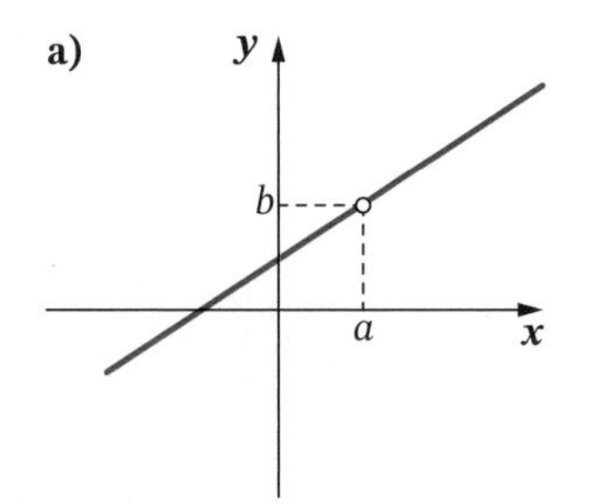

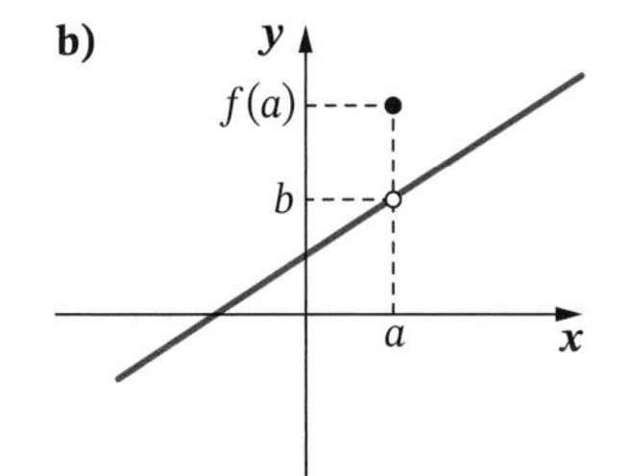

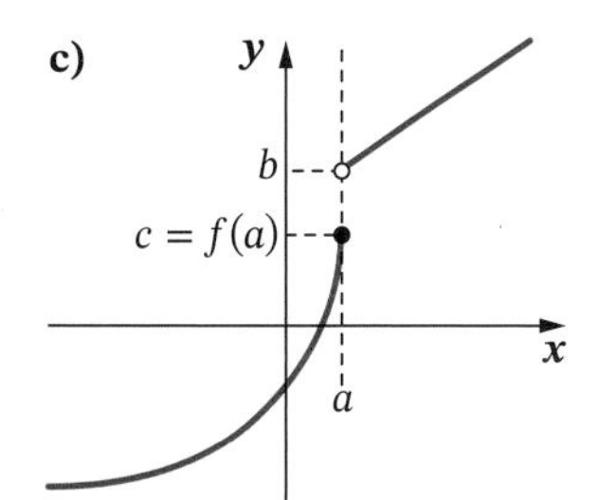

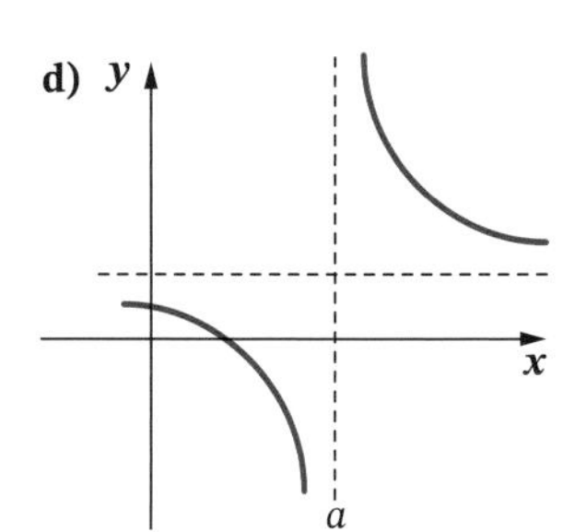

Les fonctions présentées dans les graphiques de la figure 1.23 (p. 45) ne présentent pas la caractéristique recherchée pour les fonctions continues en $x = a$. En effet, pour tracer le graphique de chacune de ces fonctions, il faut lever la pointe du crayon en $x = a$. Toutefois, les discontinuités observées dans ces graphiques ne sont pas toutes de la même nature. Essayons de déterminer ce qui explique ces discontinuités.

La fonction de la figure 1.23 *a* n'est pas continue en $x = a$, car elle n'est pas définie en ce point, c'est-à-dire que $f(a)$ n'existe pas. Il y a un trou dans le graphique de la fonction. En revanche, le fait que la fonction ne soit pas définie en $x = a$ n'empêche pas la limite quand x tend vers a d'exister : $\lim_{x \to a} f(x) = b$. On dit alors qu'il y a une **discontinuité non essentielle par trou** en $x = a$ puisqu'on peut très facilement définir cette fonction en $x = a$ pour la rendre continue en ce point. En effet, il suffit de combler le trou en posant $f(a) = b$.

Discontinuité non essentielle par trou

La fonction $f(x)$ admet une discontinuité non essentielle par trou en $x = a$ si elle n'est pas définie en $x = a$, mais que $\lim_{x \to a} f(x) = b$, où b est un nombre réel.

La fonction de la figure 1.23 *b* n'est pas continue en $x = a$. Pourtant, $f(a)$ existe, et la limite quand x tend vers a existe elle aussi : $\lim_{x \to a} f(x) = b$. On peut cependant constater que $\lim_{x \to a} f(x) \neq f(a)$. On dit alors qu'il y a une **discontinuité non essentielle par déplacement** en $x = a$ puisqu'on peut aisément redéfinir la fonction en $x = a$ pour qu'elle soit continue en ce point. En effet, il suffit de déplacer le point pour combler le trou en posant $f(a) = b$.

Discontinuité non essentielle par déplacement

La fonction $f(x)$ admet une discontinuité non essentielle par déplacement en $x = a$ si elle est définie en $x = a$, mais que $\lim_{x \to a} f(x) = b \neq f(a)$, où b est un nombre réel.

La fonction de la figure 1.23 *c* n'est pas continue en $x = a$ même si elle est définie en ce point. Il y a un saut dans la fonction, c'est-à-dire un changement brusque et instantané d'état en ce point. La discontinuité s'explique du fait que la limite quand x tend vers a n'existe pas parce que $\lim_{x \to a^-} f(x) \neq \lim_{x \to a^+} f(x)$, même si ces deux dernières limites sont des nombres réels. On dit alors qu'il y a une **discontinuité essentielle par saut** en $x = a$.

Discontinuité essentielle par saut

La fonction $f(x)$ admet une discontinuité essentielle par saut en $x = a$ si les limites à gauche et à droite de $x = a$ sont des nombres réels, mais que

$$\lim_{x \to a^-} f(x) \neq \lim_{x \to a^+} f(x).$$

Finalement, la fonction de la figure 1.23 *d* n'est pas continue en $x = a$. On constate que $f(a)$ n'existe pas et qu'il y a une asymptote verticale en $x = a$. On a $\lim_{x \to a^-} f(x) = -\infty$ et $\lim_{x \to a^+} f(x) = \infty$. On dit alors qu'il y a une **discontinuité essentielle infinie** en $x = a$.

Discontinuité essentielle infinie

La fonction $f(x)$ admet une discontinuité essentielle infinie en $x = a$ si au moins une des deux limites, $\lim_{x \to a^-} f(x)$ ou $\lim_{x \to a^+} f(x)$, donne ∞ ou $-\infty$.

QUESTIONS ÉCLAIR 1.17

1. Si $f(2) = 5$ et si $\lim_{x \to 2} f(x) = 3$, quel type de discontinuité la fonction $f(x)$ admet-elle en $x = 2$?
2. Si $\lim_{x \to -3^-} f(x) = 1/2$ et si $\lim_{x \to -3^+} f(x) = -2$, quel type de discontinuité la fonction $f(x)$ admet-elle en $x = -3$?
3. Soit la fonction $f(x) = \dfrac{1}{x+1}$. Évaluez $\lim_{x \to -1^-} f(x)$ et déterminez la nature de la discontinuité de la fonction $f(x)$ en $x = -1$.
4. Soit la fonction $f(x) = \dfrac{2x-6}{x^2-9}$. Évaluez $\lim_{x \to 3} f(x)$ et déterminez la nature de la discontinuité de la fonction $f(x)$ en $x = 3$.

1.7.2 DÉFINITION DE LA CONTINUITÉ EN UN POINT

Fonction continue en un point

Une fonction $f(x)$ est continue en un point $x = a$ si et seulement si $f(a)$ existe, $\lim_{x \to a} f(x)$ existe et $\lim_{x \to a} f(x) = f(a)$.

Fonction discontinue en un point

Une fonction $f(x)$ est discontinue en $x = a$ si elle n'est pas continue en ce point.

Les graphiques présentés dans les figures 1.22 et 1.23 (p. 45) ont permis de déterminer les caractéristiques que doit présenter une fonction pour être continue en un point. On peut donc définir de façon plus formelle la continuité en un point d'une fonction. Une **fonction** $f(x)$ est **continue en un point** $x = a$ si et seulement si:

- $f(a)$ existe;
- $\lim_{x \to a} f(x)$ existe;
- $\lim_{x \to a} f(x) = f(a)$.

Une **fonction** qui n'est pas continue en un point est dite **discontinue en ce point**.

Ainsi, on doit comprendre de cette définition de la continuité d'une fonction en $x = a$ que la valeur de la fonction, pour des valeurs de x proches de a, ne doit pas trop s'écarter de la valeur de la fonction en $x = a$, soit de $f(a)$. En fait, autour de $x = a$, la valeur de la fonction doit être très proche de ce qu'elle vaut en a; en somme, elle doit être aussi proche que l'on veut de $f(a)$. Par conséquent, la fonction ne doit pas subir de brusques variations instantanées autour de $x = a$, de façon qu'on puisse en tracer le graphique sans lever la pointe du crayon.

EXEMPLE 1.43

Pour une période de 30 jours, le coût $C(x)$ de la consommation de x kWh d'un abonné d'Hydro-Québec (voir exemple 1.5, p. 10) est donné par la fonction

$$C(x) = \begin{cases} 6{,}509x + 1\ 305{,}15 & \text{si } x \leq 1\ 200 \\ 10{,}041x - 2\ 933{,}25 & \text{si } x > 1\ 200 \end{cases}$$

On veut déterminer si la fonction coût est continue en $x = 1\ 200$ kWh. Il faut donc vérifier si la fonction est définie en $x = 1\ 200$, si $\lim_{x \to 1\ 200} C(x)$ existe et si $\lim_{x \to 1\ 200} C(x) = C(1\ 200)$.

On a $C(1\ 200) = 6{,}509(1\ 200) + 1\ 305{,}15 = 9\ 115{,}95$ ¢. De plus, comme la fonction est définie par des expressions différentes selon qu'on est à gauche ou à droite de $x = 1\ 200$, il faut évaluer $\lim_{x \to 1\ 200^-} C(x)$ et $\lim_{x \to 1\ 200^+} C(x)$ pour déterminer si la limite existe lorsque x tend vers 1 200. On obtient

$$\begin{aligned} \lim_{x \to 1\ 200^-} C(x) &= \lim_{x \to 1\ 200^-} (6{,}509x + 1\ 305{,}15) \\ &= 6{,}509(1\ 200) + 1\ 305{,}15 \\ &= 9\ 115{,}95\ ¢ \end{aligned}$$

et

$$\begin{aligned} \lim_{x \to 1\ 200^+} C(x) &= \lim_{x \to 1\ 200^+} (10{,}041x - 2\ 933{,}25) \\ &= 10{,}041(1\ 200) - 2\ 933{,}25 \\ &= 9\ 115{,}95\ ¢ \end{aligned}$$

Par conséquent, $\lim_{x \to 1\ 200} C(x) = 9\ 115{,}95 = C(1\ 200)$. La fonction coût est donc continue en $x = 1\ 200$ kWh. Le graphique de la fonction coût (FIGURE 1.24, p. 48) confirme d'ailleurs ce résultat: on peut tracer le graphique de la fonction sans lever la pointe du crayon en $x = 1\ 200$.

FIGURE 1.24
Coût en fonction de la consommation

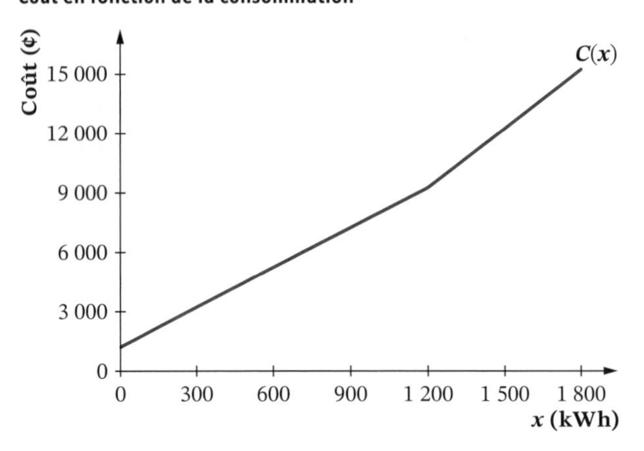

EXEMPLE 1.44

Pour stationner votre voiture sur un terrain de stationnement, vous devez payer 3 $ pour la première heure (ou fraction d'heure) et 2 $ pour chaque heure (ou fraction d'heure) additionnelle jusqu'à un maximum de 10 $ par jour.

La fonction donnant le coût de stationnement en fonction du temps t (en heures) est donnée par

$$C(t) = \begin{cases} 3 & \text{si } 0 < t \leq 1 \\ 5 & \text{si } 1 < t \leq 2 \\ 7 & \text{si } 2 < t \leq 3 \\ 9 & \text{si } 3 < t \leq 4 \\ 10 & \text{si } 4 < t \leq 24 \end{cases}$$

On veut déterminer si la fonction coût de stationnement est continue en $t = 2$. Il faut donc vérifier si la fonction est définie en $t = 2$, si $\lim\limits_{t \to 2} C(t)$ existe et si $\lim\limits_{t \to 2} C(t) = C(2)$.

On a $C(2) = 5$ $. De plus, $\lim\limits_{t \to 2^-} C(t) = \lim\limits_{t \to 2^-} 5 = 5$ $ et $\lim\limits_{t \to 2^+} C(t) = \lim\limits_{t \to 2^+} 7 = 7$ $, ce qui implique que $\lim\limits_{t \to 2} C(t)$ n'existe pas. La fonction coût de stationnement est donc discontinue en $t = 2$ h. On peut constater ce résultat à partir du graphique de la fonction $C(t)$, qui présente un changement brusque d'état en $t = 2$, ce qui empêche d'en tracer le graphique sans lever la pointe du crayon en ce point (FIGURE 1.25). On observe donc une discontinuité essentielle par saut en $t = 2$.

On constate également ce type de discontinuité en $t = 1$, $t = 3$ et $t = 4$.

FIGURE 1.25
Coût en fonction du temps

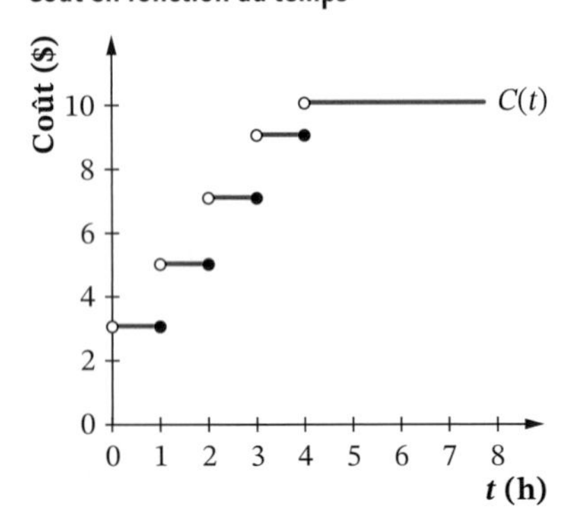

EXEMPLE 1.45

On lance une balle vers le haut à partir d'une hauteur de 1 m avec une vitesse initiale de 9,8 m/s. La position de la balle (sa hauteur mesurée en mètres) est donnée par la fonction $s(t) = -4{,}9t^2 + 9{,}8t + 1$, où t est le temps (en secondes) écoulé depuis le lancement. On veut déterminer si la fonction position est continue en $t = 1$ s.

On a $s(1) = -4{,}9(1^2) + 9{,}8(1) + 1 = 5{,}9$ m. De plus, en vertu du théorème 1.2,

$$\lim_{t \to 1} s(t) = \lim_{t \to 1} (-4{,}9t^2 + 9{,}8t + 1) = -4{,}9(1^2) + 9{,}8(1) + 1 = 5{,}9 = s(1)$$

La fonction position est donc continue en $t = 1$ s.

EXERCICES 1.8

1. Soit la fonction $f(x)$ illustrée à la FIGURE 1.26.

FIGURE 1.26
f(x)

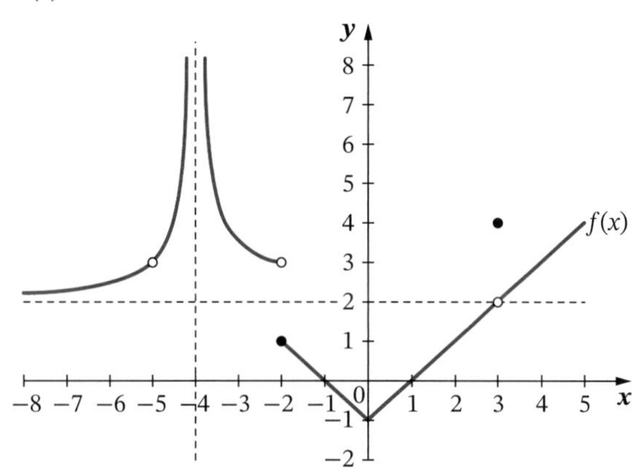

a) Déterminez les valeurs de x (où $x \in \mathbb{R}$) pour lesquelles la fonction est discontinue, en spécifiant chaque fois la nature de la discontinuité (par trou, par déplacement, par saut, etc.).

b) Quelle est l'équation de l'asymptote verticale à la courbe décrite par la fonction $f(x)$?

c) Quelle est l'équation de l'asymptote horizontale à la courbe décrite par la fonction $f(x)$?

2. Un patient reçoit une injection de 100 mg d'un médicament toutes les 4 h. La FIGURE 1.27 donne la quantité $Q(t)$ de médicament présente dans le sang t h après la première injection.

FIGURE 1.27
Quantité de médicament en fonction du temps

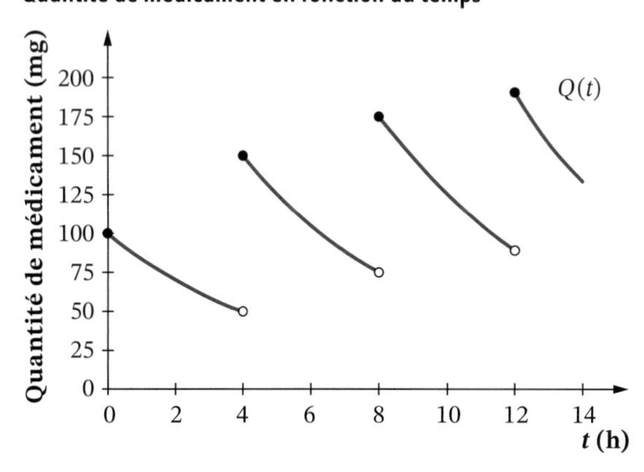

a) Estimez les valeurs de t pour lesquelles la fonction est discontinue.

b) À quoi ces discontinuités correspondent-elles dans le contexte ?

Vous pouvez maintenant faire les exercices récapitulatifs 38 à 45.

3. La fonction $f(x) = \begin{cases} \sqrt{10 - 2x} & \text{si } x < -3 \\ x^2 + x - 2 & \text{si } x \geq -3 \end{cases}$ est-elle continue en $x = -3$?

1.7.3 PROPRIÉTÉS DES FONCTIONS CONTINUES

Les polynômes sont des fonctions continues en tout point, comme l'indique le théorème 1.4.

THÉORÈME 1.4

Si $P(x)$ est un polynôme en x de degré $n \geq 0$ et si a est un nombre réel, alors $P(x)$ est une fonction continue en $x = a$.

PREUVE

En vertu du théorème 1.2 (p. 24), on a $\lim_{x \to a} P(x) = P(a)$ pour tout nombre réel a. Par conséquent, la fonction $P(x)$ est définie en $x = a$, $\lim_{x \to a} P(x)$ existe et $\lim_{x \to a} P(x) = P(a)$, de sorte que la fonction $P(x)$ est continue en $x = a$. ▣

EXEMPLE 1.46

La fonction $f(x) = |x|$ est continue pour tout $x \in \mathbb{R}$.

En effet, on a $f(x) = \begin{cases} -x & \text{si } x < 0 \\ x & \text{si } x \geq 0 \end{cases}$. Si $x < 0$, alors $f(x) = -x$ est un polynôme et constitue une fonction continue en vertu du théorème 1.4. Il en est de même si $x > 0$ puisque $f(x) = x$ est aussi une fonction continue (car x est un polynôme).

Il reste donc à analyser le comportement de la fonction en $x = 0$. On a $f(0) = 0$. De plus, comme la fonction est définie par des expressions différentes à gauche et à droite de $x = 0$, il faut évaluer la limite à gauche et la limite à droite afin de déterminer si $\lim_{x \to 0} f(x)$ existe. Or,

$$\lim_{x \to 0^-} f(x) = \lim_{x \to 0^-} (-x) = 0 \text{ et } \lim_{x \to 0^+} f(x) = \lim_{x \to 0^+} x = 0$$

On a donc $\lim_{x \to 0} f(x) = 0 = f(0)$, de sorte que la fonction $f(x)$ est continue en $x = 0$. Par conséquent, $f(x) = |x|$ est continue pour tout $x \in \mathbb{R}$.

Le théorème 1.5 indique des propriétés importantes des fonctions continues.

THÉORÈME 1.5

Si $f(x)$ et $g(x)$ sont deux fonctions continues en $x = a$, alors

1. $f + g$ est continue en $x = a$;
2. $f - g$ est continue en $x = a$;
3. fg est continue en $x = a$;
4. $\dfrac{f}{g}$ est continue en $x = a$ si $g(a) \neq 0$ et est discontinue en $x = a$ si $g(a) = 0$.

PREUVE

Puisque $f(x)$ et $g(x)$ sont continues en $x = a$, alors $\lim_{x \to a} f(x) = f(a)$ et $\lim_{x \to a} g(x) = g(a)$.

1. $$\begin{aligned}\lim_{x \to a}[(f+g)(x)] &= \lim_{x \to a}[f(x) + g(x)] \\ &= \lim_{x \to a} f(x) + \lim_{x \to a} g(x) \\ &= f(a) + g(a) \\ &= (f+g)(a)\end{aligned}$$

   de sorte que $f + g$ est continue en $x = a$.

2. $$\begin{aligned}\lim_{x \to a}[(f-g)(x)] &= \lim_{x \to a}[f(x) - g(x)] \\ &= \lim_{x \to a} f(x) - \lim_{x \to a} g(x) \\ &= f(a) - g(a) \\ &= (f-g)(a)\end{aligned}$$

   de sorte que $f - g$ est continue en $x = a$.

3. $$\begin{aligned}\lim_{x \to a}[(fg)(x)] &= \lim_{x \to a}[f(x)g(x)] \\ &= \left[\lim_{x \to a} f(x)\right]\left[\lim_{x \to a} g(x)\right] \\ &= f(a)g(a) \\ &= (fg)(a)\end{aligned}$$

   de sorte que fg est continue en $x = a$.

4. Si $g(a) = 0$, alors $\frac{f}{g}$ n'est pas définie en $x = a$ et est donc discontinue en $x = a$. Supposons donc que $g(a) \neq 0$. On a alors

   $$\begin{aligned}\lim_{x \to a}\left[\left(\frac{f}{g}\right)(x)\right] &= \lim_{x \to a}\left[\frac{f(x)}{g(x)}\right] \\ &= \frac{\lim_{x \to a} f(x)}{\lim_{x \to a} g(x)} \\ &= \frac{f(a)}{g(a)} \\ &= \left(\frac{f}{g}\right)(a)\end{aligned}$$

   de sorte que $\frac{f}{g}$ est continue en $x = a$ si $g(a) \neq 0$. ▣

Le théorème 1.6 (p. 52) traite de la continuité des fonctions rationnelles, soit des fonctions de la forme $f(x) = \frac{P(x)}{Q(x)}$, où $P(x)$ et $Q(x)$ sont des polynômes.

THÉORÈME 1.6

Soit $f(x) = \dfrac{P(x)}{Q(x)}$ une fonction rationnelle, alors $f(x)$ est continue en $x = a$ si $Q(a) \neq 0$ et est discontinue en $x = a$ si $Q(a) = 0$. Autrement dit, une fonction rationnelle est continue pour toutes les valeurs réelles de x qui n'annulent pas le dénominateur.

PREUVE

Soit $f(x) = \dfrac{P(x)}{Q(x)}$ une fonction rationnelle et soit a un nombre réel. Comme $P(x)$ et $Q(x)$ sont des polynômes, elles sont des fonctions continues en $x = a$ (théorème 1.4, p. 50). Par conséquent, $f(x)$ est un quotient de deux fonctions continues. Par le théorème 1.5 (p. 50), $f(x) = \dfrac{P(x)}{Q(x)}$ est continue si $Q(a) \neq 0$ et est discontinue si $Q(a) = 0$. ▣

EXEMPLE 1.47

Soit la fonction $f(x) = \dfrac{x^2 - 1}{2x + 4}$. Déterminons les valeurs de x pour lesquelles cette fonction est continue.

La fonction $f(x)$ est une fonction rationnelle. Le dénominateur s'annule quand $x = -2$. En vertu du théorème 1.6, la fonction $f(x)$ est continue si $x \neq -2$ (et discontinue si $x = -2$). Par conséquent, la fonction $f(x)$ est continue sur $\mathbb{R}\backslash\{-2\}$.

EXEMPLE 1.48

Soit la fonction $f(x) = \begin{cases} \dfrac{x-3}{x^2-16} & \text{si } x < -2 \\ |x| - 1 & \text{si } x \geq -2 \end{cases}$. Déterminons les valeurs de x pour lesquelles cette fonction est continue.

Si $x < -2$, la fonction $f(x)$ est une fonction rationnelle. Elle est donc continue pour toutes les valeurs de x qui n'annulent pas le dénominateur. Sur l'intervalle $]-\infty, -2[$, le dénominateur s'annule seulement lorsque $x = -4$. En vertu du théorème 1.6, la fonction $f(x)$ n'est pas continue si $x = -4$.

Si $x > -2$, la fonction $f(x)$ est la différence de deux fonctions continues ($|x|$ dont la continuité a été établie à l'exemple 1.46 (p. 50) et 1 qui est un polynôme de degré 0), de sorte qu'en vertu du théorème 1.5, elle est continue.

Il reste à vérifier ce qui se passe en $x = -2$ puisque la fonction change d'expression en ce point. On a

$$\lim_{x \to -2^-} f(x) = \lim_{x \to -2^-} \frac{x-3}{x^2-16} = \frac{-5}{-12} = \frac{5}{12}$$

et

$$\lim_{x \to -2^+} f(x) = \lim_{x \to -2^+} (|x| - 1) = |-2| - 1 = 1$$

Par conséquent, $\lim_{x \to -2} f(x)$ n'existe pas, de sorte que la fonction n'est pas continue en $x = -2$.

On peut donc conclure que la fonction $f(x)$ est continue sur $\mathbb{R} \setminus \{-4, -2\}$.

RAPPEL La composition de fonctions

La composition de fonctions est l'application successive de deux fonctions. Si f et g sont deux fonctions, la **fonction composée** de f et de g est la fonction $h(x) = f(g(x))$. On note aussi cette fonction $f \circ g$ et on dit « f rond g ».

Par exemple, si $f(x) = x + 1$ et si $g(x) = x^3$, alors

$$f(g(x)) = f(x^3) = x^3 + 1 \text{ et } g(f(x)) = g(x + 1) = (x + 1)^3$$

Cet exemple permet de constater qu'en général $f(g(x)) \neq g(f(x))$.

Fonction composée

Si f et g sont deux fonctions, alors la fonction composée de f et de g est la fonction $h(x) = f(g(x))$. On note aussi cette fonction $f \circ g$ et on dit « f rond g ».

Voir l'annexe Rappels de notions mathématiques, p. 417.

Le théorème 1.7 nous renseigne sur la continuité d'une composition de fonctions.

THÉORÈME 1.7

Si la fonction g est continue en a et si la fonction f est continue en $g(a)$, alors la fonction $f(g(x))$ est continue en a, c'est-à-dire que

$$\lim_{x \to a} f(g(x)) = f(g(a))$$

Autrement dit, la composition de deux fonctions continues est continue.

Voici un raisonnement intuitif qui devrait vous convaincre de la validité de ce théorème. On a $g(x) \to g(a)$ quand $x \to a$, car la fonction g est continue en a. Alors, puisque la fonction f est continue en $g(a)$, $f(g(x)) \to f(g(a))$ quand $g(x) \to g(a)$. Par conséquent, $f(g(x)) \to f(g(a))$ quand $x \to a$ et la fonction $f(g(x))$ est continue en a.

EXEMPLE 1.49

Soit la fonction $h(x) = \left(\dfrac{3 - 2x}{2x + 1}\right)^{12}$. Déterminons les valeurs réelles de x pour lesquelles cette fonction est continue?

Posons $g(x) = \dfrac{3 - 2x}{2x + 1}$ et $f(x) = x^{12}$. Alors, on a

$$f(g(x)) = f\left(\frac{3 - 2x}{2x + 1}\right) = \left(\frac{3 - 2x}{2x + 1}\right)^{12} = h(x)$$

En vertu du théorème 1.6, la fonction $g(x)$ est continue sur $\mathbb{R} \setminus \{-1/2\}$, car c'est une fonction rationnelle dont le dénominateur s'annule seulement en $x = -1/2$. La fonction $f(x)$ est continue en $g(a)$ pour tout $a \in \mathbb{R} \setminus \{-1/2\}$, car c'est un polynôme. Par conséquent, en vertu du théorème 1.7, la fonction

$$f(g(x)) = \left(\frac{3 - 2x}{2x + 1}\right)^{12} = h(x)$$

est continue sur $\mathbb{R} \setminus \{-1/2\}$.

EXERCICE 1.9

Déterminez les valeurs réelles de x pour lesquelles la fonction est continue.

a) $f(x) = \dfrac{x+2}{(x-1)(2x+3)}$

b) $f(x) = \left|\dfrac{x-1}{x}\right|$

c) $f(x) = \begin{cases} -x^2 & \text{si } x < -1 \\ 2x + |x| & \text{si } -1 \leq x \leq 4 \\ \dfrac{2x+1}{6-x} & \text{si } x > 4 \end{cases}$

1.7.4 CONTINUITÉ SUR UN INTERVALLE

On a défini la continuité en un point. Voyons maintenant comment on peut étendre cette définition à un intervalle.

Fonction continue sur un intervalle

- Une fonction $f(x)$ est continue sur un intervalle $]a, b[$ si elle est continue pour tout $x \in]a, b[$.
- Une fonction $f(x)$ est continue sur un intervalle $[a, b[$ si elle est continue pour tout $x \in]a, b[$ et si $\lim\limits_{x \to a^+} f(x) = f(a)$.
- Une fonction $f(x)$ est continue sur un intervalle $]a, b]$ si elle est continue pour tout $x \in]a, b[$ et si $\lim\limits_{x \to b^-} f(x) = f(b)$.
- Une fonction $f(x)$ est continue sur un intervalle $[a, b]$ si elle est continue pour tout $x \in]a, b[$ et si $\lim\limits_{x \to a^+} f(x) = f(a)$ et $\lim\limits_{x \to b^-} f(x) = f(b)$.

- Une **fonction** $f(x)$ est **continue sur un intervalle** $]a, b[$ si elle est continue pour tout $x \in]a, b[$.
- Une fonction $f(x)$ est continue sur un intervalle $[a, b[$ si elle est continue pour tout $x \in]a, b[$ et si $\lim\limits_{x \to a^+} f(x) = f(a)$.
- Une fonction $f(x)$ est continue sur un intervalle $]a, b]$ si elle est continue pour tout $x \in]a, b[$ et si $\lim\limits_{x \to b^-} f(x) = f(b)$.
- Une fonction $f(x)$ est continue sur un intervalle $[a, b]$ si elle est continue pour tout $x \in]a, b[$ et si $\lim\limits_{x \to a^+} f(x) = f(a)$ et $\lim\limits_{x \to b^-} f(x) = f(b)$.

EXEMPLE 1.50

Considérons la fonction $f(x) = \sqrt{4 - x^2}$. On veut montrer que cette fonction est continue sur $[-2, 2]$.

Prenons $a \in]-2, 2[$. On a $\lim\limits_{x \to a}(4 - x^2) = 4 - a^2 > 0$, de sorte qu'en vertu de la propriété 8,

$$\lim_{x \to a} f(x) = \lim_{x \to a} \sqrt{4 - x^2} = \sqrt{\lim_{x \to a}(4 - x^2)} = \sqrt{4 - a^2} = f(a)$$

La fonction $f(x)$ est donc continue sur $]-2, 2[$.

De plus, on a $f(-2) = \sqrt{4 - (-2)^2} = \sqrt{0} = 0$. Regardons ce qui se passe légèrement à droite de $x = -2$. Si $x \to -2^+$, alors $4 - x^2 > 0$ et $4 - x^2 \to 0^+$, de sorte que $\lim\limits_{x \to -2^+} f(x) = \lim\limits_{x \to -2^+} \sqrt{4 - x^2} = 0$. Par conséquent, $\lim\limits_{x \to -2^+} f(x) = f(-2)$.

Par ailleurs, on a $f(2) = \sqrt{4 - 2^2} = \sqrt{0} = 0$. Regardons ce qui se passe légèrement à gauche de $x = 2$. Si $x \to 2^-$, alors $4 - x^2 > 0$ et $4 - x^2 \to 0^+$, de sorte que $\lim\limits_{x \to 2^-} f(x) = \lim\limits_{x \to 2^-} \sqrt{4 - x^2} = 0$. Par conséquent, $\lim\limits_{x \to 2^-} f(x) = f(2)$.

La fonction $f(x)$ est donc continue sur $[-2, 2]$.

Animations GeoGebra
Continuité d'une fonction définie par parties

Trouvez cette animation sur la plateforme *i+ Interactif*.

EXEMPLE 1.51

On veut déterminer la valeur de la constante k pour laquelle la fonction $f(x) = \begin{cases} 4x + 2 & \text{si } x \leq 1 \\ k - x & \text{si } x > 1 \end{cases}$ est continue sur $\mathbb{R}$.

Si $x < 1$, $f(x)$ est continue, car $4x + 2$ est un polynôme.

De plus, si $x > 1$, $f(x)$ est aussi continue, car $k - x$ est également un polynôme.

Il reste à analyser le comportement de la fonction en $x = 1$ puisque la fonction change d'expression en ce point.

On a $f(1) = 4(1) + 2 = 6$. Pour que $f(x)$ soit continue en $x = 1$, il faut que $\lim\limits_{x \to 1} f(x) = f(1) = 6$.

Or, on a $\lim\limits_{x \to 1^-} f(x) = \lim\limits_{x \to 1^-} (4x + 2) = 6$ et $\lim\limits_{x \to 1^+} f(x) = \lim\limits_{x \to 1^+} (k - x) = k - 1$, de sorte que la fonction est continue en $x = 1$ si et seulement si $k - 1 = 6$, c'est-à-dire si et seulement si $k = 7$.

Pour que $f(x)$ soit continue sur $\mathbb{R}$, il faut donc que $k = 7$.

EXERCICES 1.10

1. Déterminez si la fonction est continue sur l'intervalle donné.

a) $f(x) = \sqrt{x + 3}$ sur l'intervalle $[-3, \infty[$

b) $f(x) = \dfrac{|x| - 3}{x^2 - 16}$ sur l'intervalle $[-5, 3]$

c) $f(x) = \begin{cases} \left|x + \frac{1}{2}\right| & \text{si } x \leq 0 \\ \dfrac{3x + 1}{x + 2} & \text{si } 0 < x < 3 \\ x^2 - 2x - 1 & \text{si } x \geq 3 \end{cases}$

sur l'intervalle $[-1, 5]$

Animations GeoGebra
Continuité d'une fonction définie par parties

Trouvez cette animation sur la plateforme *i+ Interactif*.

2. Déterminez la valeur de la constante k pour laquelle la fonction est continue sur l'ensemble des réels.

a) $f(x) = \begin{cases} \dfrac{16 - x^2}{x + 4} & \text{si } x \neq -4 \\ k & \text{si } x = -4 \end{cases}$

b) $f(x) = \begin{cases} 4 - kx^2 & \text{si } x < 2 \\ kx - 1/2 & \text{si } x \geq 2 \end{cases}$

Vous pouvez maintenant faire les exercices récapitulatifs 46 à 50.

RÉSUMÉ

Le concept de **limite** est l'idée maîtresse du calcul différentiel et intégral. À titre d'exemple, il est sous-jacent au calcul d'une **vitesse instantanée**, à l'évaluation du taux de croissance d'une population, à la détermination de la pente de la tangente à une courbe en un point et à l'évaluation de l'aire sous une courbe. On y a également recours pour vérifier la continuité d'une fonction en un point ou sur un intervalle.

On peut estimer une limite à partir d'un tableau de valeurs ou encore à partir d'un graphique. Toutefois, ces façons de faire ne sont pas totalement satisfaisantes puisqu'il s'agit essentiellement d'une estimation et non d'une évaluation exacte. Pour évaluer une limite de façon plus formelle, il faut généralement recourir aux propriétés des limites énoncées dans les tableaux 1.14 (p. 23) et 1.15 (p. 28).

Pour noter qu'une fonction $f(x)$ tend vers le nombre réel L lorsque x se rapproche de a, on écrit $\lim\limits_{x \to a} f(x) = L$. Comme nous l'avons énoncé dans le théorème 1.1 (p. 15), pour qu'une limite existe, il faut obtenir le même résultat, qu'on approche le nombre a par des valeurs inférieures à a, soit $x \to a^-$, ou qu'on l'approche par des valeurs supérieures à a, soit $x \to a^+$. En vertu de ce théorème, on a donc

$$\lim_{x \to a} f(x) = L \quad \Leftrightarrow \quad \lim_{x \to a^-} f(x) = \lim_{x \to a^+} f(x) = L$$

On peut étendre le concept de limite aux **limites à l'infini**, c'est-à-dire en traitant du cas où x augmente sans fin $(x \to \infty)$ ou diminue sans fin $(x \to -\infty)$. Dans les cas particuliers où $\lim\limits_{x \to \infty} f(x) = b$ ou $\lim\limits_{x \to -\infty} f(x) = b$ (avec $b \in \mathbb{R}$), on dira que la courbe décrite par la fonction $f(x)$ admet une **asymptote horizontale** d'équation $y = b$, c'est-à-dire que plus la valeur de x augmente (voire diminue), plus la courbe décrite par la fonction $f(x)$ se rapproche de la droite $y = b$, de sorte que l'écart entre la courbe décrite par la fonction $f(x)$ et la droite $y = b$ s'amenuise au point de tendre vers 0, soit de devenir négligeable.

On peut également parler de **limites infinies** quand la valeur d'une fonction devient de plus en plus grande (ou de plus en plus petite) lorsqu'on laisse x se rapprocher de a. On écrit alors que $\lim\limits_{x \to a} f(x) = \infty$ [ou respectivement $\lim\limits_{x \to a} f(x) = -\infty$]. Comme précédemment, on peut laisser x s'approcher de a par la gauche ou par la droite. Une fonction $f(x)$ admet une **asymptote verticale** en $x = a$ (où $a \in \mathbb{R}$) lorsqu'une des limites, $\lim\limits_{x \to a^-} f(x)$ ou $\lim\limits_{x \to a^+} f(x)$, donne ∞ ou $-\infty$. Ce cas peut se produire notamment lorsque la fonction $f(x)$ comporte un dénominateur qui s'annule en $x = a$ ou encore lorsqu'elle comporte un logarithme dont l'argument s'annule en $x = a$.

L'évaluation de certaines limites, particulièrement dans le cas de **formes indéterminées**, se fait au moyen de certaines stratégies. Lorsqu'on évalue la limite d'une fonction en $x = a$, il peut être nécessaire d'évaluer les **limites à gauche et à droite** pour déterminer si la limite existe en ce point.

Parmi les stratégies utiles pour lever une indétermination du type $\frac{0}{0}$, $\frac{\infty}{\infty}$ ou $\infty - \infty$, les plus importantes sont : effectuer une mise en évidence, factoriser une expression, mettre au même dénominateur, multiplier par un **conjugué** et simplifier une expression.

Dans le langage courant, le mot *continu* désigne un phénomène qui ne présente pas d'interruptions ni de changements brusques ou instantanés d'état dans le temps. Tel est généralement le cas du déplacement d'un objet, de la croissance d'un individu ou d'une population, de la désintégration d'une substance radioactive et de bien d'autres phénomènes encore. Si l'on représente graphiquement des phénomènes continus, on doit pouvoir les décrire par une courbe qu'on peut tracer sans lever la pointe du crayon. De manière plus formelle, on dira qu'une **fonction** $f(x)$ est **continue en un point** $x = a$ si trois conditions sont satisfaites :

- $a \in \text{Dom}_f$, c'est-à-dire que la fonction est définie en $x = a$ ou encore que $f(a)$ existe ;
- $\lim\limits_{x \to a} f(x)$ existe ;
- $\lim\limits_{x \to a} f(x) = f(a)$.

Une fonction $f(x)$ continue en $x = a$ est donc telle que sa valeur, pour des valeurs de x voisines de a, est très proche de la valeur de $f(a)$. Par ailleurs, si une **fonction** est continue en tous les points d'un intervalle, on dira qu'elle est **continue sur cet intervalle**. Soulignons au passage que les fonctions polynomiales sont continues sur l'ensemble des réels et que les **fonctions rationnelles**, soit les fonctions formées d'un quotient de deux polynômes, le sont là où elles sont définies. Notons aussi que les théorèmes 1.4 (p. 50), 1.5 (p. 50), 1.6 (p. 52) et 1.7 (p. 53) énoncent des propriétés importantes des fonctions continues, notamment en ce qui a trait aux opérations arithmétiques sur des fonctions continues et sur la composition de fonctions continues.

En revanche, on qualifie une fonction qui n'est pas continue en $x = a$ de **fonction discontinue en ce point**. Il existe une typologie des différentes discontinuités possibles d'une fonction en $x = a$. Ainsi,

- la fonction $f(x)$ admet une **discontinuité non essentielle par trou** en $x = a$ si elle n'est pas définie en $x = a$, mais que $\lim\limits_{x \to a} f(x)$ existe (figure 1.23 *a*, p. 45) ;
- la fonction $f(x)$ admet une **discontinuité non essentielle par déplacement** en $x = a$ si elle est définie en $x = a$, mais que $\lim\limits_{x \to a} f(x) = b \neq f(a)$, où b est un nombre réel (figure 1.23 *b*, p. 45) ;
- la fonction $f(x)$ admet une **discontinuité essentielle par saut** en $x = a$ si les limites à gauche et à droite de a sont des nombres réels, mais que $\lim\limits_{x \to a^-} f(x) \neq \lim\limits_{x \to a^+} f(x)$ (figure 1.23 *c*, p. 45) ;
- la fonction $f(x)$ admet une **discontinuité essentielle infinie** en $x = a$ si une des deux limites $\lim\limits_{x \to a^-} f(x)$ ou $\lim\limits_{x \to a^+} f(x)$ donne ∞ ou $-\infty$ (figure 1.23 *d*, p. 45).

MOTS clés

RÉSEAU de concepts

LIMITE

Notations

$\lim_{x\to a} f(x)$

$\lim_{x\to a^-} f(x)$ $\lim_{x\to a^+} f(x)$

$\lim_{x\to -\infty} f(x)$ $\lim_{x\to \infty} f(x)$

Estimation

- à l'aide d'un graphique
- à l'aide d'un tableau de valeurs

Stratégies d'évaluation

- Substitution d'une valeur
- Utilisation des propriétés
- Mise en évidence
- Factorisation
- Simplification d'une fraction
- Mise au même dénominateur
- Multiplication par un conjugué

Formes indéterminées

$\frac{0}{0}, \frac{\infty}{\infty}, \infty - \infty$

CONTINUITÉ

- En un point : $\lim_{x\to a} f(x) = f(a)$
- Sur un intervalle

Typologie des discontinuités
- non essentielle
  - par trou
  - par déplacement
- essentielle
  - par saut
  - infinie

EXERCICES récapitulatifs

SECTIONS 1.1 À 1.2.2

▲ **1.** À partir du graphique suivant, estimez l'expression.

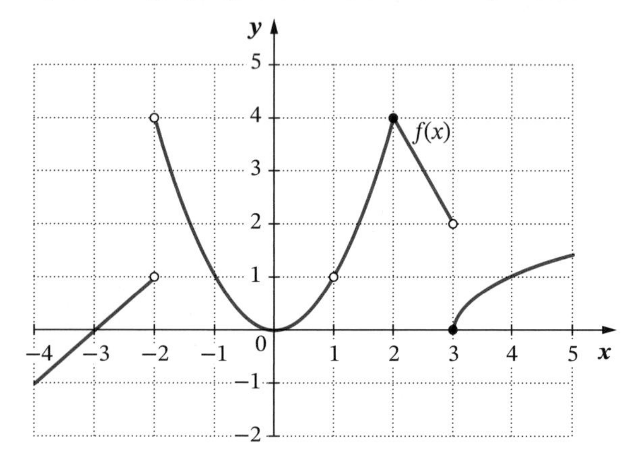

a) $f(2)$

b) $\lim\limits_{x \to 2^-} f(x)$

c) $\lim\limits_{x \to 2^+} f(x)$

d) $\lim\limits_{x \to 2} f(x)$

e) $f(-2)$

f) $\lim\limits_{x \to -2^-} f(x)$

g) $\lim\limits_{x \to -2^+} f(x)$

h) $\lim\limits_{x \to -2} f(x)$

i) $f(1)$

j) $\lim\limits_{x \to 1^-} f(x)$

k) $\lim\limits_{x \to 1^+} f(x)$

l) $\lim\limits_{x \to 1} f(x)$

m) $f(3)$

n) $\lim\limits_{x \to 3^-} f(x)$

o) $\lim\limits_{x \to 3^+} f(x)$

p) $\lim\limits_{x \to 3} f(x)$

▲ **2.** Soit la fonction $f(x) = 4x - 3$.

a) Quel est le domaine de $f(x)$?

b) Estimez $\lim\limits_{x \to 3} f(x)$ en complétant le tableau de valeurs.

x	2,9	2,99	2,999	2,999 9	3	3,000 1	3,001	3,01	3,1
$f(x)$									

c) Estimez $\lim\limits_{x \to -3} f(x)$ en complétant le tableau de valeurs.

x	−3,1	−3,01	−3,001	−3,000 1	−3	−2,999 9	−2,999	−2,99	−2,9
$f(x)$									

▲ **3.** Soit la fonction $f(x) = \dfrac{x^4 - 16}{x^2 - 4}$.

a) Quel est le domaine de $f(x)$?

b) Estimez $\lim\limits_{x \to 2} f(x)$ en complétant le tableau de valeurs.

x	1,9	1,99	1,999	1,999 9	2	2,000 1	2,001	2,01	2,1
$f(x)$									

c) Estimez $\lim\limits_{x \to -2} f(x)$ en complétant le tableau de valeurs.

x	−2,1	−2,01	−2,001	−2,000 1	−2	−1,999 9	−1,999	−1,99	−1,9
$f(x)$									

▲ **4.** Soit la fonction $f(x) = \dfrac{x^3 + 3x^2 + x - 1}{3x + 3}$. Estimez la limite en complétant le tableau de valeurs.

a) $\lim\limits_{x \to 1} f(x)$

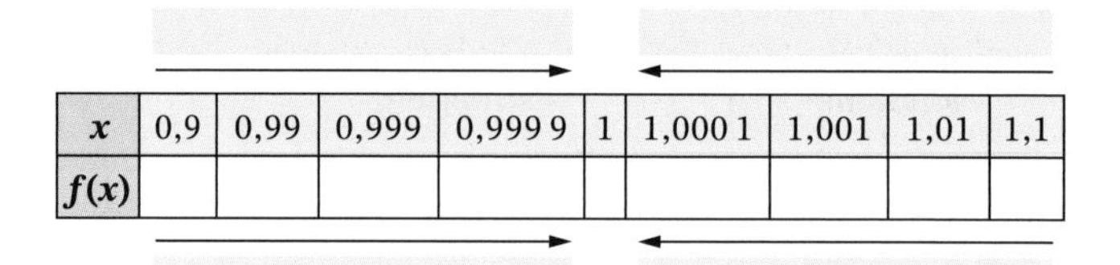

x	0,9	0,99	0,999	0,999 9	1	1,000 1	1,001	1,01	1,1
$f(x)$									

b) $\lim\limits_{x \to -1} f(x)$

x	−1,1	−1,01	−1,001	−1,000 1	−1	−0,999 9	−0,999	−0,99	−0,9
$f(x)$									

▲ **5.** Soit la fonction $f(x) = \begin{cases} x + 1 & \text{si } x \leq 0 \\ \sqrt{2x + 1} & \text{si } x > 0 \end{cases}$.

Estimez la limite à l'aide d'un tableau de valeurs.

a) $\lim\limits_{x \to 4} f(x)$

b) $\lim\limits_{x \to 0} f(x)$

▲ **6.** Soit la fonction $f(x) = \begin{cases} \dfrac{3x + 2}{4} & \text{si } x \leq 4 \\ \dfrac{x + 1}{\sqrt{x}} & \text{si } x > 4 \end{cases}$.

Estimez la limite à l'aide d'un tableau de valeurs.

a) $\lim\limits_{x \to 1} f(x)$

b) $\lim\limits_{x \to 9} f(x)$

c) $\lim\limits_{x \to 4} f(x)$

SECTIONS 1.2.3 À 1.2.6

▲ **7.** À partir du graphique suivant, estimez la limite, si elle existe. Utilisez le symbole ∞ ou $-\infty$, s'il y a lieu.

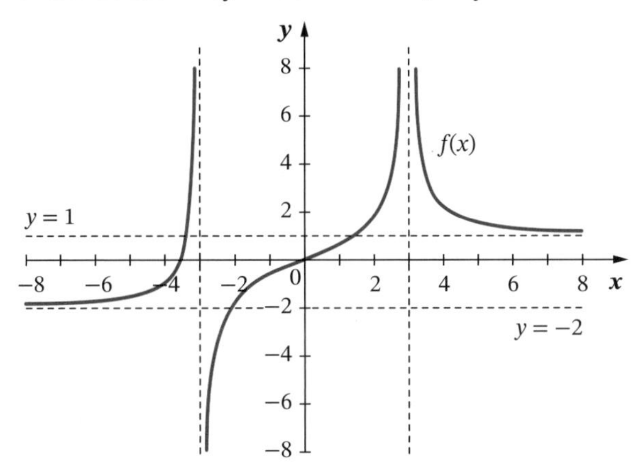

a) $\lim\limits_{x\to 0} f(x)$

b) $\lim\limits_{x\to -3^-} f(x)$

c) $\lim\limits_{x\to -3^+} f(x)$

d) $\lim\limits_{x\to -3} f(x)$

e) $\lim\limits_{x\to 3^-} f(x)$

f) $\lim\limits_{x\to 3^+} f(x)$

g) $\lim\limits_{x\to 3} f(x)$

h) $\lim\limits_{x\to -\infty} f(x)$

i) $\lim\limits_{x\to \infty} f(x)$

▲ **8.** Donnez les équations des deux asymptotes horizontales et des deux asymptotes verticales à la courbe décrite par la fonction de l'exercice 7.

▲ **9.** Soit la fonction $f(x) = \dfrac{3x-5}{x-2}$. Estimez la limite graphiquement et à l'aide d'un tableau de valeurs. Utilisez le symbole ∞ ou $-\infty$, s'il y a lieu.

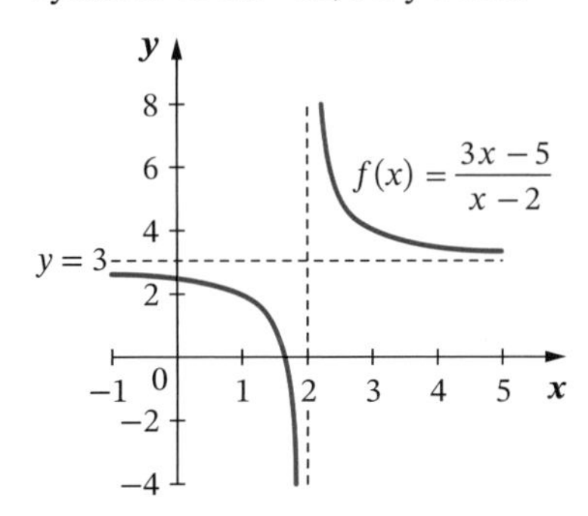

a) $\lim\limits_{x\to 2} f(x)$

b) $\lim\limits_{x\to -\infty} f(x)$

c) $\lim\limits_{x\to \infty} f(x)$

■ **10.** Tracez le graphique d'une fonction $f(x)$ qui présente les caractéristiques suivantes :

- $\lim\limits_{x\to -\infty} f(x) = -4$
- $\lim\limits_{x\to 0} f(x) = 4$
- $f(0) = 6$
- $\lim\limits_{x\to 2^-} f(x) = 6$
- $f(2) = 3$
- $\lim\limits_{x\to 2^+} f(x) = 0$
- $\lim\limits_{x\to 5^-} f(x) = \infty$
- $\lim\limits_{x\to 5^+} f(x) = -\infty$
- $\lim\limits_{x\to \infty} f(x) = 0$

SECTION 1.3

▲ **11.** Évaluez la limite.

a) $\lim\limits_{x\to 0}(-2)$

b) $\lim\limits_{x\to 3}(x^2+2x-3)$

c) $\lim\limits_{x\to -2}\sqrt[3]{2x+3}$

d) $\lim\limits_{t\to 1}\sqrt{7t+2\sqrt{t}}$

e) $\lim\limits_{x\to 1}\left[(x-1)^3-2\right]^5$

f) $\lim\limits_{t\to \sqrt{3}}\left(t^2-\sqrt{t^2+1}\right)$

g) $\lim\limits_{x\to -1}\left[(x^2+2)\sqrt{x+5}\right]$

h) $\lim\limits_{t\to 2}\left[(4t-5)^2(2t-5)^3\right]$

i) $\lim\limits_{x\to -2}\dfrac{3-x}{3x+1}$

j) $\lim\limits_{x\to 4}\dfrac{x^2-16}{x^2}$

k) $\lim\limits_{x\to 3}\dfrac{\sqrt[4]{5x+1}}{(5-x)^3}$

l) $\lim\limits_{t\to 0}\dfrac{(t+5)(t-1)}{2+(t^2+2)^3}$

▲ **12.** Soit la fonction $f(x) = \begin{cases} 8-x^2 & \text{si } x \leq -3 \\ x+2 & \text{si } x > -3 \end{cases}$.

Évaluez la limite.

a) $\lim\limits_{x\to -5} f(x)$

b) $\lim\limits_{x\to 1} f(x)$

c) $\lim\limits_{x\to -3} f(x)$

▲ **13.** Soit la fonction $f(x) = \begin{cases} \dfrac{x+1}{\sqrt{x^2+1}} & \text{si } x < 0 \\ \dfrac{x}{x+1} & \text{si } x \geq 0 \end{cases}$.

Évaluez la limite.

a) $\lim\limits_{x\to -2} f(x)$

b) $\lim\limits_{x\to 3} f(x)$

c) $\lim\limits_{x\to 0} f(x)$

▲ **14.** Soit la fonction $f(x) = \begin{cases} \dfrac{x^2-2x+2}{x+1} & \text{si } x \leq 4 \\ \dfrac{\sqrt{x+5}}{x-3} & \text{si } x > 4 \end{cases}$.

Évaluez la limite.

a) $\lim\limits_{x\to 2} f(x)$

b) $\lim\limits_{x\to 6} f(x)$

c) $\lim\limits_{x\to 4} f(x)$

▲ **15.** Soit la fonction $f(x) = \begin{cases} \dfrac{8-x}{2x+1} & \text{si } x < -2 \\ \dfrac{5x}{x^2-1} & \text{si } x \geq -2 \end{cases}$.

Évaluez la limite.

a) $\lim\limits_{x\to -4} f(x)$

b) $\lim\limits_{x\to 0} f(x)$

c) $\lim\limits_{x\to -2} f(x)$

■ **16.** Un entrepreneur paysagiste vend de l'engrais en vrac au prix de 2,20 \$/kg pour toute commande de moins de 100 kg, et au prix de 2 \$/kg pour toute commande supérieure ou égale à 100 kg. Soit $P(x)$ le prix d'achat (en dollars) de x kg d'engrais chez cet entrepreneur.

a) Complétez : $P(x) = \begin{cases} \ldots\ldots & \text{si } x\ldots\ldots \\ \ldots\ldots & \text{si } x\ldots\ldots \end{cases}$

b) Que vaut $P(80)$?

c) Que vaut $P(120)$?

d) Que vaut $P(100)$?

e) Que vaut $\lim_{x\to 100^+} P(x)$?

f) Que vaut $\lim_{x\to 100^-} P(x)$?

g) Que vaut $\lim_{x\to 100} P(x)$?

SECTIONS 1.4 ET 1.5

17. Évaluez la limite. Utilisez le symbole ∞ ou $-\infty$, s'il y a lieu.

a) $\lim_{x\to 2}\frac{1-x}{x-2}$

b) $\lim_{t\to 0^-}\frac{t^2+1}{|t|}$

c) $\lim_{x\to 1}\frac{\sqrt{x^2+4x-3}}{1-x^2}$

d) $\lim_{t\to -5}\frac{3t}{2t^2+9t-5}$

e) $\lim_{x\to -3}\frac{3-x}{x^2+6x+9}$

f) $\lim_{x\to 4}\frac{x^2}{\sqrt{x}-2}$

g) $\lim_{t\to 2}\frac{9-5t}{3t^2-7t+2}$

h) $\lim_{t\to 1/3}\frac{27t^3+2}{9t^3-6t^2+t}$

i) $\lim_{t\to 3}\frac{2}{|t-3|}$

j) $\lim_{x\to 0^-}\frac{2}{|x|-x}$

18. Évaluez la limite. Utilisez le symbole ∞ ou $-\infty$, s'il y a lieu.

a) $\lim_{x\to -\infty}(x^5+3x+1)$

b) $\lim_{t\to -\infty}(3t^4-t^3-2t+1)$

c) $\lim_{x\to -\infty}\sqrt[3]{2x+3}$

d) $\lim_{x\to \infty}\frac{1}{\sqrt{2x^2+3x+1}}$

e) $\lim_{t\to \infty}\frac{1}{7t^3+3t+5\sqrt{t}}$

f) $\lim_{x\to -\infty}\frac{x^2-2x+4}{2}$

g) $\lim_{t\to \infty}\sqrt{1-t^2}$

h) $\lim_{x\to \infty}\sqrt[4]{3x-1}$

i) $\lim_{x\to \infty}\frac{1}{4-x-x^2}$

j) $\lim_{x\to -\infty}\frac{1}{\sqrt{2x^2-3x+1}}$

19. Selon la loi de Coulomb, la force d'attraction F (en newtons) entre deux charges de signes contraires de 1 coulomb chacune est inversement proportionnelle au carré de la distance x (en mètres) qui les sépare. On a $F(x)=\frac{k}{x^2}$, où $k>0$.

a) Évaluez $\lim_{x\to 0^+} F(x)$.

b) Expliquez, dans le contexte, la réponse obtenue en *a*.

c) Pourquoi a-t-on évalué la limite à droite en *a*?

d) Évaluez $\lim_{x\to \infty} F(x)$.

e) Expliquez, dans le contexte, la réponse obtenue en *d*.

20. Une municipalité désire entreprendre la dépollution d'un lac situé sur son territoire. Des firmes spécialisées dans le domaine établissent que la fonction donnant le coût (en dollars) pour réduire la pollution dans le lac de x % est $C(x)=\frac{100\,000x}{100-x}$.

a) Déterminez un intervalle raisonnable sur lequel la fonction est définie.

b) Déterminez combien devra débourser la municipalité si elle veut réduire la pollution du lac de 75 %.

c) Évaluez $\lim_{x\to 0^+} C(x)$.

d) Expliquez, dans le contexte, la réponse obtenue en *c*.

e) Pourquoi a-t-on évalué la limite à droite en *c*?

f) Évaluez $\lim_{x\to 100^-} C(x)$.

g) Expliquez, dans le contexte, la réponse obtenue en *f*.

h) Pourquoi a-t-on évalué la limite à gauche en *f*?

i) Si la municipalité peut investir seulement 90 000 $ pour dépolluer le lac, quel pourcentage de pollution pourra-t-on éliminer?

21. Une grande compagnie estime que, si elle dépense x millions de dollars dans la publicité de ses produits, ses revenus (en millions de dollars) seront donnés par $R(x)=400-\frac{600}{x+8}$.

a) Quels seront les revenus associés à un investissement de 8 millions de dollars en publicité?

b) Évaluez $\lim_{x\to 0^+} R(x)$.

c) Expliquez, dans le contexte, la réponse obtenue en *b*.

d) Évaluez $\lim_{x\to \infty} R(x)$.

e) Expliquez, dans le contexte, la réponse obtenue en *d*.

f) Supposons que cette compagnie investit actuellement 8 millions de dollars dans la publicité de ses produits. Lui conseilleriez-vous d'augmenter ses dépenses publicitaires à 12 millions de dollars? Justifiez votre réponse.

g) Serait-il souhaitable que cette compagnie double le montant consacré à la publicité de ses produits si elle y investit actuellement 12 millions de dollars? Justifiez votre réponse.

SECTION 1.6.1

22. Évaluez la limite.

a) $\lim_{x\to 4}\frac{x-4}{x^2-3x-4}$

b) $\lim_{x\to 2}\frac{x^2-4x+4}{x^2+x-6}$

c) $\lim_{t\to 2}\frac{\frac{1}{t+2}-\frac{1}{4}}{t^2-4}$

d) $\lim_{x\to 0}\frac{\sqrt{2-x}-\sqrt{2}}{x}$

e) $\lim_{t\to 4}\frac{(t+2)^2-9t}{4-t}$

f) $\lim_{x\to -6}\frac{x^3+6x^2+4x+24}{x^3+5x^2-8x-12}$

g) $\lim_{t\to 0}\frac{4-\sqrt{16-t}}{5t}$

h) $\lim_{t\to 8}\dfrac{\sqrt{2t}-4}{8t-t^2}$

i) $\lim_{t\to 1}\dfrac{\dfrac{1}{t+1}-\dfrac{1}{2t}}{t^2-1}$

j) $\lim_{x\to 1}\dfrac{x-1}{\sqrt{x+3}-\sqrt{5-x}}$

k) $\lim_{x\to 3}\dfrac{-2x^2+12x-18}{x^3-6x^2+9x}$

l) $\lim_{t\to 2}\dfrac{t^2-4}{\sqrt{2t+5}-3}$

m) $\lim_{t\to -1}\dfrac{t^3-2t^2+2t+5}{t^2-1}$

n) $\lim_{x\to -2}\dfrac{3-\sqrt{x^2+5}}{3x+6}$

o) $\lim_{t\to -1}\dfrac{t^2-t-2}{t^4+t}$

p) $\lim_{t\to 1}\dfrac{t^3-1}{1-\dfrac{1}{t}}$

23. Évaluez la limite.

a) $\lim_{x\to -1}\dfrac{2x^2-3x-5}{x^2+2x+1}$

b) $\lim_{x\to 0}\dfrac{|x|}{x}$

c) $\lim_{t\to 3}\dfrac{t^2-5t+6}{|t-3|}$

d) $\lim_{t\to 4}\dfrac{\dfrac{2}{\sqrt{t}}-1}{t-4}$

e) $\lim_{t\to 5}\dfrac{(t-5)^6+4t-20}{5-t}$

f) $\lim_{t\to a}\dfrac{(t-a)^6+4t-4a}{a-t}$

g) $\lim_{x\to a}\dfrac{\dfrac{1}{x}-\dfrac{1}{a}}{x-a}$

h) $\lim_{x\to 0^+}\dfrac{\sqrt{x+a}-\sqrt{a}}{x^2}$, si $a>0$

i) $\lim_{t\to a}\dfrac{|t-a|}{a^2-t^2}$, si $a\neq 0$

j) $\lim_{t\to 1}\dfrac{t^{1/3}-1}{t^{1/4}-1}$ (Indice : Posez $t=x^{12}$.)

24. Déterminez les valeurs de a et de b telles que

$$\lim_{x\to 0}\frac{\sqrt{ax+b}-\sqrt{5}}{x}=\sqrt{5}.$$

25. La droite $x=a$ (où $a\in\mathbb{R}$) est une asymptote verticale à la courbe décrite par la fonction $f(x)$ si au moins une des deux limites $\lim_{x\to a^-}f(x)$ ou $\lim_{x\to a^+}f(x)$ donne ∞ ou $-\infty$. Parmi les valeurs susceptibles de produire une asymptote verticale, il y a les valeurs de la variable indépendante qui annulent un dénominateur. Déterminez les valeurs qui annulent le dénominateur de $f(x)$ et indiquez lesquelles parmi celles-ci produisent une asymptote verticale à la courbe décrite par la fonction.

a) $f(x)=\dfrac{2x-3}{3x-6}$

b) $f(x)=\dfrac{\sqrt{x^2+3}-x}{x-1}$

c) $f(x)=\dfrac{x^{1/3}}{x^2+4}$

d) $f(x)=\dfrac{5x^2+16x+3}{5x+1}$

e) $f(x)=\dfrac{x^2+x-12}{x^2-9}$

f) $f(x)=\dfrac{3x+2}{x^3+64}$

g) $f(x)=\dfrac{x^2-5x+6}{x^2-6x+9}$

h) $f(x)=\dfrac{1-x}{2x^2-x-3}$

i) $f(x)=\dfrac{2x-10}{4x^2-17x-15}$

j) $f(x)=\dfrac{\sqrt{2x^2+4}-6}{x-4}$

26. Évaluez $\lim_{h\to 0}\dfrac{f(x+h)-f(x)}{h}$.

a) $f(x)=1-2x$

b) $f(x)=5+3x$

c) $f(x)=x^2-2$

d) $f(x)=x^2-x$

e) $f(x)=\dfrac{1}{5-2x}$ (où $x\neq 5/2$)

f) $f(x)=\dfrac{1}{x^2}$ (où $x\neq 0$)

g) $f(x)=\dfrac{2x}{x+1}$ (où $x\neq -1$)

h) $f(x)=\sqrt{x}$ (où $x>0$)

i) $f(x)=\sqrt{2x-1}$ (où $x>1/2$)

j) $f(x)=\dfrac{1}{\sqrt{3x}}$ (où $x>0$)

27. Une automobile démarre avec une accélération constante de 2,5 m/s^2. La position (en mètres) de l'automobile est donnée par $s(t)=1{,}25t^2$, où t est le temps (en secondes) écoulé depuis son départ.

a) Combien de temps faut-il à l'automobile pour parcourir les 100 premiers mètres ?

b) Déterminez la vitesse moyenne de l'automobile sur les intervalles de temps (en secondes) $[10; 11]$, $[10; 10,5]$, $[10; 10,1]$, $[10; 10,01]$ et $[10; 10,001]$. On calcule la vitesse moyenne sur un intervalle $[a; b]$ à l'aide de la formule

$$\text{Vitesse moyenne} = \frac{s(b) - s(a)}{b - a}$$

c) À l'aide des résultats obtenus en *b*, émettez une hypothèse sur la vitesse instantanée de l'automobile lorsque $t = 10$ s. (La vitesse instantanée est la limite des vitesses moyennes quand l'intervalle de temps devient de plus en plus court.)

d) Donnez l'expression servant à calculer la vitesse moyenne de l'automobile sur un court intervalle de temps de longueur Δt autour de $t = 10$ s.

e) Trouvez la vitesse instantanée de l'automobile lorsque $t = 10$ s en évaluant la limite lorsque $\Delta t \to 0$ de l'expression obtenue en *d*.

28. Un objet se déplace en ligne droite. Sa position (en mètres) par rapport à son point de départ est donnée par $s(t) = t^2$, où le temps t (en secondes) est mesuré à compter du début du déplacement de l'objet. Recourez au concept de limite pour déterminer la vitesse instantanée de l'objet 3 s après le début de son déplacement.

SECTION 1.6.2

29. Évaluez la limite. Utilisez le symbole ∞ ou $-\infty$, s'il y a lieu.

a) $\displaystyle\lim_{x\to\infty} \frac{2x + 4}{3x - 1}$

b) $\displaystyle\lim_{x\to-\infty} \frac{x^2 - 6x - 1}{x^3 + 2}$

c) $\displaystyle\lim_{x\to\infty} \frac{x^4 - 2}{x^2 + 1}$

d) $\displaystyle\lim_{x\to-\infty} \frac{-x^2 + x + 1}{2x^2 - 3x - 2}$

e) $\displaystyle\lim_{t\to\infty} \frac{t + 3t^4}{(t^2 + 3t + 1)(2t - 5)}$

f) $\displaystyle\lim_{t\to\infty} \frac{(t^2 + 3t + 4)(5t - 2)}{3t^3 + \sqrt{t}}$

g) $\displaystyle\lim_{x\to-\infty} \frac{2x - 1}{\sqrt{x^2 + 3}}$

h) $\displaystyle\lim_{x\to\infty} \frac{\sqrt{4x^2 + 1}}{5x + 3}$

i) $\displaystyle\lim_{t\to-\infty} \frac{\sqrt{t^2 - 3t + 2}}{t}$

j) $\displaystyle\lim_{t\to\infty} \frac{4t}{\sqrt{t^2 + 8t} + t}$

30. Évaluez la limite. Utilisez le symbole ∞ ou $-\infty$, s'il y a lieu.

a) $\displaystyle\lim_{x\to\infty} (2x^2 - x + 1)$

b) $\displaystyle\lim_{t\to-\infty} (5t^2 + 3t - 4)$

c) $\displaystyle\lim_{x\to-\infty} \frac{2 - 3x + x^3}{4x^2 + 1}$

d) $\displaystyle\lim_{t\to\infty} \frac{-4t^3 + 2t^2 - 5t + 3}{3t^4 - t + 1}$

e) $\displaystyle\lim_{t\to\infty} \frac{\sqrt{9t^2 - 3t + 2}}{5t + 1}$

f) $\displaystyle\lim_{x\to0^-} \left(\frac{1}{x^3} - \frac{1}{x}\right)$

g) $\displaystyle\lim_{t\to\infty} \left(\frac{t^3}{t - 1} - t^2\right)$

h) $\displaystyle\lim_{x\to2^-} \left[\frac{1}{2 - x} - \frac{1}{(2 - x)(x - 1)}\right]$

i) $\displaystyle\lim_{x\to1^+} \left(\frac{2}{x^2 - 1} - \frac{1}{x - 1}\right)$

j) $\displaystyle\lim_{t\to-\infty} \left(\frac{t}{t - 5} - \frac{3t}{t + 8}\right)$

31. Évaluez la limite. Utilisez le symbole ∞ ou $-\infty$, s'il y a lieu.

a) $\displaystyle\lim_{t\to\infty} \left(\sqrt{9t^2 + 5} - 3t\right)$

b) $\displaystyle\lim_{t\to-\infty} \left(\sqrt{4t^2 + 6} + 2t\right)$

c) $\displaystyle\lim_{x\to\infty} \left(\sqrt{2x} - \sqrt{2x + 3}\right)$

d) $\displaystyle\lim_{t\to-\infty} \left(\sqrt{t^2 + 8t} + t\right)$

e) $\displaystyle\lim_{x\to-\infty} \left(2x + \sqrt{4x^2 + 5x}\right)$

f) $\displaystyle\lim_{x\to\infty} \left(x - \sqrt{x^2 - 2x + 4}\right)$

g) $\displaystyle\lim_{x\to\infty} \left(\sqrt{x^2 + 3x - 2} - \sqrt{x^2 + 4}\right)$

h) $\displaystyle\lim_{t\to0^+} \left(\frac{1}{\sqrt{t^2 + t}} - \frac{1}{\sqrt{t}}\right)$

32. La droite $y = b$ (où $b \in \mathbb{R}$) est une asymptote horizontale à la courbe décrite par la fonction $f(x)$ si $\displaystyle\lim_{x\to\infty} f(x) = b$ ou si $\displaystyle\lim_{x\to-\infty} f(x) = b$. Déterminez, s'il y a lieu, les asymptotes horizontales à la courbe décrite par la fonction $f(x)$.

a) $f(x) = 5 - \dfrac{1}{x}$

b) $f(x) = \dfrac{-4x^2 + 5x + 1}{2x^2 + 3}$

c) $f(x) = \dfrac{2x^3 + x - 1}{x^2 + 4}$

d) $f(x) = \dfrac{4x}{\sqrt{x^2 - 3}}$

e) $f(x) = \dfrac{x^2}{x - 1}$

f) $f(x) = \dfrac{1}{2\sqrt{x}}$

g) $f(x) = \dfrac{3x^3 + 2x + 1}{x^4 - 3}$

h) $f(x) = \dfrac{4x^5 - 5x^2 - 8}{5x^5 - 13}$

i) $f(x) = \dfrac{\sqrt{x^2 + 2}}{2x + 5}$

j) $f(x) = \dfrac{18x + 5}{\sqrt{9x^2 + 7}}$

33. Une citerne contient 2 500 L d'eau pure. On y verse une solution saline à un rythme tel que la concentration C en sel (en grammes par litre) dans la citerne après t min est donnée par $C(t) = \dfrac{15t}{250 + t}$.

a) Déterminez la concentration en sel dans la citerne après 10 min.

b) Après combien de temps la concentration en sel dans la citerne atteindra-t-elle 5 g/L?

c) Évaluez $\lim\limits_{t \to \infty} C(t)$.

d) Interprétez, dans le contexte, la réponse obtenue en *c*.

34. On connecte en parallèle une résistance de 5 Ω et une résistance de R Ω. La résistance équivalente est de $R_e = \dfrac{5R}{5 + R}$ Ω.

a) Que vaut $\lim\limits_{R \to 0} R_e$?

b) Que vaut $\lim\limits_{R \to 5} R_e$?

c) Que vaut $\lim\limits_{R \to 10} R_e$?

d) Que vaut $\lim\limits_{R \to \infty} R_e$?

35. La concentration d'un médicament t h après son injection est donnée par $C(t) = \dfrac{0{,}2t}{t^2 + 2}$. Évaluez $\lim\limits_{t \to \infty} C(t)$ et commentez le résultat.

36. Un individu a été exposé à un contaminant. La concentration (en parties par million*) de ce contaminant dans le corps de l'individu t jours après l'exposition est donnée par $C(t) = \dfrac{25t + 1\,000}{50t + 2}$.

a) Quelle est la concentration initiale du contaminant dans le corps de l'individu?

b) Donnez la valeur et le sens de $\lim\limits_{t \to \infty} C(t)$.

* La concentration en parties par million (ppm) représente le nombre de parties de soluté dissoutes dans un million de parties de solution.

37. Évaluez la limite. Utilisez le symbole ∞ ou −∞, s'il y a lieu.

a) $\lim\limits_{x \to 2} \dfrac{x^2}{x^2 - 2x + 4}$

b) $\lim\limits_{x \to -\infty} \dfrac{x^3 + 2x}{-2x^2 + 1}$

c) $\lim\limits_{x \to 4} \left[(2x + 1)^4 - x^2\right]^2$

d) $\lim\limits_{x \to 4} \dfrac{2x^3 - x^2 - 32x + 16}{x^2 - 7x + 12}$

e) $\lim\limits_{x \to 3} \dfrac{\sqrt{x^2 + x + 4}}{6 - 2x}$

f) $\lim\limits_{x \to 4} \dfrac{x^2 - 5x + 4}{4 - \sqrt{3x + 4}}$

g) $\lim\limits_{x \to 2} \dfrac{\frac{1}{3} - \frac{x}{6}}{2x - 4}$

h) $\lim\limits_{x \to -1^+} \left[\dfrac{-4}{(x + 1)(x - 2)} - \dfrac{2}{x + 1}\right]$

i) $\lim\limits_{x \to -2} \sqrt[3]{3x - 2}$

j) $\lim\limits_{x \to -\infty} \dfrac{\sqrt{2x^2 - 4x + 1}}{3x - 4}$

k) $\lim\limits_{x \to 3} \dfrac{\sqrt{12 - x} - 3}{x^2 - 9}$

l) $\lim\limits_{x \to -3} \left|\dfrac{x^2 - 6x - 1}{x + 1}\right|$

m) $\lim\limits_{x \to -\infty} \dfrac{x^3 + 2x^2 - 4}{3x^3 - 2x + 3}$

n) $\lim\limits_{x \to \infty} \dfrac{x - 1}{x^2 + 2x + 1}$

o) $\lim\limits_{x \to 1} \dfrac{x^3 - 1}{2 - 3x}$

p) $\lim\limits_{x \to -2} \dfrac{x^2 - x - 6}{x^3 + x^2 - x + 2}$

q) $\lim\limits_{x \to 6} \left[(3x - 4)\sqrt{x + 3}\right]$

r) $\lim\limits_{x \to \infty} \dfrac{\sqrt{x + 4}}{2x - 1}$

s) $\lim\limits_{x \to -1} \dfrac{x + 1}{2 - \sqrt{x^2 + 3}}$

t) $\lim\limits_{x \to 2} \left(\dfrac{1}{x - 2} - \dfrac{4}{x^2 - 4}\right)$

u) $\lim\limits_{x \to -3} \dfrac{-2x^3 - 5x^2 - x - 12}{3x^2 + 4x - 15}$

v) $\lim\limits_{x \to 3} \dfrac{1 - \frac{3}{x}}{x^2 - 9}$

SECTIONS 1.7.1 ET 1.7.2

▲ **38.** Déterminez les valeurs réelles de x pour lesquelles la fonction est discontinue, en spécifiant chaque fois la nature de la discontinuité (par trou, par déplacement, par saut, etc.).

a) La fonction $f(x)$ décrite au numéro 1.

b) La fonction $f(x)$ décrite au numéro 7.

39. Le graphique suivant représente le revenu mensuel de travail d'un employé d'usine en fonction du temps. Donnez des explications plausibles (il peut y en avoir plusieurs) aux discontinuités observées dans le graphique.

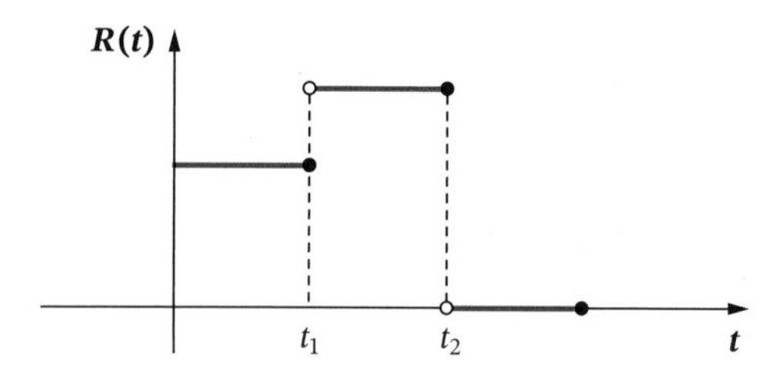

▲ **40.** Ginette est en train de conduire sa voiture sur l'autoroute. La pression dans un des pneus en fonction du temps est représentée graphiquement par la fonction $P(t)$. Donnez une explication plausible de la discontinuité observée en t_1.

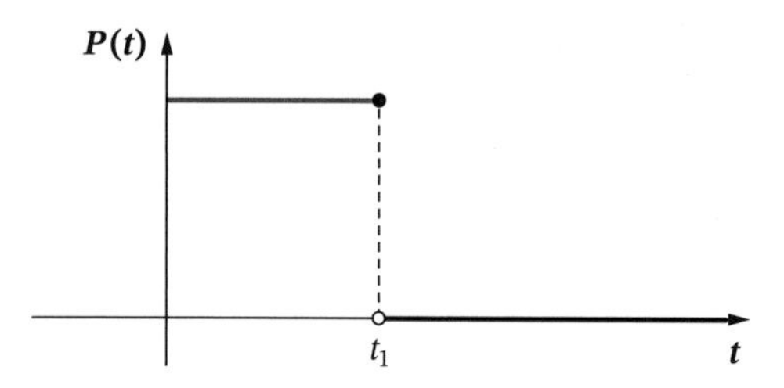

41. Esquissez le graphique d'une fonction qui satisfait aux conditions indiquées.

a) $f(a)$ existe, $\lim\limits_{x\to a} f(x)$ existe et $\lim\limits_{x\to a} f(x) = f(a)$.

b) $f(a)$ existe, $\lim\limits_{x\to a} f(x)$ existe et $\lim\limits_{x\to a} f(x) \neq f(a)$.

c) $f(a)$ existe et $\lim\limits_{x\to a} f(x)$ n'existe pas.

d) $f(a)$ n'existe pas et $\lim\limits_{x\to a} f(x)$ existe.

e) $f(a)$ n'existe pas et $\lim\limits_{x\to a} f(x)$ n'existe pas.

42. Déterminez, s'il y a lieu, la nature de la discontinuité de la fonction $f(x)$ en $x = a$, pour la valeur indiquée de a.

a) $f(x) = \dfrac{x-8}{x-5}$ en $x = 5$

b) $f(x) = \dfrac{2x^2-8}{x^2+4}$ en $x = -2$

c) $f(x) = \dfrac{x^2-49}{x-7}$ en $x = 7$

d) $f(x) = \begin{cases} 2x-1 & \text{si } x \leq 3 \\ \sqrt{x+6} & \text{si } x > 3 \end{cases}$ en $x = 3$

e) $f(x) = \begin{cases} \dfrac{2x^3-16}{x-2} & \text{si } x \neq 2 \\ 11 & \text{si } x = 2 \end{cases}$ en $x = 2$

f) $f(x) = \begin{cases} x^2-2 & \text{si } x \leq 2 \\ \frac{1}{2}x+1 & \text{si } x > 2 \end{cases}$ en $x = 2$

g) $f(x) = \dfrac{x-6}{x^2-36}$ en $x = -6$

h) $f(x) = \dfrac{x^4-81}{x^2-9}$ en $x = 3$

i) $f(x) = \begin{cases} \dfrac{x^3+1}{x+1} & \text{si } x \neq -1 \\ 3 & \text{si } x = -1 \end{cases}$ en $x = -1$

j) $f(x) = \begin{cases} x^2+1 & \text{si } x \leq 1 \\ 2x+3 & \text{si } x > 1 \end{cases}$ en $x = 1$

43. Une sphère non conductrice de rayon r contient une charge uniformément distribuée de Q coulombs. La force F, qui s'exerce sur un proton situé à une distance x du centre de la sphère, est donnée par la fonction

$$F(x) = \begin{cases} \dfrac{Qx}{4\pi\varepsilon_0 r^3} & \text{si } 0 < x < r \\ \dfrac{Q}{4\pi\varepsilon_0 x^2} & \text{si } x \geq r \end{cases}$$

où Q, π, ε_0 et r sont des constantes. La fonction $F(x)$ est-elle continue en $x = r$?

44. Un transporteur aérien demande 10 $ pour transporter un colis de moins de 1 kg, et exige une surprime de 3 $ pour chaque kilogramme ou fraction de kilogramme additionnel à condition que la masse du colis soit inférieure à 6 kg. Soit $C(x)$ le coût de transport (en dollars) d'un colis de x kg.

a) Quelle est l'expression mathématique de $C(x)$ pour $0 < x < 6$?

b) Tracez le graphique de $C(x)$.

c) Pour quelles valeurs de a l'expression $\lim\limits_{x\to a} C(x)$ existe-t-elle?

d) Commentez la continuité de la fonction $C(x)$.

⬟ **45.** Julie souhaite investir 15 000 $ dans un certificat de placement venant à échéance dans 1 an et portant un taux d'intérêt simple de 8 % par année. Elle peut toutefois retirer son investissement avant le terme, capital et intérêt couru (soit $0{,}08 \times \dfrac{t}{12} \times 15\,000$, où t représente le nombre de mois écoulés), sous réserve d'une pénalité correspondant à 6 mois d'intérêt si le retrait est effectué dans les 3 premiers mois $(0 < t < 3)$, et correspondant à 3 mois d'intérêt par la suite. Soit $V(t)$, la valeur du placement de Julie après t mois.

a) Que vaut $V(0)$?

b) Que vaut $V(12)$?

c) Donnez l'expression mathématique de $V(t)$ lorsque $0 \leq t \leq 12$.

d) Évaluez $\lim\limits_{t\to 3^-} V(t)$.

e) Évaluez $\lim\limits_{t\to 3^+} V(t)$.

f) Qualifiez la nature de la fonction $V(t)$ lorsque $t = 3$.

g) Évaluez $\lim_{t \to 12^-} V(t)$.

h) Qualifiez la nature de la fonction $V(t)$ lorsque $t = 12$.

SECTIONS 1.7.3 ET 1.7.4

46. Déterminez les valeurs réelles de x pour lesquelles la fonction est continue.

a) $f(x) = \dfrac{x^3 - 1}{(2x+1)(5-3x)(x+1)}$

b) $f(x) = \dfrac{3x^3 - 5x + 12}{x^3 - x^2 - 2x}$

c) $f(x) = \dfrac{|x| - 8}{2x + 15}$

d) $f(x) = \left(\dfrac{5x+1}{x^2 - 36}\right)^8$

e) $f(x) = \begin{cases} 4 - x^2 & \text{si } x < 2 \\ x - 2 & \text{si } x \geq 2 \end{cases}$

f) $f(x) = \begin{cases} 3x - 4 & \text{si } x \leq 1 \\ \dfrac{5x^2 + 1}{x + 5} & \text{si } x > 1 \end{cases}$

g) $f(x) = \begin{cases} \dfrac{1 - x}{2x + 8} & \text{si } x < -3 \\ 3x + 7 & \text{si } x \geq -3 \end{cases}$

h) $f(x) = \begin{cases} \dfrac{|x+1|}{x^2 + 1} & \text{si } x \leq 0 \\ \dfrac{x}{x+1} & \text{si } x > 0 \end{cases}$

i) $f(x) = \begin{cases} x^2 + 4x & \text{si } x \leq -2 \\ \dfrac{x^2 + 5x + 12}{x - 1} & \text{si } -2 < x \leq 4 \\ \left(\dfrac{20 - x}{x + 4}\right)^4 & \text{si } x > 4 \end{cases}$

j) $f(x) = \begin{cases} x & \text{si } x \leq 0 \\ \dfrac{|x|}{x^2 - 9} & \text{si } 0 < x < 4 \\ \dfrac{8 - x}{2x + 1} & \text{si } x \geq 4 \end{cases}$

47. Déterminez si la fonction est continue sur l'intervalle donné.

a) $f(x) = \sqrt{4 - 3x}$ sur l'intervalle $]-\infty, 4/3]$

b) $f(x) = \sqrt{2x + 5}$ sur l'intervalle $[-5/2, \infty[$

c) $f(x) = \sqrt{16 - x^2}$ sur l'intervalle $[-4, 4]$

d) $f(x) = \dfrac{2x - 3}{3x - 12}$ sur l'intervalle $[-5, 3]$

e) $f(x) = \dfrac{|x|}{3x^2 - 12}$ sur l'intervalle $]-3, 1[$

f) $f(x) = \begin{cases} 5x + 1 & \text{si } x < 3 \\ \dfrac{3}{x} + 15 & \text{si } x \geq 3 \end{cases}$
sur l'intervalle $[-1, \infty[$

g) $f(x) = \begin{cases} \sqrt{12 - x} & \text{si } x \leq -4 \\ |x| & \text{si } x > -4 \end{cases}$
sur l'intervalle $[-10, 2]$

h) $f(x) = \begin{cases} 4 - x & \text{si } x < 1 \\ \dfrac{x^2 + 1}{2x - 1} & \text{si } 1 \leq x \leq 3 \\ \sqrt{x + 1} & \text{si } x > 3 \end{cases}$
sur l'intervalle $[0, 5]$

48. Déterminez les valeurs de la constante k pour lesquelles la fonction $f(x)$ est continue sur l'ensemble des réels.

a) $f(x) = \begin{cases} 6 - x^2 & \text{si } x \leq 1 \\ kx + 7 & \text{si } x > 1 \end{cases}$

b) $f(x) = \begin{cases} kx^2 - 1 & \text{si } x \leq 2 \\ 3x - k & \text{si } x > 2 \end{cases}$

c) $f(x) = \begin{cases} \dfrac{x^2 - 25}{10 - 2x} & \text{si } x \neq 5 \\ k & \text{si } x = 5 \end{cases}$

d) $f(x) = \begin{cases} x^3 & \text{si } x \leq -1 \\ \dfrac{3}{x^2} & \text{si } -1 < x \leq 1 \\ 2x + k & \text{si } x > 1 \end{cases}$

e) $f(x) = \begin{cases} k^2x + 4 & \text{si } x < 3 \\ \dfrac{3}{x} + 15 & \text{si } x \geq 3 \end{cases}$

f) $f(x) = \begin{cases} k^2x^2 & \text{si } x \leq 2 \\ (1 - k)x & \text{si } x > 2 \end{cases}$

49. Le salaire hebdomadaire d'un employé dépend notamment du nombre d'heures travaillées durant la semaine. Un travailleur d'une certaine usine reçoit un salaire horaire de 18 $ (18 $/h) s'il travaille 40 h ou moins. En revanche, s'il travaille plus de 40 h durant une semaine, les heures supplémentaires (celles qui s'ajoutent aux 40 premières heures) seront rémunérées à 27 $/h. Pour des raisons de sécurité, les ouvriers de cette usine ne peuvent pas travailler plus de 60 h par semaine. Soit $S(x)$ la fonction donnant le salaire brut hebdomadaire (en dollars) en fonction du nombre x d'heures travaillées durant la semaine.

a) Dans ce contexte, sur quel intervalle la fonction $S(x)$ est-elle définie ?

b) Définissez la fonction $S(x)$ sur l'intervalle de temps indiqué en *a*.

c) Représentez graphiquement la fonction $S(x)$ sur l'intervalle de temps indiqué en *a*.

d) Quel sera le salaire brut du travailleur pour une semaine de 30 heures travaillées ?

e) Quel sera le salaire brut du travailleur pour une semaine de 45 heures travaillées?

f) Est-ce que la fonction $S(x)$ obtenue en b est continue partout sur l'intervalle $[0, 60]$? Justifiez votre réponse en invoquant un argument graphique et la définition de la continuité.

50. Une usine fabrique un certain produit. Elle est en activité jour et nuit (à raison de 3 quarts de travail de 8 h). Chaque quart de travail occasionne des frais fixes de 6 000 $. De plus, il en coûte 5$ pour chaque kilogramme produit. Sur une période de 8 h de travail, on peut produire jusqu'à 10 000 kg. Un client passe une commande de x kg.

a) Définissez la fonction coût de fabrication $C(x)$ en fonction du nombre x de kilogrammes produits ($0 < x \leq 30\,000$).

b) Quel sera le coût de fabrication de 8 000 kg? De 15 000 kg? De 23 000 kg?

c) Pour quelles valeurs de $x \in]0, 30\,000]$ la fonction $C(x)$ obtenue en a est-elle continue? Justifiez votre réponse.

d) Représentez graphiquement la fonction $C(x)$ sur l'intervalle $]0, 30\,000]$.

EXERCICES de révision

1. Traduisez la phrase sous la forme d'un énoncé écrit avec le symbolisme mathématique approprié.

a) La valeur de la fonction $f(x)$ devient aussi proche que l'on veut de L lorsque x est suffisamment proche de a mais demeure inférieur à a.

b) La valeur de la fonction $f(x)$ devient aussi grande que l'on veut pourvu que x soit suffisamment proche de a.

c) La fonction $f(x)$ se rapproche de L lorsque x devient de plus en plus grand.

2. Dites si l'énoncé est vrai ou faux.

a) Si $f(x)$ est une fonction discontinue en $x = a$, alors $\lim_{x \to a} f(x)$ n'existe pas.

b) Si $f(x)$ est une fonction continue sur l'intervalle $[a, b]$, alors $\frac{1}{f(x)}$ est aussi une fonction continue sur cet intervalle.

c) Si $f(x)$ est une fonction continue en $x = c$, alors $\lim_{x \to c} f(x) = f(c)$.

d) Si $\lim_{x \to a} f(x)$ existe, alors $f(x)$ est continue en $x = a$.

3. Tracez le graphique d'une fonction $f(x)$ qui satisfait à la condition.

a) $f(x)$ présente une discontinuité non essentielle par trou en $x = 2$.

b) $f(x)$ présente une discontinuité infinie en $x = -3$.

c) $f(x)$ présente une discontinuité essentielle par saut en $x = 1$.

4. Encerclez la lettre qui correspond à la bonne réponse.

a) Que vaut $\lim_{x \to 3} \frac{x^2 - 4x + 3}{x^2 - 6x + 9}$?

A. 3

B. ∞

C. $1/3$

D. Cette limite n'existe pas.

E. 1

F. $4/3$

G. $-\infty$

H. Aucune de ces réponses.

b) Que vaut $\lim_{x \to \infty} \frac{50\,000x^3 - x^2 + 100\,000}{x^6 - 5\,000x^5 - 40\,000}$?

A. 50 000

B. ∞

C. 0

D. Cette limite n'existe pas.

E. $-40\,000$

F. $5/2$

G. $-\infty$

H. Aucune de ces réponses.

c) Pour quelle valeur de k la fonction

$$f(x) = \begin{cases} kx + 1 & \text{si } x < 3 \\ kx^2 - 1 & \text{si } x \geq 3 \end{cases}$$

est-elle continue sur l'ensemble des réels?

A. 1

B. 3

C. $k \in \mathbb{R}$

D. Aucune valeur de k.

E. $1/3$

F. $2/3$

G. 0

H. Aucune de ces réponses.

d) Laquelle des fonctions suivantes présente une discontinuité essentielle infinie en $x = -2$?

A. $f(x) = \frac{x^2 - 4}{x + 2}$

B. $f(x) = \frac{x^2 - 4}{x^2 + 4}$

C. $f(x) = |x + 2|$

D. $f(x) = \begin{cases} x - 2 & \text{si } x < -2 \\ x - 2 & \text{si } x \geq -2 \end{cases}$

E. $f(x) = \dfrac{|x+2|}{x+2}$

F. $f(x) = \dfrac{x+2}{x-2}$

G. $f(x) = (x+2)^3$

H. $f(x) = \dfrac{x^2+4x+4}{x^3+6x^2+12x+8}$

e) Laquelle des fonctions suivantes est continue en $x = 0$?

A. $f(x) = \begin{cases} x+2 & \text{si } x < 0 \\ x^2 & \text{si } x \geq 0 \end{cases}$

B. $f(x) = \dfrac{x}{|x|}$

C. $f(x) = \begin{cases} x^2+1 & \text{si } x \leq 0 \\ 2 & \text{si } x > 0 \end{cases}$

D. $f(x) = \dfrac{1}{\sqrt{x}}$

E. $f(x) = \dfrac{x^2+2x}{x^2-5x}$

F. $f(x) = x^2 - \dfrac{1}{x}$

G. $f(x) = \begin{cases} x^2+2 & \text{si } x < 0 \\ x+2 & \text{si } x \geq 0 \end{cases}$

H. $f(x) = \dfrac{1}{x^2} + 1$

5. Soit le graphique de la fonction $f(x)$.

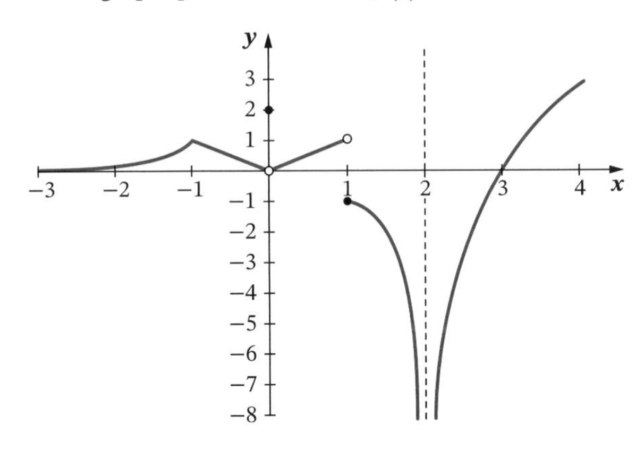

a) Estimez $f(0)$.

b) Estimez $\lim\limits_{x \to 0} f(x)$.

c) Quel est le type de discontinuité de la fonction $f(x)$ en $x = 0$?

d) Quel est le type de discontinuité de la fonction $f(x)$ en $x = 1$?

e) Estimez $\lim\limits_{x \to 2^+} f(x)$.

f) Estimez $\lim\limits_{x \to -\infty} f(x)$.

g) Estimez $\lim\limits_{x \to \infty} f(x)$.

h) Quelle est l'équation de l'asymptote horizontale à la courbe décrite par la fonction $f(x)$?

i) Quelle est l'équation de l'asymptote verticale à la courbe décrite par la fonction $f(x)$?

6. Remplissez le tableau suivant et utilisez vos réponses pour estimer $\lim\limits_{x \to 0} f(x)$, où $f(x) = \dfrac{x^2 - x}{x}$.

x	−0,1	−0,01	−0,001	0	0,001	0,01	0,1
$f(x)$							

7. Évaluez la limite si elle existe, sinon dites pourquoi elle n'existe pas. Utilisez les symboles ∞ ou $-\infty$ s'il y a lieu.

a) $\lim\limits_{x \to 2} \dfrac{x^3 - 8}{x - 2}$

b) $\lim\limits_{x \to 1} \dfrac{x - \frac{1}{x}}{x - x^2}$

c) $\lim\limits_{x \to 1} \dfrac{1 - \sqrt{x}}{x - x^2}$

d) $\lim\limits_{h \to 0} \dfrac{f(x+h) - f(x)}{h}$ si $f(x) = 3x^2$

e) $\lim\limits_{x \to 0} \dfrac{x + x^2}{x^3 - x^4}$

f) $\lim\limits_{x \to 0^-} \dfrac{\sqrt{3x^2+1} - 2x}{x - x^2}$

g) $\lim\limits_{x \to 3^+} \left(\dfrac{2}{x^2 - 9} - \dfrac{1}{x - 3} \right)$

h) $\lim\limits_{x \to -\infty} \dfrac{-2x + 1}{\sqrt{2x^2 + 3x}}$

8. Votre boucher vend son bœuf haché 11,50 \$/kg pour une quantité inférieure à 10 kg, et 10,75 \$/kg pour une quantité supérieure ou égale à 10 kg. Soit $P(x)$, le prix (en dollars) payé pour acheter x kg de bœuf haché, où $0 \leq x \leq 20$.

a) Complétez : $P(x) = \begin{cases} \ldots\ldots & \text{si } 0 \leq x < 10 \\ \ldots\ldots & \text{si } 10 \leq x \leq 20 \end{cases}$.

b) Tracez le graphique de $P(x)$.

c) Que conseilleriez-vous à quelqu'un qui voudrait acheter 9,5 kg de bœuf haché ? Justifiez votre réponse.

d) Quelle quantité de bœuf haché avez-vous achetée si vous avez déboursé 107,50 \$? Attention, il y a deux réponses possibles.

e) Évaluez $\lim\limits_{x \to 10} P(x)$ ou dites pourquoi cette limite n'existe pas.

f) Qualifiez la nature de la fonction $P(x)$ lorsque $x = 10$.

9. Les psychologues de l'apprentissage ont établi qu'il faut un certain temps pour maîtriser parfaitement une tâche. Au début, le taux de réussite de la tâche augmente graduellement, puis l'élève réussit parfaitement, comme s'il avait soudainement tout compris. En vertu du résultat établi par les psychologues, lequel des graphiques suivants décrit le mieux l'apprentissage d'une tâche ? Justifiez votre réponse.

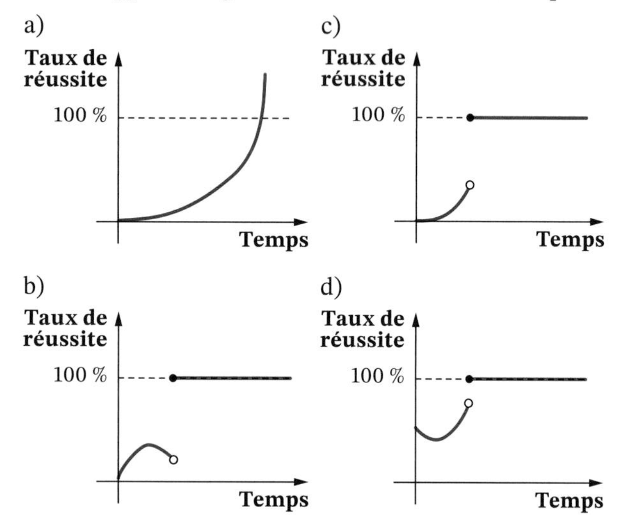

10. Galileo Galilei (1564-1642), mieux connu sous le nom francisé de Galilée, fut un brillant physicien. Professeur de mathématiques à l'Université de Pise, il mena de nombreuses expériences dans cette ville.

La légende veut qu'il ait laissé tomber simultanément, du haut de la tour de Pise*, deux boules de métal, l'une pesant 5 kg et l'autre 500 g. Comme les deux boules arrivèrent au sol en même temps, il estima avoir ainsi démontré que la vitesse d'un corps en chute libre est indépendante de sa masse.

On sait que la distance parcourue par un objet en chute libre est donnée par la formule

$$s(t) = -4{,}9t^2 + v_0 t + s_0$$

où v_0 représente la vitesse initiale de l'objet, et s_0, sa position initiale par rapport au sol. Dans le cas de l'expérience de Galilée, les boules de métal étaient situées à environ 49 m au-dessus du sol et leur vitesse initiale était nulle puisque Galilée les laissa simplement tomber. Par conséquent, l'expression de leur position en fonction du temps est donnée par $s(t) = -4{,}9t^2 + 49$.

a) Dans ce contexte, sur quel intervalle de temps la fonction $s(t)$ est-elle définie ? (Indice : Combien de temps faut-il à une boule avant qu'elle ne touche le sol, c'est-à-dire avant que sa hauteur ne devienne 0 m ?)

b) Tracez le graphique de la fonction $s(t)$.

c) Pourquoi la fonction $s(t)$ est-elle continue sur l'intervalle obtenu en *a* ?

* On retrouve des informations intéressantes sur cette célèbre structure architecturale dans le site Internet officiel de la tour de Pise : www.opapisa.it/en. En particulier, on y apprend que la tour s'élève à 55 m au-dessus du sol.

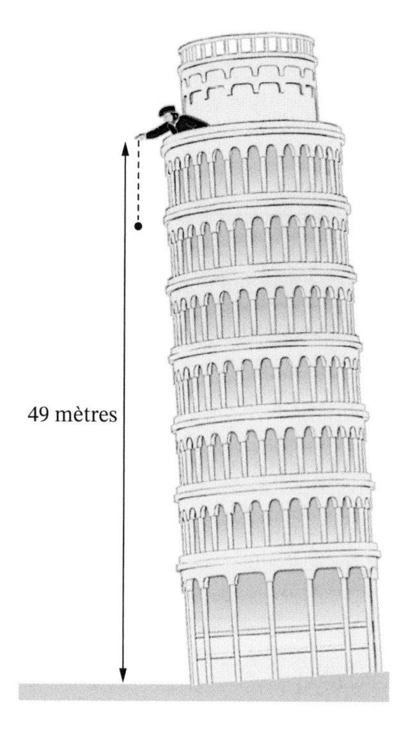

d) Si vous aviez à qualifier par le mot *croissante* ou *décroissante* la courbe décrite par la fonction $s(t)$, lequel choisiriez-vous ? Justifiez votre réponse.

e) Quelle est l'expression mathématique de la pente du segment de droite joignant les points $(t_a, s(t_a))$ et $(t_b, s(t_b))$, qui sont situés sur la courbe décrite par la fonction $s(t)$?

La vitesse moyenne d'une boule sur l'intervalle $[t_a, t_b]$ est donnée par l'expression $\dfrac{s(t_b) - s(t_a)}{t_b - t_a}$.

f) Pouvez-vous donner une interprétation géométrique de la vitesse moyenne d'une boule sur l'intervalle $[t_a, t_b]$?

g) Calculez la vitesse moyenne sur chacun des intervalles demandés. Notez que les réponses que vous obtiendrez seront toutes négatives puisque la hauteur de la boule diminue avec le temps qui s'écoule. En général, un objet qui se déplace vers le bas a une vitesse négative, et il a une vitesse positive s'il se déplace vers le haut. L'intensité (ou la grandeur) de la vitesse d'un objet est définie comme la valeur absolue de la vitesse.

Intervalle	Vitesse moyenne
[1,9; 2]	
[1,99; 2]	
[1,999; 2]	
2	← Vitesse instantanée
[2; 2,001]	
[2; 2,01]	
[2; 2,1]	

h) La vitesse instantanée d'un objet au temps $t = a$ est définie comme $v(a) = \lim_{t \to a} \frac{s(t) - s(a)}{t - a}$, ou de manière équivalente comme $v(a) = \lim_{\Delta t \to 0} \frac{s(a + \Delta t) - s(a)}{\Delta t}$. Calculez $v(2)$.

i) La réponse obtenue en *h* vous paraît-elle cohérente par rapport aux résultats que vous avez obtenus lorsque vous avez complété le tableau en *g* ?

j) Si vous vouliez calculer la vitesse instantanée d'une boule au moment où elle touche le sol, quelle légère modification devriez-vous apporter à la définition de la vitesse instantanée pour pouvoir la calculer ? (Indice : Pour quelles valeurs de temps la fonction $s(t)$ utilisée dans la formule de la vitesse instantanée est-elle définie ?)

k) À partir de la définition de vitesse instantanée modifiée en *j*, calculez la vitesse instantanée d'une boule au moment où elle touche le sol.

CHAPITRE 2

DÉRIVÉE DES FONCTIONS ALGÉBRIQUES

> Que sont ces fluxions? Les vitesses d'incréments évanouissants, et que sont ces mêmes incréments évanouissants? Ce ne sont ni des quantités finies, ni des quantités infiniment petites, ni pourtant rien. Ne pouvons-nous les appeler les fantômes des quantités défuntes?
>
> **George Berkeley**

Dans le premier chapitre, nous avons abordé les notions de limite et de continuité. Parmi toutes les limites que nous avons étudiées, il y en a une qui est fondamentale:

$$\lim_{\Delta x \to 0} \frac{f(x + \Delta x) - f(x)}{\Delta x}$$

Cette limite, qui donne le taux de variation instantané de la fonction $f(x)$, est si importante qu'on lui attribue un nom particulier: la dérivée. Comme tout concept clé, la dérivée se traduit par une notation qui en facilite l'utilisation, et que nous verrons dans ce chapitre.

La dérivée peut, selon le contexte, représenter une pente de tangente, une vitesse instantanée, une accélération, un taux de croissance de population, un taux de propagation d'une rumeur ou d'une maladie, un taux de diffusion d'une technologie, un taux de désintégration d'une substance radioactive, etc. Le fait qu'une même expression puisse être appliquée à des situations aussi variées que celles que nous venons d'énumérer est une illustration éloquente de sa richesse et de son intérêt.

Le calcul différentiel consiste essentiellement dans l'étude du concept de dérivée, qui permet de mesurer le rythme auquel change une quantité variable définie par une fonction. En revanche, l'utilité du calcul différentiel serait grandement réduite s'il fallait évaluer, à l'aide des astuces développées dans le premier chapitre, la limite de la forme indéterminée servant à définir la dérivée. Heureusement, comme nous le verrons sous peu, il existe des algorithmes simples qui permettent de trouver l'expression de la dérivée d'une fonction sans avoir à procéder à l'évaluation d'une limite. Nous allons également porter un intérêt particulier au signe de la dérivée, qui s'avère particulièrement révélateur.

OBJECTIFS

- Évaluer la pente de la sécante passant par deux points d'une courbe (2.1).
- Calculer un taux moyen (2.1) et un taux instantané de variation (2.2).
- Évaluer la pente de la tangente à une courbe en un point (2.2 et 2.5).
- Trouver l'équation de la droite tangente ou l'équation de la droite normale à une courbe en un point (2.2, 2.5 et 2.9).
- Évaluer la dérivée d'une fonction en un point à l'aide de la définition (2.3).
- Trouver la fonction dérivée d'une fonction à l'aide de la définition (2.3).
- Interpréter une dérivée (2.3).
- Reconnaître et utiliser différentes notations de la dérivée et de la dérivée en un point d'une fonction (2.3).
- Déterminer l'ensemble sur lequel une fonction est dérivable (2.4).
- Démontrer des formules de dérivation (2.5).
- Dériver des fonctions à l'aide des formules de dérivation (2.5 et 2.8).
- Interpréter le signe d'une dérivée (2.6).
- Esquisser le graphique de la dérivée d'une fonction simple (2.6).
- Évaluer des dérivées d'ordre supérieur à 1 (2.7).
- Dériver de manière implicite (2.9).

SOMMAIRE

ANIMATIONS GEOGEBRA

UN PORTRAIT DE
Jean le Rond d'Alembert

Jean le Rond d'Alembert

Jean le Rond d'Alembert naquit à Paris le 16 novembre 1717. Fils naturel de la marquise de Tencin et du chevalier Louis-Camus Destouches, il fut abandonné par sa mère sur le parvis de l'église de Saint-Jean-Le Rond. Selon la coutume de l'époque, il reçut le nom de cette église. Parce que Destouches était à l'extérieur du pays au moment de la naissance de son fils, celui-ci fut placé dans un orphelinat. À son retour à Paris, Destouches, bien qu'il ne reconnût pas officiellement son fils, le fit placer chez un vitrier et veilla à ce qu'il reçoive une bonne éducation. D'Alembert vécut 48 ans avec sa famille adoptive, dont il considéra toujours la mère comme sienne. À l'âge de 12 ans, d'Alembert entra au collège des Quatre-Nations, tenu par des religieux jansénistes. Il s'y révéla doué pour les mathématiques. Après avoir obtenu son diplôme du collège, d'Alembert étudia le droit et devint avocat. Il commença ensuite à étudier la médecine, mais sa véritable passion pour les mathématiques refaisant toujours surface, il décida de s'y consacrer entièrement.

En juillet 1739, il proposa un premier article en calcul intégral à l'Académie des sciences de Paris, puis, en 1740, un second, plus substantiel, traitant de mécanique des fluides. Ces deux productions furent remarquées, et d'Alembert devint membre de l'Académie des sciences en mai 1741 alors qu'il n'avait que 23 ans. Cette ascension rapide était d'autant plus notable que d'Alembert était en fait autodidacte en mathématiques.

Les travaux scientifiques de d'Alembert traitaient surtout de dynamique et de mécanique céleste. Dans son *Traité de dynamique* paru en 1743, il développa les théories de Newton et en dégagea un principe que l'on désigne aujourd'hui sous le nom de principe de d'Alembert. En 1744, il publia son *Traité de l'équilibre et du mouvement des fluides*, dans lequel on trouve les premières équations aux dérivées partielles. En 1746, il gagna un concours de l'Académie de Berlin pour un ouvrage sur la théorie générale des vents. En 1747, il appliqua son principe à l'étude des cordes vibrantes. Il devint alors le premier à formuler une équation aux dérivées partielles pour décrire un phénomène ondulatoire.

En plus d'apporter de nombreuses contributions à la physique mathématique, d'Alembert laissa aussi sa marque en mathématiques pures. Comme nous l'avons dit précédemment, son premier article scientifique traitait de calcul intégral. Dans un essai intitulé *Théorie générale des vents*, il présenta une preuve du théorème fondamental de l'algèbre en vertu duquel tout polynôme à coefficients réels peut être écrit comme un produit de facteurs linéaires et quadratiques irréductibles. Même si cette preuve se révèle incomplète au regard des critères modernes, il n'en demeure pas moins que le célèbre Carl Friedrich Gauss (1777-1855), qui donna quatre démonstrations distinctes de ce fameux théorème au cours de sa vie, considérait que la preuve de d'Alembert présentait des arguments solides. Encore aujourd'hui, surtout en France, le théorème fondamental de l'algèbre porte le nom de théorème de d'Alembert ou de d'Alembert-Gauss. Soulignons aussi que le nom de d'Alembert est associé à un critère de convergence de séries.

D'Alembert doit aussi sa place dans l'histoire à sa participation importante à la fameuse *Encyclopédie ou dictionnaire raisonné des sciences, des arts et des métiers*. Il fut l'auteur d'un grand nombre d'articles scientifiques et mathématiques de cet ouvrage, et surtout du célèbre *Discours préliminaire*, qui constitue un des manifestes les plus éloquents de la philosophie des Lumières. Dans ce *Discours préliminaire*, publié en 1751 dans le premier volume de l'*Encyclopédie*, il écrivait qu'« il n'a que la liberté d'agir et de penser qui soit capable de produire de grandes choses » et il affirmait qu'il y avait un lien direct entre le progrès social et le progrès des connaissances.

C'est d'ailleurs dans son article de l'*Encyclopédie* intitulé *Différentiel* que d'Alembert insista sur l'importance du concept de limite. Il fut ainsi l'un des premiers à accorder une grande importance à la notion de fonction, et il définit la dérivée d'une fonction comme la limite d'un rapport de deux quantités non nulles. Malgré une phraséologie boiteuse, vague et mal comprise de ses contemporains, l'analyse de d'Alembert demeure celle qui s'approcha le plus, à l'époque, de la conception moderne de la limite et de la dérivée.

Sans doute à cause de son rôle prépondérant dans l'écriture de l'*Encyclopédie*, d'Alembert accéda à l'Académie française en 1754 et en devint le secrétaire perpétuel en 1772. Il mourut à Paris le 29 octobre 1783. Pour rendre hommage à ce scientifique et philosophe de grande stature, la France émit un timbre portant son effigie.

2.1 TAUX DE VARIATION MOYEN

DANS CETTE SECTION : *variation d'une fonction – variation de la variable indépendante – droite – pente d'une droite – ordonnée à l'origine – droites parallèles – droites perpendiculaires – droite sécante – taux de variation moyen – vitesse moyenne.*

Dans la vie de tous les jours, bon nombre de quantités sont variables. Le prix de l'essence qui ne cesse de fluctuer, la population du Québec qui varie à chaque année ou la température extérieure qui change à tout instant du jour sont des exemples parmi tant d'autres de quantités qui varient sans cesse.

2.1.1 VARIATION D'UNE FONCTION

Il semble donc naturel de vouloir quantifier la variation d'une fonction, c'est-à-dire de déterminer le changement de la valeur de la variable dépendante découlant de la modification de la valeur de la variable indépendante.

EXEMPLE 2.1

On lance une balle vers le haut à partir d'une hauteur de 1 m avec une vitesse initiale de 9,8 m/s. La position de la balle (sa hauteur mesurée en mètres) après un temps t (en secondes) est donnée par la fonction $s(t) = -4{,}9t^2 + 9{,}8t + 1$. Déterminons la variation de la hauteur de la balle lorsque le temps passe de 0,5 s à 1 s.

La hauteur de la balle lorsque $t = 0{,}5$ s est de

$$s(0{,}5) = -4{,}9(0{,}5)^2 + 9{,}8(0{,}5) + 1 = 4{,}675\text{ m}$$

tandis que la hauteur de la balle lorsque $t = 1$ s est de

$$s(1) = -4{,}9(1)^2 + 9{,}8(1) + 1 = 5{,}9\text{ m}$$

On obtient la variation de la hauteur de la balle sur cet intervalle de temps en faisant la différence des hauteurs de la balle aux extrémités de l'intervalle, soit

$$s(1) - s(0{,}5) = 5{,}9 - 4{,}675 = 1{,}225\text{ m}$$

On peut donc dire que, lorsque le temps passe de 0,5 s à 1 s, la hauteur de la balle augmente de 1,225 m. Autrement dit, à $t = 1$ s, la balle se situe 1,225 m plus haut qu'elle ne l'était à $t = 0{,}5$ s.

Déterminons la variation de la hauteur de la balle lorsque le temps passe de 1 s à 1,5 s.

La hauteur de la balle lorsque $t = 1$ s est de $s(1) = 5{,}9$ m, tandis que la hauteur de la balle lorsque $t = 1{,}5$ s est de

$$s(1{,}5) = -4{,}9(1{,}5)^2 + 9{,}8(1{,}5) + 1 = 4{,}675\text{ m}$$

On obtient la variation de la hauteur de la balle sur cet intervalle de temps en faisant la différence des hauteurs de la balle aux extrémités de l'intervalle, soit

$$s(1{,}5) - s(1) = 4{,}675 - 5{,}9 = -1{,}225\text{ m}$$

Comment interpréter le signe négatif sinon en disant que la hauteur de la balle a diminué au cours de cet intervalle de temps? Autrement dit, à $t = 1{,}5$ s, la balle se situe 1,225 m plus bas qu'elle ne l'était à $t = 1$ s. La balle revient donc vers le sol.

Ces résultats sont confirmés sur la FIGURE 2.1 illustrant la position de la balle en fonction du temps.

FIGURE 2.1

Position de la balle en fonction du temps

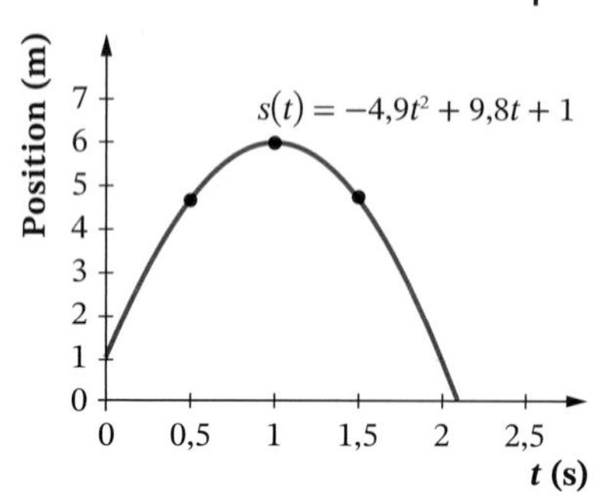

Variation d'une fonction

La variation d'une fonction continue $f(x)$ sur l'intervalle $[a, b]$, notée Δf, est la différence entre la valeur de la fonction à la fin de l'intervalle et la valeur de la fonction au début de l'intervalle, soit $\Delta f = f(b) - f(a)$.

Variation de la variable indépendante

La variation de la variable indépendante x sur l'intervalle $[a, b]$, notée Δx, est la longueur de l'intervalle, c'est-à-dire $\Delta x = b - a$.

La **variation d'une fonction** continue $f(x)$ sur un intervalle $[a, b]$, notée Δf, est la différence entre la valeur de la fonction à la fin de l'intervalle et la valeur de la fonction au début de l'intervalle, c'est-à-dire $\Delta f = f(b) - f(a)$. Lorsque la variation Δf d'une fonction est positive (respectivement négative), la valeur de la fonction $f(x)$ est plus élevée (respectivement moins élevée) à la fin de l'intervalle $[a, b]$ qu'elle ne l'était au début. On peut également définir la **variation de la variable indépendante** x, notée Δx, sur l'intervalle $[a, b]$ comme étant la longueur de l'intervalle, c'est-à-dire $\Delta x = b - a$.

Dans les définitions ci-dessus, la variable indépendante est notée x, et la fonction est notée $f(x)$. Il n'en est pas toujours ainsi. Par exemple, si la fonction $Q(t)$ représente la quantité de substance radioactive qui reste après t années, alors la variable indépendante est t, sa variation est Δt et la variation de la fonction quantité est notée ΔQ. Si la fonction $T(L)$ représente la période d'un pendule simple d'une longueur de L m, alors la variable indépendante est L, sa variation est ΔL et la variation de la fonction période du pendule est notée ΔT. Il faut donc adapter la notation aux différents contextes.

EXEMPLE 2.2

Soit une population dont la taille N (en milliers d'individus) au temps t (en années) est donnée par la fonction $N(t) = \dfrac{200t}{1+t} + 60$. Déterminons la variation du temps et la variation de la taille de la population durant la deuxième année (c'est-à-dire sur l'intervalle de temps $[1, 2]$).

La variation du temps sur l'intervalle $[1, 2]$ est de $\Delta t = 2 - 1 = 1$ an. On constate que Δt s'exprime en années, étant donné que l'on effectue la différence entre deux temps mesurés en années. La variation de la taille de la population sur ce même intervalle est donnée par

$$\begin{aligned}\Delta N &= N(2) - N(1)\\ &= \left[\frac{200(2)}{1+2} + 60\right] - \left[\frac{200(1)}{1+1} + 60\right]\\ &= 33{,}\overline{3} \text{ milliers d'individus}\end{aligned}$$

Durant la deuxième année, la population augmente de $33{,}\overline{3}$ milliers d'individus (soit environ 33 333 individus). On remarque que ΔN s'exprime en milliers d'individus puisque l'on effectue ici la différence entre les deux tailles d'une même population (exprimées en milliers d'individus) à deux instants différents.

QUESTION ÉCLAIR 2.1

On met en culture des bactéries dans une boîte de Petri. Le nombre N de bactéries après un temps t (en heures) est donné par $N(t) = 3\,000 - \dfrac{1\,800}{t+1}$.

a) Donnez la valeur et le sens de $N(0)$, de $N(3)$ et de $N(5)$. Indiquez bien les unités.

b) Déterminez la variation de la variable indépendante (Δt) sur l'intervalle de temps $[3, 5]$. Indiquez bien les unités.

c) Déterminez la variation du nombre de bactéries dans la boîte de Petri (ΔN) sur l'intervalle de temps $[3, 5]$. Indiquez bien les unités.

d) Expliquez, dans le contexte, la réponse obtenue en *c*.

RAPPEL La droite

Droite
Une droite est la représentation graphique d'une fonction linéaire (ou affine) $f(x) = mx + b$, où m et b sont des nombres réels appelés respectivement *pente* et *ordonnée à l'origine*. On écrit aussi $y = mx + b$.

Une **droite** est la représentation graphique d'une fonction linéaire* $f(x) = mx + b$, où b et m sont des nombres réels. On écrit aussi $y = mx + b$. On appelle m la pente de la droite et b l'ordonnée à l'origine de la droite. Voici les différentes représentations graphiques (FIGURE 2.2) de $f(x)$ pour $b > 0$.

FIGURE 2.2
Représentations graphiques de $f(x) = mx + b$

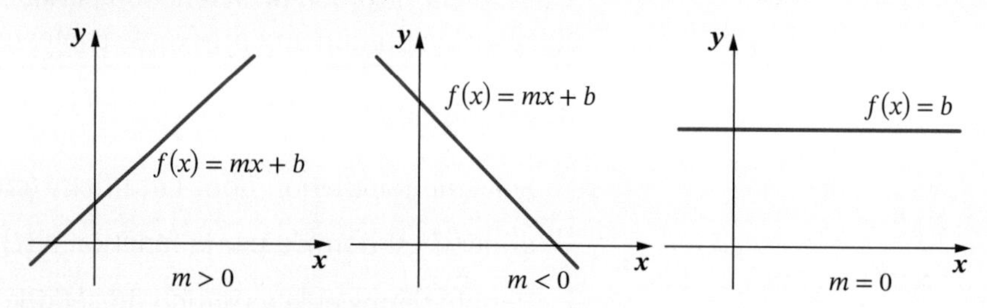

Pente d'une droite
La pente de la droite $y = mx + b$ est la valeur de m. Elle est donnée par
$$m = \frac{\text{Variation de } y}{\text{Variation de } x} = \frac{\Delta y}{\Delta x} = \frac{y_2 - y_1}{x_2 - x_1}$$
où (x_1, y_1) et (x_2, y_2) sont deux points de la droite tels que $x_1 \neq x_2$.

FIGURE 2.3
Pente d'une droite

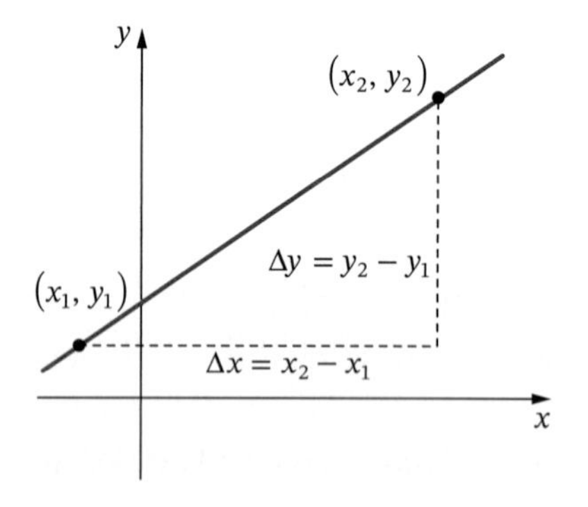

Ordonnée à l'origine
L'ordonnée à l'origine de la droite $y = mx + b$ est la valeur de y lorsque $x = 0$, c'est-à-dire $y = m(0) + b = b$. C'est l'ordonnée du point de rencontre de la droite avec l'axe des y, soit l'axe des ordonnées.

Pour déterminer l'équation d'une droite, on a besoin de deux points de cette droite, ou de la pente et d'un point de la droite.

On calcule la **pente d'une droite** à l'aide de deux points distincts de celle-ci (FIGURE 2.3). Soit (x_1, y_1) et (x_2, y_2) deux points d'une droite tels que $x_1 \neq x_2$. On définit la pente de cette droite par le rapport

$$m = \frac{\text{Variation de } y}{\text{Variation de } x} = \frac{\Delta y}{\Delta x} = \frac{y_2 - y_1}{x_2 - x_1}$$

Pour déterminer la valeur de l'**ordonnée à l'origine** b lorsque l'on connaît la pente de la droite, il suffit de remplacer les coordonnées d'un point de la droite dans l'équation $y = mx + b$ et d'isoler b. Comme la droite passe par le point (x_1, y_1), on a $y_1 = mx_1 + b$, d'où $b = y_1 - mx_1$, de sorte que

$$\begin{aligned} y &= mx + (y_1 - mx_1) \\ &= m(x - x_1) + y_1 \end{aligned}$$

L'équation $y = m(x - x_1) + y_1$ représente la droite de pente m passant par le point (x_1, y_1).

* Dans plusieurs ouvrages rédigés en langue française, on définit une fonction de la forme $f(x) = mx + b$, où m et b sont des nombres réels, comme une fonction affine (peu importe la valeur de b) et comme une fonction linéaire (lorsque $b = 0$). Dans les volumes de langue anglaise, on ne fait pas cette distinction : les fonctions de la forme $f(x) = mx + b$ sont appelées *linear functions*, et ce, peu importe la valeur de b. Comme toutes les fonctions de la forme $f(x) = mx + b$, où m et b sont des nombres réels, sont représentées par des droites, les auteurs ont choisi de les appeler fonctions linéaires (*linéaire* étant employé au sens mathématique défini dans *Le Petit Robert* : « qui peut être représenté dans l'espace euclidien par une droite »).

Par exemple, pour déterminer l'équation de la droite passant par les points $(2, 1)$ et $(5, 7)$, il faut d'abord en déterminer la pente.

$$m = \frac{y_2 - y_1}{x_2 - x_1} = \frac{7 - 1}{5 - 2} = \frac{6}{3} = 2$$

Ensuite, on détermine la valeur de b en remplaçant les coordonnées du point $(2, 1)$ dans l'équation $y = 2x + b$. Ce qui donne $1 = 2(2) + b$, et donc $b = 1 - 4 = -3$. L'équation de la droite est $y = 2x - 3$.

Comme la droite est de pente 2 et passe par le point $(2,1)$, l'équation $y = 2(x - 2) + 1$ représente également cette droite.

Rappelons que deux **droites** sont **parallèles** si elles ont la même pente ou qu'elles sont toutes deux verticales. Par ailleurs, deux **droites** non verticales sont **perpendiculaires** si le produit de leurs pentes est égal à -1. De plus, toute droite verticale est perpendiculaire à une droite horizontale.

Droites parallèles

Deux droites sont parallèles si elles ont la même pente ou si elles sont toutes deux verticales.

Droites perpendiculaires

Deux droites non verticales sont perpendiculaires si le produit de leurs pentes vaut -1. Toute droite verticale est perpendiculaire à une droite horizontale.

Voir l'annexe Rappels de notions mathématiques, p. 418.

QUESTION ÉCLAIR 2.2

Soit les points $(-3, 1)$ et $(5, -11)$.

a) Déterminez l'équation de la droite passant par ces deux points.

b) Donnez l'équation de la droite parallèle à la droite obtenue en a et passant par le point $(-1, 4)$.

c) Donnez l'équation de la droite perpendiculaire à la droite obtenue en a et passant par le point $(-1, 4)$.

2.1.2 DROITE SÉCANTE ET TAUX DE VARIATION MOYEN

Une **droite sécante** est une droite coupant la courbe décrite par une fonction $f(x)$ en un ou plusieurs points. La FIGURE 2.4 représente la droite sécante passant par les points $(a, f(a))$ et $(b, f(b))$ situés sur la courbe décrite par une fonction continue $f(x)$.

Le **taux de variation moyen** de la fonction $f(x)$ sur l'intervalle $[a, b]$ est défini par $\frac{\Delta f}{\Delta x} = \frac{f(b) - f(a)}{b - a}$. Ce taux représente la variation moyenne de la fonction f par unité de la variable x sur l'intervalle $[a, b]$. Le taux de variation moyen correspond à la pente de la droite sécante passant par les points $(a, f(a))$ et $(b, f(b))$.

Puisque $\Delta x = b - a$, et par conséquent $b = a + \Delta x$, le taux de variation moyen est également donné par

$$\frac{\Delta f}{\Delta x} = \frac{f(b) - f(a)}{b - a} = \frac{f(a + \Delta x) - f(a)}{\Delta x}$$

Droite sécante

Une droite sécante est une droite coupant la courbe décrite par une fonction $f(x)$ en un ou plusieurs points.

Taux de variation moyen

Le taux de variation moyen de la fonction $f(x)$ sur l'intervalle $[a, b]$ est

$$\frac{\Delta f}{\Delta x} = \frac{f(b) - f(a)}{b - a}$$

Il correspond à la pente de la droite sécante joignant les points $(a, f(a))$ et $(b, f(b))$.

FIGURE 2.4

Droite sécante passant par $(a, f(a))$ et $(b, f(b))$

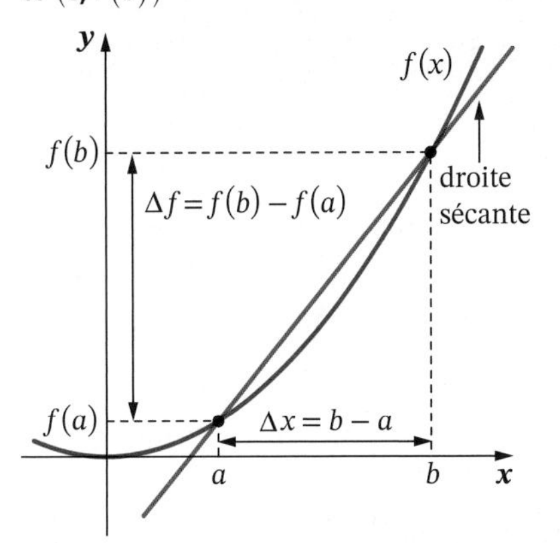

EXEMPLE 2.3

Déterminons le taux de variation moyen de la fonction $f(x) = x^2 - 8x + 2$ sur l'intervalle $[-1, 4]$. On a

$$\begin{aligned}\frac{\Delta f}{\Delta x} &= \frac{f(4) - f(-1)}{4 - (-1)} \\ &= \frac{\left[4^2 - 8(4) + 2\right] - \left[(-1)^2 - 8(-1) + 2\right]}{5} \\ &= -5\end{aligned}$$

EXEMPLE 2.4

Déterminons l'équation de la droite sécante passant par les points $(1, f(1))$ et $(2, f(2))$ situés sur la courbe décrite par la fonction $f(x) = x^3$.

Comme $f(1) = 1^3 = 1$ et $f(2) = 2^3 = 8$, la droite sécante passe par les points $(1, 1)$ et $(2, 8)$.

La pente de la droite sécante est

$$\begin{aligned}\frac{\Delta f}{\Delta x} &= \frac{f(2) - f(1)}{2 - 1} \\ &= \frac{2^3 - 1^3}{1} \\ &= 7\end{aligned}$$

L'équation de la droite sécante dont la pente est de $m = 7$ et passant par le point $(1, 1)$ est donc $y = 7(x - 1) + 1$ ou $y = 7x - 6$.

EXEMPLE 2.5

On lance une balle vers le haut à partir d'une hauteur de 1 m avec une vitesse initiale de 9,8 m/s. La position de la balle (sa hauteur mesurée en mètres) après un temps t (en secondes) est donnée par la fonction $s(t) = -4{,}9t^2 + 9{,}8t + 1$. Déterminons le taux de variation moyen de la position de la balle sur l'intervalle de temps $[1; 1{,}5]$. On a

$$\begin{aligned}\frac{\Delta s}{\Delta t} &= \frac{s(1{,}5) - s(1)}{1{,}5 - 1} \\ &= \frac{\left[-4{,}9(1{,}5)^2 + 9{,}8(1{,}5) + 1\right] - \left[-4{,}9(1)^2 + 9{,}8(1) + 1\right]}{0{,}5} \\ &= \frac{4{,}675 - 5{,}9}{0{,}5} \\ &= -2{,}45\ \text{m/s}\end{aligned}$$

On constate que le taux de variation moyen s'exprime ici en mètres par seconde puisque ce taux est le quotient de Δs (la variation de la position) exprimée en mètres et de Δt (la variation du temps) exprimée en secondes.

La position de la balle diminue donc, en moyenne, de 2,45 m/s sur l'intervalle $[1; 1{,}5]$. Le taux de variation moyen de la position d'un mobile est appelé **vitesse moyenne**. On pourrait donc dire que la vitesse moyenne de la balle sur l'intervalle $[1; 1{,}5]$ est de $-2{,}45$ m/s. Le négatif indique que la position (la hauteur) de la balle a diminué sur l'intervalle considéré.

Vitesse moyenne

La vitesse moyenne d'un mobile est le taux de variation moyen de la position du mobile.

QUESTION ÉCLAIR 2.3

On met en culture des bactéries dans une boîte de Petri. Le nombre N de bactéries après un temps t (en heures) est donné par $N(t) = 3\,000 - \frac{1\,800}{t+1}$.

a) Déterminez le taux de variation moyen du nombre de bactéries dans la boîte de Petri au cours des 3 premières heures. Indiquez bien les unités.

b) Expliquez, dans le contexte, la réponse obtenue en a.

EXEMPLE 2.6

Soit une population dont la taille N (en milliers d'individus) au temps t (en années) est donnée par la fonction $N(t) = \frac{200t}{1+t} + 60$. Déterminons le taux de variation moyen de la taille de la population sur l'intervalle de temps $[1, 3]$. On a

$$\begin{aligned}\frac{\Delta N}{\Delta t} &= \frac{N(3) - N(1)}{3-1}\\ &= \frac{\left[\frac{200(3)}{1+3} + 60\right] - \left[\frac{200(1)}{1+1} + 60\right]}{2}\\ &= \frac{210 - 160}{2}\\ &= 25 \text{ milliers d'individus/année}\end{aligned}$$

On constate que le taux de variation moyen s'exprime ici en milliers d'individus par année puisque ce taux est le quotient de ΔN (la variation de la taille de la population) exprimée en milliers d'individus et de Δt (la variation du temps) exprimée en années. La population augmente donc, en moyenne, de 25 milliers d'individus par année (ou 25 000 individus par année) sur l'intervalle $[1, 3]$. Le taux de variation moyen de la taille de la population est appelé taux de croissance moyen.

EXERCICES 2.1

1. Une citerne contient 100 L d'eau pure. On y verse une solution saline à un rythme tel que la concentration C en sel (en grammes par litre) dans la citerne après un temps t (en minutes) est donnée par $C(t) = \frac{25t}{10+t}$.

a) Déterminez Δt sur l'intervalle de temps $[0, 5]$. Indiquez bien les unités.

b) Déterminez la variation de la concentration en sel durant les 5 premières minutes. Indiquez bien les unités.

c) Déterminez le taux de variation moyen de la concentration en sel durant les 5 premières minutes. Indiquez bien les unités.

d) Expliquez, dans le contexte, la réponse obtenue en c.

e) Donnez une interprétation géométrique de la réponse obtenue en c.

2. Supposons que le nombre hebdomadaire d'exemplaires vendus V d'un jeu vidéo est donné par la fonction $V(t) = 8\,100 - 100t^2$, où t est le temps (en semaines) écoulé depuis la fin d'une campagne publicitaire.

a) Déterminez l'intervalle de temps sur lequel la fonction $V(t)$ a du sens en tenant compte du contexte.

b) Déterminez Δt sur l'intervalle de temps $[1, 4]$. Indiquez bien les unités.

c) Déterminez la variation des ventes de la première à la quatrième semaine suivant la fin de la campagne publicitaire. Indiquez bien les unités.

d) Déterminez le taux de variation moyen des ventes hebdomadaires de la première à la quatrième semaine suivant la fin de la campagne publicitaire. Indiquez bien les unités.

e) Expliquez, dans le contexte, la réponse obtenue en *d*.

2.2 TAUX DE VARIATION INSTANTANÉ

DANS CETTE SECTION : *droite tangente – taux de variation instantané – droite normale – vitesse instantanée.*

Le taux de variation moyen d'une fonction $f(x)$ sur un intervalle $[a, b]$ mesure le changement de la valeur de la fonction par unité de la variable x et représente la pente de la droite sécante joignant les points $(a, f(a))$ et $(b, f(b))$. Mais qu'arrive-t-il à ce taux si la longueur de l'intervalle tend vers 0 ?

2.2.1 DROITE TANGENTE ET TAUX DE VARIATION INSTANTANÉ

Droite tangente

Soit la droite sécante passant par les points $(a, f(a))$ et $(b, f(b))$ situés sur la courbe décrite par une fonction $f(x)$. Si on fait tendre b vers a, la droite sécante pivote sur le point $(a, f(a))$ pour s'approcher de plus en plus d'une droite appelée la droite tangente à la courbe décrite par la fonction $f(x)$ en $x = a$.

L'idée qu'on se fait généralement d'une **droite tangente** à la courbe décrite par une fonction $f(x)$ en un point $(a, f(a))$ est celle d'une droite qui ne fait qu'effleurer cette courbe au point $(a, f(a))$ sans la couper. Toutefois, cette conception d'une droite tangente n'est pas tout à fait juste, et il faut donc la raffiner en recourant au concept de limite. La figure 2.4 (p. 77) présente la droite sécante passant par les points $(a, f(a))$ et $(b, f(b))$. Si on fait tendre b vers a, la droite sécante pivote sur le point $(a, f(a))$ pour s'approcher de plus en plus d'une droite appelée la droite tangente à la courbe décrite par la fonction $f(x)$ en $x = a$ (FIGURE 2.5).

Animations GeoGebra
De la droite sécante à la droite tangente

Trouvez cette animation sur la plateforme *i+ Interactif*.

FIGURE 2.5
Droite tangente à la courbe décrite par $f(x)$ en $x = a$

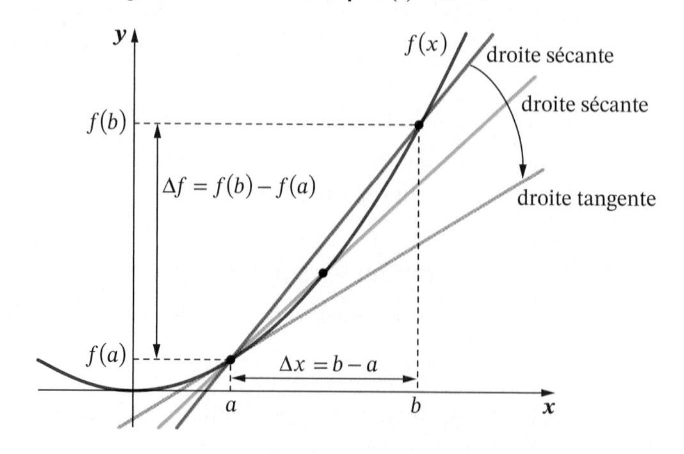

Pour déterminer la pente de la droite tangente, il faut deux points. Or, on n'en a qu'un, soit $(a, f(a))$. Cependant, sur la figure 2.5, on constate que lorsque b tend vers a, la droite sécante passant par les points $(a, f(a))$ et $(b, f(b))$ pivote sur le point $(a, f(a))$ pour se rapprocher de plus en plus de la droite tangente à la courbe décrite par $f(x)$ en $x = a$. Par conséquent, lorsque b tend vers a, la pente de la droite sécante passant par les points $(a, f(a))$ et $(b, f(b))$ se rapproche de plus en plus de la pente de la droite tangente à la courbe décrite par $f(x)$ en $x = a$.

Taux de variation instantané

Le taux de variation instantané de la fonction $f(x)$ en $x = a$ est la pente de la droite tangente à la courbe décrite par la fonction $f(x)$ en $x = a$. Il est donné par

$$\lim_{\Delta x \to 0} \frac{f(a + \Delta x) - f(a)}{\Delta x}$$

ou

$$\lim_{b \to a} \frac{f(b) - f(a)}{b - a}$$

Le **taux de variation instantané** (ou *taux de variation*) de la fonction $f(x)$ en $x = a$ est la pente de la droite tangente à la courbe décrite par $f(x)$ en $x = a$. On l'obtient en évaluant la limite des pentes des droites sécantes passant par les points $(a, f(a))$ et $(b, f(b))$ quand b se rapproche de plus en plus de a, c'est-à-dire $\lim\limits_{b \to a} \dfrac{f(b) - f(a)}{b - a}$. On comprend maintenant pourquoi il a fallu étudier le concept de limite dans le premier chapitre.

Puisque $\Delta x = b - a$, et par conséquent $b = a + \Delta x$, le taux de variation instantané en $x = a$ est également donné par

$$\lim_{\Delta x \to 0} \frac{f(a + \Delta x) - f(a)}{\Delta x}$$

EXEMPLE 2.7

Déterminons le taux de variation instantané de la fonction $f(x) = \dfrac{1}{x}$ en $x = 3$.

On a

$$\begin{aligned}
\lim_{\Delta x \to 0} \frac{f(3 + \Delta x) - f(3)}{\Delta x} &= \lim_{\Delta x \to 0} \frac{\frac{1}{3 + \Delta x} - \frac{1}{3}}{\Delta x} \\
&= \lim_{\Delta x \to 0} \frac{\frac{3(1)}{3(3 + \Delta x)} - \frac{1(3 + \Delta x)}{3(3 + \Delta x)}}{\Delta x} \\
&= \lim_{\Delta x \to 0} \left[\frac{3 - (3 + \Delta x)}{3(3 + \Delta x)} \cdot \frac{1}{\Delta x} \right] \\
&= \lim_{\Delta x \to 0} \frac{3 - 3 - \Delta x}{3(3 + \Delta x)\Delta x} \\
&= \lim_{\Delta x \to 0} \frac{-\Delta x}{3(3 + \Delta x)\Delta x} \\
&= \lim_{\Delta x \to 0} \frac{-1}{3(3 + \Delta x)} \\
&= -\frac{1}{9}
\end{aligned}$$

Le taux de variation instantané de la fonction $f(x) = \dfrac{1}{x}$ en $x = 3$ est $-\dfrac{1}{9}$. Alors, la pente de la droite tangente à la courbe décrite par $f(x)$ en $x = 3$ est égale à $-\dfrac{1}{9}$.

Nous pouvons également obtenir ce résultat de la façon suivante.

$$\begin{aligned}
\lim_{b \to 3} \frac{f(b) - f(3)}{b - 3} &= \lim_{b \to 3} \frac{\frac{1}{b} - \frac{1}{3}}{b - 3} \\
&= \lim_{b \to 3} \frac{\frac{3(1)}{3b} - \frac{1b}{3b}}{b - 3} \\
&= \lim_{b \to 3} \left(\frac{3 - b}{3b} \cdot \frac{1}{b - 3} \right) \\
&= \lim_{b \to 3} \frac{-\cancel{(b - 3)}}{3b\cancel{(b - 3)}} \\
&= \lim_{b \to 3} \frac{-1}{3b} \\
&= -\frac{1}{9}
\end{aligned}$$

Dans le reste du chapitre, nous privilégierons la première stratégie dans l'évaluation des taux de variation instantanés.

EXERCICE 2.2

Déterminez le taux de variation instantané de la fonction $f(x)$ en $x = a$.

a) $f(x) = 3x + 5$, en $x = 2$ b) $f(x) = x^2$, en $x = 1$

2.2.2 ÉQUATION DE LA DROITE TANGENTE

L'équation de la droite tangente à la courbe décrite par la fonction $f(x)$, au point $(a, f(a))$, est donnée par $y = m(x - a) + f(a)$, où $m = \lim_{\Delta x \to 0} \frac{f(a + \Delta x) - f(a)}{\Delta x}$, si cette limite existe.

EXEMPLE 2.8

On veut déterminer l'équation de la droite tangente à la courbe décrite par la fonction $f(x) = x^2 - 1$ en $x = 2$. Comme $f(2) = 2^2 - 1 = 3$, la droite tangente passe par le point $(2, 3)$. La pente m de la droite tangente est

$$\begin{aligned}
m &= \lim_{\Delta x \to 0} \frac{f(2 + \Delta x) - f(2)}{\Delta x} \\
&= \lim_{\Delta x \to 0} \frac{\left[(2 + \Delta x)^2 - 1\right] - (2^2 - 1)}{\Delta x} \\
&= \lim_{\Delta x \to 0} \frac{\left[4 + 4\Delta x + (\Delta x)^2 - 1\right] - 3}{\Delta x} \\
&= \lim_{\Delta x \to 0} \frac{4\Delta x + (\Delta x)^2}{\Delta x}
\end{aligned}$$

$\cancel{f(2 + \Delta x) = f(2) + \Delta x}$

$\cancel{f(2 + \Delta x) = f(2) + f(\Delta x)}$

$$= \lim_{\Delta x \to 0} \frac{\cancel{\Delta x}(4 + \Delta x)}{\cancel{\Delta x}}$$

$$= \lim_{\Delta x \to 0} (4 + \Delta x)$$

$$= 4$$

L'équation de la droite tangente à la courbe décrite par la fonction $f(x)$, au point $(2, 3)$, est $y = 4(x - 2) + 3$ ou $y = 4x - 5$. La FIGURE 2.6 illustre la fonction $f(x)$ ainsi que la droite tangente en $x = 2$.

FIGURE 2.6

Droite tangente à la courbe décrite par $f(x)$ au point $(2, 3)$

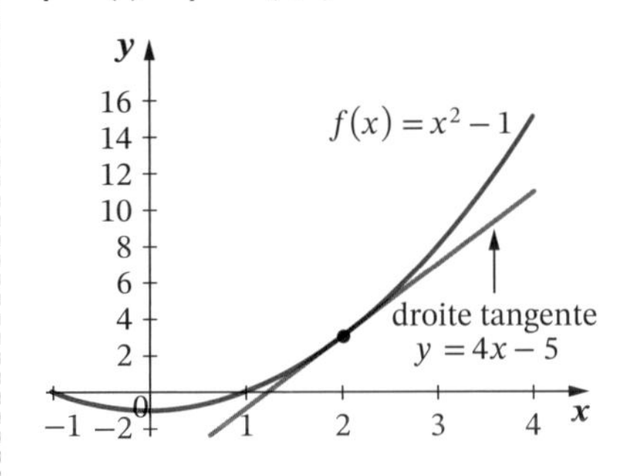

2.2.3 ÉQUATION DE LA DROITE NORMALE

Droite normale

La droite normale à la courbe décrite par une fonction $f(x)$ en un point $(a, f(a))$ est la droite perpendiculaire à la droite tangente à la courbe décrite par la fonction $f(x)$ en ce point.

FIGURE 2.7

Droite tangente et droite normale à une courbe en un point

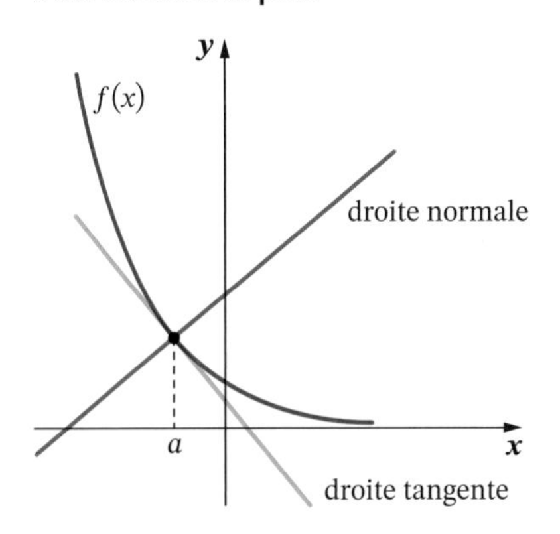

La **droite normale** à la courbe décrite par une fonction $f(x)$ en un point $(a, f(a))$ est la droite perpendiculaire à la droite tangente à la courbe décrite par la fonction $f(x)$ en ce point, comme l'illustre la FIGURE 2.7.

Comme les droites normale et tangente sont perpendiculaires, la pente de la droite normale est de $-\frac{1}{m}$, où m représente la pente de la droite tangente (si $m \neq 0$). L'équation de la droite normale à la courbe décrite par la fonction $f(x)$, au point $(a, f(a))$, est $y = -\frac{1}{m}(x - a) + f(a)$, où $m = \lim_{\Delta x \to 0} \frac{f(a + \Delta x) - f(a)}{\Delta x}$, si cette limite existe et est différente de 0.

EXEMPLE 2.9

On veut déterminer l'équation de la droite normale à la courbe décrite par la fonction $f(x) = x^2 - 1$ en $x = 2$. À l'exemple 2.8, on a déterminé que l'équation de la droite tangente à la courbe décrite par $f(x)$, au point $(2, 3)$, est $y = 4x - 5$. Puisque la droite normale est perpendiculaire à la droite tangente, le produit de leurs pentes vaut -1.

Ainsi, la pente de la droite normale à la courbe décrite par la fonction $f(x) = x^2 - 1$, au point $(2, 3)$, est donc de $-1/4$. L'équation de cette droite normale est $y = -1/4(x - 2) + 3$ ou $y = -1/4x + 7/2$. La FIGURE 2.8 (p. 84) illustre la fonction $f(x)$, la droite tangente et la droite normale en $x = 2$.

Trouvez cette animation sur la plateforme *i+ Interactif*.

FIGURE 2.8

Droites tangente et normale à la courbe décrite par $f(x)$ au point $(2, 3)$

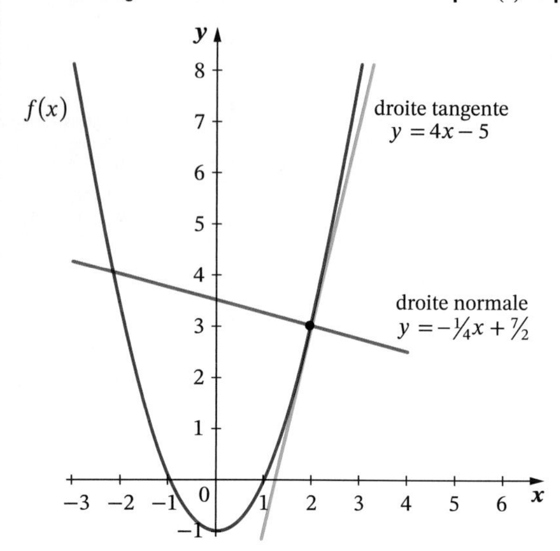

EXERCICES 2.3

1. Déterminez l'équation de la droite tangente à la courbe décrite par la fonction $f(x) = 2x - x^2$ en $x = -2$.

2. Déterminez l'équation de la droite normale à la courbe décrite par la fonction $f(x) = 2x - x^2$ en $x = -2$.

Des MOTS et des SYMBOLES

Le mot *sécante* tire son origine du verbe latin *secare* qui veut dire «couper»: une sécante coupe donc une courbe et la sépare. Par ailleurs, le mot *tangente* tire son origine du verbe latin *tangere* qui veut dire «toucher». Dans les textes plus anciens, les mathématiciens utilisaient aussi le mot *touchante*, ce dernier étant depuis disparu. Toutefois, ce terme vieilli rend bien compte de l'idée que l'on se fait généralement d'une tangente, c'est-à-dire une droite qui ne fait que toucher, qu'effleurer une courbe sans la traverser ni la couper au point de contact avec la courbe. Enfin, le qualificatif *normal* tire son origine du latin *norma* qui veut dire «équerre», figure que forment les droites tangente et normale au point de tangence.

2.2.4 AUTRES APPLICATIONS DU TAUX DE VARIATION INSTANTANÉ

Le taux de variation instantané permet de déterminer les équations de la droite tangente et de la droite normale à la courbe décrite par une fonction en un point. C'est une application géométrique du concept de taux de variation instantané. Il existe d'autres applications de ce concept, comme la vitesse instantanée en physique et le taux de croissance d'une population en démographie.

EXEMPLE 2.10

On lance une balle vers le haut à partir d'une hauteur de 1 m avec une vitesse initiale de 9,8 m/s. La position de la balle (sa hauteur mesurée en mètres) après un temps t (en secondes) est donnée par la fonction $s(t) = -4{,}9t^2 + 9{,}8t + 1$. Déterminons le taux de variation instantané de la position lorsque $t = 1{,}5$ s.

Comme $s(1,5) = -4,9(1,5)^2 + 9,8(1,5) + 1 = 4,675\,\text{m}$, on a

$$\lim_{\Delta t\to 0}\frac{s(1,5+\Delta t)-s(1,5)}{\Delta t} = \lim_{\Delta t\to 0}\frac{\left[-4,9(1,5+\Delta t)^2 + 9,8(1,5+\Delta t)+1\right]-4,675}{\Delta t}$$

$$= \lim_{\Delta t\to 0}\frac{-4,9\left[2,25+3\Delta t+(\Delta t)^2\right]+14,7+9,8\Delta t+1-4,675}{\Delta t}$$

$$= \lim_{\Delta t\to 0}\frac{\cancel{-11,025}-14,7\Delta t-4,9(\Delta t)^2+\cancel{11,025}+9,8\Delta t}{\Delta t}$$

$$= \lim_{\Delta t\to 0}\frac{-4,9\Delta t-4,9(\Delta t)^2}{\Delta t}$$

$$= \lim_{\Delta t\to 0}\frac{\cancel{\Delta t}(-4,9-4,9\Delta t)}{\cancel{\Delta t}}$$

$$= \lim_{\Delta t\to 0}(-4,9-4,9\Delta t)$$

$$= -4,9\,\text{m/s}$$

On en conclut qu'à l'instant précis $t = 1,5\,\text{s}$, la position de la balle diminue à raison de 4,9 m/s. Le taux de variation instantané de la position d'un mobile est appelé **vitesse instantanée** (ou simplement *vitesse*). On pourrait donc dire que la vitesse de la balle lorsque $t = 1,5\,\text{s}$ est de $-4,9\,\text{m/s}$. Le négatif indique que la balle se dirige vers le bas.

Vitesse instantanée

La vitesse instantanée d'un mobile est le taux de variation instantané de la position du mobile.

La vitesse de la balle s'exprime en mètres par seconde puisque ce taux est la limite d'un quotient où le numérateur est une variation de position exprimée en mètres et le dénominateur est une variation de temps exprimée en secondes.

EXEMPLE 2.11

Soit une population dont la taille N (en milliers d'individus) au temps t (en années) est donnée par la fonction $N(t) = \frac{200t}{1+t} + 60$. Déterminons le taux de variation instantané de la taille de la population lorsque $t = 3$ ans.

On a

$$\lim_{\Delta t\to 0}\frac{N(3+\Delta t)-N(3)}{\Delta t} = \lim_{\Delta t\to 0}\frac{\left[\frac{200(3+\Delta t)}{1+(3+\Delta t)}+60\right]-\left[\frac{200(3)}{1+3}+60\right]}{\Delta t}$$

$$= \lim_{\Delta t\to 0}\frac{\frac{600+200\Delta t}{4+\Delta t}+60-210}{\Delta t}$$

$$= \lim_{\Delta t\to 0}\frac{\frac{600+200\Delta t}{4+\Delta t}-\frac{150(4+\Delta t)}{(4+\Delta t)}}{\Delta t}$$

$$= \lim_{\Delta t\to 0}\left[\frac{(600+200\Delta t)-150(4+\Delta t)}{4+\Delta t}\cdot\frac{1}{\Delta t}\right]$$

$$= \lim_{\Delta t\to 0}\frac{\cancel{600}+200\Delta t-\cancel{600}-150\Delta t}{\Delta t(4+\Delta t)}$$

$$= \lim_{\Delta t\to 0}\frac{50\cancel{\Delta t}}{\cancel{\Delta t}(4+\Delta t)} = \lim_{\Delta t\to 0}\frac{50}{4+\Delta t}$$

$$= 12,5 \text{ milliers d'individus/année}$$

Puisque le taux de variation instantané est positif, on en conclut qu'à l'instant précis $t = 3$ ans, la taille de la population augmente à raison de 12,5 milliers d'individus par année (ou 12 500 individus par année). Le taux de variation instantané de la taille de la population est appelé taux de croissance instantané (ou simplement taux de croissance). On pourrait donc dire que le taux de croissance de la population lorsque $t = 3$ ans est de 12,5 milliers d'individus/année.

Notons qu'ici le taux de croissance de la population s'exprime en milliers d'individus par année puisque ce taux est la limite d'un quotient où le numérateur est une variation de la taille de la population exprimée en milliers d'individus, et le dénominateur une variation de temps exprimée en années.

EXERCICES 2.4

1. Une citerne contient 100 L d'eau pure. On y verse une solution saline à un rythme tel que la concentration C en sel (en grammes par litre) dans la citerne après un temps t (en minutes) est donnée par $C(t) = \dfrac{25t}{10 + t}$.
   a) Déterminez le taux de variation instantané de la concentration en sel après 10 min. Indiquez bien les unités.
   b) Expliquez, dans le contexte, la réponse obtenue en *a*.
   c) Donnez une interprétation géométrique de la réponse obtenue en *a*.
2. Supposons que le nombre hebdomadaire d'exemplaires vendus V d'un jeu vidéo est donné par la fonction $V(t) = 8\,100 - 100t^2$, où t est le temps (en semaines) écoulé depuis la fin d'une campagne publicitaire.
   a) Déterminez le taux de variation instantané des ventes hebdomadaires 2 semaines après la fin de la campagne publicitaire. Indiquez bien les unités.
   b) Expliquez, dans le contexte, la réponse obtenue en *a*.

Vous pouvez maintenant faire les exercices récapitulatifs 1 à 7.

2.3 DÉRIVÉE EN UN POINT ET FONCTION DÉRIVÉE

DANS CETTE SECTION : *dérivée d'une fonction en un point – fonction dérivable en un point – dérivée d'une fonction.*

La dérivée est l'outil mathématique qui permet de déterminer à quel rythme une quantité varie instantanément. C'est là l'objet principal du calcul différentiel. La vitesse d'un objet en physique, le taux de réaction en chimie et le taux de croissance d'une population en biologie sont autant d'exemples d'applications d'un même concept mathématique : le taux de variation instantané. Puisque ce concept est si répandu, on lui a attribué une notation et un nom (*dérivée*) particuliers.

Dérivée d'une fonction en un point

La dérivée d'une fonction $f(x)$ en un point $x = a$ est le taux de variation instantané de la fonction $f(x)$ en $x = a$. On utilise principalement deux notations pour la dérivée d'une fonction en un point, soit $f'(a)$ et $\left.\dfrac{df}{dx}\right|_{x=a}$. La dérivée d'une fonction $f(x)$ en $x = a$ est donc définie par

$$f'(a) = \lim_{\Delta x \to 0} \frac{f(a + \Delta x) - f(a)}{\Delta x}$$

ou, de manière équivalente, par

$$f'(a) = \lim_{b \to a} \frac{f(b) - f(a)}{b - a}$$

2.3.1 DÉRIVÉE D'UNE FONCTION EN UN POINT

La **dérivée d'une fonction $f(x)$ en un point** $x = a$ est le taux de variation instantané de la fonction $f(x)$ en $x = a$. On utilise principalement deux notations pour la dérivée d'une fonction en un point, soit $f'(a)$ et $\left.\dfrac{df}{dx}\right|_{x=a}$. La dérivée d'une fonction $f(x)$ en $x = a$ est donc définie par $f'(a) = \displaystyle\lim_{\Delta x \to 0} \frac{f(a + \Delta x) - f(a)}{\Delta x}$ ou, de manière équivalente, $f'(a) = \displaystyle\lim_{b \to a} \frac{f(b) - f(a)}{b - a}$.

Fonction dérivable en un point
Une fonction $f(x)$ est dérivable en un point $x = a$ si $f'(a)$ existe.

Géométriquement, elle représente la pente de la tangente à la courbe décrite par la fonction $f(x)$ en $x = a$. On dit que la **fonction** $f(x)$ est **dérivable en un point** $x = a$ si $f'(a)$ existe.

EXEMPLE 2.12

Évaluons $f'(4)$ si $f(x) = \sqrt{x}$. On a

$$
\begin{aligned}
f'(4) &= \lim_{\Delta x \to 0} \frac{f(4+\Delta x) - f(4)}{\Delta x} \\
&= \lim_{\Delta x \to 0} \frac{\sqrt{4+\Delta x} - \sqrt{4}}{\Delta x} \\
&= \lim_{\Delta x \to 0} \frac{\left(\sqrt{4+\Delta x} - 2\right)\left(\sqrt{4+\Delta x} + 2\right)}{\Delta x\left(\sqrt{4+\Delta x} + 2\right)} \quad \text{multiplication par le conjugué} \\
&= \lim_{\Delta x \to 0} \frac{\left(\sqrt{4+\Delta x}\right)^2 + \cancel{2\sqrt{4+\Delta x}} - \cancel{2\sqrt{4+\Delta x}} - 4}{\Delta x\left(\sqrt{4+\Delta x} + 2\right)} \\
&= \lim_{\Delta x \to 0} \frac{\cancel{4} + \Delta x - \cancel{4}}{\Delta x\left(\sqrt{4+\Delta x} + 2\right)} \\
&= \lim_{\Delta x \to 0} \frac{\cancel{\Delta x}}{\cancel{\Delta x}\left(\sqrt{4+\Delta x} + 2\right)} \\
&= \lim_{\Delta x \to 0} \frac{1}{\sqrt{4+\Delta x} + 2} \\
&= 1/4
\end{aligned}
$$

Rappelons que $f'(4)$ est le taux de variation instantané de la fonction $f(x) = \sqrt{x}$ en $x = 4$. On peut donc conclure que la pente de la droite tangente à la courbe décrite par la fonction $f(x) = \sqrt{x}$ en $x = 4$ est égale à $1/4$.

QUESTION ÉCLAIR 2.4

Soit la fonction $f(x)$ représentée à la FIGURE 2.9.

FIGURE 2.9
$f(x)$

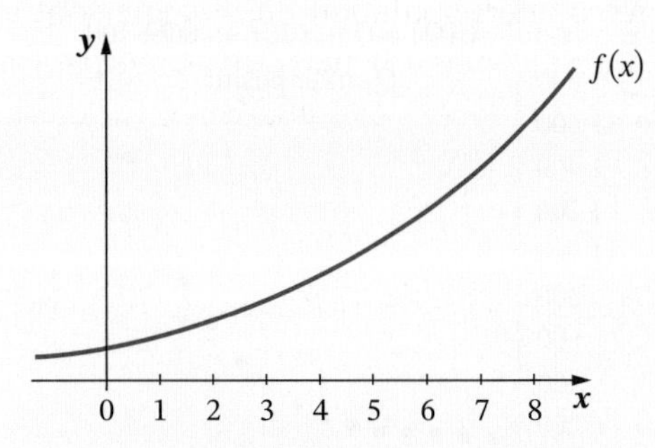

a) À partir du graphique, cochez la case appropriée.

❏ $f(5) < f(6)$ ❏ $f(5) = f(6)$ ❏ $f(5) > f(6)$

b) À partir du graphique, cochez la case appropriée.

❏ $f(5) - f(3) < f(8) - f(6)$ ❏ $f(5) - f(3) = f(8) - f(6)$

❏ $f(5) - f(3) > f(8) - f(6)$

c) À partir du graphique, cochez la case appropriée.

❏ $\dfrac{f(7) - f(5)}{7 - 5} < \dfrac{f(3) - f(1)}{3 - 1}$ ❏ $\dfrac{f(7) - f(5)}{7 - 5} = \dfrac{f(3) - f(1)}{3 - 1}$

❏ $\dfrac{f(7) - f(5)}{7 - 5} > \dfrac{f(3) - f(1)}{3 - 1}$

d) À partir du graphique, cochez la case appropriée.

❏ $f'(7) < f'(3)$ ❏ $f'(7) = f'(3)$ ❏ $f'(7) > f'(3)$

EXEMPLE 2.13

Supposons que le coût total de production C (en dollars) de Q unités d'un certain bien est donné par la fonction $C(Q) = Q^3 - 10Q^2 + 40Q + 100$. On veut déterminer $C'(10)$.

Dans de nombreux problèmes en sciences humaines, notamment en sciences économiques, la variable indépendante, par exemple une quantité, s'exprime en unités discrètes. Ainsi, on ne peut pas produire 1,32 batterie ou $\sqrt{\pi}$ automobile. Toutefois, afin de pouvoir utiliser le calcul différentiel, il est généralement permis de modéliser la variable dépendante comme une fonction continue et dérivable de la variable indépendante. Bien sûr, le modèle mathématique ainsi formulé ne constitue qu'une approximation de la réalité : il n'existe pas de modèles parfaits, seulement des modèles utiles.

Dans l'exemple que nous étudions, la réalité correspond au graphique de gauche, et le modèle mathématique, au graphique de droite sur la FIGURE 2.10. C'est ce dernier qui est utilisé pour déterminer $C'(10)$.

FIGURE 2.10

Modélisation continue d'un phénomène discret

Réalité

Coût ($)

$C(Q) = Q^3 - 10Q^2 + 40Q + 100$

Q entier positif

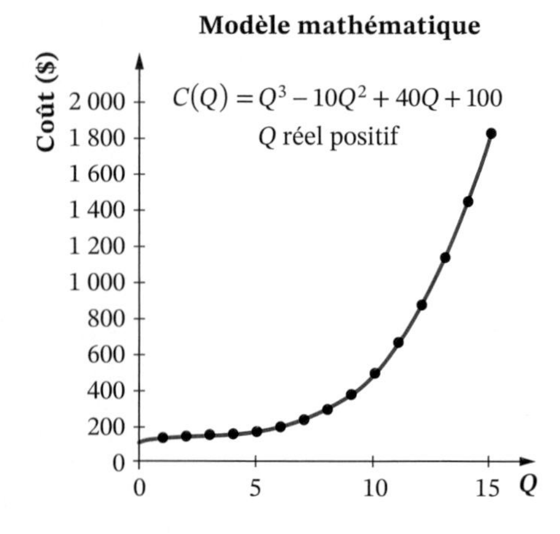

On a

$$\begin{aligned}
C'(10) &= \lim_{\Delta Q \to 0} \frac{C(10+\Delta Q) - C(10)}{\Delta Q} \\
&= \lim_{\Delta Q \to 0} \frac{\left[(10+\Delta Q)^3 - 10(10+\Delta Q)^2 + 40(10+\Delta Q) + 100\right] - 500}{\Delta Q} \\
&= \lim_{\Delta Q \to 0} \frac{1\,000 + 300\Delta Q + 30(\Delta Q)^2 + (\Delta Q)^3 - 10\left[100 + 20\Delta Q + (\Delta Q)^2\right] + \cancel{500} + 40\Delta Q - \cancel{500}}{\Delta Q} \\
&= \lim_{\Delta Q \to 0} \frac{\cancel{1\,000} + 300\Delta Q + 30(\Delta Q)^2 + (\Delta Q)^3 - \cancel{1\,000} - 200\Delta Q - 10(\Delta Q)^2 + 40\Delta Q}{\Delta Q} \\
&= \lim_{\Delta Q \to 0} \frac{140\Delta Q + 20(\Delta Q)^2 + (\Delta Q)^3}{\Delta Q} \\
&= \lim_{\Delta Q \to 0} \frac{\cancel{\Delta Q}\left[140 + 20\Delta Q + (\Delta Q)^2\right]}{\cancel{\Delta Q}} \\
&= \lim_{\Delta Q \to 0} \left[140 + 20\Delta Q + (\Delta Q)^2\right] \\
&= 140\,\$/\text{unité}
\end{aligned}$$

On en conclut que, lorsque le nombre d'unités produites est égal à 10, le coût total de production augmente à raison de 140 $ par unité. Il en coûterait donc environ 140 $ pour produire la 11e unité.

De manière similaire, $\left.\dfrac{dC}{dQ}\right|_{Q=12}$ ou $C'(12)$, vaut 232 $/unité.

On en conclut que lorsque le nombre d'unités produites est égal à 12, le coût total de production augmente à raison de 232 $ par unité. Il en coûterait donc environ 232 $ pour produire la 13e unité.

L'exemple 2.13 nous permet de constater que la dérivée de la fonction $f(x)$ en un point $x = a$ peut différer de la dérivée de cette même fonction en un point $x = b$. De plus, la démarche pour obtenir la dérivée d'une fonction en un point est très similaire à celle utilisée pour obtenir la dérivée de la même fonction en un autre point. Il est donc souhaitable de définir une fonction qui donne la dérivée en tout point x d'une fonction $f(x)$. La fonction dérivée permet d'effectuer les calculs une seule fois pour ensuite pouvoir obtenir facilement la dérivée en plusieurs points.

2.3.2 FONCTION DÉRIVÉE

Dérivée d'une fonction

La dérivée de la fonction $y = f(x)$, notée $\dfrac{df}{dx}, \dfrac{dy}{dx}, f'(x)$ ou y', est (lorsqu'elle existe) la fonction définie par

$$\frac{df}{dx} = \frac{dy}{dx} = f'(x) = y' = \lim_{\Delta x \to 0} \frac{f(x+\Delta x) - f(x)}{\Delta x}$$

La **dérivée d'une fonction** $y = f(x)$, notée $\dfrac{df}{dx}, \dfrac{dy}{dx}, f'(x)$ ou y', est la fonction définie par $\dfrac{df}{dx} = \dfrac{dy}{dx} = f'(x) = y' = \displaystyle\lim_{\Delta x \to 0} \frac{f(x+\Delta x) - f(x)}{\Delta x}$. La notation $\dfrac{df}{dx}$ rappelle que la dérivée est en fait la limite du quotient $\dfrac{\Delta f}{\Delta x}$ quand $\Delta x \to 0$; elle permet donc de retrouver facilement les unités de la dérivée dans un problème appliqué.

Il ne faut pas voir $\frac{dy}{dx}$ comme un quotient de deux quantités. Il faut plutôt considérer $\frac{d}{dx}\left(\text{ou } \frac{d}{dt} \text{ ou } \frac{d}{du}\right)$ comme un opérateur qui indique qu'il faut dériver la fonction y par rapport à x (ou à t ou à u). Ainsi, la dérivée par rapport à x de la fonction $y = x^3 + 4x$ s'écrira $\frac{dy}{dx} = \frac{d}{dx}(x^3 + 4x)$ ou $y' = \frac{d}{dx}(x^3 + 4x)$; de même la dérivée par rapport à t de la fonction $f(t) = \sqrt{2t^2 + 1}$ s'écrira $\frac{df}{dt} = \frac{d}{dt}\left(\sqrt{2t^2 + 1}\right)$ ou $f'(t) = \frac{d}{dt}\left(\sqrt{2t^2 + 1}\right)$.

Des MOTS et des SYMBOLES

Selon F. Cajori, Simon L'Huilier (1750-1840) aurait été le premier à employer la notation «lim» pour désigner une limite. À la page 31 de son *Exposition élémentaire des principes des calculs supérieurs*, pour introduire la notation de la dérivée, il écrivit: «Pour abréger & pour faciliter le calcul par une notation plus commode, on est convenu de désigner autrement que par $\text{lim.}\frac{\Delta P}{\Delta x}$, la limite du rapport des changements simultanés de P & de x, savoir par $\frac{dP}{dx}$; en sorte que $\text{lim.}\frac{\Delta P}{\Delta x}$ ou $\frac{dP}{dx}$ désignent la même chose.» D'autres suivirent, dont Karl Weierstrass (1815-1897), qui enleva le point après l'abréviation et figea ainsi la notation «lim». Il fallut cependant attendre le célèbre *A Course of Pure Mathematics* de G. H. Hardy (1877-1947) pour voir apparaître la notation $x \to x_0$ indiquant que x tend vers x_0 dans l'expression $\lim\limits_{x \to x_0}$.

EXEMPLE 2.14

Évaluons $f'(x)$ si $f(x) = \frac{1}{x}$. On a

$$
\begin{aligned}
f'(x) &= \lim_{\Delta x \to 0} \frac{f(x+\Delta x) - f(x)}{\Delta x} \\
&= \lim_{\Delta x \to 0} \frac{\frac{1}{x+\Delta x} - \frac{1}{x}}{\Delta x} \\
&= \lim_{\Delta x \to 0} \frac{\frac{1(x)}{(x+\Delta x)(x)} - \frac{1(x+\Delta x)}{x(x+\Delta x)}}{\Delta x} \\
&= \lim_{\Delta x \to 0} \left[\frac{x - (x+\Delta x)}{x(x+\Delta x)} \cdot \frac{1}{\Delta x}\right] \\
&= \lim_{\Delta x \to 0} \frac{\cancel{x} - \cancel{x} - \Delta x}{x(x+\Delta x)\Delta x} \\
&= \lim_{\Delta x \to 0} \frac{-\cancel{\Delta x}}{x(x+\Delta x)\cancel{\Delta x}} \\
&= \lim_{\Delta x \to 0} \frac{-1}{x(x+\Delta x)} \\
&= -\frac{1}{x^2}
\end{aligned}
$$

Notons que, pour évaluer la dérivée de la fonction $f(x) = \frac{1}{x}$ en une valeur précise de x, il suffit de remplacer cette dernière dans l'expression de $f'(x)$.

Ainsi, $f'(2) = -\frac{1}{2^2} = -\frac{1}{4}$, $f'(-3) = -\frac{1}{(-3)^2} = -\frac{1}{9}$, $f'(1/2) = -\frac{1}{(1/2)^2} = -4$, etc.

Remarquons que $f'(0)$ n'existe pas puisque l'expression $-\frac{1}{x^2}$ n'est pas définie en $x = 0$. On arrive également à cette conclusion en constatant que la fonction $f(x)$ n'est pas définie en $x = 0$ et que, par conséquent, sa dérivée ne l'est pas non plus.

EXEMPLE 2.15

Supposons que le coût total de production C (en dollars) de Q unités d'un certain produit est donné par la fonction $C(Q) = Q^3 - 10Q^2 + 40Q + 100$. On veut déterminer $\frac{dC}{dQ}$. On a

$$\begin{aligned}
\frac{dC}{dQ} &= \lim_{\Delta Q \to 0} \frac{C(Q + \Delta Q) - C(Q)}{\Delta Q} \\
&= \lim_{\Delta Q \to 0} \frac{\left[(Q + \Delta Q)^3 - 10(Q + \Delta Q)^2 + 40(Q + \Delta Q) + 100\right] - (Q^3 - 10Q^2 + 40Q + 100)}{\Delta Q} \\
&= \lim_{\Delta Q \to 0} \frac{3Q^2(\Delta Q) + 3Q(\Delta Q)^2 + (\Delta Q)^3 - 20Q(\Delta Q) - 10(\Delta Q)^2 + 40\Delta Q}{\Delta Q} \\
&= \lim_{\Delta Q \to 0} \frac{\cancel{\Delta Q}\left[3Q^2 + 3Q(\Delta Q) + (\Delta Q)^2 - 20Q - 10\Delta Q + 40\right]}{\cancel{\Delta Q}} \\
&= \lim_{\Delta Q \to 0} \left[3Q^2 + 3Q(\Delta Q) + (\Delta Q)^2 - 20Q - 10\Delta Q + 40\right] \\
&= (3Q^2 - 20Q + 40)\,\$/\text{unité}
\end{aligned}$$

Pour trouver $C'(10)$ et $C'(12)$, il suffit de remplacer respectivement Q par 10 et par 12 dans la fonction dérivée $\frac{dC}{dQ}$. On obtient, bien sûr, les mêmes résultats que précédemment (exemple 2.13, p. 88), soit

$$C'(10) = 3(10)^2 - 20(10) + 40 = 140\,\$/\text{unité}$$

et

$$C'(12) = 3(12)^2 - 20(12) + 40 = 232\,\$/\text{unité}$$

EXEMPLE 2.16

La période T d'un pendule simple (en secondes) de longueur L (en mètres) est donnée par la fonction $T(L) = 2\pi\sqrt{\frac{L}{g}}$, où g est la constante de gravitation terrestre, soit $g = 9{,}8\ \text{m/s}^2$. On veut déterminer $T'(0{,}5)$ et $T'(1)$. Déterminons d'abord la fonction dérivée $\frac{dT}{dL} = T'(L)$.

On a

$$\begin{aligned}
\frac{dT}{dL} &= \lim_{\Delta L \to 0} \frac{T(L+\Delta L) - T(L)}{\Delta L} \\
&= \lim_{\Delta L \to 0} \frac{2\pi\sqrt{\frac{L+\Delta L}{9,8}} - 2\pi\sqrt{\frac{L}{9,8}}}{\Delta L} \\
&= \lim_{\Delta L \to 0} \frac{\frac{2\pi}{\sqrt{9,8}}\left(\sqrt{L+\Delta L} - \sqrt{L}\right)}{\Delta L} \\
&= \frac{2\pi}{\sqrt{9,8}} \lim_{\Delta L \to 0} \frac{\left(\sqrt{L+\Delta L} - \sqrt{L}\right)\left(\sqrt{L+\Delta L} + \sqrt{L}\right)}{\Delta L\left(\sqrt{L+\Delta L} + \sqrt{L}\right)} \\
&= \frac{2\pi}{\sqrt{9,8}} \lim_{\Delta L \to 0} \frac{(\cancel{L}+\Delta L) - \cancel{L}}{\Delta L\left(\sqrt{L+\Delta L} + \sqrt{L}\right)} \\
&= \frac{2\pi}{\sqrt{9,8}} \lim_{\Delta L \to 0} \frac{\cancel{\Delta L}}{\cancel{\Delta L}\left(\sqrt{L+\Delta L} + \sqrt{L}\right)} \\
&= \frac{2\pi}{\sqrt{9,8}} \lim_{\Delta L \to 0} \frac{1}{\sqrt{L+\Delta L} + \sqrt{L}} \\
&= \frac{\cancel{2}\pi}{\sqrt{9,8}}\left(\frac{1}{\cancel{2}\sqrt{L}}\right) \\
&= \frac{\pi}{\sqrt{9,8L}}\ \text{s/m}
\end{aligned}$$

Pour trouver $T'(0,5)$ et $T'(1)$, il suffit de remplacer respectivement L par 0,5 et par 1 dans la fonction dérivée $\frac{dT}{dL}$.

On obtient $T'(0,5) = \frac{\pi}{\sqrt{9,8(0,5)}} \approx 1,419$ s/m, ce qui signifie que, lorsque la longueur du pendule est de 0,5 m, la période du pendule augmente à raison d'environ 1,419 s par mètre d'augmentation de la longueur du pendule.

De plus, on a $T'(1) = \frac{\pi}{\sqrt{9,8(1)}} \approx 1,004$ s/m, ce qui signifie que, lorsque la longueur du pendule est de 1 m, la période du pendule augmente à raison d'environ 1,004 s par mètre d'augmentation de la longueur du pendule.

EXERCICES 2.5

1. Déterminez la dérivée de la fonction $f(x) = \sqrt{x}$.

2. Le profit total π (en dollars) qu'une entreprise tire de la vente de Q pièces électroniques est donné par la fonction $\pi(Q) = -0,2Q^2 + 80Q - 780$.

a) Combien de pièces l'entreprise doit-elle vendre si elle ne veut pas essuyer de perte (c'est-à-dire si elle veut que le profit total soit supérieur ou égal à 0)?

b) Déterminez la dérivée de la fonction $\pi(Q)$. Indiquez bien les unités.

c) En utilisant la réponse obtenue en *b*, déterminez $\pi'(150)$.

d) Expliquez, dans le contexte, la réponse obtenue en *c*.

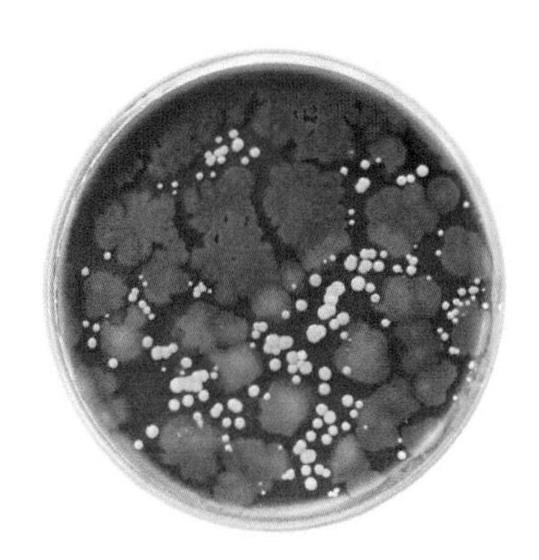

Vous pouvez maintenant faire les exercices récapitulatifs 8 à 16.

e) En utilisant la réponse obtenue en b, déterminez $\pi'(300)$.

f) Expliquez, dans le contexte, la réponse obtenue en e.

3. On met en culture des bactéries dans une boîte de Petri. Le nombre N de bactéries après un temps t (en heures) est donné par $N(t) = 3\,000 - \dfrac{1\,800}{t+1}$.

a) Déterminez la dérivée de la fonction $N(t)$. Indiquez bien les unités.

b) En utilisant la réponse obtenue en a, déterminez $N'(2)$.

c) Expliquez, dans le contexte, la réponse obtenue en b.

d) En utilisant la réponse obtenue en a, déterminez $N'(4)$.

e) Expliquez, dans le contexte, la réponse obtenue en d.

UN PEU D'HISTOIRE

Le concept de dérivée tire son origine du problème géométrique de la recherche d'une tangente à une courbe et du problème physique du calcul d'une vitesse instantanée.

Les Grecs de l'Antiquité résolurent quelques problèmes de tangente. Ainsi, Euclide (330-275 avant notre ère) montra que la tangente à tout point d'un cercle est perpendiculaire au rayon du cercle passant par ce point. Archimède (287-212 avant notre ère) établit une procédure pour produire la tangente à une spirale. Apollonius (262-190 avant notre ère) décrivit des méthodes pour trouver les tangentes aux coniques. Toutefois, ces illustres mathématiciens traitèrent les problèmes de tangentes comme des questions propres à chacune des courbes, comme des problèmes isolés de nature purement géométrique, et ne purent donc pas inventer le concept de dérivée.

Beaucoup plus tard, Galileo Galilei (1564-1642) s'intéressa à la physique du mouvement et établit des liens entre la distance, la vitesse et l'accélération sans toutefois formuler ces liens à l'aide de la dérivée.

La création de la géométrie analytique par René Descartes (1596-1650) et Pierre de Fermat (1601-1665) contribua également à faire progresser les idées vers la création du concept de dérivée. Ainsi, Fermat décrivit la tangente comme étant la position limite de sécantes, ce qui est essentiellement la démarche encore utilisée aujourd'hui pour définir la tangente à une courbe en un point. Dans sa célèbre *Géométrie* (1637), Descartes produisit une méthode pour trouver la normale à une courbe, c'est-à-dire une droite perpendiculaire à la courbe, résultat à partir duquel il est facile de produire la tangente à la courbe. En Angleterre, Isaac Barrow (1630-1677) raffina les méthodes de Fermat et de Descartes en introduisant un triangle, dit triangle différentiel, et en définissant la tangente à une courbe en un point P comme la limite d'une corde PQ lorsque le point Q se rapproche de P.

Suivant les traces de Barrow, Isaac Newton (1642-1727) s'intéressa à la notion de vitesse et de taux de variation instantané. Il élabora le calcul des fluxions, qui est essentiellement une forme de calcul différentiel.

Fasciné par les mathématiques, le diplomate et philosophe allemand G. W. Leibniz (1646-1716) adopta une approche plus analytique. Leibniz inventa la notation de la différentielle et fut le premier à interpréter l'expression $\dfrac{dy}{dx}$ comme une pente de tangente lorsque y est une fonction de x, même s'il ne se servit pas de ce résultat pour définir la dérivée. De plus, Leibniz formula de nombreuses règles de dérivation, soit celle d'une somme, d'un produit, d'un quotient et d'une puissance. Il cherchait à créer une véritable arithmétique de l'infiniment petit. La notation de Leibniz était tellement supérieure à celle de Newton qu'elle est encore en usage de nos jours.

Peu de temps après, en 1696, s'inspirant des leçons particulières qu'il avait reçues de Jean Bernoulli (1667-1748), Guillaume François Antoine de l'Hospital (1661-1704) publia *Analyse des infiniment petits, pour l'intelligence des lignes courbes*, qui fut le premier manuel de calcul différentiel. D'autres parurent par la suite, dont les plus célèbres furent ceux de Maria Gaetana Agnesi* (1718-1799) et de Leonhard Euler** (1707-1783).

Leibniz et Newton avaient trouvé les formules de dérivation des fonctions rationnelles, mais pas celles des fonctions transcendantes (les fonctions trigonométriques, exponentielles et logarithmiques). Pour sa part, Thomas Simpson (1710-1761) formula la règle de dérivation de la fonction sinus, alors que Colin Maclaurin (1698-1746) formula celles de la dérivation des fonctions logarithmiques et exponentielles.

Le calcul élaboré par Newton et Leibniz produisait des résultats corrects, mais ses fondements n'étaient pas rigoureux. Bien sûr, Newton avait déjà pressenti qu'il faudrait utiliser le concept de limite, mais il ne l'avait pas fait. Jean le Rond d'Alembert (1717-1783) proposa une approche moderne du concept de dérivée en affirmant qu'il fallait le fonder sur la notion de limite, mais c'est le mathématicien Augustin-Louis Cauchy (1789-1857) qui en formula la définition classique dans son *Cours d'analyse*: « [...] si, lorsque h devient infiniment petit, le rapport aux différences

$$\frac{\Delta y}{\Delta x} = \frac{f(x+h) - f(x)}{h}$$

admet une limite finie, on le note $f'(x)$, c'est une fonction de x, appelée fonction dérivée. »

* *Instituzioni analitiche ad uso delle gioventu italiana* (1748).

** *Introductio in analysin infinitorum* (1748), *Institutiones calculi differentialis* (1755) et *Institutiones calculi integralis* (1768-1770).

2.4 DÉRIVÉE ET CONTINUITÉ

DANS CETTE SECTION : *point anguleux.*

On dit qu'une fonction $f(x)$ est dérivable en $x = a$ si $f'(a)$ existe. Jusqu'à présent, nous avons travaillé avec des fonctions $f(x)$ continues et dérivables en $x = a$. Il est donc naturel de se demander s'il existe un lien entre la continuité et la dérivabilité d'une fonction $f(x)$ en $x = a$.

THÉORÈME 2.1

Si $f(x)$ est une fonction dérivable en $x = a$, alors elle est continue en $x = a$.

PREUVE

Soit $f(x)$ une fonction dérivable en $x = a$.

Alors $f'(a) = \lim\limits_{\Delta x \to 0} \dfrac{f(a + \Delta x) - f(a)}{\Delta x}$ existe. Pour démontrer que $f(x)$ est continue en $x = a$, il faut établir que $\lim\limits_{x \to a} f(x) = f(a)$, ce qui, lorsqu'on pose $x = a + \Delta x$, est équivalent au fait de montrer que $\lim\limits_{\Delta x \to 0} f(a + \Delta x) = f(a)$.

On a $f(a + \Delta x) = f(a + \Delta x) - f(a) + f(a)$, et donc, pour $\Delta x \neq 0$,

$$f(a + \Delta x) = \frac{f(a + \Delta x) - f(a)}{\Delta x}(\Delta x) + f(a)$$

Par conséquent,

$$\begin{aligned}
\lim_{\Delta x \to 0} f(a + \Delta x) &= \lim_{\Delta x \to 0} \left[\frac{f(a + \Delta x) - f(a)}{\Delta x}(\Delta x) + f(a)\right] \\
&= \left[\lim_{\Delta x \to 0} \frac{f(a + \Delta x) - f(a)}{\Delta x}\right]\left(\lim_{\Delta x \to 0} \Delta x\right) + \lim_{\Delta x \to 0} f(a) \\
&= [f'(a)](0) + f(a) \\
&= 0 + f(a) \\
&= f(a)
\end{aligned}$$

de sorte que la fonction $f(x)$ est continue en $x = a$. ▪

Animations GeoGebra
Fonction de Weierstrass

Trouvez cette animation sur la plateforme *i+ Interactif.*

On peut déduire du théorème 2.1 que, si une fonction $f(x)$ n'est pas continue en $x = a$, alors elle n'est pas dérivable en $x = a$.

Il faut faire très attention de ne pas conclure que si une fonction $f(x)$ est continue en $x = a$, alors elle est automatiquement dérivable en ce point. Les exemples 2.17 et 2.18 présentent des fonctions continues en un point qui ne sont pas dérivables en ce point.

Animations GeoGebra
Cas de non-dérivabilité

Trouvez cette animation sur la plateforme *i+ Interactif.*

EXEMPLE 2.17

On a établi à l'exemple 1.46 (p. 50) que la fonction $f(x) = |x|$ est continue pour toute valeur réelle x. Montrons maintenant qu'elle n'est pas dérivable en $x = 0$.

Puisque $f(x) = \begin{cases} -x & \text{si } x < 0 \\ x & \text{si } x \geq 0 \end{cases}$, nous devrons utiliser la limite à gauche et la limite à droite pour déterminer si l'expression $f'(0)$ est définie. Or, si elle existe,

$$f'(0) = \lim_{\Delta x \to 0} \frac{f(0 + \Delta x) - f(0)}{\Delta x} = \lim_{\Delta x \to 0} \frac{|\Delta x| - 0}{\Delta x} = \lim_{\Delta x \to 0} \frac{|\Delta x|}{\Delta x}$$

On a

$$\lim_{\Delta x \to 0^-} \frac{|\Delta x|}{\Delta x} = \lim_{\Delta x \to 0^-} \frac{-\Delta x}{\Delta x} = \lim_{\Delta x \to 0^-} (-1) = -1$$

et

$$\lim_{\Delta x \to 0^+} \frac{|\Delta x|}{\Delta x} = \lim_{\Delta x \to 0^+} \frac{\Delta x}{\Delta x} = \lim_{\Delta x \to 0^+} (1) = 1$$

Puisque la limite à gauche diffère de la limite à droite, $f'(0)$ n'existe pas et donc la fonction $f(x) = |x|$ n'est pas dérivable en $x = 0$.

Point anguleux

Le point $(a, f(a))$ est un point anguleux de la courbe décrite par la fonction $f(x)$ si la fonction $f(x)$ est continue en $x = a$ et si

$$\lim_{\Delta x \to 0^-} \frac{f(a + \Delta x) - f(a)}{\Delta x} \neq \lim_{\Delta x \to 0^+} \frac{f(a + \Delta x) - f(a)}{\Delta x}$$

Si une fonction $f(x)$ est continue en $x = a$ et si $\lim_{\Delta x \to 0^-} \frac{f(a + \Delta x) - f(a)}{\Delta x}$ est différente de $\lim_{\Delta x \to 0^+} \frac{f(a + \Delta x) - f(a)}{\Delta x}$, alors le point $(a, f(a))$ est appelé un **point anguleux** de la courbe décrite par la fonction $f(x)$. Le point $(0, 0)$ est donc un point anguleux de la courbe décrite par $f(x) = |x|$. On voit bien sur la FIGURE 2.11 que la courbe décrite par $f(x) = |x|$ fait un angle en $x = 0$, c'est-à-dire qu'il se produit un changement brusque de direction en $x = 0$.

FIGURE 2.11

Point anguleux de $f(x) = |x|$ en $x = 0$

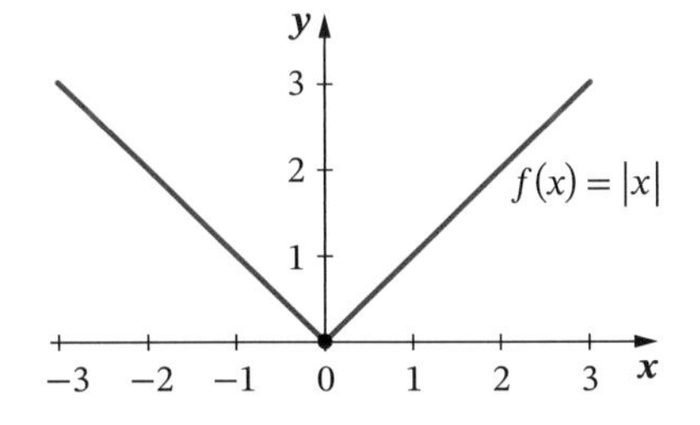

Animations GeoGebra
Cas de non-dérivabilité

Trouvez cette animation sur la plateforme *i+ Interactif.*

EXEMPLE 2.18

La fonction $f(x) = \sqrt{x - 1}$ est continue sur son domaine de définition, soit sur $[1, \infty[$. Montrons qu'elle n'est pas dérivable en $x = 1$. Trouvons d'abord $f'(x)$. On a

$$\begin{aligned} f'(x) &= \lim_{\Delta x \to 0} \frac{f(x + \Delta x) - f(x)}{\Delta x} \\ &= \lim_{\Delta x \to 0} \frac{\sqrt{(x + \Delta x) - 1} - \sqrt{x - 1}}{\Delta x} \\ &= \lim_{\Delta x \to 0} \frac{\left(\sqrt{x + \Delta x - 1} - \sqrt{x - 1}\right)\left(\sqrt{x + \Delta x - 1} + \sqrt{x - 1}\right)}{\Delta x\left(\sqrt{x + \Delta x - 1} + \sqrt{x - 1}\right)} \\ &= \lim_{\Delta x \to 0} \frac{(x + \Delta x - 1) - (x - 1)}{\Delta x\left(\sqrt{x + \Delta x - 1} + \sqrt{x - 1}\right)} \\ &= \lim_{\Delta x \to 0} \frac{\cancel{\Delta x}}{\cancel{\Delta x}\left(\sqrt{x + \Delta x - 1} + \sqrt{x - 1}\right)} \\ &= \lim_{\Delta x \to 0} \frac{1}{\sqrt{x + \Delta x - 1} + \sqrt{x - 1}} \\ &= \frac{1}{2\sqrt{x - 1}} \end{aligned}$$

Comme l'expression $\frac{1}{2\sqrt{x - 1}}$ n'est pas définie en $x = 1$, on conclut que $f'(1)$ n'existe pas. Sur la FIGURE 2.12, on constate que la droite tangente à la courbe décrite par la fonction $f(x) = \sqrt{x - 1}$ en $x = 1$ est verticale et donc que sa pente n'est pas définie, c'est-à-dire que $f'(1)$ n'existe pas.

FIGURE 2.12

Tangente verticale en $x = 1$

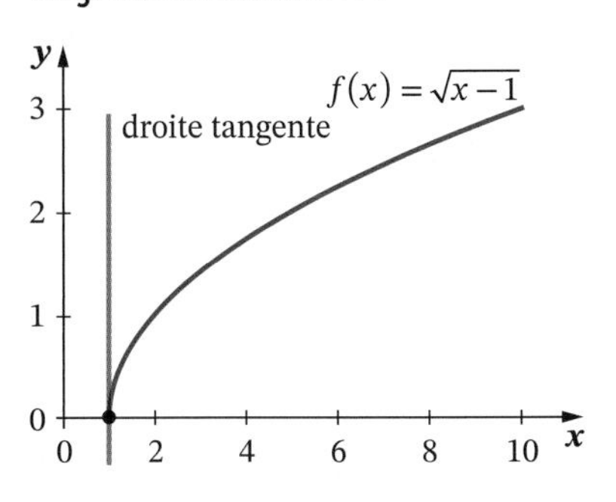

Une fonction $f(x)$ n'est donc pas dérivable en $x = a$ si $f(x)$ n'est pas continue en $x = a$, ou si $f(x)$ est continue en $x = a$ et change brusquement de direction en ce point (il y a un point anguleux en $x = a$), ou encore si $f(x)$ est continue en $x = a$ et admet une tangente verticale en ce point.

EXERCICES 2.6

1. Déterminez les valeurs réelles de x pour lesquelles la fonction $f(x)$ n'est pas dérivable (FIGURE 2.13). Justifiez votre réponse.

FIGURE 2.13
$f(x)$

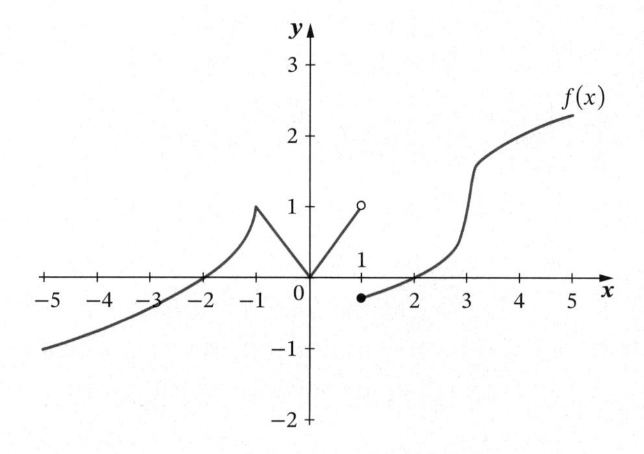

2. Soit la fonction continue $f(x) = |x - 1|$.
   a) Montrer que $f(x)$ est dérivable en $x = 3$.
   b) Montrer que $f(x)$ n'est pas dérivable en $x = 1$.

Vous pouvez maintenant faire les exercices récapitulatifs 17 à 21.

2.5 PREMIÈRES FORMULES DE DÉRIVATION

DANS CETTE SECTION : *propriété de linéarité.*

Trouver la dérivée d'une fonction à l'aide de la définition peut parfois être un exercice algébrique assez difficile, pour ne pas dire long et fastidieux. Comme c'est souvent le cas en mathématiques, l'utilisation de formules générales permet de réduire considérablement le fardeau imposé par de longs algorithmes ou par de lourds calculs. Établissons donc des formules de dérivation qui permettront de trouver la dérivée d'une fonction plus rapidement. Nous allons démontrer la plupart de ces formules. À cette fin, nous recourrons à la définition de la dérivée. Comme cette définition repose sur la notion de limite, il faudra utiliser les stratégies que nous avons exposées au chapitre 1 pour prouver ces formules.

2.5.1 DÉRIVÉE D'UNE FONCTION CONSTANTE

Commençons par établir la formule qui donne l'expression de la dérivée d'une fonction élémentaire, soit celle de la fonction constante.

THÉORÈME 2.2

Si $f(x) = k$ est une fonction constante, alors

$$\frac{df}{dx} = \frac{d}{dx}(k) = 0 \qquad \text{(formule 1)}$$

Autrement dit, la dérivée d'une fonction constante est nulle.

PREUVE

Si $f(x) = k$, alors

$$\begin{aligned}\frac{df}{dx} &= \lim_{\Delta x \to 0} \frac{f(x+\Delta x) - f(x)}{\Delta x} \\ &= \lim_{\Delta x \to 0} \frac{k-k}{\Delta x} \\ &= \lim_{\Delta x \to 0} \frac{0}{\Delta x} \\ &= \lim_{\Delta x \to 0} 0 \\ &= 0\end{aligned}$$

▣

EXEMPLE 2.19

Si $f(x) = 4$, alors $\frac{df}{dx} = \frac{d}{dx}(4) = 0$.

EXEMPLE 2.20

Si $g(t) = -1/2$, alors $\frac{dg}{dt} = \frac{d}{dt}(-1/2) = 0$.

EXEMPLE 2.21

Si $y = \sqrt{2\pi}$, alors $\frac{dy}{dx} = \frac{d}{dx}\left(\sqrt{2\pi}\right) = 0$ puisque $\sqrt{2\pi}$ est une constante.

2.5.2 DÉRIVÉE DE LA FONCTION IDENTITÉ

La formule donnant la dérivée de la fonction identité $f(x) = x$ est également simple à obtenir, comme l'indique le théorème 2.3.

THÉORÈME 2.3

Si $f(x) = x$ est la fonction identité, alors

$$\frac{df}{dx} = \frac{d}{dx}(x) = 1 \qquad \text{(formule 2)}$$

Autrement dit, la dérivée de la fonction identité est égale à 1.

PREUVE

Si $f(x) = x$, alors

$$\begin{aligned}\frac{df}{dx} &= \lim_{\Delta x \to 0} \frac{f(x+\Delta x) - f(x)}{\Delta x} \\ &= \lim_{\Delta x \to 0} \frac{(x+\Delta x) - x}{\Delta x} \\ &= \lim_{\Delta x \to 0} \frac{\Delta x}{\Delta x} \\ &= \lim_{\Delta x \to 0} 1 \\ &= 1\end{aligned}$$

▣

EXEMPLE 2.22

Si $f(t) = t$, alors $\frac{df}{dt} = \frac{d}{dt}(t) = 1$.

EXEMPLE 2.23

Si $g(u) = u$, alors $\frac{dg}{du} = \frac{d}{du}(u) = 1$.

2.5.3 DÉRIVÉE DU PRODUIT D'UNE CONSTANTE PAR UNE FONCTION

Le théorème 2.4 donne la formule de la dérivée du produit d'une constante par une fonction dérivable.

THÉORÈME 2.4

Si $f(x) = (ku)(x) = ku(x)$ où $u(x)$ est une fonction dérivable, et si k est une constante, alors

$$\frac{df}{dx} = \frac{d}{dx}(ku) = k\frac{du}{dx} \qquad \text{(formule 3)}$$

Autrement dit, la dérivée du produit d'une constante par une fonction dérivable est le produit de cette constante par la dérivée de la fonction.

PREUVE

Si $f(x) = ku(x)$, alors

$$\begin{aligned}\frac{df}{dx} &= \frac{d}{dx}(ku) \\ &= \lim_{\Delta x \to 0} \frac{ku(x+\Delta x) - ku(x)}{\Delta x} \\ &= \lim_{\Delta x \to 0} \frac{k\left[u(x+\Delta x) - u(x)\right]}{\Delta x} \\ &= \left(\lim_{\Delta x \to 0} k\right)\left[\lim_{\Delta x \to 0} \frac{u(x+\Delta x) - u(x)}{\Delta x}\right] \\ &= k\frac{du}{dx}\end{aligned}$$

▣

EXEMPLE 2.24

Si $f(x) = -2x$, alors $\frac{df}{dx} = \frac{d}{dx}(-2x) = -2\frac{d}{dx}(x) = -2(1) = -2.$

EXEMPLE 2.25

Si $g(u) = 2/3\,u$, alors $\frac{dg}{du} = \frac{d}{du}(2/3\,u) = 2/3\frac{d}{du}(u) = 2/3(1) = 2/3.$

EXEMPLE 2.26

Si $y = 2\pi t$, alors $\frac{dy}{dt} = \frac{d}{dt}(2\pi t) = 2\pi\frac{d}{dt}(t) = 2\pi(1) = 2\pi.$

QUESTION ÉCLAIR 2.5

Déterminez la dérivée de la fonction en utilisant les formules de dérivation.

a) $f(x) = -\sqrt{3}$ b) $g(t) = -4t$ c) $h(u) = \frac{3u}{4}$

2.5.4 DÉRIVÉE DE LA SOMME OU DE LA DIFFÉRENCE DE DEUX FONCTIONS

Dériver une somme ou une différence de deux fonctions dérivables s'avère également une opération simple, comme en fait foi le théorème 2.5.

THÉORÈME 2.5

Si $u(x)$ et $v(x)$ sont deux fonctions dérivables, alors

$$\frac{d}{dx}(u+v) = \frac{du}{dx} + \frac{dv}{dx} \qquad \text{(formule 4)}$$

$$\frac{d}{dx}(u-v) = \frac{du}{dx} - \frac{dv}{dx} \qquad \text{(formule 5)}$$

Autrement dit, la dérivée d'une somme (ou d'une différence) de fonctions dérivables est la somme (ou la différence) des dérivées de ces fonctions.

PREUVE

On a $(u+v)(x) = u(x) + v(x)$. Par conséquent,

$$\begin{aligned}\frac{d}{dx}(u+v) &= \lim_{\Delta x \to 0} \frac{[u(x+\Delta x) + v(x+\Delta x)] - [u(x) + v(x)]}{\Delta x} \\ &= \lim_{\Delta x \to 0} \frac{u(x+\Delta x) + v(x+\Delta x) - u(x) - v(x)}{\Delta x} \\ &= \lim_{\Delta x \to 0} \frac{[u(x+\Delta x) - u(x)] + [v(x+\Delta x) - v(x)]}{\Delta x} \\ &= \lim_{\Delta x \to 0} \frac{u(x+\Delta x) - u(x)}{\Delta x} + \lim_{\Delta x \to 0} \frac{v(x+\Delta x) - v(x)}{\Delta x} \\ &= \frac{du}{dx} + \frac{dv}{dx}\end{aligned}$$

On démontre la formule 5 de façon similaire. ▪

EXEMPLE 2.27

Si $f(x) = 5x + 2$, alors

$$\frac{df}{dx} = \frac{d}{dx}(5x + 2) = \frac{d}{dx}(5x) + \frac{d}{dx}(2) = 5\frac{d}{dx}(x) + 0 = 5(1) = 5$$

EXEMPLE 2.28

Si $g(t) = -t - 6$, alors

$$\frac{dg}{dt} = \frac{d}{dt}(-t - 6) = \frac{d}{dt}(-t) - \frac{d}{dt}(6) = -\frac{d}{dt}(t) - 0 = -1$$

On aurait pu regrouper les formules 3, 4 et 5 en une seule formule: si $u(x)$ et $v(x)$ sont des fonctions dérivables et si a et b sont des constantes, alors

$$\frac{d}{dx}(au \pm bv) = a\frac{du}{dx} \pm b\frac{dv}{dx}$$

En raison de cette caractéristique, on dit que la dérivée possède la **propriété de linéarité**.

Propriété de linéarité

On dit que la dérivée possède la propriété de linéarité, car elle satisfait à la caractéristique suivante:

$$\frac{d}{dx}(au \pm bv) = a\frac{du}{dx} \pm b\frac{dv}{dx}$$

où a et b sont des constantes et u et v sont des fonctions dérivables de x.

QUESTION ÉCLAIR 2.6

Déterminez la dérivée de la fonction en utilisant les formules de dérivation.

a) $f(x) = 4 - 3x$ b) $g(t) = \frac{2t - 1}{5}$

2.5.5 DÉRIVÉE DU PRODUIT DE DEUX FONCTIONS

À première vue, la formule de la dérivée du produit de deux fonctions dérivables, telle qu'elle est énoncée dans le théorème 2.6, est surprenante. Elle va à l'encontre de l'intuition.

De plus, elle est plus complexe à prouver puisque l'on doit effectuer des manipulations algébriques et recourir au fait que les fonctions dérivables sont continues.

THÉORÈME 2.6

Si $u(x)$ et $v(x)$ sont deux fonctions dérivables, alors

$$\frac{d}{dx}(uv) = u\frac{dv}{dx} + v\frac{du}{dx} \qquad \text{(formule 6)}$$

Autrement dit, la dérivée du produit de deux fonctions est égale au produit de la première fonction par la dérivée de la seconde auquel on ajoute le produit de la seconde fonction par la dérivée de la première.

PREUVE

On a $(uv)(x) = u(x)v(x)$ et, par conséquent,

$$\begin{aligned}\frac{d}{dx}(uv) &= \lim_{\Delta x \to 0} \frac{u(x + \Delta x)v(x + \Delta x) - u(x)v(x)}{\Delta x} \\ &= \lim_{\Delta x \to 0} \frac{u(x + \Delta x)v(x + \Delta x) - u(x + \Delta x)v(x) + u(x + \Delta x)v(x) - u(x)v(x)}{\Delta x}\end{aligned}$$

$$= \lim_{\Delta x \to 0} \frac{u(x+\Delta x)\left[v(x+\Delta x)-v(x)\right]+v(x)\left[u(x+\Delta x)-u(x)\right]}{\Delta x}$$

$$= \lim_{\Delta x \to 0}\left[u(x+\Delta x)\frac{v(x+\Delta x)-v(x)}{\Delta x}\right]+\lim_{\Delta x \to 0}\left[v(x)\frac{u(x+\Delta x)-u(x)}{\Delta x}\right]$$

$$= \left[\lim_{\Delta x \to 0} u(x+\Delta x)\right]\left[\lim_{\Delta x \to 0}\frac{v(x+\Delta x)-v(x)}{\Delta x}\right]+v(x)\lim_{\Delta x \to 0}\frac{u(x+\Delta x)-u(x)}{\Delta x}$$

$$= u(x)\frac{dv}{dx}+v(x)\frac{du}{dx}$$

$$= u\frac{dv}{dx}+v\frac{du}{dx}$$

Dans cette démonstration, on a utilisé le fait que $\lim_{\Delta x \to 0} u(x+\Delta x) = u(x)$ puisque la fonction $u(x)$ est dérivable et donc continue en vertu du théorème 2.1 (p. 94). ▣

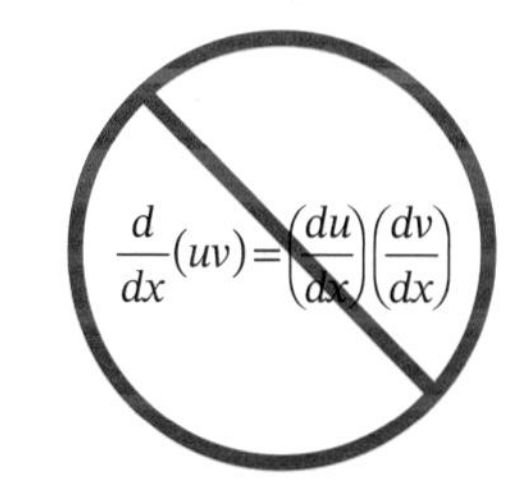

Faites attention de ne pas commettre l'erreur courante de penser que la dérivée du produit de deux fonctions est égale au produit des dérivées des deux fonctions. Ainsi, en général, $\frac{d}{dx}(uv) \neq \left(\frac{du}{dx}\right)\left(\frac{dv}{dx}\right)$.

De plus, puisque la multiplication est commutative, on a $\frac{d}{dx}(uv) = \frac{d}{dx}(vu)$, de sorte que la formule 6 peut également s'écrire $\frac{d}{dx}(uv) = v\frac{du}{dx} + u\frac{dv}{dx}$.

EXEMPLE 2.29

Si $f(x) = x^2$, alors

$$\begin{aligned}\frac{df}{dx} &= \frac{d}{dx}(x \cdot x)\\ &= x\frac{d}{dx}(x) + x\frac{d}{dx}(x)\\ &= x(1) + x(1)\\ &= 2x\end{aligned}$$

EXEMPLE 2.30

Si $g(x) = x^3$, alors

$$\begin{aligned}\frac{dg}{dx} &= \frac{d}{dx}(x \cdot x^2)\\ &= x\frac{d}{dx}(x^2) + x^2\frac{d}{dx}(x)\\ &= x(2x) + x^2(1)\\ &= 3x^2\end{aligned}$$

QUESTION ÉCLAIR 2.7

Déterminez la dérivée de la fonction en utilisant les formules de dérivation.

a) $f(x) = (2x - 1)(5 - 3x)$ b) $g(t) = -4t(5t + \tfrac{1}{2})$

2.5.6 DÉRIVÉE DU QUOTIENT DE DEUX FONCTIONS

Tout comme dans le cas de la dérivée du produit de deux fonctions dérivables, la formule de la dérivée d'un quotient de deux fonctions dérivables, présentée dans le théorème 2.7, paraît surprenante à première vue.

THÉORÈME 2.7

Si $u(x)$ et $v(x)$ sont deux fonctions dérivables, et si $v(x) \neq 0$, alors

$$\frac{d}{dx}\left(\frac{u}{v}\right) = \frac{v\dfrac{du}{dx} - u\dfrac{dv}{dx}}{v^2} \qquad \text{(formule 7)}$$

Autrement dit, la dérivée d'un quotient de deux fonctions est égale au produit du dénominateur par la dérivée du numérateur duquel on retranche le produit du numérateur par la dérivée du dénominateur, le tout divisé par le carré du dénominateur.

PREUVE

On a $\left(\dfrac{u}{v}\right)(x) = \dfrac{u(x)}{v(x)}$ et, par conséquent,

$$\begin{aligned}
\frac{d}{dx}\left(\frac{u}{v}\right) &= \lim_{\Delta x \to 0} \frac{\dfrac{u(x + \Delta x)}{v(x + \Delta x)} - \dfrac{u(x)}{v(x)}}{\Delta x} \\
&= \lim_{\Delta x \to 0} \frac{u(x + \Delta x)v(x) - u(x)v(x + \Delta x)}{\Delta x\left[v(x)v(x + \Delta x)\right]} \\
&= \lim_{\Delta x \to 0} \frac{u(x + \Delta x)v(x) - u(x)v(x) + u(x)v(x) - u(x)v(x + \Delta x)}{\Delta x\left[v(x)v(x + \Delta x)\right]} \\
&= \lim_{\Delta x \to 0} \frac{v(x)\left[u(x + \Delta x) - u(x)\right] - u(x)\left[v(x + \Delta x) - v(x)\right]}{\Delta x\left[v(x)v(x + \Delta x)\right]} \\
&= \lim_{\Delta x \to 0} \frac{\dfrac{v(x)\left[u(x + \Delta x) - u(x)\right] - u(x)\left[v(x + \Delta x) - v(x)\right]}{\Delta x}}{v(x)v(x + \Delta x)} \\
&= \frac{\lim\limits_{\Delta x \to 0}\left[v(x)\dfrac{u(x + \Delta x) - u(x)}{\Delta x}\right] - \lim\limits_{\Delta x \to 0}\left[u(x)\dfrac{v(x + \Delta x) - v(x)}{\Delta x}\right]}{\lim\limits_{\Delta x \to 0}\left[v(x)v(x + \Delta x)\right]}
\end{aligned}$$

$$= \frac{v(x) \lim_{\Delta x \to 0} \left[\frac{u(x+\Delta x) - u(x)}{\Delta x} \right] - u(x) \lim_{\Delta x \to 0} \left[\frac{v(x+\Delta x) - v(x)}{\Delta x} \right]}{v(x) \lim_{\Delta x \to 0} v(x+\Delta x)}$$

$$= \frac{v(x)\frac{du}{dx} - u(x)\frac{dv}{dx}}{[v(x)]^2}$$

$$= \frac{v\frac{du}{dx} - u\frac{dv}{dx}}{v^2}$$

Dans cette démonstration, on a utilisé le fait que $\lim_{\Delta x \to 0} v(x+\Delta x) = v(x)$ puisque la fonction $v(x)$ est dérivable et donc continue en vertu du théorème 2.1 (p. 94). ▪

Faites attention de ne pas commettre l'erreur courante de penser que la dérivée du quotient de deux fonctions est égale au quotient des dérivées des deux fonctions. Ainsi, en général, $\frac{d}{dx}\left(\frac{u}{v}\right) \neq \left(\frac{du}{dx}\right) \bigg/ \left(\frac{dv}{dx}\right)$. De plus, comme la division n'est pas commutative, on a $\frac{d}{dx}\left(\frac{u}{v}\right) \neq \frac{d}{dx}\left(\frac{v}{u}\right)$.

$$\frac{d}{dx}\left(\frac{u}{v}\right) = \left(\frac{du}{dx}\right) \bigg/ \left(\frac{dv}{dx}\right)$$

$$\frac{d}{dx}\left(\frac{u}{v}\right) = \frac{d}{dx}\left(\frac{v}{u}\right)$$

EXEMPLE 2.31

Si $f(x) = \frac{2x+3}{4-x}$, alors

$$\frac{df}{dx} = \frac{d}{dx}\left(\frac{2x+3}{4-x}\right)$$

$$= \frac{(4-x)\frac{d}{dx}(2x+3) - (2x+3)\frac{d}{dx}(4-x)}{(4-x)^2}$$

$$= \frac{(4-x)[2(1)+0] - (2x+3)(0-1)}{(4-x)^2}$$

$$= \frac{8 - \cancel{2x} + \cancel{2x} + 3}{(4-x)^2}$$

$$= \frac{11}{(4-x)^2}$$

EXEMPLE 2.32

Si $g(t) = \dfrac{2}{3t+5}$, alors

$$\begin{aligned}\frac{dg}{dt} &= \frac{d}{dt}\left(\frac{2}{3t+5}\right)\\ &= \frac{(3t+5)\frac{d}{dt}(2) - 2\frac{d}{dt}(3t+5)}{(3t+5)^2}\\ &= \frac{(3t+5)(0) - 2\left[3(1)+0\right]}{(3t+5)^2}\\ &= \frac{-6}{(3t+5)^2}\end{aligned}$$

EXEMPLE 2.33

Soit une population dont la taille N (en milliers d'individus) au temps t (en années) est donnée par la fonction $N(t) = \dfrac{200t}{1+t} + 60$. Déterminons le taux de croissance de la taille de la population lorsque $t = 3$ ans. On veut déterminer $N'(3)$.

$$\begin{aligned}\frac{dN}{dt} &= \frac{d}{dt}\left(\frac{200t}{1+t} + 60\right) = \frac{d}{dt}\left(\frac{200t}{1+t}\right) + \frac{d}{dt}(60)\\ &= \frac{(1+t)\frac{d}{dt}(200t) - 200t\frac{d}{dt}(1+t)}{(1+t)^2} + 0\\ &= \frac{(1+t)\left[200(1)\right] - 200t(0+1)}{(1+t)^2}\\ &= \frac{200 + \cancel{200t} - \cancel{200t}}{(1+t)^2}\\ &= \frac{200}{(1+t)^2} \text{ milliers d'individus/année}\end{aligned}$$

Par conséquent, $N'(3) = \left.\dfrac{dN}{dt}\right|_{t=3} = \dfrac{200}{(1+3)^2} = 12{,}5$ milliers d'individus/année.

Ce résultat est le même que celui de l'exemple 2.11 (p. 85), mais on l'obtient plus simplement.

QUESTION ÉCLAIR 2.8

Déterminez la dérivée de la fonction en utilisant les formules de dérivation.

a) $f(x) = \dfrac{-5}{4x-3}$ b) $g(t) = \dfrac{5-t}{3t-2}$

2.5.7 DÉRIVÉE DE LA FONCTION PUISSANCE

En regardant attentivement les exemples 2.29 et 2.30 (p. 101), on remarque quelque chose de particulier: $\frac{d}{dx}(x^2) = 2x$ et $\frac{d}{dx}(x^3) = 3x^2$. On est tenté de croire que $\frac{d}{dx}(x^n) = nx^{n-1}$, ce qui est bien le cas.

THÉORÈME 2.8

Si n est un nombre réel et si $f(x) = x^n$, alors

$$\frac{df}{dx} = \frac{d}{dx}(x^n) = nx^{n-1} \qquad \text{(formule 8)}$$

là où cette dérivée existe.

PREUVE

À ce stade, nous démontrerons ce résultat pour tout entier n. La preuve pour $n \in \mathbb{R}$ sera traitée plus tard lorsque nous aborderons le concept de dérivation logarithmique.

Si $n = 0$ et si $x \neq 0$, alors $f(x) = x^0 = 1$ et $\frac{df}{dx} = \frac{d}{dx}(1) = 0 = 0x^{0-1}$ en vertu du théorème 2.2 (p. 97). La formule 8 est donc valide pour $n = 0$.

Pour démontrer la formule 8 pour un entier $n > 0$, nous utiliserons le résultat suivant que l'on peut vérifier facilement en multipliant simplement les deux parenthèses du membre de droite de l'équation:

$$a^n - b^n = (a - b)\Big(\underbrace{a^{n-1} + a^{n-2}b + a^{n-3}b^2 + \cdots + a^2b^{n-3} + ab^{n-2} + b^{n-1}}_{n \text{ termes}}\Big)$$

On obtient cette dernière expression en divisant $a^n - b^n$ par $a - b$, ce terme étant un facteur de $a^n - b^n$ puisque $a = b$ en est un zéro (ou une racine).

On a donc

$$\begin{aligned}
\frac{d}{dx}(x^n) &= \lim_{\Delta x \to 0} \frac{(x + \Delta x)^n - x^n}{\Delta x} \\
&= \lim_{\Delta x \to 0} \frac{\left[(x + \Delta x) - x\right]\left[(x + \Delta x)^{n-1} + (x + \Delta x)^{n-2}x + \cdots + (x + \Delta x)x^{n-2} + x^{n-1}\right]}{\Delta x} \\
&= \lim_{\Delta x \to 0} \frac{\cancel{\Delta x}\left[(x + \Delta x)^{n-1} + (x + \Delta x)^{n-2}x + \cdots + (x + \Delta x)x^{n-2} + x^{n-1}\right]}{\cancel{\Delta x}} \\
&= \lim_{\Delta x \to 0} \left[(x + \Delta x)^{n-1} + (x + \Delta x)^{n-2}x + \cdots + (x + \Delta x)x^{n-2} + x^{n-1}\right] \\
&= \underbrace{x^{n-1} + x^{n-1} + \cdots + x^{n-1} + x^{n-1}}_{n \text{ termes}} \\
&= nx^{n-1}
\end{aligned}$$

Pour démontrer la formule 8 pour un entier $n < 0$, nous utiliserons le fait que $n = -m$, où $m > 0$, la propriété des exposants $x^n = x^{-m} = \frac{1}{x^m}$ et le théorème 2.7 (p. 102). On aura alors,

$$\begin{aligned}
\frac{d}{dx}(x^n) &= \frac{d}{dx}\left(\frac{1}{x^m}\right) \\
&= \frac{x^m \frac{d}{dx}(1) - 1\frac{d}{dx}(x^m)}{(x^m)^2} \\
&= \frac{x^m(0) - 1(mx^{m-1})}{x^{2m}} \\
&= \frac{-mx^{m-1}}{x^{2m}} \\
&= (-m)x^{m-1-2m} \\
&= (-m)x^{(-m)-1} \\
&= nx^{n-1}
\end{aligned}$$

Évidemment, ce dernier résultat n'est valable que si $x \neq 0$ puisqu'à cette valeur de x, la fonction et la dérivée ne sont pas définies. ▣

EXEMPLE 2.34

Si $f(x) = x^5 + 2x^4 - x^3 - 3x^2 + 5x - 7$, alors

$$\begin{aligned}
\frac{df}{dx} &= \frac{d}{dx}(x^5) + 2\frac{d}{dx}(x^4) - \frac{d}{dx}(x^3) - 3\frac{d}{dx}(x^2) + 5\frac{d}{dx}(x) - \frac{d}{dx}(7) \\
&= 5x^{5-1} + 2(4x^{4-1}) - 3x^{3-1} - 3(2x^{2-1}) + 5(1) - 0 \\
&= 5x^4 + 8x^3 - 3x^2 - 6x + 5
\end{aligned}$$

EXEMPLE 2.35

Si $f(t) = 2t^\pi$, alors $f'(t) = 2\pi t^{\pi-1}$.

EXERCICES 2.7

1. Soit la fonction $f(x) = 3x^2 + 5x - 3$. Évaluez l'expression.

a) $\frac{df}{dx}$ b) $\left.\frac{df}{dx}\right|_{x=2}$ c) $\frac{d}{dx}\left[(x^2+1)f(x)\right]$

2. La valeur V (en milliers de dollars) d'une certaine voiture en fonction du temps t (en années) écoulé depuis l'achat est donnée par la fonction $V(t) = \frac{1}{5}t^2 - 5t + 30$ lorsque $t \in [0, 6]$.

a) Déterminez $V'(t)$ en utilisant les formules de dérivation.

b) Donnez la valeur et le sens de $V'(2)$.

c) Donnez la valeur et le sens de $V'(5)$.

EXEMPLE 2.36

Soit $f(x) = \dfrac{2x^3 - x}{x^2 + 2}$. On veut déterminer l'équation de la droite tangente à la courbe décrite par la fonction $f(x)$, en $x = 1$. Commençons par évaluer $f'(1)$ qui est la pente de la droite tangente cherchée.

$$\begin{aligned}
f'(x) &= \frac{d}{dx}\left(\frac{2x^3 - x}{x^2 + 2}\right) \\
&= \frac{(x^2 + 2)\frac{d}{dx}(2x^3 - x) - (2x^3 - x)\frac{d}{dx}(x^2 + 2)}{(x^2 + 2)^2} \\
&= \frac{(x^2 + 2)(6x^2 - 1) - (2x^3 - x)(2x)}{(x^2 + 2)^2} \\
&= \frac{6x^4 - x^2 + 12x^2 - 2 - 4x^4 + 2x^2}{(x^2 + 2)^2} \\
&= \frac{2x^4 + 13x^2 - 2}{(x^2 + 2)^2}
\end{aligned}$$

La pente de la droite tangente à la courbe décrite par la fonction $f(x)$ en $x = 1$ est donc de $f'(1) = \dfrac{2(1)^4 + 13(1)^2 - 2}{(1^2 + 2)^2} = \dfrac{13}{9}$. L'équation de la droite tangente à la courbe décrite par la fonction $f(x) = \dfrac{2x^3 - x}{x^2 + 2}$, au point $(1, f(1)) = (1, 1/3)$, est $y = 13/9(x - 1) + 1/3$ ou $y = 13/9x - 10/9$.

EXEMPLE 2.37

Si $g(t) = \sqrt{t} + t^{4/3} = t^{1/2} + t^{4/3}$, alors

$$g'(t) = \frac{1}{2}t^{1/2-1} + \frac{4}{3}t^{4/3-1} = \frac{1}{2}t^{-1/2} + \frac{4}{3}t^{1/3} = \frac{1}{2\sqrt{t}} + \frac{4}{3}\sqrt[3]{t}$$

EXEMPLE 2.38

On veut déterminer le taux de variation instantané de $f(x) = x\sqrt{x}$ lorsque $x = 16$. Pour ce faire, on peut procéder de différentes façons. On peut, par exemple, considérer la fonction f comme le produit de deux fonctions. Ce qui donne la solution suivante, qui n'est pas très efficace.

$$\begin{aligned}
\frac{df}{dx} &= \frac{d}{dx}(x \cdot x^{1/2}) \\
&= x\frac{d}{dx}(x^{1/2}) + x^{1/2}\frac{d}{dx}(x) \\
&= x(1/2\,x^{-1/2}) + x^{1/2}(1) \\
&= 1/2\,x^{1+(-1/2)} + x^{1/2} \\
&= 1/2\,x^{1/2} + x^{1/2} \\
&= 3/2\sqrt{x}
\end{aligned}$$

On peut également réécrire la fonction en utilisant les propriétés des exposants, c'est-à-dire $f(x) = x\sqrt{x} = x(x^{1/2}) = x^{1+1/2} = x^{3/2}$. On a alors

$$\frac{df}{dx} = \frac{d}{dx}(x^{3/2}) = 3/2\, x^{3/2-1} = 3/2\, x^{1/2} = 3/2\sqrt{x}$$

La deuxième solution est beaucoup plus courte.

Le taux de variation instantané lorsque $x = 16$ est donc

$$f'(16) = 3/2\sqrt{16} = 3/2(4) = 6$$

Cet exemple permet de constater qu'il peut être préférable de simplifier une expression avant de la dériver.

EXEMPLE 2.39

Soit $y = \frac{4}{x^3} - \frac{2}{x^2} + \frac{1}{x}$. On veut déterminer $\frac{dy}{dx}$. Pour ce faire, on peut procéder de plusieurs façons. On peut, par exemple, considérer chaque terme de y comme un quotient de polynômes, ce qui donne la solution suivante, qui est très laborieuse.

$$\begin{aligned}
\frac{dy}{dx} &= \frac{d}{dx}\left(\frac{4}{x^3}\right) - \frac{d}{dx}\left(\frac{2}{x^2}\right) + \frac{d}{dx}\left(\frac{1}{x}\right) \\
&= \frac{x^3\frac{d}{dx}(4) - 4\frac{d}{dx}(x^3)}{(x^3)^2} - \frac{x^2\frac{d}{dx}(2) - 2\frac{d}{dx}(x^2)}{(x^2)^2} + \frac{x\frac{d}{dx}(1) - 1\frac{d}{dx}(x)}{x^2} \\
&= \frac{x^3(0) - 4(3x^2)}{x^6} - \frac{x^2(0) - 2(2x)}{x^4} + \frac{x(0) - 1(1)}{x^2} \\
&= \frac{-12x^2}{x^6} - \frac{-4x}{x^4} + \frac{-1}{x^2} \\
&= -\frac{12}{x^4} + \frac{4}{x^3} - \frac{1}{x^2}
\end{aligned}$$

On peut également réécrire la fonction en utilisant les propriétés des exposants :

$$y = \frac{4}{x^3} - \frac{2}{x^2} + \frac{1}{x} = 4x^{-3} - 2x^{-2} + x^{-1}$$

On a alors

$$\begin{aligned}
\frac{dy}{dx} &= \frac{d}{dx}(4x^{-3} - 2x^{-2} + x^{-1}) \\
&= 4(-3x^{-3-1}) - 2(-2x^{-2-1}) + (-1x^{-1-1}) \\
&= -12x^{-4} + 4x^{-3} - x^{-2} \\
&= -\frac{12}{x^4} + \frac{4}{x^3} - \frac{1}{x^2}
\end{aligned}$$

On voit très bien que la deuxième solution est beaucoup plus efficace.

EXERCICES 2.8

1. Déterminez la dérivée de la fonction en utilisant les formules de dérivation.

a) $f(x) = -3\pi$

b) $g(t) = \frac{3t}{4} + \frac{1}{2}$

c) $y = (x^3 + 5x)(3x - x^2 + 1)$

d) $h(t) = \frac{3t^2 - 4t + 2}{1 - 2t}$

e) $y = 3x^{\sqrt{2}} - \frac{4}{x^2} + 5\sqrt{x} - 6$

f) $f(x) = x^2\sqrt{x} - \frac{4}{x^3} + \frac{1}{x} - 2$

2. Déterminez l'équation de la droite tangente et l'équation de la droite normale à la courbe décrite par $f(x) = \sqrt[3]{x}$ en $x = -8$.

3. Supposons que le coût total de production C (en dollars) de Q unités d'un certain produit est donné par la fonction $C(Q) = Q^3 - 10Q^2 + 40Q + 100$. Déterminez $C'(10)$ et $C'(12)$ en utilisant les formules de dérivation. Comparez votre solution avec celle présentée à l'exemple 2.15 (p. 91).

4. La période T (en secondes) d'un pendule simple de longueur L (en mètres) est donnée par la fonction $T(L) = 2\pi\sqrt{\frac{L}{g}}$, où g est la constante de gravitation terrestre, soit $g = 9{,}8\ \text{m/s}^2$. Déterminez $T'(0{,}5)$ et $T'(1)$ en utilisant les formules de dérivation. Comparez votre solution avec celle présentée à l'exemple 2.16 (p. 91).

5. Une citerne contient 100 L d'eau pure. On y verse une solution saline à un rythme tel que la concentration C en sel (en grammes par litre) dans la citerne après un temps t (en minutes) est donnée par $C(t) = \frac{25t}{10 + t}$. Déterminez le taux de variation de la concentration en sel après 10 min en utilisant les formules de dérivation. Comparez votre solution à celle effectuée au numéro 1 *a* des exercices 2.4 (p. 86).

Vous pouvez maintenant faire les exercices récapitulatifs 22 à 43.

2.6 INTERPRÉTATION GÉOMÉTRIQUE DU SIGNE DE LA DÉRIVÉE

DANS CETTE SECTION : *discriminant – grandeur d'une vitesse.*

Nous avons vu que la dérivée d'une fonction $f(x)$ en $x = a$ admet une interprétation géométrique : c'est la pente de la droite tangente à la courbe décrite par la fonction $f(x)$ au point $(a, f(a))$. Or, la pente d'une droite peut être positive, négative ou nulle.

2.6.1 RELATIONS ENTRE LE GRAPHIQUE D'UNE FONCTION ET CELUI DE SA DÉRIVÉE

La FIGURE 2.14 (p. 110) présente la courbe décrite par la fonction

$$f(x) = x^3 - 6x^2 + 9x + 16$$

ainsi que quelques droites tangentes.

Animations GeoGebra

Interprétation géométrique du signe de la dérivée

Trouvez cette animation sur la plateforme *i+ Interactif.*

FIGURE 2.14

$f(x) = x^3 - 6x^2 + 9x + 16$ et droites tangentes

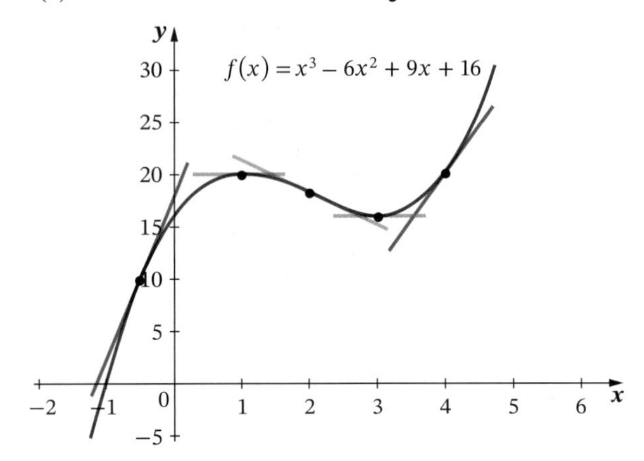

La figure 2.14 permet de constater qu'en $x = -0{,}5$ et en $x = 4$, les pentes des droites tangentes sont toutes deux positives. On remarque également qu'en $x = 2$, la pente de la droite tangente est négative. Finalement, en $x = 1$ et en $x = 3$, les droites tangentes sont horizontales et leurs pentes sont donc nulles.

On a

$$\begin{aligned} f'(x) &= \frac{d}{dx}(x^3 - 6x^2 + 9x + 16) \\ &= 3x^2 - 12x + 9 \\ &= 3(x^2 - 4x + 3) \\ &= 3(x-1)(x-3) \end{aligned}$$

La dérivée de la fonction $f(x)$ étant elle-même une fonction, on peut tracer la courbe décrite par $f'(x)$ (FIGURE 2.15).

FIGURE 2.15

Courbe décrite par $f'(x) = 3x^2 - 12x + 9$

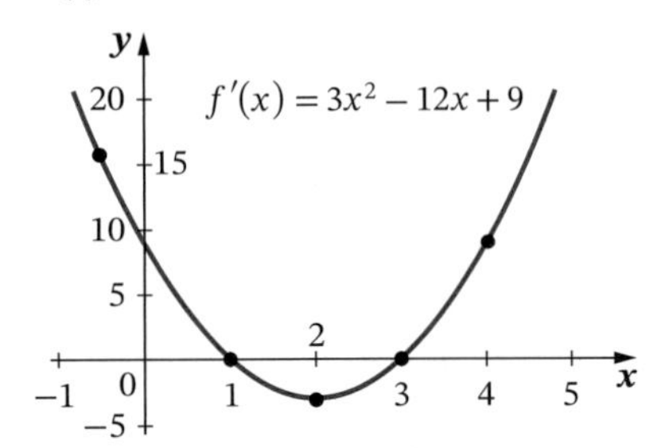

La figure 2.15 permet de confirmer ce que nous avions remarqué à la figure 2.14. On voit bien que $f'(-0{,}5) > 0$ et que $f'(4) > 0$, ce qui indique que la pente de la droite tangente à la courbe décrite par la fonction $f(x)$ en $x = -0{,}5$ et en $x = 4$ est positive. De plus, $f'(2) < 0$ et donc la pente de la droite tangente à la courbe décrite par la fonction $f(x)$ en $x = 2$ est négative. Finalement, $f'(1) = f'(3) = 0$, ce qui indique que la pente de la droite tangente à la courbe décrite par la fonction $f(x)$ est nulle (la droite tangente est horizontale) en $x = 1$ et en $x = 3$.

Toutes ces remarques sont bien intéressantes. Mais à quoi serviront-elles ? Poussons un peu plus loin l'analyse des figures 2.14 et 2.15 et voyons comment l'étude de la fonction dérivée $f'(x)$ peut nous renseigner sur la fonction $f(x)$ (TABLEAU 2.1).

Le tableau 2.1 permet d'entrevoir des applications très importantes de la dérivée, comme la détermination des intervalles de croissance et de décroissance d'une fonction, ainsi que la recherche du maximum ou du minimum d'une fonction, soit l'optimisation. Il faudra, bien sûr, formaliser tout cela.

TABLEAU 2.1

Relations entre le graphique de $f'(x)$ et le graphique de $f(x)$

Remarques sur la fonction dérivée $f'(x)$ (figure 2.15)	Remarques sur la fonction $f(x)$ (figure 2.14)
On a $f'(x) > 0$ si $x \in]-\infty, 1[$ ou si $x \in]3, \infty[$, car la courbe décrivant $f'(x)$ est située au-dessus de l'axe des abscisses.	La valeur de la fonction $f(x)$ augmente sur l'intervalle $]-\infty, 1[$ et sur l'intervalle $]3, \infty[$. On dit que la fonction $f(x)$ est croissante sur ces intervalles.
On a $f'(x) < 0$ si $x \in]1, 3[$, car la courbe décrivant $f'(x)$ est située sous l'axe des abscisses.	La valeur de la fonction $f(x)$ diminue sur l'intervalle $]1, 3[$. On dit que la fonction $f(x)$ est décroissante sur cet intervalle.
On a $f'(1) = 0$, car la courbe décrivant $f'(x)$ coupe l'axe des abscisses en $x = 1$.	La valeur de la fonction $f(x)$ cesse d'augmenter en $x = 1$ pour commencer à diminuer. On dit que la fonction $f(x)$ admet un maximum relatif en $x = 1$.
On a $f'(3) = 0$, car la courbe décrivant $f'(x)$ coupe l'axe des abscisses en $x = 3$.	La valeur de la fonction $f(x)$ cesse de diminuer en $x = 3$ pour commencer à augmenter. On dit que la fonction $f(x)$ admet un minimum relatif en $x = 3$.

EXEMPLE 2.40

On veut déterminer lequel des graphiques suivants (a, b, c ou d) correspond à la dérivée de la fonction $f(x)$ (FIGURE 2.16).

FIGURE 2.16

Détermination de la courbe décrite par la fonction $f'(x)$

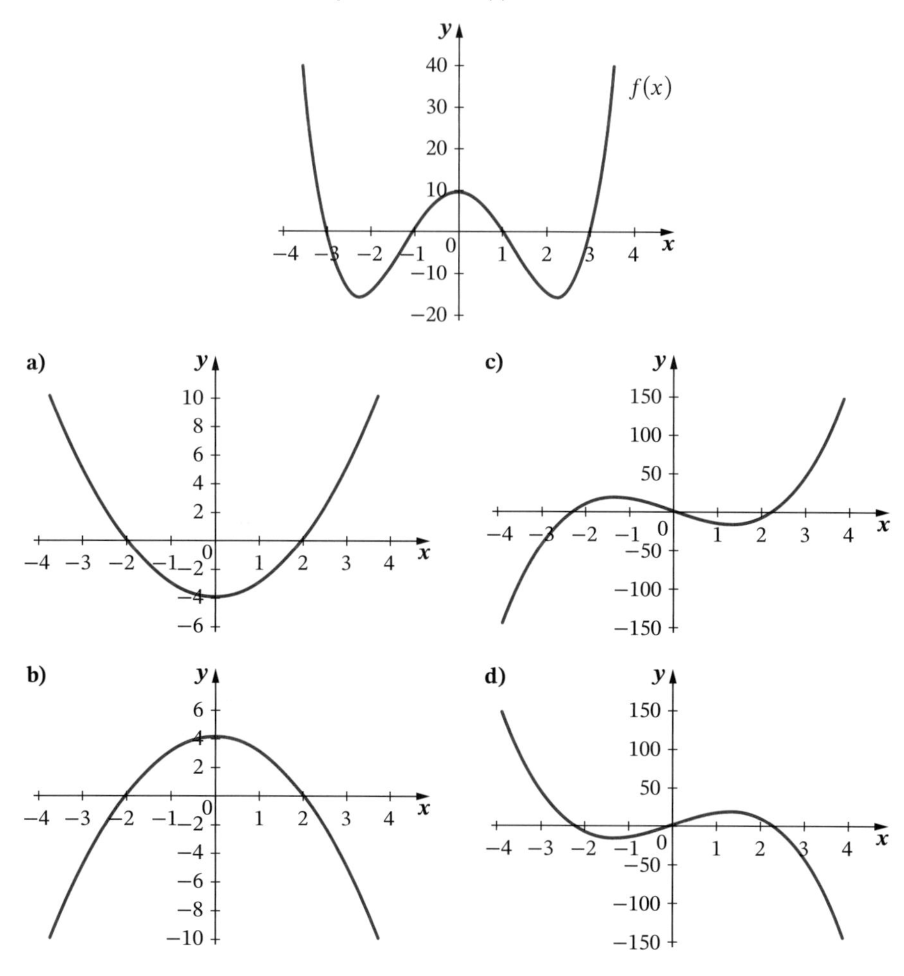

En regardant le graphique de la fonction $f(x)$, on remarque qu'en $x = 0$, en $x \approx -2{,}2$ et en $x \approx 2{,}2$, la droite tangente à la courbe décrite par la fonction $f(x)$ est horizontale. Par conséquent, la dérivée vaut 0 en ces points, car la pente de la droite tangente est nulle. Le graphique de la dérivée $f'(x)$ ne peut donc pas être le graphique présenté en *a* ou en *b*, car ces fonctions ne valent pas 0 en $x = 0$.

De plus, pour tout x situé entre $x = 0$ et $x \approx 2{,}2$, la pente de la droite tangente (donc la dérivée) est négative. Le graphique de la dérivée $f'(x)$ ne peut donc pas être celui qui apparaît en *d* puisqu'il présente une fonction positive entre $x = 0$ et $x \approx 2{,}2$.

Le graphique de $f'(x)$ est donc celui qui figure en *c*. En effet, la fonction $f(x)$ est décroissante sur $]-\infty; -2{,}2[$ et sur $]0; 2{,}2[$, de sorte que la dérivée est négative sur ces intervalles, c'est-à-dire que la courbe décrite par la fonction $f'(x)$ est située sous l'axe des abscisses. De plus, la fonction $f(x)$ est croissante sur $]-2{,}2; 0[$ et sur $]2{,}2; \infty[$, de sorte que la dérivée est positive sur ces intervalles, c'est-à-dire que la courbe décrite par la fonction $f'(x)$ est située au-dessus de l'axe des abscisses.

QUESTION ÉCLAIR 2.9

Déterminez lequel des graphiques suivants (a, b, c ou d) correspond à la dérivée de la fonction $f(x)$ (FIGURE 2.17).

FIGURE 2.17

Détermination de la courbe décrite par la fonction $f'(x)$

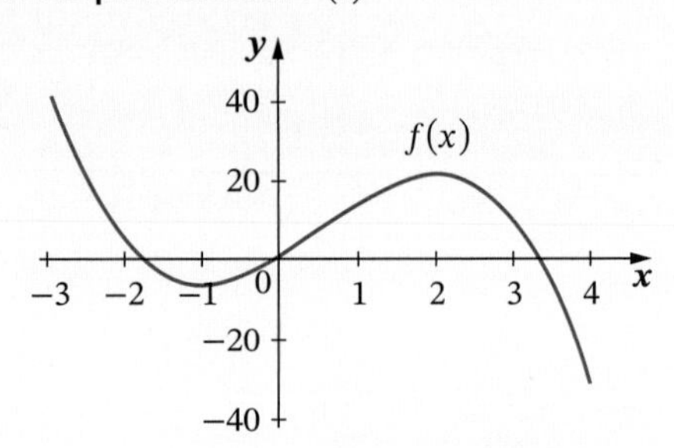

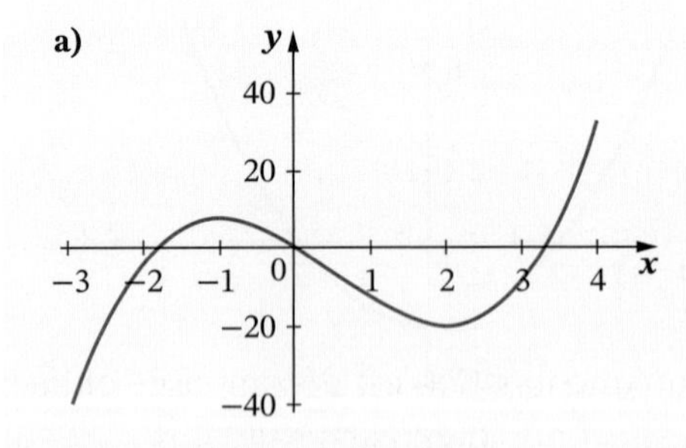

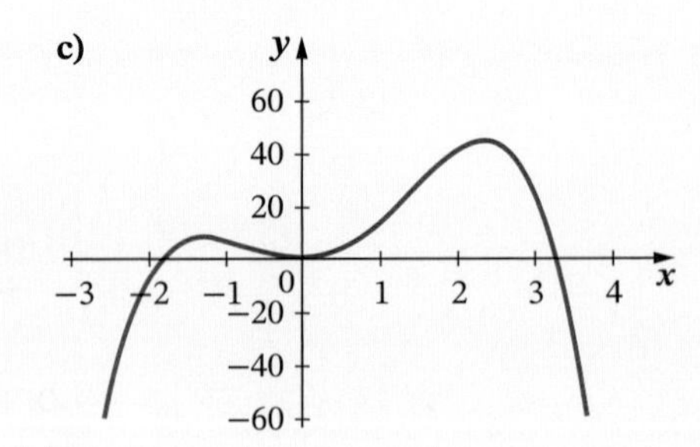

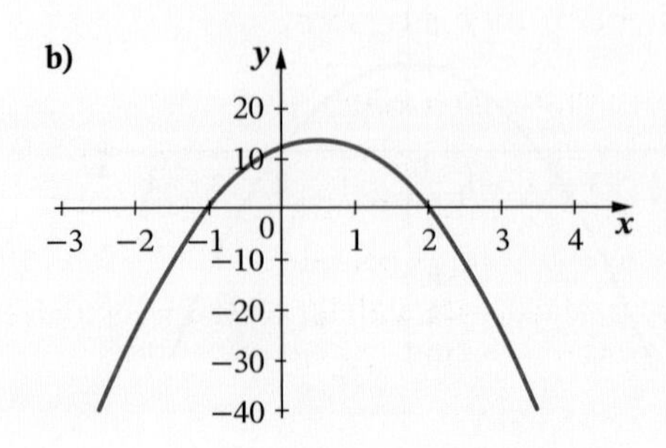

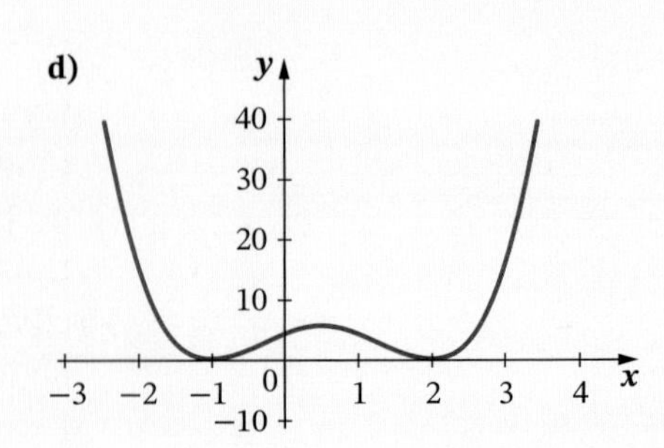

2.6.2 TABLEAU DES SIGNES D'UNE FONCTION

Deux outils très utiles pour déterminer le signe d'une fonction sont la factorisation de polynôme et la construction du tableau des signes de la fonction.

RAPPEL La factorisation d'un polynôme de degré 2

Soit $P(x) = ax^2 + bx + c$ un polynôme en x de degré 2.

- Si $b^2 - 4ac < 0$, alors $P(x)$ est irréductible, c'est-à-dire qu'on ne peut pas le décomposer en un produit de deux binômes à coefficients réels de degré 1.
- Si $b^2 - 4ac \geq 0$, alors $P(x) = a(x - r_1)(x - r_2)$, où r_1 et r_2 sont obtenus par la formule quadratique:

$$r_1 = \frac{-b - \sqrt{b^2 - 4ac}}{2a} \text{ et } r_2 = \frac{-b + \sqrt{b^2 - 4ac}}{2a}$$

Discriminant

Soit $P(x) = ax^2 + bx + c$ un polynôme en x de degré 2. L'expression $b^2 - 4ac$ est appelée discriminant.

L'expression $b^2 - 4ac$ porte le nom de **discriminant**.

Par exemple, la factorisation de $P(x) = 2x^2 - 5x - 3$ est possible, car $b^2 - 4ac = (-5)^2 - 4(2)(-3) = 25 + 24 = 49 \geq 0$. Les zéros (ou racines) de $P(x)$ sont

$$r_1 = \frac{-b - \sqrt{b^2 - 4ac}}{2a} = \frac{-(-5) - \sqrt{49}}{2(2)} = \frac{5 - 7}{4} = -\frac{1}{2}$$

$$r_2 = \frac{-b + \sqrt{b^2 - 4ac}}{2a} = \frac{-(-5) + \sqrt{49}}{2(2)} = \frac{5 + 7}{4} = 3$$

Par conséquent,

Voir l'annexe Rappels de notions mathématiques, p. 404.

$$P(x) = 2x^2 - 5x - 3 = 2\left[x - (-1/2)\right](x - 3) = 2(x + 1/2)(x - 3)$$

QUESTION ÉCLAIR 2.10

Décomposez en facteurs, si possible.

a) $-6x^2 + 13x - 6$ b) $5x^2 - x + 2$ c) $2x^2 + 7x - 4$

Lorsqu'une fonction est décomposée en facteurs, on peut déterminer les signes de la fonction en construisant son tableau des signes. Voyons comment on le construit à l'aide du polynôme $P(x) = 2x^2 - 5x - 3$.

Dans le rappel précédent, on a vu que $P(x) = 2(x + 1/2)(x - 3)$. Les facteurs sont nuls si $x = -1/2$ ou si $x = 3$. Plaçons ces deux valeurs en ordre croissant sur la première ligne du tableau. Puisque $x = -1/2$ et $x = 3$ séparent l'axe des réels en trois intervalles $(]-\infty, -1/2[,\ ]-1/2, 3[$ et $]3, \infty[)$, prévoyons une colonne pour chacun de ces intervalles. Ajoutons ensuite une ligne pour la fonction $P(x)$. On obtient le **TABLEAU 2.2** (p. 114).

TABLEAU 2.2

Tableau des signes

	$]-\infty, -1/2[$		$]-1/2, 3[$		$]3, \infty[$
x		$-1/2$		3	
$P(x) = 2(x + 1/2)(x - 3)$					

Complétons ensuite la dernière ligne du tableau en inscrivant :

- un signe négatif (−) si la fonction est négative sur l'intervalle (ou en la valeur de x) considéré ;
- un signe positif (+) si la fonction est positive sur l'intervalle (ou en la valeur de x) considéré ;
- un zéro (0) si la fonction est nulle sur l'intervalle (ou en la valeur de x) considéré ;
- un symbole $\nexists$ (n'existe pas) si la fonction n'est pas définie sur l'intervalle (ou en la valeur de x) considéré.

Pour remplir cette ligne, il suffit de se rappeler les règles suivantes :

- le produit ou le quotient de deux nombres réels de même signe donne un nombre réel positif ;
- le produit ou le quotient de deux nombres réels de signes contraires donne un nombre réel négatif ;
- le produit d'un nombre réel et de 0 donne 0 ;
- le quotient obtenu à la suite de la division d'un nombre réel non nul par 0 n'existe pas.

On constate que $P(x) = 2(x + 1/2)(x - 3) = 0$ si et seulement si $x = -1/2$ ou $x = 3$.

Si $x \in]-1/2, 3[$, alors $P(x)$ est négatif, car le facteur $(x + 1/2)$ est positif et le facteur $(x - 3)$ est négatif sur cet intervalle et, par conséquent, leur produit est négatif.

De plus, si $x \in]-\infty, -1/2[$, alors $P(x)$ est positif, car les deux facteurs $(x + 1/2)$ et $(x - 3)$ sont négatifs sur cet intervalle et, par conséquent, leur produit est positif.

Finalement, si $x \in]3, \infty[$, alors $P(x)$ est positif, car les deux facteurs $(x + 1/2)$ et $(x - 3)$ sont positifs sur cet intervalle et, par conséquent, leur produit est positif.

On obtient donc le **TABLEAU 2.3**.

TABLEAU 2.3

Tableau des signes

	$]-\infty, -1/2[$		$]-1/2, 3[$		$]3, \infty[$
x		$-1/2$		3	
$P(x) = 2(x + 1/2)(x - 3)$	+	0	−	0	+

$$P(x) = \underbrace{2}_{+}\,\underbrace{(x + 1/2)}_{-}\,\underbrace{(x - 3)}_{-},$$

d'où $P(x) > 0$

La fonction $P(x)$ est donc positive sur $]-\infty, -1/2[\cup]3, \infty[$, négative sur $]-1/2, 3[$ et nulle en $x = -1/2$ ou en $x = 3$.

EXEMPLE 2.41

Déterminons les intervalles où la fonction $f(x) = \dfrac{2x^2 + 3x - 2}{3x^2 - 4x - 4}$ est positive, les intervalles où elle est négative, les valeurs de x où elle s'annule ainsi que celles où elle n'est pas définie.

Le numérateur $2x^2 + 3x - 2$ se factorise puisque

$$b^2 - 4ac = 3^2 - 4(2)(-2) = 25 \geq 0$$

On a

$$r_1 = \frac{-b - \sqrt{b^2 - 4ac}}{2a} = \frac{-3 - \sqrt{25}}{2(2)} = \frac{-3 - 5}{4} = -2$$

$$r_2 = \frac{-b + \sqrt{b^2 - 4ac}}{2a} = \frac{-3 + \sqrt{25}}{2(2)} = \frac{-3 + 5}{4} = \frac{1}{2}$$

Alors, $2x^2 + 3x - 2 = 2[x - (-2)](x - 1/2) = 2(x + 2)(x - 1/2)$.

De plus, le dénominateur $3x^2 - 4x - 4$ se factorise puisque

$$b^2 - 4ac = (-4)^2 - 4(3)(-4) = 64 \geq 0$$

On a

$$r_1 = \frac{-b - \sqrt{b^2 - 4ac}}{2a} = \frac{-(-4) - \sqrt{64}}{2(3)} = \frac{4 - 8}{6} = -\frac{2}{3}$$

$$r_2 = \frac{-b + \sqrt{b^2 - 4ac}}{2a} = \frac{-(-4) + \sqrt{64}}{2(3)} = \frac{4 + 8}{6} = 2$$

Alors, $3x^2 - 4x - 4 = 3[x - (-2/3)](x - 2) = 3(x + 2/3)(x - 2)$.

Par conséquent,

$$f(x) = \frac{2(x + 2)(x - 1/2)}{3(x + 2/3)(x - 2)}$$

Les valeurs de x qui annulent le numérateur ou le dénominateur de la fonction $f(x)$ sont $x = -2$, $x = 1/2$, $x = -2/3$ et $x = 2$. Plaçons ces valeurs en ordre croissant et prévoyons une colonne pour chaque sous-intervalle qu'elles délimitent (**TABLEAU 2.4**, p. 116).

Sur l'intervalle $]-\infty, -2[$, on a

$$f(x) = \frac{\overbrace{2}^{+}\,\overbrace{(x + 2)}^{-}\,\overbrace{(x - 1/2)}^{-}}{\underbrace{3}_{+}\,\underbrace{(x + 2/3)}_{-}\,\underbrace{(x - 2)}_{-}} > 0$$

Si $x = -2$, on a

$$f(x) = \frac{\overbrace{2}^{+}\,\overbrace{(x + 2)}^{0}\,\overbrace{(x - 1/2)}^{-}}{\underbrace{3}_{+}\,\underbrace{(x + 2/3)}_{-}\,\underbrace{(x - 2)}_{-}} = 0$$

Sur l'intervalle $]-2, -2/3[$, on a

$$f(x) = \frac{\overbrace{2}^{+}\,\overbrace{(x + 2)}^{+}\,\overbrace{(x - 1/2)}^{-}}{\underbrace{3}_{+}\,\underbrace{(x + 2/3)}_{-}\,\underbrace{(x - 2)}_{-}} < 0$$

Si $x = -2/3$, on a

$$f(x) = \frac{\overset{+}{2}\ \overset{+}{(x+2)}\ \overset{-}{(x-1/2)}}{\underset{+}{3}\ \underset{0}{(x+2/3)}\ \underset{-}{(x-2)}}$$

de sorte que la fonction $f(x)$ n'existe pas ou encore n'est pas définie en $x = -2/3$.

Des raisonnements similaires s'appliquent aux autres colonnes. On obtient alors le tableau 2.4.

TABLEAU 2.4

Tableau des signes

	$]-\infty, -2[$		$]-2, -2/3[$		$]-2/3, 1/2[$		$]1/2, 2[$		$]2, \infty[$
x		-2		$-2/3$		$1/2$		2	
$f(x)$	$+$	0	$-$	$\nexists$	$+$	0	$-$	$\nexists$	$+$

On peut donc conclure que la fonction $f(x)$ est:

- positive si $x \in]-\infty, -2[\cup]-2/3, 1/2[\cup]2, \infty[$;
- négative si $x \in]-2, -2/3[\cup]1/2, 2[$;
- nulle en $x = -2$ et en $x = 1/2$;
- non définie en $x = -2/3$ et en $x = 2$.

EXERCICES 2.9

1. Déterminez les intervalles où la fonction $f(x) = 4x^5 - 5x^4 - 6x^3$ est positive, les intervalles où elle est négative ainsi que les valeurs de x où elle s'annule.

2. Déterminez les intervalles où la fonction $f(x) = \dfrac{3x^3 + 2x^2 - x}{9 - x^2}$ est positive, les intervalles où elle est négative, les valeurs de x où elle s'annule ainsi que celles où elle n'est pas définie.

2.6.3 INTERPRÉTATION DU SIGNE DE LA DÉRIVÉE

En physique comme en mathématiques, le signe d'une expression peut être très révélateur, de sorte que l'étude du signe d'un résultat s'avère essentielle. Ainsi, il faut être en mesure d'expliquer le signe de la vitesse d'un objet lancé vers le haut lorsque sa position (sa hauteur) est donnée par la fonction $s(t)$. L'objet se dirige vers le haut pendant un certain temps, puis vers le bas (vers le sol). Voyons comment tout cela se traduit au regard de la vitesse de l'objet.

Si l'objet se dirige vers le haut sur l'intervalle $[a, a + \Delta t]$, où $\Delta t > 0$, alors sa vitesse lorsque $t = a$ est positive, car on l'obtient en calculant

$$v(a) = s'(a) = \lim_{\Delta t \to 0} \frac{s(a + \Delta t) - s(a)}{\Delta t}$$

qui est la limite d'un quotient dont le numérateur est positif et dont le dénominateur est également positif. En effet, l'objet monte, de sorte que sa position est plus élevée à la fin de l'intervalle qu'au début: $s(a + \Delta t) - s(a) > 0$.

Si l'objet se dirige plutôt vers le bas sur l'intervalle $[a, a + \Delta t]$, où $\Delta t > 0$, alors sa vitesse lorsque $t = a$ est négative, car on l'obtient en calculant

$$v(a) = s'(a) = \lim_{\Delta t \to 0} \frac{s(a + \Delta t) - s(a)}{\Delta t}$$

qui est la limite d'un quotient dont le numérateur est négatif et dont le dénominateur est positif. Effectivement, l'objet descend, de sorte que sa position est moins élevée à la fin de l'intervalle qu'au début : $s(a + \Delta t) - s(a) < 0$.

Le signe de la vitesse indique donc la direction du déplacement. Si le mobile se déplace vers le haut (c'est-à-dire dans la direction positive de l'axe des ordonnées), alors la vitesse est positive. En revanche, si le mobile se déplace vers le bas (c'est-à-dire dans la direction négative de l'axe des ordonnées), alors la vitesse est négative. Intuitivement, au moment précis où le mobile cesse de monter pour commencer à redescendre (c'est-à-dire au sommet de sa trajectoire), la vitesse est nulle (elle cessera d'être positive pour devenir négative).

On peut faire un raisonnement similaire pour un mobile se déplaçant selon une trajectoire horizontale. Par convention, une vitesse positive indique que le mobile se déplace vers la droite (c'est-à-dire dans la direction positive de l'axe des abscisses). Une vitesse négative indique, quant à elle, que le mobile se déplace vers la gauche (c'est-à-dire dans la direction négative de l'axe des abscisses). Intuitivement, une vitesse nulle correspond à un changement de direction du mobile ou à un moment où le mobile est immobile (au repos).

La vitesse $v(t)$ au temps t d'un mobile qui suit une trajectoire rectiligne, verticale ou horizontale, est donc un vecteur, car elle possède une grandeur et une direction. La direction est indiquée par le signe de $v(t)$, alors que $|v(t)|$ indique la **grandeur** (ou le *module*) **de la vitesse**. Certains utilisent aussi l'expression *vitesse scalaire* pour désigner $|v(t)|$. La grandeur de la vitesse correspond à la lecture que l'on fait sur un odomètre.

Grandeur d'une vitesse

La grandeur d'une vitesse $v(t)$ est $|v(t)|$. C'est la lecture que l'on fait sur un odomètre.

L'exemple 2.42 permet de constater que le signe de la dérivée d'une fonction donne beaucoup d'information sur la fonction. Il permet d'en trouver les intervalles de croissance et de décroissance ainsi que le maximum et le minimum, ce qui est très utile lorsque l'on veut résoudre des problèmes d'optimisation ou tracer la courbe décrite par une fonction. Nous reviendrons plus loin sur les problèmes d'optimisation et les tracés de courbes.

EXEMPLE 2.42

On lance une balle vers le haut à partir d'une hauteur de 1 m avec une vitesse initiale de 9,8 m/s. La position de la balle (sa hauteur mesurée en mètres) après un temps t (en secondes) est donnée par la fonction $s(t) = -4{,}9t^2 + 9{,}8t + 1$. Déterminons la hauteur maximale atteinte par la balle.

Déterminons d'abord la dérivée de la fonction $s(t)$. On a

$$\begin{aligned} v(t) &= s'(t) \\ &= \frac{d}{dt}(-4{,}9t^2 + 9{,}8t + 1) \\ &= (-9{,}8t + 9{,}8) \text{ m/s} \end{aligned}$$

On a $v(t) = 0 \Leftrightarrow -9{,}8t + 9{,}8 = 0 \Leftrightarrow -9{,}8t = -9{,}8 \Leftrightarrow t = 1$ s. Construisons le tableau des signes de $v(t)$.

Dans le contexte, la fonction $s(t) = -4{,}9t^2 + 9{,}8t + 1$ donne la hauteur de la balle jusqu'à ce qu'elle revienne au sol. À l'aide de la formule quadratique, on peut déterminer que le retour au sol se produira après $t = \frac{9{,}8 + \sqrt{115{,}64}}{9{,}8} \approx 2{,}097\,\text{s}$.

De plus, on a $t \geq 0$ puisque le temps commence à s'écouler au moment où la balle est lancée.

Construisons donc le tableau des signes de $v(t)$ sur l'intervalle $[0; 2{,}097[$. On obtient le **TABLEAU 2.5**.

TABLEAU 2.5

Tableau des signes de $v(t)$

	$[0; 1[$		$]1; 2{,}097[$
t		1	
$v(t) = -9{,}8t + 9{,}8$	+	0	−

Si $0\,\text{s} \leq t < 1\,\text{s}$, on a $v(t) > 0$ de sorte que la hauteur de la balle augmente (la balle monte).

De plus, si $1\,\text{s} < t < 2{,}097\,\text{s}$, on a $v(t) < 0$ de sorte que la hauteur de la balle diminue (la balle redescend).

Par conséquent, $t = 1\,\text{s}$ est l'instant où la hauteur de la balle cesse d'augmenter pour ensuite diminuer ; c'est donc l'instant où la hauteur de la balle est maximale.

La hauteur maximale atteinte par la balle est donc

$$s(1) = -4{,}9(1)^2 + 9{,}8(1) + 1 = 5{,}9\,\text{m}$$

Dans ce cas particulier, on aurait pu obtenir la hauteur maximale de la balle en utilisant le fait que la courbe décrite par la fonction $s(t)$ est une parabole. Rappelons qu'une parabole est la courbe décrite par une fonction de la forme $f(x) = ax^2 + bx + c$. Lorsque $a < 0$ (ce qui est le cas ici), elle atteint son maximum en $x = \frac{-b}{2a}$, qui est l'abscisse de son sommet. Lorsque $a > 0$, c'est plutôt un minimum qui est atteint en $x = \frac{-b}{2a}$.

Puisque $a = -4{,}9 < 0$, on aurait pu tout simplement dire que la fonction $s(t)$ atteint son maximum quand $t = \frac{-b}{2a} = \frac{-9{,}8}{2(-4{,}9)} = 1\,\text{s}$. Alors pourquoi utiliser la dérivée quand on peut obtenir le résultat plus rapidement avec une autre méthode ? N'oublions pas que nous travaillerons avec toutes sortes de fonctions, et pas seulement avec des fonctions simples comme des droites ou des paraboles. Il est donc utile de développer un outil qui nous permettra de trouver l'optimum (la plus grande ou la plus petite valeur d'une fonction) dans le plus grand nombre de situations.

L'étude des signes de la dérivée d'une fonction donnant la position d'un objet par rapport au temps permet notamment de décrire efficacement le déplacement de l'objet, comme l'illustre l'exemple qui suit.

EXEMPLE 2.43

Un objet se déplace selon une trajectoire rectiligne horizontale. La fonction $s(t) = t^3 - 9t^2 + 24t + 2$ donne la position $s(t)$ de l'objet (en mètres) au temps t (en secondes).

Analysons le trajet de l'objet. Puisque l'objet se déplace horizontalement, en vertu de la convention que nous avons adoptée, une vitesse positive indique que l'objet se déplace vers la droite, tandis qu'une vitesse négative indique plutôt que l'objet se déplace vers la gauche.

Déterminons d'abord la fonction $v(t)$ donnant la vitesse de l'objet au temps t en dérivant la fonction $s(t)$ par rapport au temps :

$$\begin{aligned} v(t) &= \frac{ds}{dt} \\ &= \frac{d}{dt}(t^3 - 9t^2 + 24t + 2) \\ &= 3t^2 - 9(2t) + 24(1) + 0 \\ &= (3t^2 - 18t + 24)\,\text{m/s} \end{aligned}$$

Factorisons la fonction $v(t)$ pour pouvoir déterminer facilement les moments où l'objet est au repos ou effectue un changement de direction, ainsi que les moments où il se déplace vers la gauche ou vers la droite.

Puisque $b^2 - 4ac = (-18)^2 - 4(3)(24) = 324 - 288 = 36 \geq 0$, les zéros de $v(t)$ sont

$$r_1 = \frac{-b - \sqrt{b^2 - 4ac}}{2a} = \frac{-(-18) - \sqrt{36}}{2(3)} = \frac{18 - 6}{6} = 2$$

$$r_2 = \frac{-b + \sqrt{b^2 - 4ac}}{2a} = \frac{-(-18) + \sqrt{36}}{2(3)} = \frac{18 + 6}{6} = 4$$

et, par conséquent, $v(t) = 3(t - 2)(t - 4)$ m/s. L'objet est immobile ou change de direction lorsque la vitesse est nulle. Or,

$$v(t) = 0 \Leftrightarrow 3(t-2)(t-4) = 0 \Leftrightarrow t - 2 = 0 \text{ ou } t - 4 = 0 \Leftrightarrow t = 2\,\text{s ou } t = 4\,\text{s}$$

Dans un tableau des signes, plaçons ces valeurs en ordre croissant et prévoyons une colonne pour chaque sous-intervalle qu'elles délimitent. Notons que $t \geq 0$ puisque t représente le temps écoulé. On obtient le **TABLEAU 2.6**.

TABLEAU 2.6

Tableau des signes de $v(t)$

	$[0, 2[$		$]2, 4[$		$]4, \infty[$
t		2		4	
$v(t) = 3(t-2)(t-4)$	+	0	−	0	+

Si $t \in [0, 2[$, la vitesse est positive puisque les facteurs $(t - 2)$ et $(t - 4)$ sont tous les deux négatifs sur cet intervalle et que conséquemment leur produit est positif : l'objet se déplace vers la droite entre $t = 0$ s et $t = 2$ s.

Si $t \in]2, 4[$, la vitesse est négative puisque le facteur $(t - 2)$ est positif et le facteur $(t - 4)$ est négatif sur cet intervalle et que conséquemment leur produit est négatif : l'objet se déplace vers la gauche entre $t = 2$ s et $t = 4$ s.

Si $t > 4$, la vitesse est positive puisque les facteurs $(t-2)$ et $(t-4)$ sont tous les deux positifs sur cet intervalle et que conséquemment leur produit est positif: l'objet se déplace vers la droite lorsque $t > 4$ s.

FIGURE 2.18

Déplacement d'un mobile

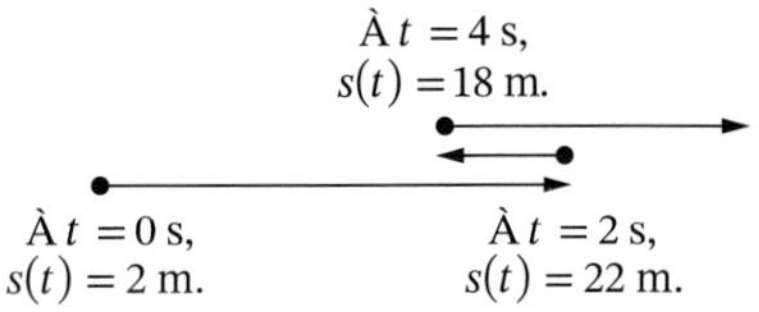

À $t = 4$ s, $s(t) = 18$ m.

À $t = 0$ s, $s(t) = 2$ m.

À $t = 2$ s, $s(t) = 22$ m.

Résumons le trajet de l'objet à l'aide d'une représentation graphique (FIGURE 2.18).

À l'aide de la figure 2.18, on peut déterminer la distance totale parcourue par l'objet au cours des 7 premières secondes.

$$\text{Distance totale} = \underbrace{[s(2)-s(0)]}_{\substack{\text{distance parcourue} \\ \text{sur } [0,\,2]}} + \underbrace{[s(2)-s(4)]}_{\substack{\text{distance parcourue} \\ \text{sur } [2,\,4]}} + \underbrace{[s(7)-s(4)]}_{\substack{\text{distance parcourue} \\ \text{sur } [4,\,7]}}$$

$$= (22-2) + (22-18) + (72-18)$$

$$= 78\,\text{m}$$

EXERCICES 2.10

1. La fonction $\pi(Q) = -0{,}2Q^2 + 80Q - 780$ donne le profit mensuel $\pi(Q)$ (en dollars) qu'une entreprise tire de la vente d'une quantité Q (en kg) d'un certain produit.

a) Déterminez $\pi'(Q)$. Indiquez bien les unités.

b) Quelle quantité de ce produit l'entreprise doit-elle vendre pour réaliser un profit maximal?

c) Quel est le profit maximal que cette entreprise peut tirer de la vente de ce produit?

d) En utilisant le fait que la courbe décrite par la fonction $\pi(Q)$ est une parabole, confirmez la réponse obtenue en *b*.

2. Un objet se déplace selon une trajectoire rectiligne horizontale. La fonction $s(t) = t^3 - 15t^2 + 63t + 3$ donne la position $s(t)$ de l'objet (en mètres) au temps t (en secondes).

a) Déterminez la fonction $v(t)$ donnant la vitesse de l'objet au temps t.

b) Quelle est la vitesse de l'objet après 4 s?

c) Déterminez les instants où l'objet est au repos.

d) Déterminez l'intervalle ou les intervalles de temps sur lesquels l'objet se déplace vers la droite.

e) Déterminez l'intervalle ou les intervalles de temps sur lesquels l'objet se déplace vers la gauche.

f) Déterminez la distance totale parcourue par l'objet durant les 10 premières secondes.

Vous pouvez maintenant faire les exercices récapitulatifs 44 à 55.

2.7 DÉRIVÉE D'ORDRE SUPÉRIEUR

DANS CETTE SECTION : *dérivée seconde – dérivée troisième – dérivée d'ordre* n *– accélération.*

La dérivée $\dfrac{df}{dx}$ [ou $f'(x)$] d'une fonction dérivable $f(x)$ est aussi une fonction de x. On peut donc la dériver à son tour. La dérivée de la fonction dérivée $f'(x)$ est

Dérivée seconde

La dérivée seconde d'une fonction $f(x)$ est la dérivée de la fonction dérivée $f'(x)$. On utilise principalement deux notations pour la dérivée seconde de $f(x)$:

$$f''(x) \text{ ou } \frac{d^2f}{dx^2}$$

Dérivée troisième

La dérivée troisième d'une fonction $f(x)$ est la dérivée de la dérivée seconde $f''(x)$. On utilise principalement deux notations pour la dérivée troisième de $f(x)$:

$$f'''(x) \text{ ou } \frac{d^3f}{dx^3}$$

Dérivée d'ordre *n*

La dérivée d'ordre n de la fonction $f(x)$ est la fonction que l'on obtient en dérivant la dérivée d'ordre $(n-1)$, $f^{(n-1)}(x)$. On note

$$f^{(n)}(x) \text{ ou } \frac{d^nf}{dx^n}$$

la dérivée d'ordre n.

appelée la **dérivée seconde** (ou la *dérivée d'ordre 2*) de la fonction $f(x)$, et on la note $f''(x)$ ou $\dfrac{d^2f}{dx^2}$.

La dérivée de la dérivée seconde $f''(x)$ est appelée la **dérivée troisième** (ou la *dérivée d'ordre 3*) de la fonction $f(x)$ et on la note $f'''(x)$ ou $\dfrac{d^3f}{dx^3}$.

On peut continuer ainsi pour définir la dérivée quatrième, soit $f^{(4)}(x) = \dfrac{d^4f}{dx^4}$, de la fonction $f(x)$, la dérivée cinquième, soit $f^{(5)}(x) = \dfrac{d^5f}{dx^5}$, de la fonction $f(x)$ ou, de façon générale, la **dérivée d'ordre *n*** (où $n \in \mathbb{N}$), soit $f^{(n)}(x) = \dfrac{d^nf}{dx^n}$, de la fonction $f(x)$. Remarquons que la dérivée quatrième est notée $f^{(4)}(x)$ plutôt que $f''''(x)$. Il en est de même pour toutes les dérivées d'ordre supérieur à 4.

EXEMPLE 2.44

Si $f(x) = x^4 + 3x^3 - x^2 - 4x + 1$, alors

$$f'(x) = \frac{d}{dx}(x^4 + 3x^3 - x^2 - 4x + 1) = 4x^3 + 9x^2 - 2x - 4$$

$$f''(x) = \frac{d}{dx}\left[f'(x)\right] = \frac{d}{dx}(4x^3 + 9x^2 - 2x - 4) = 12x^2 + 18x - 2$$

$$f'''(x) = \frac{d}{dx}\left[f''(x)\right] = \frac{d}{dx}(12x^2 + 18x - 2) = 24x + 18$$

$$f^{(4)}(x) = \frac{d}{dx}\left[f'''(x)\right] = \frac{d}{dx}(24x + 18) = 24$$

$$f^{(5)}(x) = \frac{d}{dx}\left[f^{(4)}(x)\right] = \frac{d}{dx}(24) = 0$$

De plus, $f^{(n)}(x) = 0$ si $n \geq 5$, car la dérivée d'une constante est nulle.

EXEMPLE 2.45

On veut déterminer la dérivée quatrième de la fonction $y = \dfrac{2}{x} = 2x^{-1}$. On a

$$\frac{dy}{dx} = \frac{d}{dx}(2x^{-1}) = 2(-1x^{-2}) = -2x^{-2}$$

$$\frac{d^2y}{dx^2} = \frac{d}{dx}\left(\frac{dy}{dx}\right) = \frac{d}{dx}(-2x^{-2}) = -2(-2x^{-3}) = 4x^{-3}$$

$$\frac{d^3y}{dx^3} = \frac{d}{dx}\left(\frac{d^2y}{dx^2}\right) = \frac{d}{dx}(4x^{-3}) = 4(-3x^{-4}) = -12x^{-4}$$

$$\frac{d^4y}{dx^4} = \frac{d}{dx}\left(\frac{d^3y}{dx^3}\right) = \frac{d}{dx}(-12x^{-4}) = -12(-4x^{-5}) = 48x^{-5}$$

Par conséquent, $\dfrac{d^4y}{dx^4} = \dfrac{48}{x^5}$.

QUESTION ÉCLAIR 2.11

Déterminez la dérivée seconde de la fonction.

a) $g(t) = 2\pi t + \sqrt{3}$ b) $f(x) = \frac{1}{2}x^3 + x^2 - \frac{5}{4}x + 1$

Des MOTS et des SYMBOLES

Les notations dx pour désigner une différentielle et $\frac{dy}{dx}$ pour désigner une dérivée ont pour auteur G. W. Leibniz (1646-1716), à qui on attribue, avec Newton*, l'invention du calcul différentiel et intégral. C'est dans une lettre manuscrite du 11 novembre 1675 que ces notations furent proposées. Il fallut cependant attendre une publication de 1684 pour que la notation dx apparaisse pour la première fois dans un imprimé** sans que l'on y trouve toutefois l'expression $\frac{dy}{dx}$, probablement à cause des problèmes typographiques occasionnés par cette dernière notation.

Par ailleurs, l'emploi de $f'(x)$, $f''(x)$, ... pour désigner les dérivées première, seconde, etc., est attribuable à J. L. Lagrange (1736-1813), à qui l'on doit également non seulement le mot *dérivée*, mais également le mot *primitive*.

Quant à Newton, il utilisa la notation $\dot{x}$ pour désigner une fluxion, soit l'équivalent newtonien d'une dérivée. Évidemment, cette notation peut se généraliser pour des dérivées d'ordre supérieur: $\ddot{x}$ pour une dérivée seconde, $\dddot{x}$ pour une dérivée troisième, etc. Bien que cette notation soit maintenant presque disparue, certains physiciens et mathématiciens, surtout dans des pays à tradition britannique, l'utilisaient encore au XXe siècle. De plus, on en trouve encore des vestiges en sciences économiques. Ainsi, certains économistes, respectant la notation préconisée par les grands économistes britanniques, utilisent $\dot{P}$ pour désigner un taux d'inflation, soit le taux de variation des prix par rapport au temps.

* Dans *A History of Mathematics*, V. Katz dit qu'il faut attribuer la paternité du calcul à Newton et à Leibniz plutôt qu'à leurs prédécesseurs, et cela pour quatre raisons: 1) ils ont tous deux créé deux concepts généraux (les fluxions et les fluentes pour Newton, les dérivées et les intégrales pour Leibniz) liés aux problèmes de base du calcul, soit l'optimisation et l'évaluation de l'aire d'une surface; 2) ils ont inventé des notations et des algorithmes permettant d'utiliser efficacement ces concepts; 3) ils ont établi la relation de réciprocité entre ces deux concepts clés; 4) ils ont résolu des problèmes difficiles à l'aide de ces concepts.

** «*Nova methodus pro maximis et minimis, itemque tangentibus, quae nec fractas nec irrationales quantitates moratur, et singulare pro illis calculi genus*» («Une nouvelle méthode pour les maxima et minima, aussi bien que pour les tangentes, laquelle peut aussi être appliquée aux quantités fractionnaires et irrationnelles, et un calcul ingénieux s'y rapportant»), article paru dans la revue savante *Acta eruditorum* créée en 1682 et publiée jusqu'en 1776.

Accélération
L'accélération $a(t)$ d'un mobile est le taux de variation de la vitesse $v(t)$ de ce mobile.

Une application physique très importante de la dérivée seconde est l'**accélération** d'un mobile. Nous avons vu précédemment que la vitesse $v(t)$ d'un mobile est le taux de variation de la position $s(t)$ de ce mobile, c'est-à-dire

$$v(t) = \frac{ds}{dt}$$

L'accélération $a(t)$ du mobile est le taux de variation de la vitesse $v(t)$ de ce mobile. C'est donc la dérivée seconde de la position $s(t)$ du mobile. En effet,

$$a(t) = \frac{dv}{dt} = \frac{d}{dt}\left(\frac{ds}{dt}\right) = \frac{d^2s}{dt^2}$$

Puisque $a(t) = \frac{dv}{dt}$, une accélération positive indique que la vitesse du mobile augmente, tandis qu'une accélération négative indique que la vitesse du mobile diminue.

EXEMPLE 2.46

On lance une balle vers le haut à partir d'une hauteur de 1 m avec une vitesse initiale de 9,8 m/s. La position de la balle (sa hauteur mesurée en mètres) après un temps t (en secondes) est donnée par la fonction $s(t) = -4{,}9t^2 + 9{,}8t + 1$. Déterminons l'accélération de la balle au temps t. On a

$$v(t) = \frac{ds}{dt} = \frac{d}{dt}(-4{,}9t^2 + 9{,}8t + 1) = (-9{,}8t + 9{,}8)\ \text{m/s}$$

$$a(t) = \frac{dv}{dt} = \frac{d}{dt}(-9{,}8t + 9{,}8) = -9{,}8\ \text{m/s}^2$$

Puisque l'accélération est toujours négative, la fonction vitesse est toujours décroissante. En effet, le graphique de la fonction vitesse est une droite de pente négative : la vitesse est donc décroissante.

Avec la dérivée seconde, on peut pousser un peu plus loin l'analyse d'une fonction $f(x)$. En effet, le signe de la dérivée nous renseigne sur la croissance ou la décroissance de la fonction $f(x)$. Le signe de la dérivée seconde nous renseigne alors sur la croissance ou la décroissance de la fonction $f'(x)$, c'est-à-dire sur la croissance ou la décroissance du taux de variation de la fonction $f(x)$. Voyons ce que la dérivée seconde peut apporter comme information additionnelle à l'étude de l'évolution d'une population.

EXEMPLE 2.47

Soit une population dont la taille N (en milliers d'individus) au temps t (en années) est donnée par la fonction $N(t) = \dfrac{200t}{1+t} + 60$.

Nous avons déterminé, à l'exemple 2.33 (p. 104), que

$$N'(t) = \frac{200}{(1+t)^2}\ \text{milliers d'individus/année}$$

On a $N'(t) > 0$ pour tout $t \geq 0$ puisque le numérateur et le dénominateur de $N'(t)$ sont positifs. Par conséquent, la taille de cette population est toujours croissante.

Déterminons la dérivée seconde de la fonction $N(t)$.

$$N''(t) = \frac{d}{dt}[N'(t)] = \frac{d}{dt}\left[\frac{200}{(1+t)^2}\right] = \frac{d}{dt}\left(\frac{200}{1+2t+t^2}\right)$$

$$= \frac{(1+2t+t^2)\frac{d}{dt}(200) - 200\frac{d}{dt}(1+2t+t^2)}{(1+2t+t^2)^2}$$

$$= \frac{(1+2t+t^2)(0) - 200[0+2(1)+2t]}{[(1+t)^2]^2}$$

$$= \frac{0-400-400t}{(1+t)^4}$$

$$= \frac{-400(1+t)}{(1+t)^4}$$

$$= \frac{-400}{(1+t)^3}\ \text{milliers d'individus/année}^2$$

Le numérateur de $N''(t)$ est négatif et le dénominateur est positif, car $t \geq 0$. Alors, $N''(t) < 0$. Par conséquent, $N'(t)$ est décroissante, c'est-à-dire que le taux de croissance de la population diminue. On peut donc conclure que la taille de la population croît à un rythme de plus en plus faible, c'est-à-dire qu'elle croît de moins en moins vite, ce que l'on peut constater sur la FIGURE 2.19.

FIGURE 2.19

Évolution de la taille d'une population

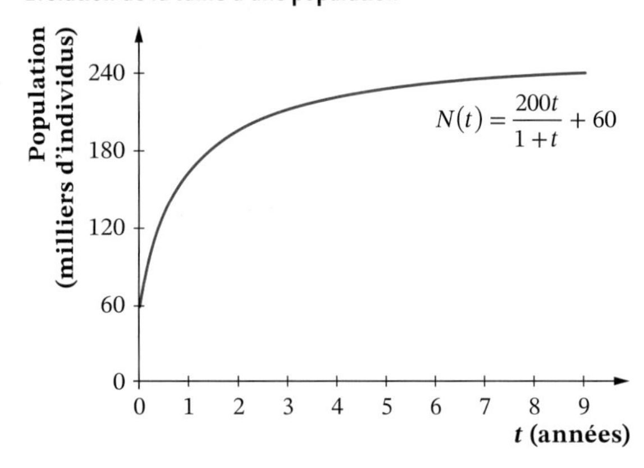

Nous verrons plus loin que la dérivée seconde est très utile pour étudier l'allure du graphique d'une fonction. Les dérivées d'ordre supérieur sont également utilisées pour approximer des fonctions à l'aide de polynômes dits de Taylor. Ces polynômes sont à l'étude en calcul intégral.

EXERCICES 2.11

1. Déterminez la dérivée, la dérivée seconde et la dérivée troisième de la fonction.

a) $f(x) = x^6 - 2x^5 + 3x^4 + x^3 - 2x + 5$

b) $g(t) = \sqrt{t}$

c) $y = \frac{-2}{x^3}$

2. Un objet se déplace selon une trajectoire rectiligne horizontale. La fonction $s(t) = t^3 - 9t^2 + 24t$ donne la position $s(t)$ de l'objet (en mètres) au temps t (en secondes).

a) Déterminez la fonction $a(t)$ donnant l'accélération de l'objet au temps t.

b) Quelle est l'accélération de l'objet après 4 s ?

c) Déterminez l'intervalle de temps sur lequel la fonction vitesse est décroissante.

d) Déterminez l'intervalle de temps sur lequel la fonction vitesse est croissante.

3. Le coût total de production C (en dollars) de Q unités d'un certain bien est donné par la fonction $C(Q) = Q^3 + 0{,}5Q^2 + 2Q + 8$.

a) Déterminez $C'(Q)$.

b) La fonction coût total de production est-elle croissante ou décroissante ? Pourquoi ?

c) Déterminez $C''(Q)$.

d) Quelle information supplémentaire la réponse obtenue en *c* nous donne-t-elle au sujet de la fonction coût total de production ?

Vous pouvez maintenant faire les exercices récapitulatifs 56 à 68.

2.8 DÉRIVATION DES FONCTIONS COMPOSÉES

Essayons maintenant de généraliser le théorème 2.8 (p. 105) à des fonctions de la forme $y = \left[u(x)\right]^n$. À titre d'exemple, si $y = (3x+1)^2$, on pourrait penser que la dérivée $\frac{dy}{dx}$ vaut $2(3x+1)^{2-1} = 2(3x+1)$, ce qui n'est pourtant pas le cas. En effet, en développant l'expression, on obtient $y = (3x+1)^2 = 9x^2 + 6x + 1$ et, par conséquent,

$$\frac{dy}{dx} = 9(2x) + 6(1) + 0 = 18x + 6 = 6(3x+1)$$

qui n'est pas le résultat qu'on anticipait. Que ferions-nous pour obtenir la dérivée de $f(x) = (3x+1)^{50}$? Il doit bien y avoir une façon de procéder plus efficace que de développer $(3x+1)^{50}$. Recommençons le calcul de la dérivée de y en évitant d'élever l'expression au carré.

On a $y = (3x+1)^2 = (3x+1)(3x+1)$. En vertu du théorème 2.6 (p. 100), on a

$$\begin{aligned}\frac{dy}{dx} &= (3x+1)\frac{d}{dx}(3x+1) + (3x+1)\frac{d}{dx}(3x+1)\\ &= 2(3x+1)\frac{d}{dx}(3x+1)\end{aligned}$$

Par conséquent, la dérivée de $y = (3x+1)^2 = u^2$ (où $u = 3x+1$) est

$$\frac{dy}{dx} = \frac{d}{dx}(u^2) = 2u\frac{du}{dx}$$

La dérivée de $y = (3x+1)^3 = u^3$ par rapport à x s'obtient par un raisonnement similaire :

$$\begin{aligned}\frac{dy}{dx} &= \frac{d}{dx}(u^3)\\ &= \frac{d}{dx}(u^2u)\\ &= u^2\frac{du}{dx} + u\frac{d}{dx}(u^2)\\ &= u^2\frac{du}{dx} + u\left(2u\frac{du}{dx}\right)\\ &= u^2\frac{du}{dx} + 2u^2\frac{du}{dx}\\ &= 3u^2\frac{du}{dx}\end{aligned}$$

2.8.1 DÉRIVÉE DE LA PUISSANCE D'UNE FONCTION

On peut donc penser que $\frac{d}{dx}(u^n) = nu^{n-1}\frac{du}{dx}$, ce qui est bien le cas, comme l'énonce le théorème 2.9 (p. 126).

THÉORÈME 2.9

Si n est un nombre réel, si $u(x)$ est une fonction dérivable et si $y = [u(x)]^n$, alors

$$\frac{dy}{dx} = \frac{d}{dx}(u^n) = nu^{n-1}\frac{du}{dx} \qquad \text{(formule 9)}$$

là où cette dérivée existe.

On voit bien que la formule 8 (p. 105) est un cas particulier de la formule 9 lorsque $u(x) = x$. En effet, $\frac{d}{dx}(x^n) = nx^{n-1}\frac{d}{dx}(x) = nx^{n-1}(1) = nx^{n-1}$.

Nous ferons la preuve du théorème 2.9 après avoir étudié la dérivée d'une fonction composée (théorème 2.10, p. 128). Contentons-nous pour l'instant d'en illustrer l'application à l'aide de quelques exemples.

EXEMPLE 2.48

Si $f(x) = (\underbrace{3x+1}_{u})^{50}$, alors

$$\begin{aligned}\frac{df}{dx} &= 50(\underbrace{3x+1}_{u})^{50-1}\frac{d}{dx}(\underbrace{3x+1}_{u})\\ &= 50(3x+1)^{49}(3+0)\\ &= 150(3x+1)^{49}\end{aligned}$$

EXEMPLE 2.49

Si $y = \frac{-2}{\sqrt{3t^2+t}} = -2(\underbrace{3t^2+t}_{u})^{-1/2}$, alors

$$\begin{aligned}\frac{dy}{dt} &= -2(-1/2)(\underbrace{3t^2+t}_{u})^{-1/2-1}\frac{d}{dt}(\underbrace{3t^2+t}_{u})\\ &= (3t^2+t)^{-3/2}[3(2t)+1]\\ &= \frac{6t+1}{(3t^2+t)^{3/2}} = \frac{6t+1}{\sqrt{[t(3t+1)]^3}}\end{aligned}$$

EXEMPLE 2.50

Si $y = \sqrt[3]{\frac{2x-1}{3-x}} = u^{1/3}$, où $u = \frac{2x-1}{3-x}$, alors

$$\begin{aligned}y' &= \frac{1}{3}\left(\frac{2x-1}{3-x}\right)^{1/3-1}\frac{d}{dx}\left(\frac{2x-1}{3-x}\right)\\ &= \frac{1}{3}\left(\frac{2x-1}{3-x}\right)^{-2/3}\left[\frac{(3-x)\frac{d}{dx}(2x-1)-(2x-1)\frac{d}{dx}(3-x)}{(3-x)^2}\right]\end{aligned}$$

$$= \frac{1}{3}\frac{(2x-1)^{-2/3}}{(3-x)^{-2/3}}\left[\frac{(3-x)(2)-(2x-1)(-1)}{(3-x)^2}\right]$$

$$= \frac{(2x-1)^{-2/3}(6-\cancel{2x}+\cancel{2x}-1)}{3(3-x)^{2-2/3}}$$

$$= \frac{5}{3(2x-1)^{2/3}(3-x)^{4/3}}$$

$$= \frac{5}{3\sqrt[3]{(2x-1)^2(3-x)^4}}$$

EXEMPLE 2.51

Si $g(x) = (3x^2 - x)^4(x^3 + 4x + 1)^5$, alors

$$g'(x) = (3x^2 - x)^4\frac{d}{dx}\left[(x^3+4x+1)^5\right] + (x^3+4x+1)^5\frac{d}{dx}\left[(3x^2-x)^4\right]$$

$$= (3x^2-x)^4\left[5(x^3+4x+1)^{5-1}\frac{d}{dx}(x^3+4x+1)\right] + (x^3+4x+1)^5\left[4(3x^2-x)^{4-1}\frac{d}{dx}(3x^2-x)\right]$$

$$= 5(3x^2-x)^4(x^3+4x+1)^4(3x^2+4) + 4(x^3+4x+1)^5(3x^2-x)^3(6x-1)$$

$$= (3x^2-x)^3(x^3+4x+1)^4\left[5(3x^2-x)(3x^2+4)+4(x^3+4x+1)(6x-1)\right]$$

$$= \left[x(3x-1)\right]^3(x^3+4x+1)^4\left[5(9x^4+12x^2-3x^3-4x)+4(6x^4-x^3+24x^2+2x-1)\right]$$

$$= x^3(3x-1)^3(x^3+4x+1)^4(69x^4-19x^3+156x^2-12x-4)$$

EXERCICES 2.12

1. Déterminez la dérivée de la fonction en utilisant les formules de dérivation.

a) $f(x)=(3x^2-5x+1)^{12}$

b) $g(t)=\dfrac{1}{\sqrt{t^2+2}}$

c) $y=\sqrt[3]{(x^3-2x+1)^5}$

d) $h(t)=\left(\dfrac{t^3-1}{4-3t}\right)^4$

e) $y=(6x^2+3)^2(x^3-2)^3$

f) $f(x)=\dfrac{(2x-1)^2}{(x^2+4)^3}$

2. Soit une population dont la taille N (en millions d'individus) au temps t (en années) est donnée par la fonction $N(t) = 30 - \dfrac{375}{t^2+25}$.

a) Déterminez la taille initiale de la population ($t = 0$).

b) Déterminez la taille de la population après 5 ans.

c) À long terme, quelle sera la taille de la population ?

d) Quelle est l'expression de $N'(t)$? Indiquez bien les unités.

e) À partir du signe de la dérivée, que pouvez-vous dire de l'évolution de la taille de la population en fonction du temps ?

f) Déterminez $N'(5)$. Indiquez bien les unités.

g) Interprétez, dans le contexte, la réponse obtenue en *f*.

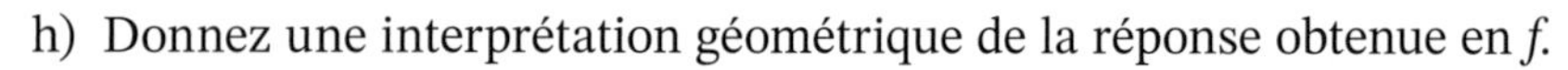

h) Donnez une interprétation géométrique de la réponse obtenue en f.

i) Quelle est l'expression de $N''(t)$? Indiquez bien les unités.

j) À partir du signe de la dérivée seconde, que pouvez-vous dire du taux de croissance de la taille de la population lorsque $t > \frac{5\sqrt{3}}{3}$ ans?

k) À long terme, quel est le taux de croissance de la taille de la population?

l) Commentez l'évolution de cette population à partir des réponses aux questions a, c, e, j et k.

2.8.2 DÉRIVÉE D'UNE FONCTION COMPOSÉE (DÉRIVATION EN CHAÎNE)

Si on lit attentivement le théorème 2.9 (p. 126), on remarque qu'il présente la dérivée d'une fonction composée. En effet, si $u(x)$ est une fonction dérivable et $f(t) = t^n$, alors $y = (f \circ u)(x) = f(u(x)) = \left[u(x)\right]^n$. Essayons donc d'établir une façon générale de dériver une composition de fonctions.

Supposons qu'on verse dans une citerne, à raison de 5 L/min, une solution dont la concentration en sel est 10 g/L. On veut déterminer le taux de variation de la quantité de sel par rapport au temps. Nommons d'abord les variables. Notons Q la quantité de sel (en grammes), V le volume de liquide dans la citerne (en litres) et t le temps (en minutes). Intuitivement, pour obtenir le taux de variation de la quantité de sel par rapport au temps, on effectue le produit

$$(10\,\text{g/L})(5\,\text{L/min}) = 50\,\text{g/min}$$

La quantité de sel dans la citerne augmente donc de 50 g/min.

Réécrivons l'équation précédente en utilisant les taux de variation. Une concentration de 10 g/L représente le taux de variation de la quantité de sel par rapport au volume de liquide dans la citerne, c'est-à-dire $\frac{dQ}{dV}$. On verse la solution saline à un rythme de 5 L/min, qui est le taux de variation du volume en fonction du temps, c'est-à-dire $\frac{dV}{dt}$. On obtient 50 g/min, qui est le taux de variation de la quantité de sel par rapport au temps, soit $\frac{dQ}{dt}$.

Par conséquent,

$$\underbrace{50\,\text{g/min}}_{\frac{dQ}{dt}} = \underbrace{(10\,\text{g/L})}_{\frac{dQ}{dV}}\,\underbrace{(5\,\text{L/min})}_{\frac{dV}{dt}}$$

ce qui nous amène au théorème 2.10, qui présente la règle de dérivation des fonctions composées ou règle de dérivation en chaîne.

THÉORÈME 2.10 Dérivation en chaîne

Si $y = f(u)$ est dérivable par rapport à u et si $u(x)$ est dérivable par rapport à x, alors y est une fonction dérivable de x, et

$$\frac{dy}{dx} = \left(\frac{dy}{du}\right)\left(\frac{du}{dx}\right)$$

PREUVE

Soit $y = f(u)$ une fonction dérivable par rapport à u (FIGURE 2.20).

FIGURE 2.20

Représentation d'une droite sécante et d'une droite tangente

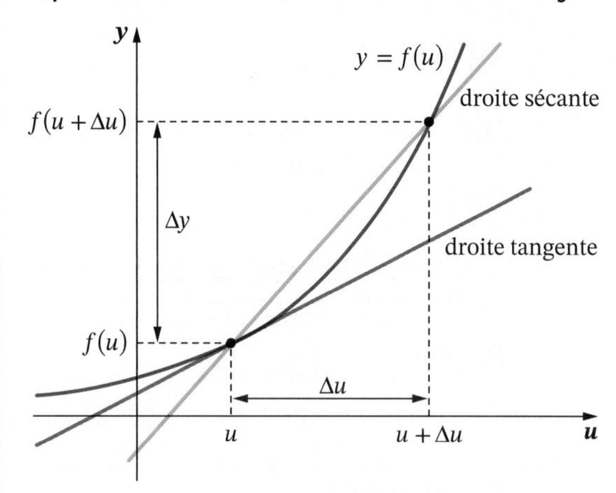

La pente de la droite sécante est

$$\frac{f(u + \Delta u) - f(u)}{(u + \Delta u) - u} = \frac{\Delta y}{\Delta u}$$

On obtient la pente de la droite tangente au point $(u, f(u))$ en évaluant la limite quand Δu tend vers 0 de la pente de la droite sécante passant par les points $(u, f(u))$ et $(u + \Delta u, f(u + \Delta u))$, c'est-à-dire

$$\frac{dy}{du} = \lim_{\Delta u \to 0} \frac{\Delta y}{\Delta u}$$

Notons ε la différence entre ces deux pentes. On a alors $\varepsilon = \frac{\Delta y}{\Delta u} - \frac{dy}{du}$ et $\lim_{\Delta u \to 0} \varepsilon = 0$. En effet, lorsque $\Delta u \to 0$, la pente de la droite sécante tend vers la pente de la droite tangente. Isolons Δy dans cette dernière équation. On obtient alors

$$\Delta y = \frac{dy}{du}\Delta u + \varepsilon \Delta u$$

Soit $\Delta x \neq 0$, alors $\frac{\Delta y}{\Delta x} = \frac{dy}{du}\frac{\Delta u}{\Delta x} + \varepsilon \frac{\Delta u}{\Delta x}$. Puisque $\Delta u = u(x + \Delta x) - u(x)$ et que $u(x)$ est dérivable, et donc continue, alors $\Delta u \to 0$ quand $\Delta x \to 0$. On obtient

$$\lim_{\Delta x \to 0} \frac{\Delta y}{\Delta x} = \lim_{\Delta x \to 0}\left(\frac{dy}{du}\frac{\Delta u}{\Delta x}\right) + \lim_{\Delta x \to 0}\left(\varepsilon \frac{\Delta u}{\Delta x}\right)$$

$$\lim_{\Delta x \to 0} \frac{\Delta y}{\Delta x} = \frac{dy}{du}\left(\lim_{\Delta x \to 0} \frac{\Delta u}{\Delta x}\right) + \left(\lim_{\Delta x \to 0} \varepsilon\right)\left(\lim_{\Delta x \to 0} \frac{\Delta u}{\Delta x}\right)$$

$$\frac{dy}{dx} = \left(\frac{dy}{du}\right)\left(\frac{du}{dx}\right) + \left(\lim_{\Delta u \to 0} \varepsilon\right)\left(\frac{du}{dx}\right)$$

$$\frac{dy}{dx} = \left(\frac{dy}{du}\right)\left(\frac{du}{dx}\right) + 0\left(\frac{du}{dx}\right)$$

$$\frac{dy}{dx} = \left(\frac{dy}{du}\right)\left(\frac{du}{dx}\right)$$

■

Le théorème 2.9 (p. 126) se conçoit alors comme un corollaire du théorème 2.10 (p. 128), c'est-à-dire qu'il en est une conséquence directe. En effet, si $y = \left[u(x)\right]^n$ alors $\frac{dy}{dx} = \left(\frac{dy}{du}\right)\left(\frac{du}{dx}\right) = n\left[u(x)\right]^{n-1}\frac{du}{dx}$, qui est bien le résultat énoncé au théorème 2.9.

EXEMPLE 2.52

Déterminons $\frac{dy}{dx}$ si $y = u^2 + \sqrt{u}$ et $u = x^4 - 1$.

On a

$$\frac{dy}{du} = \frac{d}{du}(u^2 + u^{1/2}) = 2u + 1/2\,u^{-1/2} = 2u + \frac{1}{2\sqrt{u}} = \frac{4u\sqrt{u}+1}{2\sqrt{u}} = \frac{4u^{3/2}+1}{2\sqrt{u}}$$

De plus,

$$\frac{du}{dx} = \frac{d}{dx}(x^4 - 1) = 4x^3$$

Par conséquent,

$$\begin{aligned}\frac{dy}{dx} &= \left(\frac{dy}{du}\right)\left(\frac{du}{dx}\right) = \left(\frac{4u^{3/2}+1}{2\sqrt{u}}\right)(4x^3)\\ &= \frac{4x^3\left[4(x^4-1)^{3/2}+1\right]}{2\sqrt{x^4-1}} \quad \text{car } u = x^4 - 1\\ &= \frac{2x^3\left[4(x^4-1)^{3/2}+1\right]}{\sqrt{x^4-1}}\end{aligned}$$

EXEMPLE 2.53

Déterminons $\frac{dy}{dx}$ si $y = \frac{u+1}{2u+3}$, $u = \sqrt[3]{v}$ et $v = x^3 - 2x + 1$. On a

$$\begin{aligned}\frac{dy}{du} &= \frac{d}{du}\left(\frac{u+1}{2u+3}\right)\\ &= \frac{(2u+3)\frac{d}{du}(u+1) - (u+1)\frac{d}{du}(2u+3)}{(2u+3)^2}\\ &= \frac{(2u+3)(1) - (u+1)(2)}{(2u+3)^2}\\ &= \frac{\cancel{2u} + 3 - \cancel{2u} - 2}{(2u+3)^2}\\ &= \frac{1}{(2u+3)^2}\end{aligned}$$

De plus,

$$\frac{du}{dv} = \frac{d}{dv}(v^{1/3}) = \frac{1}{3}v^{-2/3} = \frac{1}{3v^{2/3}} \text{ et } \frac{dv}{dx} = \frac{d}{dx}(x^3 - 2x + 1) = 3x^2 - 2$$

Par conséquent,

$$\begin{aligned}\frac{dy}{dx} &= \left(\frac{dy}{du}\right)\left(\frac{du}{dv}\right)\left(\frac{dv}{dx}\right)\\ &= \left[\frac{1}{(2u+3)^2}\right]\left(\frac{1}{3v^{2/3}}\right)(3x^2-2)\\ &= \frac{3x^2-2}{3v^{2/3}\left(2\sqrt[3]{v}+3\right)^2} \quad \text{car } u=\sqrt[3]{v}\\ &= \frac{3x^2-2}{3\left(x^3-2x+1\right)^{2/3}\left(2\sqrt[3]{x^3-2x+1}+3\right)^2} \quad \text{car } v=x^3-2x+1\end{aligned}$$

EXEMPLE 2.54

Lorsqu'on lance un caillou dans l'eau, une vague circulaire se déploie à partir du point d'impact. On suppose que le rayon extérieur de cette vague circulaire croît à raison de 12 cm/s. On veut déterminer le taux de variation de la circonférence du cercle extérieur.

Commençons par bien nommer les variables. Soit t le temps (en secondes) depuis l'impact du caillou dans l'eau, $r(t)$ le rayon extérieur du cercle (en centimètres) au temps t et $C(t)$ la circonférence du cercle (en centimètres) au temps t.

La formule donnant la circonférence d'un cercle est $C = 2\pi r$. Le taux de variation du rayon extérieur est $\frac{dr}{dt} = 12$ cm/s. Par conséquent,

$$\frac{dC}{dt} = \left(\frac{dC}{dr}\right)\left(\frac{dr}{dt}\right) = \left[\frac{d}{dr}(2\pi r)\right]\left(\frac{dr}{dt}\right) = \left[2\pi(1)\right](12) = 24\pi \text{ cm/s}$$

La circonférence du cercle extérieur augmente donc à raison de 24π cm/s.

L'exemple 2.54 permet de constater que, lorsque des variables sont liées (comme la circonférence et le rayon d'un cercle), les taux de variation sont également liés. Lorsqu'on connaît le taux de variation de l'une des variables, on peut trouver le taux de variation de l'autre variable en utilisant la règle de dérivation des fonctions composées. Nous reviendrons plus tard sur des problèmes de cette nature, que l'on désigne par l'expression *problèmes de taux de variation liés*.

EXERCICES 2.13

1. Déterminez $\frac{dy}{dx}$ et exprimez le résultat en fonction de x.

a) $y = \frac{3}{u^2}$, $u = \sqrt{v} + 2$ et $v = x^2 + 2$

b) $y = \frac{u^2}{u+4}$ et $u = 4x - \sqrt{x} - 2$

2. Le volume d'un ballon sphérique diminue à raison de 32 cm^3/s. Déterminez le taux de variation du rayon du ballon par rapport au temps à l'instant où le rayon est égal à 2 cm.

Vous pouvez maintenant faire les exercices récapitulatifs 69 à 82.

2.9 DÉRIVATION IMPLICITE

DANS CETTE SECTION : *équation explicite – équation implicite – dérivation implicite.*

Équation explicite
Une équation explicite est une équation dans laquelle la variable dépendante est exprimée directement par rapport à la variable indépendante.

Jusqu'à présent, nous avons dérivé des fonctions définies par une **équation explicite**, c'est-à-dire une équation dans laquelle la variable dépendante est exprimée directement par rapport à la variable indépendante.

EXEMPLE 2.55

L'équation $y = x^2 + 2x + 1$ définit la variable dépendante y en fonction de la variable indépendante x. On écrit $y = f(x) = x^2 + 2x + 1$. C'est une équation explicite.

EXEMPLE 2.56

L'équation $u = t + \sqrt{t}$ définit la variable dépendante u en fonction de la variable indépendante t. On écrit $u = g(t) = t + \sqrt{t}$. C'est également une équation explicite.

Équation implicite
Une équation implicite est une équation dans laquelle aucune des variables n'est exprimée explicitement en fonction de l'autre.

Ce ne sont cependant pas toutes les équations qui sont explicites. En effet, dans l'équation $x^2 + y^2 = 4$, aucune des deux variables n'est exprimée explicitement en fonction de l'autre. Une telle équation est donc une **équation implicite**.

Dans certains cas, il est possible de transformer une équation implicite en une ou plusieurs équations explicites, et donc de trouver la dérivée de la manière habituelle.

EXEMPLE 2.57

L'équation $x^2 + y^2 = 4$ est celle d'un cercle centré à l'origine de rayon 2. On veut déterminer $\frac{dy}{dx}$. Il est assez simple d'exprimer y en fonction de x dans cette équation. En effet,

$$\begin{aligned} x^2 + y^2 &= 4 \\ y^2 &= 4 - x^2 \\ y &= \pm\sqrt{4 - x^2} \end{aligned}$$

L'équation implicite $x^2 + y^2 = 4$ définit donc deux fonctions explicites, soit $y = f(x) = \sqrt{4 - x^2}$ et $y = g(x) = -\sqrt{4 - x^2}$, qui représentent chacune un demi-cercle.

Si $y = f(x) = \sqrt{4 - x^2}$, alors

$$\begin{aligned} \frac{dy}{dx} &= \frac{d}{dx}\left[(4 - x^2)^{1/2}\right] \\ &= \frac{1}{2}(4 - x^2)^{-1/2}\frac{d}{dx}(4 - x^2) \\ &= \frac{1}{\cancel{2}}(4 - x^2)^{-1/2}(-\cancel{2}x) \\ &= \frac{-x}{\sqrt{4 - x^2}} \end{aligned}$$

De manière similaire, si $y = g(x) = -\sqrt{4 - x^2}$, alors $\frac{dy}{dx} = \frac{x}{\sqrt{4 - x^2}}$.

Dans ces deux cas, la dérivée n'est définie que si $x \in]-2, 2[$.

Remarquons que les représentations graphiques (FIGURE 2.21) de ces trois équations sont différentes.

FIGURE 2.21
Cercle et demi-cercles

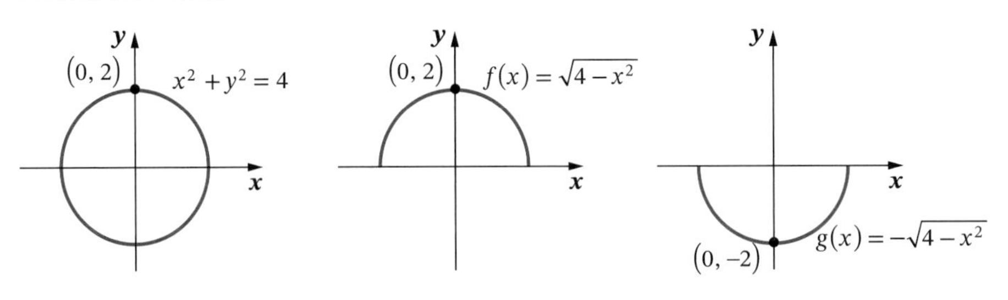

Notons également que, dans les trois cas, la dérivée (la pente de la droite tangente) n'est pas définie en $x = -2$ et en $x = 2$ puisque la droite tangente est alors verticale.

Il ne sera pas toujours aussi simple de transformer une équation implicite en une ou plusieurs équations explicites pour ensuite être en mesure d'effectuer le calcul de la dérivée. Reprenons donc l'exemple précédent et essayons de trouver $\frac{dy}{dx}$ sans chercher à isoler y dans l'équation $x^2 + y^2 = 4$. On dérive d'abord les deux membres de l'équation par rapport à x en considérant y comme une fonction dérivable de x, puis on isole $\frac{dy}{dx}$.

$$x^2 + y^2 = 4$$

$$\frac{d}{dx}(x^2) + \frac{d}{dx}(y^2) = \frac{d}{dx}(4)$$

$$2x + 2y\frac{dy}{dx} = 0$$

$$2y\frac{dy}{dx} = -2x$$

$$\frac{dy}{dx} = \frac{-x}{y}$$

Dérivation implicite

Soit une équation implicite contenant les variables x et y. La dérivation implicite est une technique de dérivation qui consiste à dériver par rapport à x chaque membre de l'équation implicite en considérant y comme une fonction dérivable de x, puis à isoler $\frac{dy}{dx}$.

Nous venons d'illustrer la **dérivation implicite**. Le résultat obtenu semble différent de ceux obtenus précédemment, ce qui n'est pourtant pas le cas. En effet, puisque $x^2 + y^2 = 4$, alors $y = \sqrt{4 - x^2}$ ou $y = -\sqrt{4 - x^2}$.

Si $y = \sqrt{4 - x^2}$, on a $\frac{dy}{dx} = \frac{-x}{y} = \frac{-x}{\sqrt{4 - x^2}}$. De même, si $y = -\sqrt{4 - x^2}$, on a $\frac{dy}{dx} = \frac{-x}{y} = \frac{-x}{-\sqrt{4 - x^2}} = \frac{x}{\sqrt{4 - x^2}}$, ce qui concorde avec les résultats obtenus précédemment.

EXEMPLE 2.58

Soit l'équation implicite $x^3y^2 - 3x^2y = 1 - 2x$. On veut déterminer $\frac{dy}{dx}$. Il serait assez difficile (mais pas impossible) d'exprimer y en fonction de x. Utilisons donc la dérivation implicite : dérivons chaque membre de l'égalité par rapport à x, en considérant y comme une fonction dérivable de x, puis isolons $\frac{dy}{dx}$.

$$\frac{d}{dx}(x^3y^2) - \frac{d}{dx}(3x^2y) = \frac{d}{dx}(1) - \frac{d}{dx}(2x)$$

$$\left[x^3\frac{d}{dx}(y^2) + y^2\frac{d}{dx}(x^3)\right] - \left[3x^2\frac{d}{dx}(y) + y\frac{d}{dx}(3x^2)\right] = 0 - 2$$

$$x^3\left(2y\frac{dy}{dx}\right) + y^2(3x^2) - \left[3x^2\frac{dy}{dx} + y(6x)\right] = -2$$

$$2x^3y\frac{dy}{dx} + 3x^2y^2 - 3x^2\frac{dy}{dx} - 6xy = -2$$

$$2x^3y\frac{dy}{dx} - 3x^2\frac{dy}{dx} = 6xy - 3x^2y^2 - 2$$

$$(2x^3y - 3x^2)\frac{dy}{dx} = 6xy - 3x^2y^2 - 2$$

$$\frac{dy}{dx} = \frac{6xy - 3x^2y^2 - 2}{2x^3y - 3x^2}$$

On constate la présence des variables x et y dans l'expression de la dérivée. Si on exprimait y en fonction de x dans l'équation implicite $x^3y^2 - 3x^2y = 1 - 2x$, on pourrait donner la dérivée en fonction de x uniquement. On aurait cependant une expression beaucoup plus complexe. Puisqu'il est souvent difficile (parfois même impossible) d'exprimer y en fonction de x dans une équation implicite, on accepte que la dérivée soit exprimée en fonction des deux variables.

EXEMPLE 2.59

On veut déterminer l'équation de la droite tangente à la courbe* décrite par l'équation implicite $2(x^2 + y^2)^2 = 25(x^2 - y^2)$ au point $(3, 1)$.

Déterminons d'abord $\frac{dy}{dx}$ en dérivant chaque membre de l'égalité par rapport à x, en considérant y comme une fonction dérivable de x.

$$\frac{d}{dx}\left[2(x^2 + y^2)^2\right] = \frac{d}{dx}\left[25(x^2 - y^2)\right]$$

$$2(2)(x^2 + y^2)\frac{d}{dx}(x^2 + y^2) = 25\frac{d}{dx}(x^2 - y^2)$$

$$4(x^2 + y^2)\left(2x + 2y\frac{dy}{dx}\right) = 25\left(2x - 2y\frac{dy}{dx}\right)$$

$$8x(x^2 + y^2) + 8y(x^2 + y^2)\frac{dy}{dx} = 50x - 50y\frac{dy}{dx}$$

$$8y(x^2 + y^2)\frac{dy}{dx} + 50y\frac{dy}{dx} = 50x - 8x(x^2 + y^2)$$

* La courbe décrite par une expression de type $(x^2 + y^2)^2 = a^2(x^2 - y^2)$ a la forme d'une boucle. Elle porte le nom de lemniscate de Bernoulli en l'honneur du célèbre mathématicien bâlois Jacques Bernoulli (1654-1705), qui fut le premier à l'étudier. Pour nommer cette courbe, Bernoulli utilisa le mot latin *lemniscatus*, qui désignait le ruban qu'on attachait à la couronne du vainqueur d'une compétition.

$$\left[8y(x^2+y^2)+50y\right]\frac{dy}{dx}=50x-8x(x^2+y^2)$$

$$\frac{dy}{dx}=\frac{50x-8x(x^2+y^2)}{50y+8y(x^2+y^2)}$$

La pente de la droite tangente à la courbe au point $(3, 1)$ est donc

$$\left.\frac{dy}{dx}\right|_{(3,\,1)}=\frac{50(3)-8(3)(3^2+1^2)}{50(1)+8(1)(3^2+1^2)}=\frac{-90}{130}=-\frac{9}{13}$$

L'équation de la droite tangente à la courbe décrite par $2(x^2+y^2)^2=25(x^2-y^2)$ au point $(3, 1)$ est $y=-9/13(x-3)+1$ ou $y=-9/13x+40/13$.

La représentation graphique de cette courbe et de sa tangente au point $(3, 1)$ est donnée à la FIGURE 2.22.

FIGURE 2.22
Lemniscate de Bernoulli

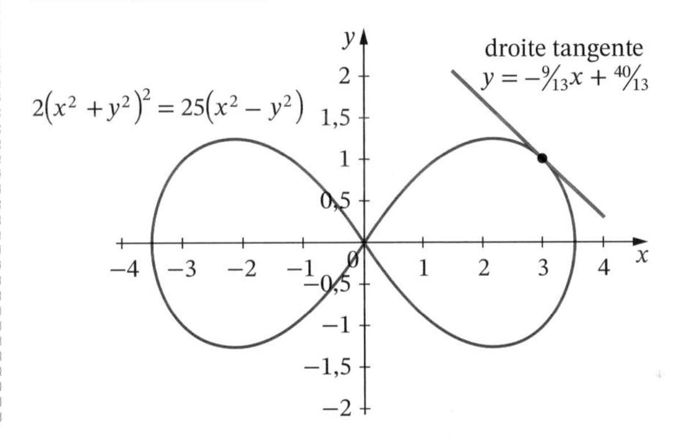

Les deux exemples précédents permettent de dégager les étapes à suivre pour déterminer $\frac{dy}{dx}$ à l'aide de la dérivation implicite :

1. Dériver chaque membre de l'égalité par rapport à x, en considérant y comme une fonction dérivable de x.
2. Regrouper tous les termes contenant $\frac{dy}{dx}$ du même côté de l'égalité.
3. Mettre $\frac{dy}{dx}$ en évidence et effectuer une division afin d'isoler $\frac{dy}{dx}$.

La dérivation implicite permet de trouver $\frac{dy}{dx}$ seulement lorsque y est une fonction dérivable de x. Si on applique cette technique aveuglément à n'importe quelle équation, on peut obtenir des résultats qui n'ont aucun sens.

En effet, soit l'équation $x^2+y^2=-9$. Si on dérive par rapport à x chaque membre de l'égalité, on obtient

$$2x+2y\frac{dy}{dx}=0$$

$$2y\frac{dy}{dx}=-2x$$

$$\frac{dy}{dx}=\frac{-x}{y}$$

Mais cette « dérivée » n'a aucun sens puisque l'équation $x^2 + y^2 = -9$ ne définit pas une courbe. Il est en effet impossible de trouver deux valeurs réelles x et y satisfaisant à cette équation, $x^2 + y^2$ étant toujours supérieur ou égal à 0. Il est donc inapproprié de déterminer $\frac{dy}{dx}$, qui représente la pente de la droite tangente à la courbe en un point, puisqu'on n'a tout simplement pas de courbe ! Dans les exercices du présent volume, vous pourrez toujours supposer qu'il existe une fonction y dérivable par rapport à x satisfaisant à l'équation implicite donnée.

On peut utiliser la dérivation implicite pour démontrer le théorème 2.11, qui établit une relation entre $\frac{dy}{dx}$ et $\frac{dx}{dy}$ lorsque ces dérivées existent.

THÉORÈME 2.11

Si $x = f(y)$ est dérivable par rapport à y et si y est dérivable par rapport à x, alors

$$\frac{dy}{dx} = \frac{1}{dx/dy} \text{ là où } \frac{dx}{dy} \neq 0$$

PREUVE

Puisque $x = f(y)$ est dérivable par rapport à y, on a $\frac{dx}{dy} = \frac{df}{dy}$. Pour déterminer $\frac{dy}{dx}$, dérivons implicitement l'équation $x = f(y)$ par rapport à x. On obtient

$$\frac{d}{dx}(x) = \frac{d}{dx}[f(y)]$$

$$1 = \frac{d}{dy}[f(y)]\frac{dy}{dx}$$

$$1 = \frac{df}{dy}\frac{dy}{dx}$$

$$1 = \frac{dx}{dy}\frac{dy}{dx}$$

$$\frac{1}{dx/dy} = \frac{dy}{dx}$$

■

EXEMPLE 2.60

Déterminons $\frac{dy}{dx}$ si $x = y^3 + 2y$.

On a $\frac{dx}{dy} = 3y^2 + 2$. Notons que la dérivée $\frac{dx}{dy}$ existe toujours et qu'elle n'est jamais égale à 0. Par conséquent, en vertu du théorème 2.11, $\frac{dy}{dx} = \frac{1}{dx/dy} = \frac{1}{3y^2 + 2}$.

EXEMPLE 2.61

Déterminons $\frac{dy}{dx}$ si $x = \frac{3y^2 - 5}{2 - y}$. On a

$$\begin{aligned}\frac{dx}{dy} &= \frac{d}{dy}\left(\frac{3y^2 - 5}{2 - y}\right)\\ &= \frac{(2 - y)\frac{d}{dy}(3y^2 - 5) - (3y^2 - 5)\frac{d}{dy}(2 - y)}{(2 - y)^2}\\ &= \frac{(2 - y)(6y) - (3y^2 - 5)(-1)}{(2 - y)^2}\\ &= \frac{12y - 6y^2 + 3y^2 - 5}{(2 - y)^2}\\ &= \frac{-3y^2 + 12y - 5}{(2 - y)^2}\end{aligned}$$

Notons que $\frac{dx}{dy}$ existe si $y \neq 2$ et que $\frac{dx}{dy} \neq 0$ si $-3y^2 + 12y - 5 \neq 0$.

Par conséquent, en vertu du théorème 2.11, $\frac{dy}{dx} = \frac{1}{dx/dy} = \frac{(2 - y)^2}{-3y^2 + 12y - 5}$ si $-3y^2 + 12y - 5 \neq 0$ et si $y \neq 2$.

EXERCICES 2.14

1. Soit l'équation implicite $x^2 + xy - 3x = 2$.

a) Déterminez $\frac{dy}{dx}$ en exprimant d'abord y en fonction de x et en dérivant de manière habituelle l'équation explicite obtenue.

b) Déterminez $\frac{dy}{dx}$ en utilisant la dérivation implicite.

c) Vérifiez que les résultats obtenus en *a* et en *b* sont équivalents.

2. Déterminez $\frac{dy}{dx}$.

a) $xy^2 + 3y = 4x$

b) $(x + y)^3 + x^2 + 2y^3 = 4 - 2y$

c) $x = y\sqrt{y} - \frac{1}{y}$

d) $x\sqrt{y} - y\sqrt{x} + xy = 3$

3. Trouvez l'équation de la droite tangente à l'astroïde* (FIGURE 2.23, p. 138) décrite par l'équation implicite $x^{2/3} + y^{2/3} = 4$, au point $(1, -3\sqrt{3})$.

* Le mot « astroïde » tire son origine du latin *astrum* qui veut dire « astre ». La forme de cette courbe nous fait penser à une étoile.

Vous pouvez maintenant faire les exercices récapitulatifs 83 à 92.

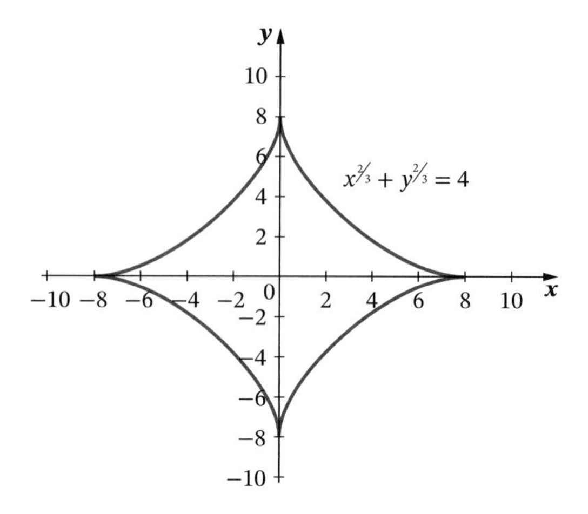

FIGURE 2.23
Astroïde

RÉSUMÉ

Fluctuations des prix de l'essence, changements dans la taille d'une population humaine ou animale, mouvement d'un mobile et variation de température sont autant d'exemples qui illustrent la variabilité de phénomènes observés dans la vie courante et pour lesquels la dérivée constitue un outil descriptif extrêmement puissant.

La **dérivée d'une fonction** $y = f(x)$ **en un point** $x = a$ est donnée par

$$\lim_{b \to a} \frac{f(b) - f(a)}{b - a} \quad \text{ou} \quad \lim_{\Delta x \to 0} \frac{f(a + \Delta x) - f(a)}{\Delta x}$$

(lorsque cette expression existe), et elle est notée par

$$f'(a), \left.\frac{df}{dx}\right|_{x=a} \quad \text{ou} \quad \left.\frac{dy}{dx}\right|_{x=a}$$

Soulignons au passage que toute fonction dont la dérivée existe en $x = a$ est continue en ce point, alors que l'inverse n'est pas nécessairement vrai, comme en fait foi la fonction $f(x) = |x|$ qui est continue en $x = 0$, mais dont la dérivée n'existe pas en ce point.

Comme l'expression $\dfrac{f(a + \Delta x) - f(a)}{\Delta x}$ représente la pente de la **sécante** passant par les points $(a, f(a))$ et $(a + \Delta x, f(a + \Delta x))$, on peut donner une interprétation géométrique de la dérivée : la dérivée représente la pente de la **tangente** à la courbe décrite par la fonction $f(x)$ en $x = a$. On peut évidemment utiliser ce résultat pour calculer l'équation de la tangente ou de la **normale** à la courbe décrite par la fonction $f(x)$ en $x = a$. Ainsi, l'équation de la tangente à la courbe décrite par une **fonction dérivable** $f(x)$, en $x = a$, est $y = f'(a)(x - a) + f(a)$ alors que l'équation de la normale en $x = a$ est $y = -\dfrac{1}{f'(a)}(x - a) + f(a)$, pour autant que $f'(a) \neq 0$ dans ce dernier cas.

La richesse du concept de dérivée tient au fait qu'elle offre d'autres interprétations que son interprétation géométrique. En effet, lorsque $s(t)$ représente la position d'un mobile se déplaçant selon une trajectoire rectiligne, alors $s'(b) = v(b)$ donne la **vitesse** du mobile au temps $t = b$. De même, si $P(t)$ représente la taille d'une population en fonction du temps, alors $P'(b)$ représente le taux de croissance ou de décroissance de cette population au temps $t = b$.

On peut également traiter la dérivée comme une fonction. On utilisera alors indifféremment les notations $\dfrac{dy}{dx}, \dfrac{df}{dx}$ ou $f'(x)$ pour désigner l'expression

$$\lim_{\Delta x \to 0} \frac{f(x + \Delta x) - f(x)}{\Delta x}$$

qui, lorsqu'elle existe, représente la **fonction dérivée** de $y = f(x)$. Le signe de la dérivée est également révélateur : il nous renseigne sur la croissance (dérivée positive) ou la décroissance (dérivée négative) de la fonction.

Le seul fait qu'il existe des algorithmes simples pour calculer des dérivées sans recourir explicitement à l'évaluation d'une limite redouble l'intérêt pour le calcul différentiel. Ainsi, lorsque l'on tient compte des restrictions habituelles au domaine, si u et v sont des fonctions dérivables de x, si k et n sont des constantes, alors

- $\frac{d}{dx}(k) = 0$
- $\frac{d}{dx}(uv) = u\frac{dv}{dx} + v\frac{du}{dx}$
- $\frac{d}{dx}(ku) = k\frac{du}{dx}$
- $\frac{d}{dx}\left(\frac{u}{v}\right) = \frac{v\frac{du}{dx} - u\frac{dv}{dx}}{v^2}$
- $\frac{d}{dx}(u \pm v) = \frac{du}{dx} \pm \frac{dv}{dx}$
- $\frac{d}{dx}(u^n) = nu^{n-1}\frac{du}{dx}$

Il existe également une formule pour dériver une fonction composée. Ainsi, lorsque y est une fonction dérivable de u, qui elle-même est une fonction dérivable de x, alors y est aussi une fonction dérivable de x, et $\frac{dy}{dx} = \left(\frac{dy}{du}\right)\left(\frac{du}{dx}\right)$. La règle de dérivation des fonctions composées porte également le nom de règle de dérivation en chaîne.

La fonction dérivée de $y = f(x)$ étant une fonction, on peut la dériver, et obtenir ainsi une **dérivée seconde** ou d'ordre 2, notée $f''(x)$, $\frac{d^2f}{dx^2}$ ou $\frac{d^2y}{dx^2}$, qu'on peut également dériver pour obtenir une **dérivée troisième** ou d'ordre 3, notée $f'''(x)$, $\frac{d^3f}{dx^3}$ ou $\frac{d^3y}{dx^3}$, et ainsi de suite. On notera la **dérivée d'ordre *n*** d'une fonction $y = f(x)$ par $f^{(n)}(x)$, $\frac{d^nf}{dx^n}$ ou $\frac{d^ny}{dx^n}$. En particulier, il est utile de mentionner que, dans le cas du déplacement d'un mobile selon une trajectoire rectiligne, la dérivée seconde de la position $s(t)$ est fonction du temps et correspond à l'**accélération** du mobile : $a = \frac{dv}{dt} = \frac{d^2s}{dt^2}$.

Soulignons enfin que l'on peut également évaluer la dérivée d'une fonction y définie implicitement par rapport à x sous la forme d'une équation. On parle alors de **dérivation implicite**. Il suffit d'appliquer l'opérateur de dérivation aux deux membres de l'équation en considérant y comme une fonction de x, puis d'isoler $\frac{dy}{dx}$.

MOTS clés

RÉSEAU de concepts

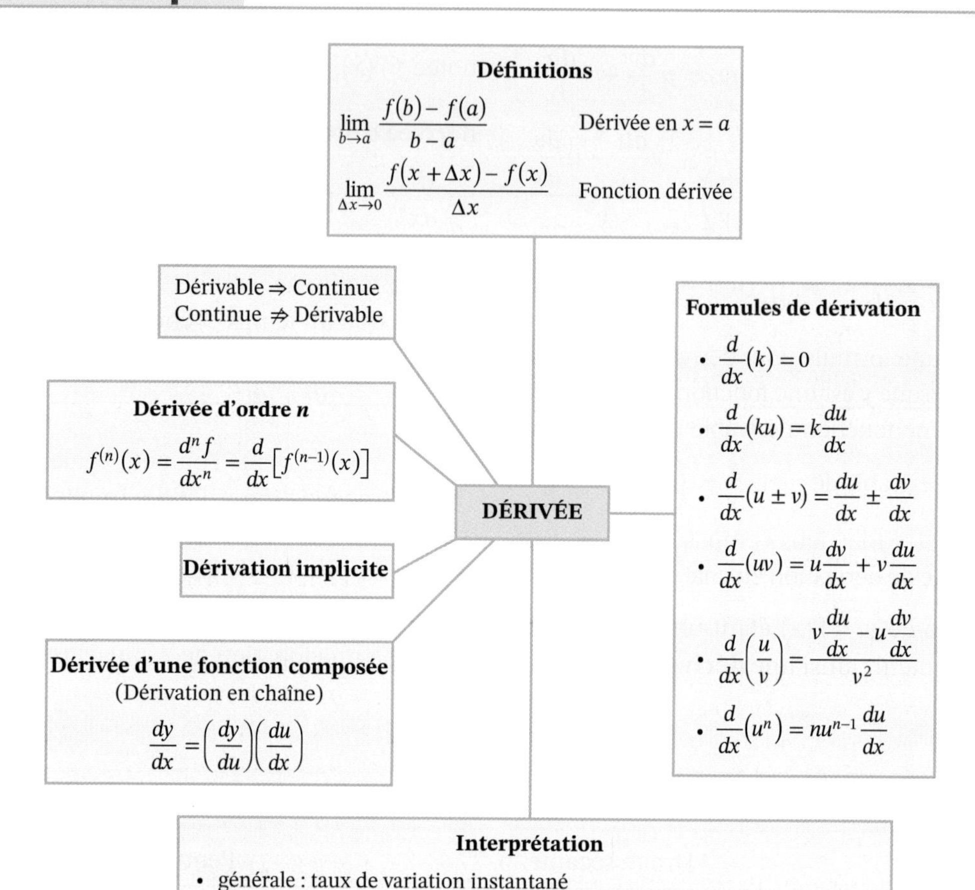

EXERCICES récapitulatifs

SECTIONS 2.1 ET 2.2

▲ **1.** La courbe décrite par la fonction $f(x)$ et la droite décrite par la fonction $g(x)$ se coupent lorsque $x = 1$ et $x = 3$ tel qu'illustré dans le graphique ci-dessous.

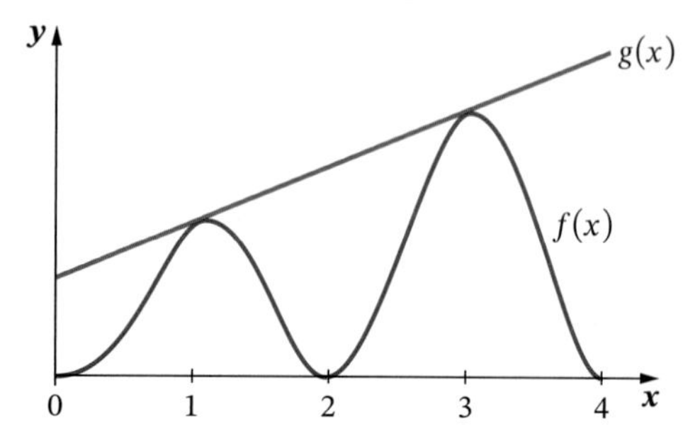

a) Sur l'intervalle $[0, 4]$, le taux moyen de variation de la fonction $g(x)$ est-il positif, négatif ou nul ?

b) Sur l'intervalle $[1, 2]$, le taux moyen de variation de la fonction $f(x)$ est-il positif, négatif ou nul ?

c) Sur l'intervalle $[2, 4]$, le taux moyen de variation de la fonction $f(x)$ est-il positif, négatif ou nul ?

d) Sur l'intervalle $[2, 3]$, le taux moyen de variation de la fonction $f(x)$ est-il positif, négatif ou nul ?

e) Sur l'intervalle $[0, 1]$, laquelle des deux fonctions présente le taux moyen de variation le plus grand ?

f) Sur l'intervalle $[0, 2]$, laquelle des deux fonctions présente le taux moyen de variation le plus grand ?

▲ **2.** Soit la fonction $f(x) = x^2 - 2x + 1$.

a) Quel est le taux de variation moyen de cette fonction sur l'intervalle $[-3, 4]$?

b) Quel est le taux de variation instantané de cette fonction en $x = -3$?

c) Quelle est l'équation de la droite tangente à la courbe décrite par la fonction $f(x)$ en $x = -3$?

3. La fonction donnant l'aire A d'un cercle (en centimètres carrés) par rapport à son rayon r (en centimètres) est $A(r) = \pi r^2$.

a) Quelle est la variation de l'aire du cercle si le rayon passe de 2 cm à 4 cm? Indiquez bien les unités.

b) Quel est le taux de variation moyen de l'aire du cercle si le rayon passe de 2 cm à 4 cm? Indiquez bien les unités.

c) Interprétez, dans le contexte, la réponse obtenue en *b*.

d) Quel est le taux de variation instantané de l'aire du cercle lorsque le rayon est de 4 cm? Indiquez bien les unités.

e) Interprétez, dans le contexte, la réponse obtenue en *d*.

4. Quelques mois après la mise en marché d'un nouveau produit, une entreprise lance une campagne publicitaire. La projection du volume V des ventes (en milliers d'unités) de ce produit pour les cinq prochains mois est $V(t) = \frac{1}{2}t^2 + 2t + 50$, où t représente le temps (en mois) écoulé depuis le début de la campagne publicitaire.

a) Quel est le volume des ventes au début de la campagne publicitaire?

b) Donnez la valeur et le sens de $V(1)$ et de $V(3)$.

c) Quelle est la variation du temps pour la période comprise entre le premier et le troisième mois suivant le début de la campagne publicitaire? Indiquez bien les unités.

d) Quelle est la variation du volume des ventes anticipé durant la période comprise entre le premier et le troisième mois suivant le début de la campagne publicitaire? Indiquez bien les unités.

e) Interprétez, dans le contexte, la réponse obtenue en *d*.

f) Quel est le taux de variation moyen du volume des ventes anticipé durant la période comprise entre le premier et le troisième mois suivant le début de la campagne publicitaire? Indiquez bien les unités.

g) Interprétez, dans le contexte, la réponse obtenue en *f*.

h) Donnez une interprétation géométrique de la réponse obtenue en *f*.

i) Quel est le taux de variation instantané du volume des ventes anticipé 1 mois après le début de la campagne publicitaire? Indiquez bien les unités.

j) Interprétez, dans le contexte, la réponse obtenue en *i*.

k) Donnez une interprétation géométrique de la réponse obtenue en *i*.

5. Un virus se répand dans une population de 50 000 personnes selon le modèle $N(t) = \dfrac{25\,000t}{t + 10}$, où $N(t)$ représente le nombre de personnes ayant contracté le virus t jours après son introduction.

a) Combien de personnes ont contracté le virus après 1 jour? Arrondissez la réponse à l'entier.

b) Combien de personnes ont contracté le virus après 3 jours? Arrondissez la réponse à l'entier.

c) Si rien n'est fait pour enrayer la propagation du virus, combien de personnes contracteront le virus à long terme?

d) Quelle est la variation du temps pour la période comprise entre le premier et le troisième jour suivant l'introduction du virus? Indiquez bien les unités.

e) Quelle est la variation du nombre de personnes ayant contracté le virus durant la période comprise entre le premier et le troisième jour suivant son introduction? Indiquez bien les unités.

f) Quel est le taux de variation moyen du nombre de personnes ayant contracté le virus durant la période comprise entre le premier et le troisième jour suivant son introduction? Indiquez bien les unités.

g) Interprétez, dans le contexte, la réponse obtenue en *f*.

h) Donnez une interprétation géométrique de la réponse obtenue en *f*.

i) Pensez-vous que la fonction $N(t)$ est croissante? Justifiez votre réponse.

j) Quel est le taux de variation instantané du nombre de personnes ayant contracté le virus 2 jours après son introduction? Indiquez bien les unités.

k) Interprétez, dans le contexte, la réponse obtenue en *j*.

l) Donnez une interprétation géométrique de la réponse obtenue en *j*.

m) Quel est le taux de variation instantané du nombre de personnes ayant contracté le virus t jours après son introduction? Indiquez bien les unités.

n) Si rien n'est fait pour enrayer la propagation du virus, quel sera le taux de propagation du virus à long terme?

▲ **6.** Soit la fonction $f(x) = \dfrac{1}{x}$.

a) Déterminez l'équation de la droite sécante passant par les points $(\frac{1}{2}, f(\frac{1}{2}))$ et $(1, f(1))$.

b) Déterminez l'équation de la droite tangente à la courbe décrite par $f(x)$ en $x = \frac{1}{2}$.

c) Déterminez l'équation de la droite normale à la courbe décrite par $f(x)$ en $x = \frac{1}{2}$.

▲ **7.** Soit la fonction $f(x) = x^3$.

a) Déterminez l'équation de la droite sécante passant par les points $(1, f(1))$ et $(2, f(2))$.

b) Déterminez l'équation de la droite tangente à la courbe décrite par $f(x)$ en $x = 1$.

c) Déterminez l'équation de la droite normale à la courbe décrite par $f(x)$ en $x = 1$.

SECTION 2.3

▲ **8.** Soit la fonction $f(x)$ représentée dans le graphique ci-dessous.

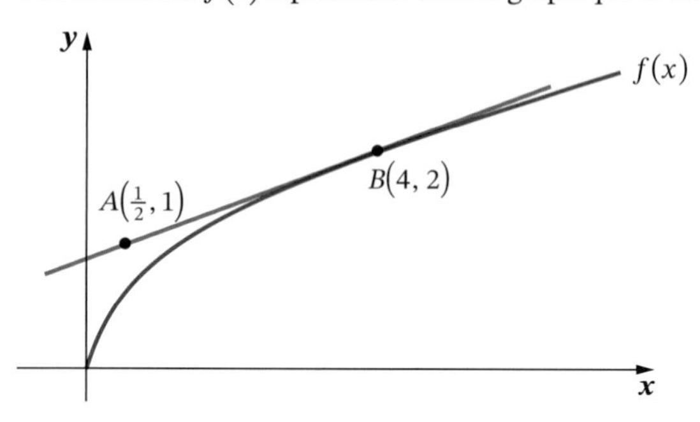

a) Que vaut $f(4)$?

b) Que vaut $f'(4)$?

▲ **9.** Soit la fonction $f(x)$ représentée dans le graphique ci-dessous.

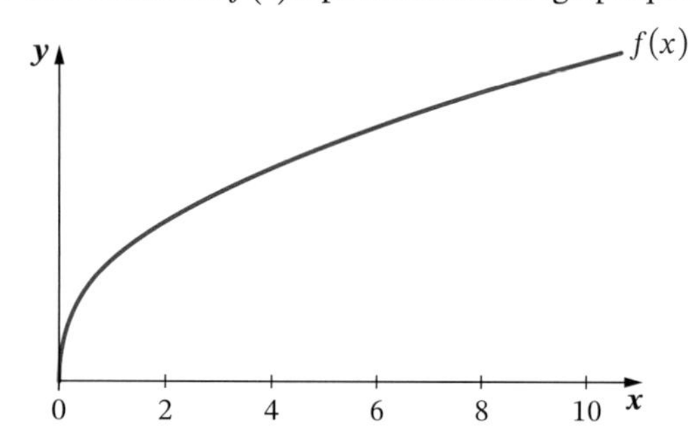

a) À partir du graphique, cochez la case appropriée.

❑ $f(2) < f(8)$ ❑ $f(2) = f(8)$ ❑ $f(2) > f(8)$

b) À partir du graphique, cochez la case appropriée.

❑ $f(4) - f(2) < f(8) - f(6)$

❑ $f(4) - f(2) = f(8) - f(6)$

❑ $f(4) - f(2) > f(8) - f(6)$

c) À partir du graphique, cochez la case appropriée.

❑ $\dfrac{f(6) - f(4)}{6 - 4} < \dfrac{f(2) - f(0)}{2 - 0}$

❑ $\dfrac{f(6) - f(4)}{6 - 4} = \dfrac{f(2) - f(0)}{2 - 0}$

❑ $\dfrac{f(6) - f(4)}{6 - 4} > \dfrac{f(2) - f(0)}{2 - 0}$

d) À partir du graphique, cochez la case appropriée.

❑ $f'(2) < f'(8)$ ❑ $f'(2) = f'(8)$ ❑ $f'(2) > f'(8)$

▲ **10.** Soit la fonction $f(x)$ représentée dans le graphique ci-dessous.

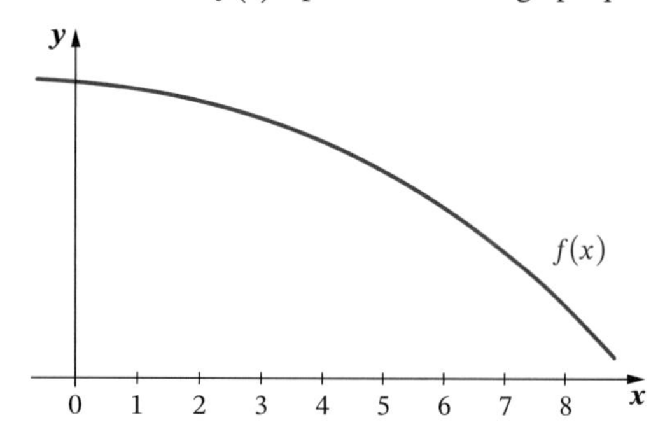

a) À partir du graphique, cochez la case appropriée.

❑ $f(4) < f(6)$ ❑ $f(4) = f(6)$ ❑ $f(4) > f(6)$

b) À partir du graphique, cochez la case appropriée.

❑ $f(5) - f(3) < f(8) - f(6)$

❑ $f(5) - f(3) = f(8) - f(6)$

❑ $f(5) - f(3) > f(8) - f(6)$

c) À partir du graphique, cochez la case appropriée.

❑ $\dfrac{f(6) - f(4)}{6 - 4} < \dfrac{f(3) - f(1)}{3 - 1}$

❑ $\dfrac{f(6) - f(4)}{6 - 4} = \dfrac{f(3) - f(1)}{3 - 1}$

❑ $\dfrac{f(6) - f(4)}{6 - 4} > \dfrac{f(3) - f(1)}{3 - 1}$

d) À partir du graphique, cochez la case appropriée.

❑ $f'(2) < f'(7)$ ❑ $f'(2) = f'(7)$ ❑ $f'(2) > f'(7)$

■ **11.** Estimez la valeur de la dérivée de la fonction $f(x)$ aux points A, B et C.

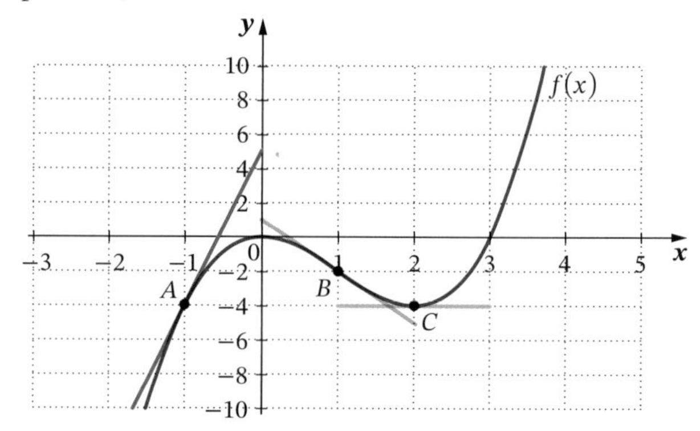

■ **12.** Évaluez l'expression demandée à l'aide de la définition de la dérivée en un point.

a) $f'(3)$ si $f(x) = ½x^2 - x$

b) $f'(-1)$ si $f(x) = 2x^2 + 3x$

c) $f'(2)$ si $f(x) = \dfrac{1}{x + 3}$

d) $f'(-4)$ si $f(x) = \dfrac{3x - 2}{2x + 1}$

e) $f'(9)$ si $f(x) = \sqrt{x + 16}$

f) $f'(-3)$ si $f(x) = \sqrt{3 - 2x}$

■ **13.** Déterminez la dérivée de la fonction $f(x)$ à l'aide de la définition.

a) $f(x) = 4$

b) $f(x) = 1 - 3x$

c) $f(x) = 5x + 2$

d) $f(x) = x^2 - 2x + 3$

e) $f(x) = 3x^2 - 4x + 1$

f) $f(x) = \dfrac{1}{x + 1}$

g) $f(x) = \dfrac{2}{1 - 2x}$

h) $f(x) = \dfrac{x - 1}{x + 1}$

i) $f(x) = \sqrt{2x + 1}$

j) $f(x) = \sqrt{3x^2 + 2}$

k) $f(x) = 5x - 3/x$

l) $f(x) = 2x^2 + \sqrt{x}$

▲ **14.** Si $f(1) = 3$ et $f'(1) = 6$, donnez l'équation de la droite tangente et l'équation de la droite normale à la courbe décrite par la fonction $f(x)$ en $x = 1$.

■ **15.** Un récipient contient 20 L d'eau. À cause d'une fuite, le volume d'eau V (en litres) dans le récipient diminue et est donné par $V(t) = 20 - 0{,}2t + 0{,}0005t^2$, où t est le temps (en secondes) écoulé depuis le début de la fuite.

a) Combien de temps le récipient met-il à se vider?

b) Donnez la valeur et le sens de $\dfrac{V(100) - V(75)}{25}$. Indiquez bien les unités.

c) Donnez une interprétation géométrique de la réponse obtenue en *b*.

d) Donnez la valeur et le sens de

$$\lim_{\Delta t \to 0} \frac{V(100 + \Delta t) - V(100)}{\Delta t}$$

Indiquez bien les unités.

e) Donnez une interprétation géométrique de la réponse obtenue en *d*.

f) Quelle est l'expression du taux de variation instantané du volume d'eau dans le récipient lorsque $0 \leq t \leq T$, où T représente le temps requis pour que le récipient se vide (déterminé en *a*)?

g) À quel rythme le récipient se vide-t-il 50 s après le début de la fuite?

■ **16.** La masse m (en kilogrammes) d'un bébé est fonction du temps t (en mois) écoulé depuis sa naissance. Supposons qu'au cours de ses 2 premières années de vie, la fonction $m(t) = \sqrt{12 + 7t}$ permet de modéliser adéquatement la masse d'un bébé.

a) Quelle est la masse du bébé à la naissance?

b) Donnez la valeur et le sens de $\dfrac{m(8) - m(5)}{3}$. Indiquez bien les unités.

c) Donnez une interprétation géométrique de la réponse obtenue en *b*.

d) Quelle est l'expression du taux de croissance instantané de la masse du bébé?

e) Quel est le taux de croissance de la masse du bébé 9 mois après sa naissance? Donnez-en une interprétation en tenant compte du contexte.

f) Donnez une interprétation géométrique de la réponse obtenue en *e*.

g) À quel moment la masse du bébé augmente-t-elle le plus rapidement?

SECTION 2.4

▲ **17.** Déterminez, en donnant un argument de nature géométrique, les valeurs réelles de x en lesquelles la fonction $f(x)$ n'est pas dérivable.

a)

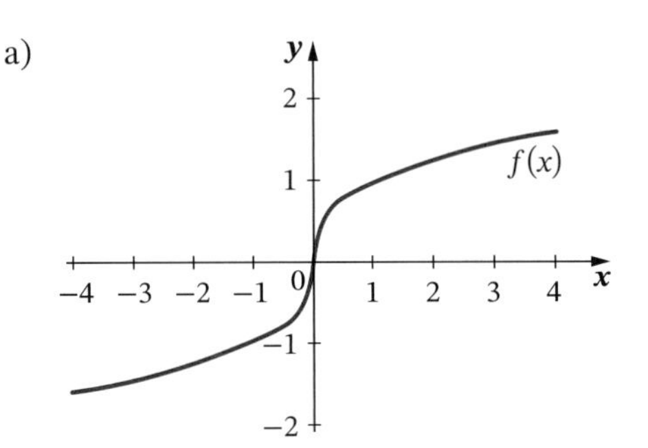

b)

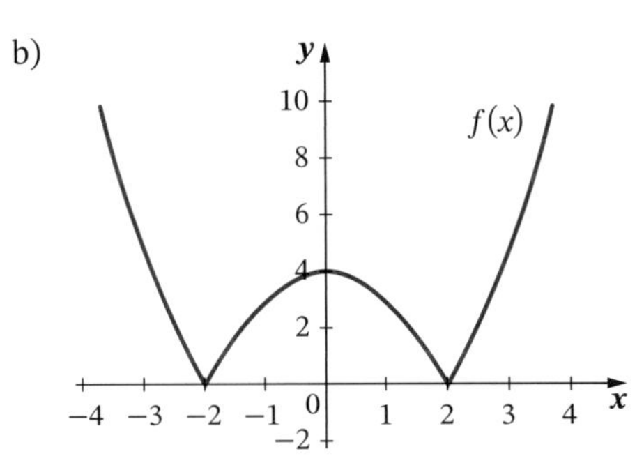

c)

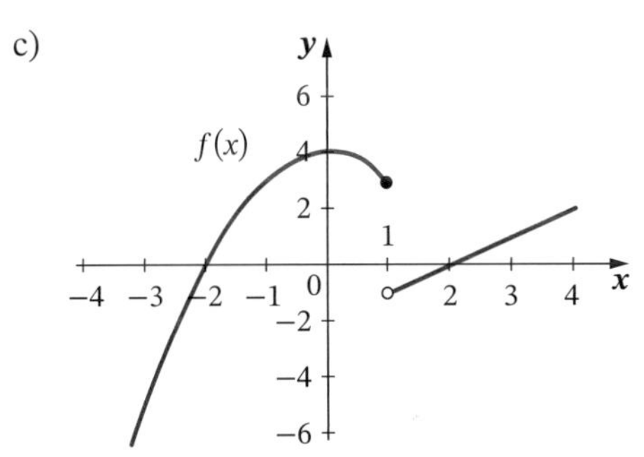

▲ **18.** Esquissez le graphique d'une fonction continue en $x = 2$, mais qui n'admet pas de dérivée en ce point.

⬟ **19.** Vérifiez que la fonction continue $f(x)$ n'est pas dérivable en $x = -2$.

a) $f(x) = \sqrt{x + 2}$

b) $f(x) = |2x + 4|$

⬟ **20.** Vérifiez que la fonction $f(x) = \begin{cases} x^3 - x & \text{si } x < 1 \\ 2 - 2x & \text{si } x \geq 1 \end{cases}$ est continue en $x = 1$, mais que $f'(1)$ n'existe pas. (Indice: Utilisez la définition de la dérivée en un point pour montrer que la dérivée n'existe pas.)

⬟ **21.** Déterminez les valeurs des constantes a et b pour lesquelles la fonction $f(x) = \begin{cases} ax + b & \text{si } x < 4 \\ \frac{1}{2}x^2 & \text{si } x \geq 4 \end{cases}$ est continue et dérivable en $x = 4$.

SECTION 2.5

▲ **22.** Déterminez la dérivée en utilisant les formules de dérivation.

a) $f(x) = -1$

b) $g(t) = 3 - 2t$

c) $y = \pi^3$

d) $h(x) = x^4 - 2x^3 + 6x^2 - 4x - 1$

e) $s(t) = 3t^8 + 5t^3 + 2t + 3\pi$

f) $g(x) = 7x^4 + 2x^3 - \dfrac{1}{x}$

g) $f(t) = \dfrac{4}{t} - \dfrac{2}{t^2} + \dfrac{1}{t^4}$

h) $y = 5t^5 + 2t^2 - \sqrt[4]{t^3} + \dfrac{25}{\sqrt[3]{t}}$

▲ **23.** Déterminez la dérivée en utilisant les formules de dérivation.

a) $y = t^2\sqrt[3]{t}$

b) $h(t) = (t^2 - 3t + \pi)\sqrt{t}$

c) $s(x) = (x^3 + 4)^2$

d) $y = (x^2 - 3x)(x^2 + 3x - 18)$

e) $g(x) = x(2x + 1)(3x - 1)$

f) $g(x) = (x^4 - 3x)(x^3 + 4x^2 - 2)$

g) $f(t) = \dfrac{2t^3 + t^2}{\sqrt{t}}$

h) $g(t) = \dfrac{3t + 1}{t^2 + 2}$

i) $y = \dfrac{2x^2 + 4x + 3}{1 - x^3}$

j) $g(x) = \dfrac{x^4 - 2x}{2x^3 + 1}$

24. Déterminez la dérivée en utilisant les formules de dérivation.

a) $s(x) = (2x^3 - 4x^2 + 1)\left(\dfrac{1}{x^3} + \dfrac{2}{x^2}\right)$

b) $s(t) = \dfrac{t^2 - 3t}{t^2 + 3t - 18}$

c) $h(t) = \dfrac{8t\sqrt[5]{t}}{2t - 7}$

d) $y = \dfrac{3 - t}{\sqrt{t} + 2}$

e) $f(x) = \dfrac{2x^2 + 1}{(x - 1)(x + 1)}$

f) $g(t) = \dfrac{(t - 3)(t + 2)}{(t + 1)(t - 2)}$

g) $y = \dfrac{(2x + 4)(x - 5)}{3x + 2}$

h) $h(x) = (x^2 - x + 2)\left(\dfrac{3 - x}{2x + 1}\right)$

▲ **25.** Évaluez la dérivée de la fonction au point donné.

a) $f(x) = 3x + 1$ au point $(2, 7)$

b) $s(t) = -t^3 + 2t^2 + 3t - 2$ au point $(-1, -2)$

c) $h(t) = t^2 + \dfrac{3}{t^4}$ au point $(1/2, 193/4)$

d) $y = \dfrac{2}{3x} - \dfrac{4}{5x^2}$ au point $(1, -2/15)$

e) $s(x) = \dfrac{x^4}{3} - \dfrac{2}{\sqrt[3]{x^2}} - \dfrac{1}{x^3}$ au point $(-1, -2/3)$

f) $f(t) = 4t^3 - t\sqrt[4]{t^3} - \dfrac{5}{\sqrt[6]{t}}$ au point $(1, -2)$

g) $g(t) = \dfrac{-t^2 + 6t + 2}{2 - 3t}$ au point $(0, 1)$

h) $h(x) = (-x^2 + x)^2$ au point $(-2, 36)$

i) $g(x) = (2x^5 + 4x^2 + 2x)(5x^3 + 2x^2 + 1)$ au point $(-1, 0)$

j) $y = (t^2 - 3t - 2)(\sqrt{t} + 2t)$ au point $(1, -12)$

26. Évaluez la dérivée de la fonction si k est une constante.

a) $f(x) = kx^2 - 2x - 1$

b) $s(t) = (k^2 + 1)\sqrt{t}$

c) $y = \dfrac{\sqrt{2k}}{5x^3}$

d) $g(t) = \dfrac{kt + 1}{3 - (k - 1)^3 t}$

e) $h(x) = \dfrac{x^2 - 4x + 2}{k^3 x}$

27. Soit u, v et w des fonctions dérivables de x. Montrez que

a) $\dfrac{d}{dx}(u - v) = \dfrac{du}{dx} - \dfrac{dv}{dx}$

b) $\dfrac{d}{dx}(uvw) = uv\dfrac{dw}{dx} + uw\dfrac{dv}{dx} + vw\dfrac{du}{dx}$

28. Pour quelles valeurs réelles de x la courbe décrite par la fonction $f(x)$ admet-elle une droite tangente horizontale ?

a) $f(x) = 3x^2 - 4x + 1$

b) $f(x) = 2x^3 + 3x^2 - 12x$

c) $f(x) = x + \dfrac{1}{x}$

d) $f(x) = 3x^4 - 16x^3 + 5$

e) $f(x) = \dfrac{x}{x^2 + 9}$

f) $f(x) = \dfrac{2x - 3}{x^2 + 4}$

▲ **29.** Déterminez l'équation de la droite tangente et l'équation de la droite normale à la courbe décrite par la fonction en la valeur donnée de x.

a) $f(x) = 2x^2 - 5x + 1$ en $x = 0$

b) $f(x) = x^3 - 3x^2$ en $x = 1$

c) $f(x) = 2x - \dfrac{1}{x}$ en $x = -1$

d) $f(x) = \dfrac{1}{\sqrt{x}}$ en $x = 4$

e) $f(x) = \dfrac{x + 3}{x + 1}$ en $x = -2$

f) $f(x) = \dfrac{2x + 1}{x - 1}$ en $x = 0$

g) $f(x) = \dfrac{1 - x}{2x + 3}$ en $x = 1$

30. Déterminez les équations des droites dont la pente est $-1/4$ et qui sont tangentes à la courbe décrite par la fonction $f(x) = \frac{1}{x}$.

31. En quel point de la courbe décrite par la fonction $f(x) = \frac{1}{x^2}$ retrouve-t-on une droite tangente parallèle à la droite $y = 1/4x - 1$?

32. En quels points de la courbe décrite par la fonction $f(x) = x^3 - 3x$ retrouve-t-on une droite tangente perpendiculaire à la droite $y = 3/5x + 8/5$?

33. Vérifiez qu'aucune droite de pente 1 n'est tangente à la courbe décrite par la fonction $f(x) = \frac{x^2}{x-1}$.

34. Il y a deux droites passant par le point (4, 20) qui sont tangentes à la courbe décrite par la fonction $f(x) = 8x - x^2$. Quelles sont les équations de ces deux droites tangentes?

35. Déterminez le taux de variation du volume d'une sphère par rapport à son rayon.

36. On projette un objet verticalement vers le haut avec une vitesse initiale de 15 m/s. La hauteur h (en mètres) est donnée par la fonction $h(t) = 50 + 15t - 4{,}9t^2$, où t est le temps (en secondes) écoulé depuis son lancement.

a) À quelle hauteur au-dessus du sol l'objet est-il situé lorsqu'on le projette verticalement vers le haut?

b) Sachant que la vitesse de l'objet est donnée par $\frac{dh}{dt}$, déterminez la vitesse de l'objet lorsqu'il atteint la hauteur de 60 m lors de sa montée.

c) Sachant que l'objet atteint sa hauteur maximale lorsque sa vitesse est nulle, déterminez la hauteur maximale atteinte par l'objet ainsi que le temps requis pour atteindre cette hauteur.

d) À quelle vitesse l'objet touchera-t-il le sol?

37. Un individu a été exposé à un contaminant. La concentration (en parties par million) de ce contaminant dans le corps de l'individu t jours après l'exposition est donnée par $C(t) = \frac{25t + 1\,000}{50t + 2}$.

a) Déterminez le taux de variation $C'(t)$ de la concentration de contaminant par rapport au temps t. Indiquez bien les unités.

b) Que vaut $C'(2)$?

c) Interprétez, dans le contexte, la réponse obtenue en b.

38. La fonction $C(p) = \frac{3p}{120 - p}$ représente ce qu'il en coûte (en centaines de milliers de dollars) pour retirer un pourcentage $p \in [0, 100]$ des polluants dans un site contaminé.

a) Combien faut-il débourser pour retirer 60 % des polluants du site?

b) Quel pourcentage des polluants peut-on retirer du site avec un budget de 450 000 $?

c) Déterminez le taux de variation instantané du coût de décontamination $C'(p)$. Indiquez bien les unités.

d) Que vaut $C'(60)$?

e) Interprétez, dans le contexte, la réponse obtenue en d.

f) Déterminez si les coûts de décontamination augmentent à un rythme plus grand lorsque $p = 40\,\%$ ou lorsque $p = 60\,\%$. Justifiez votre réponse.

39. La concentration C (en milligrammes par litre de sang) d'antibiotique en fonction du temps t (en heures) écoulé depuis l'injection est donnée par $C(t) = \frac{t^2 + t}{4t^3 + 50}$.

a) Que vaut $\lim_{t\to\infty} C(t)$?

b) Interprétez, dans le contexte, la réponse obtenue en a.

c) Quelle est l'expression du taux de variation instantané de la concentration d'antibiotique dans le sang par rapport au temps? Utilisez une notation appropriée pour noter ce taux de variation et indiquez bien les unités.

d) Que vaut $C'(10)$?

e) Interprétez, dans le contexte, la réponse obtenue en d.

40. La taille P de la population d'une certaine espèce de poissons (en millions d'individus) en fonction du temps t (en années) écoulé depuis 2020 est donnée par $P(t) = \frac{5t^2 + 3}{0{,}4t^2 + 2}$.

a) Quelle est la taille de cette population en 2020?

b) Que vaut $\lim_{t\to\infty} P(t)$?

c) Interprétez, dans le contexte, la réponse obtenue en b.

d) Quelle est l'expression de $P'(t)$? Indiquez bien les unités.

e) Que vaut $P'(10)$?

f) Interprétez, dans le contexte, la réponse obtenue en e.

g) Que vaut $\lim_{t\to\infty} P'(t)$?

h) Interprétez, dans le contexte, la réponse obtenue en g.

41. Le corps humain réagit à un stimulus selon l'intensité de celui-ci. Ainsi, la pupille réagit lorsqu'elle est soumise à une source lumineuse. La relation entre l'aire $A(x)$ (en millimètres carrés) d'une pupille et l'intensité x d'une source lumineuse est donnée par $A(x) = \frac{40 + 24x^4}{1 + 4x^4}$. On peut vérifier que plus la source lumineuse est intense, plus la pupille se contracte, c'est-à-dire que l'aire de la pupille diminue.

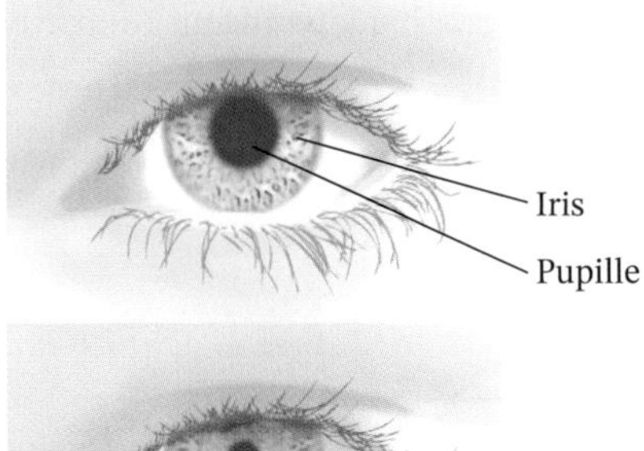

La sensibilité de la pupille à une source lumineuse est définie par $S(x) = \dfrac{dA}{dx}$.

a) Quelle est l'aire d'une pupille lorsque l'intensité lumineuse est nulle ?

b) Quelle est l'aire d'une pupille soumise à une source lumineuse très intense ?

c) Quelle est la sensibilité de la pupille à l'intensité d'une source lumineuse ?

d) Que vaut $S(4)$?

42. Un ingénieur doit faire le plan pour une bretelle d'autoroute. Le schéma qui suit présente le tracé de l'autoroute (en trait continu) et celui de la bretelle (en trait pointillé). La pente du tracé de l'autoroute au point $(-1, 0)$ est de -1. L'équation du tracé de la bretelle est un polynôme de degré 2 qui passe également par le point $(1, 0)$. Quelle est l'équation de la bretelle ?

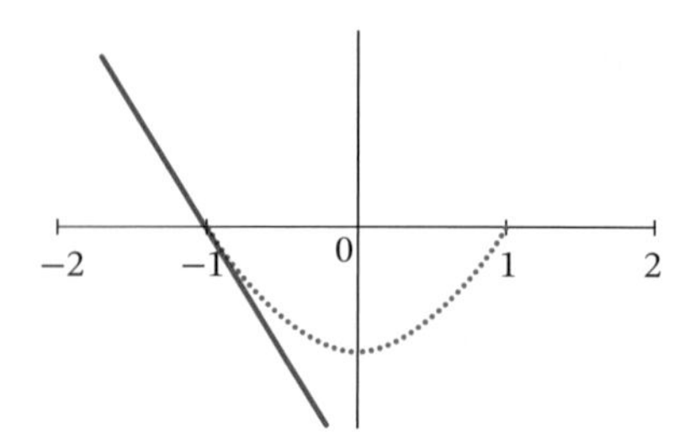

43. Une mouche se déplace, de la gauche vers la droite, à partir du point $(-1, 2)$ sur une parabole opaque d'équation $f(x) = 3 - x^2$. Par ailleurs, une araignée immobile se trouve au point $(2, 0)$. Quelle distance séparera les deux insectes lorsqu'ils se verront pour la première fois ?

SECTION 2.6

44. Esquissez le graphique d'une fonction satisfaisant aux conditions suivantes : $f'(-2) > 0$, $f'(-1) = 0$, $f(0) = 0$, $f'(0) < 0$, $f'(2) = 0$ et $f(4) = 2$.

45. Esquissez le graphique d'une fonction satisfaisant aux conditions suivantes : $f'(x) < 0$ si $x < 0$ ou si $x > 0$, $f'(0) = 0$ et $f(0) = 0$.

46. Déterminez lequel des graphiques suivants (*a*, *b*, *c* ou *d*) correspond à la dérivée de la fonction $f(x)$.

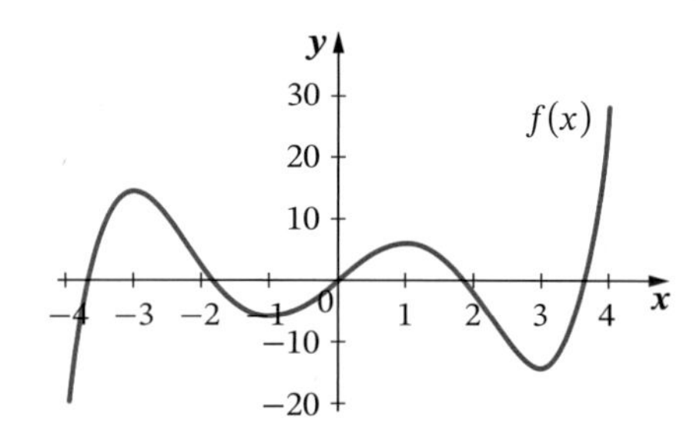

a)

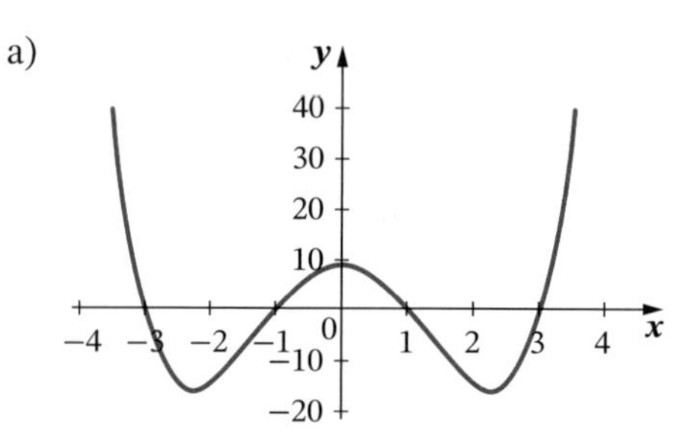

b)

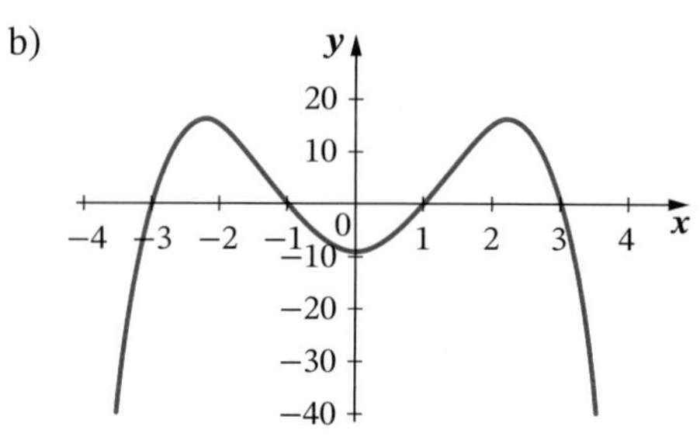

c)

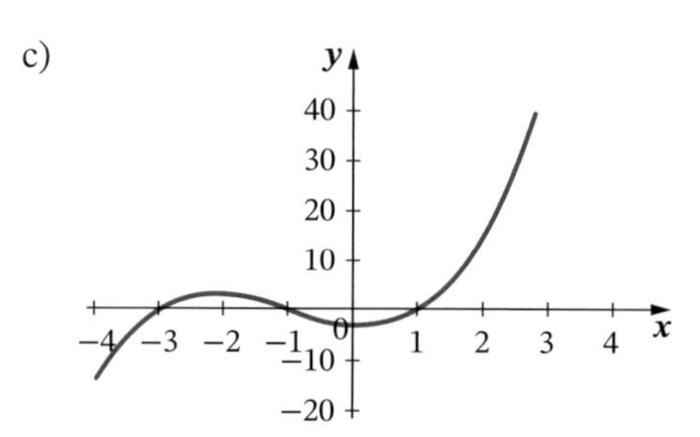

d)

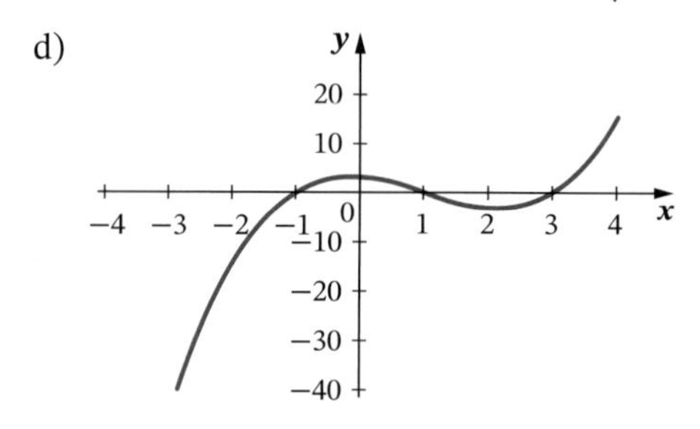

47. Des chercheurs intéressés par les habitudes alimentaires ont étudié le lien entre le temps t consacré à prendre un repas et la quantité Q de nourriture absorbée. Ils ont établi que t min après le début du repas, la quantité $Q(t)$ (en grammes) ingérée par un être humain est donnée par $Q(t) = 30t - 0{,}75t^2$.

a) Quel est le taux de consommation de nourriture (en grammes par minute) 5 min après le début du repas ?

b) À quel moment le taux de consommation est-il nul ?

c) Quel est le signe du taux de consommation au-delà de la valeur obtenue en *b* ?

d) À partir de la réponse obtenue en *c*, expliquez pourquoi le modèle proposé par les chercheurs ne serait pas approprié pour décrire l'alimentation chez l'être humain au-delà de la valeur obtenue en *b*.

48. Les aliments périssables doivent être conservés à une température variant entre 2 °C et 4 °C. La température $R(t)$ d'un aliment (en Celsius) en fonction du temps t (en heures) mesuré depuis le moment où l'aliment a été déposé au réfrigérateur est donnée par la fonction $R(t) = \dfrac{7t^3 + 20}{2t^3 + 1}$.

a) Quelle était la température de l'aliment au moment où il a été déposé au réfrigérateur? Indiquez bien les unités.

b) Combien de temps a-t-il fallu pour que la température de l'aliment tombe à 4 °C?

c) À long terme, quelle sera la température de l'aliment déposé dans ce réfrigérateur si on ne l'en sort pas?

d) Déterminez $R'(t)$. Indiquez bien les unités.

e) La fonction $R(t)$ est-elle croissante ou décroissante? Justifiez votre réponse à partir du résultat obtenu en *d*.

f) Que vaut $R'(1)$? Indiquez bien les unités.

g) Interprétez, dans le contexte, la valeur obtenue en *f*.

h) Évaluez $\lim_{t \to \infty} R'(t)$. Indiquez bien les unités.

i) Interprétez, dans le contexte, la valeur obtenue en *h*.

49. La loi de gravitation de Newton stipule que la grandeur de la force F (en Newtons) qui s'exerce entre deux masses ponctuelles de M_1 kg et de M_2 kg est proportionnelle au produit des deux masses et inversement proportionnelle au carré de la distance r (en mètres) qui les sépare.

a) Si on note G la constante de proportionnalité $(G > 0)$, exprimez la force en fonction des masses et de la distance qui les sépare.

b) Quelle est l'unité de mesure de $\dfrac{dF}{dr}$?

c) Quelle est l'expression de $\dfrac{dF}{dr}$?

d) À partir du signe de $\dfrac{dF}{dr}$, que pouvez-vous conclure à propos de la fonction $F(r)$ dans le contexte?

50. Déterminez les intervalles où la fonction $f(x)$ est positive, les intervalles où elle est négative, les valeurs de x où elle s'annule ainsi que celles où elle n'est pas définie.

a) $f(x) = x^4 - 25x^2$

b) $f(x) = 6x^3 - 4x^2 - 2x$

c) $f(x) = \dfrac{-8x^2 - 14x + 4}{x^2 - 16}$

d) $f(x) = \dfrac{4x^2 + 2x - 20}{5x^2 + 2x - 3}$

51. La taille N d'une colonie de bactéries dans une boîte de Petri varie selon le temps t (en heures) et est donnée par la fonction $N(t) = 4\,000\left(1 + \dfrac{2t}{100 + t^2}\right)$.

a) Initialement, combien compte-t-on de bactéries dans la boîte de Petri?

b) Combien compte-t-on de bactéries après 5 h?

c) Déterminez $N'(t)$. Indiquez bien les unités.

d) Construisez un tableau des signes de $N'(t)$ afin de déterminer à quel moment la colonie de bactéries atteint sa taille maximale.

e) Quelle est la taille maximale de cette colonie de bactéries?

52. Au cours du mois d'avril dernier, la valeur V (en dollars) d'un portefeuille d'actions a fluctué selon la fonction

$$V(t) = \frac{t^3}{3} - 4t^2 - 48t + 7\,500$$

où t est le temps (en jours) écoulé depuis le début du mois.

a) Quelle était la valeur du portefeuille d'actions à la fin de la journée du 31 mars dernier $(t = 0)$?

b) Quelle était la valeur du portefeuille d'actions le 30 avril dernier $(t = 30)$?

c) Déterminez $V'(t)$. Indiquez bien les unités.

d) Construisez un tableau des signes de $V'(t)$ afin de déterminer à quel moment le portefeuille d'actions a atteint sa valeur minimale au cours du mois d'avril dernier.

e) Quelle est cette valeur minimale?

53. On lance une balle vers le haut à partir du toit d'un édifice avec une vitesse initiale de 14,7 m/s. La position de la balle (sa hauteur mesurée en mètres) après un temps t (en secondes) est donnée par $s(t) = -4{,}9t^2 + 14{,}7t + 49$.

a) Quelle est la hauteur de l'édifice?

b) Combien de temps s'écoule-t-il avant que la balle ne touche le sol?

c) Quelle est la vitesse $v(t) = \dfrac{ds}{dt}$ de la balle au temps t?

d) À quel moment la vitesse de la balle est-elle nulle?

e) Sur quel intervalle de temps la balle se dirige-t-elle vers le haut?

f) Sur quel intervalle de temps la balle se dirige-t-elle vers le bas?

g) Quelle est la hauteur maximale atteinte par la balle?

h) Quelle est la distance totale parcourue par la balle?

54. Deux mobiles m_1 et m_2 se déplacent sur des axes horizontaux parallèles. Les positions (en mètres) des deux mobiles au temps t (en minutes), notées respectivement $s_1(t)$ et $s_2(t)$, sont représentées dans le graphique suivant:

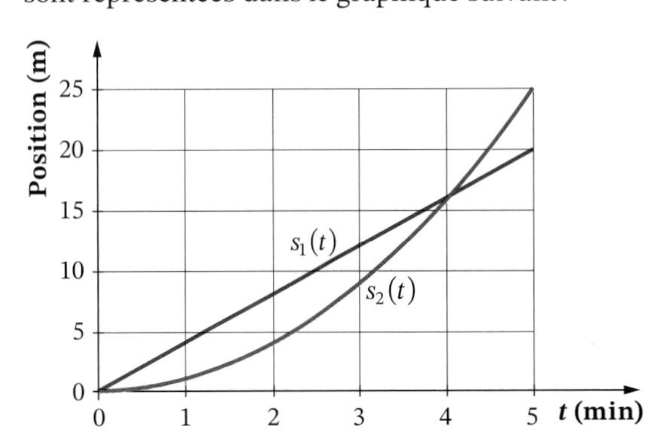

a) À partir du graphique, estimez les moments où les mobiles ont parcouru la même distance.

b) À partir du graphique, estimez la distance parcourue par m_1 après 1 min.

c) Lequel des deux mobiles a parcouru la plus grande distance au cours des 3 premières minutes?

d) Quelle indication graphique permettrait de conclure que les deux mobiles se déplacent à la même vitesse ?

e) À partir du graphique, estimez le moment où les deux mobiles se déplacent à la même vitesse.

f) Lequel des deux mobiles se déplace à la plus grande vitesse après 4 min ? Justifiez votre réponse.

55. Un objet se déplace selon une trajectoire rectiligne horizontale de sorte que sa position (en mètres) au temps t (en secondes) est donnée par la fonction $s(t) = \frac{1}{4}t^4 - \frac{11}{3}t^3 + 12t^2 + 4$.

a) Déterminez la fonction $v(t)$ donnant la vitesse de l'objet au temps t.

b) Déterminez les instants où l'objet est momentanément au repos.

c) Déterminez l'intervalle ou les intervalles de temps sur lesquels l'objet se déplace vers la droite.

d) Déterminez l'intervalle ou les intervalles de temps sur lesquels l'objet se déplace vers la gauche.

e) Déterminez la distance totale parcourue par l'objet durant les 5 premières secondes.

SECTION 2.7

56. Déterminez la dérivée troisième de la fonction.

a) $f(x) = x^4 - x^3 + x^2 - x + 1$

b) $g(t) = \dfrac{1}{\sqrt{t}}$

c) $y = \dfrac{1}{x^2}$

57. Les graphiques ci-dessous présentent les courbes décrites par les fonctions $f(x)$, $f'(x)$ et $f''(x)$. Déterminez chacune d'elles en justifiant vos réponses.

a)

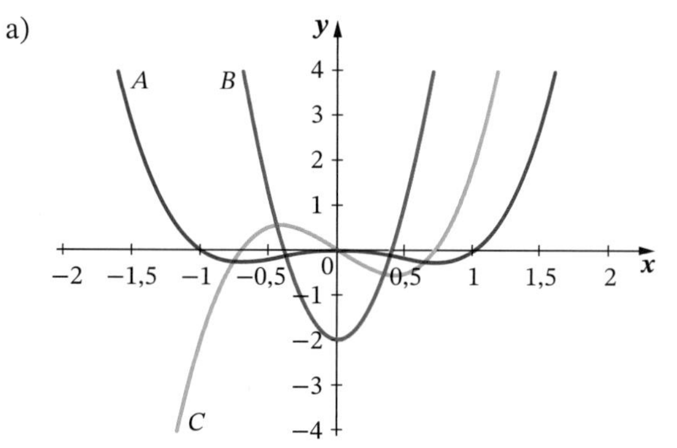

b)

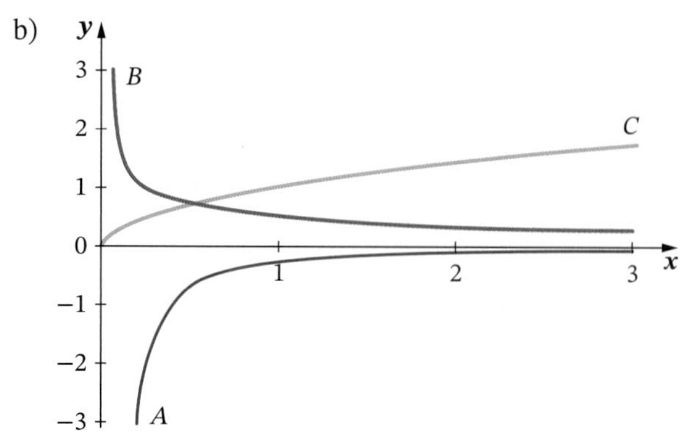

58. Si u et v sont des fonctions de x qui admettent des dérivées d'ordre 1 et d'ordre 2, montrez que $(uv)'' = uv'' + 2u'v' + u''v$.

59. Un objet se déplace à une vitesse v (en mètres par seconde) donnée par la fonction $v(t) = 0{,}1\sqrt{t}$, où t représente le temps (en secondes) écoulé depuis le début du déplacement.

a) Quelle est la vitesse initiale de l'objet ?

b) Quelle est la vitesse de l'objet après 1 s ?

c) Quelle est la vitesse de l'objet après 4 s ?

d) Quel est le taux de variation moyen de la vitesse sur l'intervalle $[1, 4]$?

e) Quelle est l'unité de mesure du taux calculé en d ?

f) Quelle notation mathématique emploie-t-on pour désigner la variation instantanée de la vitesse de l'objet t s après le début de son déplacement ?

g) Donnez l'expression du taux de variation instantanée de la vitesse de l'objet t s après le début de son déplacement.

h) À quelle mesure physique correspond la variation obtenue en g ?

i) Calculez $v'(4)$.

60. Lors d'un test de collision, une voiture se déplace en ligne droite vers un mur situé à 90 m du point de départ de la voiture. La position de la voiture (en mètres) à partir de son point de départ est donnée par la fonction $s(t) = 4t + \frac{1}{2}t^2$, où t représente le temps (en secondes) écoulé depuis sa mise en mouvement.

a) À quelle distance du mur la voiture se trouve-t-elle 2 s après la mise en mouvement ?

b) Quelle est la vitesse de la voiture (en kilomètres par heure) après 2 s ?

c) À quelle distance du mur la voiture se trouve-t-elle lorsqu'elle atteint une vitesse de 30 km/h ?

d) Combien de temps faut-il à la voiture avant d'entrer en collision avec le mur ?

e) Quelle est la vitesse de la voiture (en kilomètres par heure) au moment de l'impact ?

f) Quelle est l'accélération de la voiture (en mètres par seconde carrée) au moment de l'impact ?

61. Un objet se déplace selon un axe horizontal de façon telle que sa position $s(t)$ en fonction du temps t est donnée par la fonction $s(t) = \frac{1}{2}at^2 + b$, où a et b sont des constantes. Vérifiez que la vitesse moyenne $\overline{v}$ de l'objet sur l'intervalle $[t_0 - h, t_0 + h]$ correspond à la vitesse instantanée en $t = t_0$.

62. La réaction $R(q)$ à une dose q de médicament est donnée par $R(q) = q^2(a - bq)$, où a et b sont des paramètres (des constantes) positifs. La sensibilité S est définie comme le taux de variation instantané de la réaction par rapport à la dose q.

a) Quel concept mathématique important peut être interprété comme un taux de variation instantané ?

b) Utilisez une notation mathématique appropriée pour exprimer le fait que la sensibilité S représente le taux de variation instantané de la réaction par rapport à la dose q.

c) Quelle est l'expression de S en fonction de q? Votre réponse doit contenir les paramètres a et b.

d) Quel ordre de la dérivée de la réaction par rapport à la dose doit-on utiliser pour trouver l'expression du taux de variation instantané de la sensibilité par rapport à la dose?

e) Quelle est l'expression du taux de variation instantané de la sensibilité par rapport à la dose? Votre réponse doit contenir les paramètres a et b.

63. Sous l'action du levain, le volume occupé par une boule de pâte à pain varie en fonction (dérivable) du temps. Soit $V(t)$ le volume (en centimètres cubes) occupé par une boule de pâte à pain en fonction du temps t (en minutes) mesuré à compter du moment où la boule a été déposée sur le comptoir $(t = 0)$.

Traduisez l'information contenue dans la phrase sous la forme d'un ou de plusieurs énoncés (équations ou inéquations) écrits avec les unités de mesure et le symbolisme mathématique appropriés.

a) Après 10 min, le volume occupé par la boule de pâte à pain est de $40\,\text{cm}^3$.

b) Après 10 min, le volume de la boule de pâte à pain augmente à raison de $1\,\text{cm}^3/\text{min}$.

c) Après 30 min, le rythme de croissance du volume occupé par la boule de pâte à pain diminue à raison de $0{,}1\,\text{cm}^3/\text{min}^2$.

d) Après 1 h, le volume de la boule de pâte à pain a atteint sa valeur maximale, c'est-à-dire qu'il a augmenté jusqu'à cet instant puis s'est mis à diminuer par la suite.

64. Soit $P_A(t)$ et $P_B(t)$ la taille de deux populations en fonction du temps t. Consignez l'information que contient l'énoncé dans une ou deux équations ou inéquations où apparaissent des fonctions ou leurs dérivées.

a) Au temps $t = t_0$, la taille de la population A est deux fois plus grande que la taille de la population B, mais, à cet instant, la population A croît à un rythme trois fois moins grand que celui de la population B.

b) Au temps $t = t_0$, les deux populations sont de même taille, mais, à cet instant, la population A croît à un rythme plus rapide que celui de la population B.

c) En tout temps, la population A croît à un rythme proportionnel à sa taille.

d) Le rythme de croissance de la population A augmente.

65. Soit $s(t)$ la position d'un mobile qui se déplace sur un axe horizontal en fonction du temps t. Utilisez $\dfrac{ds}{dt}$ et $\dfrac{d^2s}{dt^2}$ dans deux équations ou inéquations pour traduire l'énoncé en langage mathématique.

a) Le mobile se déplace vers la droite de plus en plus vite.

b) Le mobile se déplace vers la droite, mais ralentit.

c) Le mobile se déplace vers la droite à vitesse constante.

d) Le mobile se déplace vers la droite, s'immobilise pour une fraction de seconde en $t = t_0$, pour ensuite repartir vers la gauche.

66. Soit $P(t)$ la taille d'une population en fonction du temps t. Cette population augmente avec le temps sur l'intervalle $[a, b]$, mais son taux de croissance est décroissant.

a) Quelle expression mathématique correspond au taux de croissance instantané de la taille de cette population? Utilisez une notation appropriée pour désigner cette expression.

b) Encerclez la lettre qui correspond à un énoncé vrai.

A. Si $t \in \,]a, b[$, alors $P'(t) < 0$.

B. Si $t \in \,]a, b[$, alors $P'(t) > 0$.

C. Si $t \in \,]a, b[$, alors $P'(t) = 0$.

D. Aucune de ces réponses.

c) Comment traduit-on en langage mathématique le fait que le taux de croissance de la population est décroissant?

d) Encerclez la lettre associée au graphique susceptible de représenter la courbe décrite par la fonction $P(t)$.

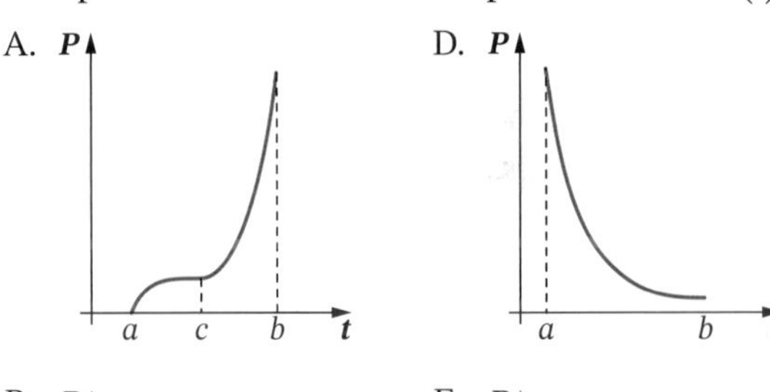

B.

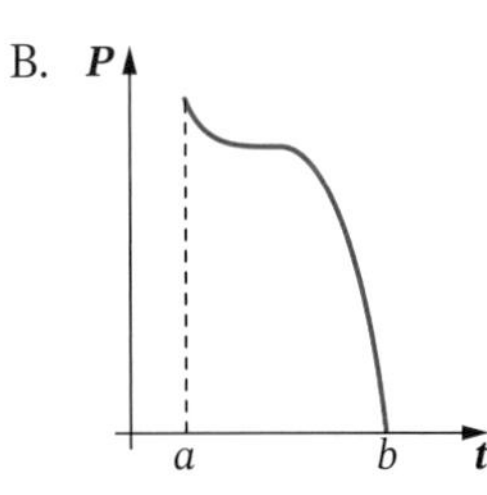

E.

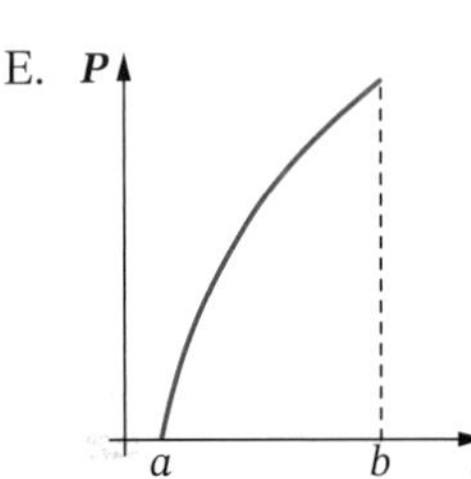

C.

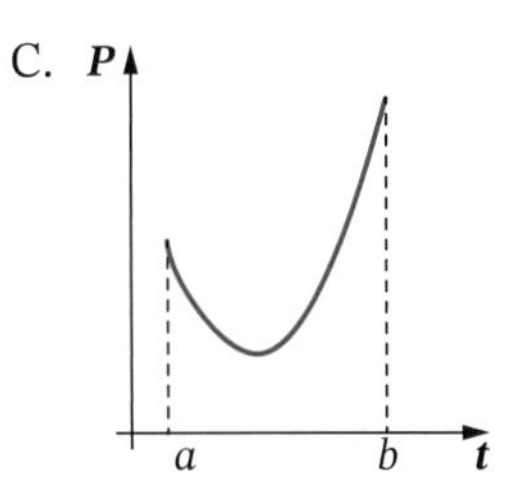

F.

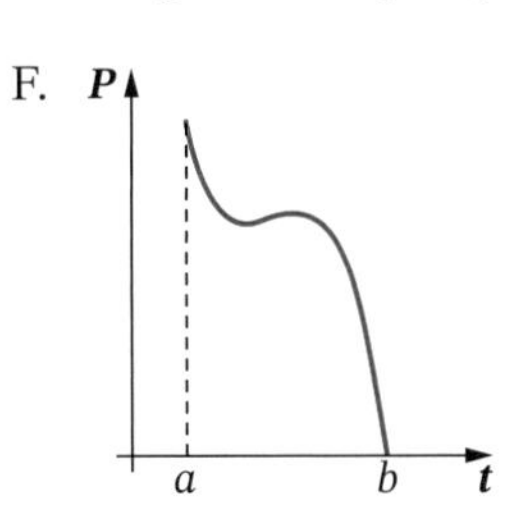

67. Vérifiez que la fonction $y = 2x^3 - 6x^2 + 4x - 2$ satisfait à l'équation $y''' + y'' + y' = 6x^2 + 4$.

68. Déterminez les valeurs des constantes A, B et C pour que la fonction $y = Ax^2 + Bx + C$ satisfasse à l'équation $y'' - y' + y = -2x^2 + x + 3$.

SECTION 2.8

69. Déterminez la dérivée en utilisant les formules de dérivation.

a) $f(x) = (x^4 - 3x^3 + 2x - 5)^5$

b) $g(t) = \sqrt[3]{3 - 2t}$

c) $h(t) = \sqrt[4]{t^2 - 6t}$

d) $y = \dfrac{4}{\sqrt{(t^2 + 4t + 2)^3}}$

e) $h(x) = \left(\dfrac{3-2x}{3x+4}\right)^5$

f) $y = \left(\dfrac{2x^2+3}{x^2-3}\right)^7$

g) $h(t) = \left(\dfrac{t^3-1}{t^3+1}\right)^4$

h) $y = (2x^3-5)^3(3-2x)^2$

i) $f(t) = (2t^2+3)^4(4t-5)^3$

j) $g(x) = (x^4-3x)^3(x^2-2)^2$

70. Déterminez la dérivée en utilisant les formules de dérivation.

a) $s(x) = -\dfrac{2}{\sqrt[3]{x^5+1}} + \sqrt[5]{x^2+2x} - \pi^4$

b) $f(t) = \left(3t - \dfrac{1}{\sqrt[3]{t^2}}\right)^3$

c) $s(t) = \left(\dfrac{3t^3}{9t-1}\right)^3$

d) $g(x) = \left(\dfrac{x^2-6x+2}{x^2-3}\right)^7$

e) $f(t) = \sqrt{\dfrac{4t+3}{t^2+1}}$

f) $s(t) = \sqrt{t^2 + \sqrt{1+t^3}}$

g) $g(t) = \sqrt{3t + \sqrt{1+2t^3}}$

h) $h(x) = \sqrt[3]{x^2 + \sqrt{5+2x}}$

i) $y = \dfrac{(x^2+x+3)^4}{(1-x^3)^3}$

j) $y = \dfrac{2t}{\sqrt{3t^2+5}}$

71. Déterminez l'équation de la droite tangente et l'équation de la droite normale à la courbe décrite par la fonction en la valeur de x donnée.

a) $f(x) = (x^2-2x+3)^3$ en $x = 2$

b) $f(x) = \sqrt[5]{2x}$ en $x = 16$

c) $f(x) = \sqrt[3]{x^2-1}$ en $x = 3$

d) $f(x) = \dfrac{1}{\sqrt{3-2x}}$ en $x = -3$

e) $f(x) = \dfrac{8}{\sqrt{3x+4}}$ en $x = 4$

f) $f(x) = x\sqrt{x^2+5}$ en $x = 2$

g) $f(x) = x\sqrt{6-x}$ en $x = 5$

72. Pour quelles valeurs réelles de x la courbe décrite par la fonction $f(x)$ admet-elle une droite tangente horizontale ?

a) $f(x) = (x^2-4)^8$

b) $f(x) = x^2(3x+2)^3$

c) $f(x) = x\sqrt{200-x^2}$

d) $f(x) = \left(\dfrac{2x-1}{x^2+2}\right)^4$

73. Déterminez $f'(x)$, $f''(x)$ et $f'''(x)$.

a) $f(x) = \dfrac{1}{2-3x}$

b) $f(x) = \dfrac{1}{a-bx}$, où a et b sont des constantes non nulles.

c) $f(x) = \sqrt{1+4x}$

d) $f(x) = \sqrt{a+bx}$, où a et b sont des constantes positives.

74. On a donné à un patient atteint d'une forte fièvre un médicament destiné à faire chuter sa température. La température C (en Celsius) du patient après un temps t (en heures) est donnée par la fonction $C(t) = 36{,}6 + \dfrac{6}{\sqrt{\frac{1}{2}t+4}}$.

a) Quelle est la température du patient 24 h après l'absorption du médicament?

b) Déterminez $C'(t)$. Indiquez bien les unités.

c) En vertu de la réponse obtenue en *b*, pouvez-vous conclure que le médicament est efficace, c'est-à-dire qu'il provoque une baisse de la température du patient? Justifiez votre réponse en vous référant au signe de la dérivée.

d) Que vaut $C'(24)$? Indiquez bien les unités.

e) Interprétez, dans le contexte, la valeur obtenue en *d*.

75. La formule internationale du nivellement barométrique donnant la pression atmosphérique p (en hPa, soit en hectopascals) en fonction de l'altitude h (en mètres par rapport au niveau de la mer) est $p(h) = 1\,013{,}25\left(1 - \dfrac{0{,}0065}{288{,}15}h\right)^{5{,}255}$.

a) Quelle est la pression atmosphérique au niveau de la mer?

b) Donnez la valeur et le sens de $p(600)$.

c) Déterminez $p'(h)$. Indiquez bien les unités.

d) Que vaut $p'(0)$? Indiquez bien les unités.

e) Interprétez, dans le contexte, la valeur obtenue en *d*.

f) Que vaut $p'(600)$? Indiquez bien les unités.

g) Interprétez, dans le contexte, la valeur obtenue en *f*.

76. Vous placez 5 000 $ à un taux d'intérêt de r % capitalisé mensuellement. Le montant accumulé (en dollars) après 4 ans est donné par $C(r) = 5\,000\left(1 + \dfrac{r/100}{12}\right)^{48} = 5\,000\left(1 + \dfrac{r}{1\,200}\right)^{48}$.

a) Calculez le montant accumulé après 4 ans si le taux d'intérêt est de 6 % capitalisé mensuellement, c'est-à-dire calculez $C(6)$.

b) Calculez le montant accumulé après 4 ans si le taux d'intérêt est de 12 % capitalisé mensuellement, c'est-à-dire calculez $C(12)$.

c) Déterminez $C'(r)$. Indiquez bien les unités.

d) Est-ce que la fonction $C(r)$ est croissante ou décroissante? Justifiez votre réponse.

e) Que vaut $C'(6)$?

f) Interprétez, dans le contexte, la valeur obtenue en *e*.

77. Si y est une fonction dérivable de v, si v est une fonction dérivable de u et si u est une fonction dérivable de x, montrez que $\frac{dy}{dx} = \frac{dy}{dv}\frac{dv}{du}\frac{du}{dx}$. (Indice: Utilisez le théorème 2.10.)

78. Déterminez $\frac{dy}{dx}$ en utilisant la dérivation en chaîne et exprimez le résultat en fonction de x.

a) $y = 4u + u^2$ et $u = x^4 + x^3 - x^2 + 4x - 1$

b) $y = 5v^2 + 7v + 5$ et $v = 2x^3 - 4x^2 - 7x + 3$

c) $y = t^2 + t$ et $t = x^3 + 1 - \frac{1}{x}$

d) $y = u^2 - 2\sqrt{u}$ et $u = x^2 - 3x$

e) $y = \frac{1}{v+1}$ et $v = \frac{1}{x+1}$

f) $y = u - \frac{1}{u}$ et $u = \frac{1-x}{1+x}$

g) $y = 3u^2$, $u = 4v - 1$ et $v = -3x^2 + 6x - 16$

h) $y = \frac{1-v}{1+v}$, $v = u + \frac{1}{u}$ et $u = \sqrt[3]{x}$

79. Évaluez $\left.\frac{dy}{dx}\right|_{x=1}$.

a) $y = \frac{1}{3u} + \frac{2}{u^2}$ et $u = \sqrt{2x+2}$.

b) $y = u + \frac{1}{u}$ et $u = \frac{1-2x}{1+x}$.

80. Chez une certaine espèce de poisson, on a observé une relation entre la longueur L (en mètres) de l'animal et sa masse m (en kilogrammes): $m = 4L^2$. Supposons que le taux de croissance par rapport au temps t (en années) de la longueur d'un tel poisson est de $(0{,}3 - 0{,}2L)$ m/année.

a) Trouvez l'expression de $\frac{dm}{dt}$ en fonction de la longueur L. Indiquez bien les unités.

b) Évaluez $\left.\frac{dm}{dt}\right|_{m=4}$ et interprétez ce résultat dans le contexte.

81. On verse de l'eau dans un récipient cylindrique de 6 cm de rayon et de 25 cm de hauteur. La hauteur du niveau d'eau dans le récipient augmente à raison de 1 cm/s. Déterminez le taux de variation du volume d'eau dans le récipient par rapport au temps. Indiquez bien les unités.

82. Dites si l'énoncé est vrai ou faux.

a) La fonction $f(x) = |x|$ n'admet pas de dérivée en $x = 0$.

b) Si $s(t) = t^3 - 12t^2 + 36t + 500$ représente la position d'un objet qui se déplace sur l'axe des abscisses, alors l'objet se déplace toujours dans la même direction, c'est-à-dire vers la droite.

c) Si u est une fonction dérivable de t, alors $\frac{d}{dt}(u^n) = nu^{n-1}$.

d) La dérivée d'une fonction polynomiale est une fonction polynomiale.

e) Si $f(x)$ et $g(x)$ sont des fonctions dérivables telles que $f'(a) = 0$ et $g'(a) = 0$, et si $h(x) = f(x)g(x)$, alors $h'(a) = 0$.

f) Si $p(x)$ est un polynôme de degré 5, alors $p^{(n)}(x) = 0$ pour tout entier n supérieur à 5.

g) La dérivée d'une fonction en un point P peut être interprétée géométriquement comme la pente de la sécante joignant P à tout autre point de la courbe décrite par la fonction.

h) Si u et v sont des fonctions dérivables de x, alors $\frac{d}{dx}\left(\frac{u}{v}\right) = \frac{du}{dx}\Big/\frac{dv}{dx}$.

i) Si $f(x)$ admet une dérivée en $x = a$ et si $f'(a)$ est un nombre positif, alors une petite augmentation de x provoque une augmentation de $f(x)$.

j) Si $f(x)$ admet une dérivée en $x = a$ et si $f'(a)$ est un nombre négatif, alors une petite augmentation de x provoque une augmentation de $f(x)$.

SECTION 2.9

83. Déterminez $\frac{dy}{dx}$.

a) $y^3 + 2xy = 5x^2$

b) $xy = x^2 + y^2 - x - y$

c) $x^2 + y^2 = 100 - x^2y^2$

d) $x^3 + 2y^3 = -3xy$

e) $x^3 + y^4 = 1 + 2x^2y^2$

f) $x^2y^2 + x^3y = 6x$

g) $\frac{y}{x^2} - 3xy^2 = 8$

h) $\frac{y^2}{x} - 3xy = 6$

i) $(x^2 + y^2)^2 = 4x^2y$

j) $\sqrt{x+y} + xy = 6x - y$

k) $x = y^2\sqrt{y} - 3y + 1$

l) $x = \frac{3y - y^2}{2y + 3}$

84. Déterminez l'équation de la droite tangente et l'équation de la droite normale à la courbe décrite par l'équation implicite $x^3 + y^3 = 2xy$ au point $(1, 1)$.

85. Quelle est l'équation de la droite tangente à la courbe décrite par l'équation implicite $x^{2/3} + y^{2/3} = 1/2$ au point $(1/8, 1/8)$?

86. Une masse attachée à une corde se déplace dans le sens contraire des aiguilles d'une montre selon une trajectoire circulaire décrite par l'équation $x^2 + y^2 = 16$. La corde casse lorsque la masse est située au point $(2, 2\sqrt{3})$.

a) Que vaut $\frac{dy}{dx}$ à ce moment ?

b) Donnez une interprétation géométrique de $\frac{dy}{dx}$ à ce moment.

c) Au moment où la corde casse, la masse emprunte une direction tangentielle à sa trajectoire initiale. Quelle est la nouvelle trajectoire de la masse au moment où la corde casse ?

87. Pour quelles valeurs réelles positives de x la courbe décrite par l'équation implicite $y(y - x^2) - x = 0$ admet-elle une droite tangente horizontale ?

88. Quelles sont les équations des deux droites tangentes au cercle d'équation $x^2 + y^2 = 1$ qui passent par le point $(5/4, 0)$?

89. Montrez que l'équation de la droite tangente à l'ellipse d'équation $\frac{x^2}{a^2} + \frac{y^2}{b^2} = 1$ au point (x_0, y_0) peut s'écrire sous la forme $\frac{x_0}{a^2}x + \frac{y_0}{b^2}y = 1$.

90. Soit le cercle d'équation $x^2 + y^2 = r^2$ (un cercle de rayon r centré à l'origine). Soit P un point sur la circonférence du cercle. Montrez que la droite passant par l'origine et le point P est perpendiculaire à la droite tangente au cercle en ce point.

91. Déterminez $\frac{dy}{dx}$.

a) $y = \frac{x^3}{4} + \frac{4}{x^3} - \frac{3}{x^4}$

b) $y = \frac{3\pi^3}{1 - 2x}$

c) $y = x^2\sqrt[3]{3x + 1}$

d) $y = \frac{3x - 4x^2}{1 + 2x^3}$

e) $y = \left(x^2 + \frac{1}{x}\right)^4$

f) $y = (3x^2 + 4)^3(3x - 2x^3)^4$

g) $y = \sqrt{\frac{3 - x^4}{2x + 4}}$

h) $y = \frac{(x^2 + 2x - 1)^5}{(4 - 3x - x^3)^4}$

i) $x^3y + y^3 = 1 - x$

j) $6x - \sqrt{2xy} + xy^3 = y^2$

92. Évaluez l'expression demandée.

a) $f'(2)$ si $f(x) = 3x^2 - 2x + 5$

b) $\left.\frac{dy}{dx}\right|_{x=4}$ si $y = \frac{x + \sqrt{x}}{2x - 7}$

c) $\left.\frac{dy}{dx}\right|_{x=1}$ si $y = \left(2x - \frac{1}{\sqrt{x}}\right)^3$

d) $f'(-1)$ si $f(x) = (3x + 4)^3(x + 2)^4$

e) $\left.\frac{d^2y}{dx^2}\right|_{x=1}$ si $y = \frac{3x - 4}{2 - x}$

f) $\left.\frac{d^3y}{dx^3}\right|_{x=4}$ si $y = \sqrt{2x + 1}$

g) $f'''(0)$ si $f(x) = (3x + 2)^4$

h) $f^{(4)}(1)$ si $f(x) = x^6$

i) $\left.\frac{dy}{dx}\right|_{(-2,\,1)}$ si $xy^3 + 11 = 5y + x^2$

j) $\left.\frac{dy}{dx}\right|_{(2,\,1)}$ si $x^2 - 2x^2y = -2xy^3$

k) $\left.\frac{dy}{dx}\right|_{(1,\,3)}$ si $3x^3 - 2xy = -1/9\,y^3$

l) $\left.\frac{dy}{dx}\right|_{(1,\,-2)}$ si $xy^2 - x^2 + y - 1 = 0$

m) $\left.\frac{dy}{dx}\right|_{(1,\,1)}$ si $x\sqrt{y} - x^3y^2 = x - y$

EXERCICES de révision

1. Encerclez la lettre qui correspond à la bonne réponse.

a) Si $f(x) = \sqrt{x^2 - 4}$, que vaut $f'(x)$?

A. $\sqrt{2x}$

B. $\frac{1}{2\sqrt{x^2 - 4}}$

C. $\frac{x}{\sqrt{x^2 - 4}}$

D. 1

E. $\frac{1}{\sqrt{2x}}$

F. Aucune de ces réponses.

b) Si $f(x) = (2x - 1)^2(3x^2 + 4)$, que vaut $\frac{dy}{dx}$?

A. $48x^3 - 36x^2 + 38x - 16$

B. $48x^2 - 24x$

C. $20x^3 - 14x^2 + 18x - 8$

D. $36x^3 - 30x^2 + 22x - 8$

E. $24x^2 - 12x$

F. Aucune de ces réponses.

c) Soit $f(x)$ et $g(x)$ deux fonctions dérivables en $x = 2$ telles que $f(2) = 3$, $f'(2) = -4$, $g(2) = -2$ et $g'(2) = 7$. Que vaut $\left.\dfrac{d}{dx}\left(\dfrac{f}{g}\right)\right|_{x=2}$?

A. $13/7$	F. $29/49$
B. $-13/7$	G. $-29/49$
C. $13/4$	H. $29/16$
D. $-13/4$	I. $-29/16$
E. Cette valeur n'existe pas.	H. Aucune de ces réponses.

d) Si $f(x) = \dfrac{3x+1}{5-x}$, que vaut $f''(x)$?

A. $\dfrac{-18x^2 + 48x - 290}{(5-x)^4}$

B. $\dfrac{32}{(5-x)^3}$

C. $\dfrac{16x^2 - 192x + 560}{(5-x)^4}$

D. $\dfrac{4 - 32x}{(5-x)^3}$

E. 0

F. Aucune de ces réponses.

e) Que vaut $f'(4)$ si $f(x) = x^2\sqrt{x}$?

A. 64	E. 20
B. 8	F. 3
C. 32	G. 16
D. Cette valeur n'existe pas.	H. Aucune de ces réponses.

2. Complétez les phrases.

La droite qui approxime le mieux une courbe décrite par une fonction $f(x)$ près d'un point $P(a, f(a))$ est la droite __________________ à cette courbe au point P. La pente de cette droite correspond à la limite des pentes des droites __________________ passant par les points P et Q de la courbe, lorsque le point Q se rapproche du point P. La pente de la droite tangente correspond à la dérivée de $f(x)$ en $x = a$, dérivée qu'on note __________.

En général, la fonction dérivée de $f(x)$ est donnée par l'expression $f'(x) = \lim\limits_{\Delta x \to 0}$ ____________, lorsque cette limite existe. En particulier, si $y = f(x)$, on a $f'(x) = \lim\limits_{\Delta x \to 0} \dfrac{\Delta y}{\Delta x}$, ce qui permet d'introduire une autre notation pour la dérivée de la fonction $y = f(x)$, soit $f'(x) = \dfrac{}{}$.

On peut généralement dériver la dérivée d'une fonction pour obtenir une dérivée d'ordre 2 (ou dérivée seconde), et ainsi de suite. Si elle existe, la dérivée d'ordre n d'une fonction $y = f(x)$ est notée ____________ ou ____________.

Il existe des formules de dérivation qui simplifient grandement le calcul des dérivées. Ainsi, si u et v sont des fonctions dérivables de x, alors

- $\dfrac{d}{dx}(u + v) =$ ____ ____
- $\dfrac{d}{dx}(uv) =$ ____ ____
- $\dfrac{d}{dx}\left(\dfrac{u}{v}\right) = \dfrac{\text{\_\_\_\_ \quad \_\_\_\_}}{\text{\_\_\_\_\_\_\_\_\_\_\_\_}}$

3. En utilisant la définition de la dérivée, trouvez l'expression de $f'(x)$ si $f(x) = \dfrac{2}{x-3}$.

4. Soit la parabole d'équation $f(x) = x^2 + 4x - 5$. Quelles sont les équations de la droite tangente et de la droite normale à cette parabole au point $(2, 7)$?

5. La courbe décrite par la fonction $f(x) = \dfrac{1}{1+x^2}$ est appelée une « sorcière d'Agnesi » ou un « verseau ». Trouvez l'équation de la droite tangente à cette courbe au point $(-1, 1/2)$.

6. Quelle est l'équation de la droite tangente à la courbe décrite par l'équation $x^2 + 4xy + y^3 = 4$ au point $(-2, 0)$?

7. Déterminez lequel des graphiques suivants (a, b, c ou d) correspond à la dérivée de la fonction $f(x)$.

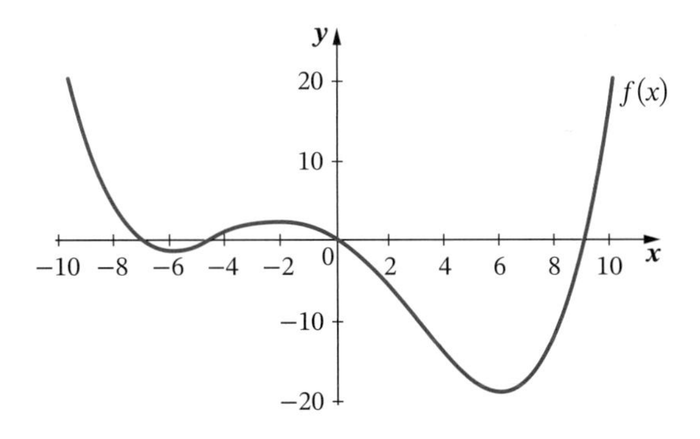

a)

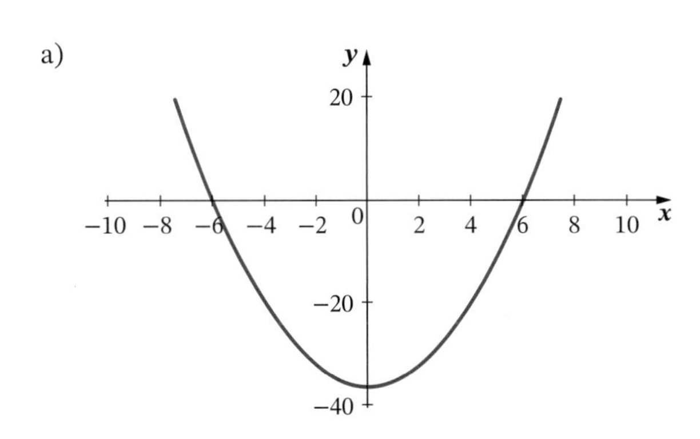

b)

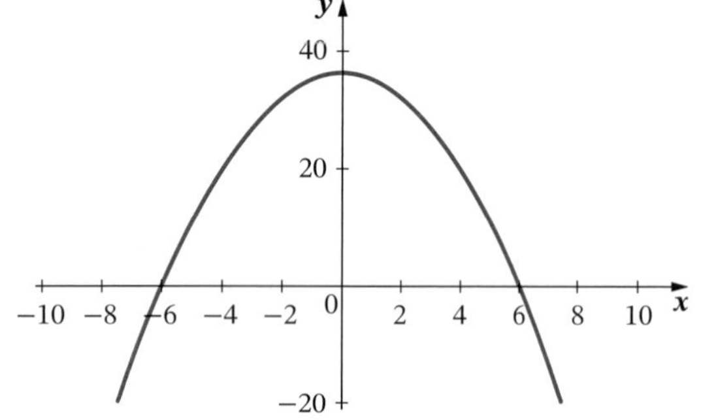

c)

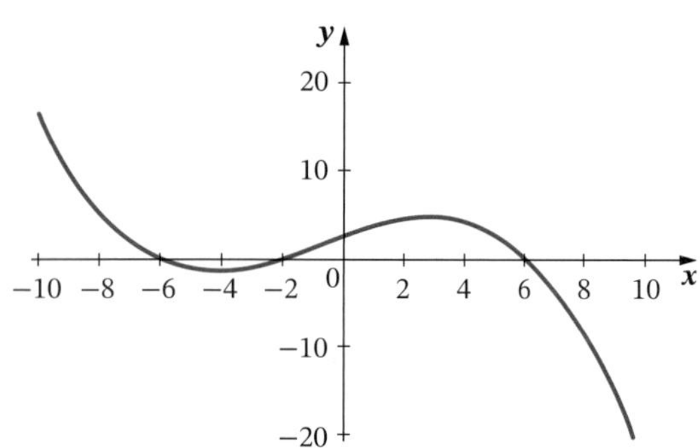

d)

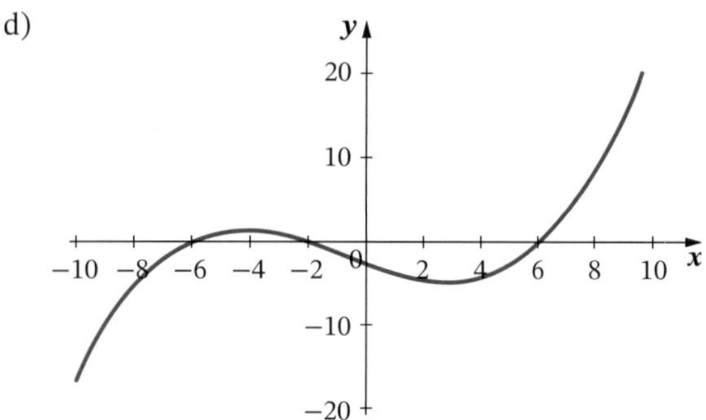

8. Soit $f(x) = 1 - x^{2/5}$.

a) Que vaut $\lim_{x \to 0^+} f'(x)$?

b) Que vaut $\lim_{x \to \infty} f'(x)$?

9. Évaluez $\dfrac{dy}{dx}$.

a) $y = 3x - x^3 + \dfrac{2}{\sqrt{x}} + \pi^2$

b) $y = \dfrac{x^2 - 1}{x^2 + 1}$

c) $y = (x^2 - 3x + 1)^2 (2x - 1)^3$

d) $y = \dfrac{1}{\sqrt[3]{x^3 - 1}}$

e) $y = \left(\dfrac{2 - x}{x^2 + 3}\right)^3$

f) $y = 3u^2 + 2u$ et $u = 4x^2 - 3x + 1$

10. Des biologistes ont établi que la taille h (en mètres) d'un arbre d'une certaine espèce dépend de son âge t (en années) et est donnée par la fonction $h(t) = \dfrac{40t^2}{3(t^2 + 75)}$. (Note: Utilisez les unités de mesure appropriées dans vos réponses.)

a) Quelle est la taille d'un arbre de 3 ans et celle d'un arbre de 5 ans?

b) Quel est le taux de croissance moyen d'un arbre de cette espèce entre 3 ans et 5 ans?

c) Donnez une interprétation géométrique de la réponse obtenue en *b*.

d) Évaluez $\lim_{t \to \infty} h(t)$.

e) Interprétez, dans le contexte, la réponse obtenue en *d*.

f) À partir de la réponse obtenue en *d*, que pouvez-vous conclure au sujet de la courbe décrite par la fonction $h(t)$?

g) Déterminez $h'(t)$.

h) Que vaut $h'(4)$?

i) Interprétez, dans le contexte, la réponse obtenue en *h*.

j) Donnez une interprétation géométrique de la réponse obtenue en *h*.

k) À long terme, que vaut le taux de variation instantané, par rapport au temps, de la taille d'un arbre de cette espèce?

l) Déterminez $h''(t)$.

m) Le taux de croissance d'un arbre de cette espèce est maximal lorsque $h''(t) = 0$. À quel âge un arbre de cette espèce croît-il le plus rapidement?

11. La position (en mètres) d'un objet qui se déplace sur l'axe des abscisses est donnée par $s(t) = \frac{1}{3}t^3 - 5t^2 + 24t$, où t est le temps mesuré en secondes. (Note: Utilisez les unités de mesure appropriées dans vos réponses.)

a) Quelle est la position initiale de l'objet?

b) Quelle est la vitesse moyenne de l'objet sur l'intervalle $[1, 2]$?

c) Évaluez $\lim_{h \to 0} \dfrac{s(2 + h) - s(2)}{h}$ et donnez-en une interprétation physique.

d) Exprimez la vitesse instantanée de l'objet en fonction du temps.

e) Quelle est la vitesse initiale de l'objet?

f) À quels moments la vitesse de l'objet est-elle de 15 m/s?

g) Dans quelle direction l'objet se déplace-t-il initialement?

h) Quelle est la vitesse de l'objet lorsqu'il change de direction?

i) L'objet ne se déplace pas toujours dans la même direction. Dites à quels moments l'objet change de direction.

j) Déterminez la distance totale parcourue par l'objet durant les 10 premières secondes.

k) Quelle est l'accélération de l'objet à 2 s?

l) Calculez la secousse*, c'est-à-dire $\dfrac{da}{dt}$.

* La secousse est le taux de variation de l'accélération. Lorsqu'un objet subit une forte variation de son accélération, il est «secoué», c'est-à-dire qu'il subit un mouvement brusque. C'est ce qui se produit lorsqu'une voiture freine brusquement. Tous les objets qui se trouvent à l'intérieur du véhicule (y compris les personnes) sont projetés vers l'avant. Ce n'est pas l'accélération qui cause ce phénomène, car si la voiture freine doucement, aucune secousse ne se produit. On peut en conclure que c'est plutôt la variation brusque de l'accélération qui secoue tout ce qui se trouve dans la voiture à ce moment.

CHAPITRE 3

DÉRIVÉE DES FONCTIONS TRANSCENDANTES

Qui n'a été étonné en apprenant que la fonction : $y = e^x$, tel un phénix renaissant de ses cendres, est à elle-même sa propre dérivée ?

François Le Lionnais

Dans les deux premiers chapitres, nous avons abordé les concepts de limite, de continuité et de dérivée, tout en restreignant notre étude aux fonctions algébriques, telles les fonctions polynomiales, les fonctions rationnelles (quotient de deux polynômes) et les fonctions comportant des puissances et des radicaux. Or, cela n'est pas suffisant ! En effet, la description de plusieurs phénomènes, tels que la croissance d'un capital ou d'une population, la propagation d'une onde et bien d'autres encore, exige le recours aux fonctions transcendantes que sont les fonctions exponentielles, logarithmiques, trigonométriques et trigonométriques réciproques (inverses).

Nous allons donc poursuivre l'étude des concepts clés (limite, continuité et dérivée) du calcul différentiel en les rattachant aux fonctions transcendantes. Tout comme nous l'avons fait avec les fonctions algébriques, nous établirons notamment des formules de dérivation des fonctions transcendantes qui faciliteront l'évaluation d'une dérivée.

Animations GeoGebra

Approche intuitive des formules de dérivation

Trouvez cette animation sur la plateforme *i+ Interactif*.

OBJECTIFS

- Évaluer la limite d'une expression contenant des fonctions exponentielles (3.1).
- Dériver une expression contenant des fonctions exponentielles (3.1).
- Évaluer la limite d'une expression contenant des fonctions logarithmiques (3.1).
- Utiliser correctement la dérivation logarithmique (3.1).
- Dériver une expression contenant des fonctions logarithmiques (3.1).
- Évaluer la limite d'une expression contenant des fonctions trigonométriques (3.2).
- Dériver une expression contenant des fonctions trigonométriques (3.2).
- Dériver une expression contenant des fonctions trigonométriques inverses (3.3).
- Utiliser la règle de L'Hospital pour évaluer des limites de la forme $\frac{0}{0}$ ou $\frac{\infty}{\infty}$ (3.4).

SOMMAIRE

ANIMATIONS GEOGEBRA

- Approche intuitive des formules de dérivation (p. 156)
- Estimation de la limite de $\frac{e^h - 1}{h}$ lorsque $h \to 0$ et représentation graphique (p. 170)
- Théorème du sandwich (p. 194)
- Illustration de la démonstration du théorème 3.8 (p. 196)

UN PORTRAIT DE
Charles Hermite

Charles Hermite

Charles Hermite naquit à Dieuze le 24 décembre 1822. Fils de commerçant, il entreprit des études au collège de Nancy, puis il fréquenta le collège Henri IV à Paris et, en 1840-1841, le collège Louis-le-Grand afin de se préparer aux examens d'entrée de l'École polytechnique. Or, Hermite n'aimait pas se préparer à des examens. Il préférait de beaucoup lire les ouvrages de grands mathématiciens comme Euler, Gauss ou Lagrange. C'est sans doute ce qui explique qu'il obtint des résultats moyens à l'examen d'entrée de l'École polytechnique (il prit la 68e place), même si, au cours de son année passée à Louis-le-Grand, il avait déjà publié deux articles scientifiques.

Reçu en 1842 à l'École polytechnique, il n'y resta qu'un an*. Hermite avait toutefois eu le temps de se faire de nombreux amis dans la communauté mathématique, et son influence se faisait déjà sentir. Ainsi, sur les conseils de Joseph Liouville (1809-1882), il entreprit une correspondance très fructueuse avec Carl Gustav Jacob Jacobi (1804-1851). De même, il se lia d'amitié avec Joseph Louis François Bertrand (1822-1900), dont il épousa la sœur. Enfin, des idées qu'il avait avancées autour de 1843 aidèrent Liouville à prouver un des plus célèbres théorèmes d'analyse complexe : le théorème de Liouville.

Hermite poursuivit ses études et ses recherches. Il obtint ses diplômes de baccalauréat et de licence, qui lui permirent, en juillet 1848, d'obtenir un poste d'examinateur d'admission, puis de répétiteur d'analyse, à l'École polytechnique, qui l'avait exclu quatre ans auparavant. Il occupa par la suite des postes d'enseignement au Collège de France, à l'École normale supérieure et enfin à la Sorbonne de 1869 à 1897. Il avait la réputation d'être un excellent professeur dont les arguments étaient d'une grande précision et d'une grande limpidité. Il était très apprécié parce qu'il était très affable et qu'il avait le souci de voir ses élèves réussir. Le célèbre mathématicien Paul Prudent Painlevé (1863-1933) décrivit ainsi l'enseignement de Hermite :

> Ceux qui ont eu l'heureuse fortune d'être les élèves du grand géomètre ne sauraient oublier l'accent presque religieux de son enseignement, le frisson de beauté ou de mystère qu'il faisait passer à travers son auditoire devant quelque admirable découverte ou devant l'inconnu**.

---

* On lui avait interdit de poursuivre ses études pour cause de claudication congénitale.

** Cité dans François Le Lionnais, *Les grands courants de la pensée mathématique*, Paris, Rivages, 1986, p. 438.

Mais Hermite n'était pas qu'un pédagogue hors pair; il était également un mathématicien de calibre international. Ses travaux portèrent sur la théorie des invariants, inaugurée par Arthur Cayley (1821-1895) et James Joseph Sylvester (1814-1897), ainsi que sur la théorie des fonctions abéliennes et des fonctions elliptiques. Il proposa aussi une méthode de résolution de l'équation du cinquième degré (qui ne peut pas être résolue par radicaux) à l'aide des fonctions elliptiques.

Hermite, qui utilisait des variables continues en théorie des nombres, découvrit les formes, dites hermitiennes en son honneur, qui allaient se révéler indispensables au développement de la mécanique quantique.

En 1844, Liouville montra l'existence des premiers nombres transcendants[*], c'est-à-dire des nombres qui ne sont la racine d'aucun polynôme non constant à coefficients rationnels. En 1873, dans un mémoire d'une trentaine de pages intitulé *Sur la fonction exponentielle*, Hermite donna deux preuves distinctes de la transcendance du nombre e (la base des logarithmes népériens) en s'appuyant de manière brillante sur les fractions continues et le calcul intégral. Il déclara que sa méthode permettrait probablement de prouver la transcendance du nombre π, mais mit en garde ses contemporains contre la difficulté du problème. Ce n'est que près de dix ans plus tard que Carl Louis Ferdinand von Lindemann (1852-1939) prouva la transcendance de π en employant la stratégie élaborée par Hermite, qui demeure encore aujourd'hui une des principales techniques mises en œuvre pour traiter les problèmes de transcendance.

Hermite mourut à Paris le 14 janvier 1901 après une très fructueuse carrière scientifique. Bien qu'il n'ait pas été particulièrement prolifique, ses travaux furent très innovateurs. Tête d'affiche des mathématiques françaises de son époque, il eut une grande influence sur la génération suivante de mathématiciens français tels Henri Jules Poincaré (1854-1912), Jacques Salomon Hadamard (1865-1963) et Charles Émile Picard (1856-1941). Membre honoraire de plusieurs sociétés savantes, membre de l'Académie des sciences (1856) et lauréat de nombreux prix et honneurs, Hermite vit son nom attaché à plusieurs concepts mathématiques importants: théorèmes de Hermite (sur la transcendance de e) et de Hermite-Lindemann, fonction de Hermite, forme hermitienne, espace hermitien, matrice hermitienne, polynôme de Hermite, norme hermitienne, etc.

---

* Les nombres transcendants que Liouville a exhibés portent maintenant le nom de nombres de Liouville en l'honneur de celui qui les a fait connaître.

3.1 DÉRIVATION DES FONCTIONS EXPONENTIELLES ET DES FONCTIONS LOGARITHMIQUES

DANS CETTE SECTION : *fonctions algébriques – fonctions transcendantes – fonction exponentielle – fonction logarithmique – logarithme naturel – logarithme décimal – dérivation logarithmique.*

Fonctions algébriques
Les fonctions algébriques sont des fonctions qu'on obtient en effectuant des opérations algébriques sur des polynômes (addition, soustraction, multiplication, division, puissance et extraction d'une racine).

Fonctions transcendantes
Les fonctions qui ne sont pas algébriques sont des fonctions transcendantes. Les fonctions exponentielles, logarithmiques, trigonométriques et trigonométriques inverses sont des exemples de fonctions transcendantes.

Dans les chapitres précédents, nous avons évalué des limites, étudié la continuité et dérivé des **fonctions algébriques**, c'est-à-dire des fonctions obtenues par des opérations algébriques sur des polynômes (addition, soustraction, multiplication, division, puissance et extraction d'une racine). Les **fonctions** qui ne sont pas algébriques sont dites **transcendantes**. Parmi elles, signalons les fonctions exponentielles et les fonctions logarithmiques.

Des MOTS et des SYMBOLES

Le mot *transcendant* fut utilisé pour la première fois en mathématiques par Gottfried Wilhelm Leibniz (1646-1716) par opposition au terme *algébrique*. Il fut repris par Leonhard Euler (1707-1783), qui qualifia certaines quantités de transcendantes dans la mesure où elles dépassent (transcendent) les méthodes algébriques.

De nos jours, on parle de nombres transcendants et de fonctions transcendantes. On dit d'un nombre qu'il est transcendant (par opposition à un nombre algébrique) s'il n'est la racine d'aucun polynôme non constant à coefficients rationnels. L'existence de nombres transcendants fut établie en 1844 par Joseph Liouville (1809-1882), qui en exhiba plusieurs. Parmi les nombres transcendants les plus connus, on trouve le nombre e (la base des logarithmes népériens) et le nombre π. Le nombre transcendant le plus facile à se rappeler est le nombre de Mahler, dont le développement décimal est 0,123 456 789 101 112 131 415 16... Même si vous ne connaissez probablement pas d'autres nombres transcendants, ils sont extrêmement nombreux comme Georg Cantor (1845-1918) l'a démontré de manière très astucieuse en 1873.

On dit d'une fonction $y = f(x)$ qu'elle est algébrique si elle peut être définie par la relation $p_0(x) + p_1(x)y + \cdots + p_{n-1}(x)y^{n-1} + p_n(x)y^n = 0$, où $p_i(x)$ est un polynôme en x. De manière moins technique, une fonction algébrique est une fonction qu'on obtient en effectuant des opérations algébriques sur des polynômes (addition, soustraction, multiplication, division, puissance, extraction de racine).

Une fonction qui n'est pas algébrique est dite transcendante. Les fonctions exponentielles, logarithmiques, trigonométriques et trigonométriques inverses sont des exemples de fonctions transcendantes. De plus, les courbes décrites par les fonctions transcendantes passent généralement par des points dont au moins une des coordonnées est un nombre transcendant. À titre d'exemple, à l'exception du point (0, 1), le graphique de la fonction $f(x) = e^x$ ne passe que par des points dont au moins une des coordonnées est un nombre transcendant.

3.1.1 FONCTIONS EXPONENTIELLES

Dans la vie courante, plusieurs situations peuvent être modélisées par des fonctions exponentielles*. L'évolution de la taille d'une population par rapport au temps, la valeur d'un placement à intérêt composé, la désintégration d'une substance radioactive en sont quelques exemples. Les fonctions logarithmiques, quant à elles, sont utilisées pour modéliser, entre autres, le pH d'une solution, le gain de puissance en décibels fourni par un amplificateur ou l'intensité d'un tremblement de terre.

* Les principales caractéristiques des fonctions exponentielles sont présentées dans l'aide-mémoire accompagnant le manuel.

Le rythme (la vitesse) auquel chacun de ces phénomènes varie est obtenu par la dérivation de la fonction exponentielle ou de la fonction logarithmique qui le décrit. Nous établirons donc des formules de dérivation pour ces types de fonctions.

RAPPEL La fonction exponentielle

Fonction exponentielle

La fonction exponentielle est une fonction de la forme $f(x) = b^x$, où $b > 0$ et $b \neq 1$. On appelle b la base de la fonction exponentielle.

La **fonction exponentielle** est une fonction de la forme $f(x) = b^x$, où $b > 0$ et $b \neq 1$. On appelle b la base de la fonction exponentielle.

La représentation graphique de la fonction $f(x)$ dépend de la valeur de la base b (FIGURE 3.1).

FIGURE 3.1

Fonctions exponentielles

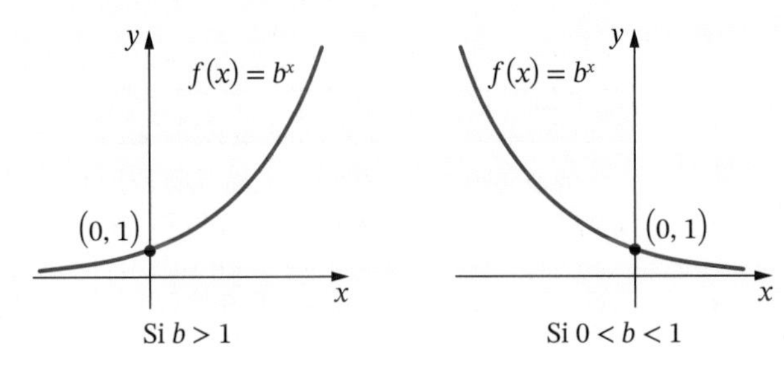

La fonction exponentielle $f(x) = e^x$, dont la base est la constante de Neper ($e \approx 2{,}718\,28...$), apparaît dans de nombreuses applications.

Sur la plupart des calculatrices scientifiques, la touche e^x permet d'évaluer la fonction exponentielle de base e en une valeur donnée de x, tandis que la touche y^x permet d'évaluer la fonction exponentielle de base y (au lieu de b) en une valeur donnée de x.

Voici quelques propriétés des exposants qui sont très utiles lorsqu'on travaille avec des fonctions exponentielles.

Si p et q sont des nombres réels et si a et b sont des nombres réels positifs, alors

- $(ab)^p = a^p b^p$
- $b^p b^q = b^{p+q}$
- $\dfrac{b^p}{b^q} = b^{p-q}$
- $\left(\dfrac{a}{b}\right)^p = \dfrac{a^p}{b^p}$
- $(b^p)^q = b^{pq}$
- $b^{-p} = \dfrac{1}{b^p}$

Par exemple, la fonction $f(x) = \left(\dfrac{1}{2}\right)^x$ peut s'écrire

$$f(x) = \left(\frac{1}{2}\right)^x = \frac{1^x}{2^x} = \frac{1}{2^x} = 2^{-x}$$

Voir l'annexe Rappels de notions mathématiques, p. 425.

EXEMPLE 3.1

Une substance radioactive se désintègre de telle sorte qu'après t années, il en reste une quantité Q (en grammes) donnée par la fonction $Q(t) = 150e^{-0{,}02t}$. Déterminons la quantité initiale de cette substance radioactive ainsi que la quantité restante après 10 ans.

La quantité initiale est donnée par

$$Q(0) = 150e^{-0,02(0)} = 150e^0 = 150(1) = 150\,\text{g}$$

Après 10 ans, il en restera

$$Q(10) = 150e^{-0,02(10)} = 150e^{-0,2} \approx 122,8\,\text{g}$$

EXEMPLE 3.2

On place un capital de 1 000 $ à un taux d'intérêt nominal de 3 % capitalisé mensuellement (c'est-à-dire que le taux d'intérêt périodique est de 0,25 % par mois). Le capital accumulé C (en dollars) après n années est donné par $C(n) = 1\,000(1{,}0025)^{12n}$. On veut déterminer le capital accumulé après 6 ans.

Après 6 ans, le capital accumulé sera de

$$C(6) = 1\,000(1{,}0025)^{12(6)} = 1\,000(1{,}0025)^{72} \approx 1\,196{,}95\,\$$$

Des MOTS et des SYMBOLES

Le nombre e ≈ 2,718 28... est appelé « constante de Neper » en l'honneur du mathématicien britannique John Napier (1550-1617), généralement connu sous le nom francisé de Neper, qui inventa les logarithmes. Gottfried Wilhelm Leibniz (1646-1716) utilisa la lettre *b* pour désigner cette constante, mais le symbole ne fut pas repris par ses contemporains. C'est Leonhard Euler (1707-1783) qui fut le premier à utiliser la lettre e pour désigner cette constante, et cette notation s'imposa. Dans un manuscrit de 1727, il écrivit : « Pour le nombre dont le logarithme est l'unité, nous écrirons e, dont la valeur est 2,718 281 8... ». On ne sait pas trop pourquoi Euler choisit la lettre e. Certains supposèrent qu'il s'agissait de la première lettre du mot « exponentiel », d'autres que c'était la première lettre jusqu'alors inutilisée de l'alphabet, les lettres *a*, *b*, *c* et *d* apparaissant régulièrement ailleurs en mathématiques, d'autres encore que c'était l'initiale de *einheit* qui signifie « unité » en allemand, terme employé dans la phrase d'Euler pour désigner la célèbre constante. Il est toutefois invraisemblable qu'il ait utilisé ce symbole parce qu'elle était la première lettre de son propre nom, Euler ayant été une personne très humble qui ne cherchait pas les honneurs ni la reconnaissance.

Le nombre e apparaît dans de nombreuses formules mathématiques. Les mathématiciens ont établi que $e = \lim\limits_{n\to\infty}\left(1+\frac{1}{n}\right)^n$ et que $e = \sum\limits_{n=0}^{\infty}\frac{1}{n!}$. On le retrouve également dans une des plus célèbres formules mathématiques, dite formule d'Euler : $e^{i\pi} + 1 = 0$. En 1737, Euler montra que ce nombre est irrationnel, et, en 1873, Charles Hermite (1822-1901) prouva qu'il est transcendant. Soulignons enfin, et nous y reviendrons plus tard, que le nombre e est la seule base d'une fonction exponentielle $f(x) = b^x$ telle que la dérivée de la fonction soit égale à elle-même.

QUESTION ÉCLAIR 3.1

Le nombre N de lapins dans une population croît de manière telle qu'après t années, il est donné par $N(t) = 1\,240(2^{t/5})$.

a) Combien y a-t-il de lapins initialement dans cette population ?

b) Combien y a-t-il de lapins dans cette population après 3 ans ?

3.1.2 CONTINUITÉ DES FONCTIONS EXPONENTIELLES

Les fonctions exponentielles sont continues sur l'ensemble des nombres réels, comme l'énonce le théorème 3.1. Nous accepterons ce théorème sans démonstration, mais vous devriez être convaincus de sa justesse par une simple observation des courbes décrites par ces fonctions (figure 3.1, p. 161): on les trace sans lever la pointe du crayon.

THÉORÈME 3.1

Si $b > 0$ et $b \neq 1$, la fonction exponentielle $f(x) = b^x$ est continue sur $\mathbb{R}$, c'est-à-dire que pour tout $a \in \mathbb{R}$, on a $\lim\limits_{x \to a} b^x = b^a$.

EXEMPLE 3.3

Évaluons $\lim\limits_{x \to 2} \dfrac{x\,3^x}{4^x - x}$.

En vertu du théorème 1.5 (p. 50), le numérateur est continu en $x = 2$ puisqu'il est le produit de deux fonctions continues sur l'ensemble des réels (un polynôme et une fonction exponentielle).

Le dénominateur est également continu en $x = 2$ puisqu'il est la différence d'une fonction exponentielle et d'un polynôme, qui sont deux fonctions continues sur l'ensemble des réels.

La fonction $f(x) = \dfrac{x\,3^x}{4^x - x}$ est donc continue en $x = 2$ puisqu'elle est le quotient de deux fonctions continues et que $4^2 - 2 = 14 \neq 0$. On a alors

$$\lim_{x \to 2} \frac{x\,3^x}{4^x - x} = \frac{2(3^2)}{4^2 - 2} = \frac{18}{14} = \frac{9}{7}$$

EXEMPLE 3.4

On veut évaluer $\lim\limits_{x \to 2} 2^{-x^2}$.

Posons $g(x) = -x^2$ et $f(x) = 2^x$. Alors, on a $f(g(x)) = f(-x^2) = 2^{-x^2}$.

De plus, la fonction $g(x)$ est continue en $x = 2$, car c'est un polynôme, et, en vertu du théorème 3.1, la fonction $f(x)$ est continue en $g(2)$.

Par conséquent, en vertu du théorème 1.7 (p. 53) portant sur la continuité des fonctions composées, la fonction $f(g(x)) = 2^{-x^2}$ est continue en $x = 2$, de sorte que

$$\lim_{x \to 2} 2^{-x^2} = 2^{-2^2} = 2^{-4} = 1/16$$

QUESTION ÉCLAIR 3.2

Vérifiez que la fonction est continue et évaluez la limite.

a) $\lim\limits_{x \to -1} (x^2 e^{-x})$ b) $\lim\limits_{x \to 1} \dfrac{2^x - 2^{-x}}{2^x + 2^{-x}}$

3.1.3 FONCTIONS EXPONENTIELLES ET CALCULS DE LIMITES

Le TABLEAU 3.1 énumère les propriétés des limites des fonctions exponentielles. La propriété 15 découle directement de la continuité des fonctions exponentielles. Pour vous convaincre de la validité des propriétés 16 et 17, vous pouvez consulter la figure 3.1 (p. 161) ou construire un tableau de valeurs.

TABLEAU 3.1
Propriétés des limites*

Si $b > 0$ et $b \neq 1$, alors
15. $\lim\limits_{x \to a} b^x = b^a$
16. $\lim\limits_{x \to \infty} b^x = \begin{cases} 0 & \text{si } 0 < b < 1 \\ \infty & \text{si } b > 1 \end{cases}$
17. $\lim\limits_{x \to -\infty} b^x = \begin{cases} \infty & \text{si } 0 < b < 1 \\ 0 & \text{si } b > 1 \end{cases}$

EXEMPLE 3.5

Évaluons $\lim\limits_{x \to -\infty} \dfrac{4^x + 4^{-x}}{4^x - 4^{-x}}$.

Par la propriété 17, on a $\lim\limits_{x \to -\infty} 4^x = 0$, car $b = 4 > 1$. De plus,

$$\begin{aligned} \lim_{x \to -\infty} 4^{-x} &= \lim_{x \to -\infty} \left(4^{-1}\right)^x && \text{propriété des exposants : } b^{pq} = \left(b^p\right)^q \\ &= \infty && \text{propriété 17 avec } 0 < b = 4^{-1} < 1 \end{aligned}$$

Par conséquent, $\lim\limits_{x \to -\infty} \dfrac{4^x + 4^{-x}}{4^x - 4^{-x}}$ est de la forme indéterminée $\dfrac{\infty}{-\infty}$. Utilisons le fait que $4^{-x} = \dfrac{1}{4^x}$ et la mise au même dénominateur pour lever cette indétermination :

$$\lim_{x \to -\infty} \frac{4^x + 4^{-x}}{4^x - 4^{-x}} = \lim_{x \to -\infty} \frac{4^x + \dfrac{1}{4^x}}{4^x - \dfrac{1}{4^x}} = \lim_{x \to -\infty} \frac{\dfrac{\left(4^x\right)^2 + 1}{4^x}}{\dfrac{\left(4^x\right)^2 - 1}{4^x}} = \lim_{x \to -\infty} \left[\frac{\left(4^x\right)^2 + 1}{\cancel{4^x}} \cdot \frac{\cancel{4^x}}{\left(4^x\right)^2 - 1} \right]$$

$$= \lim_{x \to -\infty} \frac{\left(4^x\right)^2 + 1}{\left(4^x\right)^2 - 1} = \frac{0^2 + 1}{0^2 - 1} = -1$$

EXEMPLE 3.6

Soit $P(t) = \dfrac{1\,000}{1 + 9e^{-0,5t}}$ la fonction donnant la taille de la population de cerfs dans une région protégée dans t années. Évaluons $P(0)$ et $\lim\limits_{t \to \infty} P(t)$.

On a $P(0) = \dfrac{1\,000}{1 + 9e^{-0,5(0)}} = \dfrac{1\,000}{1 + 9(1)} = 100$ cerfs, de sorte qu'au moment où l'on commence à observer cette population, on dénombre 100 cerfs.

Par ailleurs,

$$\begin{aligned} \lim_{t \to \infty} e^{-0,5t} &= \lim_{t \to \infty} \left(e^{-0,5}\right)^t && \text{propriété des exposants : } b^{pq} = \left(b^p\right)^q \\ &= 0 && \text{propriété 16 avec } 0 < b = e^{-0,5} < 1 \end{aligned}$$

Par conséquent, $\lim\limits_{t \to \infty} P(t) = \lim\limits_{t \to \infty} \dfrac{1\,000}{1 + 9e^{-0,5t}} = \dfrac{1\,000}{1 + 9(0)} = 1\,000$ cerfs.

À long terme, on comptera 1 000 cerfs dans cette région protégée si, bien sûr, la tendance se maintient.

* Les 14 premières propriétés des limites sont données dans les tableaux 1.14 (p. 23) et 1.15 (p. 28).

On peut confirmer les résultats obtenus en regardant la courbe (FIGURE 3.2) décrite par la fonction $P(t)$.

FIGURE 3.2

Population de cerfs en fonction du temps

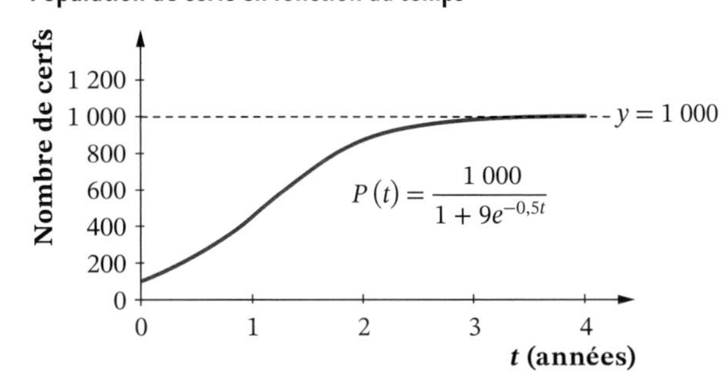

Une courbe de ce type est qualifiée de logistique. On la retrouve lorsque la fonction donnant la population en fonction du temps est de la forme $P(t) = \dfrac{A}{1 + Ce^{-rt}}$, où A, C et r sont des constantes positives. On remarque, sur la figure 3.2, que la droite $y = 1\ 000$ est une asymptote horizontale à la courbe décrite par la fonction $P(t) = \dfrac{1\ 000}{1 + 9e^{-0,5t}}$. En général, la droite $y = A$ est une asymptote horizontale à la courbe décrite par la fonction $P(t) = \dfrac{A}{1 + Ce^{-rt}}$. Cette asymptote représente la tendance à long terme, c'est-à-dire lorsque $t \to \infty$, de la fonction population.

EXEMPLE 3.7

On place un capital de 1 000 $ à un taux d'intérêt nominal de 3 % capitalisé mensuellement (c'est-à-dire que le taux d'intérêt périodique est de 0,25 % par mois). Le capital accumulé C (en dollars) après n années est donné par $C(n) = 1\ 000(1{,}0025)^{12n}$. Évaluons $\lim\limits_{n\to\infty} C(n)$. On a

$$\begin{aligned}\lim_{n\to\infty} C(n) &= \lim_{n\to\infty}\left[1\ 000(1{,}0025)^{12n}\right]\\ &= 1\ 000 \lim_{n\to\infty}\left(1{,}0025^{12}\right)^{n}\\ &= \infty \quad \text{forme } k\times\infty \text{ par la propriété 16 } \left(b = 1{,}0025^{12} > 1\right)\end{aligned}$$

Avec le passage du temps, le capital accumulé augmente sans borne.

EXERCICES 3.1

1. Évaluez la limite.

a) $\lim\limits_{x\to 9}\dfrac{2^{\sqrt{x}}}{e^{x-9}+2}$

b) $\lim\limits_{x\to 0^+} 2^{1/x}$

c) $\lim\limits_{x\to -\infty}(0{,}45)^{2x-1}$

d) $\lim\limits_{x\to\infty}(1/2)^{\sqrt{x}}$

e) $\lim\limits_{x\to -\infty} e^{-x^2}$

f) $\lim\limits_{x\to 4}\dfrac{3^{-x+3}}{4-x}$

2. Une substance radioactive se désintègre de telle sorte qu'après t années, il en reste une quantité Q (en grammes) donnée par la fonction $Q(t) = 150e^{-0{,}02t}$.

a) Déterminez la quantité restante de cette substance radioactive après 50 ans.

b) Évaluez $\lim\limits_{t\to\infty} Q(t)$.

c) Interprétez, dans le contexte, la réponse obtenue en b.

3.1.4 FONCTIONS LOGARITHMIQUES

Les fonctions logarithmiques* sont aussi des fonctions transcendantes fort utiles. Rappelons-en d'abord les principales caractéristiques avant d'en aborder les applications.

RAPPEL La fonction logarithmique

Fonction logarithmique

La fonction logarithmique est une fonction de la forme $f(x) = \log_b x$, où $b > 0$ et $b \neq 1$. On appelle b la base de la fonction logarithmique. Si $y = \log_b x$, alors y est l'exposant que l'on attribue à b pour obtenir x : $b^y = x$.

La **fonction logarithmique** est une fonction de la forme $y = f(x) = \log_b x$, où $b > 0$ et $b \neq 1$. On appelle b la base de la fonction logarithmique. On peut lire cette équation de la façon suivante : « y est l'exposant qu'on attribue à b pour obtenir x ».

La courbe (FIGURE 3.3) décrite par la fonction $f(x)$ dépend de la valeur de la base b.

FIGURE 3.3

Fonctions logarithmiques

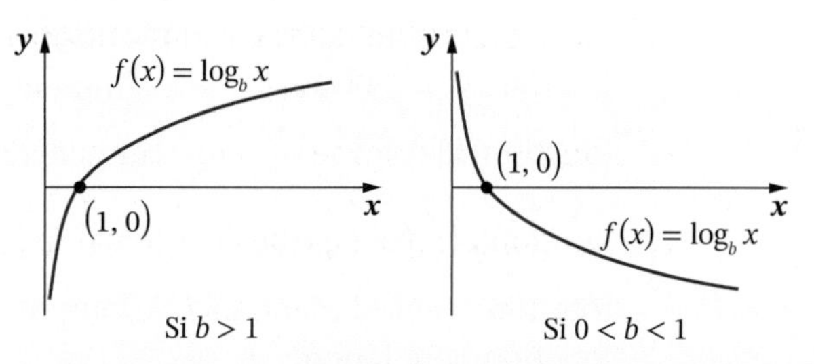

On remarque que les fonctions logarithmiques sont définies si et seulement si $x > 0$, c'est-à-dire que le domaine de la fonction $f(x) = \log_b x$ est $\mathbb{R}^+$, soit l'ensemble des réels positifs (les nombres réels supérieurs à 0). De plus, il existe une relation très étroite entre les fonctions logarithmiques et les fonctions exponentielles. En effet,

$$y = \log_b x \quad \Leftrightarrow \quad y \text{ est l'exposant qu'on attribue à } b \text{ pour obtenir } x$$
$$\Leftrightarrow \quad b^y = x$$

Les fonctions $f(x) = \log_b x$ et $g(x) = b^x$ sont des fonctions réciproques. On obtient la courbe décrite par la fonction $f(x)$ en intervertissant les coordonnées des points de la courbe décrivant la fonction $g(x)$. Les courbes décrites par ces deux fonctions sont symétriques par rapport à la droite $y = x$, comme l'illustre la FIGURE 3.4.

Les bases e et 10 sont celles qui sont les plus couramment utilisées dans les fonctions logarithmiques et, par conséquent, on utilise une notation particulière pour ces fonctions. Ainsi, la fonction logarithmique de base e s'écrit $f(x) = \ln x$ [plutôt que $f(x) = \log_e x$], et on parle alors de **logarithme naturel** ou *logarithme népérien*. La fonction logarithmique de base 10 s'écrit $f(x) = \log x$ [plutôt que $f(x) = \log_{10} x$], et on parle alors de **logarithme décimal** ou *logarithme de Briggs*. On trouve sur la plupart des calculatrices scientifiques les touches ln et log qui permettent d'évaluer ces fonctions en une valeur donnée de x.

Logarithme naturel

Le logarithme naturel ou *logarithme népérien* d'un nombre réel positif x est le logarithme de base e de x. On le note $\ln x$.

Logarithme décimal

Le logarithme décimal ou *logarithme de Briggs* d'un nombre réel positif x est le logarithme de base 10 de x. On le note $\log x$.

FIGURE 3.4

Réciprocité de la fonction exponentielle et de la fonction logarithmique

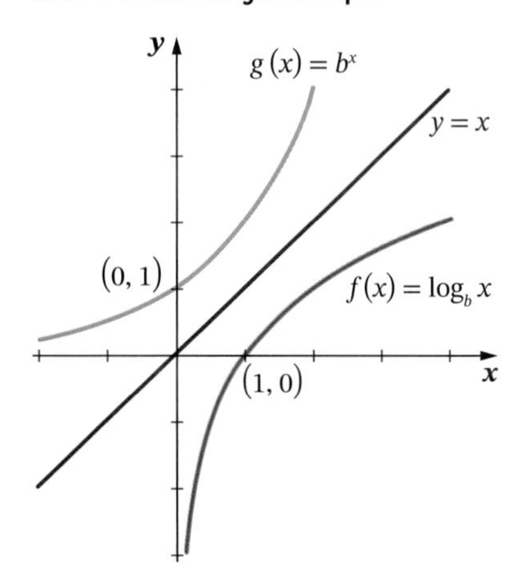

* Les principales caractéristiques des fonctions logarithmiques sont présentées dans l'aide-mémoire accompagnant le manuel.

Voici quelques propriétés des logarithmes.

Si $M > 0$, $N > 0$, $b > 0$, $b \neq 1$ et $p \in \mathbb{R}$, on a

- $\log_b 1 = 0$
- $\log_b b = 1$
- $\log_b(MN) = \log_b M + \log_b N$
- $\log_b\left(\dfrac{M}{N}\right) = \log_b M - \log_b N$
- $\log_b(M^p) = p\log_b M$
- $b^{\log_b N} = N$
- $\log_b N = \dfrac{\ln N}{\ln b}$ ou $\log_b N = \dfrac{\log N}{\log b}$
- $\log_b(b^p) = p$

Les logarithmes sont très utiles lorsqu'on veut résoudre des équations où l'inconnue apparaît dans un exposant.

On veut déterminer la valeur de x telle que la fonction $f(x) = 2^{x/4}$ prenne la valeur 5, c'est-à-dire qu'on veut résoudre l'équation $2^{x/4} = 5$. Pour y arriver, appliquons le logarithme de base e de chaque côté.

$$2^{x/4} = 5$$

$$\ln(2^{x/4}) = \ln 5$$

$$\frac{x}{4}\ln 2 = \ln 5 \quad \text{propriété} : \ln(M^p) = p \ln M$$

$$x = \frac{4 \ln 5}{\ln 2} \approx 9{,}29$$

Voir l'annexe Rappels de notions mathématiques, p. 426.

EXEMPLE 3.8

La fonction $S = 10 \log\left(\dfrac{P}{0{,}05}\right) = 10 \log(20P)$ donne le gain ou la perte de puissance S (en décibels) d'un amplificateur pour une puissance d'entrée de 50 mW et une puissance de sortie de P W. Déterminons le gain ou la perte de puissance d'un amplificateur ayant une puissance de sortie de 25 W.

Si P vaut 25 W, alors $S = 10 \log[20(25)] = 10 \log 500 \approx 27{,}0$ dB. Un amplificateur ayant une puissance d'entrée de 50 mW et une puissance de sortie de 25 W donne un gain de puissance de 27 dB.

EXEMPLE 3.9

On place un capital de 1 000 $ à un taux d'intérêt nominal de 3 % capitalisé mensuellement (c'est-à-dire que le taux d'intérêt périodique est de 0,25 % par mois). Le capital accumulé C (en dollars) après n années est donné par $C(n) = 1\ 000(1{,}0025)^{12n}$. Déterminons le temps requis pour que le capital accumulé soit de 1 325 $.

Résolvons l'équation $C(n) = 1\ 325$. On a

$$\begin{aligned} 1\ 000(1{,}0025)^{12n} &= 1\ 325 \\ 1{,}0025^{12n} &= 1{,}325 \\ \ln(1{,}0025)^{12n} &= \ln 1{,}325 \\ 12n(\ln 1{,}0025) &= \ln 1{,}325 \\ n &= \frac{\ln 1{,}325}{12(\ln 1{,}0025)} \\ n &\approx 9{,}392 \text{ ans} \end{aligned}$$

Il faudra donc environ 9 ans et 5 mois (car 0,392 an $\times$ 12 mois/année $\approx$ 4,7 mois) pour que le capital accumulé soit de 1 325 $.

QUESTIONS ÉCLAIR 3.3

1. Évaluez la quantité demandée.
   a) $\log 132$ c) $\log_5 45$ e) $\ln e^6$
   b) $\ln 272$ d) $\log_{2/3} 75$ f) $\log_2 8^4$
2. Le nombre N de lapins dans une population croît de manière telle qu'après t années, il est donné par $N(t) = 1\ 240(2^{t/5})$. Dans combien de temps le nombre de lapins dans la population aura-t-il triplé ?

3.1.5 CONTINUITÉ DES FONCTIONS LOGARITHMIQUES

Les fonctions logarithmiques sont continues sur l'ensemble des nombres réels positifs, comme l'énonce le théorème 3.2. Nous accepterons ce théorème sans démonstration, mais vous devriez être convaincus de sa justesse par une simple observation des courbes décrites par ces fonctions (figure 3.3, p. 166) : on les trace sans lever la pointe du crayon lorsque $x > 0$.

THÉORÈME 3.2

Si $b > 0$ et $b \neq 1$, la fonction $f(x) = \log_b x$ est continue sur $\mathbb{R}^+$, c'est-à-dire que, pour tout $a > 0$, on a $\lim\limits_{x \to a} \log_b x = \log_b a$.

EXEMPLE 3.10

Évaluons $\lim\limits_{x \to e^2} \dfrac{\ln x}{1 + x}$.

En vertu du théorème 3.2, le numérateur est continu en $x = e^2$ puisque $e^2 > 0$.

Le dénominateur est aussi continu en $x = e^2$ puisque c'est un polynôme (théorème 1.4, p. 50).

En vertu du théorème 1.5 (p. 50), la fonction $f(x) = \dfrac{\ln x}{1+x}$ est donc continue en $x = e^2$ puisqu'elle est le quotient de deux fonctions continues et que $1 + e^2 \neq 0$. On a alors

$$\lim_{x \to e^2} \frac{\ln x}{1+x} = \frac{\ln(e^2)}{1+e^2} = \frac{2}{1+e^2}$$

EXEMPLE 3.11

On veut évaluer $\lim\limits_{x \to 0} \log_4(x^2 + 1)$.

Posons $g(x) = x^2 + 1$ et $f(x) = \log_4 x$. Alors,

$$f(g(x)) = f(x^2 + 1) = \log_4(x^2 + 1)$$

De plus, la fonction $g(x)$ est continue en $x = 0$, car c'est un polynôme (théorème 1.4, p. 50), et, en vertu du théorème 3.2, la fonction $f(x)$ est continue en $g(0)$, car $g(0) = 0^2 + 1 = 1 > 0$.

Par conséquent, en vertu du théorème 1.7 (p. 53) portant sur la continuité des fonctions composées, la fonction $f(g(x)) = \log_4(x^2 + 1)$ est continue en $x = 0$, de sorte que

$$\lim_{x \to 0} \log_4(x^2 + 1) = \log_4(0^2 + 1) = \log_4 1 = 0$$

QUESTION ÉCLAIR 3.4

Vérifiez que la fonction est continue et évaluez la limite.

a) $\lim\limits_{x \to 4} \log_9(7x - 1)$ b) $\lim\limits_{x \to 3} \dfrac{x \ln x}{1 + 3^x}$

3.1.6 FONCTIONS LOGARITHMIQUES ET CALCUL DE LIMITES

TABLEAU 3.2
Propriétés des limites*

Si $b > 0$ et $b \neq 1$, alors
18. $\lim\limits_{x \to a} \log_b x = \log_b a$ si $a > 0$
19. $\lim\limits_{x \to \infty} \log_b x = \begin{cases} -\infty & \text{si } 0 < b < 1 \\ \infty & \text{si } b > 1 \end{cases}$
20. $\lim\limits_{x \to 0^+} \log_b x = \begin{cases} \infty & \text{si } 0 < b < 1 \\ -\infty & \text{si } b > 1 \end{cases}$

Le TABLEAU 3.2 énumère les propriétés des limites des fonctions logarithmiques. La propriété 18 découle directement du théorème 3.2. Pour vous convaincre de la validité des propriétés 19 et 20, vous pouvez consulter la figure 3.3 (p. 166) ou construire un tableau de valeurs.

EXEMPLE 3.12

Évaluons $\lim\limits_{x \to \infty} \log_{1/2}(x^2 - 1)$. On a $\underbrace{\lim\limits_{x \to \infty} (x^2 - 1)}_{\text{forme } \infty - k} = \infty$. Par conséquent,

$$\underbrace{\lim_{x \to \infty} \log_{1/2}(x^2 - 1)}_{\text{forme } \log_{1/2} \infty} = -\infty \quad \text{propriété 19 (avec } 0 < b = 1/2 < 1)$$

* Les 17 premières propriétés sont données dans les tableaux 1.14 (p. 23), 1.15 (p. 28) et 3.1 (p. 164).

EXEMPLE 3.13

Évaluons $\lim_{x\to 0} \ln\left(\frac{1}{x^2}\right)$.

On a $\underbrace{\lim_{x\to 0^+} \frac{1}{x^2}}_{\text{forme } \frac{1}{0^+}} = \infty$ et $\underbrace{\lim_{x\to 0^-} \frac{1}{x^2}}_{\text{forme } \frac{1}{0^+}} = \infty$. Par conséquent, $\lim_{x\to 0} \frac{1}{x^2} = \infty$. On a alors

$$\underbrace{\lim_{x\to 0} \ln\left(\frac{1}{x^2}\right)}_{\text{forme } \ln \infty} = \infty \qquad \text{propriété 19 (avec } b = e > 1)$$

EXEMPLE 3.14

Évaluons $\lim_{x\to 3^-} \log(6 - 2x)$.

Si $x \to 3^-$, alors $6 - 2x \to 0^+$, d'où

$$\underbrace{\lim_{x\to 3^-} \log(6 - 2x)}_{\text{forme } \log 0^+} = -\infty \qquad \text{propriété 20 (avec } b = 10 > 1)$$

EXERCICES 3.2

1. Évaluez la limite.

a) $\lim_{x\to e} [x \ln(x^3)]$

b) $\lim_{x\to 2^+} \log_{1/2}(3x - 6)$

c) $\lim_{x\to \infty} \log(x^3 + 2)$

d) $\lim_{x\to 4^-} \ln\left(\frac{4 - x}{x + 4}\right)$

e) $\lim_{x\to -\infty} \log_{2/3}(x^2 - 4)$

f) $\lim_{x\to 1^-} \log_2\left(\frac{3}{1 - x}\right)$

2. Soit $P(t) = \frac{1\,000}{1 + 9e^{-0,5t}}$ la fonction donnant la taille de la population de cerfs dans une région protégée après t années. Dans combien de temps y aura-t-il 750 cerfs ?

Vous pouvez maintenant faire les exercices récapitulatifs 1 à 11.

3.1.7 DÉRIVÉE D'UNE FONCTION EXPONENTIELLE

Pour démontrer la formule de dérivation d'une fonction exponentielle de base e, nous utiliserons la limite suivante : $\lim_{h\to 0} \frac{e^h - 1}{h} = 1$.

Nous ne pouvons pas évaluer algébriquement cette limite avec les stratégies élaborées dans le chapitre 1. Toutefois, le **TABLEAU 3.3** devrait vous convaincre qu'elle vaut effectivement 1.

Animations GeoGebra
Estimation de la limite de $\frac{e^h - 1}{h}$ lorsque $h \to 0$ et représentation graphique

Trouvez cette animation sur la plateforme *i+ Interactif.*

TABLEAU 3.3
$\lim_{h\to 0} \frac{e^h - 1}{h}$

Quand h s'approche de 0 par la gauche, → ← Quand h s'approche de 0 par la droite,

h	−0,1	−0,01	−0,001	−0,000 1	0	0,000 1	0,001	0,01	0,1
$\frac{e^h - 1}{h}$	0,951 63	0,995 02	0,999 50	0,999 95	∄	1,000 05	1,000 50	1,005 02	1,051 71

$\frac{e^h - 1}{h}$ s'approche de 1. $\frac{e^h - 1}{h}$ s'approche de 1.

THÉORÈME 3.3

Si $u(x)$ est une fonction dérivable, alors

$$\frac{d}{dx}(e^u) = e^u \frac{du}{dx} \qquad \text{(formule 10)}$$

PREUVE

Commençons par démontrer que $\frac{d}{dx}(e^x) = e^x$. On a

$$\begin{aligned}
\frac{d}{dx}(e^x) &= \lim_{\Delta x \to 0} \frac{e^{x+\Delta x} - e^x}{\Delta x} \\
&= \lim_{\Delta x \to 0} \frac{e^x e^{\Delta x} - e^x}{\Delta x} \qquad \text{propriété : } b^p b^q = b^{p+q} \\
&= \lim_{\Delta x \to 0} \frac{e^x(e^{\Delta x} - 1)}{\Delta x} \\
&= \lim_{\Delta x \to 0} \left(e^x \frac{e^{\Delta x} - 1}{\Delta x} \right) \\
&= e^x \left(\lim_{\Delta x \to 0} \frac{e^{\Delta x} - 1}{\Delta x} \right) \\
&= e^x(1) \\
&= e^x
\end{aligned}$$

Par conséquent, en vertu du théorème 2.10 (p. 128), on a

$$\frac{d}{dx}(e^u) = \left[\frac{d}{du}(e^u)\right] \frac{du}{dx} = e^u \frac{du}{dx}$$

■

EXEMPLE 3.15

Si $f(x) = \sqrt[3]{e^{2x^3+3x}}$, alors

$$\begin{aligned}
\frac{df}{dx} &= \frac{d}{dx}\left(e^{2x^3+3x}\right)^{1/3} \\
&= \frac{d}{dx}\left[e^{(2x^3+3x)/3}\right] \qquad \text{propriété : } (b^p)^q = b^{pq} \\
&= e^{(2x^3+3x)/3} \frac{d}{dx}\left(\frac{2x^3 + 3x}{3}\right) \\
&= e^{(2x^3+3x)/3} \left[\frac{1}{3} \frac{d}{dx}(2x^3 + 3x)\right] \\
&= e^{(2x^3+3x)/3} \left[\frac{1}{3}(6x^2 + 3)\right] \\
&= (2x^2 + 1)\, e^{(2x^3+3x)/3}
\end{aligned}$$

EXEMPLE 3.16

Une substance radioactive se désintègre de telle sorte qu'après t années, il en reste une quantité Q (en grammes) donnée par la fonction $Q(t) = 150e^{-0{,}02t}$. On veut déterminer le taux de variation par rapport au temps de la quantité de substance radioactive présente après 10 ans. Dérivons d'abord la fonction $Q(t)$ par rapport à t:

$$\begin{aligned} Q'(t) &= \frac{dQ}{dt} = \frac{d}{dt}(150e^{-0{,}02t}) \\ &= 150\frac{d}{dt}(e^{-0{,}02t}) \\ &= 150e^{-0{,}02t}\frac{d}{dt}(-0{,}02t) \\ &= 150e^{-0{,}02t}(-0{,}02) \\ &= -3e^{-0{,}02t} \text{ g/année} \end{aligned}$$

Par conséquent, $Q'(10) = -3e^{-0{,}02(10)} \approx -2{,}456$ g/année. Après 10 ans, la quantité de substance radioactive diminue à raison d'environ 2,456 g par année.

QUESTION ÉCLAIR 3.5

Déterminez la dérivée de la fonction à l'aide des formules de dérivation.

a) $f(x) = 4e^{x^3-2x+1}$ b) $g(t) = \dfrac{t}{e^{4t}}$

EXEMPLE 3.17

Soit $P(t) = \dfrac{1\,000}{1 + 9e^{-0{,}5t}}$ la fonction donnant la taille de la population de cerfs dans une région protégée après t années. On veut déterminer le taux de croissance de cette population lorsque $t = 8$ ans. Dérivons d'abord la fonction $P(t)$ par rapport à t:

$$\begin{aligned} P'(t) &= \frac{dP}{dt} = \frac{d}{dt}\left(\frac{1\,000}{1 + 9e^{-0{,}5t}}\right) \\ &= 1\,000\frac{d}{dt}(1 + 9e^{-0{,}5t})^{-1} \\ &= 1\,000(-1)(1 + 9e^{-0{,}5t})^{-2}\frac{d}{dt}(1 + 9e^{-0{,}5t}) \\ &= \frac{-1\,000}{(1 + 9e^{-0{,}5t})^2}\left[0 + 9e^{-0{,}5t}\frac{d}{dt}(-0{,}5t)\right] \\ &= \frac{-1\,000}{(1 + 9e^{-0{,}5t})^2}\left[9e^{-0{,}5t}(-0{,}5)\right] \\ &= \frac{4\,500e^{-0{,}5t}}{(1 + 9e^{-0{,}5t})^2} \text{ cerfs/année} \end{aligned}$$

Par conséquent, $P'(8) = \dfrac{4\,500e^{-0,5(8)}}{\left[1 + 9e^{-0,5(8)}\right]^2} \approx 60{,}7$ cerfs/année. Après 8 ans, le nombre de cerfs dans cet environnement protégé augmentera à raison d'environ 61 cerfs par année.

Pour obtenir la formule de dérivation d'une fonction exponentielle de base b, nous utiliserons la propriété $x = e^{\ln x}$, qui est valide pour tout $x > 0$.

THÉORÈME 3.4

Si $u(x)$ est une fonction dérivable, si $b > 0$ et si $b \neq 1$, alors

$$\frac{d}{dx}(b^u) = b^u(\ln b)\frac{du}{dx} \qquad \text{(formule 11)}$$

PREUVE

Puisque $b^u > 0$, on a $b^u = e^{\ln(b^u)} = e^{u\ln b}$ et, par conséquent,

$$\begin{aligned}\frac{d}{dx}(b^u) &= \frac{d}{dx}(e^{u\ln b})\\ &= e^{u\ln b}\frac{d}{dx}(u\ln b)\\ &= e^{\ln(b^u)}\left[(\ln b)\frac{du}{dx}\right]\\ &= b^u(\ln b)\frac{du}{dx}\end{aligned}$$

▣

Remarquons que la formule 10 est un cas particulier de la formule 11 lorsque $b = e$. En effet, en vertu du théorème 3.4, $\dfrac{d}{dx}(e^u) = e^u(\ln e)\dfrac{du}{dx} = e^u(1)\dfrac{du}{dx} = e^u\dfrac{du}{dx}$.

Il faut faire très attention de ne pas confondre la dérivée d'une fonction exponentielle et la dérivée d'une fonction puissance.

La fonction $f(x) = x^3$ est une fonction puissance : on remarque que la variable x est affectée de l'exposant 3, qui est une constante. Pour dériver cette fonction, on utilise alors la formule 8 du théorème 2.8 (p. 105) pour obtenir $f'(x) = 3x^{3-1} = 3x^2$.

La fonction $g(x) = 3^x$ est une fonction exponentielle : la constante 3 est affectée de l'exposant x, qui est variable. Pour dériver cette fonction, on ne doit donc pas utiliser la formule 8 $\left[\text{c'est-à-dire que } g'(x) \neq x3^{x-1}\right]$, mais plutôt la formule 11, qui donne $g'(x) = 3^x(\ln 3)\dfrac{d}{dx}(x) = 3^x(\ln 3)(1) = 3^x\ln 3$.

EXEMPLE 3.18

Si $y = \frac{4^{x^4}}{4^{6x}}$, alors

$$\begin{aligned}\frac{dy}{dx} &= \frac{d}{dx}\left(\frac{4^{x^4}}{4^{6x}}\right)\\ &= \frac{d}{dx}\left(4^{x^4-6x}\right) \quad \text{propriété : } \frac{b^p}{b^q} = b^{p-q}\\ &= 4^{x^4-6x}(\ln 4)\frac{d}{dx}(x^4 - 6x)\\ &= 4^{x^4-6x}(\ln 4)(4x^3 - 6)\\ &= 2(2x^3 - 3)(\ln 4)4^{x^4-6x}\end{aligned}$$

EXEMPLE 3.19

On met en culture des bactéries dans une boîte de Petri. Le nombre N de bactéries présentes dans la boîte est donné par la fonction $N(t) = 100(2{,}5)^{0{,}7t}$, où t est le temps mesuré en heures. On veut déterminer le taux de variation par rapport au temps de la taille de la population de bactéries après 6 h. On a

$$\begin{aligned}\frac{dN}{dt} &= \frac{d}{dt}\left[100(2{,}5)^{0{,}7t}\right]\\ &= 100\frac{d}{dt}\left[(2{,}5)^{0{,}7t}\right]\\ &= 100(2{,}5)^{0{,}7t}(\ln 2{,}5)\frac{d}{dt}(0{,}7t)\\ &= 100(\ln 2{,}5)\,(2{,}5)^{0{,}7t}(0{,}7)\\ &= 70(\ln 2{,}5)\,(2{,}5)^{0{,}7t} \text{ bactéries/h}\end{aligned}$$

Par conséquent, $N'(6) = 70(\ln 2{,}5)\,(2{,}5)^{0{,}7(6)} \approx 3\,009$ bactéries/h. Après 6 h, le nombre de bactéries dans la culture augmente à raison d'environ 3 009 bactéries par heure.

QUESTION ÉCLAIR 3.6

Déterminez la dérivée de la fonction à l'aide des formules de dérivation.

a) $f(t) = 8(3/4)^{t^2} + 5^3$ b) $g(x) = x^2(3^{1-2x})$

EXEMPLE 3.20

Si $y = 4^{-x}\sqrt{2x+1}$, alors

$$\begin{aligned}\frac{dy}{dx} &= 4^{-x}\frac{d}{dx}(2x+1)^{1/2} + \sqrt{2x+1}\,\frac{d}{dx}(4^{-x})\\ &= 4^{-x}\left(\frac{1}{2}\right)(2x+1)^{-1/2}\frac{d}{dx}(2x+1) + \sqrt{2x+1}\left[4^{-x}(\ln 4)\frac{d}{dx}(-x)\right]\\ &= \frac{4^{-x}}{\cancel{2}\sqrt{2x+1}}(\cancel{2}) + \sqrt{2x+1}\left[4^{-x}(\ln 4)(-1)\right]\end{aligned}$$

$$= \frac{4^{-x}}{\sqrt{2x+1}} - 4^{-x}(\ln 4)\sqrt{2x+1}$$

$$= \frac{4^{-x}}{\sqrt{2x+1}} - \frac{4^{-x}(\ln 4)\sqrt{2x+1}\,\sqrt{2x+1}}{\sqrt{2x+1}}$$

$$= \frac{4^{-x} - 4^{-x}(\ln 4)(2x+1)}{\sqrt{2x+1}}$$

$$= \frac{4^{-x}\left[1-(2x+1)\ln 4\right]}{\sqrt{2x+1}}$$

EXERCICES 3.3

1. Déterminez la dérivée de la fonction à l'aide des formules de dérivation.

   a) $f(x) = x^4 + 4^x + 4^{-x} - 4x$

   b) $g(t) = e^{2t} + 2e^{-3t} - e^{\pi}$

   c) $h(x) = (2x^3 + 1)e^{-x^2}$

   d) $f(t) = \dfrac{2^t - 2^{-t}}{2^t + 2^{-t}}$

2. Déterminez $\dfrac{dy}{dx}$ si $2^{xy} = (x+y)^3$.

3. Une tasse contenant du café dont la température est de 95 °C est placée dans une pièce maintenue à une température constante de 22 °C. Après t min, la température T (en Celsius) du café est donnée par

$$T(t) = 22 + 73e^{-0{,}046\,67t}$$

   a) Déterminez $\dfrac{dT}{dt}$. Indiquez bien les unités.

   b) Déterminez le taux de variation, par rapport au temps, de la température du café après 5 min.

   c) Interprétez, dans le contexte, la réponse obtenue en *b*.

4. Le nombre N de lapins dans une population croît de manière telle qu'après t années, il est donné par $N(t) = 1\,240(2^{t/5})$. À quel rythme la population de lapins croît-elle après 4 ans ?

Vous pouvez maintenant faire les exercices récapitulatifs 12 à 41.

3.1.8 DÉRIVÉE D'UNE FONCTION LOGARITHMIQUE

On sait que, lorsque $x > 0$, l'expression $y = \log_b x$ est équivalente à $b^y = x$ pour $b > 0$ et $b \neq 1$. Cette équivalence et la dérivation implicite permettent d'obtenir la formule de dérivation d'une fonction logarithmique.

THÉORÈME 3.5

Si $u(x)$ est une fonction dérivable telle que $u(x) > 0$, si $b > 0$ et si $b \neq 1$, alors

$$\frac{d}{dx}(\log_b u) = \frac{1}{u(\ln b)}\frac{du}{dx} \qquad \text{(formule 12)}$$

$$\frac{d}{dx}(\ln u) = \frac{1}{u}\frac{du}{dx} \qquad \text{(formule 13)}$$

PREUVE

Si $y = \log_b u$, alors $b^y = u$. En dérivant chaque membre de l'égalité par rapport à x, on obtient

$$\frac{d}{dx}(b^y) = \frac{d}{dx}(u)$$

$$b^y(\ln b)\frac{dy}{dx} = \frac{du}{dx}$$

$$\frac{dy}{dx} = \frac{1}{b^y(\ln b)}\frac{du}{dx}$$

$$\frac{d}{dx}(\log_b u) = \frac{1}{u(\ln b)}\frac{du}{dx}$$

La formule 13 est un cas particulier de la formule 12 lorsque $b = e$. En effet,

$$\frac{d}{dx}(\ln u) = \frac{d}{dx}(\log_e u) = \frac{1}{u(\ln e)}\frac{du}{dx} = \frac{1}{u(1)}\frac{du}{dx} = \frac{1}{u}\frac{du}{dx} \quad \blacksquare$$

EXEMPLE 3.21

La fonction $S = 10\log\left(\frac{P}{0{,}05}\right) = 10\log(20P)$ donne le gain ou la perte de puissance S (en décibels) d'un amplificateur pour une puissance d'entrée de 50 mW et une puissance de sortie de P W. On veut déterminer le taux de variation de S par rapport à P lorsque $P = 50$ W. On a

$$\begin{aligned}\frac{dS}{dP} &= \frac{d}{dP}[10\log(20P)] \\ &= 10\frac{d}{dP}[\log(20P)] \\ &= 10\left[\frac{1}{20P(\ln 10)}\right]\frac{d}{dP}(20P) \\ &= \frac{1}{2P(\ln 10)}(20) \\ &= \frac{10}{P(\ln 10)}\ \text{dB/W}\end{aligned}$$

Par conséquent, $S'(50) = \frac{10}{50(\ln 10)} \approx 0{,}087$ dB/W, ce qui signifie que, lorsque la puissance de sortie est de 50 W, l'amplificateur fournit un gain de puissance d'environ 0,087 dB par watt d'augmentation de la puissance de sortie.

EXEMPLE 3.22

Si $f(x) = \dfrac{\ln(x^2)}{x^2}$, alors

$$\frac{df}{dx} = \frac{x^2 \frac{d}{dx}[\ln(x^2)] - \ln(x^2)\frac{d}{dx}(x^2)}{(x^2)^2}$$

$$= \frac{\cancel{x^2}\left(\frac{1}{\cancel{x^2}}\right)\frac{d}{dx}(x^2) - [\ln(x^2)](2x)}{x^4}$$

$$= \frac{2x - 2x\ln(x^2)}{x^4}$$

$$= \frac{2x[1 - \ln(x^2)]}{x^4}$$

$$= \frac{2[1 - \ln(x^2)]}{x^3}$$

QUESTION ÉCLAIR 3.7

Déterminez la dérivée de la fonction à l'aide des formules de dérivation.

a) $f(x) = \log_2(\sqrt{x})$ b) $g(t) = 2t^3 \ln(4t)$

EXEMPLE 3.23

On veut évaluer $\dfrac{df}{dx}$ lorsque $f(x) = \ln\left[\dfrac{(e^x + 1)^2}{3x^2 + 4}\right]$.

On pourrait bien sûr procéder à l'évaluation de cette dérivée en appliquant simplement les règles habituelles de dérivation, mais on a tout avantage à tirer profit des propriétés de la fonction logarithmique :

$$f(x) = \ln\left[\frac{(e^x + 1)^2}{3x^2 + 4}\right]$$

$$= \ln(e^x + 1)^2 - \ln(3x^2 + 4) \quad \text{propriété : } \log_b\left(\frac{M}{N}\right) = \log_b M - \log_b N$$

$$= 2\ln(e^x + 1) - \ln(3x^2 + 4) \quad \text{propriété : } \log_b(M^p) = p\log_b M$$

Alors,

$$\frac{df}{dx} = \frac{d}{dx}[2\ln(e^x + 1) - \ln(3x^2 + 4)]$$

$$= \frac{2}{e^x + 1}\frac{d}{dx}(e^x + 1) - \frac{1}{3x^2 + 4}\frac{d}{dx}(3x^2 + 4)$$

$$= \frac{2e^x}{e^x + 1} - \frac{6x}{3x^2 + 4}$$

En utilisant la mise au même dénominateur, on obtient

$$\frac{df}{dx} = \frac{2e^x(3x^2+4)}{(e^x+1)(3x^2+4)} - \frac{6x(e^x+1)}{(3x^2+4)(e^x+1)}$$

$$= \frac{2e^x(3x^2+4) - 6x(e^x+1)}{(e^x+1)(3x^2+4)}$$

$$= \frac{6x^2e^x + 8e^x - 6xe^x - 6x}{(e^x+1)(3x^2+4)}$$

$$= \frac{2(3x^2e^x + 4e^x - 3xe^x - 3x)}{(e^x+1)(3x^2+4)}$$

$$= \frac{2\left[(3x^2 - 3x + 4)e^x - 3x\right]}{(e^x+1)(3x^2+4)}$$

EXEMPLE 3.24

Si u est une fonction dérivable de x et si $u \neq 0$, alors $\frac{d}{dx}(\ln|u|) = \frac{1}{u}\frac{du}{dx}$.

PREUVE

Si $u > 0$, alors $\frac{d}{dx}(\ln|u|) = \frac{d}{dx}(\ln u) = \frac{1}{u}\frac{du}{dx}$.

Si $u < 0$, alors $\frac{d}{dx}(\ln|u|) = \frac{d}{dx}[\ln(-u)] = \frac{1}{-u}\frac{d}{dx}(-u) = \frac{1}{-u}(-1)\frac{du}{dx} = \frac{1}{u}\frac{du}{dx}$.

Par conséquent, $\frac{d}{dx}(\ln|u|) = \frac{1}{u}\frac{du}{dx}$. ▪

EXERCICES 3.4

1. Déterminez la dérivée à l'aide des formules de dérivation.

   a) $s(t) = \log_5(3t^2 - 4t + 5)$ b) $y = \frac{\ln(2x)}{e^{3x^2-x}}$

2. Déterminez $\frac{dy}{dx}$ si $x^3\ln(2y) + xy^2 = e^{-x}$.

3.1.9 DÉRIVATION LOGARITHMIQUE

Soit la fonction $y = (x-1)^x$, où $x > 1$. Cette fonction n'est pas une fonction puissance, car elle n'est pas de la forme $[u(x)]^n$ avec n une constante réelle. Elle n'est pas non plus une fonction exponentielle, car elle n'est pas de la forme $b^{u(x)}$ avec $b > 0$ et $b \neq 1$.

Pour dériver des fonctions de la forme $y = f(x)^{g(x)}$, où $f(x) > 0$, nous utiliserons la **dérivation logarithmique**. On applique d'abord le logarithme naturel* à chaque membre de l'équation. On obtient

$$\ln y = \ln\left[f(x)^{g(x)}\right]$$

Dérivation logarithmique

La dérivation logarithmique est une technique de dérivation qui consiste à appliquer le logarithme naturel à chaque membre d'une équation, puis à utiliser les propriétés des logarithmes pour simplifier chaque membre de l'équation ainsi obtenue et, finalement, à dériver implicitement pour obtenir $\frac{dy}{dx}$.

* On pourrait appliquer un logarithme de base b plutôt que le logarithme naturel. Il faudrait alors utiliser la formule 12 plutôt que la formule 13 lors de la dérivation.

On utilise ensuite la propriété des logarithmes $\ln(M^p) = p \ln M$ pour $M > 0$ et $p \in \mathbb{R}$. On obtient alors

$$\ln y = g(x) \ln[f(x)]$$

Finalement, on dérive implicitement pour obtenir $\frac{dy}{dx}$.

EXEMPLE 3.25

Trouvons $\frac{dy}{dx}$ si $y = (x-1)^x$ et si $x > 1$. On a $y > 0$ puisque $x - 1 > 0$. Appliquons le logarithme naturel à chaque membre de l'équation :

$$\ln y = \ln (x-1)^x$$

$$\ln y = x \ln(x-1) \quad \text{propriété : } \log_b(M^p) = p \log_b M$$

Dérivons implicitement par rapport à x :

$$\frac{d}{dx}(\ln y) = \frac{d}{dx}[x \ln(x-1)]$$

$$\frac{1}{y}\frac{dy}{dx} = x\frac{d}{dx}[\ln(x-1)] + [\ln(x-1)]\frac{d}{dx}(x)$$

$$\frac{1}{y}\frac{dy}{dx} = x\left(\frac{1}{x-1}\right)\frac{d}{dx}(x-1) + \ln(x-1)$$

$$\frac{dy}{dx} = y\left[\frac{x}{x-1} + \ln(x-1)\right]$$

$$\frac{dy}{dx} = (x-1)^x\left[\frac{x}{x-1} + \ln(x-1)\right]$$

Si on utilise la mise au même dénominateur, on obtient :

$$\begin{aligned}\frac{dy}{dx} &= (x-1)^x\left[\frac{x}{x-1} + \ln(x-1)\right] \\ &= (x-1)^x\left[\frac{x}{x-1} + \frac{(x-1)\ln(x-1)}{x-1}\right] \\ &= (x-1)^x\left[\frac{x + (x-1)\ln(x-1)}{x-1}\right] \\ &= (x-1)^{x-1}[x + (x-1)\ln(x-1)]\end{aligned}$$

EXEMPLE 3.26

Trouvons $\frac{dy}{dx}$ si $y = (2x-5)^{e^{2x}}$ et si $x > 5/2$. On a $y > 0$ puisque $2x - 5 > 0$ lorsque $x > 5/2$. Appliquons le logarithme naturel à chaque membre de l'équation :

$$\ln y = \ln (2x-5)^{e^{2x}}$$

$$\ln y = e^{2x} \ln(2x-5) \quad \text{propriété : } \log_b(M^p) = p \log_b M$$

Dérivons implicitement par rapport à x:

$$\frac{d}{dx}(\ln y) = \frac{d}{dx}\left[e^{2x}\ln(2x-5)\right]$$

$$\frac{1}{y}\frac{dy}{dx} = e^{2x}\frac{d}{dx}\left[\ln(2x-5)\right] + \left[\ln(2x-5)\right]\frac{d}{dx}(e^{2x})$$

$$\frac{1}{y}\frac{dy}{dx} = e^{2x}\left(\frac{1}{2x-5}\right)\frac{d}{dx}(2x-5) + \left[\ln(2x-5)\right]e^{2x}\frac{d}{dx}(2x)$$

$$\frac{dy}{dx} = y\left[\frac{2e^{2x}}{2x-5} + 2e^{2x}\ln(2x-5)\right]$$

$$\frac{dy}{dx} = (2x-5)^{e^{2x}}\left[\frac{2e^{2x}}{2x-5} + 2e^{2x}\ln(2x-5)\right]$$

$$\frac{dy}{dx} = 2e^{2x}(2x-5)^{e^{2x}}\left[\frac{1}{2x-5} + \ln(2x-5)\right]$$

En utilisant la mise au même dénominateur, on obtient:

$$\frac{dy}{dx} = 2e^{2x}(2x-5)^{e^{2x}}\left[\frac{1}{2x-5} + \ln(2x-5)\right]$$

$$= 2e^{2x}(2x-5)^{e^{2x}}\left[\frac{1}{2x-5} + \frac{(2x-5)\ln(2x-5)}{2x-5}\right]$$

$$= 2e^{2x}(2x-5)^{e^{2x}}\left[\frac{1+(2x-5)\ln(2x-5)}{2x-5}\right]$$

$$= 2e^{2x}(2x-5)^{e^{2x}-1}\left[1+(2x-5)\ln(2x-5)\right]$$

La dérivation logarithmique permet de démontrer la formule $\frac{d}{dx}(x^n) = nx^{n-1}$ pour tout nombre réel n.

PREUVE

Si $x > 0$ et si $y = x^n$, alors $y > 0$ et

$$\ln y = \ln(x^n)$$

$$\ln y = n\ln x$$

$$\frac{d}{dx}(\ln y) = \frac{d}{dx}(n\ln x)$$

$$\frac{1}{y}\frac{dy}{dx} = n\frac{1}{x}$$

$$\frac{dy}{dx} = \frac{n}{x}y$$

$$\frac{d}{dx}(x^n) = \frac{n}{x}x^n$$

$$\frac{d}{dx}(x^n) = nx^{n-1}$$

De plus, si $x < 0$, alors $x = -u$ avec $u > 0$. Par conséquent,

$$\begin{aligned}\frac{d}{dx}(x^n) &= \frac{d}{dx}\left[(-u)^n\right] \\ &= \frac{d}{dx}\left[(-1)^n u^n\right] \\ &= (-1)^n \frac{d}{dx}(u^n) \\ &= (-1)^n n u^{n-1}\frac{d}{dx}(u) \\ &= (-1)^n n\,(-x)^{n-1}\frac{d}{dx}(-x) \\ &= (-1)n\left[(-1)^{n-1}(-x)^{n-1}\right](-1) \\ &= n\left[(-1)(-x)\right]^{n-1} \\ &= nx^{n-1}\end{aligned}$$

■

La dérivation logarithmique peut aussi être très utile lorsqu'on doit dériver des fonctions de la forme $y = \dfrac{f_1(x)f_2(x)\cdots f_n(x)}{g_1(x)g_2(x)\cdots g_m(x)}$, où $f_i(x) \neq 0$ pour $i = 1, 2, ..., n$ et $g_k(x) \neq 0$ pour $k = 1, 2, ..., m$.

Puisqu'on veut appliquer le logarithme naturel à chaque membre de l'équation et que la fonction y est peut-être négative à certains endroits, considérons cette équation en valeur absolue.

$$|y| = \left|\frac{f_1(x)f_2(x)\cdots f_n(x)}{g_1(x)g_2(x)\cdots g_m(x)}\right| = \frac{|f_1|\,|f_2|\cdots|f_n|}{|g_1|\,|g_2|\cdots|g_m|}$$

Appliquons maintenant le logarithme naturel et utilisons les propriétés des logarithmes pour décomposer le membre de droite de l'équation.

$$\ln|y| = \ln\left(\frac{|f_1|\,|f_2|\cdots|f_n|}{|g_1|\,|g_2|\cdots|g_m|}\right)$$

$$\ln|y| = \ln\left(|f_1|\,|f_2|\cdots|f_n|\right) - \ln\left(|g_1|\,|g_2|\cdots|g_m|\right)$$

propriété : $\log_b\left(\dfrac{M}{N}\right) = \log_b M - \log_b N$

$$\ln|y| = \ln|f_1| + \ln|f_2| + \cdots + \ln|f_n| - \left(\ln|g_1| + \ln|g_2| + \cdots + \ln|g_m|\right)$$

propriété : $\log_b(MN) = \log_b M + \log_b N$

$$\ln|y| = \ln|f_1| + \ln|f_2| + \cdots + \ln|f_n| - \ln|g_1| - \ln|g_2| - \cdots - \ln|g_m|$$

Par conséquent, en utilisant le résultat de l'exemple 3.24 (p. 178), on obtient

$$\frac{d}{dx}(\ln|y|) = \frac{d}{dx}\left(\ln|f_1| + \ln|f_2| + \cdots + \ln|f_n| - \ln|g_1| - \ln|g_2| - \cdots - \ln|g_m|\right)$$

$$\frac{1}{y}\frac{dy}{dx} = \frac{1}{f_1}\frac{df_1}{dx} + \frac{1}{f_2}\frac{df_2}{dx} + \cdots + \frac{1}{f_n}\frac{df_n}{dx} - \frac{1}{g_1}\frac{dg_1}{dx} - \frac{1}{g_2}\frac{dg_2}{dx} - \cdots - \frac{1}{g_m}\frac{dg_m}{dx}$$

$$\frac{dy}{dx} = y\left(\frac{1}{f_1}\frac{df_1}{dx} + \frac{1}{f_2}\frac{df_2}{dx} + \cdots + \frac{1}{f_n}\frac{df_n}{dx} - \frac{1}{g_1}\frac{dg_1}{dx} - \frac{1}{g_2}\frac{dg_2}{dx} - \cdots - \frac{1}{g_m}\frac{dg_m}{dx}\right)$$

On pourrait remplacer y par sa définition dans la dernière équation. En général, si on utilise la dérivation logarithmique et qu'on oublie, par mégarde, de prendre en considération le signe de y, on obtiendra la même expression pour $\frac{dy}{dx}$. Ainsi, bien que, de manière formelle, il faille utiliser des valeurs absolues en dérivation logarithmique, on peut, en pratique, négliger cette contrainte théorique, à tout le moins pour les valeurs de x pour lesquelles la fonction y est différente de 0. Par conséquent, on pourra utiliser la dérivation logarithmique sans se préoccuper du signe de la fonction à dériver et sans utiliser de valeurs absolues.

EXEMPLE 3.27

Trouvons $\frac{dy}{dx}$ si $y = \frac{(x+2)^3 \ln(2x+1)}{x^{3/2}}$. Appliquons le logarithme naturel à chaque membre de l'équation et utilisons les propriétés des logarithmes :

$$\ln y = \ln\left[(x+2)^3 \ln(2x+1)\right] - \ln\left(x^{3/2}\right) \quad \text{propriété : } \log_b\left(\frac{M}{N}\right) = \log_b M - \log_b N$$

$$\ln y = \ln(x+2)^3 + \ln\left[\ln(2x+1)\right] - \ln\left(x^{3/2}\right) \quad \text{propriété : } \log_b(MN) = \log_b M + \log_b N$$

$$\ln y = 3\ln(x+2) + \ln\left[\ln(2x+1)\right] - \frac{3}{2}\ln x \quad \text{propriété : } \log_b(M^p) = p\log_b M$$

Dérivons implicitement par rapport à x :

$$\frac{d}{dx}(\ln y) = \frac{d}{dx}\left(3\ln(x+2) + \ln\left[\ln(2x+1)\right] - \frac{3}{2}\ln x\right)$$

$$\frac{1}{y}\frac{dy}{dx} = 3\left(\frac{1}{x+2}\right)\frac{d}{dx}(x+2) + \frac{1}{\ln(2x+1)}\frac{d}{dx}\left[\ln(2x+1)\right] - \frac{3}{2}\left(\frac{1}{x}\right)$$

$$\frac{dy}{dx} = y\left[\frac{3}{x+2} + \frac{1}{\ln(2x+1)}\left(\frac{1}{2x+1}\right)\frac{d}{dx}(2x+1) - \frac{3}{2x}\right]$$

$$\frac{dy}{dx} = \frac{(x+2)^3\ln(2x+1)}{x^{3/2}}\left[\frac{3}{x+2} + \frac{2}{(2x+1)\ln(2x+1)} - \frac{3}{2x}\right]$$

Nous aurions également pu obtenir cette dérivée de manière habituelle, c'est-à-dire en utilisant la formule de dérivation d'un quotient. La solution aurait alors été beaucoup plus laborieuse. De plus, nous n'utiliserons pas la mise au même dénominateur pour réécrire la dernière expression puisqu'elle serait assez fastidieuse et n'ajouterait rien à la clarté de la réponse.

EXEMPLE 3.28

Trouvons $\frac{dy}{dx}$ si $y = \frac{(2x+1)^5\sqrt{3x-1}}{x^2 e^{4x}}$. Appliquons le logarithme naturel à chaque membre de l'équation et utilisons les propriétés des logarithmes :

$$\ln y = \ln\left[(2x+1)^5(3x-1)^{1/2}\right] - \ln\left(x^2 e^{4x}\right)$$

$$\text{propriété : } \log_b\left(\frac{M}{N}\right) = \log_b M - \log_b N$$

$$\ln y = \ln(2x+1)^5 + \ln(3x-1)^{1/2} - \left[\ln(x^2) + \ln(e^{4x})\right]$$

$$\text{propriété : } \log_b(MN) = \log_b M + \log_b N$$

$$\ln y = \ln(2x+1)^5 + \ln(3x-1)^{1/2} - \left[\ln(x^2) + 4x\right]$$

propriété : $\log_b(b^p) = p$

$$\ln y = 5\ln(2x+1) + \frac{1}{2}\ln(3x-1) - 2\ln x - 4x$$

propriété : $\log_b(M^p) = p\log_b M$

Dérivons implicitement par rapport à x:

$$\frac{d}{dx}(\ln y) = \frac{d}{dx}\left[5\ln(2x+1) + \frac{1}{2}\ln(3x-1) - 2\ln x - 4x\right]$$

$$\frac{1}{y}\frac{dy}{dx} = 5\left(\frac{1}{2x+1}\right)\frac{d}{dx}(2x+1) + \frac{1}{2}\left(\frac{1}{3x-1}\right)\frac{d}{dx}(3x-1) - 2\left(\frac{1}{x}\right) - 4$$

$$\frac{dy}{dx} = y\left[\frac{10}{2x+1} + \frac{3}{2(3x-1)} - \frac{2}{x} - 4\right]$$

$$\frac{dy}{dx} = \frac{(2x+1)^5\sqrt{3x-1}}{x^2 e^{4x}}\left[\frac{10}{2x+1} + \frac{3}{2(3x-1)} - \frac{2}{x} - 4\right]$$

Nous omettrons la mise au même dénominateur de la dernière expression.

Les exemples précédents permettent d'établir les étapes à suivre pour déterminer $\frac{dy}{dx}$ à l'aide de la dérivation logarithmique :

1. Appliquer le logarithme naturel à chaque membre de l'équation.
2. Utiliser les propriétés des logarithmes pour décomposer les membres de l'équation.
3. Dériver implicitement par rapport à x.
4. Isoler $\frac{dy}{dx}$.

EXERCICE 3.5

Utilisez la dérivation logarithmique pour déterminer $\frac{dy}{dx}$.

a) $y = (1-4x)^{2x}$, où $x < 1/4$

b) $y = (x^2+2)^{1+e^x}$

c) $y = \frac{e^{x^2}\sqrt{2x+4}}{(x^2+1)^7}$, où $x > -2$

d) $y = \frac{\sqrt[3]{x^4+3}\,(x^4+3x^2+2)^5}{e^{5x}\sqrt{x^2+16}}$

Vous pouvez maintenant faire les exercices récapitulatifs 42 à 52.

3.2 DÉRIVATION DES FONCTIONS TRIGONOMÉTRIQUES

DANS CETTE SECTION : *degré – radian – cercle trigonométrique.*

Les phénomènes oscillatoires, tels le courant alternatif, les ondes sonores, une corde vibrante, le mouvement d'une masse reliée à un ressort, le mouvement des marées et le mouvement d'un pendule simple, sont décrits par des fonctions périodiques comme les fonctions trigonométriques*. On obtient le rythme (vitesse) auquel chacun de ces phénomènes varie en dérivant la fonction trigonométrique qui le décrit. On doit donc élaborer des formules de dérivation pour les fonctions trigonométriques.

RAPPEL La trigonométrie

Un angle θ est une figure formée par deux segments de droite OA et OB issus d'un point fixe O appelé sommet (FIGURE 3.5).

FIGURE 3.5
Angle

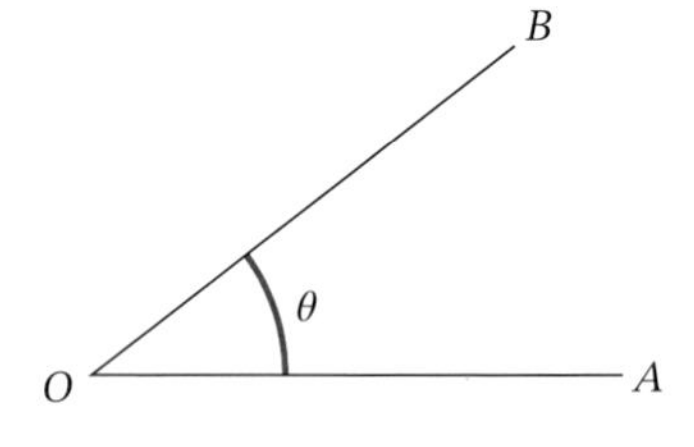

Mesurer un angle, c'est quantifier la rotation que le segment OA doit effectuer pour rejoindre le segment OB. La mesure de l'angle θ est positive si la rotation s'effectue dans le sens contraire des aiguilles d'une montre, et négative si elle s'effectue plutôt dans le sens des aiguilles d'une montre (FIGURE 3.6).

FIGURE 3.6
Mesure d'angle

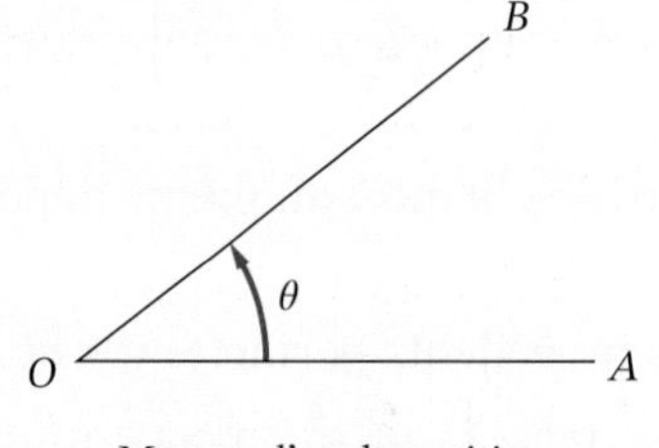

Lorsqu'on divise un cercle en 360 parties égales avec des rayons, l'angle au centre entre deux rayons consécutifs mesure un **degré** (1°). La FIGURE 3.7 présente deux angles particuliers mesurés en degrés.

FIGURE 3.7
Angles particuliers

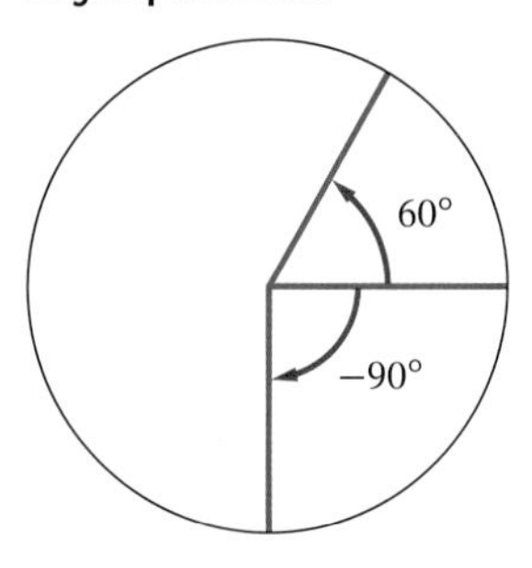

La mesure de l'angle au centre compris entre deux rayons (FIGURE 3.8) qui interceptent, sur la circonférence du cercle, un arc de longueur L égale au rayon r est un **radian**** (1 rad).

FIGURE 3.8
Lien entre un angle en radians et la longueur d'un arc de cercle

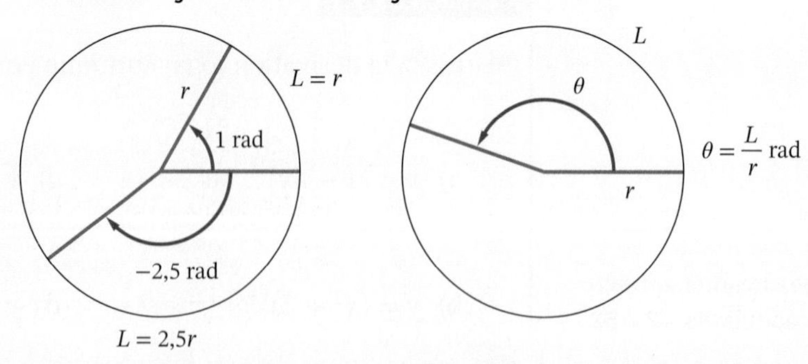

Degré
Lorsque l'on divise un cercle en 360 parties égales avec des rayons, l'angle au centre entre deux rayons consécutifs mesure un degré (1°).

Radian
La mesure de l'angle au centre compris entre deux rayons qui interceptent, sur la circonférence du cercle, un arc de longueur L égale au rayon r est un radian (1 rad).

* Les principales caractéristiques des fonctions trigonométriques sont présentées dans l'aide-mémoire accompagnant le manuel.

** La première occurrence du mot *radian* se trouve dans un questionnaire d'examen écrit par James Thomson (1822-1892). Le terme constitue une abréviation de l'expression *radial angle* (angle radial).

L'angle au centre correspondant à un tour complet du cercle est de 360° ou de $\theta = \frac{L}{r} = \frac{2\pi r}{r} = 2\pi$ rad. On peut donc facilement passer d'une unité de mesure à l'autre. En effet, puisque $360° = 2\pi$ rad, alors $1° = \frac{\pi}{180}$ rad et $1 \text{ rad} = \left(\frac{180}{\pi}\right)^{\circ}$. Le **cercle trigonométrique** (FIGURE 3.9) est un cercle de rayon $r = 1$ centré à l'origine. Tout angle au centre θ détermine un point $P(\theta)$ sur la circonférence du cercle.

Cercle trigonométrique
Le cercle trigonométrique est un cercle de rayon 1 centré à l'origine.

FIGURE 3.9
Cercle trigonométrique

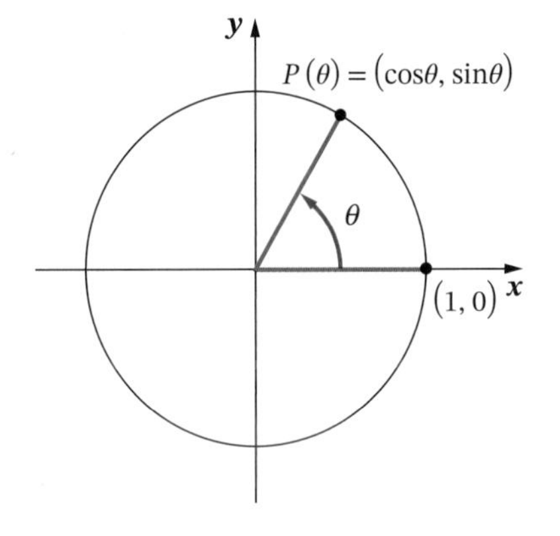

Le cosinus de l'angle θ, noté $\cos\theta$, est l'abscisse du point $P(\theta)$, et le sinus de l'angle θ, noté $\sin\theta$, est l'ordonnée du point $P(\theta)$.

Comme le cercle trigonométrique est de rayon 1, l'abscisse et l'ordonnée de tout point situé sur le cercle ont des valeurs comprises entre −1 et 1, c'est-à-dire que, pour tout angle θ, on a

$$-1 \leq \cos\theta \leq 1 \text{ et } -1 \leq \sin\theta \leq 1$$

Les différents rapports entre l'abscisse et l'ordonnée du point $P(\theta)$ définissent quatre autres fonctions trigonométriques appelées tangente, cotangente, sécante et cosécante.

On a $\operatorname{tg}\theta = \frac{\sin\theta}{\cos\theta}$, $\operatorname{cotg}\theta = \frac{\cos\theta}{\sin\theta} = \frac{1}{\operatorname{tg}\theta}$, $\sec\theta = \frac{1}{\cos\theta}$ et $\operatorname{cosec}\theta = \frac{1}{\sin\theta}$. Remarquons qu'elles sont définies seulement si le dénominateur est différent de 0.

Sur la plupart des calculatrices scientifiques, on trouve les touches sin, cos et tan (au lieu de tg) pour évaluer respectivement le sinus, le cosinus et la tangente d'un angle. Il faut cependant s'assurer que la calculatrice est dans le mode qui correspond à l'unité de mesure de l'angle [degrés (DEG) ou radians (RAD)].

Vous trouverez dans l'aide-mémoire qui accompagne ce manuel les valeurs des six fonctions trigonométriques pour certains angles remarquables, ainsi que les graphiques de ces six fonctions.

Voir l'annexe Rappels de notions mathématiques, p. 429.

QUESTIONS ÉCLAIR 3.8

1. Convertissez les angles suivants en radians.

   a) $\theta = -75°$ b) $\theta = 194°$

2. Convertissez les angles suivants en degrés.

   a) $\theta = \frac{17\pi}{9}$ rad b) $\theta = -1{,}5$ rad

3. Utilisez la calculatrice pour évaluer les six fonctions trigonométriques de l'angle donné.

   a) $\theta = 138°$ b) $\theta = \frac{11\pi}{8}$ rad

EXEMPLE 3.29

Si on néglige la résistance de l'air, la portée p, mesurée en mètres, d'une balle de golf frappée à une vitesse initiale de 35 m/s est donnée par la fonction $p(\theta) = 125 \sin(2\theta)$, où θ est l'angle $\left(0 \leq \theta \leq \frac{\pi}{2}\right)$ entre la trajectoire initiale de la balle et le sol, comme l'illustre la FIGURE 3.10.

FIGURE 3.10
Trajectoire d'un projectile

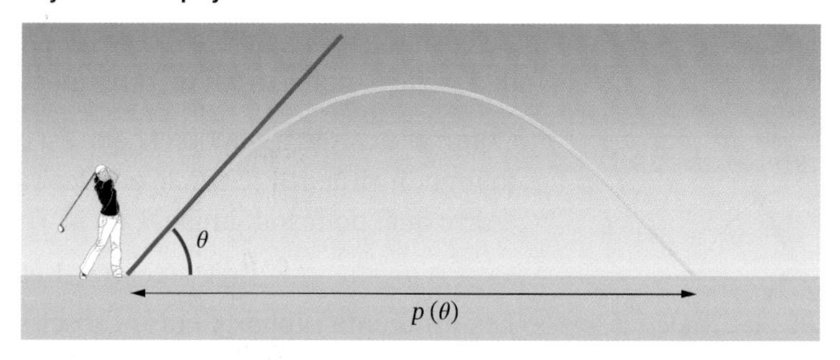

Calculons la portée de la balle si $\theta = \frac{\pi}{6}$ et si $\theta = \frac{\pi}{4}$. On a

$$p\left(\frac{\pi}{6}\right) = 125 \sin\left[2\left(\frac{\pi}{6}\right)\right] = 125 \sin\left(\frac{\pi}{3}\right) = 125\left(\frac{\sqrt{3}}{2}\right) \approx 108{,}25 \text{ m}$$

et

$$p\left(\frac{\pi}{4}\right) = 125 \sin\left[2\left(\frac{\pi}{4}\right)\right] = 125 \sin\left(\frac{\pi}{2}\right) = 125(1) = 125 \text{ m}$$

RAPPEL La trigonométrie du triangle rectangle

Dans un triangle rectangle, on peut définir les fonctions trigonométriques comme des rapports entre les mesures de certains côtés du triangle. Pour y arriver, on doit utiliser le fait que les triangles OPQ et ORS sont semblables et que, par conséquent, les rapports des côtés correspondants sont égaux (FIGURE 3.11).

FIGURE 3.11
Trigonométrie du triangle rectangle

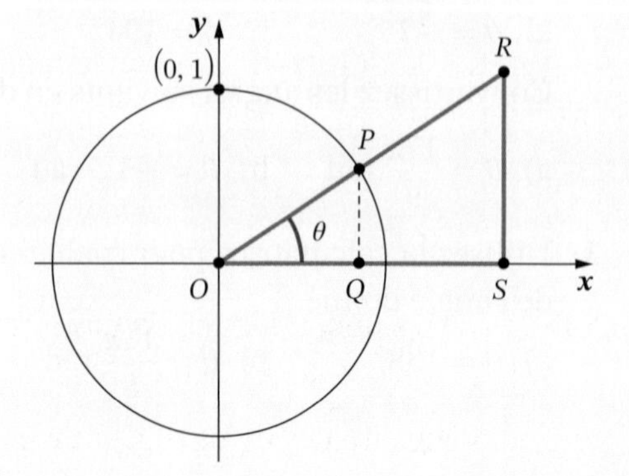

Comme les coordonnées du point P sont $(\cos\theta, \sin\theta)$, on obtient*

$$\frac{\text{m}\overline{PQ}}{\text{m}\overline{OP}} = \frac{\text{m}\overline{RS}}{\text{m}\overline{OR}}$$

$$\frac{\sin\theta}{1} = \frac{\text{m}\overline{RS}}{\text{m}\overline{OR}}$$

$$\sin\theta = \frac{\text{Mesure du côté opposé à l'angle } \theta}{\text{Mesure de l'hypoténuse}}$$

De plus, on a

$$\frac{\text{m}\overline{OQ}}{\text{m}\overline{OP}} = \frac{\text{m}\overline{OS}}{\text{m}\overline{OR}}$$

$$\frac{\cos\theta}{1} = \frac{\text{m}\overline{OS}}{\text{m}\overline{OR}}$$

$$\cos\theta = \frac{\text{Mesure du côté adjacent à l'angle } \theta}{\text{Mesure de l'hypoténuse}}$$

On peut en déduire les définitions des autres fonctions trigonométriques. En effet,

$$\text{tg}\,\theta = \frac{\sin\theta}{\cos\theta} = \frac{\text{Mesure du côté opposé à l'angle } \theta}{\text{Mesure du côté adjacent à l'angle } \theta}$$

$$\text{cotg}\,\theta = \frac{\cos\theta}{\sin\theta} = \frac{\text{Mesure du côté adjacent à l'angle } \theta}{\text{Mesure du côté opposé à l'angle } \theta}$$

$$\sec\theta = \frac{1}{\cos\theta} = \frac{\text{Mesure de l'hypoténuse}}{\text{Mesure du côté adjacent à l'angle } \theta}$$

$$\text{cosec}\,\theta = \frac{1}{\sin\theta} = \frac{\text{Mesure de l'hypoténuse}}{\text{Mesure du côté opposé à l'angle } \theta}$$

Voir l'annexe Rappels de notions mathématiques, p. 437.

QUESTION ÉCLAIR 3.9

Utilisez le triangle rectangle suivant pour évaluer les quantités demandées.

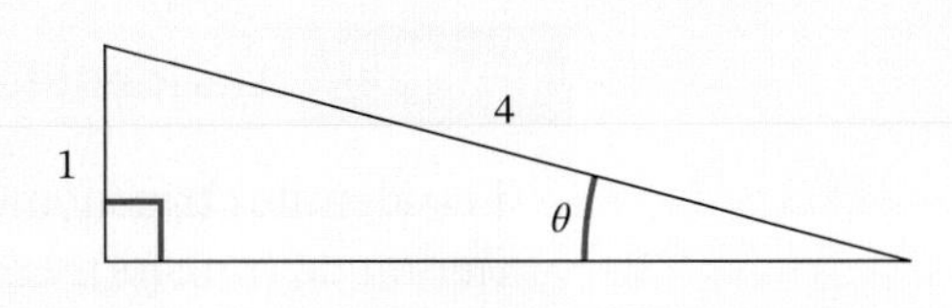

a) $\sin\theta$ c) $\text{tg}\,\theta$ e) $\sec\theta$

b) $\cos\theta$ d) $\text{cosec}\,\theta$ f) $\text{cotg}\,\theta$

FIGURE 3.12
Triangle isocèle

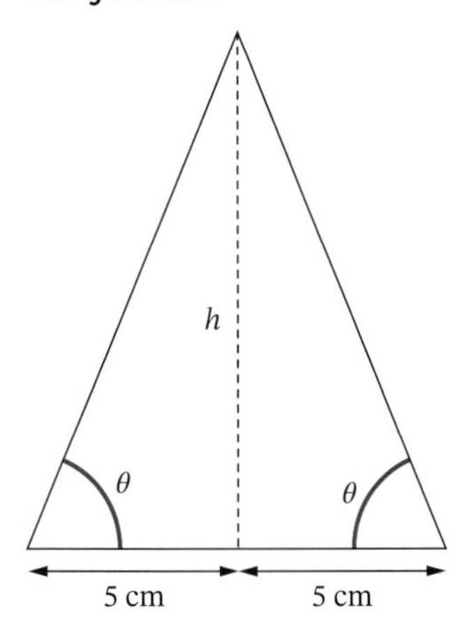

EXEMPLE 3.30

On veut exprimer l'aire A (en centimètres carrés) d'un triangle isocèle (FIGURE 3.12), dont la base mesure 10 cm et la hauteur h cm, en fonction de θ, qui est la mesure des deux angles congrus du triangle $\left(0 < \theta < \frac{\pi}{2}\right)$.

* L'expression $\text{m}\overline{PQ}$ signifie la mesure du segment joignant les points P et Q.

On a $\text{tg}\,\theta = \frac{h}{5}$ et, par conséquent, $h = 5\text{tg}\,\theta$. On obtient alors

$$\begin{aligned} A(\theta) &= \frac{bh}{2} \\ &= \frac{10(5\text{tg}\,\theta)}{2} \\ &= 25\text{tg}\,\theta\ \text{cm}^2 \end{aligned}$$

Calculons l'aire du triangle si $\theta = \frac{\pi}{4}$ et si $\theta = \frac{\pi}{3}$. On a

$$A\left(\frac{\pi}{4}\right) = 25\text{tg}\left(\frac{\pi}{4}\right) = 25(1) = 25\ \text{cm}^2$$

et

$$A\left(\frac{\pi}{3}\right) = 25\text{tg}\left(\frac{\pi}{3}\right) = 25\left(\sqrt{3}\right) \approx 43{,}3\ \text{cm}^2$$

Des MOTS et des SYMBOLES

En 1595, le mathématicien allemand Bartholomäus Pitiscus (1561-1613) publia un ouvrage dont le titre comportait la première utilisation du mot latin *trigonometria*, qui fut francisé par *trigonométrie* en 1613. On trouve dans le mot *trigonométrie* trois racines grecques: *tri* pour «trois», *gonia* pour «angle» et *metron* pour «mesurer». Ainsi, la trigonométrie a notamment pour objet la mesure des triangles et de leurs éléments (côtés et angles). Georg Joachim Rhaeticus (1514-1576) fut toutefois le premier à définir les fonctions trigonométriques en termes de rapport des côtés d'un triangle rectangle, et il produisit une table des six fonctions trigonométriques pour chaque intervalle de 10 secondes.

L'origine du terme *sinus* est assez intéressante. Le concept de sinus fut d'abord établi par le mathématicien indien Aryabhata (476-550); il le désigna sous le nom *jya*. Les Arabes en ont dérivé leur équivalent phonétique *jiba*, qui s'écrivait, comme c'était la coutume, sans voyelle, c'est-à-dire *jb*. Or, à part son sens technique, ce mot n'en a pas d'autre en arabe, de sorte que les traducteurs, dont Gérard de Crémone (1114-1187), ont pensé qu'il s'agissait du mot *jaib* qui désigne une petite baie ou une anse, ce qui se dit *sinus* en latin. C'est cette confusion dans la traduction qui nous a donc donné le terme *sinus*. Quant au terme *cosinus*, il faut tout simplement le comprendre comme étant le sinus de l'angle complémentaire: $\sin\left(\frac{\pi}{2} - \alpha\right) = \cos\alpha$.

On doit les noms des autres fonctions trigonométriques, sous leur forme latine, à Georg Joachim Rhaeticus (1514-1574) (cosécante), à Edmund Gunter (1581-1626) (cosinus et cotangente) et à Thomas Fincke (1561-1656) (sécante et tangente). C'est d'ailleurs ce dernier qui proposa des abréviations pour plusieurs des fonctions trigonométriques.

Les abréviations de certaines fonctions trigonométriques ne sont pas les mêmes en français et en anglais. Ainsi, les abréviations pour les fonctions cosécante, tangente et cotangente sont respectivement *cosec*, *tg* et *cotg* en français et *csc*, *tan* et *cot* en anglais. Dans le présent manuel, nous avons privilégié la notation française, même si la notation anglaise est souvent utilisée dans les publications en français et qu'elle est d'usage sur les calculatrices scientifiques.

RAPPEL Les identités trigonométriques

Les identités trigonométriques sont des égalités qui permettent de simplifier ou de transformer une expression trigonométrique en une expression équivalente.

Trois identités très importantes proviennent de la définition même des fonctions trigonométriques sur le cercle trigonométrique et du théorème de Pythagore.

Soit θ un angle au centre en radians et $P(\theta)$ le point qu'il détermine sur la circonférence du cercle trigonométrique (FIGURE 3.13).

FIGURE 3.13
Cercle trigonométrique

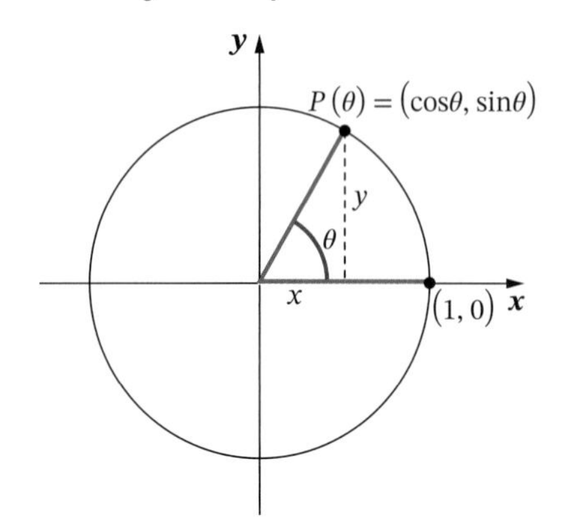

Par le théorème de Pythagore, on a $x^2 + y^2 = 1^2$. En remplaçant par leurs valeurs les coordonnées du point $P(\theta)$ dans cette équation, on obtient la première identité trigonométrique, soit

$$\cos^2\theta + \sin^2\theta = 1 \qquad (1)$$

En divisant tous les termes de l'identité (1) par $\cos^2\theta$ (pour les valeurs de θ telles que $\cos\theta \neq 0$), on obtient une deuxième identité trigonométrique, soit

$$\frac{\cos^2\theta}{\cos^2\theta} + \frac{\sin^2\theta}{\cos^2\theta} = \frac{1}{\cos^2\theta}$$

$$1 + \operatorname{tg}^2\theta = \sec^2\theta \qquad (2)$$

En divisant tous les termes de l'identité (1) par $\sin^2\theta$ (pour les valeurs de θ telles que $\sin\theta \neq 0$), on obtient une troisième identité trigonométrique, soit

$$\frac{\cos^2\theta}{\sin^2\theta} + \frac{\sin^2\theta}{\sin^2\theta} = \frac{1}{\sin^2\theta}$$

$$\operatorname{cotg}^2\theta + 1 = \operatorname{cosec}^2\theta \qquad (3)$$

Voici une liste d'identités trigonométriques* importantes que vous retrouverez dans l'aide-mémoire :

4. $\cos(\alpha \pm \beta) = \cos\alpha\cos\beta \mp \sin\alpha\sin\beta$
5. $\sin(\alpha \pm \beta) = \sin\alpha\cos\beta \pm \cos\alpha\sin\beta$
6. $\cos\alpha\cos\beta = 1/2[\cos(\alpha - \beta) + \cos(\alpha + \beta)]$
7. $\sin\alpha\sin\beta = 1/2[\cos(\alpha - \beta) - \cos(\alpha + \beta)]$
8. $\sin\alpha\cos\beta = 1/2[\sin(\alpha - \beta) + \sin(\alpha + \beta)]$
9. $\cos(2\theta) = \cos^2\theta - \sin^2\theta$
10. $\cos(2\theta) = 2\cos^2\theta - 1$
11. $\cos(2\theta) = 1 - 2\sin^2\theta$
12. $\sin(2\theta) = 2\sin\theta\cos\theta$
13. $\sin^2\theta = 1/2[1 - \cos(2\theta)]$
14. $\cos^2\theta = 1/2[1 + \cos(2\theta)]$

La FIGURE 3.14 permet de constater une relation étroite entre les coordonnées du point $P(\theta)$ et celles du point $P(-\theta)$.

FIGURE 3.14

$P(\theta)$ et $P(-\theta)$

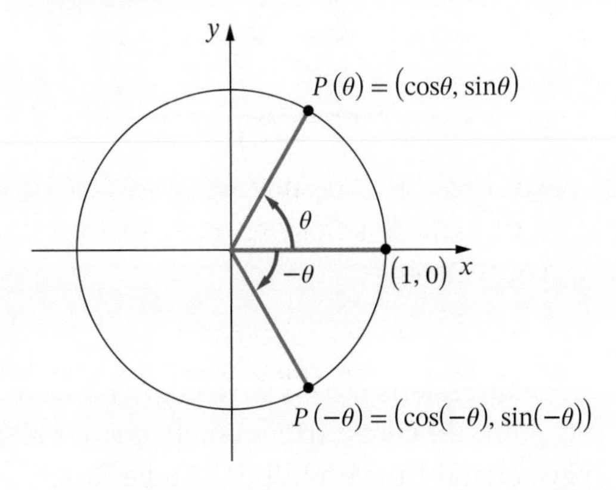

Ainsi, $\cos(-\theta) = \cos(\theta)$ et $\sin(-\theta) = -\sin\theta$.

Vous trouverez d'autres relations trigonométriques dans l'aide-mémoire.

Voir l'annexe Rappels de notions mathématiques, p. 432.

* Les preuves des identités trigonométriques se trouvent dans la plateforme *i+ Interactif*.

QUESTION ÉCLAIR 3.10

Démontrez l'identité trigonométrique.

a) $\dfrac{1}{\sin x} - \dfrac{\cos x}{\operatorname{tg} x} = \sin x$

b) $1 + \dfrac{\operatorname{tg}^2 \theta}{1 + \sec \theta} = \sec \theta$

c) $4 \sin t \cos t - 8 \sin^3 t \cos t = \sin(4t)$

3.2.1 CONTINUITÉ DES FONCTIONS TRIGONOMÉTRIQUES

Le théorème 3.6 présente deux fonctions continues en tout point: la fonction sinus et la fonction cosinus.

THÉORÈME 3.6

Si a est un nombre réel, alors les fonctions trigonométriques $f(x) = \sin x$ et $g(x) = \cos x$ sont continues en $x = a$.

Nous ne démontrerons pas formellement ce théorème. Nous ferons simplement appel à votre intuition pour vous convaincre de sa validité. Considérons la FIGURE 3.15 qui présente, sur le cercle trigonométrique, le point $P(\cos a, \sin a)$ pour un angle mesurant a rad et un point quelconque du cercle $Q(\cos x, \sin x)$.

FIGURE 3.15

Cercle trigonométrique

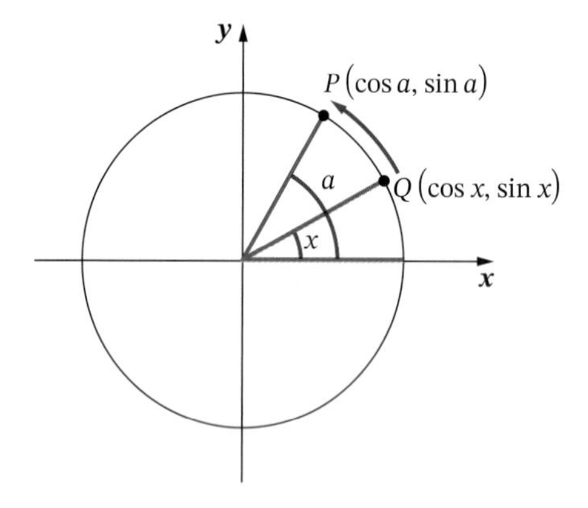

Les expressions $f(a) = \sin a$ et $g(a) = \cos a$ existent, car ce sont les coordonnées du point du cercle trigonométrique correspondant à l'angle a (en radians). De plus, quand l'angle x s'approche de l'angle a ($x \to a$), le point Q se déplace sur la circonférence du cercle vers le point P. Par conséquent, les coordonnées du point Q s'approchent des coordonnées du point P (c'est-à-dire $\cos x \to \cos a$ et $\sin x \to \sin a$). On a ainsi

$$\lim_{x \to a} f(x) = \lim_{x \to a} \sin x = \sin a = f(a) \text{ et } \lim_{x \to a} g(x) = \lim_{x \to a} \cos x = \cos a = g(a)$$

Les fonctions $f(x) = \sin x$ et $g(x) = \cos x$ sont donc continues en $x = a$.

EXEMPLE 3.31

Soit la fonction $f(x) = \text{tg}\,x = \dfrac{\sin x}{\cos x}$. Déterminons les valeurs réelles de x pour lesquelles cette fonction est continue.

En vertu du théorème 3.6, la fonction $f(x)$ est le quotient de deux fonctions continues. Elle est donc continue pour toutes les valeurs de x qui n'annulent pas le dénominateur.

Le dénominateur s'annule quand x est un multiple impair de $\dfrac{\pi}{2}$, c'est-à-dire lorsque $x = (2k+1)\dfrac{\pi}{2}$, où $k \in \mathbb{Z}$ (par exemple, $x = \dfrac{\pi}{2}$, $x = \dfrac{3\pi}{2}$,...).

En vertu du théorème 1.5 (p. 50), la fonction $f(x) = \text{tg}\,x$ est donc continue si $x \neq (2k+1)\dfrac{\pi}{2}$, où $k \in \mathbb{Z}$.

EXEMPLE 3.32

Soit la fonction $f(x) = \text{cosec}\,x = \dfrac{1}{\sin x}$. Déterminons les valeurs réelles de x pour lesquelles cette fonction est continue.

Le numérateur de la fonction $f(x)$ est un polynôme qui est une fonction continue en vertu du théorème 1.4 (p. 50). De plus, son dénominateur est également continu en vertu du théorème 3.6.

Par conséquent, la fonction $f(x)$ est le quotient de deux fonctions continues. Elle est donc continue pour toutes les valeurs de x qui n'annulent pas le dénominateur.

Le dénominateur s'annule quand x est un multiple de π, c'est-à-dire lorsque $x = k\pi$, où $k \in \mathbb{Z}$ (par exemple, $x = 0$, $x = \pi$, $x = 2\pi$,...).

En vertu du théorème 1.5 (p. 50), la fonction $f(x) = \text{cosec}\,x$ est donc continue si $x \neq k\pi$, où $k \in \mathbb{Z}$.

QUESTION ÉCLAIR 3.11

Déterminez les valeurs réelles de x pour lesquelles la fonction $f(x) = \dfrac{\cos x}{(3x^2 - 12)\,2^x}$ est continue.

3.2.2 FONCTIONS TRIGONOMÉTRIQUES ET CALCUL DE LIMITES

Le **TABLEAU 3.4** énumère les propriétés des limites des fonctions sinus et cosinus. Elles découlent directement du théorème 3.6.

TABLEAU 3.4
Propriétés des limites*

Si a est un nombre réel, alors
21. $\lim\limits_{x \to a} \sin x = \sin a$
22. $\lim\limits_{x \to a} \cos x = \cos a$

* Les 20 premières propriétés sont données dans les tableaux 1.14 (p. 23), 1.15 (p. 28), 3.1 (p. 164) et 3.2 (p. 169).

EXEMPLE 3.33

On veut évaluer $\lim\limits_{x \to \frac{\pi}{4}} \frac{x \sin x}{\pi}$:

$$\begin{aligned}
\lim_{x \to \frac{\pi}{4}} \frac{x \sin x}{\pi} &= \left(\lim_{x \to \frac{\pi}{4}} \frac{x}{\pi}\right)\left(\lim_{x \to \frac{\pi}{4}} \sin x\right) \\
&= \frac{\pi/4}{\pi}\left[\sin\left(\frac{\pi}{4}\right)\right] \\
&= \frac{1}{4}\left(\frac{\sqrt{2}}{2}\right) \\
&= \frac{\sqrt{2}}{8}
\end{aligned}$$

EXEMPLE 3.34

On veut évaluer $\lim\limits_{x \to 0} \frac{\cos x}{x^2 + 2}$:

$$\begin{aligned}
\lim_{x \to 0} \frac{\cos x}{x^2 + 2} &= \frac{\lim\limits_{x \to 0} \cos x}{\lim\limits_{x \to 0} (x^2 + 2)} \\
&= \frac{\cos 0}{0^2 + 2} \\
&= \frac{1}{2}
\end{aligned}$$

EXEMPLE 3.35

On veut évaluer $\lim\limits_{\theta \to \frac{\pi}{3}} \operatorname{cotg} \theta$:

En vertu du théorème 1.5 (p. 50), la fonction $\operatorname{cotg} \theta = \frac{\cos \theta}{\sin \theta}$ est continue en $\theta = \frac{\pi}{3}$ puisqu'elle est le quotient de deux fonctions continues (théorème 3.6, p. 190), et que le dénominateur ne s'annule pas lorsque $\theta = \frac{\pi}{3}$ $\left[\text{on a } \sin\left(\frac{\pi}{3}\right) = \frac{\sqrt{3}}{2} \neq 0\right]$.

Par conséquent,

$$\lim_{\theta \to \frac{\pi}{3}} \operatorname{cotg} \theta = \operatorname{cotg}\left(\frac{\pi}{3}\right) = \frac{\cos(\pi/3)}{\sin(\pi/3)} = \frac{1/2}{\sqrt{3}/2} = \frac{1}{\cancel{2}} \cdot \frac{\cancel{2}}{\sqrt{3}} = \frac{1}{\sqrt{3}} = \frac{1}{\sqrt{3}} \cdot \frac{\sqrt{3}}{\sqrt{3}} = \frac{\sqrt{3}}{3}$$

EXEMPLE 3.36

On veut évaluer $\lim\limits_{x \to 0} \ln(x^2 \cos x + 1)$.

Posons $g(x) = x^2 \cos x + 1$ et $f(x) = \ln x$. Alors, on a

$$f(g(x)) = \ln(x^2 \cos x + 1)$$

De plus, $x^2 \cos x$ est continue, car c'est le produit de deux fonctions continues (un polynôme et la fonction cosinus), et 1 est une fonction continue, car c'est un polynôme. La fonction $g(x)$ est donc continue en $x = 0$, car elle est la somme de deux fonctions continues.

En vertu du théorème 3.2 (p. 168), la fonction $f(x)$ est continue en $g(0)$, car $g(0) = 0^2(\cos 0) + 1 = 1 > 0$.

Par conséquent, en vertu du théorème 1.7 (p. 53), la fonction

$$f(g(x)) = \ln(x^2 \cos x + 1)$$

est continue en $x = 0$, de sorte que

$$\lim_{x \to 0} \ln(x^2 \cos x + 1) = \ln(0^2 \cos 0 + 1) = \ln(1) = 0$$

QUESTION ÉCLAIR 3.12

Évaluez la limite.

a) $\lim\limits_{x \to 0} \dfrac{2x}{\cos(2x)}$ b) $\lim\limits_{x \to \pi} \sec\left(\dfrac{x}{3}\right)$ c) $\lim\limits_{x \to \frac{2\pi}{3}} \sin^2 x$ d) $\lim\limits_{x \to \frac{3\pi}{4}} e^{\operatorname{tg} x + 3}$

EXEMPLE 3.37

On veut évaluer $\lim\limits_{x \to 3} \sec\left(\dfrac{\pi x}{2}\right)$.

Posons $f(x) = \sec\left(\dfrac{\pi x}{2}\right) = \dfrac{1}{\cos\left(\dfrac{\pi x}{2}\right)}$. Alors, la fonction $f(x)$ n'est pas continue en $x = 3$, car cette valeur annule le dénominateur : $\cos\left[\dfrac{\pi(3)}{2}\right] = 0$. La limite qu'on veut évaluer est donc de la forme $\frac{1}{0}$. Évaluons la limite à gauche et la limite à droite.

On a

$$\lim_{x \to 3^-} \sec\left(\frac{\pi x}{2}\right) = \lim_{x \to 3^-} \underbrace{\frac{1}{\cos\left(\frac{\pi x}{2}\right)}}_{\text{forme } \frac{1}{0^-}} = -\infty$$

et

$$\lim_{x \to 3^+} \sec\left(\frac{\pi x}{2}\right) = \lim_{x \to 3^+} \underbrace{\frac{1}{\cos\left(\frac{\pi x}{2}\right)}}_{\text{forme } \frac{1}{0^+}} = \infty$$

Puisque la limite à gauche diffère de la limite à droite, on peut conclure que $\lim\limits_{x \to 3} \sec\left(\dfrac{\pi x}{2}\right)$ n'existe pas.

EXEMPLE 3.38

On veut évaluer $\lim\limits_{x \to \pi} \dfrac{\sin(2x)}{\sin x}$.

Posons $f(x) = \dfrac{\sin(2x)}{\sin x}$. Alors, la fonction $f(x)$ n'est pas continue en $x = \pi$, car cette valeur annule le dénominateur : $\sin \pi = 0$. La limite qu'on veut évaluer est donc de la forme $\frac{0}{0}$. Utilisons une identité trigonométrique pour lever l'indétermination.

$$\underbrace{\lim_{x\to\pi}\frac{\sin(2x)}{\sin x}}_{\text{forme } \frac{0}{0}} = \lim_{x\to\pi}\frac{2\cancel{\sin x}\cos x}{\cancel{\sin x}} \quad \text{identité 12}: \sin(2x) = 2\sin x\cos x$$

$$= \lim_{x\to\pi}(2\cos x)$$

$$= 2\cos\pi$$

$$= 2(-1)$$

$$= -2$$

3.2.3 THÉORÈME DU SANDWICH

Le théorème du sandwich est un outil supplémentaire permettant d'évaluer certaines limites particulières.

THÉORÈME 3.7 Théorème du sandwich

Si $g(x) \leq f(x) \leq h(x)$ pour tout x dans un intervalle ouvert contenant a (sauf peut-être en a), si $\lim_{x\to a} g(x) = L$ et $\lim_{x\to a} h(x) = L$, alors $\lim_{x\to a} f(x) = L$.

Nous accepterons ce théorème sans démonstration. La FIGURE 3.16 devrait vous convaincre de sa validité.

FIGURE 3.16
Théorème du sandwich

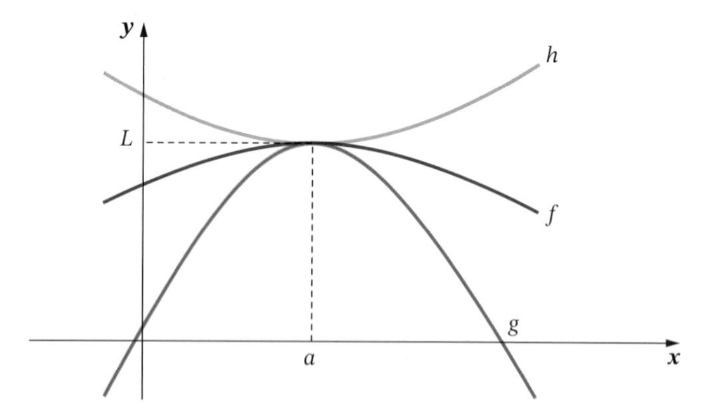

Intuitivement, si les valeurs de la fonction f sont toujours coincées (prises en sandwich) entre les valeurs de la fonction g et celles de la fonction h, et si les limites quand x tend vers a des fonctions g et h valent toutes deux L, alors il est raisonnable de penser que

$$g(x) \leq f(x) \leq h(x)$$

$$\lim_{x\to a} g(x) \leq \lim_{x\to a} f(x) \leq \lim_{x\to a} h(x)$$

$$L \leq \lim_{x\to a} f(x) \leq L$$

et que, par conséquent, $\lim_{x\to a} f(x) = L$.

Animations GeoGebra
Théorème du sandwich

Trouvez cette animation sur la plateforme *i+ Interactif*.

EXEMPLE 3.39

On veut évaluer $\lim\limits_{x\to 0}\left[x^2\cos\left(\frac{1}{x}\right)\right]$.

On serait tenté d'utiliser la propriété 5 du tableau 1.14 (p. 23) pour obtenir

$$\lim_{x\to 0}\left[x^2\cos\left(\frac{1}{x}\right)\right] = \left(\lim_{x\to 0}x^2\right)\left[\lim_{x\to 0}\cos\left(\frac{1}{x}\right)\right]$$

mais on peut utiliser cette propriété seulement si les deux limites existent, ce qui n'est pas le cas ici. En effet, si $x \to 0^+$, alors $\frac{1}{x} \to \infty$ et $\cos(\infty)$ n'est pas défini. On sait cependant que si $x \neq 0$, alors $-1 \leq \cos\left(\frac{1}{x}\right) \leq 1$. En multipliant cette inégalité par $x^2 > 0$, on obtient

$$-x^2 \leq x^2\cos\left(\frac{1}{x}\right) \leq x^2$$

ce qui se constate graphiquement (FIGURE 3.17).

FIGURE 3.17
Illustration du théorème du sandwich

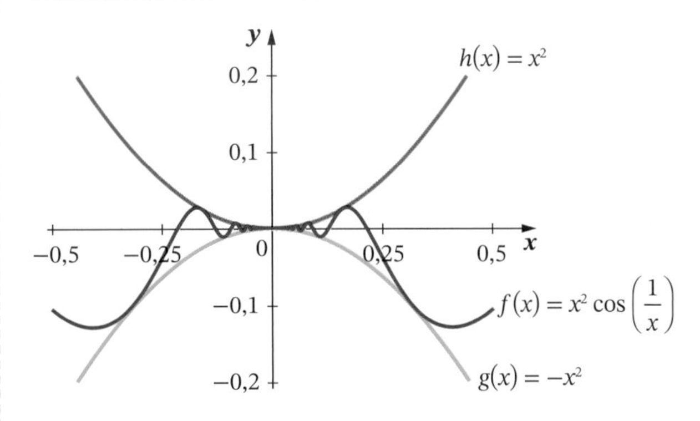

En vertu du théorème 3.7, puisque $\lim\limits_{x\to 0}(-x^2) = 0$ et que $\lim\limits_{x\to 0}(x^2) = 0$, on a $\lim\limits_{x\to 0}\left[x^2\cos\left(\frac{1}{x}\right)\right] = 0$.

EXERCICES 3.6

1. Déterminez les valeurs réelles de x pour lesquelles la fonction est continue.

a) $f(x) = \sec x$ b) $f(x) = \dfrac{e^x}{\sin x}$ c) $f(x) = \ln(2x-4)\cos(6x)$

2. Évaluez la limite. Au besoin, utilisez le théorème du sandwich.

a) $\lim\limits_{x\to 0}\dfrac{x^2\sin x + 3}{2\cos(3x)}$

b) $\lim\limits_{x\to\left(\frac{\pi}{4}\right)^-}\operatorname{tg}(2x)$

c) $\lim\limits_{x\to\frac{\pi}{6}}(x^2\operatorname{cosec}x)$

d) $\lim\limits_{x\to 2\pi}\dfrac{\operatorname{cotg}x}{x}$

e) $\lim\limits_{x\to 0}\left(1-\dfrac{\sin^2 x}{1-\cos x}\right)$

f) $\lim\limits_{x\to\infty}\dfrac{\sin x}{x}$

g) $\lim\limits_{x\to\infty}\dfrac{|\cos x|}{\sqrt{x}}$

h) $\lim\limits_{x\to\infty}(e^{-x}\sin x + 2)$

Vous pouvez maintenant faire les exercices récapitulatifs 53 à 55.

3.2.4 FORMULES DE DÉRIVATION DES FONCTIONS TRIGONOMÉTRIQUES

Pour démontrer la formule de dérivation de la fonction $f(x) = \sin x$, nous utiliserons la limite suivante : $\lim\limits_{t \to 0} \dfrac{\sin t}{t} = 1$, où t est un angle mesuré en radians.

Nous ne pouvons pas évaluer algébriquement cette limite avec les stratégies élaborées dans le chapitre 1. Toutefois, le **TABLEAU 3.5** devrait vous convaincre qu'elle vaut effectivement 1.

TABLEAU 3.5
$\lim\limits_{t \to 0} \dfrac{\sin t}{t}$

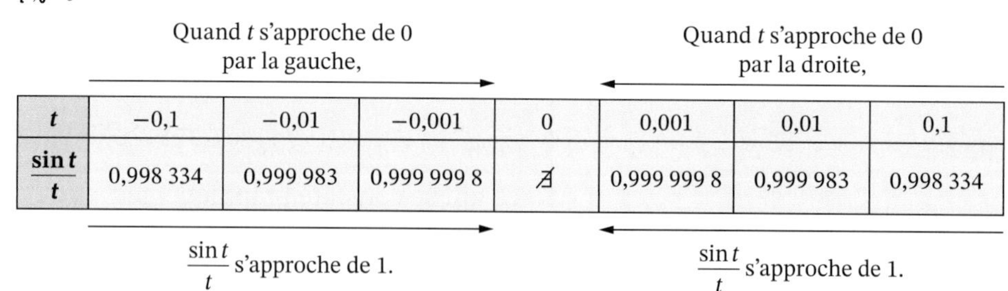

Quand t s'approche de 0 par la gauche, → ← Quand t s'approche de 0 par la droite,

t	$-0{,}1$	$-0{,}01$	$-0{,}001$	0	0,001	0,01	0,1
$\dfrac{\sin t}{t}$	0,998 334	0,999 983	0,999 999 8	∄	0,999 999 8	0,999 983	0,998 334

$\dfrac{\sin t}{t}$ s'approche de 1. → ← $\dfrac{\sin t}{t}$ s'approche de 1.

Nous utiliserons également la limite suivante : $\lim\limits_{t \to 0} \dfrac{\cos t - 1}{t} = 0$, où t est un angle mesuré en radians.

Comme les stratégies développées au chapitre 1 ne nous permettent pas d'évaluer algébriquement cette limite, utilisons le **TABLEAU 3.6** pour nous convaincre que sa valeur est bien de 0.

TABLEAU 3.6
$\lim\limits_{t \to 0} \dfrac{\cos t - 1}{t}$

Quand t s'approche de 0 par la gauche, → ← Quand t s'approche de 0 par la droite,

t	$-0{,}1$	$-0{,}01$	$-0{,}001$	0	0,001	0,01	0,1
$\dfrac{\cos t - 1}{t}$	0,049 96	0,005	0,000 5	∄	$-0{,}000\,5$	$-0{,}005$	$-0{,}049\,96$

$\dfrac{\cos t - 1}{t}$ s'approche de 0. → ← $\dfrac{\cos t - 1}{t}$ s'approche de 0.

Les résultats présentés dans les tableaux 3.5 et 3.6 sont confirmés par le théorème 3.8.

Animations GeoGebra
Illustration de la démonstration du théorème 3.8

Trouvez cette animation sur la plateforme *i+ Interactif*.

THÉORÈME 3.8

Si t est un angle mesuré en radians, alors

$$\lim_{t \to 0} \frac{\sin t}{t} = 1 \text{ et } \lim_{t \to 0} \frac{\cos t - 1}{t} = 0$$

PREUVE

Commençons par démontrer que $\lim\limits_{t \to 0^+} \dfrac{\sin t}{t} = 1$ en prenant $0 < t < \dfrac{\pi}{2}$.

FIGURE 3.18

Comparaison de triangles semblables

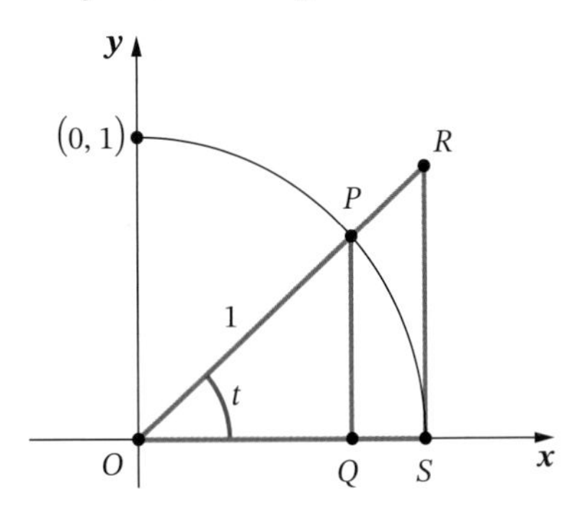

Les coordonnées du point P sont $(\cos t, \sin t)$. Par conséquent, dans le triangle rectangle OPQ, on a $\mathrm{m}\overline{OQ} = \cos t$ et $\mathrm{m}\overline{PQ} = \sin t$. De plus, puisque le triangle rectangle OPQ et le triangle rectangle ORS sont semblables (FIGURE 3.18), on a

$$\frac{\mathrm{m}\overline{RS}}{\mathrm{m}\overline{OS}} = \frac{\mathrm{m}\overline{PQ}}{\mathrm{m}\overline{OQ}}$$

$$\frac{\mathrm{m}\overline{RS}}{1} = \frac{\sin t}{\cos t}$$

On a également l'inégalité suivante :

$$\text{Aire du triangle } OPQ \leq \text{Aire du secteur circulaire } OPS \leq \text{Aire du triangle } ORS$$

Or,

$$\text{Aire du triangle } OPQ = \frac{(\mathrm{m}\overline{OQ})(\mathrm{m}\overline{PQ})}{2} = \frac{\cos t \sin t}{2}$$

$$\text{Aire du triangle } ORS = \frac{(\mathrm{m}\overline{OS})(\mathrm{m}\overline{RS})}{2} = \frac{1\left(\dfrac{\sin t}{\cos t}\right)}{2} = \frac{\sin t}{2\cos t}$$

De plus, rappelons que l'aire d'un secteur circulaire de rayon r est

$$\underbrace{\frac{\text{Angle } t \text{ du secteur en radians}}{2\pi}}_{\text{fraction du cercle correspondant au secteur}} \underbrace{\pi r^2}_{\text{aire du cercle}} = \frac{t}{2} r^2$$

Par conséquent,

$$\text{Aire du secteur } OPS = \frac{t}{2}(1^2) = \frac{t}{2}$$

On obtient alors

$$\text{Aire du triangle } OPQ \leq \text{Aire du secteur } OPS \leq \text{Aire du triangle } ORS$$

$$\frac{\cos t \sin t}{2} \leq \frac{t}{2} \leq \frac{\sin t}{2\cos t}$$

En multipliant cette inégalité par $\dfrac{2}{\sin t} > 0$ $\left(\text{puisque } 0 < t < \dfrac{\pi}{2}\right)$, on obtient

$$\cos t \leq \frac{t}{\sin t} \leq \frac{1}{\cos t}$$

Puisque $\lim\limits_{t \to 0^+} \cos t = \cos(0) = 1$ et que $\lim\limits_{t \to 0^+} \dfrac{1}{\cos t} = \dfrac{1}{\cos(0)} = \dfrac{1}{1} = 1$, alors, en vertu du théorème 3.7 (p. 194), on a $\lim\limits_{t \to 0^+} \dfrac{t}{\sin t} = 1$, de sorte que

$$\lim_{t \to 0^+} \frac{\sin t}{t} = \lim_{t \to 0^+} \frac{1}{\frac{t}{\sin t}} = \frac{\lim\limits_{t \to 0^+}(1)}{\lim\limits_{t \to 0^+}\left(\frac{t}{\sin t}\right)} = \frac{1}{1} = 1$$

Pour démontrer que $\lim\limits_{t \to 0^-} \dfrac{\sin t}{t} = 1$, prenons $-\dfrac{\pi}{2} < t < 0$. Si $u = -t$ et si $t \to 0^-$, alors $0 < u < \dfrac{\pi}{2}$ et $u = -t \to 0^+$.

En utilisant la relation $\sin(-u) = -\sin u$, on obtient

$$\lim_{t\to 0^-}\frac{\sin t}{t} = \lim_{u\to 0^+}\frac{\sin(-u)}{-u} = \lim_{u\to 0^+}\frac{-\sin u}{-u} = \lim_{u\to 0^+}\frac{\sin u}{u} = 1$$

On vient donc de démontrer que $\lim\limits_{t\to 0}\frac{\sin t}{t} = 1$. Il reste à établir que $\lim\limits_{t\to 0}\frac{\cos t - 1}{t} = 0$. Or,

$$\begin{aligned}
\lim_{t\to 0}\frac{\cos t - 1}{t} &= \lim_{t\to 0}\left[\left(\frac{\cos t - 1}{t}\right)\left(\frac{\cos t + 1}{\cos t + 1}\right)\right] \\
&= \lim_{t\to 0}\frac{\cos^2 t - 1}{t(\cos t + 1)} \\
&= \lim_{t\to 0}\frac{-\sin^2 t}{t(\cos t + 1)} \qquad \text{identité 1: } \sin^2 t + \cos^2 t = 1 \;\Rightarrow\; \cos^2 t - 1 = -\sin^2 t \\
&= \left(\lim_{t\to 0}\frac{\sin t}{t}\right)\left(\lim_{t\to 0}\frac{-\sin t}{\cos t + 1}\right) \\
&= 1\left(\frac{-0}{1+1}\right) \\
&= 0
\end{aligned}$$

■

Le théorème 3.8 est valide pour un angle t mesuré en radians seulement. Voyons ce qui arrive si l'angle t est plutôt mesuré en degrés.

La démonstration est la même jusqu'au moment où on évalue l'aire du secteur *OPS*. Reprenons donc cette partie de la preuve pour un angle t, mesuré en degrés, compris entre 0° et 90°.

L'aire d'un secteur circulaire est

$$\underbrace{\frac{\text{Angle } t \text{ du secteur en degrés}}{360}}_{\text{fraction du cercle correspondant au secteur}}\;\underbrace{\pi r^2}_{\text{aire du cercle}}$$

Par conséquent,

$$\text{Aire du secteur } OPS = \frac{t}{360}(\pi 1^2) = \frac{\pi t}{360}$$

On obtient alors

$$\begin{array}{ccccc}
\text{Aire du triangle } OPQ & \leq & \text{Aire du secteur } OPS & \leq & \text{Aire du triangle } ORS \\
\dfrac{\cos t \sin t}{2} & \leq & \dfrac{\pi t}{360} & \leq & \dfrac{\sin t}{2\cos t}
\end{array}$$

En multipliant cette inégalité par $\frac{360}{\pi \sin t} > 0$ (puisque $0° < t < 90°$), on obtient

$$\frac{180}{\pi}\cos t \leq \frac{t}{\sin t} \leq \frac{180}{\pi}\left(\frac{1}{\cos t}\right)$$

Puisque $\lim\limits_{t\to 0^+} \dfrac{180 \cos t}{\pi} = \dfrac{180 \cos(0)}{\pi} = \dfrac{180}{\pi}$ et que $\lim\limits_{t\to 0^+} \dfrac{180}{\pi \cos t} = \dfrac{180}{\pi \cos(0)} = \dfrac{180}{\pi}$,

alors, en vertu du théorème 3.7 (p. 194), on a $\lim\limits_{t\to 0^+} \dfrac{t}{\sin t} = \dfrac{180}{\pi}$, de sorte que

$$\lim_{t\to 0^+} \frac{\sin t}{t} = \lim_{t\to 0^+} \frac{1}{\frac{t}{\sin t}} = \frac{\lim\limits_{t\to 0^+} (1)}{\lim\limits_{t\to 0^+} \left(\frac{t}{\sin t}\right)} = \frac{1}{\frac{180}{\pi}} = \frac{\pi}{180}$$

Ce résultat est beaucoup moins « élégant ». C'est pourquoi, à partir de maintenant, nous considérerons toujours que les angles sont mesurés en radians.

Nous avons maintenant tous les outils nécessaires pour démontrer les formules de dérivation des fonctions trigonométriques.

THÉORÈME 3.9

Si $u(x)$ est une fonction dérivable, alors

$$\frac{d}{dx}(\sin u) = \cos u \frac{du}{dx} \qquad \text{(formule 14)}$$

PREUVE

Démontrons d'abord que $\dfrac{d}{dx}(\sin x) = \cos x$. Nous utiliserons l'identité trigonométrique $\sin(\alpha + \beta) = \sin\alpha \cos\beta + \cos\alpha \sin\beta$.

On a

$$\begin{aligned}
\frac{d}{dx}(\sin x) &= \lim_{\Delta x\to 0} \frac{\sin(x + \Delta x) - \sin x}{\Delta x} \\
&= \lim_{\Delta x\to 0} \frac{\sin x \cos(\Delta x) + \cos x \sin(\Delta x) - \sin x}{\Delta x} \\
&= \lim_{\Delta x\to 0} \frac{\sin x[\cos(\Delta x) - 1] + \cos x \sin(\Delta x)}{\Delta x} \\
&= \lim_{\Delta x\to 0} \frac{\sin x[\cos(\Delta x) - 1]}{\Delta x} + \lim_{\Delta x\to 0} \frac{\cos x \sin(\Delta x)}{\Delta x} \\
&= \sin x \left[\lim_{\Delta x\to 0} \frac{\cos(\Delta x) - 1}{\Delta x}\right] + \cos x \left[\lim_{\Delta x\to 0} \frac{\sin(\Delta x)}{\Delta x}\right] \\
&= (\sin x)(0) + (\cos x)(1) \qquad \text{théorème 3.8 (p. 196)} \\
&= \cos x
\end{aligned}$$

Alors, en vertu du théorème 2.10 (p. 128), on a

$$\frac{d}{dx}(\sin u) = \left[\frac{d}{du}(\sin u)\right] \frac{du}{dx} = \cos u \frac{du}{dx}$$

▣

EXEMPLE 3.40

Si $f(x) = \sin(x^2 + 2x - 1)$, alors

$$\begin{aligned}\frac{df}{dx} &= \frac{d}{dx}\left[\sin\left(\underbrace{x^2 + 2x - 1}_{u}\right)\right] \\ &= \left[\cos\left(\underbrace{x^2 + 2x - 1}_{u}\right)\right]\frac{d}{dx}\left(\underbrace{x^2 + 2x - 1}_{u}\right) \\ &= \left[\cos(x^2 + 2x - 1)\right](2x + 2) \\ &= (2x + 2)\cos(x^2 + 2x - 1)\end{aligned}$$

QUESTION ÉCLAIR 3.13

Déterminez la dérivée de la fonction à l'aide des formules de dérivation.

a) $f(t) = \sin(\ln t)$ b) $g(x) = -3x^2\sin(2x)$

EXEMPLE 3.41

Si $g(t) = \dfrac{\sin(t^3)}{t}$, alors

$$\begin{aligned}\frac{dg}{dt} &= \frac{(t)\frac{d}{dt}[\sin(t^3)] - [\sin(t^3)]\frac{d}{dt}(t)}{t^2} \\ &= \frac{t[\cos(t^3)]\frac{d}{dt}(t^3) - \sin(t^3)}{t^2} \\ &= \frac{t[\cos(t^3)](3t^2) - \sin(t^3)}{t^2} \\ &= \frac{3t^3\cos(t^3) - \sin(t^3)}{t^2}\end{aligned}$$

EXEMPLE 3.42

Si $y = \sin^2(2x + 1) = [\sin(2x + 1)]^2$, alors

$$\begin{aligned}y' &= 2[\sin(2x + 1)]^{2-1}\frac{d}{dx}[\sin(2x + 1)] \\ &= 2\sin(2x + 1)\cos(2x + 1)\frac{d}{dx}(2x + 1) \\ &= 4\sin(2x + 1)\cos(2x + 1) \\ &= 2\sin[2(2x + 1)] \quad \text{identité trigonométrique : } \sin(2\theta) = 2\sin\theta\cos\theta \\ &= 2\sin(4x + 2)\end{aligned}$$

EXEMPLE 3.43

Trouvons $\frac{dy}{dx}$ si $y = (\sin x)^{x^2}$ avec $0 < x < \pi$. On a $y > 0$ puisque $\sin x > 0$ lorsque $0 < x < \pi$. Appliquons le logarithme naturel de chaque côté de l'égalité:

$$\ln y = \ln (\sin x)^{x^2}$$

$$\ln y = x^2 \ln(\sin x) \quad \text{propriété : } \log_b(M^p) = p \log_b M$$

Dérivons implicitement par rapport à x:

$$\frac{d}{dx}(\ln y) = \frac{d}{dx}\left[x^2 \ln(\sin x)\right]$$

$$\frac{1}{y}\frac{dy}{dx} = x^2 \frac{d}{dx}\left[\ln(\sin x)\right] + \left[\ln(\sin x)\right]\frac{d}{dx}(x^2)$$

$$\frac{1}{y}\frac{dy}{dx} = x^2\left(\frac{1}{\sin x}\right)\frac{d}{dx}(\sin x) + \left[\ln(\sin x)\right](2x)$$

$$\frac{dy}{dx} = y\left[\frac{x^2}{\sin x}(\cos x) + 2x \ln(\sin x)\right]$$

$$\frac{dy}{dx} = (\sin x)^{x^2}\left[x^2 \operatorname{cotg} x + 2x \ln(\sin x)\right]$$

EXERCICES 3.7

1. Déterminez la dérivée à l'aide des formules de dérivation.

a) $g(t) = \sin^2(t^2)$ b) $y = \dfrac{1 + \sin(x^2)}{2 - x^3}$

2. Déterminez l'équation de la droite tangente à la courbe décrite par la fonction $f(x) = e^{\pi - x}\sin(5x)$ en $x = \pi$.

3. Déterminer $\frac{dy}{dx}$ si $y = \left[\sin(3x)\right]^{2x}$, où $0 < x < \pi/3$.

Pour démontrer la formule de dérivation de la fonction cosinus, nous pourrions utiliser l'identité trigonométrique $\cos(\alpha + \beta) = \cos\alpha \cos\beta - \sin\alpha \sin\beta$ et un raisonnement similaire à celui présenté dans la preuve de la formule de dérivation de la fonction sinus. Nous avons plutôt choisi d'utiliser deux relations trigonométriques liant les fonctions cosinus et sinus: le théorème 3.10 découle alors directement du théorème 3.9 (p. 199).

THÉORÈME 3.10

Si $u(x)$ est une fonction dérivable, alors

$$\frac{d}{dx}(\cos u) = -\sin u \frac{du}{dx} \qquad \text{(formule 15)}$$

PREUVE

Nous utiliserons les relations $\cos u = \sin\left(\frac{\pi}{2} + u\right)$ et $-\sin u = \cos\left(\frac{\pi}{2} + u\right)$, que l'on obtient à l'aide d'identités trigonométriques. En effet,

$$\begin{aligned}\sin\left(\frac{\pi}{2} + u\right) &= \sin\left(\frac{\pi}{2}\right)\cos u + \cos\left(\frac{\pi}{2}\right)\sin u \\ &= 1(\cos u) + 0(\sin u) \\ &= \cos u\end{aligned}$$

identité : $\sin(\alpha + \beta) = \sin\alpha\cos\beta + \cos\alpha\sin\beta$

et

$$\begin{aligned}\cos\left(\frac{\pi}{2} + u\right) &= \cos\left(\frac{\pi}{2}\right)\cos u - \sin\left(\frac{\pi}{2}\right)\sin u \\ &= 0(\cos u) - 1(\sin u) \\ &= -\sin u\end{aligned}$$

identité : $\cos(\alpha + \beta) = \cos\alpha\cos\beta - \sin\alpha\sin\beta$

Nous obtenons alors

$$\begin{aligned}\frac{d}{dx}(\cos u) &= \frac{d}{dx}\left[\sin\left(\frac{\pi}{2} + u\right)\right] \\ &= \left[\cos\left(\frac{\pi}{2} + u\right)\right]\frac{d}{dx}\left(\frac{\pi}{2} + u\right) \\ &= \left[\cos\left(\frac{\pi}{2} + u\right)\right]\frac{du}{dx} \\ &= -\sin u\frac{du}{dx}\end{aligned}$$

■

EXEMPLE 3.44

Si $f(x) = \sin(2x)\cos(3x)$, alors

$$\begin{aligned}\frac{df}{dx} &= [\sin(2x)]\frac{d}{dx}[\cos(3x)] + [\cos(3x)]\frac{d}{dx}[\sin(2x)] \\ &= [\sin(2x)][-\sin(3x)]\frac{d}{dx}(3x) + [\cos(3x)][\cos(2x)]\frac{d}{dx}(2x) \\ &= -3\sin(2x)\sin(3x) + 2\cos(2x)\cos(3x)\end{aligned}$$

QUESTION ÉCLAIR 3.14

Déterminez la dérivée de la fonction à l'aide des formules de dérivation.

a) $f(x) = \cos(e^{-x})$ b) $g(t) = \dfrac{\cos(4t)}{t^2}$

EXEMPLE 3.45

Si $g(t) = \cos\left(\dfrac{2t-1}{t^2+2}\right)$, alors

$$\frac{dg}{dt} = \left[-\sin\left(\frac{2t-1}{t^2+2}\right)\right]\frac{d}{dt}\left(\frac{2t-1}{t^2+2}\right)$$

$$= \left[-\sin\left(\frac{2t-1}{t^2+2}\right)\right]\frac{(t^2+2)\frac{d}{dt}(2t-1)-(2t-1)\frac{d}{dt}(t^2+2)}{(t^2+2)^2}$$

$$= \left[-\sin\left(\frac{2t-1}{t^2+2}\right)\right]\frac{2(t^2+2)-2t(2t-1)}{(t^2+2)^2}$$

$$= \left[-\sin\left(\frac{2t-1}{t^2+2}\right)\right]\frac{2t^2+4-4t^2+2t}{(t^2+2)^2}$$

$$= \frac{2t^2-2t-4}{(t^2+2)^2}\sin\left(\frac{2t-1}{t^2+2}\right)$$

EXEMPLE 3.46

Si $y = 4^{-x}\cos(2x)$, alors

$$\frac{dy}{dx} = 4^{-x}\frac{d}{dx}[\cos(2x)] + [\cos(2x)]\frac{d}{dx}(4^{-x})$$

$$= 4^{-x}[-\sin(2x)]\frac{d}{dx}(2x) + [\cos(2x)](4^{-x}\ln 4)\frac{d}{dx}(-x)$$

$$= -2(4^{-x})\sin(2x) - 4^{-x}(\ln 4)\cos(2x)$$

$$= -4^{-x}[2\sin(2x) + (\ln 4)\cos(2x)]$$

EXEMPLE 3.47

Une masse est suspendue au bout d'un ressort. Si on tire sur la masse et qu'on la relâche, on produit un mouvement oscillatoire. La position verticale $s(t)$ (en centimètres) de la masse par rapport à sa position au repos (avant qu'on ne tire sur le ressort) est donnée par $s(t) = 4\sin\left(\pi t + \dfrac{3\pi}{2}\right)$, où t est le temps mesuré en secondes (FIGURE 3.19).

FIGURE 3.19

Mouvement d'une masse suspendue à un ressort

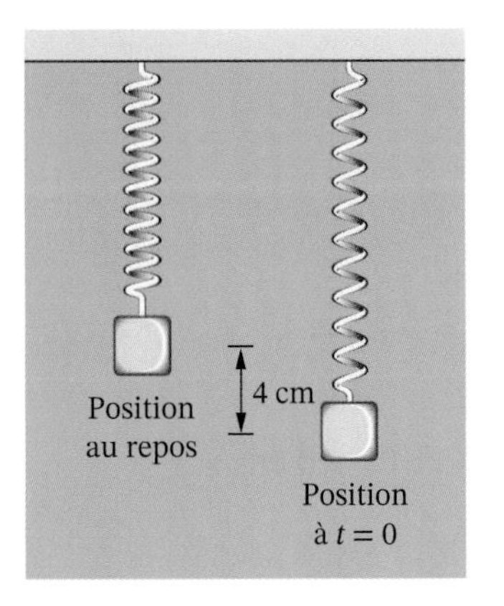

On veut déterminer la position, la vitesse et l'accélération de la masse lorsque $t = 0$ s (moment où on relâche la masse), $t = 0{,}5$ s, et $t = 1{,}25$ s.

On a

$$s(0) = 4\sin\left(0 + \frac{3\pi}{2}\right) = 4\sin\left(\frac{3\pi}{2}\right) = 4(-1) = -4 \text{ cm}$$

$$s(0{,}5) = 4\sin\left(\frac{\pi}{2} + \frac{3\pi}{2}\right) = 4\sin(2\pi) = 4(0) = 0 \text{ cm}$$

$$s(1{,}25) = 4\sin\left(\frac{5\pi}{4} + \frac{3\pi}{2}\right) = 4\sin\left(\frac{11\pi}{4}\right) = 4\left(\frac{\sqrt{2}}{2}\right) = 2\sqrt{2} \approx 2{,}8 \text{ cm}$$

À $t = 0$ s, la masse se trouve donc 4 cm plus bas que sa position au repos, c'est-à-dire qu'on a étiré le ressort de 4 cm avant de lâcher la masse. À $t = 0{,}5$ s, la masse se retrouve donc à sa position au repos, c'est-à-dire à la position antérieure à l'étirement du ressort et au relâchement de la masse. À $t = 1{,}25$ s, la masse se trouve donc 2,8 cm au-dessus de sa position au repos.

Pour déterminer la vitesse $v(t)$ à ces mêmes instants, dérivons la fonction position par rapport au temps :

$$\begin{aligned} v(t) &= \frac{ds}{dt} = \frac{d}{dt}\left[4\sin\left(\pi t + \frac{3\pi}{2}\right)\right] \\ &= \left[4\cos\left(\pi t + \frac{3\pi}{2}\right)\right]\frac{d}{dt}\left(\pi t + \frac{3\pi}{2}\right) \\ &= \left[4\cos\left(\pi t + \frac{3\pi}{2}\right)\right](\pi) \\ &= 4\pi\cos\left(\pi t + \frac{3\pi}{2}\right)\text{ cm/s} \end{aligned}$$

Par conséquent,

$$v(0) = 4\pi\cos\left(0 + \frac{3\pi}{2}\right) = 4\pi\cos\left(\frac{3\pi}{2}\right) = 4\pi(0) = 0\text{ cm/s}$$

$$v(0{,}5) = 4\pi\cos\left(\frac{\pi}{2} + \frac{3\pi}{2}\right) = 4\pi\cos(2\pi) = 4\pi(1) = 4\pi \approx 12{,}57\text{ cm/s}$$

$$\begin{aligned} v(1{,}25) &= 4\pi\cos\left(\frac{5\pi}{4} + \frac{3\pi}{2}\right) = 4\pi\cos\left(\frac{11\pi}{4}\right) = 4\pi\left(-\frac{\sqrt{2}}{2}\right) = -2\pi\sqrt{2} \\ &\approx -8{,}89\text{ cm/s} \end{aligned}$$

À $t = 0$ s, la vitesse est nulle, ce qui indique que la masse a été lâchée sans qu'on lui donne de vitesse. À $t = 0{,}5$ s, la vitesse de la masse est positive : la masse se déplace donc vers le haut. À $t = 1{,}25$ s, la vitesse de la masse est négative : la masse se déplace donc vers le bas.

Pour déterminer l'accélération $a(t)$ à ces mêmes instants, dérivons la fonction vitesse par rapport au temps :

$$\begin{aligned} a(t) &= \frac{dv}{dt} = \frac{d}{dt}\left[4\pi\cos\left(\pi t + \frac{3\pi}{2}\right)\right] \\ &= \left[-4\pi\sin\left(\pi t + \frac{3\pi}{2}\right)\right]\frac{d}{dt}\left(\pi t + \frac{3\pi}{2}\right) \\ &= \left[-4\pi\sin\left(\pi t + \frac{3\pi}{2}\right)\right](\pi) \\ &= -4\pi^2\sin\left(\pi t + \frac{3\pi}{2}\right)\text{ cm/s}^2 \end{aligned}$$

Par conséquent,

$$a(0) = -4\pi^2\sin\left(0 + \frac{3\pi}{2}\right) = -4\pi^2\sin\left(\frac{3\pi}{2}\right) = -4\pi^2(-1) = 4\pi^2 \approx 39{,}5\text{ cm/s}^2$$

$$a(0{,}5) = -4\pi^2\sin\left(\frac{\pi}{2} + \frac{3\pi}{2}\right) = -4\pi^2\sin(2\pi) = -4\pi^2(0) = 0\text{ cm/s}^2$$

$$a(1{,}25) = -4\pi^2 \sin\left(\frac{5\pi}{4} + \frac{3\pi}{2}\right) = -4\pi^2 \sin\left(\frac{11\pi}{4}\right) = -4\pi^2\left(\frac{\sqrt{2}}{2}\right) = -2\pi^2\sqrt{2}$$

$$\approx -27{,}9 \text{ cm/s}^2$$

À $t = 0$ s, l'accélération de la masse est positive et, par conséquent, la fonction vitesse est croissante. À $t = 0{,}5$ s, l'accélération de la masse est nulle, ce qui implique que la fonction vitesse n'est ni croissante ni décroissante. À $t = 1{,}25$ s, l'accélération de la masse est négative et, par conséquent, la fonction vitesse est décroissante.

EXERCICES 3.8

1. Déterminez l'équation de la droite normale à la courbe décrite par la fonction $f(x) = \sin x \cos x$ en $x = \frac{\pi}{3}$.

2. Déterminez $\frac{dy}{dx}$ si $\cos(2x + 3y) = y \sin x$.

3. L'angle formé par les positions extrêmes d'un pendule simple de 39,2 cm de longueur est 60°. Si le pendule commence son mouvement à l'endroit indiqué sur la FIGURE 3.20, l'angle θ, en radians, qu'il forme par rapport à sa position d'équilibre est donné par $\theta(t) = -\frac{\pi}{6}\cos(5t)$, où t est le temps en secondes.

a) Déterminez la position angulaire initiale du pendule.

b) Déterminez la position angulaire du pendule après 0,5 s.

c) Déterminez $\theta'(t)$, la fonction donnant la vitesse angulaire du pendule au temps t. Indiquez bien les unités.

d) Déterminez la vitesse angulaire du pendule lorsque $t = 1$ s.

e) Déterminez la vitesse angulaire du pendule lorsque $t = 1{,}5$ s.

f) Déterminez $\theta''(t)$, la fonction donnant l'accélération angulaire du pendule au temps t. Indiquez bien les unités.

g) Déterminez l'accélération angulaire du pendule lorsque $t = 1$ s.

FIGURE 3.20
Mouvement d'un pendule

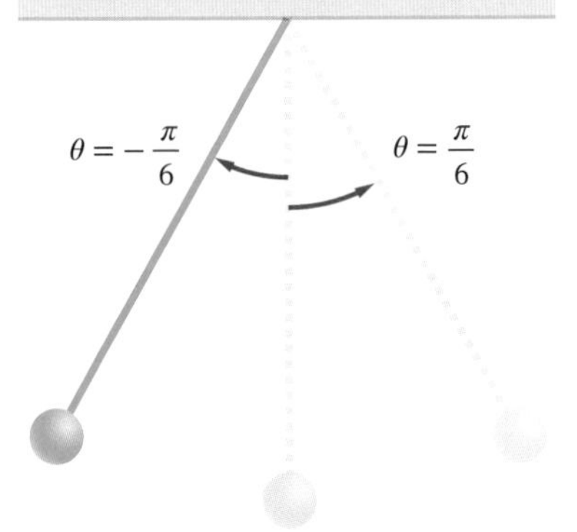

Les formules de dérivation des autres fonctions trigonométriques s'obtiennent facilement puisque ces fonctions sont des quotients des fonctions sinus et cosinus.

THÉORÈME 3.11

Si $u(x)$ est une fonction dérivable, alors

$$\frac{d}{dx}(\operatorname{tg} u) = \sec^2 u \frac{du}{dx} \qquad \text{(formule 16)}$$

$$\frac{d}{dx}(\operatorname{cotg} u) = -\operatorname{cosec}^2 u \frac{du}{dx} \qquad \text{(formule 17)}$$

$$\frac{d}{dx}(\sec u) = \sec u \operatorname{tg} u \frac{du}{dx} \qquad \text{(formule 18)}$$

$$\frac{d}{dx}(\operatorname{cosec} u) = -\operatorname{cosec} u \operatorname{cotg} u \frac{du}{dx} \qquad \text{(formule 19)}$$

PREUVE

Démontrons les formules 16 et 18. Les deux autres formules, qui se démontrent de façon similaire, sont laissées en exercices.

On a $\operatorname{tg} u = \dfrac{\sin u}{\cos u}$, $\sec u = \dfrac{1}{\cos u}$ et $\cos^2 u + \sin^2 u = 1$. Par conséquent,

$$\begin{aligned}
\frac{d}{dx}(\operatorname{tg} u) &= \frac{d}{dx}\left(\frac{\sin u}{\cos u}\right) \\
&= \frac{\cos u \dfrac{d}{dx}(\sin u) - \sin u \dfrac{d}{dx}(\cos u)}{(\cos u)^2} \\
&= \frac{\cos u \cos u \dfrac{du}{dx} - \sin u(-\sin u)\dfrac{du}{dx}}{(\cos u)^2} \\
&= \frac{(\cos^2 u + \sin^2 u)\dfrac{du}{dx}}{(\cos u)^2} \\
&= \frac{1}{(\cos u)^2}\frac{du}{dx} \\
&= \left(\frac{1}{\cos u}\right)^2 \frac{du}{dx} \\
&= \sec^2 u \frac{du}{dx}
\end{aligned}$$

Par ailleurs,

$$\begin{aligned}
\frac{d}{dx}(\sec u) &= \frac{d}{dx}\left(\frac{1}{\cos u}\right) \\
&= \frac{d}{dx}(\cos u)^{-1} \\
&= (-1)(\cos u)^{-2}\frac{d}{dx}(\cos u) \\
&= -\frac{1}{\cos^2 u}(-\sin u)\frac{du}{dx} \\
&= \frac{\sin u}{\cos^2 u}\frac{du}{dx} \\
&= \left(\frac{1}{\cos u}\right)\left(\frac{\sin u}{\cos u}\right)\frac{du}{dx} \\
&= \sec u \operatorname{tg} u \frac{du}{dx}
\end{aligned}$$

▪

EXEMPLE 3.48

Si $y = \operatorname{tg}(x^3) + \operatorname{tg}^3 x$, alors

$$\begin{aligned}
\frac{dy}{dx} &= \frac{d}{dx}\left[\operatorname{tg}(x^3)\right] + \frac{d}{dx}(\operatorname{tg} x)^3 \\
&= \left[\sec^2(x^3)\right]\frac{d}{dx}(x^3) + 3(\operatorname{tg} x)^2\frac{d}{dx}(\operatorname{tg} x) \\
&= \left[\sec^2(x^3)\right](3x^2) + (3\operatorname{tg}^2 x)(\sec^2 x) \\
&= 3x^2\sec^2(x^3) + 3\operatorname{tg}^2 x\sec^2 x
\end{aligned}$$

EXEMPLE 3.49

Si $g(t) = \sec^4(4t-1)$, alors

$$\begin{aligned}
\frac{dg}{dt} &= \frac{d}{dt}\left[\sec(4t-1)\right]^4 \\
&= 4\left[\sec(4t-1)\right]^3\frac{d}{dt}\left[\sec(4t-1)\right] \\
&= \left[4\sec^3(4t-1)\right]\left[\sec(4t-1)\operatorname{tg}(4t-1)\right]\frac{d}{dt}(4t-1) \\
&= 16\sec^4(4t-1)\operatorname{tg}(4t-1)
\end{aligned}$$

EXEMPLE 3.50

On veut déterminer l'équation de la droite tangente à la courbe décrite par la fonction $f(x) = \operatorname{cotg}(\pi x^2)$ en $x = 1/2$. On a

$$\begin{aligned}
f'(x) &= \frac{d}{dx}\left[\operatorname{cotg}(\pi x^2)\right] \\
&= \left[-\operatorname{cosec}^2(\pi x^2)\right]\frac{d}{dx}(\pi x^2) \\
&= -\frac{1}{\sin^2(\pi x^2)}(2\pi x) \\
&= \frac{-2\pi x}{\sin^2(\pi x^2)}
\end{aligned}$$

La pente de la droite tangente est

$$f'(1/2) = \frac{-2\pi(1/2)}{\sin^2\left[\pi(1/2)^2\right]} = \frac{-\pi}{\left[\sin(\pi/4)\right]^2} = \frac{-\pi}{(\sqrt{2}/2)^2} = \frac{-\pi}{1/2} = -2\pi$$

L'équation de la droite tangente est donc $y = -2\pi(x - 1/2) + f(1/2)$. Puisque $f(1/2) = \operatorname{cotg}\left(\frac{\pi}{4}\right) = 1$, on a $y = -2\pi(x - 1/2) + 1$. L'équation de la droite tangente à la courbe décrite par la fonction $f(x)$ en $x = 1/2$ est donc $y = -2\pi x + \pi + 1$.

EXERCICE 3.9

Déterminez la dérivée à l'aide des formules de dérivation.

a) $f(x) = \text{cotg}(3x^2 - x)$

b) $g(t) = t^2 \sec(3t)$

c) $h(t) = \text{tg}^3(1 - 2t)$

d) $y = \sqrt[3]{\text{cosec}^2(2\theta)}$

Vous pouvez maintenant faire les exercices récapitulatifs 56 à 83.

3.3 DÉRIVATION DES FONCTIONS TRIGONOMÉTRIQUES INVERSES

Les fonctions trigonométriques inverses* sont les réciproques des fonctions trigonométriques. Elles sont fort utiles pour déterminer la valeur d'un angle lorsqu'on connaît la valeur d'une fonction trigonométrique de cet angle.

Des MOTS et des SYMBOLES

Les fonctions trigonométriques inverses sont arc sinus, arc cosinus, arc tangente, arc cotangente, arc sécante et arc cosécante. L'expression *arcsin x* donne la longueur de l'arc, dans le cercle trigonométrique, définissant un angle dont le sinus est x ; il en est de même pour les autres fonctions trigonométriques.

Les notations des fonctions trigonométriques inverses ne sont pas les mêmes en français et en anglais. Ainsi, les notations pour les fonctions arc sinus, arc cosinus, arc tangente, arc cotangente, arc sécante et arc cosécante sont respectivement *arcsin*, *arccos*, *arctg*, *arccotg*, *arcsec* et *arccosec* en français et sin^{-1}, cos^{-1}, tan^{-1}, cot^{-1}, sec^{-1} et csc^{-1} en anglais. Ce sont généralement les notations anglaises qui figurent sur les claviers des calculatrices scientifiques. Notons que la notation anglaise prête à confusion, car, contrairement à ce que cette notation suggère, $\cos^{-1}x \neq \frac{1}{\cos x}$ et $\cos^{-1}x \neq \sec x$, mais $\cos^{-1}x = \arccos x$.

L'expression *fonctions trigonométriques inverses* n'est pas tout à fait juste ; il faudrait plutôt parler de *fonctions trigonométriques réciproques*. En effet, la fonction inverse de $f(x)$ est $\frac{1}{f(x)}$, ce qui ne correspond pas au sens qu'on donne aux fonctions trigonométriques réciproques. Ainsi, à titre d'exemple, la fonction inverse de $f(x) = e^x$ est $\frac{1}{f(x)} = \frac{1}{e^x} = e^{-x}$, alors que sa fonction réciproque est $g(x) = \ln x$. Toutefois, l'usage veut qu'on qualifie les fonctions trigonométriques réciproques de fonctions trigonométriques inverses.

3.3.1 GRAPHIQUES DES FONCTIONS TRIGONOMÉTRIQUES INVERSES

Comme la fonction $f(x) = \sin x$ est périodique, la courbe qui la représente se répète à intervalles réguliers (FIGURE 3.21a). Pour que la réciproque de la fonction $f(x) = \sin x$ soit une fonction, il faut considérer $f(x)$ sur un intervalle où la fonction atteint exactement une fois chaque valeur de y située entre -1 et 1 (FIGURE 3.21b). Par convention, on utilise l'intervalle $[-\pi/2, \pi/2]$.

* Les principales caractéristiques des fonctions trigonométriques inverses sont présentées dans l'aide-mémoire accompagnant le manuel.

FIGURE 3.21

Représentation graphique de la fonction sinus

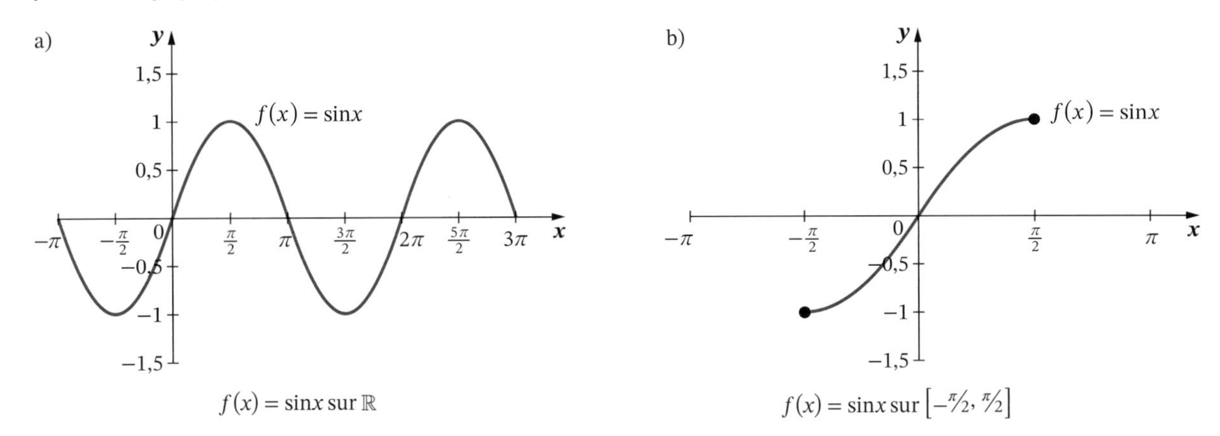

La fonction inverse (ou réciproque) de la fonction sinus est appelée fonction arc sinus. Pour obtenir la courbe représentant la fonction $g(x) = \arcsin x$, on intervertit les coordonnées des points de la courbe représentant la fonction $f(x) = \sin x$ sur $[-\pi/2, \pi/2]$. La FIGURE 3.22a montre la courbe représentant la fonction sinus, et la FIGURE 3.22b, la courbe représentant sa fonction inverse (réciproque).

FIGURE 3.22

Représentation graphique de la fonction sinus et de sa réciproque

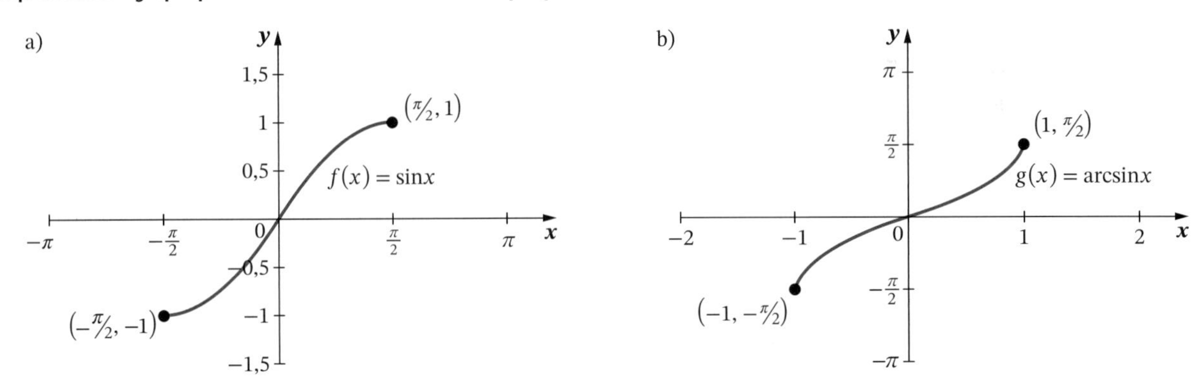

Si $-1 \leq x \leq 1$, alors l'expression $y = \arcsin x$ signifie « y est l'angle tel que $-\pi/2 \leq y \leq \pi/2$ et dont le sinus vaut x ». On a

$$y = \arcsin x \text{ est équivalent à } \sin y = x$$
$$\text{si } -1 \leq x \leq 1 \text{ et } -\pi/2 \leq y \leq \pi/2$$

Vous trouverez dans l'aide-mémoire un tableau donnant la valeur des six fonctions trigonométriques pour chaque angle remarquable. Il est également fort utile pour déterminer la valeur d'un angle lorsqu'on connaît la valeur d'une fonction trigonométrique de cet angle.

Sur la plupart des calculatrices scientifiques, la touche « $\sin^{-1}$ » (notation anglaise de arcsin) permet d'obtenir la valeur de $y = \arcsin x$ pour $x \in [-1, 1]$. La notation anglaise prête cependant à confusion. Ainsi, contrairement à ce que cette notation suggère, $\sin^{-1} x \neq \dfrac{1}{\sin x}$, $\sin^{-1} x \neq \operatorname{cosec} x$, mais $\sin^{-1} x = \arcsin x$.

EXEMPLE 3.51

Évaluons, si possible, $\arcsin x$ lorsque $x = -3$, $x = -1/2$ et $x = 0{,}35$.

Comme $-3 \notin [-1, 1]$, alors $\arcsin(-3)$ n'est pas défini.

Si on utilise la calculatrice en mode radians, on obtient

$$\arcsin(-1/2) = -\pi/6 \approx -0{,}524$$
$$\arcsin(0{,}35) \approx 0{,}358$$

Sur l'intervalle $[0, \pi]$ la fonction périodique $f(x) = \cos x$ atteint exactement une fois chaque valeur de y située entre -1 et 1 (FIGURE 3.23a). On utilise cet intervalle par convention pour définir la fonction inverse (ou réciproque) de la fonction cosinus, appelée fonction arc cosinus. Pour obtenir la courbe représentant la fonction $g(x) = \arccos x$ (FIGURE 3.23b), on intervertit les coordonnées des points de la courbe représentant la fonction $f(x) = \cos x$ sur $[0, \pi]$.

FIGURE 3.23

Représentation graphique de la fonction cosinus et de sa réciproque

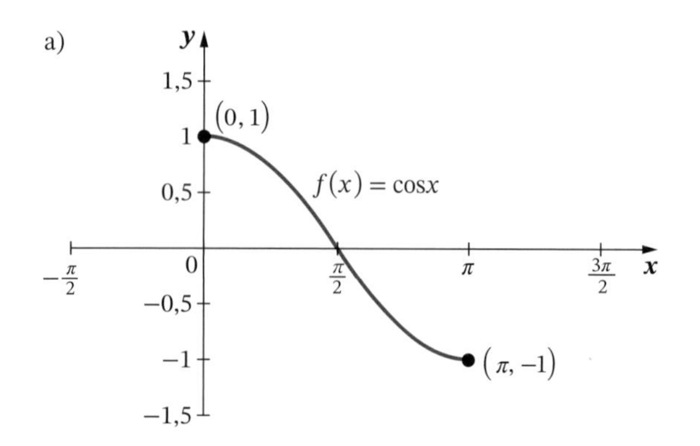

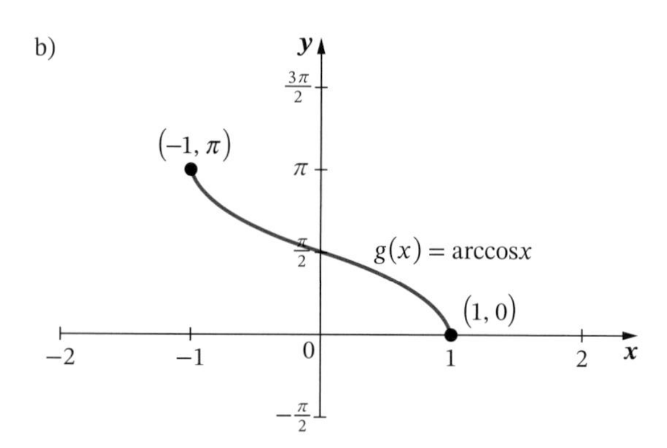

Si $-1 \leq x \leq 1$, alors l'expression $y = \arccos x$ signifie « y est l'angle tel que $0 \leq y \leq \pi$ et dont le cosinus vaut x ». On a

$$y = \arccos x \text{ est équivalent à } \cos y = x$$
$$\text{si } -1 \leq x \leq 1 \text{ et } 0 \leq y \leq \pi$$

Sur la plupart des calculatrices scientifiques, la touche « $\cos^{-1}$ » (notation anglaise de arccos) permet d'obtenir la valeur de $y = \arccos x$ pour $x \in [-1, 1]$. La notation anglaise prête cependant à confusion. Ainsi, contrairement à ce que cette notation suggère, $\cos^{-1} x \neq \dfrac{1}{\cos x}$, $\cos^{-1} x \neq \sec x$, mais $\cos^{-1} x = \arccos x$.

EXEMPLE 3.52

Évaluons, si possible, $\arccos x$ lorsque $x = -3$, $x = -1/2$ et $x = 0{,}35$.

Comme $-3 \notin [-1, 1]$, alors $\arccos(-3)$ n'est pas défini.

Par ailleurs, si on utilise la calculatrice en mode radians, on obtient

$$\arccos(-1/2) = 2\pi/3 \approx 2{,}094$$

$$\arccos(0{,}35) \approx 1{,}213$$

L'intervalle $\left]-\pi/2, \pi/2\right[$ contient un cycle complet de la fonction périodique $f(x) = \text{tg}\,x$ (FIGURE 3.24a). On l'utilise par convention pour définir la fonction inverse (ou réciproque) de la fonction tangente, appelée fonction arc tangente. Pour obtenir la courbe représentant la fonction $g(x) = \text{arctg}\,x$ (FIGURE 3.24b), on intervertit les coordonnées des points de la courbe représentant la fonction $f(x) = \text{tg}\,x$ sur $\left]-\pi/2, \pi/2\right[$.

FIGURE 3.24

Représentation graphique de la fonction tangente et de sa réciproque

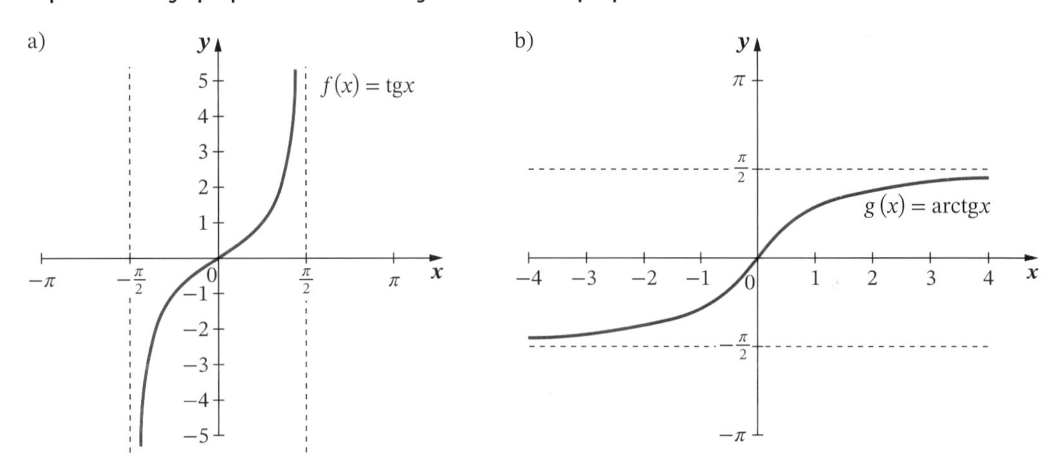

Si $x \in \mathbb{R}$, alors l'expression $y = \text{arctg}\,x$ signifie « y est l'angle tel que $-\pi/2 < y < \pi/2$ et dont la tangente vaut x ». On a

$$y = \text{arctg}\,x \text{ est équivalent à } \text{tg}\,y = x$$
$$\text{si } x \in \mathbb{R} \text{ et } -\pi/2 < y < \pi/2$$

Sur la plupart des calculatrices scientifiques, la touche « $\tan^{-1}$ » (notation anglaise de arctg) permet d'obtenir la valeur de $y = \text{arctg}\,x$ pour $x \in \mathbb{R}$. La notation anglaise prête cependant à confusion. Ainsi, contrairement à ce que cette notation suggère, $\tan^{-1} x \neq \dfrac{1}{\text{tg}\,x}$, $\tan^{-1} x \neq \text{cotg}\,x$, mais $\tan^{-1} x = \text{arctg}\,x$.

EXEMPLE 3.53

Évaluons arctg$x$ lorsque $x = -\sqrt{3}$, $x = 0{,}35$ et $x = 1$.

Si on utilise la calculatrice en mode radians, on obtient

$$\text{arctg}\left(-\sqrt{3}\right) = -\pi/3 \approx -1{,}047$$
$$\text{arctg}(0{,}35) \approx 0{,}337$$
$$\text{arctg}(1) = \pi/4 \approx 0{,}785$$

Les autres fonctions trigonométriques inverses* (fonction arc sécante, fonction arc cosécante et fonction arc cotangente) se définissent de façon similaire.

$$y = \text{arcsec}\,x \text{ est équivalent à } \sec y = x$$
$$\text{si } x \geq 1 \text{ et } 0 \leq y < \pi/2 \text{ ou bien}$$
$$\text{si } x \leq -1 \text{ et } \pi/2 < y \leq \pi$$

* Les graphiques de ces fonctions se trouvent dans l'aide-mémoire.

$$y = \operatorname{arccosec} x \text{ est équivalent à } \operatorname{cosec} y = x$$
$$\text{si } x \geq 1 \text{ et } 0 < y \leq \pi/2 \text{ ou bien si } x \leq -1 \text{ et } -\pi/2 \leq y < 0$$

$$y = \operatorname{arccotg} x \text{ est équivalent à } \operatorname{cotg} y = x$$
$$\text{si } x \in \mathbb{R} \text{ et } 0 < y < \pi$$

La plupart des calculatrices scientifiques ne possèdent pas de touches donnant directement la valeur de ces fonctions trigonométriques inverses en un point. Il faut alors utiliser l'une des identités* suivantes :

$$\operatorname{arcsec} x = \arccos(1/x), \text{ si } |x| \geq 1$$

$$\operatorname{arccosec} x = \arcsin(1/x), \text{ si } |x| \geq 1$$

$$\operatorname{arccotg} x = \begin{cases} \operatorname{arctg}(1/x) + \pi & \text{si } x < 0 \\ \pi/2 & \text{si } x = 0 \\ \operatorname{arctg}(1/x) & \text{si } x > 0 \end{cases}$$

EXEMPLE 3.54

Évaluons, si possible, $\operatorname{arcsec} x$ lorsque $x = -\sqrt{2}$, $x = -1/2$ et $x = 4$.

Comme $|-1/2| = 1/2 \not\geq 1$, alors $\operatorname{arcsec}(-1/2)$ n'est pas défini.

Par ailleurs, si on utilise la calculatrice en mode radians, on obtient

$$\operatorname{arcsec}\left(-\sqrt{2}\right) = \arccos(-1/\sqrt{2}) = \arccos(-\sqrt{2}/2) = 3\pi/4 \approx 2{,}356$$

$$\operatorname{arcsec}(4) = \arccos(1/4) \approx 1{,}318$$

EXEMPLE 3.55

Évaluons, si possible, $\operatorname{arccosec} x$ lorsque $x = -\sqrt{2}$, $x = -1/2$ et $x = 4$.

Comme $|-1/2| = 1/2 \not\geq 1$, alors $\operatorname{arccosec}(-1/2)$ n'est pas défini.

Par ailleurs, si on utilise la calculatrice en mode radians, on obtient

$$\operatorname{arccosec}\left(-\sqrt{2}\right) = \arcsin(-1/\sqrt{2}) = \arcsin(-\sqrt{2}/2) = -\pi/4 \approx -0{,}785$$

$$\operatorname{arccosec}(4) = \arcsin(1/4) \approx 0{,}253$$

EXEMPLE 3.56

Évaluons $\operatorname{arccotg} x$ lorsque $x = -\sqrt{3}$, $x = -1$ et $x = 4$.

Si on utilise la calculatrice en mode radians, on obtient

$$\operatorname{arccotg}\left(-\sqrt{3}\right) = \operatorname{arctg}(-1/\sqrt{3}) + \pi = \operatorname{arctg}(-\sqrt{3}/3) + \pi = -\pi/6 + \pi = 5\pi/6 \approx 2{,}618$$

$$\operatorname{arccotg}(-1) = \operatorname{arctg}(-1) + \pi = -\pi/4 + \pi = 3\pi/4 \approx 2{,}356$$

$$\operatorname{arccotg}(4) = \operatorname{arctg}(1/4) \approx 0{,}245$$

* Les preuves de ces identités se trouvent dans la plateforme *i+ Interactif*.

QUESTION ÉCLAIR 3.15

Utilisez la calculatrice pour évaluer l'expression.

a) $\arcsin(-0{,}8)$ c) $\text{arctg}(-0{,}8)$ e) $\text{arcsec}(-2)$

b) $\arccos(-0{,}8)$ d) $\text{arccotg}(-2)$ f) $\text{arccosec}(-2)$

3.3.2 FORMULES DE DÉRIVATION DES FONCTIONS TRIGONOMÉTRIQUES INVERSES

Les théorèmes 3.12 à 3.14 présentent les formules de dérivation des fonctions trigonométriques inverses.

THÉORÈME 3.12

Si $u(x)$ est une fonction dérivable et si $|u(x)| < 1$, alors

$$\frac{d}{dx}(\arcsin u) = \frac{1}{\sqrt{1-u^2}}\frac{du}{dx} \qquad \text{(formule 20)}$$

$$\frac{d}{dx}(\arccos u) = \frac{-1}{\sqrt{1-u^2}}\frac{du}{dx} \qquad \text{(formule 21)}$$

PREUVE

Nous démontrerons uniquement la formule 20. La démonstration de la formule 21, qui est similaire, est laissée en exercice.

Si $y = \arcsin u$ avec $|u| < 1$, alors $\sin y = u$ et $\frac{-\pi}{2} < y < \frac{\pi}{2}$. Dérivons par rapport à x de chaque côté de l'égalité. On obtient

$$\frac{d}{dx}(\sin y) = \frac{d}{dx}(u)$$

$$\cos y\frac{dy}{dx} = \frac{du}{dx}$$

$$\frac{dy}{dx} = \frac{1}{\cos y}\frac{du}{dx}$$

En utilisant l'identité trigonométrique $\sin^2 y + \cos^2 y = 1$ et le fait que $\cos y > 0$ lorsque $\frac{-\pi}{2} < y < \frac{\pi}{2}$, on obtient $\cos y = \sqrt{1-\sin^2 y} = \sqrt{1-u^2}$. Par conséquent,

$$\frac{dy}{dx} = \frac{d}{dx}(\arcsin u) = \frac{1}{\sqrt{1-u^2}}\frac{du}{dx}$$

■

EXEMPLE 3.57

Si $f(x) = \arcsin\left(\underbrace{\sqrt{x}}_{u}\right)$, alors

$$\frac{df}{dx} = \frac{1}{\sqrt{1-\left(\sqrt{x}\right)^2}}\frac{d}{dx}\left(\sqrt{x}\right) = \frac{1}{\sqrt{1-x}}\left(\frac{1}{2}x^{-1/2}\right) = \frac{1}{2\sqrt{1-x}\sqrt{x}}$$

EXEMPLE 3.58

Si $g(t) = t^2 \arccos(2t)$, alors

$$\begin{aligned}\frac{dg}{dt} &= t^2\frac{d}{dt}\left[\arccos(2t)\right] + \left[\arccos(2t)\right]\frac{d}{dt}(t^2)\\ &= t^2\left[\frac{-1}{\sqrt{1-(2t)^2}}\right]\frac{d}{dt}(2t) + \left[\arccos(2t)\right](2t)\\ &= -\frac{2t^2}{\sqrt{1-4t^2}} + 2t\arccos(2t)\end{aligned}$$

En utilisant la mise au même dénominateur, on obtient :

$$\begin{aligned}\frac{dg}{dt} &= \frac{-2t^2}{\sqrt{1-4t^2}} + \frac{2t\sqrt{1-4t^2}\arccos(2t)}{\sqrt{1-4t^2}}\\ &= \frac{-2t^2 + 2t\sqrt{1-4t^2}\arccos(2t)}{\sqrt{1-4t^2}}\\ &= \frac{-2t\left[t - \sqrt{1-4t^2}\arccos(2t)\right]}{\sqrt{1-4t^2}}\end{aligned}$$

THÉORÈME 3.13

Si $u(x)$ est une fonction dérivable, alors

$$\frac{d}{dx}(\operatorname{arctg} u) = \frac{1}{1+u^2}\frac{du}{dx} \qquad \text{(formule 22)}$$

$$\frac{d}{dx}(\operatorname{arccotg} u) = \frac{-1}{1+u^2}\frac{du}{dx} \qquad \text{(formule 23)}$$

PREUVE

Nous démontrerons uniquement la formule 22. La démonstration de la formule 23, qui est similaire, est laissée en exercice.

Si $y = \operatorname{arctg} u$, alors $\operatorname{tg} y = u$. Dérivons par rapport à x de chaque côté de l'égalité. On obtient

$$\frac{d}{dx}(\operatorname{tg} y) = \frac{d}{dx}(u)$$

$$\sec^2 y\frac{dy}{dx} = \frac{du}{dx}$$

$$\frac{dy}{dx} = \frac{1}{\sec^2 y}\frac{du}{dx}$$

Or, $\sec^2 y = 1 + \operatorname{tg}^2 y = 1 + u^2$ et, par conséquent,

$$\frac{dy}{dx} = \frac{d}{dx}(\operatorname{arctg} u) = \frac{1}{1+u^2}\frac{du}{dx}$$ ▪

EXEMPLE 3.59

Si $f(t) = \dfrac{\operatorname{arctg}(4t)}{t^2}$, alors

$$\begin{aligned}
\frac{df}{dt} &= \frac{t^2\dfrac{d}{dt}[\operatorname{arctg}(4t)] - [\operatorname{arctg}(4t)]\dfrac{d}{dt}(t^2)}{(t^2)^2} \\
&= \frac{t^2\left[\dfrac{1}{1+(4t)^2}\right]\dfrac{d}{dt}(4t) - 2t\operatorname{arctg}(4t)}{t^4} \\
&= \frac{\dfrac{4t^2}{1+16t^2} - 2t\operatorname{arctg}(4t)}{t^4} \\
&= \frac{\dfrac{4t^2}{1+16t^2} - \dfrac{2t(1+16t^2)\operatorname{arctg}(4t)}{1+16t^2}}{t^4} \\
&= \frac{4t^2 - 2t(1+16t^2)\operatorname{arctg}(4t)}{1+16t^2}\cdot\frac{1}{t^4} \\
&= \frac{4t^2 - 2t(1+16t^2)\operatorname{arctg}(4t)}{t^4(1+16t^2)} \\
&= \frac{2t[2t - (1+16t^2)\operatorname{arctg}(4t)]}{t^4(1+16t^2)} \\
&= \frac{2[2t - (1+16t^2)\operatorname{arctg}(4t)]}{t^3(1+16t^2)}
\end{aligned}$$

FIGURE 3.25
Angle d'éclairage d'une toile

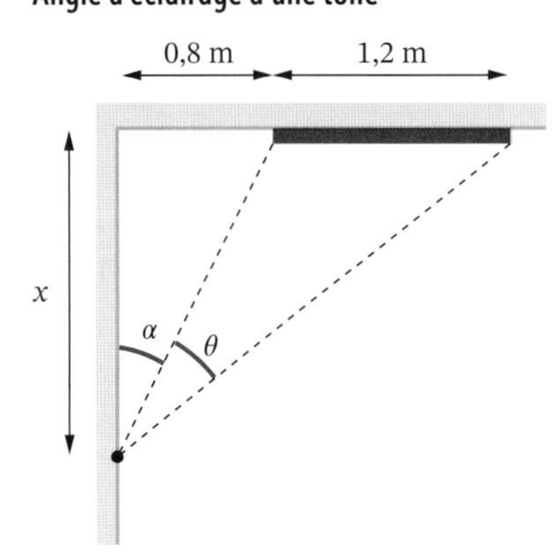

EXEMPLE 3.60

Dans une galerie d'art, une toile de 1,2 m de largeur est accrochée au mur comme l'illustre la FIGURE 3.25. On installe un projecteur sur le mur adjacent de telle sorte que le faisceau de lumière est dirigé uniquement sur la toile. Exprimons l'angle d'éclairage θ en fonction de la distance x (en mètres) entre le projecteur et le mur où se trouve la toile (figure 3.25) et déterminons le taux de variation de l'angle d'éclairage par rapport à la distance entre le projecteur et le mur lorsque $x = 1$ m.

On a $\operatorname{cotg}\alpha = \dfrac{x}{0{,}8} = 1{,}25x$ et $\operatorname{cotg}(\alpha+\theta) = \dfrac{x}{0{,}8+1{,}2} = 0{,}5x$. Par conséquent, $\alpha = \operatorname{arccotg}(1{,}25x)$ et $\alpha + \theta = \operatorname{arccotg}(0{,}5x)$. On obtient alors

$$\theta = (\alpha+\theta) - \alpha = \operatorname{arccotg}(0{,}5x) - \operatorname{arccotg}(1{,}25x)$$

Déterminons $\frac{d\theta}{dx}$ lorsque $x = 1$ m, soit le taux de variation de l'angle d'éclairage par rapport à la distance entre le projecteur et le mur lorsque $x = 1$ m :

$$\begin{aligned}\frac{d\theta}{dx} &= \frac{d}{dx}\left[\operatorname{arccotg}(0{,}5x) - \operatorname{arccotg}(1{,}25x)\right] \\ &= \frac{-1}{1+(0{,}5x)^2}\frac{d}{dx}(0{,}5x) - \frac{-1}{1+(1{,}25x)^2}\frac{d}{dx}(1{,}25x) \\ &= \left(\frac{-0{,}5}{1+0{,}25x^2} + \frac{1{,}25}{1+1{,}5625x^2}\right) \text{rad/m}\end{aligned}$$

D'où, $\theta'(1) = \frac{-0{,}5}{1+0{,}25(1)} + \frac{1{,}25}{1+1{,}5625(1)} \approx 0{,}09$ rad/m. Lorsque le projecteur est situé à 1 m du mur où se trouve la toile, l'angle d'éclairage augmente d'environ 0,09 radian par mètre d'augmentation de la distance entre le projecteur et le mur.

THÉORÈME 3.14

Si $u(x)$ est une fonction dérivable et si $|u(x)| > 1$, alors

$$\frac{d}{dx}(\operatorname{arcsec} u) = \frac{1}{|u|\sqrt{u^2-1}}\frac{du}{dx} \qquad \text{(formule 24)}$$

$$\frac{d}{dx}(\operatorname{arccosec} u) = \frac{-1}{|u|\sqrt{u^2-1}}\frac{du}{dx} \qquad \text{(formule 25)}$$

PREUVE

Nous démontrerons uniquement la formule 24. La démonstration de la formule 25, qui est similaire, est laissée en exercice.

Si $y = \operatorname{arcsec} u$ avec $u > 1$, alors $\sec y = u$ et $0 < y < \frac{\pi}{2}$. Dérivons par rapport à x de chaque côté de l'égalité. On obtient

$$\begin{aligned}\frac{d}{dx}(\sec y) &= \frac{d}{dx}(u) \\ \sec y \operatorname{tg} y \frac{dy}{dx} &= \frac{du}{dx} \\ \frac{dy}{dx} &= \frac{1}{\sec y \operatorname{tg} y}\frac{du}{dx}\end{aligned}$$

En utilisant l'identité trigonométrique $\operatorname{tg}^2 y + 1 = \sec^2 y$ et le fait que $\operatorname{tg} y > 0$ lorsque $0 < y < \frac{\pi}{2}$, on obtient $\operatorname{tg} y = \sqrt{\sec^2 y - 1} = \sqrt{u^2-1}$. Par conséquent,

$$\frac{dy}{dx} = \frac{d}{dx}(\operatorname{arcsec} u) = \frac{1}{u\sqrt{u^2-1}}\frac{du}{dx} = \frac{1}{|u|\sqrt{u^2-1}}\frac{du}{dx}$$

Par ailleurs, si $y = \text{arcsec}\, u$ avec $u < -1$, alors $\sec y = u$ et $\frac{\pi}{2} < y < \pi$. On a alors $\text{tg}\, y < 0$ et donc $\text{tg}\, y = -\sqrt{\sec^2 y - 1} = -\sqrt{u^2 - 1}$. Par conséquent,

$$\frac{dy}{dx} = \frac{d}{dx}(\text{arcsec}\, u) = \frac{1}{-u\sqrt{u^2-1}}\frac{du}{dx} = \frac{1}{|u|\sqrt{u^2-1}}\frac{du}{dx}$$

On peut donc conclure que $\frac{d}{dx}(\text{arcsec}\, u) = \frac{1}{|u|\sqrt{u^2-1}}\frac{du}{dx}$ lorsque $|u| > 1$. ▣

EXEMPLE 3.61

Si $f(x) = \text{arcsec}(x^2 + \cos x)$, alors

$$\frac{df}{dx} = \frac{1}{|x^2 + \cos x|\sqrt{(x^2 + \cos x)^2 - 1}}\frac{d}{dx}(x^2 + \cos x)$$

$$= \frac{2x - \sin x}{|x^2 + \cos x|\sqrt{(x^2 + \cos x)^2 - 1}}$$

EXEMPLE 3.62

Déterminons l'équation de la droite tangente à la courbe décrite par $g(t) = \text{arccosec}(t)$ au point $\left(\sqrt{2}, \frac{\pi}{4}\right)$. On a

$$\frac{dg}{dt} = \frac{-1}{|t|\sqrt{t^2-1}}\frac{d}{dt}(t) = \frac{-1}{|t|\sqrt{t^2-1}}$$

La pente de la droite tangente à la courbe décrite par $g(t)$ au point $\left(\sqrt{2}, \frac{\pi}{4}\right)$ est donnée par $g'(\sqrt{2}) = \frac{-1}{|\sqrt{2}|\sqrt{(\sqrt{2})^2 - 1}} = \frac{-1}{\sqrt{2}} = \frac{-1}{\sqrt{2}} \cdot \frac{\sqrt{2}}{\sqrt{2}} = \frac{-\sqrt{2}}{2}$.

L'équation de la droite tangente à la courbe décrite par $g(t)$ au point $\left(\sqrt{2}, \frac{\pi}{4}\right)$ est donc $y = -\frac{\sqrt{2}}{2}(t - \sqrt{2}) + \frac{\pi}{4}$ ou $y = -\frac{\sqrt{2}}{2}t + \frac{\pi}{4} + 1$.

EXERCICES 3.10

1. Déterminez $\frac{dy}{dx}$ à l'aide des formules de dérivation.

a) $y = \arcsin(4x) - \arccos(4x)$

b) $y = (\sin x)(\text{arccotg}\, x)$

c) $y = \text{arcsec}\left(\sqrt{x^2 + 1}\right)$

d) $x\, \text{arctg}\, y = x^2 + y$

2. Déterminez l'équation de la droite tangente à la courbe décrite par l'équation $f(x) = \text{arctg}(2x)$ en $x = \frac{1}{2}$.

Vous pouvez maintenant faire les exercices récapitulatifs 84 à 88.

3.4 RÈGLE DE L'HOSPITAL

DANS CETTE SECTION : *règle de L'Hospital.*

Règle de L'Hospital
La règle de L'Hospital est une stratégie utilisée pour lever certaines indéterminations. Dans son expression la plus simple, elle affirme que si $\frac{f(x)}{g(x)}$ est une forme indéterminée du type $\frac{0}{0}$ ou $\frac{\infty}{\infty}$ en $x = a$, alors $\lim_{x \to a} \frac{f(x)}{g(x)} = \lim_{x \to a} \frac{f'(x)}{g'(x)}$, pour autant que la limite du membre de droite de l'équation existe ou encore est infinie.

Plusieurs limites de la forme $\frac{0}{0}$ ou de la forme $\frac{\infty}{\infty}$ ne peuvent pas être évaluées algébriquement avec les stratégies élaborées dans le chapitre 1. La **règle de L'Hospital** est une stratégie supplémentaire qui permet l'évaluation de telles limites.

THÉORÈME 3.15 Règle de L'Hospital

Soit $f(x)$ et $g(x)$ deux fonctions dérivables sur $I \backslash \{a\}$, où I est un intervalle ouvert contenant la valeur a, telles que :

- $\lim_{x \to a} f(x) = 0 = \lim_{x \to a} g(x)$
- $g'(x) \neq 0$ pour tout $x \in I \backslash \{a\}$

Alors, $\underbrace{\lim_{x \to a} \frac{f(x)}{g(x)}}_{\text{forme } \frac{0}{0}} = \lim_{x \to a} \frac{f'(x)}{g'(x)}$ à la condition que la limite du membre de droite de l'équation existe, ou encore qu'elle vaille ∞ ou $-\infty$.

PREUVE

Nous nous contenterons de prouver un cas particulier, soit une version plus faible de la règle de L'Hospital*. Nous supposerons ici que les fonctions $f(x)$ et $g(x)$ sont dérivables en $x = a$, que leurs dérivées sont continues en $x = a$ et que $g'(a) \neq 0$.

Si $f(x)$ et $g(x)$ sont dérivables en $x = a$, alors elles sont continues en $x = a$ (théorème 2.1, p. 94). Par conséquent,

$$f(a) = \lim_{x \to a} f(x) = 0 \quad \text{et} \quad g(a) = \lim_{x \to a} g(x) = 0$$

De plus, si $f'(x)$ et $g'(x)$ sont continues en $x = a$ et si $g'(a) \neq 0$, on a $\lim_{x \to a} f'(x) = f'(a)$ et $\lim_{x \to a} g'(x) = g'(a) \neq 0$. Alors,

$$\lim_{x \to a} \frac{f'(x)}{g'(x)} = \frac{\lim_{x \to a} f'(x)}{\lim_{x \to a} g'(x)} \qquad \text{propriété 8 des limites, car } \lim_{x \to a} g'(x) = g'(a) \neq 0$$

$$= \frac{f'(x)}{g'(x)} \qquad \text{car on suppose les dérivées continues en } x = a$$

$$= \frac{\lim_{x \to a} \frac{f(x) - f(a)}{x - a}}{\lim_{x \to a} \frac{g(x) - g(a)}{x - a}} \qquad \text{définition de la dérivée}$$

$$= \lim_{x \to a} \frac{\frac{f(x) - f(a)}{x - a}}{\frac{g(x) - g(a)}{x - a}} \qquad \text{propriété 8 des limites, car } \lim_{x \to a} \frac{g(x) - g(a)}{x - a} = g'(a) \neq 0$$

* La preuve de la règle de L'Hospital telle qu'énoncée au théorème 3.15 se trouve dans la plateforme *i+ Interactif.*

$$= \lim_{x \to a} \frac{f(x) - f(a)}{g(x) - g(a)}$$

$$= \lim_{x \to a} \frac{f(x) - 0}{g(x) - 0} \quad \text{car } f(a) = \lim_{x \to a} f(x) = 0 \text{ et } g(a) = \lim_{x \to a} g(x) = 0$$

$$= \lim_{x \to a} \frac{f(x)}{g(x)}$$

■

Avant de présenter des exemples illustrant la règle de L'Hospital, soulignons qu'elle s'applique également, avec quelques adaptations mineures, lorsque $x \to a^+$, $x \to a^-$, $x \to \infty$ ou $x \to -\infty$.

On peut aussi utiliser la règle de L'Hospital lorsque $\lim_{x \to a} f(x) = \infty$ ou $-\infty$ et $\lim_{x \to a} g(x) = \infty$ ou $-\infty$, c'est-à-dire

$$\underbrace{\lim_{x \to a} \frac{f(x)}{g(x)}}_{\text{forme } \frac{\pm\infty}{\pm\infty}} = \lim_{x \to a} \frac{f'(x)}{g'(x)}$$

La démonstration de ce dernier résultat s'avère trop ardue pour que nous la traitions ici.

EXEMPLE 3.63

On veut évaluer $\lim_{x \to 0} \frac{\sqrt[3]{x}}{\text{tg}\, x}$.

Soit $f(x) = \sqrt[3]{x} = x^{1/3}$ et $g(x) = \text{tg}\, x$. Alors, $f'(x) = \frac{1}{3} x^{-2/3} = \frac{1}{3x^{2/3}}$ et $g'(x) = \sec^2 x$.
Notons que la fonction $f(x)$ n'est pas dérivable en $x = 0$ et que la fonction $g(x)$ n'est pas dérivable lorsque $x = (2k + 1)\pi/2$, où $k \in \mathbb{Z}$. En effet, $f'(x)$ et $g'(x)$ ne sont pas définies en ces valeurs.
Prenons $I = \left]-\pi/2, \pi/2\right[$. Alors, $f(x)$ et $g(x)$ sont dérivables sur $I \backslash \{0\}$ et $g'(x) \neq 0$ pour tout $x \in I \backslash \{0\}$. De plus, $\lim_{x \to 0} f(x) = \lim_{x \to 0} \sqrt[3]{x} = \sqrt[3]{0} = 0$ et

$$\lim_{x \to 0} g(x) = \lim_{x \to 0} \text{tg}\, x = \text{tg}\, 0 = 0$$

Les conditions d'application de la règle de L'Hospital sont satisfaites. Par conséquent,

$$\underbrace{\lim_{x \to 0} \frac{\sqrt[3]{x}}{\text{tg}\, x}}_{\text{forme } \frac{0}{0}} = \lim_{x \to 0} \frac{\frac{d}{dx}(x^{1/3})}{\frac{d}{dx}(\text{tg}\, x)} \quad \text{application de la règle de L'Hospital}$$

$$= \lim_{x \to 0} \frac{1/3\, x^{-2/3}}{\sec^2 x}$$

$$= \underbrace{\lim_{x \to 0} \frac{1}{3x^{2/3} \sec^2 x}}_{\text{forme } \frac{1}{3(0^+)(1^2)}}$$

$$= \infty$$

Dans le but de simplifier l'écriture, nous indiquerons un « H » au-dessus de l'égalité lors de l'application de la règle de L'Hospital. De plus, nous indiquerons directement les résultats des dérivées des fonctions se trouvant au numérateur et au dénominateur sans utiliser l'opérateur $\frac{d}{dx}$ indiquant qu'il faut dériver les fonctions.

EXEMPLE 3.64

On veut évaluer $\lim\limits_{x \to 0} \frac{\sin x}{x}$ et $\lim\limits_{x \to 0} \frac{\cos x - 1}{x}$.

Ces deux limites sont de la forme $\frac{0}{0}$ et les conditions d'application de la règle de L'Hospital sont satisfaites. Alors,

$$\underbrace{\lim_{x \to 0} \frac{\sin x}{x}}_{\text{forme } \frac{0}{0}} \overset{\text{H}}{=} \lim_{x \to 0} \frac{\cos x}{1} = \cos 0 = 1$$

et

$$\underbrace{\lim_{x \to 0} \frac{\cos x - 1}{x}}_{\text{forme } \frac{0}{0}} \overset{\text{H}}{=} \lim_{x \to 0} \frac{-\sin x}{1} = -\sin 0 = 0$$

Ce qui confirme les résultats du théorème 3.8 (p. 196) qui nous ont permis de démontrer la formule de dérivation de la fonction $f(x) = \sin x$.

EXEMPLE 3.65

On veut évaluer $\lim\limits_{x \to \infty} \frac{\ln(2x+1)}{3x-4}$.

Cette limite est de la forme $\frac{\infty}{\infty}$ et les conditions d'application de la règle de L'Hospital sont satisfaites. Alors,

$$\begin{aligned}
\overbrace{\lim_{x \to \infty} \frac{\ln(2x+1)}{3x-4}}^{\text{forme } \frac{\infty}{\infty}} &\overset{\text{H}}{=} \lim_{x \to \infty} \frac{\frac{1}{2x+1}(2)}{3} \\
&= \underbrace{\lim_{x \to \infty} \frac{2}{3(2x+1)}}_{\text{forme } \frac{2}{\infty}} \\
&= 0
\end{aligned}$$

EXEMPLE 3.66

On veut évaluer $\lim\limits_{x \to 3} \frac{6-2x}{\sqrt{2x+3}-3}$.

Cette limite est de la forme $\frac{0}{0}$ et les conditions d'application de la règle de L'Hospital sont satisfaites. Alors,

$$\begin{aligned}
\overbrace{\lim_{x \to 3} \frac{6-2x}{\sqrt{2x+3}-3}}^{\text{forme } \frac{0}{0}} &\overset{\text{H}}{=} \lim_{x \to 3} \frac{-2}{\cancel{\tfrac{1}{2}}(2x+3)^{-1/2}\cancel{(2)}} \\
&= \lim_{x \to 3} \left[-2(2x+3)^{1/2}\right] \\
&= -2\sqrt{9} \\
&= -6
\end{aligned}$$

Cette réponse confirme celle que nous avons obtenue à l'exemple 1.35 (p. 39).

QUESTION ÉCLAIR 3.16

Évaluez la limite.

a) $\lim\limits_{x \to 0} \dfrac{\sin(6x)}{e^{3x} - e^{-x}}$ b) $\lim\limits_{x \to 1} \dfrac{4x^2 - 3x - 1}{\arcsin(1 - x)}$

On peut utiliser la règle de L'Hospital à répétition pour lever une indétermination, pourvu que les conditions d'application de cette règle soient vérifiées à chacune des limites. Par exemple, si $f(a) = 0 = g(a)$ et si $f'(a) = 0 = g'(a)$ et que les fonctions $f'(x)$ et $g'(x)$ satisfont aux conditions de la règle de L'Hospital, alors on obtient

$$\underbrace{\lim_{x \to a} \frac{f(x)}{g(x)}}_{\text{forme } \frac{0}{0}} = \underbrace{\lim_{x \to a} \frac{f'(x)}{g'(x)}}_{\text{forme } \frac{0}{0}} = \lim_{x \to a} \frac{f''(x)}{g''(x)}$$

En général*,

$$\underbrace{\lim_{x \to a} \frac{f(x)}{g(x)}}_{\text{forme } \frac{0}{0}} = \underbrace{\lim_{x \to a} \frac{f'(x)}{g'(x)}}_{\text{forme } \frac{0}{0}} = \underbrace{\lim_{x \to a} \frac{f''(x)}{g''(x)}}_{\text{forme } \frac{0}{0}} = \cdots = \underbrace{\lim_{x \to a} \frac{f^{(n-1)}(x)}{g^{(n-1)}(x)}}_{\text{forme } \frac{0}{0}} = \lim_{x \to a} \frac{f^{(n)}(x)}{g^{(n)}(x)}$$

Ainsi, en pratique, on applique la règle de L'Hospital autant de fois qu'il est nécessaire de le faire, mais pas plus, pour obtenir un quotient qui ne soit pas une forme indéterminée.

EXEMPLE 3.67

On veut évaluer $\lim\limits_{x \to 1} \dfrac{x^3 + x^2 - 5x + 3}{x^3 - 3x + 2}$.

Cette limite est de la forme $\frac{0}{0}$ et les conditions d'application de la règle de L'Hospital sont satisfaites. Alors,

$$\begin{aligned} \overbrace{\lim_{x \to 1} \frac{x^3 + x^2 - 5x + 3}{x^3 - 3x + 2}}^{\text{forme } \frac{0}{0}} &\overset{\text{H}}{=} \overbrace{\lim_{x \to 1} \frac{3x^2 + 2x - 5}{3x^2 - 3}}^{\text{forme } \frac{0}{0}} \\ &\overset{\text{H}}{=} \lim_{x \to 1} \frac{6x + 2}{6x} \\ &= \frac{8}{6} \\ &= \frac{4}{3} \end{aligned}$$

Cette réponse confirme celle que nous avons obtenue à l'exemple 1.30 (p. 34).

EXEMPLE 3.68

On veut évaluer $\lim\limits_{x \to \infty} \dfrac{e^{3x} - 1}{x^2 - 5x + 4}$.

* Ce résultat est également valide pour les limites du type $\frac{\infty}{\infty}$.

Cette limite est de la forme $\frac{\infty}{\infty}$ et les conditions d'application de la règle de L'Hospital sont satisfaites. Alors,

$$\overbrace{\lim_{x\to\infty}\frac{e^{3x}-1}{x^2-5x+4}}^{\text{forme }\frac{\infty}{\infty}} \overset{\text{H}}{=} \overbrace{\lim_{x\to\infty}\frac{3e^{3x}}{2x-5}}^{\text{forme }\frac{\infty}{\infty}}$$

$$\overset{\text{H}}{=} \lim_{x\to\infty}\frac{9e^{3x}}{2}$$

$$= \infty$$

Parfois la règle de L'Hospital ne permettra pas de lever l'indétermination. Si c'est le cas, il faudra utiliser une autre stratégie (par exemple, l'une de celles développées au chapitre 1).

EXEMPLE 3.69

On veut évaluer $\lim\limits_{x\to-\infty}\frac{\sqrt{x^2+4}}{3x}$.

Cette limite est de la forme $\frac{\infty}{-\infty}$ et les conditions d'application de la règle de L'Hospital sont satisfaites. Alors,

$$\overbrace{\lim_{x\to-\infty}\frac{\sqrt{x^2+4}}{3x}}^{\text{forme }\frac{\infty}{-\infty}} \overset{\text{H}}{=} \lim_{x\to-\infty}\frac{\cancel{1/2}(x^2+4)^{-1/2}(\cancel{2}x)}{3}$$

$$= \underbrace{\lim_{x\to-\infty}\frac{x}{3(x^2+4)^{1/2}}}_{\text{forme }\frac{-\infty}{\infty}}$$

$$\overset{\text{H}}{=} \lim_{x\to-\infty}\frac{1}{3(\cancel{1/2})(x^2+4)^{-1/2}(\cancel{2}x)}$$

$$= \lim_{x\to-\infty}\frac{\sqrt{x^2+4}}{3x}$$

Après deux applications de la règle de L'Hospital, on retrouve la limite qu'on voulait évaluer au départ. La règle de L'Hospital n'est donc pas utile pour évaluer cette limite. Utilisons la mise en évidence de la plus haute puissance de x.

$$\overbrace{\lim_{x\to-\infty}\frac{\sqrt{x^2+4}}{3x}}^{\text{forme }\frac{\infty}{-\infty}} = \lim_{x\to-\infty}\frac{\sqrt{x^2(1+4/x^2)}}{3x} \quad \text{mise en évidence}$$

$$= \lim_{x\to-\infty}\frac{\sqrt{x^2}\sqrt{1+4/x^2}}{3x} \quad \text{propriété des radicaux : } \sqrt{ab}=\sqrt{a}\sqrt{b}$$

$$= \lim_{x\to-\infty}\frac{|x|\sqrt{1+4/x^2}}{3x} \quad \text{propriété des radicaux : } \sqrt{a^2}=|a|$$

$$= \lim_{x\to-\infty}\frac{-\cancel{x}\sqrt{1+4/x^2}}{3\cancel{x}} \quad \text{car } |x|=-x \text{ si } x\to-\infty$$

$$= \frac{-\sqrt{1+0}}{3}$$

$$= -1/3$$

La règle de L'Hospital s'applique seulement lorsque la limite à évaluer est de la forme $\frac{0}{0}$ ou $\frac{\infty}{\infty}$. Si on l'utilise dans d'autres situations, on obtiendra généralement un résultat erroné comme l'illustre l'exemple suivant.

EXEMPLE 3.70

On veut évaluer $\lim_{x\to\sqrt{3}} \frac{x^2-1}{\operatorname{arctg} x}$. On a

$$\lim_{x\to\sqrt{3}} \frac{x^2-1}{\operatorname{arctg} x} = \frac{\left(\sqrt{3}\right)^2-1}{\operatorname{arctg}\left(\sqrt{3}\right)} = \frac{2}{\pi/3} = \frac{6}{\pi}$$

En appliquant aveuglément la règle de L'Hospital, on obtient

$$\begin{aligned}\lim_{x\to\sqrt{3}} \frac{x^2-1}{\operatorname{arctg} x} &= \lim_{x\to\sqrt{3}} \frac{2x}{\frac{1}{1+x^2}} \quad \text{mauvaise application de la règle de L'Hospital}\\ &= \lim_{x\to\sqrt{3}} \left[2x(1+x^2)\right]\\ &= 2\sqrt{3}(4)\\ &= 8\sqrt{3}\end{aligned}$$

Ce dernier résultat est faux, d'où l'importance de vérifier les conditions d'application de la règle de L'Hospital avant de l'utiliser.

EXERCICE 3.11

Évaluez la limite.

a) $\lim_{x\to 0} \frac{\operatorname{tg}(4x)}{\sin(3x)}$

b) $\lim_{x\to -2} \frac{e^{x+2}}{x^2+4}$

c) $\lim_{x\to 0} \frac{\arcsin x}{x^2+3x}$

d) $\lim_{x\to \infty} \frac{x-2x^2}{3x^2+5x}$

e) $\lim_{x\to \pi} \frac{\sin^2 x}{x\cos(x/2)}$

f) $\lim_{x\to \infty} \frac{2x}{\ln(3x+e^x)}$

g) $\lim_{x\to \left(\frac{1}{2}\right)^-} \frac{\ln(1-2x)}{\operatorname{tg}(\pi x)}$

h) $\lim_{x\to \pi^-} \frac{6\operatorname{cotg} x}{2+3\operatorname{cosec} x}$

Vous pouvez maintenant faire les exercices récapitulatifs 89 à 92.

UN PEU D'HISTOIRE

Guillaume François Antoine marquis de L'Hospital naquit à Paris en 1661 et y mourut en 1704.

Profitant d'une visite de Jean Bernoulli (1667-1748) à Paris en 1691, L'Hospital reçut des leçons de ce dernier sur le « nouveau calcul infinitésimal ». Il faut comprendre qu'à l'époque, bien peu de personnes, hormis Newton (1642-1727), Leibniz (1646-1716) et les frères Bernoulli, maîtrisaient suffisamment le calcul différentiel et intégral pour en apprécier tout le potentiel. En fait, ceux-ci étaient pratiquement les seuls à utiliser le calcul pour résoudre des problèmes complexes qui leur étaient posés comme autant de défis mathématiques.

Bernoulli accepta donc de donner des leçons privées à L'Hospital contre une rémunération importante. Ayant obtenu un poste de professeur de mathématiques à l'Université de Groningue, Bernoulli quitta Paris, non sans avoir pris un arrangement financier pour poursuivre les leçons de calcul données au marquis. Ce dernier accepta de lui verser un salaire mensuel correspondant à la moitié de celui d'un professeur d'université, à la condition que Bernoulli lui fournisse en exclusivité toutes les découvertes qu'il ferait en calcul.

En 1696, considérant qu'il maîtrisait maintenant suffisamment le calcul différentiel, L'Hospital publia le tout premier manuel de calcul différentiel de l'histoire (*Analyse des infiniment petits, pour l'intelligence des lignes courbes*), fondé sur les leçons qu'il avait reçues de Jean Bernoulli. C'est dans cet ouvrage qu'on trouve la fameuse règle qui porte aujourd'hui son nom. Dans la préface de l'ouvrage, L'Hospital écrivit :

> Au reste je reconnois devoir beaucoup aux lumières de Mrs Bernoulli, sur tout à celles du jeune présentement Professeur à Groningue. Je me suis servi sans façon de leurs découvertes & de celles de M. Leibnis. C'est-pourquoy je consens qu'ils en revendiquent tout ce qu'il leur plaira, me contentant de ce qu'ils voudront bien me laisser*.

Jean Bernoulli écrivit à L'Hospital pour le remercier d'avoir mentionné sa contribution et le louangea pour la qualité de l'œuvre. Pourtant, quelque temps plus tard, Jean Bernoulli accusa L'Hospital de plagiat. Cette controverse ne fut élucidée que par la découverte en 1922 des notes de cours manuscrites de Bernoulli, qui montrèrent que celles-ci étaient pratiquement identiques au livre de L'Hospital, ce dernier ayant toutefois corrigé quelques erreurs de son maître.

* Guillaume François Antoine L'Hospital, *Analyse des infiniment petits, pour l'intelligence des lignes courbes*, Paris, Imprimerie Royale, 1696, Préface, n. p. Le texte intégral de cet ouvrage est disponible sur le site de la Bibliothèque nationale de France (http://gallica.bnf.fr). Pour le localiser, il suffit de mener une recherche du titre de l'œuvre sur ce site.

RÉSUMÉ

Les fonctions exponentielles, logarithmiques, trigonométriques et trigonométriques inverses font partie de la famille des **fonctions transcendantes** (par opposition aux **fonctions algébriques**) parce que, comme le faisait remarquer le célèbre mathématicien Leonhard Euler, elles transcendent les méthodes algébriques. Ainsi, les fonctions transcendantes, contrairement aux fonctions algébriques, ne s'obtiennent pas au moyen des opérations algébriques usuelles (addition, soustraction, multiplication, division, puissance, extraction de racine) sur des polynômes.

Plusieurs phénomènes peuvent être modélisés par les fonctions transcendantes. Signalons entre autres l'évolution d'une population en fonction du temps, la désintégration radioactive, l'intensité d'un tremblement de terre et les mouvements oscillatoires (pendule, corde vibrante, ressort, etc.).

La **fonction exponentielle** de base b (où $b \neq 1$ et $b > 0$) est du type $f(x) = b^x$. En particulier, si la base correspond à la constante de Neper ($e \approx 2{,}718\ 28...$), on parle alors de base naturelle ou népérienne, et la fonction exponentielle devient $f(x) = e^x$. La fonction exponentielle de base b est continue sur son domaine, soit sur $\mathbb{R}$, de sorte que $\lim\limits_{x\to a} b^x = b^a$. De plus, si $b > 1$, on a $\lim\limits_{x\to\infty} b^x = \infty$ et $\lim\limits_{x\to-\infty} b^x = 0$; par ailleurs, si $0 < b < 1$, on a plutôt $\lim\limits_{x\to\infty} b^x = 0$ et $\lim\limits_{x\to-\infty} b^x = \infty$.

La **fonction logarithmique** de base b est la réciproque de la fonction exponentielle de même base puisque, par définition, $y = \log_b x \Leftrightarrow x = b^y$. La réciprocité de la fonction logarithmique et de la fonction exponentielle se vérifie lorsqu'on trace, dans un même plan cartésien, les courbes décrites par ces deux fonctions : on constate une symétrie par rapport à la droite $y = x$ entre la courbe décrite par la fonction logarithmique et celle décrite par la fonction exponentielle de même base. La fonction logarithmique de base b est continue sur son domaine, soit sur $\mathbb{R}^+$ $\left(\left]0, \infty\right[\right)$. Dans le cas particulier où la base de la fonction logarithmique utilisée est la constante de Neper, on parle de **logarithme naturel** ou népérien, et on écrit $\ln x$ plutôt que $\log_e x$. Lorsque la base de la fonction logarithmique utilisée est 10, on parle de **logarithme décimal** ou logarithme de Briggs, et on écrit $\log x$ plutôt que $\log_{10} x$. De plus, si $b > 1$, on a $\lim\limits_{x\to\infty} \log_b x = \infty$ et $\lim\limits_{x\to 0^+} \log_b x = -\infty$; par ailleurs, si $0 < b < 1$, on a plutôt $\lim\limits_{x\to\infty} \log_b x = -\infty$ et $\lim\limits_{x\to 0^+} \log_b x = \infty$.

Les formules de dérivation des fonctions exponentielles et logarithmiques sont :

- $\frac{d}{dx}(b^u) = b^u(\ln b)\frac{du}{dx}$
- $\frac{d}{dx}(\log_b u) = \frac{1}{u(\ln b)}\frac{du}{dx}$
- $\frac{d}{dx}(e^u) = e^u\frac{du}{dx}$
- $\frac{d}{dx}(\ln u) = \frac{1}{u}\frac{du}{dx}$

On peut recourir aux propriétés des logarithmes et à la dérivation implicite pour effectuer ce qu'il est convenu d'appeler la **dérivation logarithmique**, lorsque la fonction à dériver est du type $y = f(x)^{g(x)}$, ou encore

$$y = \frac{f_1(x)f_2(x)\cdots f_n(x)}{g_1(x)g_2(x)\cdots g_m(x)}$$

Les fonctions trigonométriques et trigonométriques inverses sont également des fonctions transcendantes dont les formules de dérivation sont :

- $\frac{d}{dx}(\sin u) = \cos u\frac{du}{dx}$
- $\frac{d}{dx}(\cos u) = -\sin u\frac{du}{dx}$
- $\frac{d}{dx}(\operatorname{tg} u) = \sec^2 u\frac{du}{dx}$
- $\frac{d}{dx}(\operatorname{cotg} u) = -\operatorname{cosec}^2 u\frac{du}{dx}$
- $\frac{d}{dx}(\sec u) = \sec u \operatorname{tg} u\frac{du}{dx}$
- $\frac{d}{dx}(\operatorname{cosec} u) = -\operatorname{cosec} u \operatorname{cotg} u\frac{du}{dx}$
- $\frac{d}{dx}(\arcsin u) = \frac{1}{\sqrt{1-u^2}}\frac{du}{dx}$
- $\frac{d}{dx}(\arccos u) = \frac{-1}{\sqrt{1-u^2}}\frac{du}{dx}$
- $\frac{d}{dx}(\operatorname{arctg} u) = \frac{1}{1+u^2}\frac{du}{dx}$
- $\frac{d}{dx}(\operatorname{arccotg} u) = \frac{-1}{1+u^2}\frac{du}{dx}$
- $\frac{d}{dx}(\operatorname{arcsec} u) = \frac{1}{|u|\sqrt{u^2-1}}\frac{du}{dx}$
- $\frac{d}{dx}(\operatorname{arccosec} u) = \frac{-1}{|u|\sqrt{u^2-1}}\frac{du}{dx}$

On établit la formule de dérivation $\frac{d}{dx}(\sin u) = \cos u\frac{du}{dx}$ en recourant à une identité trigonométrique et aux deux limites particulières que sont $\lim_{t\to 0}\frac{\sin t}{t} = 1$ et $\lim_{t\to 0}\frac{\cos t - 1}{t} = 0$, lorsque t est mesuré en radians. Les formules de dérivation des autres fonctions trigonométriques se déduisent de celle de la fonction sinus au moyen des identités trigonométriques, des définitions des fonctions trigonométriques et de l'application de la règle de dérivation d'un quotient de fonctions.

Les formules de dérivation des fonctions trigonométriques inverses s'obtiennent grâce à la définition de ces fonctions et à la dérivation implicite.

La **règle de L'Hospital** est une stratégie utilisée pour lever certaines indéterminations. Dans son expression la plus simple, elle affirme que si $\frac{f(x)}{g(x)}$ est une forme indéterminée du type $\frac{0}{0}$ ou $\frac{\infty}{\infty}$ en $x = a$, alors $\lim_{x\to a}\frac{f(x)}{g(x)} = \lim_{x\to a}\frac{f'(x)}{g'(x)}$, pour autant que la limite du membre de droite de l'équation existe ou encore est infinie.

MOTS clés

RÉSEAU de concepts

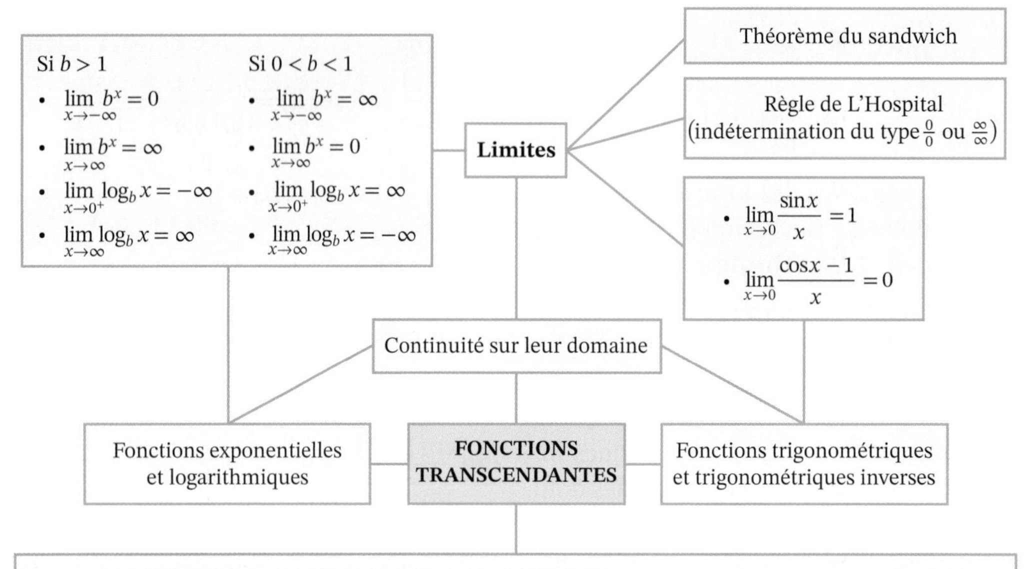

Formules de dérivation

- $\frac{d}{dx}(b^u) = b^u(\ln b)\frac{du}{dx}$
- $\frac{d}{dx}(e^u) = e^u\frac{du}{dx}$
- $\frac{d}{dx}(\log_b u) = \frac{1}{u(\ln b)}\frac{du}{dx}$
- $\frac{d}{dx}(\ln u) = \frac{1}{u}\frac{du}{dx}$
- $\frac{d}{dx}(\sin u) = \cos u\frac{du}{dx}$
- $\frac{d}{dx}(\cos u) = -\sin u\frac{du}{dx}$
- $\frac{d}{dx}(\operatorname{tg} u) = \sec^2 u\frac{du}{dx}$
- $\frac{d}{dx}(\operatorname{cotg} u) = -\operatorname{cosec}^2 u\frac{du}{dx}$
- $\frac{d}{dx}(\sec u) = \sec u \operatorname{tg} u\frac{du}{dx}$
- $\frac{d}{dx}(\operatorname{cosec} u) = -\operatorname{cosec} u \operatorname{cotg} u\frac{du}{dx}$
- $\frac{d}{dx}(\arcsin u) = \frac{1}{\sqrt{1-u^2}}\frac{du}{dx}$
- $\frac{d}{dx}(\arccos u) = \frac{-1}{\sqrt{1-u^2}}\frac{du}{dx}$
- $\frac{d}{dx}(\operatorname{arctg} u) = \frac{1}{1+u^2}\frac{du}{dx}$
- $\frac{d}{dx}(\operatorname{arccotg} u) = \frac{-1}{1+u^2}\frac{du}{dx}$
- $\frac{d}{dx}(\operatorname{arcsec} u) = \frac{1}{|u|\sqrt{u^2-1}}\frac{du}{dx}$
- $\frac{d}{dx}(\operatorname{arccosec} u) = \frac{-1}{|u|\sqrt{u^2-1}}\frac{du}{dx}$

Dérivation logarithmique lorsque $y = f(x)^{g(x)}$ ou $y = \frac{f_1(x)f_2(x)\cdots f_n(x)}{g_1(x)g_2(x)\cdots g_m(x)}$

EXERCICES récapitulatifs

SECTIONS 3.1.1 À 3.1.6

▲ **1.** Déterminez les valeurs réelles de x pour lesquelles la fonction est continue.

a) $f(x) = 5^{2x+3}$

b) $f(x) = \frac{4}{e^x - 2}$

c) $f(x) = x^2\ln(1 - 4x)$

d) $f(x) = \frac{x^4 + 1}{\log x - 3}$

▲ **2.** Évaluez la limite.

a) $\lim\limits_{x\to-2} \frac{3 - x}{3^{-x} + 1}$

b) $\lim\limits_{x\to0}\left[e^x(x^2 - 1)\right]$

c) $\lim\limits_{x\to4} \frac{x^2 - 16}{2^x}$

d) $\lim\limits_{x\to1}\left[(\log x)^3 - 2\right]^5$

e) $\lim\limits_{x\to16} \frac{18 - x}{\sqrt{\log_4 x}}$

f) $\lim\limits_{x\to\infty} \frac{1 - 10^{1/x}}{1 + 5^{1/x}}$

g) $\lim\limits_{x\to2^+} \frac{1 - \ln(2x - 1)}{x - 2}$

h) $\lim\limits_{x\to4} \frac{e^{x^2}}{\sqrt{x} - 2}$

i) $\lim\limits_{x\to8} \frac{\log_2 x}{8 - x}$

j) $\lim\limits_{x\to0} \frac{e^{-x} - 1}{1 - e^x}$

▲ **3.** Évaluez la limite.

a) $\lim_{x\to-\infty} 4^{-2x-1}$

b) $\lim_{x\to\infty} \log_{1/3}\sqrt{x}$

c) $\lim_{x\to0^+} \log_{1/2}(x^4)$

d) $\lim_{x\to4^-} \ln(16-x^2)$

e) $\lim_{x\to-\infty} \dfrac{1-8^{2x}}{3-(1/2)^{-x}}$

f) $\lim_{x\to1^+} \dfrac{4}{\log_4(x-1)}$

g) $\lim_{x\to\infty} \dfrac{2}{5+\ln(x-1)}$

h) $\lim_{x\to2^-} \log\left(\dfrac{8-x^3}{2-\sqrt{x}}\right)$

i) $\lim_{x\to0} 5^{1/x}$

j) $\lim_{x\to\infty} \dfrac{e^x-e^{2x}}{e^{2x}+e^x}$

▲ **4.** Un condensateur est branché à un circuit électrique. Après un temps t (en secondes), la charge Q (en coulombs) emmagasinée par le condensateur est donnée par $Q(t) = 2(1-e^{-t/2})$.

a) Quelle était la charge initiale du condensateur ?

b) Quelle est la charge du condensateur 4 s après le branchement ?

c) Quelle est la charge emmagasinée par le condensateur à long terme, c'est-à-dire lorsque $t \to \infty$?

5. Une tasse contenant du café dont la température est de 95 °C est placée dans une pièce maintenue à une température constante de 22 °C. Après un temps t (en minutes), la température T (en Celsius) du café est donnée par $T(t) = 22 + 73e^{-0{,}046\,67t}$.

a) Déterminez la température du café après 30 min.

b) Combien faut-il de temps avant que la température du café ne tombe à 75 °C ?

c) Évaluez $\lim_{t\to\infty} T(t)$.

d) Expliquez, dans le contexte, la réponse obtenue en *c*, notamment en fonction de la température ambiante.

6. Une somme de 2 000 $ est investie à un taux d'intérêt nominal de 2,7 % capitalisé mensuellement. La fonction

$$C(t) = 2\,000\left(1+\frac{0{,}027}{12}\right)^t = 2\,000(1{,}002\,25)^t$$

donne le capital accumulé C (en dollars) après t mois.

a) Quel sera le capital accumulé dans 6 ans ?

b) Quand le capital sera-t-il le double de ce qu'il était initialement ?

c) Évaluez $\lim_{t\to\infty} C(t)$.

d) Expliquez dans le contexte la réponse obtenue en *c*.

▲ **7.** Selon les prévisions des démographes, la population P (en millions d'habitants) d'un pays dans t années sera de $P(t) = \dfrac{20}{2+3e^{-0{,}04t}}$.

a) Quelle est la population actuelle de ce pays ?

b) Si la tendance se maintient, combien d'habitants y aura-t-il dans ce pays dans 5 ans ?

c) Si la tendance se maintient, quelle sera la population de ce pays à long terme ?

8. On a donné 4 mg d'un médicament à un patient par voie intraveineuse. Le patient l'élimine naturellement de façon telle que la quantité Q (en milligrammes) de ce médicament présente dans son corps t h après l'injection est de $Q(t) = 4e^{-0{,}2t}$.

a) Quels sont la valeur et le sens de $Q(0)$?

b) Évaluez $Q(10)$.

c) À long terme, quelle quantité du médicament restera-t-il dans le corps du patient ?

d) Si le médecin traitant souhaite que, durant les 5 prochains jours, la quantité de médicament présente dans le corps du patient soit comprise entre 1 mg et 4 mg, au plus combien de temps pourra-t-il attendre avant de faire une nouvelle injection et quelle quantité de médicament devra-t-il alors injecter ?

9. On a établi que l'épaisseur E (en centimètres) de la couche des sédiments contaminés dans un lac est donnée par la fonction $E(t) = 10(1{,}2 - e^{-0{,}01t})$, où t représente le temps (en années) écoulé depuis le 1er juillet 2000. À long terme, de combien de centimètres la couche sédimentaire aura-t-elle augmenté depuis le 1er juillet 2000 ?

10. Les employés d'une entreprise ont signé une convention collective de 5 ans entrant en vigueur le 1er janvier 2023. En vertu de cette convention collective, le salaire annuel d'un employé au 1er janvier 2023 est fixé à 50 000 $ et sera augmenté de 2 % le 1er janvier de chaque année ultérieure, le 1er janvier 2027 étant la date de la dernière majoration du salaire. Soit $S(t)$ la fonction donnant la valeur du salaire annuel d'un employé t années après l'entrée en vigueur de la convention collective.

a) Quelle est l'expression mathématique de $S(t)$, lorsque $0 \le t \le 4$?

b) Tracez le graphique de $S(t)$.

c) Commentez la continuité de la fonction $S(t)$.

● **11.** Le psychologue de l'apprentissage Hermann Ebbinghaus (1850-1909) a été le premier, en 1885, à s'intéresser au concept de courbe d'apprentissage, même si le nom de ce concept n'a été utilisé qu'à compter de 1909. Une courbe d'apprentissage décrit graphiquement le rythme auquel un individu développe son habileté à accomplir une tâche (comme écrire un texto) en fonction du temps t. On suppose que l'habileté à accomplir la tâche augmente avec le temps, mais plafonne à un certain niveau. Notons M le nombre de mots par minute qu'une personne peut texter après t jours d'apprentissage. On considère que ce nombre plafonne à 40 mots/min et qu'un débutant peut écrire un texto à une vitesse de 10 mots/min. Le nombre de mots par minute qu'une personne peut texter après un apprentissage de t jours est donné par la fonction $M(t) = A - Ce^{-kt}$, où A, C et k sont des constantes positives.

a) Dans le contexte, donnez le sens et la valeur de $\lim_{t\to\infty} M(t)$.

b) Utilisez le résultat obtenu en *a* pour déterminer la valeur de A.

c) Dans le contexte, que vaut $M(0)$?

d) Utilisez les résultats obtenus en *b* et *c* pour déterminer la valeur de C.

e) Déterminez l'expression de la fonction $M(t)$, si un individu peut texter à raison de 18 mots/min après 10 jours d'apprentissage.

SECTION 3.1.7

▲ **12.** Déterminez la dérivée à l'aide des formules de dérivation.

a) $f(x) = 3^{x^2} - e^{x^2}$

b) $g(t) = (2t^3 + 3t - 1)e^{-2t}$

c) $y = e^{2x}(e^{3x} + 4e^x)$

d) $s(t) = 5^t + 3^{2t} + 4^t(2t^3 + t)$

e) $h(x) = \dfrac{x^3 + 1}{e^{2x}}$

f) $g(x) = \dfrac{e^{2x}}{1 - e^{x^2}}$

g) $f(t) = \dfrac{5^{3t} + 1}{t - 1}$

h) $y = \dfrac{2x^3 + 3x}{2^x}$

13. Déterminez la dérivée à l'aide des formules de dérivation.

a) $h(x) = \sqrt{x}\left(4^{\sqrt{x}}\right)$

b) $y = \dfrac{3t + e^{-3t}}{3^t - e^{3t}}$

c) $s(t) = \dfrac{2^{3t} + 5t}{e^t + t^2}$

d) $g(x) = e^{-\sqrt{x}}(3x^2 + 5)$

e) $h(t) = t^2\sqrt{1 + e^{3t}}$

f) $f(t) = \dfrac{4}{1 + e^{-0.5/t}}$

g) $s(x) = \dfrac{e^x - e^{-x}}{e^x + e^{-x}}$

h) $f(x) = \dfrac{x^2}{\sqrt{1 + e^{3x}}}$

14. Déterminez $\dfrac{dy}{dx}$ en utilisant la dérivation implicite.

a) $e^{x+2y} = x$

b) $3^{x^2+y^2} = 2y$

c) $x(4^{2y}) = 3y + x$

d) $y^2 + y(2^x) + 2^{2x} = 3$

e) $e^{xy} + x^2 = 10 + y^2$

f) $xe^{x^2-y^2} = x^2 + y^2$

15. Pour quelles valeurs réelles de x la courbe décrite par la fonction $f(x)$ admet-elle une tangente horizontale?

a) $f(x) = xe^{-x^2}$

b) $f(x) = \dfrac{x^2}{e^{-x}}$

▲ **16.** Déterminez l'équation de la droite tangente et celle de la droite normale à la courbe décrite par la fonction en la valeur de x donnée.

a) $f(x) = x + e^{5x}$ en $x = 0$

b) $f(x) = xe^{-x}$ en $x = 1$

17. Soit $f(x) = 3e^{4x}$.

a) Quelle est l'expression de $f'(x)$?

b) Quelle est l'expression de $f''(x)$?

c) Quelle est l'expression de $f'''(x)$?

d) Émettez une hypothèse sur l'expression de $f^{(n)}(x)$, où n est un entier positif?

18. Vérifiez que la fonction donnée satisfait à l'équation.

a) Fonction : $y = xe^{-x}$; équation : $\dfrac{dy}{dx} = -y\left(1 - \dfrac{1}{x}\right)$

b) Fonction : $y = xe^x + x^2$; équation : $\dfrac{d^3y}{dx^3} - \dfrac{d^2y}{dx^2} = e^x - 2$

19. Déterminez les valeurs réelles de k pour lesquelles la fonction $y = 2e^{kx}$ satisfait à l'équation $y'' + 3y' - 4y = 0$.

20. Soit $f(t) = t^A - A^t$, où A est une constante positive. Déterminez la valeur de A pour laquelle $f'(1) = 0$.

▲ **21.** La taille P d'une colonie de bactéries après un temps t (en heures) est donnée par $P(t) = 1\,000(1{,}04)^t$.

a) Quelle est la taille initiale de la colonie?

b) Quelle est la taille de la colonie après 10 h?

c) Quel est le taux de croissance de la colonie lorsque $t = 10$ h?

22. La taille (en habitants) prévue de la population d'une ville A dans t années est donnée par $P_A(t) = 10\,000(1{,}03^t)$, alors que celle de la ville B est donnée par $P_B(t) = 20\,000(0{,}98^t)$.

a) Quelle est la taille actuelle de chacune de ces deux villes?

b) Si les modèles prévisionnels se confirment, dans combien d'années la taille des deux villes sera-t-elle la même? Arrondissez votre réponse à l'entier.

c) Quel sera le taux de croissance de la population de la ville A dans 10 ans? Arrondissez votre réponse à l'entier. Indiquez les unités.

d) Interprétez, dans le contexte, la réponse obtenue en *c*.

e) Quel sera le taux de croissance de la population de la ville B dans 10 ans? Arrondissez votre réponse à l'entier. Indiquez les unités.

f) Interprétez, dans le contexte, la réponse obtenue en *e*.

23. La valeur V (en dollars) d'une automobile t années après son achat est donnée par la fonction $V(t) = 40\,000(0{,}75^t)$.

a) Quelle est la valeur de cette automobile au moment de l'achat?

b) Dans combien d'années, après l'achat, la valeur de la voiture sera-t-elle le quart de sa valeur d'acquisition?

c) Quel est le taux de variation instantané de la valeur de la voiture 3 ans après son achat? Indiquez les unités.

d) Interprétez, dans le contexte, la réponse obtenue en *c*.

▲ **24.** Une cigarette typique est formée d'un filtre et d'une partie de 8 cm de longueur contenant du tabac. La quantité Q (en milligrammes) de goudron absorbée par un fumeur est donnée par $Q(x) = 12\,000(e^{0{,}025x} - e^{0{,}02x})$, où x représente la longueur grillée de la cigarette. Déterminez le taux de variation de la quantité de goudron absorbée lorsque le fumeur a déjà grillé 2 cm de cigarette.

25. La fonction $L(t) = 150\left[1 - e^{-0,3(t+0,02)}\right]$ donne la longueur L (en centimètres) d'un poisson d'une certaine espèce selon l'âge t (en années).

a) Quelle est la longueur d'un poisson naissant de cette espèce?

b) À long terme, quelle est la taille d'un poisson de cette espèce?

c) Quel est le taux de croissance d'un poisson de cette espèce lorsqu'il est âgé de 2 ans?

26. La pression atmosphérique p (en hPa, soit en hectopascals) en fonction de l'altitude h (en mètres par rapport au niveau de la mer) est donnée par la fonction $p(h) = 1\,013{,}25e^{-0{,}000\,12h}$.

a) Quelle est la pression atmosphérique au niveau de la mer?

b) Donnez la valeur et le sens de $p(600)$.

c) Déterminez $p'(h)$. Indiquez bien les unités.

d) Que vaut $p'(0)$?

e) Interprétez, dans le contexte, la réponse obtenue en d.

f) Que vaut $p'(600)$?

g) Interprétez, dans le contexte, la réponse obtenue en f.

27. Le rayon r (en centimètres) d'un cercle est donné par $r(t) = 2 + e^{-t}$, où t est le temps (en minutes).

a) Quel est le rayon initial du cercle?

b) Déterminer $\dfrac{dr}{dt}$. Indiquez bien les unités.

c) À partir du résultat obtenu en b, que pouvez-vous dire de l'évolution de la longueur du rayon?

d) Déterminez la valeur et le sens de $\lim\limits_{t\to\infty} r(t)$.

e) Si A représente l'aire du cercle, que vaut $\dfrac{dA}{dt}$? Indiquez bien les unités.

28. Un nouveau virus se propage dans la population de sorte que, t semaines après son apparition, on compte

$$N(t) = \frac{5}{2 + 8e^{-0{,}75t}}$$

milliers de personnes l'ayant contracté.

a) Initialement, combien de personnes étaient porteuses du virus?

b) Combien de personnes auront contracté le virus 4 semaines après son apparition?

c) Dans combien de temps comptera-t-on 1,3 millier de personnes ayant contracté le virus?

d) Si aucune mesure n'est prise, combien de personnes contracteront ce virus?

e) Quel est le taux de propagation du virus après 2 semaines?

f) À long terme, quel est le taux de propagation du virus?

29. La hauteur h (en mètres) d'une variété de plante d'intérieur t mois après avoir été mise en vente chez un fleuriste est donnée par la fonction $h(t) = \dfrac{1}{0{,}5 + 4e^{-0{,}5t}}$.

a) En vertu de ce modèle mathématique, quelle est la hauteur de la plante au moment de sa mise en vente?

b) À quel moment la plante atteint-elle une hauteur de 1 m?

c) À long terme, quelle sera la hauteur de cette plante d'intérieur?

d) Quel concept mathématique permet de déterminer le taux de croissance de la hauteur de cette plante?

e) Dans le contexte, quelle notation mathématique utilise-t-on pour désigner le taux de croissance de la hauteur de la plante?

f) En vertu de ce modèle, quel est le taux de croissance de la hauteur d'une plante 2 mois après sa mise en vente?

g) À long terme, quelle sera le taux de croissance de la hauteur de cette plante d'intérieur?

30. En vertu d'un modèle démographique, la taille de la population humaine (en milliards d'habitants) sur Terre t années après 2020 sera de $P(t) = \dfrac{10{,}2}{1 + 0{,}3e^{-0{,}09t}}$.

a) En vertu de ce modèle démographique, quelle était la taille de la population en 2020?

b) En vertu de ce modèle démographique, quelle sera la taille de la population en 2040?

c) En vertu de ce modèle démographique, quel serait le taux de variation moyen de la taille de la population entre 2020 et 2040?

d) En vertu de ce modèle démographique, quelle est l'expression du taux de variation instantané de la taille de la population? Utilisez la notation appropriée et indiquez les unités.

e) En vertu de ce modèle démographique, quel était le taux de variation instantané de la taille de la population en 2020? Indiquez les unités.

f) Interprétez, dans le contexte, la réponse obtenue en e.

g) En vertu de ce modèle démographique, quel serait le taux de variation instantané de la taille de la population en 2040? Indiquez les unités.

h) Interprétez, dans le contexte, la réponse obtenue en g.

31.  Un prédateur reçoit un apport calorique de la nourriture qu'il consomme. Supposons que cet apport calorique est de $C(x) = 0{,}1xe^{0{,}002x}$, où x représente la masse d'une proie (en grammes). Par ailleurs, il perd de l'énergie lorsqu'il chasse. Supposons que cette dépense énergétique est de

$$D(x) = \frac{0{,}5x^2}{10 + 0{,}2x}$$

Le gain énergétique net de la chasse d'une proie est donc de $G(x) = C(x) - D(x)$.

a) Quelle est l'expression du taux de variation de l'apport calorique provenant de la consommation d'une proie pesant x g?

b) Quelle est l'expression du taux de variation de la dépense énergétique de la chasse d'une proie de x g?

c) Quel est le taux de variation du gain énergétique provenant de la chasse et de la consommation d'une proie de x g?

d) Si le taux de variation du gain énergétique est positif, le prédateur a tout avantage à s'attaquer à une proie plus lourde, et ce sera le contraire s'il est négatif. Déterminez si le taux de variation du gain énergétique de la chasse et de la consommation d'une proie de 200 g est positif et dites si le prédateur a intérêt à pourchasser une proie plus lourde.

32. On dépose un montant V (en dollars) à la fin de chaque mois dans un compte où le taux d'intérêt mensuel est de i. Après n mois, la somme accumulée S (en dollars) dans ce compte est donnée par $S = \dfrac{V\left[(1+i)^n - 1\right]}{i}$.

Le jour de son 30e anniversaire, Mariska décide de déposer 200 $ à la fin de chaque mois jusqu'à son 60e anniversaire dans un compte d'épargne-retraite offrant un taux d'intérêt de 0,3 % par mois.

a) Combien de versements Mariska fera-t-elle dans son compte?

b) Quelle est la fonction $S(n)$ donnant la somme accumulée par Mariska dans son compte après n mois?

c) Quelle somme aura-t-elle accumulé dans son compte lors de son 40e anniversaire?

d) Quelle est l'expression de $S'(n)$? Indiquez les unités.

e) À quel rythme le solde du compte de Mariska change-t-il lors de son 60e anniversaire? Indiquez les unités.

f) Si elle avait pris sa décision le jour de son 25e anniversaire au lieu de son 30e anniversaire, à quel rythme le solde du compte de Mariska aurait-il changé lors de son 60e anniversaire?

g) À partir des réponses obtenues en *e* et en *f*, que pensez-vous du conseil selon lequel il est avantageux de commencer le plus tôt possible à économiser pour la retraite?

33.  Lors d'une étude sur la prédation animale, des biologistes ont proposé le modèle $y = A\left(1 - e^{-kx}\right)$ (où A et k sont des paramètres constants positifs) pour décrire le nombre y de proies attaquées en fonction de la densité x des proies sur un territoire déterminé.

a) Que vaut $y(0)$?

b) Que vaut $\lim\limits_{x\to\infty} y(x)$?

c) Vérifiez que $\dfrac{dy}{dx} = k(A - y)$.

34.  On injecte un traceur radioactif à un patient qui subit un examen médical. La concentration C du traceur dans le sang en fonction du temps t écoulé depuis l'injection est donnée par $C(t) = Ae^{-kt}$, où k est un paramètre positif.

a) Que représente A?

b) Vérifiez que $\dfrac{dC}{dt} = -kC$.

35. 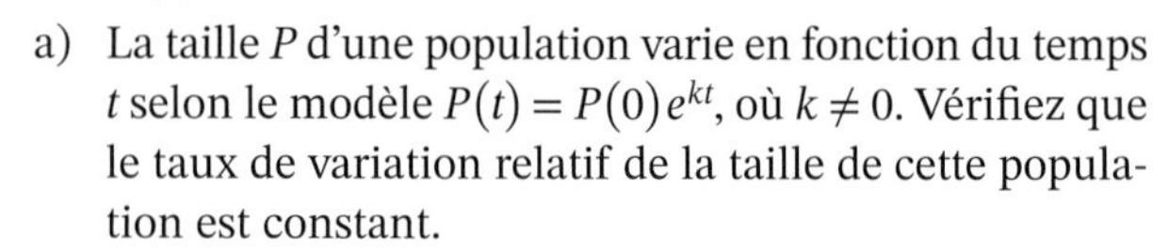 Le taux de variation relatif d'une fonction $f(x)$ est donné par $\dfrac{f'(x)}{f(x)}$.

a) La taille P d'une population varie en fonction du temps t selon le modèle $P(t) = P(0)e^{kt}$, où $k \neq 0$. Vérifiez que le taux de variation relatif de la taille de cette population est constant.

b) La taille P d'une population varie en fonction du temps t selon le modèle de la loi de Gompertz, soit $P(t) = ae^{-be^{-ct}}$, où a, b et c sont des constantes positives. Déterminez le taux de variation relatif de cette population.

36. En vertu de la loi de Beer-Lambert, l'intensité L d'un rayon lumineux à une profondeur de x m dans l'océan est donnée par $L(x) = Ae^{-1{,}4x}$.

a) Donnez une interprétation physique au paramètre A.

b) À quelle profondeur l'intensité lumineuse ne correspond-elle qu'à 5 % de l'intensité lumineuse à la surface de l'eau?

c) Quel est le taux de variation, par rapport à la profondeur, de l'intensité lumineuse à une profondeur de 1 m?

d) Vérifiez que le taux de variation relatif de l'intensité lumineuse, $\dfrac{L'(x)}{L(x)}$, est constant.

37. Le psychologue Clark L. Hull a conçu une théorie mathématico-déductive de l'apprentissage. En vertu de cette théorie, la persistance d'une habitude dépend de la durée de son existence. Ainsi, une habitude acquise depuis longtemps est difficile à perdre, alors qu'une nouvelle habitude peut se perdre plus rapidement. On peut modéliser mathématiquement la persistance d'une habitude à l'aide d'un indice H qui mesure le degré de difficulté à s'en débarrasser. Supposons que l'indice H d'une habitude est donné par $H(t) = 1 - e^{-0{,}01t}$, où le temps t est mesuré en mois depuis le moment où l'habitude a été prise.

a) À partir des informations données dans l'énoncé, donnez la valeur et le sens de l'indice H lorsque $t = 0$.

b) De quelle valeur se rapproche l'indice H pour une habitude ancrée depuis longtemps?

c) L'indice H est-il croissant ou décroissant? Justifiez votre réponse.

d) Quel est le taux de croissance de cet indice pour une habitude établie depuis 100 mois?

e) Vers quelle valeur le taux de croissance de l'indice H tend-il pour une habitude ancrée depuis longtemps?

38. La fonction $M(t) = \dfrac{100}{1 + 4e^{-t}}$ donne le niveau M (en pourcentage) de maîtrise d'une technique qu'un individu a atteint, en fonction du temps t (en mois) écoulé depuis une formation. La courbe décrite par cette fonction porte le nom de courbe d'apprentissage.

a) Donnez la valeur et le sens de $M(0)$.

b) Donnez la valeur et le sens de $\lim\limits_{t\to\infty} M(t)$.

c) Combien de temps après la formation, la maîtrise de la technique atteint-elle un niveau de 75 %?

d) Vérifiez que $M'(t) = \dfrac{400e^t}{(e^t + 4)^2}$.

e) Vérifiez que la fonction $M(t) = \dfrac{100}{1 + 4e^{-t}}$ est croissante, c'est-à-dire que $M'(t) > 0$ lorsque $t \in [0, \infty[$.

f) Déterminez la valeur de t à partir de laquelle le rendement de la formation devient décroissant, soit la valeur de t à partir de laquelle la fonction $M'(t)$ est décroissante, c'est-à-dire à partir de laquelle $M''(t) < 0$.

39. L'apprentissage d'une tâche manuelle répétitive est progressif. Ainsi, le nombre de répétitions par minute d'une tâche augmente avec le temps écoulé depuis le moment où une personne y a été initiée. Toutefois, cette augmentation n'est pas sans borne et elle tend à s'amenuiser à long terme. Le nombre r de répétitions par minute effectuées par une personne t semaines après avoir été initiée à une tâche répétitive est donné par $r(t) = 60 - 36(3^{-0,5t})$.

a) Donnez le sens et la valeur de $r(0)$.

b) Que vaut $r'(t)$?

c) Expliquez le fait que $r'(t)$ est positif.

d) Que vaut $r''(t)$?

e) Expliquez le fait que $r''(t)$ est négatif.

40. Une courbe d'apprentissage est le graphique d'une fonction qui rend compte de la performance P d'un individu en fonction du temps t d'apprentissage: $P(t) = N - Ce^{-kt}$, où N, C et k sont des constantes positives.

a) Que vaut $P'(t)$? Votre réponse doit être exprimée en fonction des paramètres C et k.

b) La fonction $P(t)$ est-elle croissante ou décroissante? Justifiez votre réponse.

c) Que vaut $P''(t)$? Votre réponse doit être exprimée en fonction des paramètres C et k.

d) Sur quel intervalle de temps $P''(t)$ est-il positif?

41. La fonction $N(t) = \dfrac{aK}{bK + (a - bK)e^{-at}}$, où K, a et b sont des paramètres (des constantes) positifs, porte le nom de fonction logistique. Elle est souvent utilisée pour décrire l'évolution de la taille N d'une population animale en fonction du temps t.

a) Exprimez $N(0)$ en fonction des différents paramètres et interprétez le résultat.

b) Exprimez $\lim\limits_{t\to\infty} N(t)$ en fonction des différents paramètres et interprétez le résultat.

c) Déterminez le taux de variation de la taille de la population, c'est-à-dire déterminez l'expression de $N'(t)$. Votre réponse doit être exprimée en fonction des paramètres K, a et b.

d) Déterminez si la taille de la population est croissante ou décroissante lorsque $K < \dfrac{a}{b}$. Expliquez votre réponse à la lumière de l'interprétation donnée plus haut aux paramètres K, a et b.

e) Évaluez $\lim\limits_{t\to\infty} N'(t)$ et interprétez ce résultat.

f) Vérifiez que $N'(t) = bN\left(\dfrac{a}{b} - N\right)$ et concluez que le taux de croissance de la population est proportionnel au produit de la taille de cette dernière et de la différence entre cette taille et celle de la population à long terme.

SECTIONS 3.1.8 ET 3.1.9

42. Déterminez la dérivée à l'aide des formules de dérivation.

a) $y = \log_7(2x^4 - x^3 + 3x - 5)$

b) $h(x) = \ln(\ln x)$

c) $f(x) = 3^{\ln(x^2+1)}$

d) $y = \sqrt{\log x}$

e) $s(t) = t^3 e^{-2t} + (\ln t)^4$

f) $g(t) = \log_8(3t + 1) + 2\ln(3t + 1)$

g) $g(x) = \log_3\left(x - \sqrt{x^2 - 1}\right)$

h) $f(t) = 3^t - t^3 + \ln(t^2 + 1) - \dfrac{e^{t^2}}{\sqrt[3]{t}} + \ln(\pi)$

43. Déterminez la dérivée à l'aide des formules de dérivation.

a) $g(x) = \ln\left(\dfrac{3x - 4}{2x^2 + 1}\right)$

b) $y = \ln\left[\dfrac{t^2}{(t - 1)(t + 1)}\right]$

c) $h(t) = 4^{2t+1}\log_4(16 - t^2)$

d) $f(t) = 3t^4\log_5(3t^2 + 1)$

e) $h(x) = 2^x\ln(x^2 + 2x + 1)$

f) $s(x) = \dfrac{\ln(x^2 + 1)}{x^2}$

44. Déterminez $\frac{dy}{dx}$ en utilisant la dérivation implicite.

a) $\ln\left(\frac{x}{y}\right) = 1$

b) $2xy + \ln(x^2y) = 6$

c) $\log(xy) = e^{x+y}$

d) $3y + \log_4(x^2 + 2y) = x^2 + 1$

e) $5^{2x} + \log_5(x + 2y) = 10$

f) $3^x + \ln(xy^3) = 5y$

45. Utilisez la dérivation logarithmique pour déterminer $\frac{dy}{dx}$.

a) $y = (8 - 2x)^{x^2}$, où $x < 4$

b) $y = (\ln x)^x$, où $x > 1$

c) $y = x^{2e^x}$, où $x > 0$

d) $y = (x^2 + e^{3x})^{4x}$, où $x \in \mathbb{R}$

e) $x^x - e^y = e^{x+y}$, où $x > 0$

f) $y = x^{4/3}(x^2 + 3)^3 e^{x^\pi + 2x}$, où $x > 0$

g) $y = \frac{3x^3(x^2 + x)^4}{(2x - 1)^6}$, où $x > 1/2$

h) $y = \frac{(3x^2 + 1)^3(2x - 1)^2}{4x^2 + 5x}$, où $x > 1/2$

i) $y = \frac{(x^3 - 5)^4\sqrt[7]{x^2 + 6}}{(x^4 + 2)^5}$, où $x > \sqrt[3]{5}$

j) $y = \frac{x^6\sqrt{3x^4 + 2}}{(2x^3 + 1)^4\sqrt[5]{2 + x^2}}$, où $x > 0$

46. Déterminez l'équation de la droite tangente et celle de la droite normale à la courbe décrite par la fonction

$$f(x) = \log_4(5x + 1)$$

au point $P(3, 2)$.

47. Pour quelle valeur réelle positive de x la fonction

$$f(x) = x\ln x - x$$

admet-elle une tangente parallèle à la droite d'équation $y - 2x = 4$?

48. Vérifiez que la fonction $y = 2 + x + \ln x$ satisfait à l'équation $x^3y'' + xy' = 1$.

49. Dans un test de mémoire, on a demandé à des sujets de mémoriser un nombre de 10 chiffres. Le pourcentage p des sujets qui se souvenaient encore de ce nombre après un temps t (en secondes) est donné par $p(t) = 100 - 15\ln(t + 1)$. À quel rythme ce pourcentage varie-t-il après 4 s? N'oubliez pas d'expliquer le sens du signe obtenu dans votre réponse.

50. Le pourcentage p des étudiantes et des étudiants qui sont capables d'écrire fidèlement une formule de dérivation présentée au début d'un cours est donné par $p(t) = 60 - 20\ln(t + 2/3)$, où t est le temps (en heures) écoulé depuis le début du cours et où $0 \leq t \leq 4$.

a) Que vaut $p(0)$? Expliquez ce résultat dans le contexte.

b) Quel est le taux de décroissance de $p(t)$?

51. La loi de Weber-Fechner est une modélisation du phénomène de stimulus-réponse. En vertu de cette loi, la réaction R à un stimulus S est donnée par $R = k\ln\left(\frac{S}{S_0}\right)$, où k et S_0 sont des constantes positives.

a) Que vaut R lorsque $S = S_0$?

b) Quel est le signe de R lorsque $S > S_0$?

c) Que pouvez-vous dire de S_0?

d) La sensibilité (σ) est définie comme la capacité à percevoir de faibles variations dans l'intensité d'un stimulus, et sa mesure mathématique est $\sigma = \frac{dR}{dS} = R'(S)$. Quelle est la sensibilité lorsque $S = S_0$? Lorsque $S = 2S_0$?

e) Vérifiez que la sensibilité est inversement proportionnelle à l'intensité du stimulus.

52. Dites si l'énoncé est vrai ou faux.

a) $\frac{d}{dx}(x^\pi) = \pi x^{\pi-1}$

b) $\frac{d}{dx}(\ln\pi) = \frac{1}{\pi}$

c) La fonction $f(x) = \ln|x|$ est définie pour toutes les valeurs réelles de x.

d) $\frac{d}{dx}(2^x) = x(2^{x-1})$

e) Si $x > 0$, alors $\frac{d}{dx}(x^x) = x^x\ln x$.

f) Si $b > 0$ et si $\frac{d}{dx}(b^x) = b^x$, alors $b = e$.

g) La pente de la droite tangente à la courbe décrite par la fonction $f(x) = e^{3x}$ en $x = -1/3$ est égale à $\frac{3}{e}$.

SECTIONS 3.2.1 À 3.2.3

53. Déterminez les valeurs réelles de x pour lesquelles la fonction est continue.

a) $f(x) = \text{cotg}\, x$

b) $f(x) = \frac{\sin x}{\ln(2 - 7x)}$

c) $f(x) = \frac{4 - x^2}{\sin x + 1}$

d) $f(x) = \frac{e^{-x}}{\cos(2x)}$

54. Évaluez la limite.

a) $\lim_{x\to\pi}\frac{\cos(2x)}{\cos x}$

b) $\lim_{x\to\frac{\pi}{2}}\frac{\sqrt{\cos x + 1}}{3\sin x}$

c) $\lim_{x\to\pi}\left[\text{tg}\left(\frac{x}{4}\right)\sec\left(\frac{x}{3}\right)\right]$

d) $\lim_{x\to 0}\left[(x^2+2)^2\cos(2x)\right]$

e) $\lim_{x\to 1}\dfrac{4^{2x+1}+\operatorname{cotg}\left(\frac{\pi x}{2}\right)}{2^{3x}+\ln x}$

f) $\lim_{x\to\frac{\pi}{4}}\dfrac{\sin x-\cos x-\sec^2 x}{2\operatorname{tg} x-1+3\cos^2 x}$

g) $\lim_{x\to 0^+}\operatorname{cosec}(3x)$

h) $\lim_{x\to\left(\frac{\pi}{4}\right)^-}\left[x\operatorname{cotg}(4x)\right]$

i) $\lim_{x\to\frac{3\pi}{4}}\dfrac{\sec(2x)}{x^2}$

j) $\lim_{x\to 2}\left[\sqrt{x}\operatorname{tg}^2\left(\frac{\pi}{x}\right)\right]$

55. Évaluez la limite. Utilisez le théorème du sandwich au besoin.

a) $\lim_{x\to\frac{\pi}{4}}\dfrac{\cos x-\sin x}{1-\operatorname{tg} x}$

b) $\lim_{x\to\frac{\pi}{6}}\dfrac{\sin x-1/2}{2-\operatorname{cosec} x}$

c) $\lim_{x\to\frac{\pi}{2}}\dfrac{\sin^2 x-\sin x}{1-\sin x}$

d) $\lim_{x\to\frac{3\pi}{2}}\dfrac{\sin(2x)}{\cos x}$

e) $\lim_{x\to\frac{\pi}{2}}\dfrac{1+\cos(2x)}{\cos x}$

f) $\lim_{x\to\pi}\left(1+\dfrac{\operatorname{tg}^2 x}{\sec x+1}\right)$

g) $\lim_{x\to\infty}\dfrac{\cos(2x)}{x^2}$

h) $\lim_{x\to 0^+}\left[\sqrt{x}\sin\left(\frac{2}{x}\right)\right]$

i) $\lim_{x\to\infty}\dfrac{2+\sin x}{3x+2}$

j) $\lim_{x\to\infty}\left(\dfrac{\cos^2 x}{x^2}-2\right)$

k) $\lim_{x\to 0^+}\left[\sqrt{x}e^{\sin\left(\frac{\pi}{x}\right)}\right]$

l) $\lim_{x\to\infty}\left(\dfrac{\sin x+\cos x}{e^{x^2}}+4\right)$

SECTION 3.2.4

56. Déterminez la dérivée à l'aide des formules de dérivation.

a) $f(x)=\sin(e^x)$

b) $g(t)=e^{\sin t}$

c) $h(x)=\sin^3 x+3^{\sin x}$

d) $s(t)=\cos(t^2)+\cos^2 t$

e) $y=e^{-x}\cos(2x)$

f) $f(t)=\ln(\sec t+\operatorname{tg} t)$

g) $g(x)=\sec^2(10x)$

h) $h(t)=\operatorname{cotg}(3t)\operatorname{cosec}(3t)$

i) $s(x)=\operatorname{tg}^2(x^3)$

j) $y=\cos\left(3\sqrt[3]{t^2+1}\right)$

k) $h(x)=(x^3+1)\sin(5x)$

l) $s(t)=t(2^{\cos t})$

m) $y=e^{\operatorname{tg} x}+\cos(e^x)$

n) $g(t)=\cos(\ln t)-\ln(\sin t)$

o) $f(x)=\operatorname{cotg}^2(3x^2+2)-\operatorname{cosec}(8x+5)$

p) $g(t)=4t^3-\dfrac{5}{\sqrt[3]{t^2+1}}-\sec^3(3t^2+1)$

57. Déterminez la dérivée à l'aide des formules de dérivation.

a) $s(x)=\cos^2(2x^2+e^{2x})$

b) $f(x)=2\sin x+\sqrt{4+\cos^2 x}$

c) $f(t)=e^{3t}\cos\left(\sqrt{t^2+t}\right)$

d) $g(x)=\operatorname{tg}^2\left(\dfrac{x-1}{2x+3}\right)$

e) $h(t)=\dfrac{e^{-\sqrt{t}}}{\sin t}$

f) $y=\sqrt{\sec\left(\dfrac{t-1}{t+1}\right)}$

g) $h(x)=\dfrac{4x^3+e^{2x}}{\sin^3(x^2)}$

h) $y=\dfrac{1+\operatorname{cosec}(t^2)}{1-\operatorname{cotg}(t^2)}$

58. Déterminez $\dfrac{dy}{dx}$ en utilisant la dérivation implicite.

a) $x\cos y-y\cos x=3$

b) $\sin(x-y)=xe^x$

c) $e^x\operatorname{tg}(xy^2)=x+3y$

d) $\operatorname{tg}^2 x-\sec^2 y=-1$

e) $xy=\operatorname{cotg}(xy)$

f) $\operatorname{tg}\left(\dfrac{x}{y}\right)=y$

59. Si $\cos(2x)+\sin y=0$, que vaut $\left.\dfrac{dy}{dx}\right|_{\left(\frac{3\pi}{8},\frac{\pi}{4}\right)}$?

60. Déterminez $\dfrac{dy}{dx}$ si $y=\sqrt[3]{\cos(ax)}$, où a est une constante non nulle.

61. Déterminez $\dfrac{dy}{dx}$, $\dfrac{d^2y}{dx^2}$ et $\dfrac{d^3y}{dx^3}$.

a) $y=\sin(3x)+\cos(5x)$

b) $y=\ln(x^2+1)$

c) $y=\sin^2(3x)$

d) $y=xe^x$

e) $y=\dfrac{x}{e^x}$

f) $y=\ln(\sec x+\operatorname{tg} x)$

62. Déterminez $f'(x), f''(x), f'''(x), f^{(4)}(x)$ et ainsi de suite pour pouvoir déduire une formule pour $f^{(n)}(x)$. S'il y a lieu, distinguez le cas où n est impair du cas où n est pair.

a) $y=e^{2x}$

b) $f(x)=\ln x$

c) $f(x)=\cos x$

d) $f(x)=\sin(2x)$

e) $f(x)=\cos^2 x$

63. Pour quelles valeurs de $x\in[0, 2\pi]$ la courbe décrite par la fonction $f(x)$ admet-elle une droite tangente horizontale ?

a) $f(x)=\sin(4x)$

b) $f(x)=\sec x$

c) $f(x)=\dfrac{\sin x}{2+\cos x}$

64. Déterminez l'équation de la droite tangente et celle de la droite normale à la courbe décrite par la fonction $f(x)$ au point P.

a) $f(x) = \operatorname{tg} x,\ P\left(-\frac{\pi}{4}, -1\right)$

b) $f(x) = \sqrt{\sin x},\ P\left(\frac{\pi}{6}, \frac{\sqrt{2}}{2}\right)$

c) $f(x) = \sin x + \cos(2x),\ P\left(\frac{\pi}{6}, 1\right)$

d) $f(x) = \sin^2 x + \cos^4 x,\ P\left(\frac{\pi}{4}, \frac{3}{4}\right)$

65. Si $u(x)$ est une fonction dérivable de x, démontrez la formule de dérivation.

a) $\frac{d}{dx}(\operatorname{cotg} u) = -\operatorname{cosec}^2 u \frac{du}{dx}$

b) $\frac{d}{dx}(\operatorname{cosec} u) = -\operatorname{cosec} u \operatorname{cotg} u \frac{du}{dx}$

66. Si $y = \ln|\sec x|$, montrez que $\frac{dy}{dx} = \operatorname{tg} x$.

67. Si $y = \ln|\sec x + \operatorname{tg} x|$, montrez que $\frac{dy}{dx} = \sec x$.

68. Vérifiez que $\theta = \cos(\omega t + \varphi)$, où ω et φ sont des constantes, satisfait à l'équation $\frac{d^2\theta}{dt^2} + \omega^2\theta = 0$.

69. Déterminez la valeur de k si $y = 3\cos(4x)$ satisfait à l'équation $y'' + ky = 0$.

70. Déterminez la valeur de k si $y = k\sin(2x)$ satisfait à l'équation $\frac{d^2y}{dx^2} - 4y = 6\sin(2x)$.

71. L'équation $m\frac{d^2y}{dt^2} + ky = 0$ décrit le mouvement d'un objet de masse m suspendue à un ressort dont la constante de rappel est k. Vérifiez que la fonction

$$y = A\sin\left[\left(\sqrt{k/m}\right)t\right] + B\cos\left[\left(\sqrt{k/m}\right)t\right]$$

satisfait à l'équation quelles que soient les valeurs de A et de B.

72. Le nombre N de prédateurs d'une espèce animale dans un milieu naturel évolue de manière cyclique. Les fonctions périodiques semblent donc être appropriées pour décrire la taille d'une population de prédateurs. Soit

$$N(t) = 8\,000 - 1\,000\cos\left(\frac{\pi t}{12}\right)$$

où t représente le nombre de mois écoulés depuis le début de l'observation. À quel rythme cette population de prédateurs varie-t-elle (augmentation ou diminution) 3 mois après le début de l'observation?

73. Si on néglige la résistance de l'air, la portée p, mesurée en mètres, d'une balle de golf frappée à une vitesse initiale de 35 m/s est donnée par $p(\theta) = 125\sin(2\theta)$, où θ est l'angle entre la trajectoire initiale de la balle et le sol, comme l'illustre la figure ci-dessous, et où $0 \leq \theta \leq \frac{\pi}{2}$.

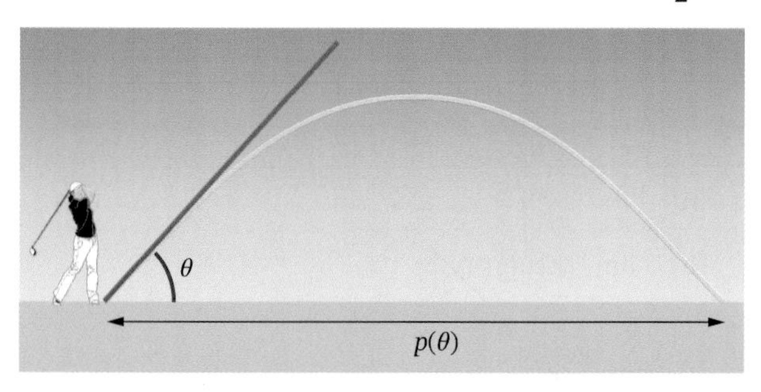

a) Quelle est la portée de la balle si $\theta = \frac{\pi}{3}$?

b) Quelle est l'expression du taux de variation de la portée de la balle par rapport à l'angle θ? Indiquez bien les unités.

c) Que vaut $p'\left(\frac{\pi}{6}\right)$?

d) Interprétez, dans le contexte, le résultat obtenu en *c*.

74. Une masse est suspendue à un ressort. Lorsqu'elle est mise en mouvement, la position (en mètres) de la masse par rapport à sa position d'équilibre est donnée par l'équation $s(t) = \sin t - \cos t$, où t est le temps (en secondes) écoulé depuis sa mise en mouvement.

a) Quelle est la position initiale de la masse?

b) Quelle est l'expression de la vitesse de la masse t s après sa mise en mouvement?

c) Quelle est la vitesse initiale de la masse?

d) Quelle est la vitesse de la masse $\pi/3$ s après sa mise en mouvement?

e) Quelle est l'expression de l'accélération de la masse t s après sa mise en mouvement?

f) Quelle est l'accélération de la masse $\pi/3$ s après sa mise en mouvement?

75. L'aire A (en centimètres carrés) du triangle isocèle apparaissant ci-dessous est donnée par la fonction $A(\theta) = 25\operatorname{tg}\theta\ \text{cm}^2$, où θ est la mesure des deux angles congrus du triangle $\left(0 < \theta < \frac{\pi}{2}\right)$.

θ θ

10 cm

a) Quelle est l'aire du triangle si $\theta = \frac{\pi}{6}$?

b) Quelle est l'expression du taux de variation de l'aire du triangle par rapport à l'angle θ? Indiquez bien les unités.

c) Que vaut $A'\left(\frac{\pi}{4}\right)$?

d) Interprétez, dans le contexte, le résultat obtenu en *c*.

76. Une échelle de 3 m est appuyée contre un mur et fait un angle θ avec l'horizontale $\left(\text{où } 0 < \theta < \frac{\pi}{2}\right)$, comme l'illustre la figure ci-dessous. Le pied de l'échelle est situé à une distance de x (en mètres) du mur.

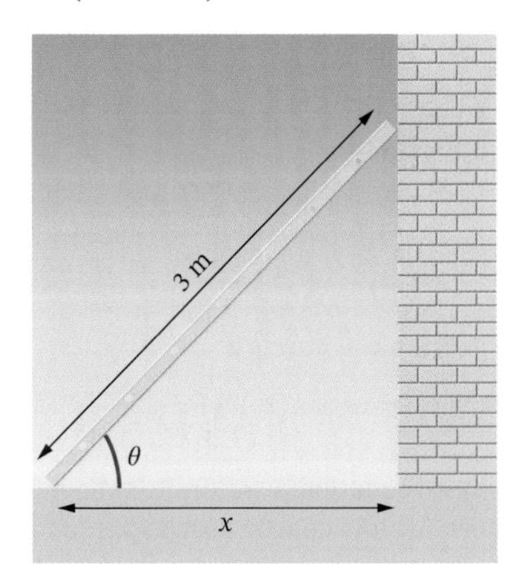

a) Définissez la fonction $x(\theta)$ qui donne la distance entre le pied de l'échelle et le mur en fonction de l'angle θ que fait l'échelle avec l'horizontale.

b) À quelle distance du mur se trouve le pied de l'échelle si $\theta = \frac{\pi}{6}$?

c) À quelle distance du mur se trouve le pied de l'échelle si $\theta = \frac{\pi}{3}$?

d) Déterminez $\frac{dx}{d\theta}$.

e) Que vaut $x'\left(\frac{\pi}{6}\right)$?

f) Interprétez, dans le contexte, la réponse obtenue en *e*.

77. La température extérieure T (en Celsius) durant une chaude journée d'été est fonction de l'heure du jour. Si t représente le temps (en heures) écoulé depuis 6 h 00, la température est donnée par $T(t) = 20 + 8\sin\left(\frac{\pi}{12}t\right)$.

a) Quelle est la température à 8 h 00? À 12 h 00? À 20 h 00? À 3 h 00?

b) Que vaut $T'(2)$? $T'(6)$? $T'(14)$? $T'(21)$?

c) Interprétez chacune des dérivées calculées en *b*, notamment en donnant un sens au signe de la dérivée.

78. La valeur V (en milliers de dollars) du portefeuille d'actions de Marc-Antoine par rapport au temps t (en mois écoulés depuis le 15 octobre 2021) est donnée par l'expression

$$V(t) = 25(1{,}065)^{t/12} + 2\sin\left(\frac{t}{6}\right)$$

a) Quelle est la valeur initiale du portefeuille de Marc-Antoine, soit au 15 octobre 2021? Indiquez bien les unités.

b) Quelle est la valeur du portefeuille de Marc-Antoine 6 mois plus tard? Indiquez bien les unités.

c) La valeur du portefeuille de Marc-Antoine est-elle en train d'augmenter ou de diminuer 6 mois plus tard? Déterminez le rythme du changement de valeur du portefeuille et indiquez bien les unités.

d) Quelle est la valeur du portefeuille de Marc-Antoine le 15 octobre 2023? Indiquez bien les unités.

e) La valeur du portefeuille de Marc-Antoine est-elle en train d'augmenter ou de diminuer le 15 octobre 2023? Déterminez le rythme du changement de valeur du portefeuille et indiquez bien les unités.

79. La position (en mètres) par rapport au sol d'une masse suspendue à un ressort est donnée par $s(t) = 1{,}5 - e^{-t/10}\cos t$, où le temps t est mesuré en secondes.

a) Quelle est la position initiale de la masse?

b) Dans quelle direction la masse se déplace-t-elle initialement?

c) Quelle est la vitesse de la masse après 2 s?

d) À quel moment la masse change-t-elle de direction pour la première fois?

e) À long terme, quelle sera la position de la masse?

80. Un objet de masse m (en kilogrammes) est tiré sur une surface horizontale à l'aide d'une corde faisant un angle θ $(0 < \theta < \pi/2)$ avec l'horizontale. L'intensité F de la force (en newtons) appliquée sur l'objet est donnée par la fonction $F(\theta) = \dfrac{\mu m}{\mu \sin\theta + \cos\theta}$, où μ est le coefficient de friction entre l'objet et la surface horizontale.

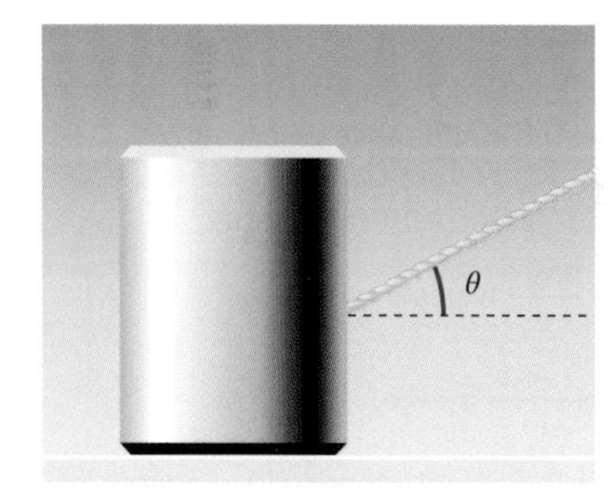

Supposons que $\mu = 0{,}5$ et que $m = 60$ kg.

a) Déterminez l'intensité de la force si $\theta = \pi/4$.

b) Déterminez $\frac{dF}{d\theta}$. Indiquez bien les unités.

c) Que vaut $F'(\pi/4)$?

d) Interprétez, dans le contexte, la réponse obtenue en *c*.

81. Yvan effectue un saut à l'élastique (bungee). La hauteur h (en mètres) par rapport au sol à laquelle il se situe en fonction du temps t (en secondes) est donnée par

$$h(t) = 30 + 20e^{-t/3}\cos(2t)$$

a) Initialement, à quelle distance du sol Yvan se trouve-t-il?

b) À quelle hauteur, par rapport au sol, la position de Yvan se stabilise-t-elle?

c) Quelle est la vitesse de Yvan après 1 s?

d) Interprétez, dans le contexte, la réponse obtenue en *c*.

e) À quel moment Yvan est-il le plus près du sol?

f) À quelle hauteur est-il à cet instant?

g) À partir de quel moment la hauteur de Yvan par rapport au sol commence-t-elle à augmenter?

h) À quelle hauteur maximale Yvan revient-il après avoir été le plus près du sol?

i) Quelle est la longueur de l'intervalle de temps entre un creux et un sommet dans le déplacement de Yvan?

82. Le volume d'eau (en mètres cubes) dans un réservoir sphérique dont le rayon est de 2 m est donné par

$$V(h) = \frac{\pi h^2(6-h)}{3}$$

où h est la hauteur (en mètres) du niveau de l'eau dans le réservoir.

La hauteur du niveau de l'eau varie en fonction du temps t (en heures) et est donnée par $h(t) = \dfrac{3 + 2\sin(\pi t)}{4}$.

a) Quel est le taux de variation du volume d'eau par rapport à la hauteur du niveau de l'eau lorsque celui-ci est de 0,8 m? Indiquez bien les unités.

b) À quel rythme le niveau de l'eau change-t-il après 20 min? Indiquez bien les unités.

c) À quel rythme le niveau de l'eau change-t-il après 90 min? Indiquez bien les unités.

d) À quel rythme le volume d'eau change-t-il après 45 min? Indiquez bien les unités.

e) Quelles sont les hauteurs minimale et maximale du niveau d'eau dans le réservoir?

83. Dites si l'énoncé est vrai ou faux.

a) $\lim\limits_{x\to\infty} \dfrac{\cos x}{x}$ n'existe pas.

b) $\lim\limits_{x\to 0^-} \dfrac{2-x^2}{\sin x} = -\infty$.

c) Si $f(\theta) = \sin^2\theta$, alors $f'(\theta) = \cos^2\theta$.

d) Si $f(t) = \ln(\cos t)$, alors $f'(t) = \text{tg}\, t$.

e) Si $f(x) = \sec^3 x$, alors $f'(x) = 3\sec^3 x\, \text{tg}\, x$.

SECTION 3.3

84. Déterminez $\dfrac{dy}{dx}$ à l'aide des formules de dérivation.

a) $y = \arcsin \sqrt[4]{x}$

b) $y = \text{arctg}(e^{3x})$

c) $y = \text{arcsec}(x^2 + 1)$

d) $y = \text{arccotg}\left(\dfrac{1}{x}\right)$

e) $y = \arccos\left(\dfrac{3}{x}\right)$

f) $y = \text{arccotg}\left(\dfrac{x+4}{x-1}\right)$

g) $y = \text{arcsec}\left(\sqrt{4x^2+1}\right)$

h) $y = \left[\text{arccosec}(x^2)\right]^2$

i) $y = x^2 \arccos(2x)$

j) $y = (x^2+1)\arcsin\left(\sqrt{x}\right)$

k) $y = \dfrac{\text{arctg}(3x^2)}{x^3+1}$

l) $y = \dfrac{\arcsin(2x)}{\sin^2(x^2)}$

m) $y = y \arcsin x + x\, \text{arctg}\, y$

n) $\arccos(xy) = \arcsin(x+y)$

85. Déterminez l'équation de la droite tangente et celle de la droite normale à la courbe décrite par la fonction $f(x)$ au point P.

a) $f(x) = \text{arccotg}(3x^2 - 5)$, $P(2\sqrt{3}/3, 3\pi/4)$

b) $f(x) = \text{arcsec}\left(2\sqrt{x}\right)$, $P(1, \pi/3)$

86. Si $u(x)$ est une fonction dérivable de x, montrez que

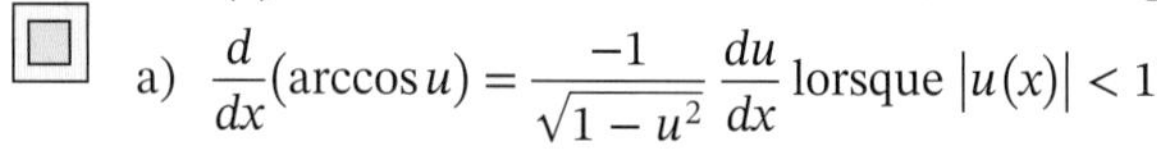

a) $\dfrac{d}{dx}(\arccos u) = \dfrac{-1}{\sqrt{1-u^2}}\dfrac{du}{dx}$ lorsque $|u(x)| < 1$

b) $\dfrac{d}{dx}(\text{arccotg}\, u) = \dfrac{-1}{1+u^2}\dfrac{du}{dx}$

c) $\dfrac{d}{dx}(\text{arccosec}\, u) = \dfrac{-1}{|u|\sqrt{u^2-1}}\dfrac{du}{dx}$ lorsque $|u(x)| > 1$

87. Dans un musée, une toile de 1,5 m de hauteur est accrochée à un mur de sorte que le bas de la toile est situé à 2 m du sol.

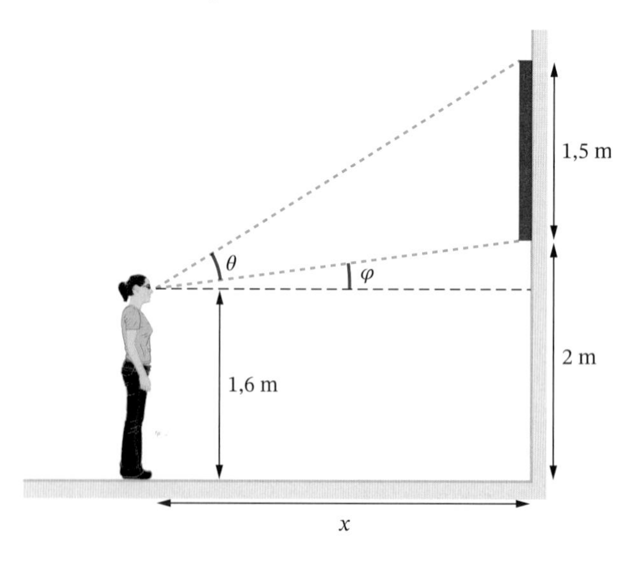

Une observatrice dont les yeux sont à 1,6 m du sol est située directement en face de la toile à une distance x (en mètres) du mur. Soit θ l'angle (en radians) d'observation de la toile illustré sur la figure.

a) Exprimez l'angle d'observation θ en fonction de x.

b) Quel est l'angle d'observation si $x = 3$ m?

c) Déterminez $\dfrac{d\theta}{dx}$. Indiquez bien les unités.

d) Que vaut $\theta'(2)$?

e) Interprétez, dans le contexte, la valeur obtenue en *d*.

88. La figure suivante représente la vue à vol d'oiseau d'un immeuble de bureaux. On veut installer une caméra fixe sur un des murs de cet édifice. L'angle d'observation θ (en radians) de la caméra dépend de la distance x (en mètres) qui la sépare du mur de gauche.

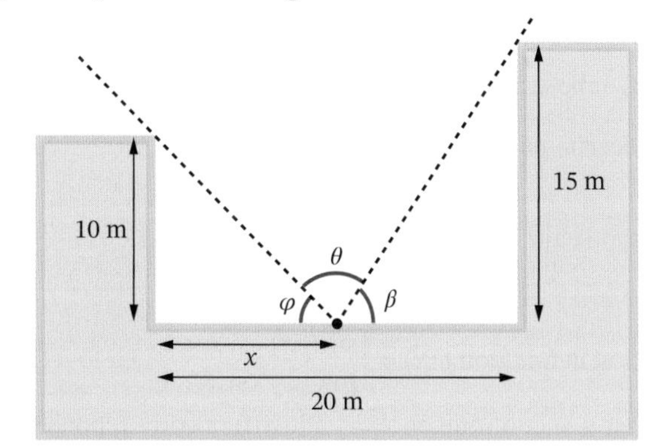

a) Exprimez l'angle d'observation θ en fonction de x (où $0 \leq x \leq 20$).

b) Quel est l'angle d'observation si $x = 12$ m?

c) Déterminez $\frac{d\theta}{dx}$. Indiquez bien les unités.

d) Que vaut $\theta'(15)$?

e) Interprétez, dans le contexte, la valeur obtenue en *d*.

SECTION 3.4

89. Évaluez la limite.

a) $\lim\limits_{x \to 2} \frac{\sin(x-2)}{x^2-4}$

b) $\lim\limits_{x \to 0^+} \frac{1-e^{1/x}}{1+e^{1/x}}$

c) $\lim\limits_{x \to 0} \frac{\sin(5x)}{\operatorname{tg}(2x)}$

d) $\lim\limits_{x \to -3} \frac{x^2+9}{x-3}$

e) $\lim\limits_{x \to 1} \frac{\ln x}{\arccos x}$

f) $\lim\limits_{x \to 0} \frac{1-e^x}{e^{3x}-1}$

g) $\lim\limits_{x \to -\infty} \frac{2e^{-x}+3}{5-e^{-x}}$

h) $\lim\limits_{x \to 3} \frac{\operatorname{arctg}(3-x)}{2x-6}$

i) $\lim\limits_{x \to \left(\frac{\pi}{2}\right)^-} \frac{\ln(\cos x)}{\sec x}$

j) $\lim\limits_{x \to \frac{\pi}{4}} \frac{2x(\operatorname{tg} x - 1)}{\sin x - \cos x}$

k) $\lim\limits_{x \to 2\pi} \frac{1+\cos(x/2)}{\sin^2(x/2)}$

l) $\lim\limits_{x \to 0} \frac{7x\cos(5x)}{\sin(3x)}$

m) $\lim\limits_{x \to e} \frac{1-\ln x}{(\ln x)^2+2\ln x-3}$

n) $\lim\limits_{x \to \pi} \frac{\cos^2 x - 3\cos x - 4}{\cos x + 1}$

90. Refaites les questions *a* à *f* du numéro 55 en utilisant la règle de L'Hospital.

a) $\lim\limits_{x \to \frac{\pi}{4}} \frac{\cos x - \sin x}{1 - \operatorname{tg} x}$

b) $\lim\limits_{x \to \frac{\pi}{6}} \frac{\sin x - 1/2}{2 - \operatorname{cosec} x}$

c) $\lim\limits_{x \to \frac{\pi}{2}} \frac{\sin^2 x - \sin x}{1 - \sin x}$

d) $\lim\limits_{x \to \frac{3\pi}{2}} \frac{\sin(2x)}{\cos x}$

e) $\lim\limits_{x \to \frac{\pi}{2}} \frac{1+\cos(2x)}{\cos x}$

f) $\lim\limits_{x \to \pi} \left(1 + \frac{\operatorname{tg}^2 x}{\sec x + 1}\right)$

91. Évaluez la limite.

a) $\lim\limits_{x \to 2} \frac{x^4-9x^2+4x+12}{x^3+x^2-16x+20}$

b) $\lim\limits_{x \to \infty} \frac{4x^3+x^2+5x-2}{3x^3+8x+1}$

c) $\lim\limits_{x \to 0} \frac{x\sin(3x)}{\sin^2 x}$

d) $\lim\limits_{x \to \infty} \frac{5e^x+4x+2}{3e^{2x}+1}$

e) $\lim\limits_{x \to \infty} \frac{\sqrt{x}}{\ln(3x+1)}$

f) $\lim\limits_{x \to \frac{\pi}{2}} \frac{(\pi-2x)^2}{\ln(\sin x)}$

g) $\lim\limits_{x \to 1} \frac{x\ln x - x + 1}{(x-1)\ln x}$

h) $\lim\limits_{x \to \pi} \frac{1-\cos^2 x}{x + x\cos x}$

i) $\lim\limits_{x \to -\infty} \frac{9x}{\sqrt{x^2+5}}$

j) $\lim\limits_{x \to 0^+} \frac{3\operatorname{cosec} x - 1}{2\operatorname{cotg} x + 1}$

92. Soit un polygone régulier à n côtés inscrit dans un cercle de rayon r.

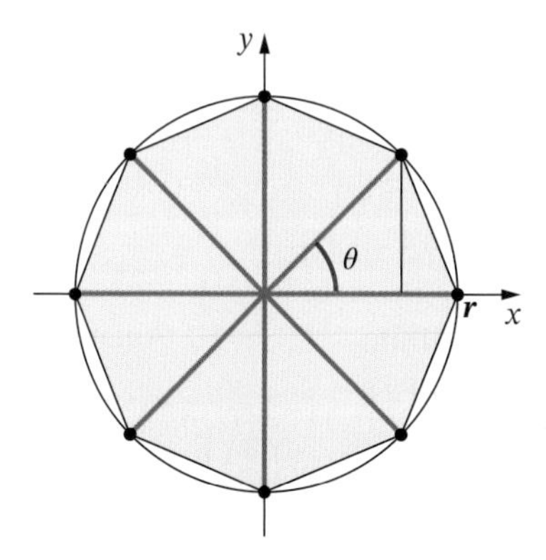

a) Quelle est l'expression (en radians) de l'angle au centre θ en fonction du nombre n de côtés du polygone inscrit?

b) Quelle est l'aire $A(n)$ de la surface S délimitée par le polygone régulier à n côtés inscrit dans le cercle de rayon r? (Indice: Trouvez d'abord l'expression de l'aire d'une des surfaces triangulaires formant la surface S.)

c) Évaluez $\lim\limits_{n \to \infty} A(n)$. [Indice: Posez $x = 1/n$, de sorte que si $n \to \infty$, alors $x \to 0$, et évaluez ensuite $\lim\limits_{x \to 0} A(x)$.]

d) Quelle célèbre formule de géométrie obtenez-vous?

EXERCICES de révision

1. Encerclez la lettre qui correspond à la bonne réponse.

a) Si $f(x) = \frac{e^x}{x^2}$, que vaut $f'(x)$?

A. $\frac{e^x}{2x}$ D. $-2xe^x$

B. $\frac{e^{x-1}}{2}$ E. $e^x x^{-2}$

C. $\frac{e^x(x-2)}{x^3}$ F. Aucune de ces réponses.

b) Si $f(x) = \sin^2(3x)$, que vaut $f''(x)$?

A. $6\cos(3x)$ D. $2\cos(3x)$

B. $18\sin(6x)$ E. $\cos(6x)$

C. $18\cos(6x)$ F. Aucune de ces réponses.

c) Que vaut $\lim\limits_{x\to 0} \frac{\sin(x^3)}{3x(\sin x)^2}$?

A. 0 E. 1

B. 3 F. $1/3$

C. 9 G. -1

D. Cette limite n'existe pas. H. Aucune de ces réponses.

d) Pour quelle ou quelles valeurs de x la pente de la droite tangente à la courbe décrite par $y = (2x^2 - 3x)e^{-x}$ est-elle nulle?

A. 0 et $3/2$ E. $1/2$ et 3

B. $3/4$ F. $3/8$

C. $-3/4$ G. $1/3$ et 2

D. Aucune valeur. H. Aucune de ces réponses.

e) Que vaut $\lim\limits_{x\to\infty} \frac{5e^x - 7e^{3x}}{2e^{2x} + 3e^{3x}}$?

A. $5/2$ E. $1/2$

B. $-7/3$ F. -7

C. $5/3$ G. $-7/2$

D. Cette limite n'existe pas. H. Aucune de ces réponses.

f) Que vaut $\lim\limits_{x\to 0^-} \left[x^2 \sin\left(\frac{3}{x}\right)\right]$?

A. 0 E. 1

B. ∞ F. -1

C. $-\infty$ G. 3

D. Cette limite n'existe pas. H. Aucune de ces réponses.

2. Évaluez $\frac{dy}{dx}$.

a) $y = \frac{3e^{x^2}}{x+1}$

b) $y = \ln(2 + \sqrt{x})$

c) $y = \log_2(3x^4 + 1)^3$

d) $y = \sqrt{3^{x^2+5x+1}}$

e) $y = 3u^2 + 2\sin u$ et $u = \arccos(4x^2)$

3. Que vaut $f'\left(\frac{\pi}{3}\right)$ si $f(x) = \sin x - \cos^2(\pi - 2x)$?

4. Quelle est l'équation de la droite tangente à la courbe décrite par $f(x) = x \operatorname{arctg}\left(\frac{\sqrt{3}}{x}\right)$ en $x = 1$?

5. Que vaut $\left.\frac{dy}{dx}\right|_{(0,\,0)}$ si $5e^{x+y} = x^2y + 3y + 5$?

6. Soit la fonction $f(x) = \begin{cases} \sin(\pi x) & \text{si } x < 1 \\ \ln x & \text{si } x \geq 1 \end{cases}$. La fonction $f(x)$ est-elle continue en $x = 1$? Justifiez votre réponse.

7. Vérifiez que $y = xe^{2x}$ satisfait à l'équation

$$\frac{d^2y}{dx^2} - 4\frac{dy}{dx} + 4y = 0$$

8. Le volume d'air V (en litres) présent dans les poumons d'un adulte qui respire normalement est donné par la fonction $V(t) = 4{,}9 + 0{,}4\cos\left(\frac{\pi t}{2}\right)$, où le temps t est mesuré en secondes à compter de la fin d'une inspiration. À quelle vitesse le volume d'air varie-t-il dans les poumons en $t = 1$?

9. Le psychologue de l'apprentissage Hermann Ebbinghauss (1850-1909) a proposé un modèle mathématique de la mémoire. En vertu de ce modèle, la fraction M de ce qu'on a mémorisé et dont on se souvient t jours après l'avoir appris est donnée par $M(t) = a + (1 - a)e^{-kt}$, où a et k sont des paramètres positifs et $a < 1$.

a) Que vaut $M(0)$? Expliquez ce résultat dans le contexte.

b) Que vaut $\lim\limits_{t\to\infty} M(t)$? Expliquez ce résultat dans le contexte.

c) Que vaut $M'(t)$?

d) Vérifiez que $M'(t) < 0$, et donnez une explication de ce résultat.

e) Que vaut $\lim\limits_{t\to\infty} M'(t)$? Expliquez ce résultat dans le contexte.

10. La courbe de croissance de Gompertz* décrite par la fonction $V(t) = Ae^{-Be^{-kt}}$ (où les paramètres A, B et k sont positifs) est parfois utilisée pour décrire l'évolution du volume V d'une tumeur en fonction du temps.

a) Que vaut $V(0)$?

b) À long terme, quel sera le volume de la tumeur?

c) Quel est le taux de croissance de la tumeur?

* En l'honneur de l'actuaire et astronome britannique Benjamin Gompertz (1779-1865).

d) La croissance de la tumeur est la plus rapide lorsque $\frac{d^2V}{dt^2} = 0$. À quel moment la tumeur croît-elle le plus rapidement ?

La courbe de Gompertz est également utilisée pour décrire l'évolution de la taille d'une population. Soit $P(t) = Ae^{-Be^{-kt}}$ la taille d'une population en fonction du temps mesuré depuis le moment où on commence l'observation.

e) Vérifiez que $\frac{dP}{dt} = kP \ln\left(\frac{A}{P}\right)$.

f) Est-ce que la taille de la population est croissante si $P > A$? (Indice : Quel est alors le signe de $\frac{dP}{dt}$ dans la réponse obtenue en *e* ?)

CHAPITRE 4
TAUX LIÉS ET DIFFÉRENTIELLES

> Que peu de temps suffit pour changer toutes choses !
>
> **Bertrand Russell**

Nous avons déjà établi dans les chapitres précédents que la dérivée $f'(x)$ est le taux de variation instantané de la fonction $f(x)$ par rapport à la variable x. Mais qu'arrive-t-il si la variable x est également une fonction d'une autre variable t ? La fonction f est donc aussi une fonction de t, par l'intermédiaire de la fonction x. Par conséquent, on peut évaluer la dérivée de f par rapport à t ; on parle alors de taux liés. L'étude des taux liés, en contexte, constitue une des plus importantes applications du calcul différentiel. Elle fera l'objet de la première section du présent chapitre.

Par la suite, nous verrons que, comme elle correspond à l'évaluation d'une limite, la dérivée peut être utilisée en approximation. Nous recourrons à l'emploi des différentielles (une variante de la dérivée) dans l'évaluation des variations (absolues et relatives) et dans le calcul des incertitudes (absolues et relatives).

OBJECTIFS

- Résoudre des problèmes de taux liés en respectant la marche à suivre proposée (4.1).
- Calculer la différentielle d'une fonction (4.2).
- Déterminer la variation absolue et la variation relative d'une fonction à l'aide des différentielles (4.2).
- Calculer l'incertitude absolue et l'incertitude relative sur le résultat d'une opération effectuée sur des mesures comportant une imprécision (4.2).
- Effectuer l'approximation linéaire de la valeur d'une fonction (4.2).

SOMMAIRE

ANIMATIONS GEOGEBRA

- Taux liés: échelle appuyée contre un mur (p. 245)
- Taux liés: remplissage d'un récipient conique (p. 247)
- Différentielle et droite tangente (p. 252)
- Calcul d'incertitude: l'aire d'un carré (p. 257)

UN PORTRAIT DE

Galileo Galilei

Galileo Galilei

Galileo Galilei, mieux connu sous le nom francisé de Galilée, naquit à Pise le 15 février 1564. Son père Vincenzo était professeur de musique et luthier. Galilée reçut d'abord sa formation d'un tuteur, puis, pour se préparer à entrer dans les ordres, il se retira comme novice dans un monastère. Comme son père souhaitait plutôt qu'il devienne médecin, Galilée quitta le monde ecclésiastique et entreprit en 1581 des études médicales à l'Université de Pise. Toutefois, il se désintéressa rapidement de la médecine, lui préférant l'étude des mathématiques et de la « philosophie naturelle ». Il abandonna donc ses études en 1585 sans avoir obtenu son diplôme et commença à donner en privé des leçons de mathématiques.

Pendant l'été de 1586, il publia son premier texte scientifique, *La Balancitta* (*La petite balance*), dans lequel il décrivit une méthode servant à déterminer le centre de gravité de certains solides, ainsi que des densités relatives en recourant à une balance hydrostatique mise au point par Archimède. Ayant acquis une certaine notoriété, il obtint la chaire de mathématiques de l'Université de Pise, chaire qu'il occupa durant trois ans. Au cours de cette période, il écrivit une série d'études (*De Motu*) sur le mouvement des corps, études dans lesquelles il proposa, à l'encontre des pratiques courantes de son temps, de vérifier les théories par des expériences, d'observer les résultats et de décrire ceux-ci à l'aide de schémas ou autrement. C'est pourquoi on considère souvent Galilée comme l'un des initiateurs de la démarche expérimentale en sciences et comme le père de la physique moderne.

En 1592, Galilée quitta l'Université de Pise et devint professeur à l'Université de Padoue où il enseigna pendant 18 ans. Pendant son séjour à Padoue, il continua de s'intéresser à la cinématique. Ses travaux sur les plans inclinés et sur le pendule lui permirent d'établir la loi des corps en chute libre (le temps de chute est le même pour tous les corps, quels que soient leur poids, leur taille et leur nature), le principe d'inertie et la description du déplacement des projectiles selon un arc parabolique. C'est également à Padoue qu'il fit des découvertes importantes en astronomie, grâce à une lunette qui lui permettait d'atteindre un grossissement linéaire de 20. Il consigna ses observations dans un ouvrage majeur intitulé *Sidereus Nuncius* (*Le messager céleste*), qui révolutionna le monde de l'astronomie de son époque. Publié le

12 mars 1610, ce livre conclut sur la découverte de satellites de Jupiter et confirma l'idée selon laquelle les planètes peuvent être des centres de rotation pour d'autres astres.

Fort de cette publication importante, Galilée sollicita et obtint le poste de premier mathématicien du grand duc de Toscane. C'est alors que ses rivaux, partisans d'Aristote et du géocentrisme, entreprirent de monter contre lui une cabale et se ménagèrent des appuis au sein des autorités ecclésiastiques. L'Église catholique se trouva bientôt mêlée à une querelle scientifique à laquelle elle ne pouvait se soustraire, notamment en raison d'un passage de la Bible (Josué, X, 12-13) que certains invoquaient pour établir la mobilité du Soleil. Maladroit en matière de tribunaux et de controverses, Galilée compliqua sa défense par d'inexplicables tergiversations au cours de son procès. Lui conservant néanmoins sa faveur, le tribunal inquisitorial opta finalement pour une solution «politique» destinée à contenter les ennemis de Galilée tout en le protégeant contre eux: on obligea Galilée à se rétracter, on déclara son œuvre hérétique et on le condamna à une peine de prison qu'on s'abstint de faire appliquer. Loin d'être idéale, cette issue permit néanmoins à Galilée de poursuivre ses travaux, et ce, avec la collaboration et l'appui d'hommes d'Église dont l'archevêque de Sienne, qui l'accueillit chez lui.

L'œuvre de Galilée, spécialement son célèbre *Dialogo sopra i due massimi sistemi del mondo, Ptolemaico e Copernico* (*Dialogue sur les deux principaux systèmes du monde, ptoléméen et copernicien*), marqua la naissance de la physique moderne et servit par la suite de base à la mécanique newtonienne et même au concept de la relativité.

Les recherches de Galilée, même si elles ont surtout porté sur la physique et l'astronomie, ont également mis en évidence l'importance des mathématiques dans les sciences. Ainsi, dans son ouvrage *Il Saggiatore* (*L'essayeur*), Galilée affirme que «le livre de la nature est écrit dans un langage mathématique et quiconque prétend le lire doit d'abord apprendre ce langage» et que, pour reprendre ses mots, «la certitude mathématique est égale à la divine».

Galilée fut également un précurseur du calcul. Ainsi, il proposa une définition de la vitesse instantanée à l'aide d'un passage à la limite; de plus, il posa les jalons du calcul intégral en estimant une aire par une subdivision de l'axe des abscisses en parties infiniment petites.

Galilée mourut le 8 janvier 1642. Il avait apporté une importante contribution à la science en proposant que celle-ci s'appuie sur l'observation et sur des expériences menées avec des instruments techniques plutôt que sur des spéculations de nature philosophique ou théologique. Le 31 octobre 1992, le pape Jean-Paul II a reconnu que des erreurs avaient été commises par l'Église catholique à l'endroit de Galilée, mais il n'a pas admis que la condamnation de Galilée pour hérésie était erronée.

4.1 TAUX LIÉS

Nous avons auparavant signalé deux interprétations notables de la dérivée, soit celle de taux de variation instantané et celle de pente de la droite tangente à la courbe décrite par une fonction. Une étude plus approfondie de ces deux interprétations permet d'en déduire deux autres concepts importants du calcul différentiel, soit celui des taux liés et celui des différentielles.

Résoudre un problème de taux liés consiste généralement à évaluer le taux de variation instantané d'une variable y par rapport au temps t, soit la dérivée $\frac{dy}{dt}$, à partir du lien existant entre la variable y et d'autres variables dont on connaît les taux de variation instantanés par rapport au temps. Ainsi, on pourrait vouloir déterminer à quel rythme croît le diamètre d'un ballon si on sait à quel rythme on le gonfle, c'est-à-dire à quel rythme son volume augmente.

Lorsqu'on veut évaluer le taux de variation par rapport au temps d'une variable qui dépend d'autres variables, elles-mêmes fonction du temps, et dont on connaît les différents taux de variation, il suffit d'utiliser la dérivation implicite et les taux connus pour en déduire le taux cherché. Ainsi, par exemple, si $y = f(x)$ et si x est fonction du temps t, alors

$$\begin{aligned}\frac{dy}{dt} &= \frac{dy}{dx} \times \frac{dx}{dt} \\ &= f'(x)\frac{dx}{dt}\end{aligned}$$

Puisque les variables x et y sont liées, leurs taux de variation par rapport au temps $\left(\frac{dy}{dt} \text{ et } \frac{dx}{dt}\right)$ le sont également. Si on connaît un des deux taux, on peut calculer l'autre taux. On résout les problèmes de cette nature grâce à la recherche de taux liés.

EXEMPLE 4.1

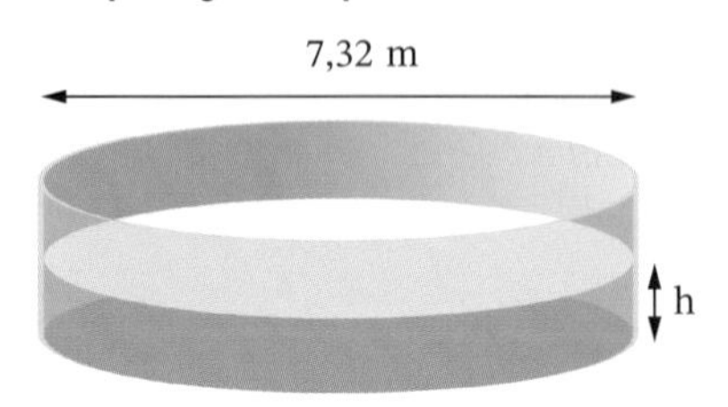

FIGURE 4.1
Remplissage d'une piscine

On remplit une piscine cylindrique (FIGURE 4.1) de 7,32 m de diamètre à l'aide d'un tuyau d'arrosage dont le débit est de 1,2 m^3/h. Déterminons le rythme auquel augmente la hauteur h de l'eau dans la piscine et le temps nécessaire pour remplir celle-ci si on considère qu'elle est remplie lorsque $h = 1{,}4$ m.

Soit V le volume d'eau dans la piscine (en mètres cubes), h la hauteur de l'eau dans la piscine (en mètres) et t le temps écoulé depuis le début du remplissage (en heures).

On sait que $\frac{dV}{dt} = 1{,}2\,\text{m}^3/\text{h}$ puisque c'est le débit du tuyau d'arrosage. On cherche $\frac{dh}{dt}$.

La formule donnant le volume d'eau dans la piscine est

$$V = \pi r^2 h = \pi\left(\frac{7{,}32}{2}\right)^2 h = 3{,}66^2 \pi h$$

Dérivons implicitement cette équation par rapport au temps t :

$$\frac{dV}{dt} = \frac{d}{dt}(3{,}66^2 \pi h) = 3{,}66^2 \pi \frac{dh}{dt}$$

Alors,

$$\frac{dh}{dt} = \frac{1}{3{,}66^2\pi}\frac{dV}{dt} = \frac{1}{3{,}66^2\pi}(1{,}2) \approx 0{,}0285\,\text{m/h}$$

La hauteur de l'eau dans la piscine augmente donc à un rythme constant d'environ 0,0285 m/h.

Déterminons le temps nécessaire pour remplir la piscine ($h = 1{,}4\,\text{m}$).

$$\left.\begin{aligned} 0{,}0285\,\text{m}: 1\,\text{h} \\ 1{,}4\,\text{m}: t \end{aligned}\right\} \Rightarrow t = \frac{(1{,}4\,\cancel{\text{m}})(1\,\text{h})}{0{,}0285\,\cancel{\text{m}}} \approx 49{,}12\,\text{h}$$

La piscine sera donc remplie au bout d'environ 49,12 h (soit environ 49 h et 7 min).

Pour résoudre un problème de taux liés, nous vous recommandons d'utiliser la stratégie suivante. Selon le contexte, certaines étapes peuvent être omises.

1. Lire attentivement le problème et nommer les différentes variables en jeu. S'il y a lieu, esquisser un schéma et y consigner les variables.
2. Écrire les informations connues (les taux de variation, les valeurs des variables, etc.) et déterminer le taux cherché. Notez que les unités de mesure permettent d'établir certains taux. Ainsi, une expression dont les unités sont m^2/s indique qu'il s'agit d'une variation d'aire par rapport au temps. De même, une expression dont les unités sont L/h signale une variation de capacité par rapport au temps.
3. Écrire une équation liant les variables en jeu en faisant appel à la géométrie (formules de volume et d'aire, théorème de Pythagore, comparaison des côtés dans des triangles semblables, définitions des fonctions trigonométriques, relations entre les fonctions trigonométriques, etc.) ou encore aux conditions décrites dans le problème. L'équation doit contenir uniquement les variables présentes dans les taux de variation connus et le taux de variation cherché.
4. Dériver implicitement l'équation obtenue par rapport au temps. On obtient alors une équation liant les taux de variation connus et le taux de variation cherché.
5. Isoler le taux de variation cherché, puis l'évaluer à la valeur demandée.

Trouvez cette animation sur la plateforme *i+ Interactif*.

Dans les problèmes de taux liés, il est important de ne pas remplacer les variables par des valeurs numériques avant d'avoir effectué la dérivation, à défaut de quoi on obtiendrait la dérivée d'une constante, soit une dérivée nulle.

FIGURE 4.2
Échelle appuyée contre un mur

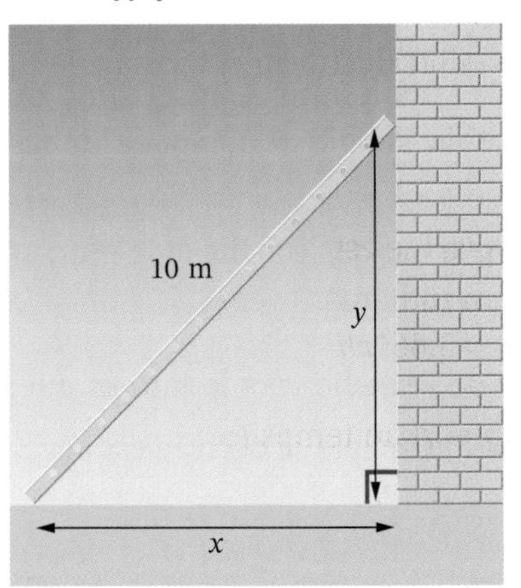

EXEMPLE 4.2

Une échelle de 10 m est appuyée contre le mur d'un édifice, comme l'illustre la FIGURE 4.2.

Supposons que l'on pousse le bas de l'échelle vers le mur à un rythme de 1,5 m/s. Déterminons le rythme auquel se déplace le haut de l'échelle le long du mur lorsque le bas de l'échelle est à 3 m du mur.

Soit x la distance horizontale (en mètres) entre le bas de l'échelle et le mur, et y la distance verticale (en mètres) entre le haut de l'échelle et le sol.

On a $\frac{dx}{dt} = -1{,}5\,\text{m/s}$ puisqu'on pousse le bas de l'échelle vers le mur et que, par conséquent, x diminue avec le temps, c'est-à-dire que sa dérivée est négative. On cherche $\frac{dy}{dt}$ lorsque $x = 3\,\text{m}$.

En vertu du théorème de Pythagore, on a $x^2 + y^2 = 10^2$.

Dérivons implicitement cette équation par rapport à t et isolons $\frac{dy}{dt}$:

$$\frac{d}{dt}(x^2 + y^2) = \frac{d}{dt}(100)$$

$$2x\frac{dx}{dt} + 2y\frac{dy}{dt} = 0$$

$$2y\frac{dy}{dt} = -2x\frac{dx}{dt}$$

$$\frac{dy}{dt} = \frac{-x}{y}\frac{dx}{dt}$$

Or, lorsque $x = 3$ m, on a $3^2 + y^2 = 10^2 \Rightarrow y^2 = 91 \Rightarrow y = \sqrt{91}$ m, car $y > 0$. Alors,

$$\left.\frac{dy}{dt}\right|_{x=3} = \left.\left(\frac{-x}{y}\frac{dx}{dt}\right)\right|_{x=3} = \frac{-3}{\sqrt{91}}(-1{,}5) \approx 0{,}47 \text{ m/s}$$

La distance entre le haut de l'échelle et le sol augmente donc à raison d'environ 0,47 m/s à l'instant précis où le bas de l'échelle est à 3 m du mur et se rapproche de celui-ci à raison de 1,5 m/s.

QUESTION ÉCLAIR 4.1

Une échelle de 10 m est appuyée contre le mur d'un édifice, comme l'illustre la figure 4.2. Supposons que le haut de l'échelle se déplace le long du mur, vers le sol, à raison de 0,8 m/s. On veut déterminer le rythme auquel se déplace le bas de l'échelle par rapport au mur lorsque le bas de l'échelle est à 3 m du mur.

a) Quel est le taux connu ? Utilisez la notation appropriée.

b) Quel est le taux cherché ? Utilisez la notation appropriée.

c) Le taux cherché est-il positif ou négatif ? Pourquoi ?

d) À quel rythme se déplace le bas de l'échelle par rapport au mur lorsque le bas de l'échelle est à 3 m du mur ?

FIGURE 4.3

Échelle appuyée contre un mur

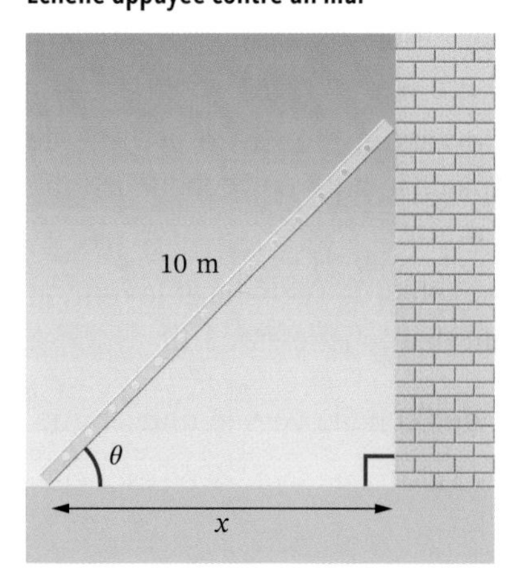

EXEMPLE 4.3

Une échelle de 10 m est appuyée contre le mur d'un édifice et forme un angle θ avec l'horizontale, comme l'illustre la FIGURE 4.3.

Supposons que l'on pousse le bas de l'échelle vers le mur à un rythme de 1,5 m/s. Déterminons le rythme auquel croît l'angle θ lorsque le bas de l'échelle est à 3 m du mur.

Soit x la distance horizontale (en mètres) entre le bas de l'échelle et le mur, et θ l'angle que fait l'échelle avec l'horizontale (en radians).

On a $\frac{dx}{dt} = -1{,}5$ m/s puisqu'on pousse le bas de l'échelle vers le mur et que, par conséquent, x diminue avec le temps, c'est-à-dire que sa dérivée est négative. On cherche $\frac{d\theta}{dt}$ lorsque $x = 3$ m.

L'échelle forme avec le sol et le mur un triangle rectangle. Comme x constitue le côté adjacent à l'angle θ et l'échelle de 10 m l'hypoténuse, on a $\cos\theta = \frac{x}{10}$.

Dérivons implicitement cette équation par rapport à t et isolons $\frac{d\theta}{dt}$:

$$\frac{d}{dt}(\cos\theta) = \frac{d}{dt}\left(\frac{x}{10}\right)$$

$$-\sin\theta\frac{d\theta}{dt} = \frac{1}{10}\frac{dx}{dt}$$

$$\frac{d\theta}{dt} = \frac{-1}{10\sin\theta}\frac{dx}{dt}$$

FIGURE 4.4

Triangle rectangle

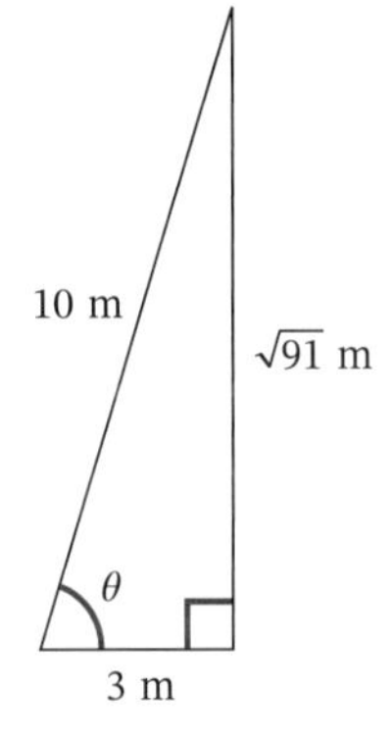

Lorsque $x = 3$ m, on a le triangle rectangle de la FIGURE 4.4.

Alors,

$$\left.\frac{d\theta}{dt}\right|_{x=3} = \left.\left(\frac{-1}{10\sin\theta}\frac{dx}{dt}\right)\right|_{x=3} = \frac{-1}{\cancel{10}\left(\frac{\sqrt{91}}{\cancel{10}}\right)}(-1{,}5) = \frac{1{,}5}{\sqrt{91}} \approx 0{,}1572 \text{ rad/s}$$

L'angle θ augmente donc à raison d'environ 0,1572 rad/s (ou 9,01 °/s) à l'instant précis où le bas de l'échelle est à 3 m du mur et se rapproche de celui-ci à raison de 1,5 m/s.

Animations GeoGebra

Taux liés: remplissage d'un récipient conique

Trouvez cette animation sur la plateforme *i+ Interactif.*

QUESTION ÉCLAIR 4.2

Un étudiant verse de l'eau dans un récipient conique dont la hauteur est de 100 cm et le rayon de 20 cm. Lorsqu'il a atteint une hauteur de 5 cm, le niveau d'eau augmente à raison de 2 cm/s. On veut déterminer le rythme auquel le volume d'eau augmente dans le récipient à cet instant. On utilise la notation suivante:

V: volume d'eau (en centimètres cubes) dans le récipient au temps t

h: hauteur du niveau d'eau (en centimètres) dans le récipient au temps t

r: rayon (en centimètres) de la surface circulaire formée par l'eau au temps t

t: temps (en secondes)

FIGURE 4.5

Remplissage d'un récipient conique

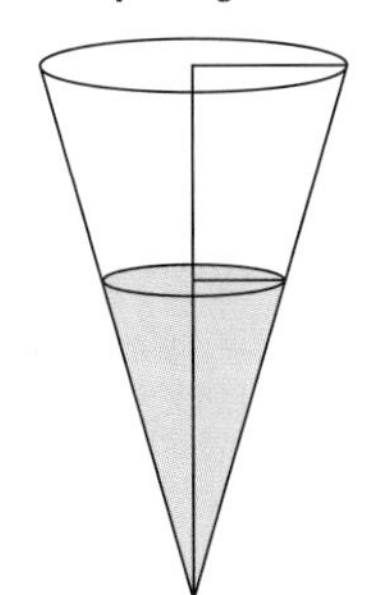

a) Complétez le schéma (FIGURE 4.5) en y consignant les variables et les éléments connus.

b) Quel est le taux connu? Utilisez la notation appropriée.

c) Quel est le taux cherché? Utilisez la notation appropriée.

d) Quelle est la formule du volume d'un cône?

e) À quelle notion de géométrie doit-on recourir pour exprimer r en fonction de h?

- ☐ Formule de volume.
- ☐ Formule d'aire.
- ☐ Théorème de Pythagore.
- ☐ Comparaison de côtés dans des triangles semblables.
- ☐ Définitions des fonctions trigonométriques.
- ☐ Relations entres les fonctions trigonométriques.
- ☐ Autre (préciser).

f) Exprimez r en fonction de h.

g) À quel rythme le volume d'eau augmente-t-il dans le récipient lorsque le niveau d'eau est de 5 cm ?

EXEMPLE 4.4

Un homme mesurant 1,75 m se dirige vers un lampadaire de 6 m de hauteur à un rythme de 2 m/s. Déterminons le rythme auquel varie la longueur de l'ombre de cet homme (FIGURE 4.6).

FIGURE 4.6
Homme s'approchant d'un lampadaire

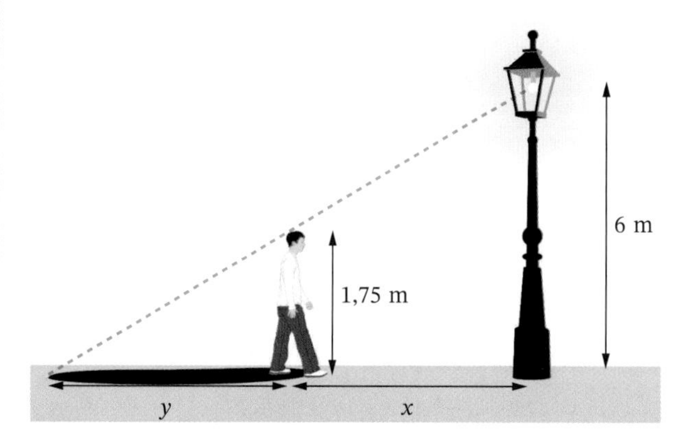

Soit x la distance horizontale (en mètres) entre l'homme et le lampadaire, et y la longueur de l'ombre (en mètres).

Comme l'homme marche vers le lampadaire à un rythme de 2 m/s, la distance x diminue avec le temps. On a donc $\frac{dx}{dt} = -2$ m/s.

On cherche à quel rythme la longueur y de l'ombre varie, soit $\frac{dy}{dt}$.

En comparant des triangles semblables, on obtient

$$\frac{y}{1{,}75} = \frac{x+y}{6}$$

$$\frac{y}{7/4} = \frac{x+y}{6}$$

$$6y = 7/4\,x + 7/4\,y$$

$$17/4\,y = 7/4\,x$$

$$y = 7/17\,x$$

Dérivons implicitement cette équation par rapport à t :

$$\frac{dy}{dt} = \frac{d}{dt}(7/17\,x) = 7/17\frac{dx}{dt} = 7/17(-2) = -14/17 \approx -0{,}82 \text{ m/s}$$

Lorsque l'homme se rapproche du lampadaire à un rythme de 2 m/s, la longueur de son ombre diminue à raison d'environ 0,82 m/s.

EXEMPLE 4.5

On gonfle un ballon sphérique. Déterminons le volume V (en mètres cubes) du ballon lorsque le taux de croissance de l'aire A de sa surface latérale (en mètres carrés) est 16 fois plus grand que celui de son rayon r (en mètres), si on suppose que le rayon du ballon et que son taux de variation sont non nuls.

L'aire de la surface latérale du ballon sphérique est donnée par $A = 4\pi r^2$. Alors, le taux de croissance de l'aire est

$$\frac{dA}{dt} = \frac{d}{dt}(4\pi r^2) = 8\pi r\frac{dr}{dt}$$

Comme le taux de croissance de l'aire est égal à 16 fois celui de son rayon, on a

$$\begin{aligned}
\frac{dA}{dt} = 16\frac{dr}{dt} \quad &\Rightarrow \quad 8\pi r\frac{dr}{dt} = 16\frac{dr}{dt} \\
&\Rightarrow \quad 8\pi r\frac{dr}{dt} - 16\frac{dr}{dt} = 0 \\
&\Rightarrow \quad (8\pi r - 16)\frac{dr}{dt} = 0 \\
&\Rightarrow \quad 8\pi r - 16 = 0 \quad \text{car } \tfrac{dr}{dt} \neq 0 \\
&\Rightarrow \quad 8\pi r = 16 \\
&\Rightarrow \quad r = \frac{2}{\pi}\,\text{m}
\end{aligned}$$

Le volume du ballon est alors de

$$V = \frac{4\pi}{3}r^3 = \frac{4\pi}{3}\left(\frac{2}{\pi}\right)^3 = \frac{4\pi}{3}\left(\frac{8}{\pi^3}\right) = \frac{32}{3\pi^2}\,\text{m}^3 \approx 1{,}08\,\text{m}^3$$

EXERCICES 4.1

1. Lorsqu'elle est de $20\,\text{cm}^2$, l'aire d'un cercle augmente à raison de $4\,\text{cm}^2/\text{s}$. À quel rythme le rayon du cercle augmente-t-il à cet instant ?
2. À cause d'une fuite, un ballon sphérique perd de l'air à raison de $40\,\text{cm}^3/\text{s}$ lorsque son diamètre est de 60 cm. À ce moment, à quel rythme le rayon du ballon change-t-il ?
3. Un petit avion dont l'altitude est constante se déplace vers l'est à un rythme de 50 m/s, et il passe à 200 m au-dessus d'un édifice (FIGURE 4.7).

FIGURE 4.7

Avion passant au-dessus du sommet d'un édifice

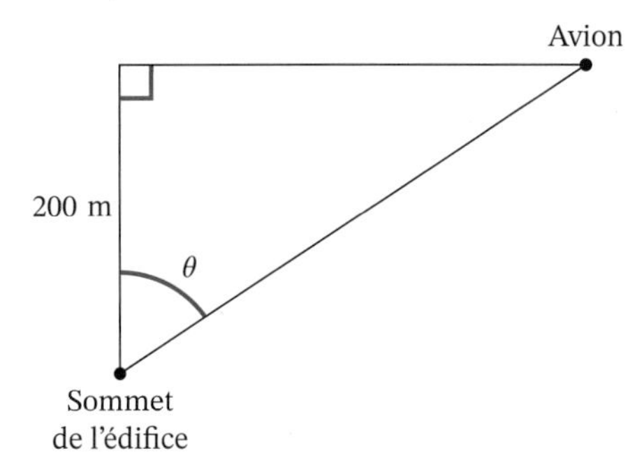

a) À quel rythme cet avion s'éloigne-t-il du sommet de l'édifice 30 s après son passage au-dessus de celui-ci ?

b) À quel rythme l'angle θ illustré sur la figure varie-t-il 30 s après le passage de l'avion au-dessus de l'édifice ?

4. Les deux côtés égaux d'un triangle isocèle mesurent 20 cm. À quel rythme le périmètre de ce triangle varie-t-il lorsque l'angle formé par les deux côtés égaux diminue à raison de 1°/min au moment où il mesure 60° ? (Faites attention aux unités de mesure des angles.)

5. Un étudiant verse de l'eau à raison de 4 cm^3/s dans un récipient conique dont la hauteur est de 40 cm et dont le rayon est de 10 cm. À quel rythme le niveau de l'eau augmente-t-il dans le récipient lorsqu'il est de 16 cm ?

6. Deux voitures de police convergent vers les lieux d'un accident. La première voiture se déplace vers l'ouest à 54 km/h et la seconde vers le sud à 81 km/h. À quel rythme la distance entre les deux voitures varie-t-elle lorsque la première est située à 300 m de l'accident et la seconde à 400 m de l'accident ?

Vous pouvez maintenant faire les exercices récapitulatifs 1 à 60.

4.2 DIFFÉRENTIELLES ET APPLICATIONS

DANS CETTE SECTION : *différentielle de x – différentielle de y – incertitude absolue – incertitude relative – approximation linéaire.*

Le fait que la dérivée $f'(x_0)$ d'une fonction détermine la pente de la tangente à la courbe décrite par la fonction en $x = x_0$ permet d'établir une procédure pour approximer la valeur de la fonction en ce point au moyen des différentielles.

On recourt aux différentielles pour trouver rapidement une approximation du changement de la valeur d'une variable dépendante à la suite d'un changement de faible amplitude dans la valeur de la variable indépendante.

Soit $y = f(x)$. On a vu que $f'(x) = \lim_{\Delta x \to 0} \dfrac{f(x + \Delta x) - f(x)}{\Delta x}$, c'est-à-dire que la pente de la droite tangente à la courbe $y = f(x)$ en un point $(x, f(x))$ est la limite des pentes des droites sécantes passant par les points $(x, f(x))$ et $(x + \Delta x, f(x + \Delta x))$ lorsque Δx s'approche de 0 (FIGURE 4.8).

FIGURE 4.8

Droite tangente à la courbe décrite par $y = f(x)$ au point $(x, f(x))$

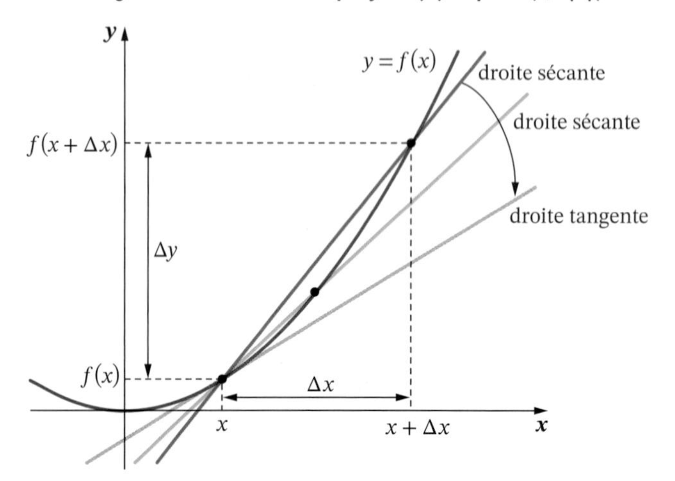

Lorsque Δx tend vers 0, la pente de la droite tangente à la courbe $y = f(x)$ en un point $(x, f(x))$ est presque égale à la pente de la droite sécante passant par les points $(x, f(x))$ et $(x + \Delta x, f(x + \Delta x))$, c'est-à-dire

$$f'(x) \approx \frac{f(x + \Delta x) - f(x)}{\Delta x}$$

et, par conséquent,

$$f'(x)\Delta x \approx \underbrace{f(x + \Delta x) - f(x)}_{\Delta y}$$

La variation réelle $\Delta y = f(x + \Delta x) - f(x)$ de la variable dépendante y peut donc être approchée par $f'(x)\Delta x$, l'approximation étant d'autant meilleure que Δx est de faible amplitude.

EXEMPLE 4.6

Soit $y = x^2$. Calculons les variations réelles Δy de la variable dépendante y lorsque x passe de 2 à $2 + \Delta x$, ainsi que les approximations correspondantes données par $f'(2)\Delta x$.

Puisque $f'(x) = 2x$, on a $f'(2)\Delta x = 4\Delta x$. Consignons dans le **TABLEAU 4.1** les valeurs de Δy et leurs approximations lorsque Δx tend vers 0.

TABLEAU 4.1
Approximation d'une variation

Δx	Variation réelle de y $\Delta y = (2 + \Delta x)^2 - 2^2$	Approximation de la variation de y $f'(2)\Delta x = 4\Delta x$	Différence entre Δy et son approximation
0,5	2,25	2	0,25
0,25	1,062 5	1	0,062 5
0,1	0,41	0,4	0,01
0,01	0,040 1	0,04	0,000 1
0,001	0,004 001	0,004	0,000 001

Cet exemple permet de constater que plus Δx s'approche de 0, meilleure est l'approximation.

4.2.1 DIFFÉRENTIELLES

Différentielle de x

La différentielle de x, notée dx, est égale à Δx, la variation de la variable indépendante x.

Différentielle de y

Si $y = f(x)$, alors la différentielle de y, notée dy, est définie par $dy = f'(x)dx$. Elle représente une bonne approximation de la variation de la variable dépendante, soit $\Delta y = f(x + \Delta x) - f(x)$, à la suite d'une faible variation Δx de la variable indépendante.

Ce qui précède nous amène à définir le concept de différentielle. Soit $y = f(x)$ une fonction dérivable de x, et soit Δx une variation de la variable indépendante x.

On définit la **différentielle de x**, notée dx, comme étant égale à Δx, c'est-à-dire que $dx = \Delta x$. De plus, on définit la **différentielle de y**, notée dy, par $dy = f'(x)dx$.

La différentielle de y représente une bonne approximation de la variation de la variable dépendante, soit $\Delta y = f(x + \Delta x) - f(x)$, à la suite d'une faible variation Δx de la variable indépendante. La FIGURE 4.9 illustre ces définitions.

Trouvez cette animation sur la plateforme *i+ Interactif*.

FIGURE 4.9
Représentation de dx et de dy

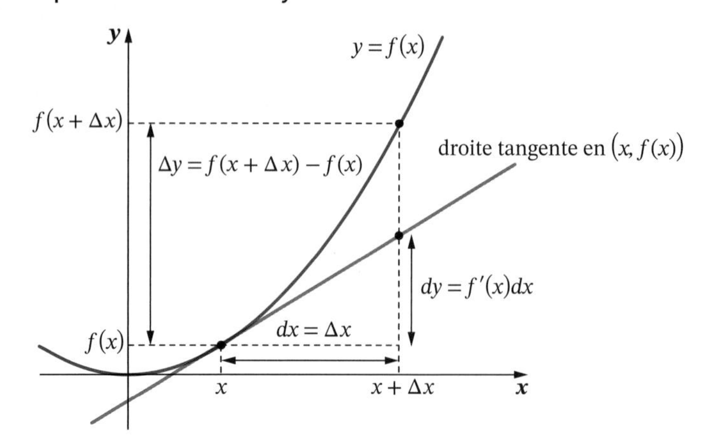

En effet, on a $dy = f'(x)dx = f'(x)\Delta x$, de sorte que le rapport $\dfrac{dy}{\Delta x} = f'(x)$ correspond à la pente de la droite tangente à la courbe décrite par la fonction $f(x)$ au point $(x, f(x))$. En vertu de cette interprétation géométrique de la dérivée, dy représente la variation de l'ordonnée de la droite tangente à la suite d'une variation de l'abscisse d'une quantité Δx, comme l'illustre la figure 4.9.

Il existe des formules analogues à celles de la dérivée pour trouver la différentielle d'une somme, d'un produit, d'un quotient, d'une puissance. Ces formules sont présentées dans le TABLEAU 4.2.

TABLEAU 4.2
Analogie entre les formules de la dérivée et celles de la différentielle

Si u et v sont des fonctions dérivables de x, et si n et k sont des constantes, alors	
Dérivée	**Différentielle**
1. $\dfrac{d}{dx}(k) = 0$	1. $d(k) = 0$
2. $\dfrac{d}{dx}(ku) = k\dfrac{du}{dx}$	2. $d(ku) = kdu$
3. $\dfrac{d}{dx}(u + v) = \dfrac{du}{dx} + \dfrac{dv}{dx}$	3. $d(u + v) = du + dv$
4. $\dfrac{d}{dx}(uv) = u\dfrac{dv}{dx} + v\dfrac{du}{dx}$	4. $d(uv) = udv + vdu$
5. $\dfrac{d}{dx}\left(\dfrac{u}{v}\right) = \dfrac{v\dfrac{du}{dx} - u\dfrac{dv}{dx}}{v^2}$ si $v \neq 0$	5. $d\left(\dfrac{u}{v}\right) = \dfrac{vdu - udv}{v^2}$ si $v \neq 0$
6. $\dfrac{d}{dx}(u^n) = nu^{n-1}\dfrac{du}{dx}$	6. $d(u^n) = nu^{n-1}du$

EXEMPLE 4.7

Déterminons dy si $y = x^3 + 3x^2$. On a

$$\frac{dy}{dx} = \frac{d}{dx}(x^3 + 3x^2) = 3x^2 + 6x = 3x(x + 2)$$

de sorte que $dy = 3x(x + 2)dx$.

EXEMPLE 4.8

Déterminons dy si $y = \sqrt[3]{4x^3 - 6x + 2}$. On a

$$\begin{aligned}\frac{dy}{dx} &= \frac{d}{dx}\left[(4x^3 - 6x + 2)^{1/3}\right] \\ &= \frac{1}{3}(4x^3 - 6x + 2)^{-2/3}\frac{d}{dx}(4x^3 - 6x + 2) \\ &= \frac{1}{3(4x^3 - 6x + 2)^{-2/3}}(12x^2 - 6) \\ &= \frac{4x^2 - 2}{\sqrt[3]{(4x^3 - 6x + 2)^2}}\end{aligned}$$

de sorte que $dy = \dfrac{4x^2 - 2}{\sqrt[3]{(4x^3 - 6x + 2)^2}}\,dx$.

QUESTION ÉCLAIR 4.3

Déterminez dy en fonction de x et de dx.

a) $y = x\cos x$ b) $y = \dfrac{2x}{x^2 + 1}$

EXEMPLE 4.9

Déterminons Δy et dy si $y = f(x) = x^3 + 3x^2$, $x = 2$ et $\Delta x = dx = -0{,}02$.

Comme $\Delta y = f(x + \Delta x) - f(x)$, on a

$$\Delta y = f(1{,}98) - f(2) = \left[1{,}98^3 + 3(1{,}98^2)\right] - \left[2^3 + 3(2^2)\right] = -0{,}476\,408$$

De plus, $\dfrac{dy}{dx} = \dfrac{d}{dx}(x^3 + 3x^2) = 3x^2 + 6x = 3x(x + 2)$, de sorte que

$$dy = 3x(x + 2)dx$$

Alors, lorsque $x = 2$ et $dx = -0{,}02$, on a

$$dy = 3(2)(2 + 2)(-0{,}02) = -0{,}48$$

On constate que la valeur de la différentielle $(dy = -0{,}48)$ approxime bien la variation de la fonction $(\Delta y = -0{,}476\,408)$.

QUESTION ÉCLAIR 4.4

Calculez dy si $y = \dfrac{2x}{x^2 + 1}$, $x = 0$ et $dx = -0{,}01$.

EXEMPLE 4.10

Déterminons Δy et dy si $y = f(x) = \dfrac{2^x - 2^{-x}}{2^x + 2^{-x}}$, $x = 3$ et $\Delta x = dx = 0{,}05$.

Comme $\Delta y = f(x + \Delta x) - f(x)$, on a

$$\Delta y = f(3{,}05) - f(3) = \frac{2^{3,05} - 2^{-3,05}}{2^{3,05} + 2^{-3,05}} - \frac{2^3 - 2^{-3}}{2^3 + 2^{-3}} \approx 0{,}002\ 03$$

De plus,

$$\frac{dy}{dx} = \frac{d}{dx}\left(\frac{2^x - 2^{-x}}{2^x + 2^{-x}}\right) = \frac{(2^x + 2^{-x})\frac{d}{dx}(2^x - 2^{-x}) - (2^x - 2^{-x})\frac{d}{dx}(2^x + 2^{-x})}{(2^x + 2^{-x})^2}$$

$$= \frac{(2^x + 2^{-x})\left[2^x \ln 2 - 2^{-x}(\ln 2)\frac{d}{dx}(-x)\right] - (2^x - 2^{-x})\left[2^x \ln 2 + 2^{-x}(\ln 2)\frac{d}{dx}(-x)\right]}{(2^x + 2^{-x})^2}$$

$$= \frac{(2^x + 2^{-x})(2^x \ln 2 + 2^{-x}\ln 2) - (2^x - 2^{-x})(2^x \ln 2 - 2^{-x}\ln 2)}{(2^x + 2^{-x})^2}$$

$$= \frac{2^{2x}\ln 2 + 2\ln 2 + 2^{-2x}\ln 2 - (2^{2x}\ln 2 - 2\ln 2 + 2^{-2x}\ln 2)}{(2^x + 2^{-x})^2}$$

$$= \frac{4\ln 2}{(2^x + 2^{-x})^2}$$

de sorte que $dy = \frac{4\ln 2}{(2^x + 2^{-x})^2} dx$.

Alors, lorsque $x = 3$ et $dx = 0{,}05$, on a

$$dy = \frac{4\ln 2}{(2^3 + 2^{-3})^2}(0{,}05) \approx 0{,}002\ 10$$

On constate que la valeur de la différentielle $(dy \approx 0{,}002\ 10)$ approxime bien la variation de la fonction $(\Delta y \approx 0{,}002\ 03)$.

EXERCICES 4.2

1. Exprimez la différentielle dy en fonction de x et de dx.

   a) $y = x^5 + 2(5x^2 + 3)^2 + e^{x^3 - 5x}$

   b) $y = \frac{x^3}{\sin(3x^2)}$

2. Calculez dy en $x = x_0$ pour la valeur indiquée de dx.

   a) $y = \sqrt{3x + 1}$; $x = 5$; $dx = 0{,}02$

   b) $y = \sec(2x)$; $x = \pi/6$; $dx = 0{,}01$

   c) $y = \ln[\text{tg}(3x)]$; $x = 3\pi/4$; $dx = -0{,}1$

4.2.2 VARIATION ABSOLUE ET VARIATION RELATIVE

Soit la fonction $y = f(x)$. Alors, une faible variation (absolue) $\Delta x = dx$ ou relative $\frac{\Delta x}{x} = \frac{dx}{x}$ de la variable indépendante x provoque une variation de la variable dépendante y.

On peut utiliser les différentielles pour estimer la variation (absolue) Δy de la variable dépendante y par dy, c'est-à-dire $\Delta y \approx dy$, ou sa variation relative $\frac{\Delta y}{y}$ (qu'on exprime généralement en pourcentage), par $\frac{dy}{y}$, c'est-à-dire $\frac{\Delta y}{y} \approx \frac{dy}{y}$.

EXEMPLE 4.11

On veut recouvrir un fil de métal de 20 cm de long et de 1,5 cm de diamètre d'une gaine isolante de 0,05 cm d'épaisseur sans recouvrir les extrémités du fil. À l'aide des différentielles, estimons les augmentations absolue et relative du volume occupé par le fil après l'ajout de la gaine isolante.

Le volume d'un cylindre est $V = \pi r^2 h$. Pour estimer l'augmentation du volume du fil, il suffit donc d'estimer la variation du volume ΔV lorsque le rayon passe de 0,75 cm (rayon du fil de métal) à 0,8 cm (rayon du fil de métal auquel on ajoute l'épaisseur de la gaine isolante). La valeur de h demeure toujours de 20 cm puisqu'on ne met pas de gaine isolante sur les extrémités du fil.

On a $\frac{dV}{dr} = \frac{d}{dr}(20\pi r^2) = 40\pi r$ et, par conséquent, $dV = 40\pi r dr$. Lorsque $r = 0{,}75$ cm et que $\Delta r = dr = 0{,}8 - 0{,}75 = 0{,}05$ cm, on obtient

$$\Delta V \approx dV = 40\pi r\, dr = 40\pi(0{,}75)(0{,}05) = 1{,}5\pi \text{ cm}^3$$

L'ajout de la gaine isolante provoque une augmentation de volume d'environ $1{,}5\pi$ cm^3, soit d'environ 4,71 cm^3. Quant au gain de volume relatif dû à l'ajout de la gaine isolante, il est donné par

$$\frac{\Delta V}{V} \approx \frac{dV}{V} = \frac{40\pi r\, dr}{20\pi r^2} = \frac{2}{r} dr = \frac{2}{0{,}75}(0{,}05) = 0{,}1\overline{3} = 13{,}\overline{3}\ \%$$

Ainsi, le volume occupé par la gaine isolante est d'environ 4,71 cm^3, ce qui représente environ 13,3 % du volume occupé par le fil métallique.

QUESTION ÉCLAIR 4.5

Une surface métallique carrée de 4 cm de côté se contracte sous l'effet du froid. Utilisez les différentielles pour estimer la variation et le pourcentage de variation de l'aire de la surface métallique si, sous l'effet du froid, la mesure du côté a subi une diminution de 0,1 cm.

EXEMPLE 4.12

La circonférence d'un tronc d'arbre est de 96,2 cm. Au cours de l'année, elle s'est accrue de 5,4 cm. À l'aide des différentielles, estimons l'accroissement du diamètre du tronc d'arbre ainsi que l'accroissement de l'aire de la coupe transversale du tronc d'arbre.

Le diamètre D du tronc d'arbre est le double de son rayon r, de sorte que $D = 2r$ et que $\frac{dD}{dr} = \frac{d}{dr}(2r) = 2$. Par conséquent, $dD = 2dr$, c'est-à-dire que l'accroissement du diamètre est le double de l'accroissement du rayon.

La circonférence C du tronc d'arbre correspond à la circonférence d'un cercle et est donnée par $C = 2\pi r$. Alors, $\frac{dC}{dr} = \frac{d}{dr}(2\pi r) = 2\pi$, de sorte que $dC = 2\pi dr$.

Lorsque $C = 96{,}2\,\text{cm}$ et $\Delta C = 5{,}4\,\text{cm}$, on a

$$\Delta C \approx dC = 2\pi dr \quad \Rightarrow \quad 5{,}4 \approx 2\pi dr \quad \Rightarrow \quad \frac{5{,}4}{2\pi} \approx dr$$

L'accroissement du rayon est d'environ $\frac{5{,}4}{2\pi} \approx 0{,}86\,\text{cm}$ et donc l'accroissement du diamètre est d'environ $2\left(\frac{5{,}4}{2\pi}\right) \approx 1{,}72\,\text{cm}$.

L'aire A de la coupe transversale du tronc d'arbre de rayon r correspond à l'aire d'un cercle et est donnée par $A = \pi r^2$. Alors, $\frac{dA}{dr} = \frac{d}{dr}(\pi r^2) = 2\pi r$, de sorte que $dA = 2\pi r dr$.

Or, lorsque la circonférence du tronc est de 96,2 cm, son rayon est de $r = \frac{C}{2\pi} = \frac{96{,}2}{2\pi} \approx 15{,}31$ cm. Par conséquent,

$$\Delta A \approx dA = 2\pi r dr = \cancel{2\pi}\left(\frac{96{,}2}{\cancel{2\pi}}\right)\left(\frac{5{,}4}{2\pi}\right) = \frac{519{,}48}{2\pi} \approx 82{,}68\,\text{cm}^2$$

L'accroissement de l'aire de la coupe transversale est donc d'environ $82{,}68\,\text{cm}^2$.

EXERCICES 4.3

1. Le diamètre d'une tumeur de forme sphérique est passé de 10 mm à 10,4 mm. Utilisez les différentielles pour déterminer les variations absolue et relative des caractéristiques demandées.
   a) Le rayon de la tumeur.
   b) L'aire de la surface de la tumeur.
   c) Le volume de la tumeur.
2. Un objet se déplace sur un plan incliné. Sa vitesse v (en mètres par seconde) est donnée par $v = \sqrt{6{,}2 + 4{,}9h}$, où h représente la distance (en mètres) parcourue par l'objet sur le plan incliné. Utilisez les différentielles pour déterminer les variations absolue et relative de la vitesse engendrées par le déplacement de l'objet d'une distance de 0,1 m lorsque celui-ci a déjà franchi 2 m.
3. Soit un cercle de rayon r. L'aire A d'un segment circulaire (région ombrée dans la FIGURE 4.10) est donnée par $A = \frac{1}{2}r^2(\theta - \sin\theta)$, où θ est l'angle au centre (en radians). Utilisez les différentielles pour déterminer les variations absolue et relative de l'aire du segment circulaire si le rayon du cercle est de 4 cm et si l'angle θ passe de 120° à 123°.

FIGURE 4.10
Segment circulaire

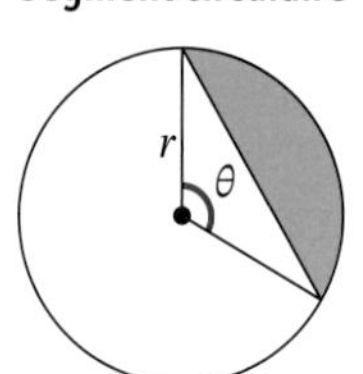

4.2.3 CALCUL D'INCERTITUDE

La lecture d'une mesure sur un instrument (règle, cylindre gradué, rapporteur d'angles, etc.) entraîne une incertitude sur cette mesure, puisque la précision des instruments utilisés est limitée et qu'il en est de même de la dextérité de ceux qui les manipulent. Lorsqu'on effectue des opérations sur des mesures (calcul d'aire, de volume, de masse volumique, etc.) les incertitudes se propagent.

Incertitude absolue

On appelle incertitude absolue l'évaluation quantifiée des difficultés éprouvées lors de la prise de mesure. On la note Δx, et elle dépend de la précision de l'instrument de mesure et d'autres facteurs difficilement quantifiables (par exemple, la dextérité de la personne qui prend la mesure).

Soit x une mesure prise avec un instrument. On appelle **incertitude absolue** l'évaluation quantifiée des difficultés éprouvées lors de la prise de mesure. On la note Δx, et elle dépend de la précision de l'instrument et d'autres facteurs difficilement quantifiables (par exemple, la dextérité de la personne qui prend la mesure). Une mesure complète s'écrit donc

$$x \pm \Delta x$$

(mesure prise sur l'instrument → x ; incertitude absolue → Δx)

où Δx représente la précision avec laquelle la mesure a été effectuée.

Incertitude relative

L'incertitude relative, notée $\frac{\Delta x}{x}$, donne l'importance de l'incertitude absolue par rapport à la mesure prise sur l'instrument. On l'exprime généralement en pourcentage, et plus elle est faible, plus la mesure est précise.

L'**incertitude relative**, notée $\frac{\Delta x}{x}$, donne l'importance de l'incertitude absolue par rapport à la mesure prise sur l'instrument. On l'exprime généralement en pourcentage, et plus elle est faible, plus la mesure est précise.

QUESTION ÉCLAIR 4.6

Quelle est l'incertitude absolue d'une mesure x de 12,5 cm sachant que cette mesure a été obtenue à l'aide d'un instrument de mesure dont la précision est de 4 % ?

Lorsqu'il y a une incertitude sur x, il en résulte une incertitude sur toute fonction $y = f(x)$. Les différentielles peuvent être utilisées pour estimer cette incertitude. En effet, si $\Delta x = dx$ est de faible amplitude, on a

$$\Delta y \approx dy = f'(x)dx$$

et

$$\frac{\Delta y}{y} \approx \frac{dy}{y} = \frac{f'(x)}{f(x)}dx$$

EXEMPLE 4.13

La mesure x du côté d'un carré est de $(8{,}3 \pm 0{,}1)$ cm. Estimons l'incertitude absolue et l'incertitude relative sur l'aire A du carré.

On a $x = 8{,}3$ et $\Delta x = dx = 0{,}1$. L'aire d'un carré est donnée par $A = x^2$. On veut déterminer $\Delta A \approx dA$ et $\frac{\Delta A}{A} \approx \frac{dA}{A}$.

On a $\frac{dA}{dx} = 2x$, de sorte que $\Delta A \approx dA = 2x\, dx = 2(8{,}3)(0{,}1) = 1{,}66\,\text{cm}^2$. L'incertitude absolue sur l'aire du carré est d'environ $1{,}66\,\text{cm}^2$. L'aire réelle du carré est alors de

$$A \pm \Delta A \approx A \pm dA = (8{,}3)^2 \pm 1{,}66 = (68{,}89 \pm 1{,}66)\,\text{cm}^2$$

de sorte qu'elle est comprise entre $67{,}23\,\text{cm}^2$ et $70{,}55\,\text{cm}^2$. De plus, l'incertitude relative sur l'aire du carré est d'environ

$$\frac{\Delta A}{A} \approx \frac{dA}{A} = \frac{1{,}66}{68{,}89} \approx 0{,}024 = 2{,}4\,\%$$

QUESTION ÉCLAIR 4.7

La mesure x du côté d'un carré est de $(8{,}3 \pm 0{,}1)$ cm. Estimez l'incertitude absolue et l'incertitude relative sur le périmètre P du carré.

EXEMPLE 4.14

Déterminons l'incertitude relative sur le volume V d'un cube si l'incertitude relative sur l'arête x du cube est de 1,2 %.

On a $\frac{\Delta x}{x} = \frac{dx}{x} = 1{,}2\,\%$ et on cherche $\frac{\Delta V}{V} \approx \frac{dV}{V}$. Or, la formule du volume d'un cube est $V = x^3$. Par conséquent,

$$\frac{dV}{dx} = 3x^2$$

$$dV = 3x^2\,dx$$

$$\frac{dV}{V} = \frac{3x^2\,dx}{x^3}$$

$$\frac{dV}{V} = 3\frac{dx}{x}$$

$$\frac{dV}{V} = 3(1{,}2\,\%)$$

$$\frac{dV}{V} = 3{,}6\,\%$$

L'incertitude relative sur le volume du cube est donc d'environ 3,6 % lorsque l'incertitude relative sur l'arête de ce cube est de 1,2 %.

EXEMPLE 4.15

Déterminons l'incertitude relative maximale sur le rayon r d'une sphère si on souhaite que l'incertitude relative sur l'aire latérale A de cette sphère n'excède pas 7 %.

On cherche $\frac{\Delta r}{r} = \frac{dr}{r}$ pour que $\frac{\Delta A}{A} \approx \frac{dA}{A} \leq 7\,\%$. Or, la formule de l'aire d'une sphère est $A = 4\pi r^2$. Par conséquent,

$$\frac{dA}{dr} = 8\pi r$$

$$dA = 8\pi r\,dr$$

$$\frac{dA}{A} = \frac{8\pi r\,dr}{4\pi r^2}$$

$$\frac{dA}{A} = 2\frac{dr}{r}$$

Puisque $\frac{dA}{A} \leq 7\,\%$, alors $2\frac{dr}{r} \leq 7\,\%$, d'où $\frac{dr}{r} \leq 3{,}5\,\%$.

Pour que l'incertitude relative sur l'aire de la sphère n'excède pas 7 %, il faut que l'incertitude relative sur le rayon de la sphère n'excède pas 3,5 %.

EXERCICES 4.4

1. On veut fabriquer un cube métallique de 4 cm d'arête. Lors du processus de fabrication, la mesure de l'arête du cube est précise à 0,05 cm. Le cube est fait d'un alliage métallique dont la masse volumique est de 12 g/cm^3.

   a) Quelle est l'incertitude absolue sur la mesure de l'aire totale du cube?

b) Quelle est l'incertitude relative sur la mesure de l'aire totale du cube?

c) Quelle est l'incertitude absolue sur la mesure du volume du cube?

d) Quelle est l'incertitude relative sur la mesure du volume du cube?

e) Quelle est l'incertitude absolue sur la mesure de la masse du cube?

f) Quelle est l'incertitude relative sur la mesure de la masse du cube?

2. Quelle doit être l'incertitude relative maximale sur le rayon d'un cercle pour que l'incertitude relative sur l'aire du cercle n'excède pas 10 %?

4.2.4 APPROXIMATION LINÉAIRE

Approximation linéaire

Soit une fonction dérivable $f(x)$. L'expression $f(x)+f'(x)dx$ permet de donner une approximation linéaire de la valeur de $f(x+dx)$. Plus $\Delta x = dx$ est de faible amplitude, meilleure est l'approximation.

La droite tangente à la courbe décrite par la fonction $y = f(x)$ en un point $(x, f(x))$ représente l'**approximation linéaire** de la fonction en ce point et peut être utilisée pour approximer la valeur de la fonction près de ce point. En effet, comme cela est illustré dans la figure 4.9 (p. 252), la droite tangente en $(x, f(x))$ épouse bien le contour de la courbe décrite par la fonction $y = f(x)$ près de ce point. Lorsque $\Delta x = dx$ tend vers 0, on a

$$\begin{aligned}\Delta y &\approx dy\\ f(x+\Delta x)-f(x) &\approx f'(x)dx\\ f(x+dx) &\approx f(x)+f'(x)dx\end{aligned}$$

L'expression $f(x)+f'(x)dx$ permet donc d'approximer la valeur d'une fonction $f(x)$ près de x.

EXEMPLE 4.16

À l'aide des différentielles, estimons la valeur de $\ln(1{,}03)$.

Soit $f(x) = \ln x$. On sait que $f(1) = \ln 1 = 0$. De plus, $f'(x) = \dfrac{1}{x}$ et, lorsque $\Delta x = dx$ est de faible amplitude, on a $f(x+dx) \approx f(x)+f'(x)dx$.

On peut écrire $\ln(1{,}03) = f(1{,}03) = f(1+0{,}03)$, de sorte que, si $x = 1$ et si $dx = 0{,}03$, alors

$$\begin{aligned}\ln(1{,}03) &= f(1{,}03)\\ &= f(1+0{,}03)\\ &\approx f(1)+f'(1)(0{,}03)\\ &\approx 0+\frac{1}{1}(0{,}03)\\ &\approx 0{,}03\end{aligned}$$

D'où, $\ln(1{,}03) \approx 0{,}03$, résultat qu'on peut confirmer à l'aide d'une calculatrice.

QUESTION ÉCLAIR 4.8

À l'aide des différentielles, estimez $e^{0{,}05}$.

EXEMPLE 4.17

À l'aide des différentielles, estimons la valeur de $\sqrt[3]{26}$.

Soit $f(x) = \sqrt[3]{x}$. On sait que $f(27) = \sqrt[3]{27} = 3$. De plus,

$$f'(x) = \frac{d}{dx}(x^{1/3}) = {}^1\!/_3 x^{-2/3} = \frac{1}{3x^{2/3}} = \frac{1}{3\left(\sqrt[3]{x}\right)^2}$$

et, lorsque $\Delta x = dx$ est de faible amplitude, on a $f(x + dx) \approx f(x) + f'(x)dx$.

On peut écrire $\sqrt[3]{26} = f(26) = f(27 - 1)$, de sorte que, si $x = 27$ et si $dx = -1$, alors

$$\begin{aligned}\sqrt[3]{26} &= f(26)\\ &= f(27-1)\\ &\approx f(27) + f'(27)(-1)\\ &\approx \sqrt[3]{27} + \frac{1}{3\left(\sqrt[3]{27}\right)^2}(-1)\\ &\approx 3 - \frac{1}{3(3)^2}\\ &\approx 3 - {}^1\!/_{27}\\ &\approx {}^{80}\!/_{27}\end{aligned}$$

D'où, $\sqrt[3]{26} \approx {}^{80}\!/_{27}$, résultat qu'on peut confirmer à l'aide d'une calculatrice.

EXERCICE 4.5

Utilisez les différentielles pour trouver une approximation de l'expression.

a) $\sqrt{26}$

b) $\sin(0{,}05)$

c) $\text{tg}(43°)$

d) $\sqrt[3]{1 + \alpha}$ où α est un nombre voisin de 0

Vous pouvez maintenant faire les exercices récapitulatifs 61 à 92.

RÉSUMÉ

Nous avons signalé deux interprétations notables de la dérivée, soit celle de taux de variation instantané et celle de pente de la droite tangente à la courbe décrite par une fonction. Une étude plus approfondie de ces deux interprétations permet de déduire deux autres concepts importants du calcul différentiel, soit celui des taux liés et celui des différentielles.

Résoudre un problème de taux liés consiste généralement à évaluer le taux de variation instantané d'une variable y par rapport au temps t, soit la dérivée $\frac{dy}{dt}$, à partir du lien existant entre la variable y et d'autres variables dont on connaît les taux de variation instantanés par rapport au temps.

Pour résoudre un problème de taux liés, il est recommandé d'utiliser la stratégie suivante.

1. Lire attentivement le problème et nommer les différentes variables en jeu. S'il y a lieu, esquisser un schéma et y consigner les variables.
2. Écrire les informations connues et déterminer le taux recherché.
3. Écrire une équation liant les variables en jeu en faisant appel à la géométrie ou encore aux conditions décrites dans le problème.
4. Dériver implicitement l'équation obtenue par rapport au temps.
5. Isoler le taux de variation recherché, puis l'évaluer à la valeur demandée.

Dans les problèmes de taux liés, il est important de ne pas remplacer les variables par des valeurs numériques avant d'avoir effectué la dérivation, à défaut de quoi on obtiendrait la dérivée d'une constante, soit une dérivée nulle.

Les **différentielles** permettent de trouver une approximation (la différentielle dy) de la variation d'une variable dépendante y à partir d'une faible variation (la différentielle dx) de la variable indépendante x. Si $y = f(x)$ est une fonction dérivable, alors $dy = f'(x)dx$ constitue une excellente approximation de la variation de la fonction lorsque son argument passe de x à $x + dx$. On en déduit que l'**approximation linéaire** de la fonction en $x + dx$ est données par $f(x + dx) \approx f(x) + f'(x)\Delta x$. Le tableau 4.2 (p. 252) présente les principales règles régissant l'évaluation d'une différentielle.

Dans un contexte expérimental, une différentielle, dx ou dy, peut représenter une **incertitude absolue** sur une mesure, alors que le rapport $\frac{dx}{x}$ ou $\frac{dy}{y}$ représente une **incertitude relative**, généralement exprimée en pourcentage.

MOTS clés

Approximation linéaire, p. 259
Différentielle de x, p. 251
Différentielle de y, p. 251
Incertitude absolue, p. 257
Incertitude relative, p. 257

RÉSEAU de concepts

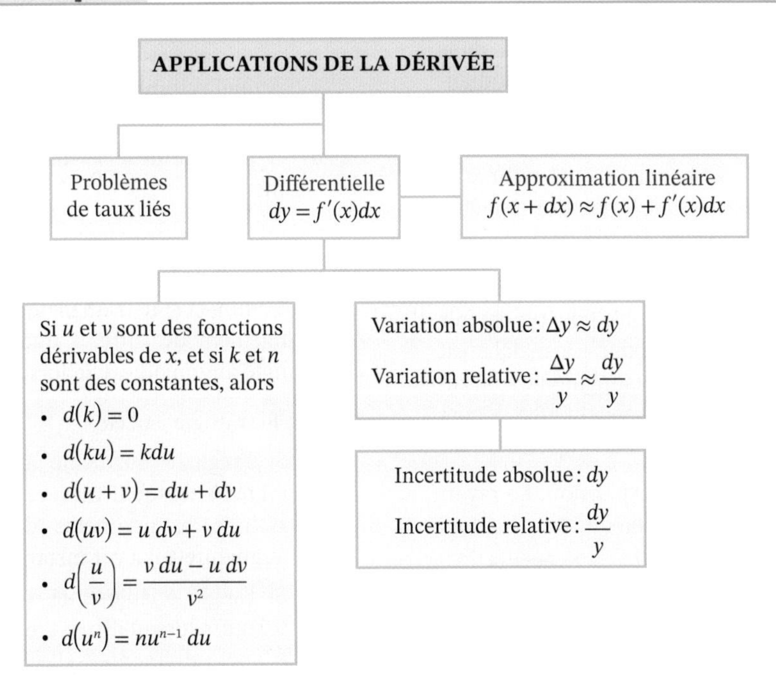

EXERCICES récapitulatifs

SECTION 4.1

1. Au moment où il atteint 1 cm, le rayon d'une tumeur de forme sphérique augmente à raison de 0,04 mm/semaine. À quel rythme le volume de la tumeur augmente-t-il ?

2. Un caillou lancé dans l'eau provoque une onde circulaire à la surface de l'eau. Au moment où il atteint 1 m, le rayon d'un front d'onde augmente à raison de 2 cm/s. À quel rythme la circonférence du cercle que décrit le front d'onde change-t-elle à cet instant ?

3. La masse c (en grammes) du cerveau d'un fœtus peut être estimée à partir de la masse totale m (en grammes) du fœtus à l'aide de la relation $c = 0{,}2\,m^{0{,}9}$. Si, à un stade de développement, la masse totale d'un fœtus de 30 g augmente à raison de 0,3 g/jour, à quel rythme la masse de son cerveau varie-t-elle ?

4. Le profit π (en dollars) tiré de la vente de Q unités d'un bien est de $\pi(Q) = 2\,000Q - \frac{1}{2}Q^2$. Si le volume de vente augmente à raison de 20 unités/jour, à quel rythme le profit augmente-t-il lorsque le nombre d'unités vendues est de 400 ?

5. Un piston comprime un gaz dans une chambre cylindrique dont le rayon de la base est de 30 cm. Si le piston pénètre dans la chambre à raison de 0,5 cm/s, à quel rythme le volume de la chambre varie-t-il lorsqu'il est de 200π cm^3 ?

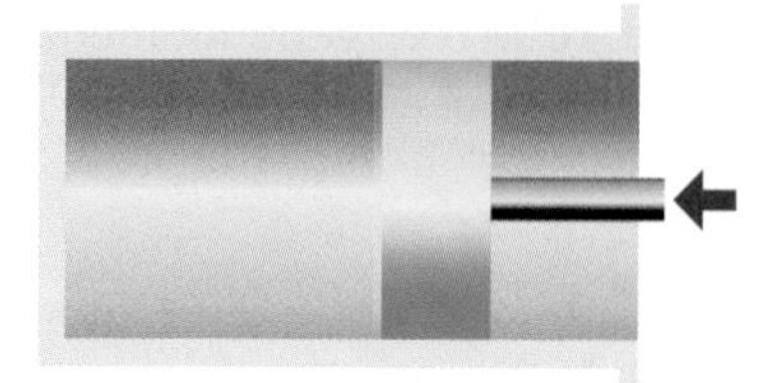

6. Sous l'effet de la chaleur, une tige métallique de forme cylindrique se dilate de façon telle que sa longueur augmente à raison de 0,02 cm/min et que son rayon augmente à raison de 0,01 cm/min. À quel rythme le volume d'une tige de 50 cm de longueur et de 5 cm de diamètre varie-t-il ?

7. Le nombre d'accidents de la circulation augmente avec le nombre d'automobiles. Des statisticiens ont établi que le nombre annuel d'accidents de circulation A dans une ville où passent, en moyenne, n voitures quotidiennement est donné par $A(n) = 0{,}002\,n^{3/2}$. Si le nombre quotidien moyen de voitures passant dans cette ville augmente à raison de 200 par année, à quel rythme le nombre d'accidents change-t-il lorsque le nombre quotidien moyen de voitures qui circulent dans la ville est de 22 500 ?

8. Il ne reste que quelques matchs à disputer dans le calendrier d'une équipe de hockey junior qui semble pouvoir obtenir une place dans les séries. L'intérêt pour les matchs est maintenant tel que la demande de billets augmente à raison de 50 billets par jour. Si les billets se vendent 18 $, à quel rythme le revenu tiré de la vente des billets augmente-t-il ?

9. Deux cercles concentriques sont en expansion. Le rayon R du cercle extérieur augmente à raison de 30 cm/s, alors que celui du cercle intérieur (r) augmente à raison de 20 cm/s. À quel rythme l'aire de l'anneau (région ombrée) compris entre les deux cercles augmente-t-elle lorsque le rayon du cercle intérieur est de 2 m et celui du cercle extérieur est de 5 m ?

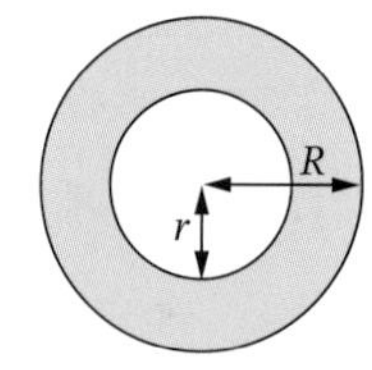

10. Le volume V d'une ellipsoïde est donné par $V = \dfrac{4\pi abc}{3}$, où a, b et c sont illustrés sur la figure. Déterminez le rythme auquel le volume de l'ellipsoïde varie lorsque le paramètre a diminue à raison de 1 cm/min lorsqu'il mesure 15 cm, que le paramètre b augmente à raison de 2 cm/min lorsqu'il mesure 10 cm, et que le paramètre c augmente à raison de 3 cm/min lorsqu'il mesure 8 cm.

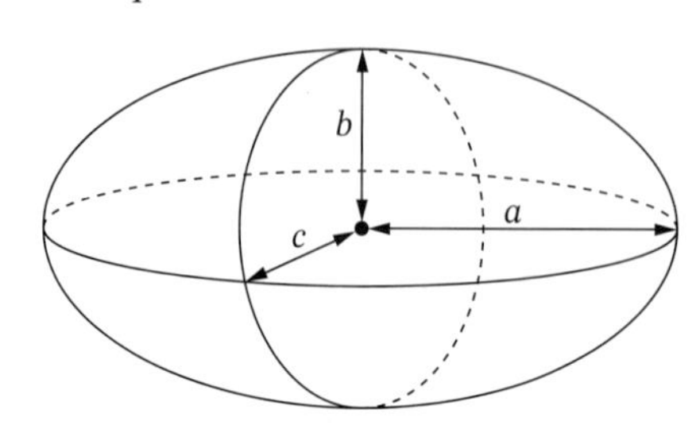

11. Les côtés d'un parallélogramme mesurent respectivement 10 cm et 15 cm, et déterminent un angle aigu θ, comme cela est indiqué dans le schéma.

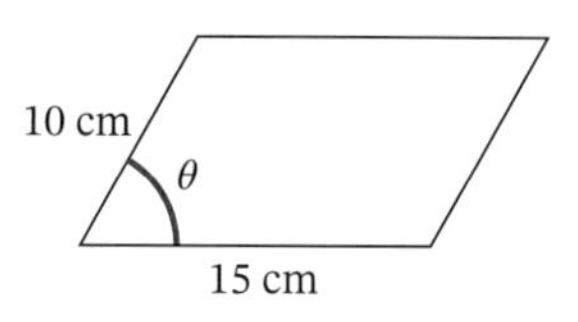

À quel rythme l'aire du parallélogramme progresse-t-elle si, lorsqu'il mesure 60°, l'angle θ varie à raison de 1°/min ?

12. La longueur de l'hypoténuse d'un triangle rectangle mesure 5 cm et est constante, alors que les longueurs des deux autres côtés (a et b) varient. La longueur du côté a décroît à raison de 1 cm/min lorsqu'il mesure 3 cm.

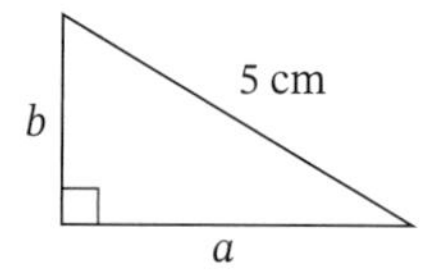

a) À quel rythme la longueur du côté b varie-t-elle à cet instant ?

b) À quel rythme le périmètre P du triangle varie-t-il à cet instant ?

c) À quel rythme l'aire A du triangle varie-t-elle à cet instant ?

13. Si l'aire d'un triangle équilatéral augmente à raison de 5 cm^2/min, et si le triangle demeure équilatéral malgré le changement de l'aire, à quel rythme la hauteur de ce triangle augmente-t-elle lorsque son aire est de 100 cm^2 ?

14. Soit le triangle isocèle.

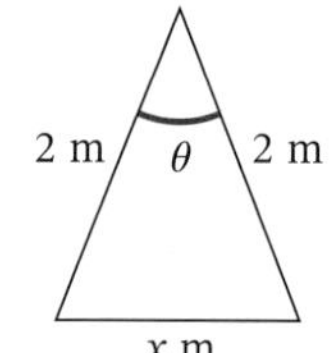

a) Si l'angle θ augmente à raison de 0,1 rad/s lorsqu'il mesure $\pi/6$, à quel rythme le périmètre du triangle augmente-t-il à cet instant ?

b) Si l'angle θ augmente à raison de 0,2 rad/s lorsqu'il mesure $\pi/3$, à quel rythme l'aire du triangle augmente-t-elle à cet instant ?

c) Si la longueur du côté opposé à l'angle θ diminue à raison de 0,1 m/s lorsqu'il mesure $2\sqrt{3}$ m, à quel rythme l'angle θ varie-t-il à cet instant ?

15. On laisse tomber du sel qui s'accumule sur le sol en un tas de forme conique dont la hauteur correspond au rayon de la base. Si, lorsqu'elle est de 15 cm, la hauteur du tas augmente à raison de 10 cm/min, à quel rythme le volume du tas de sel augmente-t-il ?

16. Félix pousse une caisse sur une rampe de 5 m de longueur et de 1 m de hauteur, comme cela est indiqué dans le schéma.

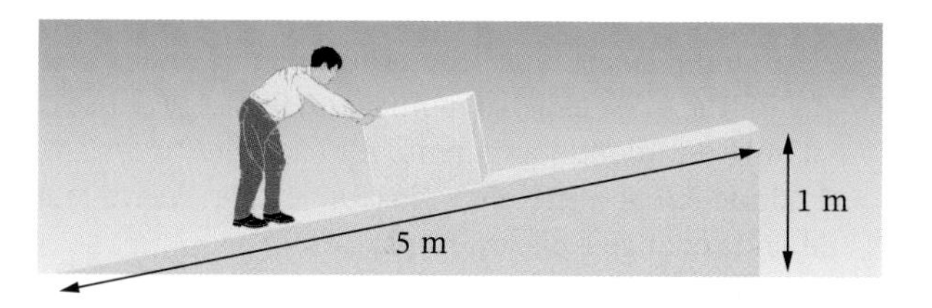

Si la vitesse de Félix est de 1 m/s, à quelle vitesse la caisse s'élève-t-elle au-dessus du sol lorsqu'elle a parcouru la moitié de la distance de la rampe ?

17. Un verre en papier de forme conique de 10 cm de hauteur et de 4 cm de rayon est rempli d'eau. Si l'eau fuit par le bas du verre à raison de 1 cm^3/s, à quel rythme le niveau de l'eau diminue-t-il dans le verre lorsqu'il est de 5 cm ? (Indice : On calcule le volume V d'un cône circulaire de hauteur h et de rayon r à l'aide de la formule $V = \frac{1}{3}\pi r^2 h$).

18. Un réservoir de la forme d'une pyramide inversée dont la hauteur est de 3 m et dont la base est un carré de 1 m de côté est en équilibre sur son sommet. On y verse de l'eau à raison de $\frac{1}{3}$ m^3/min. À quel rythme le niveau h de l'eau varie-t-il lorsqu'il est de 2 m ? (Le volume V d'une pyramide dont l'aire de la base est A et dont la hauteur est h est donné par $V = \frac{1}{3}Ah$.)

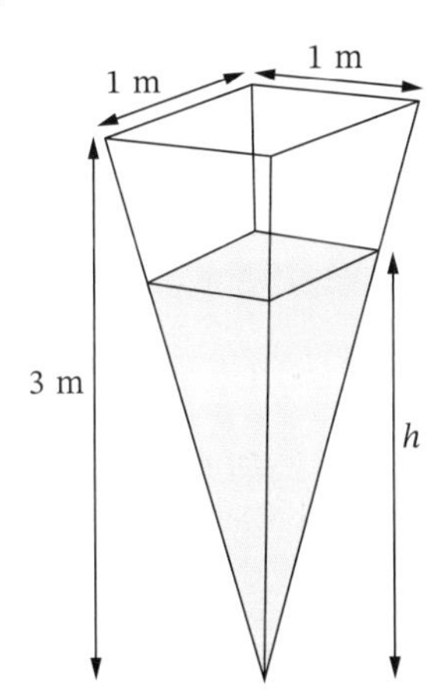

19. À quel rythme la longueur du côté c du triangle ci-dessous augmente-t-elle si l'angle θ qui lui est opposé augmente à raison de 1°/min lorsqu'il mesure 60° ? (Indice : Utilisez la loi des cosinus.)

1 m
c
θ
2 m

20. On calcule l'indice de masse corporelle (IMC) d'un individu en divisant sa masse (M) mesurée en kilogrammes par le carré de sa taille (T) mesurée en mètres.

a) Donnez l'expression mathématique de l'indice de masse corporelle en fonction de la masse et de la taille.

b) Quel est l'indice de masse corporelle d'une personne dont la masse est de 70 kg et la taille de 170 cm ?

c) Si une personne adulte mesurant 1,7 m et pesant 85 kg perd 500 g/semaine grâce à un régime alimentaire, à quel rythme l'indice de masse corporelle de cette personne change-t-il ?

21. On obtient la valeur de la résistance R_e équivalente à deux résistances R_1 et R_2 branchées en parallèle à l'aide de la formule $\frac{1}{R_e} = \frac{1}{R_1} + \frac{1}{R_2}$. Si les résistances R_1 et R_2 sont variables, et que la résistance R_1 augmente à raison de 2 Ω/min alors que la résistance R_2 diminue à raison de 1 Ω/min, à quel rythme la résistance R_e varie-t-elle lorsque $R_1 = 30$ Ω et $R_2 = 90$ Ω ?

22. L'équation $PV = kT$, où k est une constante de proportionnalité, exprime la relation entre la pression P (en pascals) et la température T (en kelvins) d'un gaz emprisonné dans un contenant de volume V (en mètres cubes). Si la température d'un gaz emprisonné dans un contenant de 1 m^3 augmente à raison de 3 K/min, à quelle vitesse la pression exercée sur les parois du contenant augmente-t-elle ?

23. L'énergie cinétique K (en joules) d'un objet de masse m (en kilogrammes) qui se déplace à une vitesse v (en mètres par seconde) est donnée par $K = \frac{1}{2}mv^2$. Si un objet de 50 kg subit une accélération de 4 m/s^2 lorsqu'il se déplace à une vitesse de 20 m/s, déterminez le rythme auquel l'énergie cinétique change à cet instant.

24. En vertu de la loi de Poiseuille, la vitesse de circulation du sang dans un vaisseau sanguin varie selon sa position dans le vaisseau. Ainsi, le sang circule plus vite au centre du vaisseau que près des parois. La vitesse v du sang dans un vaisseau est donnée par $v = k(R^2 - r^2)$, où

- k est une constante positive qui dépend de la pression sanguine, de la longueur du vaisseau et de la viscosité du sang ;
- R représente le rayon intérieur du vaisseau sanguin ;
- r représente la distance du sang au centre du vaisseau sanguin.

Les personnes qui souffrent d'angine prennent des comprimés de nitroglycérine pour dilater les vaisseaux sanguins, ce qui provoque une augmentation de la vitesse de circulation du sang. Si l'absorption d'un comprimé de nitroglycérine provoque une augmentation du rayon intérieur d'un vaisseau à raison de 0,02 mm/min lorsque ce dernier mesure 1 mm, à quel rythme la vitesse du sang augmente-t-elle à une distance r (donnée et fixe) du centre du vaisseau ?

25. Le rayon r du tronc de la souche d'un certain type d'arbre est fonction de la hauteur h de l'arbre, et la relation entre le rayon et la hauteur de l'arbre est donnée par $r = 0{,}002\,h^{3/2}$, où r et h sont mesurés en mètres. De plus, la taille d'un arbre de ce type est donnée par $h(t) = \frac{10t^2}{100 + t^2}$, où t est l'âge de l'arbre (en années).

a) À quel rythme le diamètre du tronc de la souche d'un arbre de ce type croît-il lorsque l'arbre a 5 ans ?

b) À quel rythme la circonférence du tronc de la souche d'un arbre de ce type croît-elle lorsque l'arbre a 10 ans ?

26. « Rien ne sert de courir ; il faut partir à point : Le Lièvre et la Tortue en sont un témoignage », écrivait le célèbre Jean de La Fontaine dans une de ses fables les plus connues. Rassemblons les principaux éléments des derniers moments de la mémorable course. À 2 m du fil d'arrivée, la Tortue « se hâte avec lenteur » à un rythme constant de 0,5 m/s. À cet instant, le Lièvre se rend

compte de son retard et part « comme un trait » de façon telle que sa distance par rapport au fil d'arrivée est donnée par $\left[50{,}1 - {}^{25}\!/_{2}(2 - x)^2\right]$ m, où x représente la distance (en mètres) entre la Tortue et le fil d'arrivée.

a) À quelle distance du fil d'arrivée le Lièvre est-il au moment où il reprend la course ?

b) À quel rythme se déplace le Lièvre lorsque la Tortue est à 1 m du fil d'arrivée ?

c) Le modèle mathématique proposé pour décrire la course donne-t-il gagnant le même animal que Jean de La Fontaine ?

d) Quelle distance sépare le perdant du gagnant lorsque ce dernier franchit le fil d'arrivée ?

e) À quel rythme le perdant se déplace-t-il au moment où le gagnant franchit le fil d'arrivée ?

27. Une planche de 5 m de longueur est appuyée contre un mur. L'extrémité inférieure de la planche glisse sur le sol glacé et s'éloigne du mur à raison de 0,5 m/s.

a) À quel rythme l'extrémité supérieure de la planche descend-elle le long du mur lorsque l'extrémité inférieure de la planche est située à 1 m du mur ?

b) À quel rythme l'angle déterminé par la planche et le sol change-t-il lorsque l'extrémité inférieure de la planche est située à 1 m du mur ?

28. Une montgolfière se déplace à 20 m/s à une altitude constante, comme cela est indiqué dans le schéma. Elle se dirige vers une observatrice située au sol.

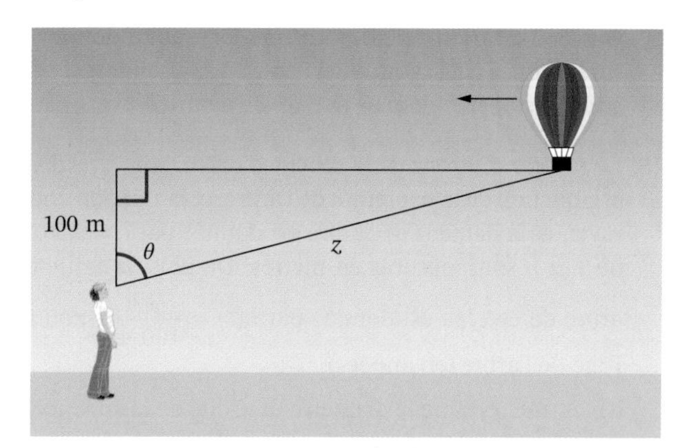

a) À quel rythme la distance z séparant l'observatrice de la montgolfière change-t-elle lorsque la montgolfière est située à 400 m de l'observatrice ?

b) À quel rythme l'angle d'observation θ, mesuré par rapport à la verticale, change-t-il lorsque la montgolfière est située à 400 m de l'observatrice ?

29. Une personne est située à 30 m du point de départ d'une montgolfière et elle regarde cette dernière s'élever verticalement dans le ciel à un rythme de 4 m/s. À quel rythme la distance z séparant la personne et la nacelle de la montgolfière augmente-t-elle 10 s après que la montgolfière a quitté le sol ?

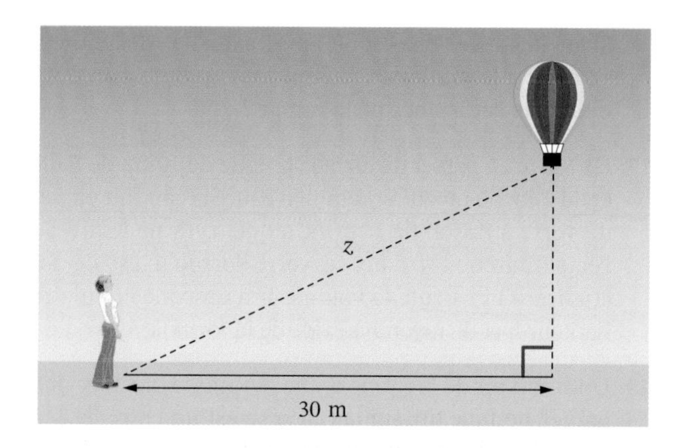

30. Une lumière installée au sol éclaire le mur vertical d'un édifice situé à 30 m de la source lumineuse. Une femme mesurant 1,6 m se déplace de la source lumineuse vers le mur à un rythme constant de 3 m/s, de sorte que son ombre est projetée sur le mur. À quel rythme la longueur de l'ombre projetée sur le mur change-t-elle après 5 s ?

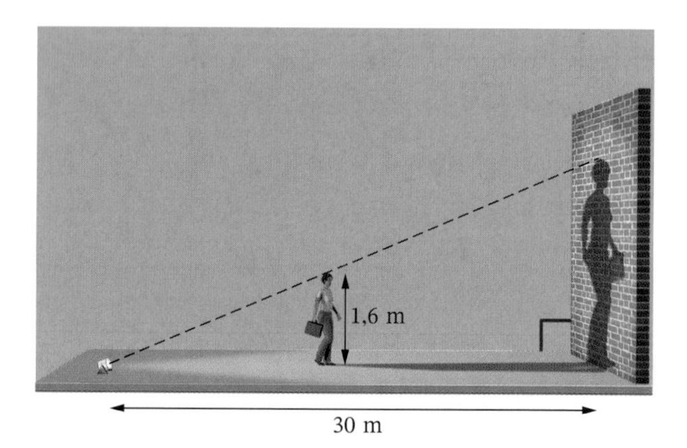

31. Une personne fait voler un cerf-volant vers l'est. Elle a déjà laissé défiler 50 m de fil, et le cerf-volant flotte à une hauteur de 30 m au-dessus du niveau de sa main. Le vent déplace le cerf-volant vers l'est à un rythme de 5 m/s. À quel rythme la personne doit-elle laisser défiler le fil du cerf-volant si elle souhaite que celui-ci demeure à la même altitude ?

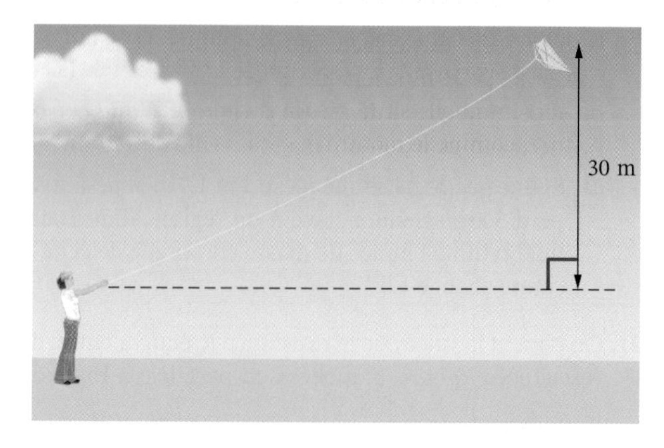

32. Un homme arrime un bateau à un quai en tirant sur une corde qui glisse sur une poulie située 1,5 m au-dessus de la proue du bateau, comme cela est indiqué dans le schéma.

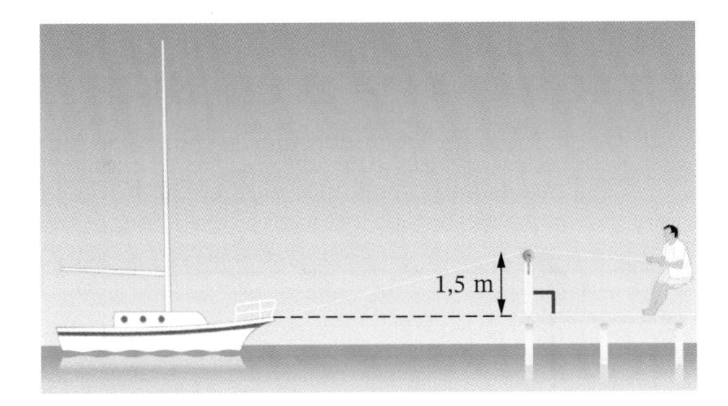

a) Si l'homme tire sur la corde à raison de 0,5 m/s, à quel rythme le bateau s'approche-il du quai lorsqu'il est à une distance de 5 m de celui-ci?

b) Si, lorsqu'il est à 3 m du quai, le bateau s'en approche à un rythme de 1 m/s, à quel rythme l'homme tire-t-il sur la corde?

33. Tard le soir, un homme dont la taille est de 180 cm s'éloigne d'un lampadaire de 5 m de hauteur à un rythme de 4 m/s.

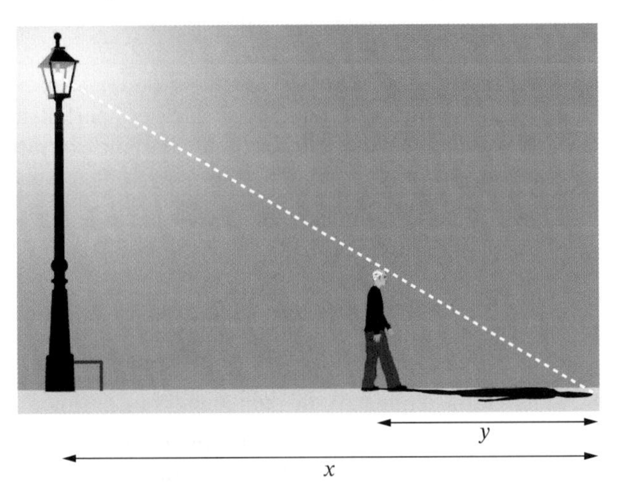

a) À quel rythme la distance x entre l'extrémité de l'ombre de l'homme et le pied du lampadaire varie-t-elle lorsqu'il est à 5 m du lampadaire?

b) À quel rythme la longueur y de l'ombre de l'homme s'allonge-t-elle lorsqu'il est à 5 m du lampadaire?

34. Une voiture se déplace sur une route à une vitesse constante de 20 m/s, lorsque le passager de la voiture voit un cerf immobile situé à 30 m de la route et à 50 m de la voiture, comme le montre le schéma ci-dessous.

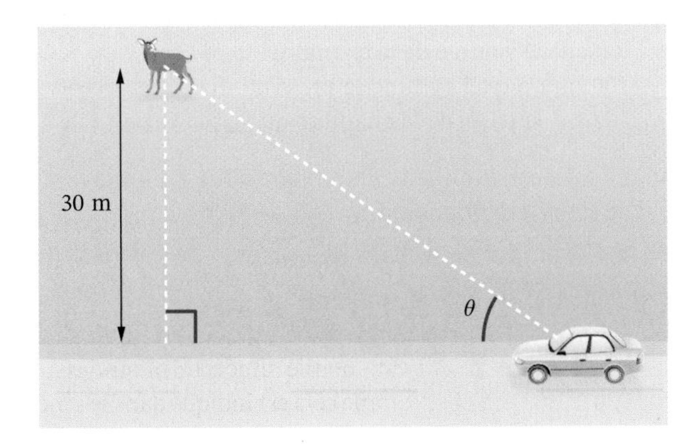

a) À quel rythme l'angle θ varie-t-il au moment où le passager voit le cerf?

b) À quel rythme la distance séparant le passager et le cerf varie-t-elle?

35. Manon est au sommet d'une falaise escarpée s'élevant au-dessus d'un cours d'eau. Elle observe un bateau qui se dirige vers le pied de la falaise à un rythme de 5 m/s. À quel rythme l'angle θ illustré dans la figure diminue-t-il lorsque le bateau est situé à 250 m du pied de la falaise?

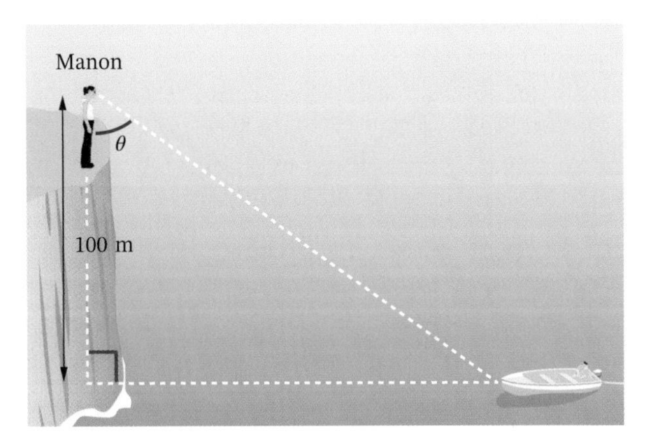

36. Un hélicoptère maintient sa position à 400 m directement au-dessus d'une autoroute comme cela est indiqué dans le schéma ci-dessous.

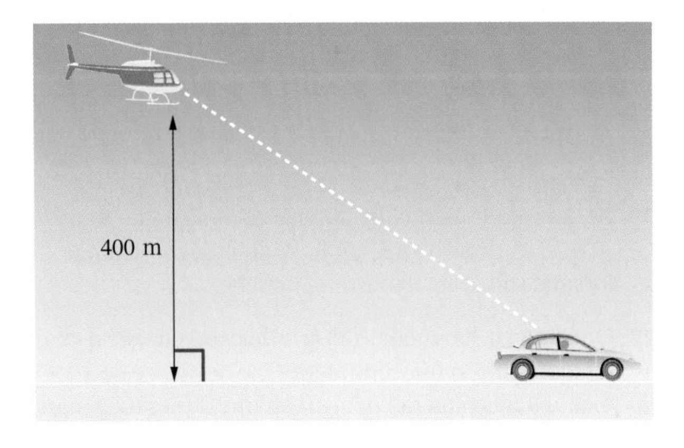

Une voiture se déplace sur cette autoroute à une vitesse constante telle que la distance qui la sépare de l'hélicoptère augmente à raison de 95 km/h lorsqu'elle est située à 1,5 km de l'hélicoptère. Déterminez si la voiture excède la vitesse permise de 100 km/h.

37. Soit le schéma d'un escalier mécanique qui permet aux clients d'un grand magasin de passer d'un étage à l'autre.

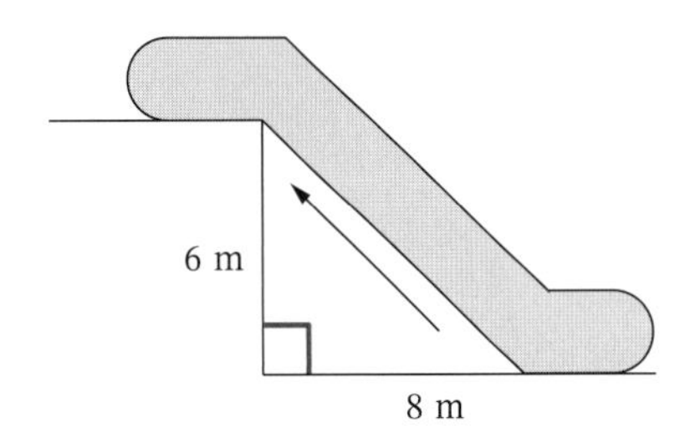

Jo-Annie emprunte cet escalier qui la déplace à un rythme constant de 2 m/s. À quel rythme sa distance par rapport au premier étage, c'est-à-dire sa distance verticale change-t-elle ?

38. Situé à 15 m du potentiel point d'impact, Francis observe Audrey-Maude qui effectue un saut en bungee à partir d'un pont situé à 60 m du sol. La corde de bungee est cylindrique, elle mesure 40 m, et son diamètre est de 4 cm. À 20 m du sol lors de sa chute, alors que la corde est tendue, Audrey-Maude se déplace à une vitesse de 25 m/s.

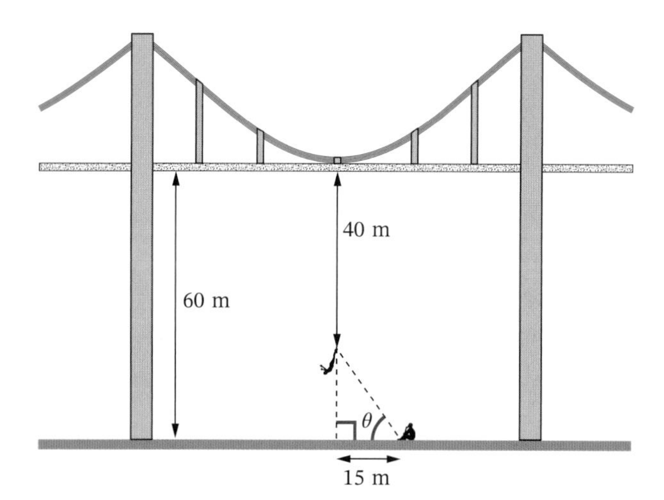

a) Sachant que la corde s'étire, mais que son volume ne varie pas, à quel rythme son rayon change-t-il lorsque Audrey-Maude est à 20 m du sol lors de sa chute ?

b) À quel rythme l'angle d'observation de Francis change-t-il lorsque Audrey-Maude est situé à 20 m du sol lors de sa chute ?

39. Le volume V d'un cube augmente à raison de 9 cm^3/min. À quel rythme l'aire totale A de ce cube change-t-elle, lorsque son arête x mesure 50 cm ?

40. Quelle est la longueur c (en centimètres) du côté d'un carré lorsque l'aire A (en centimètres carrés) de ce dernier augmente 8 fois plus rapidement qu'une de ses diagonales x ? Supposez que la longueur du côté du carré et son taux de variation sont non nuls.

41. Le rayon r (en mètres) d'un certain cône circulaire est toujours le tiers de sa hauteur h (en mètres). Déterminez le volume V (en mètres cubes) du cône lorsque celui-ci varie à un rythme 12 fois supérieur à celui du rayon. Supposez que le rayon du cône et son taux de variation sont non nuls.

42. D'un côté d'une route de 8 m de largeur, on trouve un lampadaire de 9 m de hauteur. De l'autre côté, Martine dont la taille est de 1,7 m se déplace à une vitesse constante de 2 m/s à partir du point A situé directement en face du pied du lampadaire.

a) Que vaut $\frac{dx}{dt}$?

b) Quelle est la distance parcourue par Martine 3 s après qu'elle a quitté le point A ?

c) À quel rythme $\frac{dy}{dt}$ Martine s'éloigne-t-elle du lampadaire 3 s après qu'elle a quitté le point A ?

d) À quel rythme $\frac{dz}{dt}$ la longueur de l'ombre de Martine s'allonge-t-elle 3 s après que Martine a quitté le point A ?

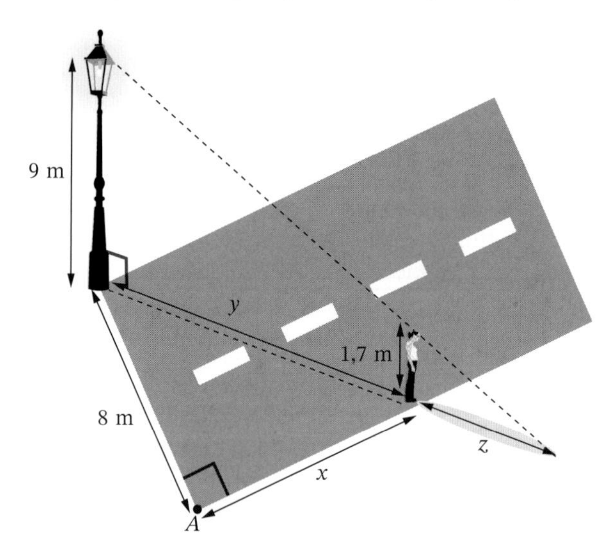

43. Un ballon sphérique dont la surface est parfaitement élastique perd de l'air à un rythme constant exprimé en cm^3/min.

a) Si le volume d'air dans le ballon est passé de 1 000 cm^3 à 900 cm^3 en 10 min, à quel rythme le volume d'air dans le ballon diminue-t-il ?

b) À quel rythme l'aire de la surface de ce ballon varie-t-elle lorsque le ballon occupe un volume de 800 cm^3 ?

44. Si le volume d'une balle de neige sphérique diminue à un rythme proportionnel à l'aire de sa surface latérale, montrez que le rayon de la balle diminue à un rythme constant.

45. Un gaz est emprisonné dans la chambre d'un piston dont le volume V augmente à raison de 5 cm^3/s.

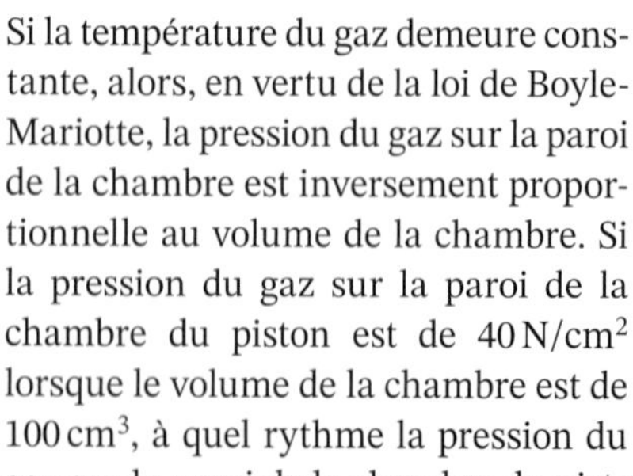

Si la température du gaz demeure constante, alors, en vertu de la loi de Boyle-Mariotte, la pression du gaz sur la paroi de la chambre est inversement proportionnelle au volume de la chambre. Si la pression du gaz sur la paroi de la chambre du piston est de 40 N/cm^2 lorsque le volume de la chambre est de 100 cm^3, à quel rythme la pression du gaz sur la paroi de la chambre du piston varie-t-elle ?

46. Le faisceau lumineux d'un phare situé à 1 km d'une rive effectue 4 rotations/min.

a) Exprimez la vitesse de rotation du faisceau lumineux, $\frac{d\theta}{dt}$, en radians par minute.

b) À quelle vitesse le point sur la rive éclairé par le faisceau lumineux se déplace-t-il lorsqu'il est à 100 m du point A ?

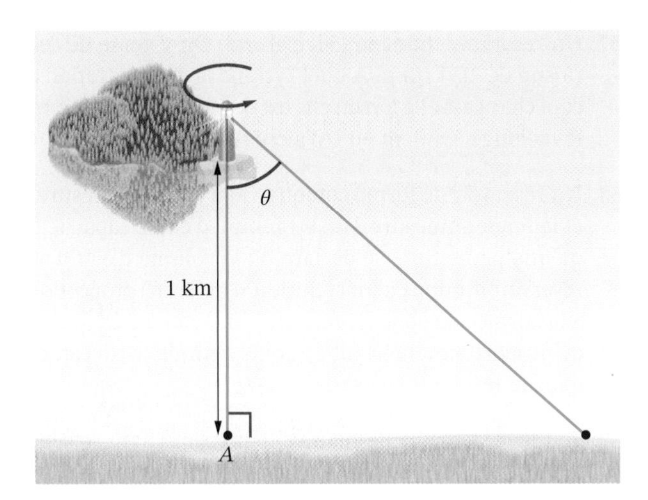

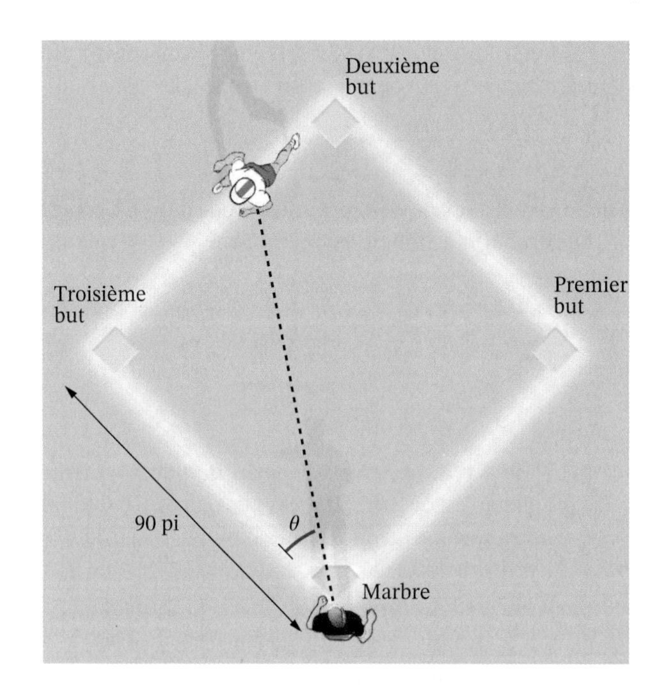

47. Une particule se déplace sur un cercle unitaire centré à l'origine à une vitesse angulaire $\frac{d\theta}{dt}$ constante. Déterminez à quels points du cercle les coordonnées de la particule changent au même rythme.

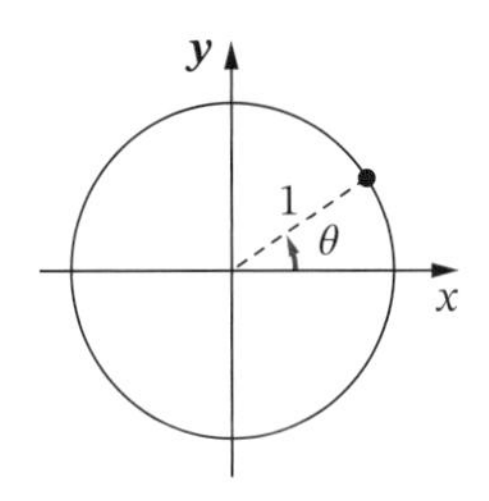

48. Une roue centrée à l'origine et dont le rayon est de 10 cm tourne autour de son axe central dans le sens contraire des aiguilles d'une montre à une vitesse constante telle qu'elle effectue 20 révolutions complètes par minute. À quelle vitesse les coordonnées x et y changent-elles lorsque $x = 6\,\text{cm}$ et $y = 8\,\text{cm}$?

49. François se déplace vers l'est sur une rue orientée selon un axe est-ouest, et Cindy se trouve à l'intersection de cette rue et d'une autre rue qui lui est perpendiculaire. À l'instant où François est situé à 200 m à l'ouest de Cindy et marche à une vitesse de 3 m/s, Cindy se déplace vers le nord à une vitesse de 2 m/s.

a) Quelle distance sépare Cindy de François après 10 s?

b) À quelle rythme Cindy et François s'éloignent-ils ou s'approchent-ils l'un de l'autre après 10 s?

50. Deux automobiles se déplacent sur des routes perpendiculaires et s'éloignent toutes les deux de l'intersection des deux routes. La première automobile se déplace à une vitesse de 50 km/h lorsqu'elle est située à 3 km de l'intersection des deux routes. À cet instant, la deuxième automobile se trouve à 4 km de cette intersection et la distance séparant les deux voitures augmente à raison de 75 km/h. À quelle vitesse se déplace la deuxième automobile?

51. Le champ intérieur d'un terrain de base-ball est un carré dont les côtés mesurent 90 pi, et dont les sommets correspondent au premier but, au deuxième but, au troisième but et au marbre. Pedro se déplace du deuxième au troisième but. Après avoir franchi les 30 premiers pieds, il court à une vitesse constante de 25 pi/s. L'arbitre situé au marbre regarde attentivement son déplacement.

a) À quel rythme la distance séparant Pedro du marbre varie-t-elle lorsque ce dernier est à 30 pi du deuxième but?

b) À quel rythme l'angle θ indiqué dans la figure varie-t-il lorsque Pedro est à 30 pi du deuxième but?

c) Supposons maintenant que Pedro tente de voler le troisième but et que le receveur lance la balle en direction du troisième but. À quel rythme la distance entre la balle et Pedro varie-t-elle, si au moment où il est à 30 pi du troisième but et se déplace à une vitesse de 25 pi/s, la balle est à 20 pi du marbre et se déplace à une vitesse de 100 pi/s?

d) Supposons que Pedro a réussi à voler le troisième but à cause d'un mauvais lancer du receveur. Mathieu se présente alors au marbre et Pedro s'éloigne de 10 pi du troisième coussin. Mathieu frappe la balle et se dirige vers le premier but. Après avoir franchi 10 pi, il a atteint une vitesse de 20 pi/s. Pendant ce temps, Pedro n'a franchi que 8 pi additionnels et se déplace vers le marbre à une vitesse 15 pi/s. À cet instant, à quel rythme la distance séparant Mathieu et Pedro change-t-elle?

52. Un sous-marin se déplace à une profondeur de 0,5 km. Il se dirige vers le nord à une vitesse constante de 20 km/h. Il passe directement sous un bateau qui se déplace vers l'est à une vitesse de 10 km/h. À quel rythme les deux embarcations s'éloignent-elles l'une de l'autre 30 min après qu'elles se sont croisées?

53. Un réservoir d'eau a la forme d'un cône dont la coupe transversale passant par son sommet est présentée dans le schéma. Le cône a une hauteur de 4 m et un rayon de 2 m. On introduit de l'eau dans le réservoir à partir d'un orifice situé au sommet du cône à raison de $0{,}3\,\text{m}^3/\text{min}$. À quel rythme le niveau h de l'eau augmente-t-il dans le

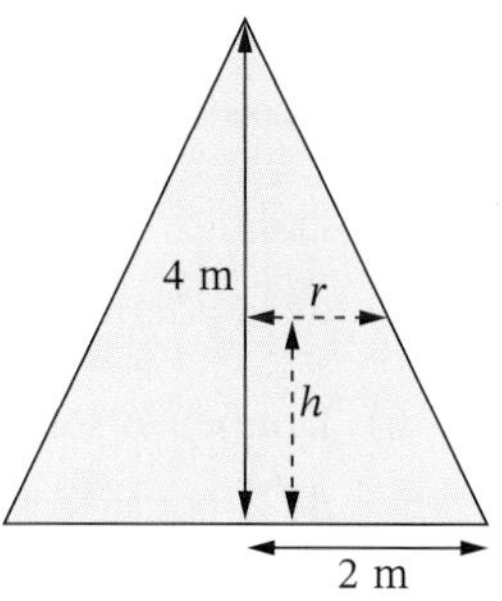

réservoir lorsqu'il est de 3 m? (Indice: Vous devez utiliser la formule du volume d'un tronc de cône qui est $V = \frac{\pi h(R^2 + Rr + r^2)}{3}$.)

54. On verse, à raison de 4 m³/s, du liquide dans un contenant hémisphérique dont le rayon est 5 m.

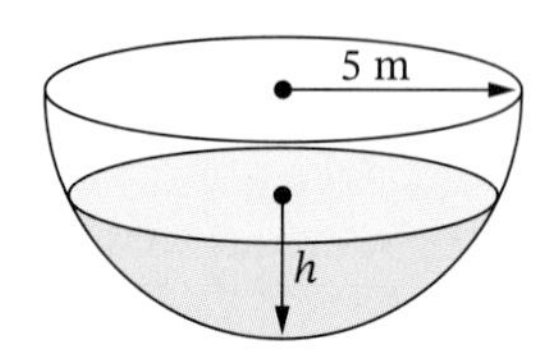

a) À quel rythme le niveau h du liquide augmente-t-il lorsqu'il est de 2 m? [Indice: Le volume V d'une calotte sphérique de rayon R et de hauteur h est donné par $V = \frac{1}{3}\pi h^2(3R - h)$.]

b) À quel rythme l'aire A de la surface du liquide augmente-elle lorsque le niveau du liquide h est de 2 m?

55. On laisse tomber une balle d'une hauteur de 6 m à une distance de 10 m d'une source lumineuse, elle-même située à 6 m du sol. À quelle vitesse l'extrémité de l'ombre de la balle se déplace-t-elle sur le sol 1 s après que la balle a commencé sa chute, sachant que la hauteur de la balle t s après qu'on l'a laissée tomber est $h(t) = 6 - 4{,}9t^2$?

56. Un treuil installé au sommet d'un édifice de 25 m de hauteur soulève l'extrémité d'une poutre dont la longueur est également de 25 m et dont la base est appuyée contre le mur de l'édifice, comme cela est indiqué dans le schéma.

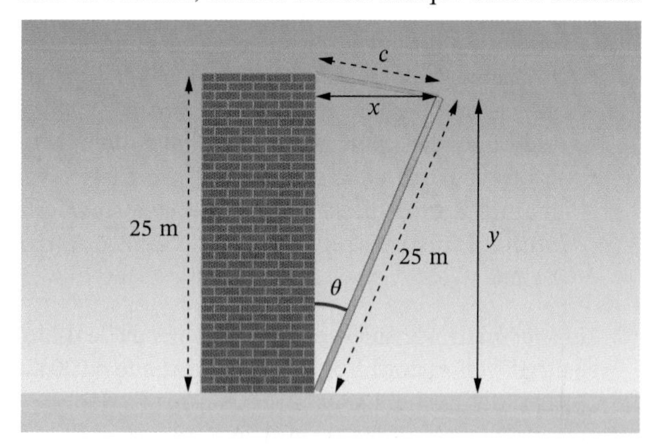

Le câble liant le treuil à l'extrémité de la poutre est enroulé à raison de 0,2 m/s. Notez x la distance séparant l'extrémité de la poutre du mur, y la distance entre l'extrémité de la poutre et le sol et c la longueur du câble.

a) Donnez le sens et la valeur de $\frac{dy}{dt}$ lorsque l'extrémité de la poutre est située à 20 m au-dessus du sol.

b) Donnez le sens et la valeur de $\frac{dx}{dt}$ lorsque l'extrémité de la poutre est située à 20 m au-dessus du sol.

c) À quel rythme l'angle θ varie-t-il lorsque l'extrémité de la poutre est située à 20 m au-dessus du sol?

57. Un réservoir contient 15 L d'alcool. On y verse de l'eau à raison de 2,5 L/min. À quel rythme la concentration d'alcool change-t-elle lorsqu'elle est de 0,6, c'est-à-dire lorsque le mélange contient 60 % d'alcool?

58. Un réservoir de forme conique, dont le rayon mesure 6 m et la hauteur mesure 3 m, est rempli d'eau à capacité lorsqu'une petite fuite se déclare. Si le volume d'eau dans le réservoir diminue à un rythme (en m³/min) proportionnel à la surface du cône en contact avec l'eau, où la constante de proportionnalité vaut 2, à quel rythme le niveau d'eau dans le réservoir baisse-t-il?

59. Soit le système bielle-manivelle présenté dans le schéma qui suit. La bielle mesure 100 cm, et elle relie le point P d'une roue dont le rayon r est de 20 cm au point Q (sur l'axe des ordonnées) du piston. Les coordonnées initiales du point P sont $(20, 0)$. Le point P se déplace dans le sens contraire des aiguilles d'une montre avec une vitesse angulaire constante de $\omega = \frac{d\theta}{dt} = 2$ rad/s.

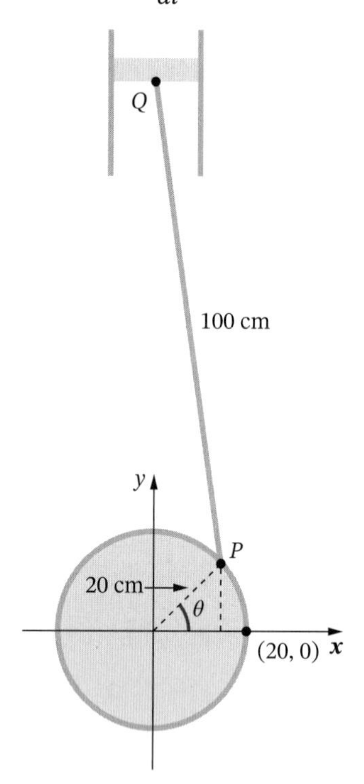

a) Quelles sont les coordonnées du point P en fonction de l'angle θ?

b) Quelle est la mesure de l'angle θ 3 s après la mise en mouvement du point P?

c) Quelle est la mesure de l'angle θ en fonction du temps t, t s après la mise en mouvement du point P?

d) À quelle vitesse le point P se déplace-t-il verticalement 3 s après avoir été mis en mouvement?

e) Dans quelle direction (vers le haut ou vers le bas) le point P se déplace-t-il 3 s après avoir été mis en mouvement? Justifiez votre réponse.

f) À quelle vitesse le point P se déplace-t-il horizontalement 3 s après avoir été mis en mouvement?

g) Dans quelle direction (vers la gauche ou vers la droite) le point P se déplace-t-il 3 s après avoir été mis en mouvement ? Justifiez votre réponse.

h) En recourant à la loi des cosinus et à une relation trigonométrique, vérifiez que l'ordonnée h du point Q satisfait à l'équation $h^2 - 40h \sin\theta - 9\,600 = 0$.

i) Quelle est la position du point Q 3 s après avoir été mis en mouvement ?

j) À quelle vitesse le point Q se déplace-t-il verticalement dans le piston 3 s après avoir été mis en mouvement ?

k) Dans quelle direction (vers le haut ou vers le bas) le point Q se déplace-t-il 3 s après avoir été mis en mouvement ? Justifiez votre réponse.

l) Quelle est l'expression de l'accélération du point Q en fonction de h, de $\dfrac{dh}{dt}$ et de θ ?

60. Un réservoir cylindrique, qui repose horizontalement, contient du liquide à un niveau de h m. La longueur du réservoir est de 10 m et son rayon de 2 m.

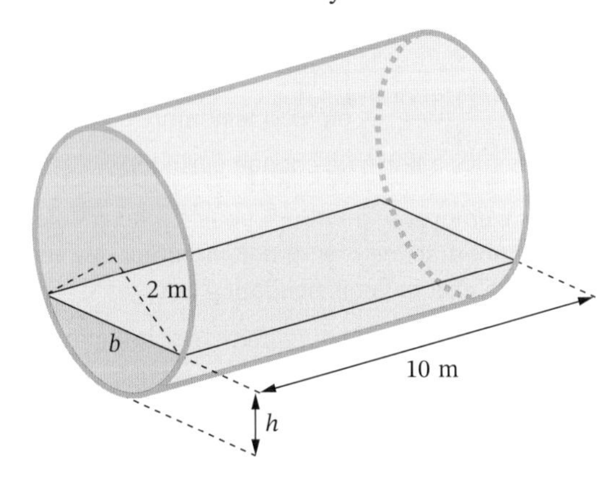

La figure ci-dessous donne une coupe transversale de ce réservoir.

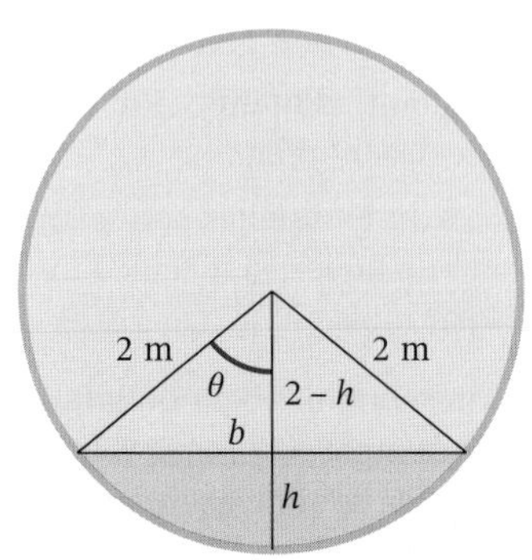

a) Soit b la longueur du segment correspondant à la base du triangle formé par les deux rayons de 2 m de longueur. Vérifiez que $b = 2\sqrt{h(4-h)}$. (Indice : Recourez au théorème de Pythagore.)

b) Exprimez, en fonction de h, l'aire A_t du triangle dont deux côtés correspondent au rayon et dont la base mesure b.

c) Vérifiez que $\theta = \arccos(1 - h/2)$.

d) Exprimez l'aire A_s du secteur circulaire délimité par les deux rayons en fonction de h.

e) Exprimez l'aire A_o de la zone ombrée dans la coupe transversale en fonction de h.

f) Le volume V de liquide dans le réservoir, lorsque celui-ci est rempli à un niveau de h m, est donnée par $10A_o$. Si on ajoute du liquide dans le réservoir à raison de 2 m³/min, à quel rythme le niveau de liquide augmente-t-il lorsque ce dernier est de 1 m ?

SECTION 4.2

61. Exprimez la différentielle dy en fonction de x et de dx.

a) $y = 5x^4 + 3x^2 - x + 1$

b) $y = \dfrac{x}{x^2+1}$

c) $y = (2x+3)^5(3-x)^3$

d) $y = 3x^5 + xe^{2x} - \ln(\sin x)$

e) $y = \sin(1-x^2)\,\mathrm{tg}^2 x$

f) $y = (1+x)^k$, où k est un entier positif

62. Calculez dy en $x = x_0$, pour la valeur indiquée de dx.

a) $y = \sqrt{x}$; $x = 9$; $dx = 0{,}02$

b) $y = \sqrt{1+x^3}$; $x = 2$; $dx = -0{,}1$

c) $y = x^3(x^2+1)$; $x = 1$; $dx = 0{,}2$

d) $y = 3xe^{-x^2}$; $x = 0$; $dx = -0{,}05$

e) $y = \dfrac{x^2-4}{x^2+1}$; $x = 3$; $dx = -0{,}01$

f) $y = \sec x$; $x = \pi/3$; $dx = 0{,}5$

g) $y = \ln(2x^2+2)$; $x = 2$; $dx = 0{,}1$

h) $y = \left(\dfrac{x+2}{4x^3+1}\right)^4$; $x = 0$; $dx = -0{,}03$

63. Une surface circulaire métallique se contracte sous l'effet du froid. Utilisez les différentielles pour estimer la variation et le pourcentage de variation de l'aire de la surface si, sous l'effet du froid, le rayon de la surface a subi une diminution de 0,1 cm lorsque le rayon était de 10 cm.

64. Yvon, un mordu du golf, vient de réaliser un trou d'un coup. Pour souligner l'événement, ses partenaires de jeu ont décidé de faire recouvrir de bronze la balle de l'exploit et d'en faire un trophée. Si le rayon d'une balle de golf est de 21,4 mm et que l'épaisseur de la couche de bronze est de 0,1 mm, utilisez les différentielles pour estimer l'augmentation absolue et l'augmentation relative du volume occupé par la balle de golf.

65. Si la résistance R (en ohms) dans un circuit électrique varie en fonction du temps t (en secondes) selon la fonction $R = 50 + \sqrt{t}$, utilisez les différentielles pour évaluer le changement de R entre $t = 9$ s et $t = 9{,}01$ s.

66. Le rayon d'une bille sphérique d'un roulement à bille neuf est de 2 cm. À l'aide des différentielles, estimez la perte de volume (absolue et relative) d'une telle bille si, avec le temps et l'usure, le rayon de cette dernière passe à 1,98 cm.

67. Utilisez les différentielles pour approximer le volume demandé.

a) Le volume d'une coquille cylindrique, soit celui de l'enveloppe mince d'épaisseur dr d'un cylindre de rayon r et de hauteur h.

b) Le volume d'une coquille sphérique, soit celui de l'enveloppe mince d'épaisseur dr d'une sphère de rayon r.

68. Du sable déversé s'accumule et forme un tas de forme conique dont le rayon de la base correspond toujours au double de sa hauteur. Si le rayon de la base est de 4 m, quelle variation du rayon provoquerait une augmentation de 0,1 m^3 du volume occupé par le tas de sable ?

69. Si on néglige la résistance de l'air, la portée P (en mètres) d'un projectile lancé avec une vitesse initiale v (en mètres par seconde) à partir du niveau du sol et avec un angle θ par rapport à l'horizontale est donnée par $P = \frac{v^2}{9{,}8}\sin(2\theta)$, où $0 \leq \theta \leq \frac{\pi}{2}$.

a) Quelle est la portée d'un projectile dont la vitesse initiale est de 20 m/s et qui est lancé avec un angle d'inclinaison de 30° ?

b) Utilisez les différentielles pour déterminer la variation de la portée du projectile si la vitesse initiale passe de 20 m/s à 20,2 m/s, l'angle d'inclinaison demeurant de 30°.

c) Utilisez les différentielles pour déterminer la variation de la portée du projectile si l'angle d'inclinaison passe de 30° à 30,36°, la vitesse initiale demeurant de 20 m/s.

70. Soit l'équation $(P + a)(v + b) = c$, où P représente la charge imposée à un muscle, v représente la vitesse de contraction du muscle, et a, b et c sont des constantes positives. Utilisez les différentielles pour mesurer l'effet d'une faible augmentation de charge dP sur la vitesse de contraction.

71. Le diamètre intérieur d'un baril cylindrique est de 1 m et sa hauteur est de 1,5 m. Ce baril sert à l'entreposage de contaminants chimiques. Pour en empêcher l'oxydation, on recouvre l'intérieur du baril d'une fine couche de zinc de 0,01 mm. Si le zinc coûte 70 \$/kg et que 1 kg de zinc occupe un volume de 140 cm^3, estimez le coût de l'enduit à l'aide des différentielles.

72. Lors de la dernière négociation collective, un syndicat a obtenu que l'employeur contribue à une assurance dentaire pour ses employés. Ainsi, la contribution (en dollars) de l'employeur est donné par $C(x) = 10\,000 + 120\sqrt{x}$ où x représente le nombre d'employés. Utilisez les différentielles pour trouver l'augmentation de la contribution de l'employeur si le nombre d'employés passe de 400 à 403.

73. Le temps t (en secondes) requis pour apprendre une liste de n mots d'une langue étrangère est de $t = 5n\sqrt{n-3}$, où $n > 3$. En vertu de ce modèle, faut-il plus de temps pour apprendre 2 mots additionnels lorsqu'on en a déjà appris 19 ou lorsqu'on en a déjà appris 84 ?

74. On a établi que la fonction de demande d'un certain produit alimentaire est $P = \frac{250}{Q^2 + 1}$, où P représente le prix (en dollars par kilogramme) et Q la quantité du bien (en millions de kilogrammes).

a) Si la quantité Q passe de 7 à 7,1 millions de kilogrammes, utilisez les différentielles pour estimer l'effet (absolu et relatif) de ce changement sur le prix du produit alimentaire.

b) Quel aurait été l'effet si la quantité Q était passée de 7 à 6,98 millions de kilogrammes ?

75. Un démographe anticipe que la taille P de la population (en millions d'habitants) d'un pays dans t années sera de $P(t) = 30 - \frac{375}{t^2 + 25}$. Si le modèle mathématique proposé s'avère exact, utilisez les différentielles pour estimer la variation de la taille de cette population dans les trois premiers mois suivant la dixième année de la prévision du démographe.

76. Le remboursement d'un prêt de A \$ au taux d'intérêt périodique de i est décrit par la fonction $A = \frac{V\left[1 - (1+i)^{-n}\right]}{i}$, où n est le nombre de versements de V \$ effectués à la fin de chaque période.

Robert a emprunté 40 000 \$ pour s'acheter une voiture. Pour rembourser ce prêt, il doit effectuer des versements à la fin de chaque mois pendant 4 ans.

a) Combien de versements Robert doit-il effectuer ?

b) Quelle est la fonction $V(i)$ donnant le montant du versement V (en dollars) que Robert doit effectuer pour rembourser son prêt au taux d'intérêt mensuel de i ?

c) Si le taux d'intérêt est de 0,4 % par mois, quel versement Robert doit-il effectuer à la fin de chaque mois pour rembourser son prêt ?

d) Quel montant d'intérêt Robert aura-t-il payé à l'échéance de son prêt ?

e) Utilisez les différentielles pour estimer la variation du versement de Robert si le taux d'intérêt passe de 0,4 % à 0,38 % par mois.

77. On dépose un montant V (en dollars) à la fin de chaque mois dans un compte où le taux d'intérêt mensuel est de i. Après n mois, la somme accumulée S (en dollars) dans ce compte est donnée par $S = \frac{V\left[(1+i)^n - 1\right]}{i}$.

a) Si Dave dépose V \$ à la fin de chaque mois pendant 25 ans dans un compte d'épargne-retraite offrant un taux d'intérêt de 0,3 % par mois, quelle est la fonction $S(V)$ donnant la somme accumulée par Dave dans le compte ?

b) Quel montant Dave aura-t-il accumulé dans 25 ans s'il fait des versements de 150 \$ à la fin de chaque mois dans ce compte ?

c) À l'aide des différentielles, estimez la variation du montant accumulé par Dave dans ce compte au bout de

25 ans s'il décide d'effectuer des versements de 160 $ par mois plutôt que des versements de 150 $ par mois.

d) Si Julie dépose 200 $ à la fin de chaque mois pendant 20 ans dans un compte d'épargne-retraite offrant un taux d'intérêt mensuel de i, quelle est la fonction $S(i)$ donnant la somme accumulée par Julie dans le compte?

e) Quel montant Julie aura-t-elle accumulé dans 20 ans dans ce compte si le taux d'intérêt est de 0,35 % par mois?

f) À l'aide des différentielles, estimez la variation du montant accumulé par Julie dans le compte si le taux d'intérêt mensuel passe de 0,35 % à 0,38 %.

78. La mesure de l'arête d'un cube est de 20 cm. Cette mesure comporte une incertitude de 0,5 cm. Estimez les incertitudes absolues et relatives sur l'aire de la surface totale et sur le volume du cube?

79. À 10 m d'un édifice, on a mesuré un angle d'élévation de 60°. La mesure de l'angle est précise à 0,36°. Utilisez les différentielles pour évaluer l'incertitude sur la mesure de la hauteur h de l'édifice.

80. Quelle doit être l'incertitude relative sur la mesure du côté d'un carré si on souhaite que l'incertitude relative sur l'aire du carré soit inférieure à 1 %?

81. Quelle doit être l'incertitude relative sur la mesure du diamètre d'un cercle si on souhaite que l'incertitude relative sur l'aire du cercle soit inférieure à 0,5 %?

82. La période T (en secondes) d'un pendule de longueur L (en mètres) est donnée par $T = 2\pi\sqrt{\dfrac{L}{g}}$, où g représente la constante de gravitation. Utilisez les différentielles pour calculer l'incertitude relative sur la période du pendule si la mesure de la longueur du pendule comporte une incertitude relative de 4 %.

83. Des vétérinaires ont établi que l'aire A (en mètres carrés) de la surface de la peau d'un cheval peut s'exprimer en fonction de la masse m (en kilogrammes) de l'animal: $A = 0{,}1\,m^{2/3}$. Lors d'une pesée, on a constaté que la masse d'un cheval est de 343 kg. Si la pesée est précise à 0,5 %, quelle erreur maximale peut-on commettre sur l'évaluation de l'aire de la surface de la peau du cheval?

84. La dose Q (en milligrammes) d'un médicament qu'on doit donner à un chien est fonction de sa masse m (en kilogrammes): $Q = km^{3/4}$, où k est une constante. Le vétérinaire doit donner une dose qui ne diffère pas de plus de 3 % de celle qui est recommandée. S'il veut respecter les consignes de dosage, quelle doit être l'incertitude relative maximale de la balance qu'il utilise?

85. Un réservoir hémisphérique (demi-sphère) est rempli d'eau à pleine capacité. Le rayon du réservoir est de 4 m, et cette mesure présente une incertitude de 0,5 cm.

a) Utilisez les différentielles pour évaluer l'incertitude absolue et relative sur l'évaluation du volume du réservoir.

b) Sachant que la masse volumique de l'eau à 4 °C est de 1 000 kg/m^3, utilisez les différentielles pour évaluer l'incertitude absolue sur la masse d'eau contenue dans le réservoir lorsque la température de l'eau est de 4 °C.

86. Le rayon r d'un réservoir sphérique mesure 1 m. À l'aide d'une tige graduée, on mesure la hauteur h du niveau de liquide qui se trouve dans le réservoir: $h = (0{,}4 \pm 0{,}05)$ m. Sachant que le volume V de la calotte d'une sphère est $V = \dfrac{\pi h^2(3r - h)}{3}$, que valent les incertitudes absolue et relative lors de l'évaluation de la quantité de liquide qui se trouve dans le contenant.

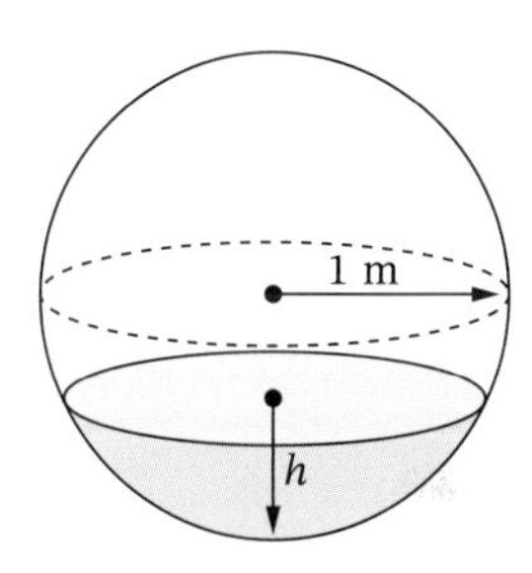

87. La base d'un triangle isocèle mesure 1 m. Recourez à la figure qui suit pour vérifier que l'incertitude relative sur la mesure de la hauteur h du triangle est $-\operatorname{cosec}\theta\, d\theta$, où $d\theta$ représente l'incertitude sur la mesure de l'angle θ.

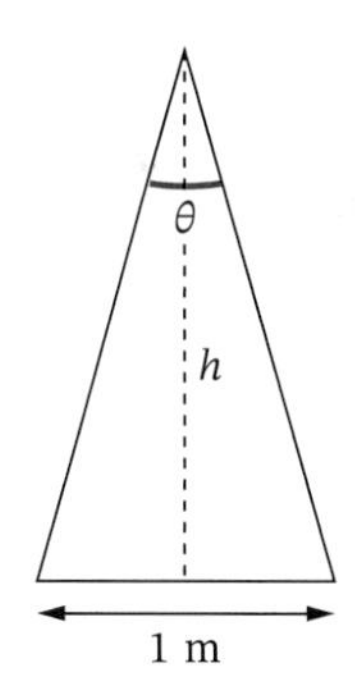

88. Le volume V d'un cylindre circulaire est $V = \pi r^2 h$ où r représente le rayon du cylindre, et h, sa hauteur.

a) Si la hauteur du cylindre est mesurée de manière précise, mais que la mesure du rayon comporte une incertitude, utilisez les différentielles pour vérifier que la mesure du volume du cylindre comporte une incertitude relative deux fois plus élevée que celle de la mesure du rayon.

b) Si le rayon du cylindre est mesuré de manière précise, mais que la mesure de la hauteur comporte une incertitude, utilisez les différentielles pour vérifier que la mesure du volume du cylindre comporte une incertitude relative identique à celle de la mesure de la hauteur.

c) Si les mesures de la hauteur et du rayon du cylindre comportent des incertitudes, exprimez l'incertitude relative de la mesure du volume du cylindre en fonction des incertitudes relatives des mesures de la hauteur et du rayon du cylindre.

89. On a placé un piquet de 1 m de hauteur à 10 m du pied d'une falaise. Le point de visée du sommet de la falaise est situé à 50 cm (x) du pied du piquet. Si cette dernière mesure est précise à 1 %, estimez la hauteur h de la falaise, ainsi que l'incertitude absolue et relative sur cette mesure.

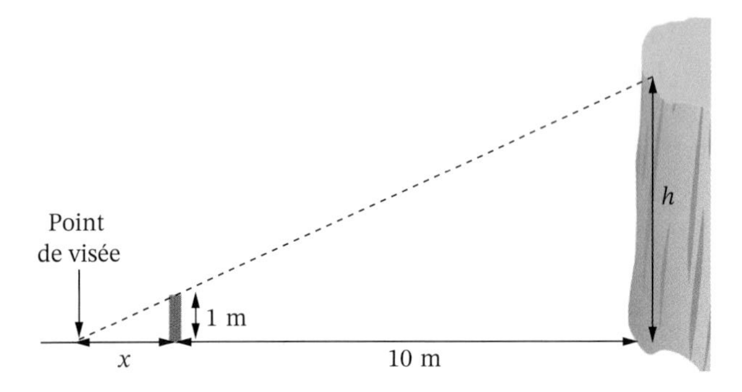

90. Utilisez la différentielle pour trouver une approximation de l'expression.

a) $(1{,}0002)^{100}$

b) $e^{-0{,}02}$

c) $(1{,}001)^{-4}$

d) $\sqrt[4]{255}$

e) $\cos(58{,}2°)$

f) $\text{arctg}(1{,}1)$

g) $1{,}01 + (1{,}01)^2 + (1{,}01)^4 + (1{,}01)^8$

h) $\left(2 + \sqrt{9{,}1}\right)^4$

91. Si $f(x)$ est une fonction dérivable pour laquelle $f(10) = 25$ et $f'(10) = -3$, utilisez les différentielles pour estimer $f(9{,}8)$.

92. On a placé une tasse de thé sur un comptoir. La température T (en Celsius) du thé est fonction du temps t (en minutes) écoulé depuis l'instant où la tasse a été déposée sur le comptoir.

a) Quelle information tirez-vous de l'expression $T'(5) = -0{,}5$? Indiquez bien les unités dans votre réponse.

b) Si $T(5) = 85$ et que $T'(5) = -0{,}5$, estimez $T(5{,}4)$. Indiquez bien les unités dans votre réponse.

EXERCICES de révision

1. Encerclez la lettre qui correspond à la bonne réponse.

a) Une plaque métallique circulaire prend de l'expansion lorsqu'elle est chauffée. Si son rayon augmente à raison de 0,2 mm/min lorsqu'il est de 10 cm, à quel rythme la circonférence du cercle augmente-t-elle à cet instant ?

A. $0{,}1\pi$ mm/min
B. $0{,}2\pi$ mm/min
C. $0{,}3\pi$ mm/min
D. $0{,}4\pi$ mm/min
E. $0{,}5\pi$ mm/min
F. Aucune de ces réponses.

b) On remplit avec de l'eau, à raison de 20 m³/s, un réservoir cylindrique dont le rayon de la base mesure 10 m. À quel rythme la hauteur du niveau de l'eau augmente-t-elle ?

A. $\left(\frac{\pi}{2}\right)$ m/s
B. π m/s
C. 2π m/s
D. $\left(\frac{2}{\pi}\right)$ m/s
E. $\left(\frac{3}{\pi}\right)$ m/s
F. Aucune de ces réponses.

c) Une boule de neige sphérique fond à un rythme tel que son rayon diminue à raison de 1 cm/min. À quel rythme le volume de cette boule diminue-t-il lorsque le rayon est de 5 cm ?

A. $4/3\,\pi$ cm³/min
B. 4π cm³/min
C. 8π cm³/min
D. $100/3\,\pi$ cm³/min
E. 100π cm³/min
F. Aucune de ces réponses.

d) Le nombre y de poissons dans un lac est fonction du niveau x de concentration (en parties par million, soit en ppm) d'un certain type de polluant : $y = \dfrac{100\,000}{1 + x}$. Si la concentration du polluant augmente à raison de 2 ppm/année, à quel rythme le nombre de poissons dans le lac diminue-t-il lorsqu'on en dénombre 2 000 ?

A. 10 poissons/année
B. 20 poissons/année
C. 40 poissons/année
D. 60 poissons/année
E. 80 poissons/année
F. Aucune de ces réponses.

e) À quel rythme la diagonale d'un cube augmente-t-elle lorsque les arêtes de celui-ci augmentent à raison de 2 cm/s ?

A. $2\sqrt{3}$ cm/s
B. $\sqrt{3}$ cm/s
C. 8 cm/s
D. 3 cm/s
E. 2 cm/s
F. $3\sqrt{3}$ cm/s
G. 6 cm/s
H. Aucune de ces réponses.

f) Une pièce pyrotechnique (un feu d'artifice) se déplace verticalement à un rythme de 20 m/s lorsqu'elle atteint une hauteur de 100 m. À quel rythme l'angle d'élévation θ mesuré à 50 m du point de lancement change-t-il à cet instant ?

A. 0,02 rad/s
B. 0,04 rad/s
C. 0,06 rad/s
D. 0,08 rad/s
E. 0,1 rad/s
F. Aucune de ces réponses.

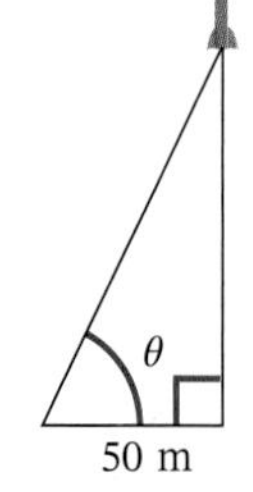

g) Si $y = \dfrac{3 - x^2}{\sqrt{x}}$, quelle est l'expression de la différentielle dy?

A. $-\dfrac{3(1 + x^2)}{x\sqrt{x}}$ D. $\dfrac{3(1 + x^2)}{x\sqrt{x}}$

B. $-\dfrac{3(1 + x^2)}{2x\sqrt{x}}dx$ E. $\dfrac{4x}{\sqrt{x}}dx$

C. $\dfrac{3(1 + x^2)}{2x\sqrt{x}}dx$ F. Aucune de ces réponses.

h) Si $y = xe^{-x^2}$, quelle est l'expression de la différentielle dy?

A. $e^{-x^2}(-2x^2 + 1)dx$ D. $e^{-x^2}(-2x + 1)dx$

B. $e^{-x^2}(2x^2 + 1)dx$ E. $e^{-x^2}(1 - x^2)dx$

C. $-2xe^{-x^2}dx$ F. Aucune de ces réponses.

i) Si $y = \sec\theta\,\text{tg}^2\theta$, quelle est l'expression de la différentielle dy?

A. $2\sec\theta\,\text{tg}^2\theta\, d\theta$

B. $2\sec^3\theta\,\text{tg}^2\theta\, d\theta$

C. $\sec\theta\,\text{tg}\,\theta(2\sec^2\theta + \text{tg}^2\theta)d\theta$

D. $2\sec\theta\,\text{tg}\,\theta\, d\theta$

E. $(\sec\theta\,\text{tg}\,\theta + \sec^3\theta)d\theta$

F. $\sec\theta\,\text{tg}\,\theta(\sec^2\theta + \text{tg}^2\theta)d\theta$

j) Un étudiant a mesuré le rayon r d'une sphère et a obtenu $r = 1$ m. Si on admet que l'incertitude sur la mesure du rayon est de 1 cm, quelle est l'incertitude relative sur l'évaluation du volume de la sphère?

A. 1 % D. 2,5 %

B. 1,5 % E. 3 %

C. 2 % F. Aucune de ces réponses.

2. La fonction $C(p) = \dfrac{3p}{120 - p}$ représente ce qu'il en coûte (en centaines de milliers de dollars) pour retirer un pourcentage $p \in [0, 100]$ des polluants dans un site contaminé.

a) Si, au moment où on a retiré 60 % des polluants du site, on décide d'augmenter le pourcentage de décontamination à raison de 2 points/année*, à quel rythme devra-t-on augmenter le budget prévu pour la décontamination?

b) À l'aide des différentielles, estimez la variation du coût de décontamination lorsque le pourcentage des polluants retirés du site passe de 40 % à 43 %.

3. L'énergie cinétique K (en joules) d'un objet de masse m (en kilogrammes) qui se déplace à une vitesse v (en mètres par seconde) est donnée par $K = \frac{1}{2}mv^2$. Une fusée accélère à raison de $20\,\text{m/s}^2$ et sa masse diminue à raison de 15 kg/s (en raison de la consommation de carburant). À quel rythme varie l'énergie cinétique de la fusée lorsque sa masse est de 4 000 kg et que sa vitesse est de 1 500 m/s?

* Remarquons qu'un passage de 60 % à 61 %, par exemple, constitue une augmentation de 1 point de pourcentage (ou simplement de 1 point), et non de 1 %.

4. Utilisez les différentielles pour trouver une approximation de $\sqrt{101}$.

5. On calcule l'indice de masse corporelle (IMC) d'un individu en divisant sa masse (M) mesurée en kilogrammes par le carré de sa taille (T) mesurée en mètres.

a) À l'aide des différentielles, estimez la variation de l'indice de masse corporelle d'un individu mesurant 2 m si sa masse a augmenté de 800 g.

b) Un homme pèse 85 kg et mesure 1,78 m. Si la masse est exacte, mais que la mesure de la taille est précise à 1 cm près, recourez aux différentielles pour déterminer l'incertitude et l'incertitude relative dans la mesure de l'indice de masse corporelle de cet homme.

6. Une échelle de 4 m de longueur est appuyée contre un mur. Si l'extrémité inférieure de l'échelle glisse sur le sol glacé et s'éloigne du mur à raison de 0,2 m/s, à quel rythme les pieds d'un homme posés au milieu de l'échelle descendent-ils lorsque l'extrémité inférieure de l'échelle est située à 1 m du mur?

7. Un filtre conique, dont le diamètre et la hauteur valent 10 cm, contient de l'eau qui s'écoule dans une tasse cylindrique, dont le diamètre est également de 10 cm, de façon telle que le niveau d'eau dans le filtre diminue à raison de 0,5 cm/s lorsque le volume d'eau dans le filtre est de $\frac{16}{3}\pi\ \text{cm}^3$. À cet instant, à quel rythme le niveau d'eau augmente-t-il dans la tasse?

8. Luc et Carole se déplacent en vélo sur deux rues perpendiculaires. Luc, qui est situé à 8 km à l'ouest de l'intersection des deux rues, se déplace vers l'est en direction de cette intersection à une vitesse constante de 10 km/h. Carole, située à 1 km au sud de l'intersection, se déplace vers le sud à une vitesse constante de 6 km/h.

a) Quelle distance sépare Carole et Luc après 30 min?

b) Après 30 min, à quelle vitesse Carole et Luc s'éloignent-ils ou se rapprochent-ils l'un de l'autre?

9. Une personne soulève une charge ponctuelle à l'aide d'un câble de 10 m de longueur qui passe sur une poulie fixée à une hauteur de 4 m au-dessus du sol, comme cela est indiqué dans le schéma.

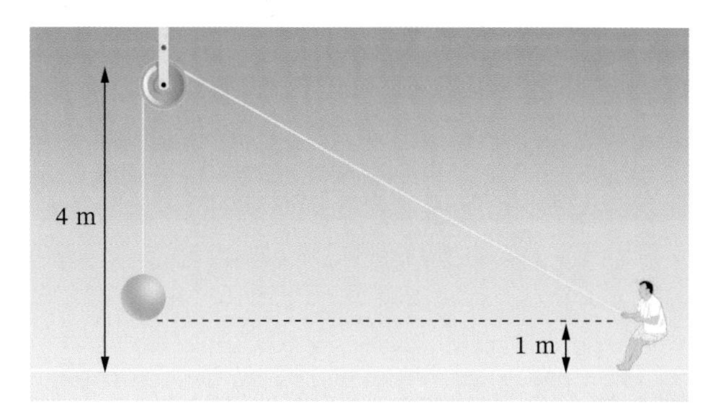

Pour faire monter la charge, la personne s'en éloigne en maintenant la corde à une hauteur de 1 m au-dessus du sol et en se déplaçant à une vitesse de 2 m/s. À quelle vitesse la charge se déplace-t-elle lorsqu'elle atteint une hauteur de 3 m?

10. Un rayon lumineux qui traverse la frontière entre l'air et l'eau est dévié comme cela est indiqué dans le schéma.

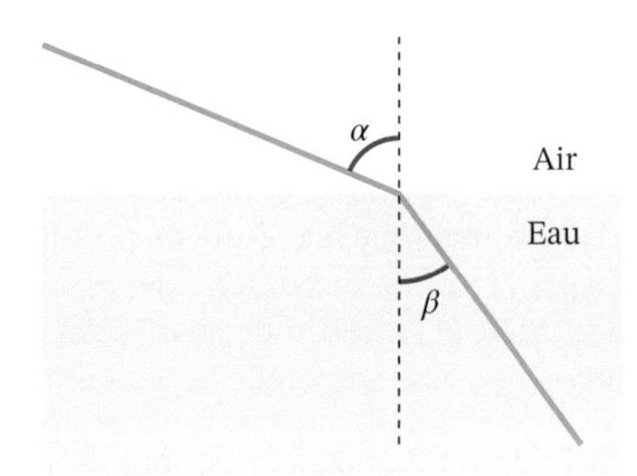

En vertu de la loi de Snell, l'angle d'incidence α et l'angle de réfraction β satisfont à l'équation $\frac{\sin\alpha}{\sin\beta} = 1{,}33$.

a) Quel est l'angle de réfraction β lorsque $\alpha = \pi/4$? Arrondissez votre réponse à deux décimales.

b) À quel rythme l'angle de réfraction β change-t-il lorsque $\alpha = \pi/4$ et qu'il diminue à raison de 0,5 rad/s? Arrondissez votre réponse à deux décimales.

11. La concentration C (en unités) d'un certain médicament dans le sang t h après son absorption est donnée par $C(t) = \frac{6t}{9 + t^2}$.

a) Quelle est la concentration du médicament dans le sang à long terme?

b) Quel est le taux de variation de la concentration du médicament dans le sang 2 h après l'absorption du médicament?

c) Combien de temps après son absorption la concentration du médicament dans le sang est-elle maximale?

d) Utilisez les différentielles pour déterminer, 2 h après l'absorption du médicament, le changement dans la concentration du médicament au cours d'un intervalle de 15 min.

12. Jean Léonard Marie Poiseuille (1797-1869) fut un médecin et un physicien français qui apporta une contribution importante à la compréhension de la circulation sanguine. Il a notamment établi que le volume de fluide (comme le sang) circulant dans un tube cylindrique (comme une veine ou une artère) au cours d'un intervalle de temps, lorsque la pression est constante, est proportionnel à la quatrième puissance du rayon du tube.

a) En vertu du principe établi par Poiseuille, quelle est l'expression du volume V de fluide s'écoulant dans un tube cylindrique au cours d'un intervalle de temps en fonction du rayon r du tube?

b) À la suite d'une intervention chirurgicale (insertion d'un ballon gonflable pour dilater un vaisseau sanguin), le rayon d'une artère a augmenté de 10 %. Quel est l'effet relatif de cette dilatation de vaisseau sur l'écoulement sanguin, soit sur le volume V de sang qui circule dans le vaisseau au cours d'un intervalle fixe de temps?

CHAPITRE 5

OPTIMISATION

À partir du XVIIe siècle, la théorie générale des valeurs extrêmes – maximums et minimums – est devenue l'un des grands facteurs d'intégration de la science.

Richard Courant et Herbert Robbins

Comme nous l'avons déjà vu dans les chapitres précédents, le signe d'une dérivée est particulièrement révélateur du comportement d'une fonction. Il permet notamment de déterminer les intervalles de croissance et de décroissance d'une fonction. Mais il y a bien plus encore!

Le chapitre 5 constitue en fait un point culminant du cours de calcul différentiel puisqu'on y étudie une application majeure: l'optimisation. Que ce soit en matière de temps, de profit, de coût ou de consommation, l'être humain cherche l'efficacité et, par le fait même, les valeurs extrêmes prises par une fonction (maximum et minimum) décrivant un phénomène. Après avoir formulé un modèle mathématique (une fonction) décrivant un contexte particulier, on peut recourir au calcul différentiel pour repérer ces valeurs extrêmes, qui se trouvent notamment (mais pas uniquement) aux valeurs où la dérivée change de signe et devient alors nulle.

Encore une fois, vous serez à même de constater la puissance et la généralité du calcul différentiel, qui trouve son application dans des domaines aussi variés que la géométrie, l'économie, la démographie, la sociologie, la psychologie, l'ingénierie, la physique, la biologie, la chimie, et dans bien d'autres domaines encore.

OBJECTIFS

- Trouver les extremums relatifs d'une fonction (5.1).
- Trouver les extremums absolus d'une fonction (5.2).
- Déterminer les variables présentes dans un problème d'optimisation (5.3).
- Écrire les relations liant les différentes variables dans un problème d'optimisation (5.3).
- Écrire la fonction à optimiser en fonction d'une seule variable (5.3).
- Résoudre un problème d'optimisation (5.3).

SOMMAIRE

ANIMATIONS GEOGEBRA

- Test de la dérivée première (p. 289, 290 et 291)
- Signe de la dérivée seconde et concavité (p. 296)
- Extremums absolus d'une fonction selon son domaine (p. 300 et 303)
- Optimisation : volume d'une boîte (p. 313)
- Optimisation : alimentation en électricité d'une île (p. 317)

UN PORTRAIT DE

Pierre de Fermat

Pierre de Fermat

Pierre de Fermat naquit le 17 août 1601 à Beaumont-de-Lomagne en France. Il fit des études universitaires, d'abord à Toulouse puis à Bordeaux, mais c'est de l'Université d'Orléans qu'il reçut son diplôme en droit.

À compter de 1631, il fut magistrat et conseiller au Parlement de Toulouse, ce qui lui permit d'ajouter la particule *de* à son nom.

Fermat n'était ni un scientifique ni un mathématicien professionnel, dans la mesure où il gagnait sa vie en pratiquant le droit; mais il était bien plus qu'un simple amateur. Tout au long de sa vie, il entretint des échanges épistolaires avec plusieurs membres de la communauté scientifique et mathématique de son époque, dont Gilles Personne de Roberval (1602-1675), Marin Mersenne (1588-1648), René Descartes (1596-1650), Blaise Pascal (1623-1662) et Christiaan Huygens (1629-1695).

Fermat avait l'habitude de lancer des défis mathématiques à ses contemporains en leur soumettant des problèmes difficiles qu'il avait déjà résolus. Ainsi, une lettre qu'il avait adressée à Marin Mersenne contenait deux problèmes d'optimisation. Mersenne et Roberval, qui avait aussi pris connaissance des problèmes, les trouvèrent extrêmement difficiles et ne purent les résoudre. Ils demandèrent donc à Fermat de leur montrer sa solution. Fermat leur fit part d'une méthode (pour déterminer les maximums, les minimums et les tangentes d'une ligne courbe) qui s'apparente à celle encore utilisée en calcul différentiel. Fermat put résoudre ces problèmes, car il avait déjà mis au point une forme de géométrie analytique en 1636, soit un an avant la publication du *Discours de la méthode* de Descartes. Fermat élabora également une forme de calcul intégral qui lui permit de trouver l'aire de surfaces paraboliques et hyperboliques, et de calculer le centre de gravité de certaines figures planes et d'un paraboloïde de révolution.

La contribution de Fermat au calcul est essentielle. Isaac Newton (1642-1727), que les historiens considèrent comme un des deux fondateurs du calcul différentiel et intégral, affirma qu'il conçut son calcul des fluxions (une forme de calcul différentiel) en se basant sur «*Monsieur Fermat's method of drawing tangents*», c'est-à-dire en considérant la tangente en un point d'une courbe comme la limite des sécantes passant par ce point. Joseph Louis Lagrange (1736-1813), le célèbre mathématicien français, alla plus loin en affirmant même que Fermat fut le véritable inventeur du calcul différentiel et intégral.

Les intérêts mathématiques de Fermat étaient très variés. Il s'intéressa aussi à la théorie des nombres, domaine où son nom demeurera toujours associé à un des plus célèbres théorèmes de l'histoire des mathématiques. En effet, en 1637, dans la marge d'une traduction des œuvres de Diophante, il écrivit: «Diviser un cube en deux cubes, une puissance de 4 en deux puissances de 4 ou une puissance quelconque en deux puissances de même dénomination, est impossible. J'ai découvert une démonstration merveilleuse, mais je n'ai pas la place de la mettre dans la marge.» L'énoncé de ce théorème (grand théorème de Fermat) en langage moderne est le suivant: si n est un entier supérieur à 2, alors l'équation $x^n + y^n = z^n$, où x, y et z sont des entiers non nuls, n'admet pas de solution. Il fallut attendre plus de 350 ans avant qu'un mathématicien, le Britannique Andrew Wiles (né en 1953), enseignant à l'Université Princeton, n'en donne en 1994 une démonstration satisfaisante.

Dans une correspondance avec Blaise Pascal, Fermat jeta les bases du calcul des probabilités en répondant à un problème soumis par Antoine Gombaud, chevalier de Méré. Même si Fermat fut (et est encore) considéré comme un des plus brillants mathématiciens de son époque, il ne publia pas d'ouvrage complet et la plupart de ses textes restèrent manuscrits de son vivant. Ses écrits circulaient seulement parmi ses correspondants et amis. Comme les mathématiques n'occupaient que ses loisirs, il ne poussa jamais ses démonstrations à fond, se contentant d'en donner les idées maîtresses. Son fils Samuel se chargea de rendre publique une partie de la production scientifique de son père en faisant paraître *Varia opera mathematica* en 1679.

Fermat, le «prince des mathématiciens amateurs», mourut à Castres le 12 janvier 1665. On donna son nom à plusieurs concepts mathématiques (équation de Pell-Fermat, nombre de Fermat, petit théorème de Fermat, spirale de Fermat). Enfin, en physique, Fermat énonça un principe qu'il qualifia d'«économie naturelle» et qui, en optique, porte maintenant le nom de principe de Fermat*.

* En vertu de ce principe, le chemin optique d'un rayon lumineux entre deux points correspond au trajet qui minimise le temps de parcours. Fermat fut donc le premier à donner un exemple de calcul des variations, qu'Euler, Lagrange et plusieurs autres allaient développer de manière très fructueuse en physique.

5.1 CROISSANCE, DÉCROISSANCE ET EXTREMUMS RELATIFS D'UNE FONCTION

DANS CETTE SECTION : *fonction croissante - fonction décroissante - valeurs critiques - maximum relatif - minimum relatif - extremums relatifs.*

La recherche d'optimums constitue un objectif majeur dans de nombreux champs de l'activité humaine. Ainsi, une entreprise souhaite minimiser ses coûts de production ou encore maximiser ses profits; une agence publicitaire cherche à obtenir la plus grande visibilité pour un produit dans une population cible; des militaires veulent maximiser la portée d'un projectile; etc. Ces problèmes ont tous en commun la recherche de la valeur maximale (ou minimale) d'une fonction. Pour résoudre de tels problèmes, il faut déterminer si le maximum (ou le minimum) existe et, le cas échéant, déterminer une façon de l'obtenir.

Intuitivement, une fonction atteint un maximum quand elle arrête de monter pour commencer à descendre et elle atteint un minimum quand elle arrête de descendre pour commencer à monter. Visuellement, un maximum correspond à un sommet et un minimum à un creux (FIGURE 5.1).

FIGURE 5.1

Notion intuitive de maximum et de minimum*

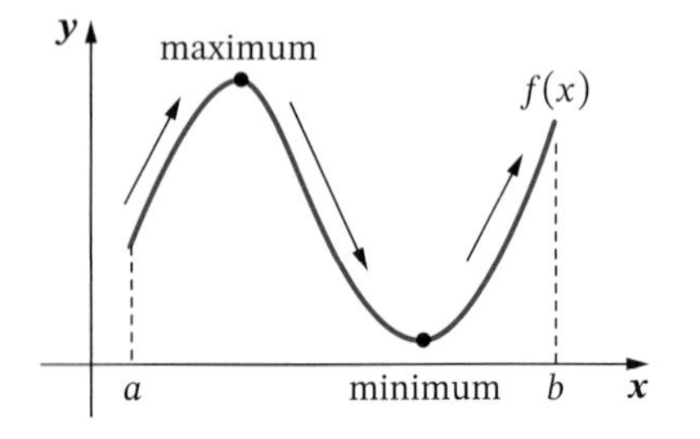

5.1.1 INTERVALLES DE CROISSANCE ET INTERVALLES DE DÉCROISSANCE D'UNE FONCTION

Il semble donc naturel d'étudier la croissance et la décroissance d'une fonction afin de pouvoir déterminer d'éventuels maximums et minimums de cette fonction.

Une **fonction** $f(x)$ est **croissante** sur un intervalle I si $f(x_1) < f(x_2)$ lorsque $x_1 < x_2$ pour $x_1 \in I$ et $x_2 \in I$. La FIGURE 5.2 *a* illustre une fonction croissante.

Une **fonction** $f(x)$ est **décroissante** sur un intervalle I si $f(x_1) > f(x_2)$ lorsque $x_1 < x_2$ pour $x_1 \in I$ et $x_2 \in I$. La FIGURE 5.2 *b* illustre une fonction décroissante.

Fonction croissante

Une fonction $f(x)$ est croissante sur un intervalle I si $f(x_1) < f(x_2)$ lorsque $x_1 < x_2$ pour $x_1 \in I$ et $x_2 \in I$.

Fonction décroissante

Une fonction $f(x)$ est décroissante sur un intervalle I si $f(x_1) > f(x_2)$ lorsque $x_1 < x_2$ pour $x_1 \in I$ et $x_2 \in I$.

FIGURE 5.2

Fonction croissante et fonction décroissante

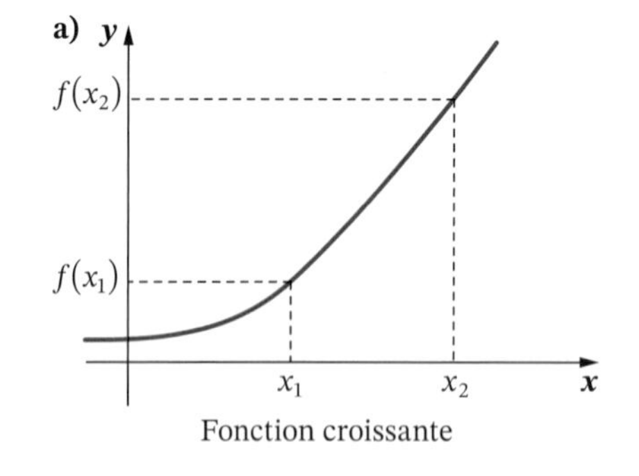

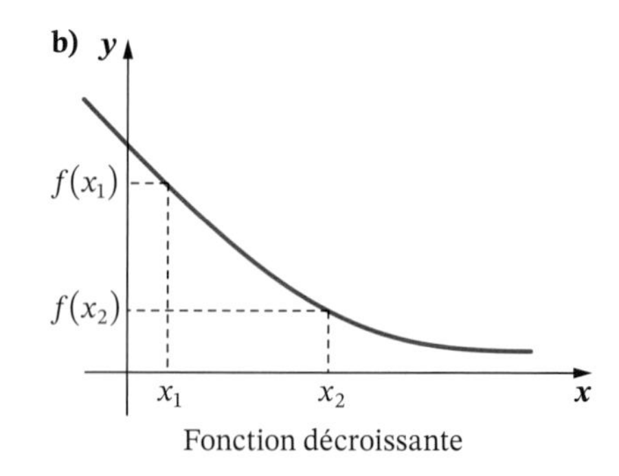

Il existe une relation importante entre la croissance et la décroissance d'une fonction dérivable et le signe de la dérivée de cette fonction, soit le signe de la pente de la droite tangente à la courbe décrite par la fonction, comme l'illustre la FIGURE 5.3.

* Le maximum et le minimum sont en fait les ordonnées des points illustrés sur la figure. On fait souvent cet abus de langage pour ne pas compliquer inutilement les représentations visuelles.

FIGURE 5.3

Croissance et décroissance d'une fonction et signe de la dérivée

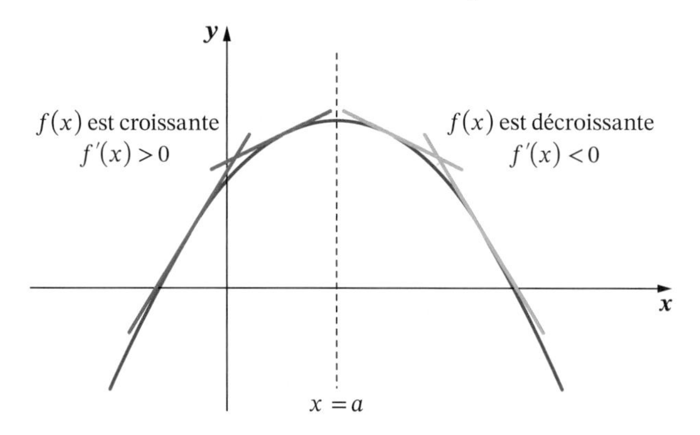

On remarque que la fonction $f(x)$ est croissante sur $]-\infty, a]$ et que $f'(x) > 0$ sur $]-\infty, a[$ puisque les droites tangentes ont des pentes positives. On note également que la fonction $f(x)$ est décroissante sur $[a, \infty[$ et que $f'(x) < 0$ sur $]a, \infty[$.

Le théorème 5.1, que nous admettrons sans démonstration, permet de formaliser ce que nous avons constaté à l'aide de la figure 5.3.

THÉORÈME 5.1

Soit une fonction $f(x)$ continue sur un intervalle I et dérivable en tout point intérieur* de l'intervalle I.

1. Si $f'(x) > 0$ pour tout point intérieur $x \in I$, alors $f(x)$ est croissante sur l'intervalle I.
2. Si $f'(x) < 0$ pour tout point intérieur $x \in I$, alors $f(x)$ est décroissante sur l'intervalle I.

EXEMPLE 5.1

Déterminons les intervalles de croissance et les intervalles de décroissance de la fonction continue $f(x) = 2x^3 + 9x^2 - 10$ sur $\mathbb{R}$. On a

$$\begin{aligned} f'(x) &= \frac{d}{dx}(2x^3 + 9x^2 - 10) \\ &= 6x^2 + 18x \\ &= 6x(x+3) \end{aligned}$$

Par conséquent,

$$f'(x) = 0 \Leftrightarrow 6x(x+3) = 0 \Leftrightarrow 6x = 0 \text{ ou } x + 3 = 0 \Leftrightarrow x = 0 \text{ ou } x = -3$$

Construisons le tableau des signes de $f'(x)$ en plaçant par ordre croissant les valeurs qui annulent la dérivée et en gardant une colonne pour chaque sous-intervalle qu'elles délimitent (**TABLEAU 5.1**, p. 282). Ce tableau nous permettra d'indiquer le signe de la dérivée sur chaque sous-intervalle et de déterminer ainsi les intervalles de croissance et les intervalles de décroissance de la fonction $f(x)$.

* Un point intérieur d'un intervalle I est une valeur $x \in I$ telle que x n'est pas une extrémité de I.

TABLEAU 5.1

Tableau des signes

x	$]-\infty, -3[$	-3	$]-3, 0[$	0	$]0, \infty[$
$f'(x)$		0		0	
$f(x)$					

Si $x \in]-\infty, -3[$, alors $f'(x) = \underbrace{6x}_{\text{négatif}} \underbrace{(x+3)}_{\text{négatif}} > 0$. Puisque la dérivée est positive (+) sur $]-\infty, -3[$, alors, en vertu du théorème 5.1 (p. 281), la fonction $f(x)$ est croissante (↗) sur $]-\infty, -3]$ (**TABLEAU 5.2**).

De plus, si $x \in]-3, 0[$, alors $f'(x) = \underbrace{6x}_{\text{négatif}} \underbrace{(x+3)}_{\text{positif}} < 0$. Puisque la dérivée est négative (−) sur $]-3, 0[$, alors, en vertu du théorème 5.1, la fonction $f(x)$ est décroissante (↘) sur $[-3, 0]$.

Finalement, si $x \in]0, \infty[$, alors $f'(x) = \underbrace{6x}_{\text{positif}} \underbrace{(x+3)}_{\text{positif}} > 0$. Puisque la dérivée est positive (+) sur $]0, \infty[$, alors, en vertu du théorème 5.1, la fonction $f(x)$ est croissante (↗) sur $[0, \infty[$.

TABLEAU 5.2

Tableau des signes

x	$]-\infty, -3[$	-3	$]-3, 0[$	0	$]0, \infty[$
$f'(x)$	+	0	−	0	+
$f(x)$	↗	17	↘	−10	↗

On peut confirmer ces résultats sur la **FIGURE 5.4**.

FIGURE 5.4

$f(x) = 2x^3 + 9x^2 - 10$

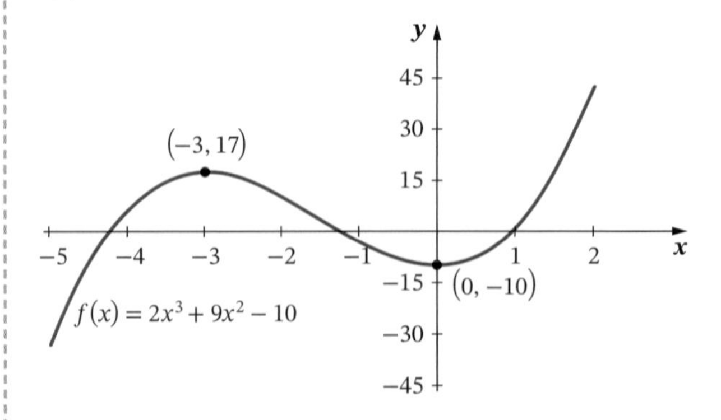

On voit bien que $f(x)$ est croissante sur $]-\infty, -3]$ et sur $[0, \infty[$, et qu'elle est décroissante sur $[-3, 0]$.

L'exemple 5.1 illustre l'importance de factoriser, lorsque cela est possible, l'expression de la fonction dérivée $f'(x)$ afin de pouvoir en déterminer le signe, et donc de déterminer les intervalles de croissance et les intervalles de décroissance de la fonction $f(x)$. En effet, il est relativement aisé de déterminer le signe d'un produit de facteurs. Par conséquent, il est fortement recommandé de factoriser l'expression de la fonction dérivée pour en déterminer les zéros et ainsi faciliter l'étude des signes de la fonction dérivée.

QUESTION ÉCLAIR 5.1

Soit la fonction continue $f(x) = x^4 - 8x^3 + 2$ sur $\mathbb{R}$.

a) Déterminez la dérivée de la fonction $f(x)$ et décomposez-la en facteurs.

b) Vérifiez que $x = 0$ et $x = 6$ sont les seules valeurs qui annulent la dérivée.

c) Complétez le **TABLEAU 5.3**.

TABLEAU 5.3
Tableau des signes

	$]-\infty, 0[$		$]0, 6[$		$]6, \infty[$
x		0		6	
$f'(x)$					
$f(x)$					

d) Déterminez les intervalles de croissance et les intervalles de décroissance de la fonction $f(x)$.

EXEMPLE 5.2

Déterminons les intervalles de croissance et les intervalles de décroissance de la fonction continue $f(x) = 2 + (3 - 2x)^{2/3}$ sur $\mathbb{R}$. On a

$$\begin{aligned} f'(x) &= \frac{d}{dx}\left[2 + (3 - 2x)^{2/3}\right] \\ &= \frac{2}{3}(3 - 2x)^{-1/3}\frac{d}{dx}(3 - 2x) \\ &= \frac{-4}{3\sqrt[3]{3 - 2x}} \end{aligned}$$

Par conséquent, $f'(x) \neq 0$ pour tout $x \in \mathbb{R}$ et

$$f'(x) \text{ n'existe pas } \Leftrightarrow 3\sqrt[3]{3 - 2x} = 0 \Leftrightarrow 3 - 2x = 0 \Leftrightarrow -2x = -3 \Leftrightarrow x = \frac{3}{2}$$

Construisons le tableau des signes de $f'(x)$ en y plaçant $x = \frac{3}{2}$ et en gardant une colonne pour chaque sous-intervalle que cette valeur délimite (**TABLEAU 5.4**). Ce tableau nous permettra d'indiquer le signe de la dérivée sur chaque sous-intervalle, et de déterminer ainsi les intervalles de croissance et les intervalles de décroissance de la fonction $f(x)$.

TABLEAU 5.4
Tableau des signes

	$]-\infty, 3/2[$		$]3/2, \infty[$
x		$3/2$	
$f'(x)$		$\nexists$	
$f(x)$			

Si $x \in \left]-\infty, \frac{3}{2}\right[$, alors $f'(x) = \underbrace{\frac{-4}{3\sqrt[3]{3-2x}}}_{\text{positif}} < 0$. Puisque la dérivée est négative (−) sur $\left]-\infty, \frac{3}{2}\right[$, alors, en vertu du théorème 5.1 (p. 281), la fonction $f(x)$ est décroissante (↘) sur $\left]-\infty, \frac{3}{2}\right]$ (**TABLEAU 5.5**).

De plus, si $x \in \left]\frac{3}{2}, \infty\right[$, alors $f'(x) = \frac{-4}{\underbrace{3\sqrt[3]{3-2x}}_{\text{négatif}}} > 0$. Puisque la dérivée est positive (+) sur $\left]\frac{3}{2}, \infty\right[$, alors, en vertu du théorème 5.1, la fonction $f(x)$ est croissante (↗) sur $\left[\frac{3}{2}, \infty\right[$.

TABLEAU 5.5

Tableau des signes

	$]-\infty, 3/2[$		$]3/2, \infty[$
x		$3/2$	
$f'(x)$	−	∄	+
$f(x)$	↘	2	↗

La **FIGURE 5.5** permet de visualiser ces résultats.

FIGURE 5.5

$f(x) = 2 + (3 - 2x)^{2/3}$

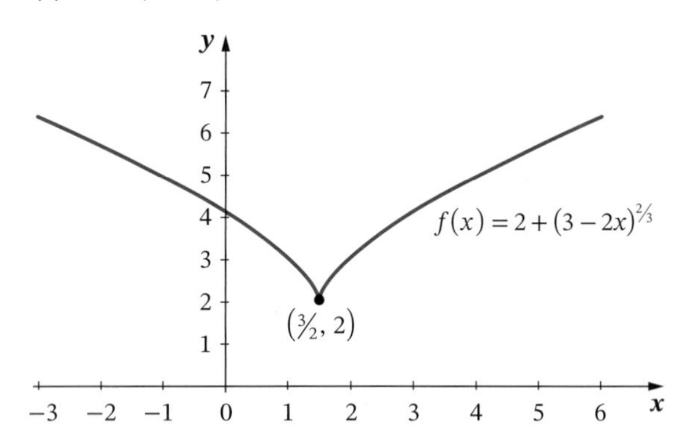

On voit bien que $f(x)$ est décroissante sur $\left]-\infty, \frac{3}{2}\right]$ et qu'elle est croissante sur $\left[\frac{3}{2}, \infty\right[$.

Les exemples 5.1 et 5.2 (p. 281 et 283) donnent une procédure pour déterminer les intervalles de croissance et les intervalles de décroissance d'une fonction continue $f(x)$.

1. Déterminer la dérivée $f'(x)$.
2. Déterminer les **valeurs critiques** de la fonction $f(x)$, c'est-à-dire les valeurs de $x \in \text{Dom}_f$ pour lesquelles $f'(x) = 0$ ou $f'(x)$ n'existe pas.
3. Construire le tableau des signes de $f'(x)$ en plaçant par ordre croissant les valeurs critiques de $f(x)$ et en gardant une colonne pour chaque sous-intervalle qu'elles délimitent.
4. Déterminer le signe de $f'(x)$ sur chacun de ces sous-intervalles.
5. Utiliser le théorème 5.1 (p. 281) pour déterminer les intervalles de croissance et les intervalles de décroissance de la fonction $f(x)$.

Valeurs critiques

Les valeurs critiques d'une fonction $f(x)$ sont les valeurs de $x \in \text{Dom}_f$ pour lesquelles $f'(x) = 0$ ou $f'(x)$ n'existe pas.

EXERCICE 5.1

Déterminez les intervalles de croissance et les intervalles de décroissance de la fonction $f(x)$.

a) $f(x) = -3x^5 + 20x^3 + 4$

b) $f(x) = \sqrt[3]{x^2 - 9}$

c) $f(x) = 2xe^{-3x}$

5.1.2 EXTREMUMS RELATIFS D'UNE FONCTION

La courbe décrite par une fonction continue tantôt croissante, tantôt décroissante admet des sommets ou des creux comme l'illustre la FIGURE 5.6.

FIGURE 5.6
Fonction continue sur un intervalle I

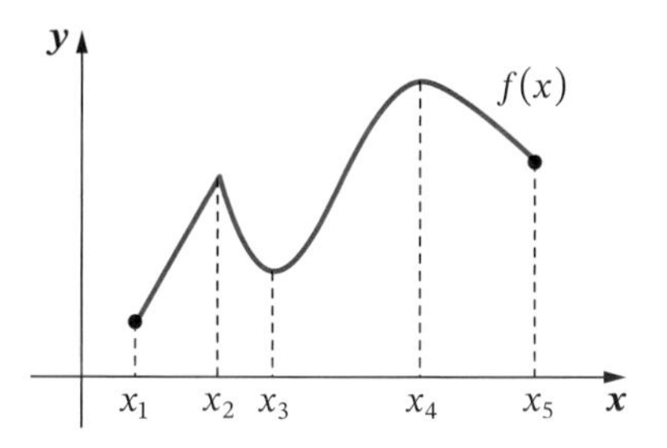

La fonction $f(x)$ définie sur $[x_1, x_5]$ et illustrée à la figure 5.6 présente cinq points intéressants. Le point $(x_2, f(x_2))$ correspond à un sommet de la courbe décrite par la fonction $f(x)$. Ce point est le plus élevé si on considère la fonction $f(x)$ sur un certain sous-intervalle de son domaine, par exemple sur l'intervalle $]x_1, x_3[$. On dira alors que la fonction $f(x)$ atteint un **maximum relatif** (ou *maximum local*) en $x = x_2$. La fonction atteint également un maximum relatif en $x = x_4$ puisqu'on y trouve un autre sommet.

Par ailleurs, le point $(x_3, f(x_3))$ correspond à un creux de la courbe décrite par la fonction $f(x)$. Ce point est le plus bas si on considère la fonction $f(x)$ sur un certain sous-intervalle de son domaine, par exemple sur l'intervalle $]x_2, x_4[$. On dira alors que la fonction $f(x)$ atteint un **minimum relatif** (ou *minimum local*) en $x = x_3$.

Finalement, les points $(x_1, f(x_1))$ et $(x_5, f(x_5))$ ne correspondent ni à un sommet, ni à un creux. Cependant, $f(x_1)$ est un minimum relatif de la fonction $f(x)$ puisque c'est la plus petite valeur prise par la fonction sur $[x_1, x_2[$. De même, $f(x_5)$ est un minimum relatif de la fonction $f(x)$ puisque c'est la plus petite valeur prise par la fonction sur $]x_4, x_5]$.

De façon générale, une fonction $f(x)$ définie sur un intervalle I admet un maximum relatif en $x = c$, s'il existe un intervalle ouvert $]a, b[$ tel que $c \in]a, b[$ et que $f(c) \geq f(x)$ pour tout $x \in]a, b[\cap I$. De même, la fonction $f(x)$ admet un minimum relatif en $x = d$, s'il existe un intervalle ouvert $]e, g[$ tel que $d \in]e, g[$ et que $f(d) \leq f(x)$ pour tout $x \in]e, g[\cap I$. On appelle alors $f(c)$ et $f(d)$ des **extremums relatifs** de la fonction $f(x)$.

Maximum relatif
Une fonction $f(x)$ définie sur un intervalle I admet un maximum relatif (ou un *maximum local*) de $f(c)$ en $x = c$ s'il existe un intervalle ouvert $]a, b[$ tel que $c \in]a, b[$ et que $f(c) \geq f(x)$ pour tout $x \in]a, b[\cap I$.

Minimum relatif
Une fonction $f(x)$ définie sur un intervalle I admet un minimum relatif (ou un *minimum local*) de $f(d)$ en $x = d$ s'il existe un intervalle ouvert $]e, g[$ tel que $d \in]e, g[$ et que $f(d) \leq f(x)$ pour tout $x \in]e, g[\cap I$.

Extremums relatifs
Les minimums relatifs et les maximums relatifs d'une fonction $f(x)$ sont appelés extremums relatifs de la fonction $f(x)$.

On aimerait établir une façon de déterminer tous les extremums relatifs d'une fonction continue $f(x)$ sur un intervalle I. Le théorème 5.2 indique les seuls endroits où on peut trouver ces extremums relatifs. Ce théorème confirme ce qu'on avait constaté sur la figure 5.6.

THÉORÈME 5.2

Si la fonction $f(x)$ est continue sur un intervalle I et si $c \in I$ est tel que $f(c)$ est un extremum relatif de la fonction $f(x)$, alors c satisfait à l'une des deux conditions suivantes:

1. c est l'une des extrémités de I.
2. c est une valeur critique de la fonction $f(x)$, c'est-à-dire que $c \in \text{Dom}_f$ et que $f'(c) = 0$ ou $f'(c)$ n'existe pas.

PREUVE

Supposons que $f(c)$ est un minimum relatif de la fonction $f(x)$ sur I. Si c est l'une des extrémités de l'intervalle I, le théorème est démontré. Si c est plutôt un point intérieur de l'intervalle I, alors $f'(c)$ existe ou n'existe pas. Si $f'(c)$ n'existe pas, le théorème est démontré. Supposons donc que $f'(c)$ existe et essayons de démontrer qu'on aura alors $f'(c) = 0$.

Puisque $f(c)$ est un minimum relatif de la fonction $f(x)$ sur I, il existe un intervalle ouvert $]a, b[$ tel que $c \in]a, b[$ et que $f(c) \leq f(x)$ pour tout $x \in]a, b[\cap I$. Par conséquent, sur cet ensemble, $f(x) - f(c) \geq 0$.

Si $x > c$, alors $x - c > 0$ et

$$\frac{f(x) - f(c)}{x - c} \geq 0 \Rightarrow \lim_{x \to c^+} \frac{f(x) - f(c)}{x - c} \geq 0$$

De plus, si $x < c$, alors $x - c < 0$ et

$$\frac{f(x) - f(c)}{x - c} \leq 0 \Rightarrow \lim_{x \to c^-} \frac{f(x) - f(c)}{x - c} \leq 0$$

Puisque $f'(c)$ existe et que $f'(c) = \lim_{x \to c} \frac{f(x) - f(c)}{x - c}$, il faut que

$$\underbrace{\lim_{x \to c^+} \frac{f(x) - f(c)}{x - c}}_{\geq 0} = \underbrace{\lim_{x \to c^-} \frac{f(x) - f(c)}{x - c}}_{\leq 0}$$

de sorte que $f'(c) = 0$.

La démonstration est similaire si on suppose que $f(c)$ est un maximum relatif de la fonction $f(x)$ sur l'intervalle I. ▣

Le théorème 5.2 permet de repérer les endroits où la fonction est susceptible d'admettre des extremums relatifs. Il reste donc à déterminer si la fonction y atteint bel et bien un extremum relatif.

EXEMPLE 5.3

À l'exemple 5.1 (p. 281), nous avons déterminé les intervalles de croissance et les intervalles de décroissance de la fonction $f(x) = 2x^3 + 9x^2 - 10$ sur $\mathbb{R}$. Nous avons ainsi obtenu le **TABLEAU 5.6**.

TABLEAU 5.6
Tableau des signes

	$]-\infty, -3[$		$]-3, 0[$		$]0, \infty[$
x		-3		0	
$f'(x)$	$+$	0	$-$	0	$+$
$f(x)$	↗	17	↘	-10	↗

Puisque la fonction $f(x) = 2x^3 + 9x^2 - 10$ cesse de croître en $x = -3$ pour commencer à décroître, elle atteint un maximum relatif de $f(-3) = 17$ en

$x = -3$. En effet, $f(x) \leq f(-3) = 17$ pour tout $x \in]-\infty, 0[$. On constate également que $f'(x) > 0$ sur $]-\infty, -3[$ et que $f'(x) < 0$ sur $]-3, 0[$, de sorte que le signe de la dérivée passe de positif à négatif en $x = -3$.

De plus, la fonction $f(x) = 2x^3 + 9x^2 - 10$ cesse de décroître en $x = 0$ pour commencer à croître. Elle atteint donc un minimum relatif de $f(0) = -10$ en $x = 0$. En effet, $f(x) \geq f(0) = -10$ pour tout $x \in]-3, \infty[$. On constate également que $f'(x) < 0$ sur $]-3, 0[$ et que $f'(x) > 0$ sur $]0, \infty[$, de sorte que le signe de la dérivée passe de négatif à positif en $x = 0$.

La FIGURE 5.7 permet d'observer la présence d'un maximum relatif en $x = -3$ et d'un minimum relatif en $x = 0$.

FIGURE 5.7

$f(x) = 2x^3 + 9x^2 - 10$

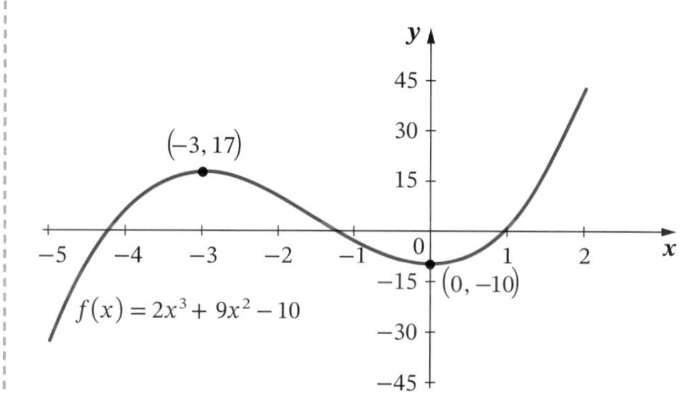

5.1.3 TEST DE LA DÉRIVÉE PREMIÈRE

Le théorème 5.3 formalise les réflexions faites dans l'exemple 5.3 et donne une méthode pour déterminer les extremums relatifs d'une fonction.

THÉORÈME 5.3

Soit une fonction $f(x)$ continue sur un intervalle $]a, b[$ et soit $c \in]a, b[$ une valeur critique de la fonction $f(x)$, c'est-à-dire que $c \in \text{Dom}_f$ et que $f'(c) = 0$ ou $f'(c)$ n'existe pas.

1. Si le signe de $f'(x)$ passe de positif à négatif en $x = c$, c'est-à-dire si la fonction $f(x)$ passe de croissante à décroissante en $x = c$, alors $f(c)$ est un maximum relatif de la fonction $f(x)$.
2. Si le signe de $f'(x)$ passe de négatif à positif en $x = c$, c'est-à-dire si la fonction $f(x)$ passe de décroissante à croissante en $x = c$, alors $f(c)$ est un minimum relatif de la fonction $f(x)$.
3. Si $f'(x)$ ne change pas de signe en $x = c$, c'est-à-dire si $f'(x) < 0$ ou si $f'(x) > 0$ sur des intervalles à gauche et à droite de c, alors $f(c)$ n'est pas un extremum relatif de la fonction $f(x)$.

PREUVE

1. Si le signe de $f'(x)$ passe de positif à négatif en $x = c$, alors il existe d et e dans l'intervalle $]a, b[$ tels que $f'(x) > 0$ pour tout $x \in]d, c[$ et $f'(x) < 0$ pour tout $x \in]c, e[$. En vertu du théorème 5.1 (p. 281), $f(x)$ est croissante sur $]d, c[$, de sorte que $f(x) \leq f(c)$ pour tout $x \in]d, c]$.

   De plus, en vertu du théorème 5.1, $f(x)$ est décroissante sur $]c, e[$. Par conséquent, $f(c) \geq f(x)$ pour tout $x \in [c, e[$.

   On obtient que $f(x) \leq f(c)$ pour tout $x \in]d, e[\subseteq]a, b[$ et donc que $f(c)$ est un maximum relatif de la fonction $f(x)$ sur $]a, b[$.

2. Si le signe de $f'(x)$ passe de négatif à positif en $x = c$, alors il existe d et e dans l'intervalle $]a, b[$ tels que $f'(x) < 0$ pour tout $x \in]d, c[$ et $f'(x) > 0$ pour tout $x \in]c, e[$. En vertu du théorème 5.1, $f(x)$ est décroissante sur $]d, c[$, de sorte que $f(x) \geq f(c)$ pour tout $x \in]d, c]$.

   De plus, en vertu du théorème 5.1, $f(x)$ est croissante sur $]c, e[$. Par conséquent, $f(c) \leq f(x)$ pour tout $x \in [c, e[$.

   On obtient que $f(c) \leq f(x)$ pour tout $x \in]d, e[\subseteq]a, b[$ et donc que $f(c)$ est minimum relatif de la fonction $f(x)$ sur $]a, b[$.

3. Si $f'(x)$ ne change pas de signe en $x = c$, alors ou bien le signe de $f'(x)$ est positif autour de $x = c$, ou bien il est négatif. Supposons que le signe de $f'(x)$ est positif autour de $x = c$. Alors, il existe $d \in]a, c[$ et $e \in]c, b[$ tels que $f'(x) > 0$ pour tout $x \in]d, e[\setminus \{c\}$. La fonction $f(x)$ est donc croissante sur $]d, c[$ et $f(x) \leq f(c)$ pour tout $x \in]d, c]$. Par conséquent, $f(c)$ n'est pas un minimum relatif de $f(x)$.

   De plus, la fonction $f(x)$ est croissante sur $]c, e[$ et $f(c) \leq f(x)$ pour tout $x \in [c, e[$. Par conséquent, $f(c)$ n'est pas un maximum relatif de $f(x)$. D'où $f(c)$ n'est pas un extremum relatif de $f(x)$.

   On démontre de la même façon que si le signe de $f'(x)$ est négatif autour de $x = c$, alors $f(c)$ n'est pas un extremum relatif de la fonction $f(x)$. ▣

Les théorèmes 5.2 (p. 285) et 5.3 donnent une procédure pour déterminer les extremums relatifs d'une fonction continue $f(x)$ sur un intervalle ouvert.

1. Déterminer la dérivée $f'(x)$.
2. Déterminer les valeurs critiques de la fonction $f(x)$, c'est-à-dire les valeurs de $x \in \text{Dom}_f$ pour lesquelles $f'(x) = 0$ ou $f'(x)$ n'existe pas.
3. Construire le tableau des signes de $f'(x)$ en plaçant par ordre croissant les valeurs critiques de $f(x)$ et en gardant une colonne pour chaque sous-intervalle qu'elles délimitent.
4. Déterminer le signe de $f'(x)$ sur chacun de ces sous-intervalles.
5. Utiliser le test de la dérivée première (théorème 5.3) pour déterminer les extremums relatifs de la fonction $f(x)$.

Animations GeoGebra
Test de la dérivée première

Trouvez cette animation sur la plateforme *i+ Interactif*.

EXEMPLE 5.4

Déterminons les extremums relatifs de la fonction $f(x) = 2x^3 - 3x^2 - 36x + 5$ continue sur $\mathbb{R}$.

En vertu du théorème 5.2 (p. 285), si la fonction $f(x)$ admet des extremums relatifs, alors ils seront atteints à une valeur critique de la fonction $f(x)$, c'est-à-dire à un élément du domaine de la fonction où la dérivée est nulle, ou encore là où elle n'existe pas. On a

$$f'(x) = \frac{d}{dx}(2x^3 - 3x^2 - 36x + 5) = 6x^2 - 6x - 36 = 6(x^2 - x - 6)$$

Par conséquent, $f'(x)$ existe toujours et

$$\begin{aligned} f'(x) = 0 &\Leftrightarrow 6(x^2 - x - 6) = 0 \Leftrightarrow x^2 - x - 6 = 0 \\ &\Leftrightarrow x = \frac{-(-1) \pm \sqrt{(-1)^2 - 4(1)(-6)}}{2(1)} = \frac{1 \pm \sqrt{25}}{2} \\ &\Leftrightarrow x = -2 \text{ ou } x = 3 \end{aligned}$$

Construisons le tableau des signes de $f'(x) = 6x^2 - 6x - 36 = 6(x + 2)(x - 3)$ en plaçant par ordre croissant les valeurs critiques de la fonction $f(x)$ et en gardant une colonne pour chaque sous-intervalle qu'elles délimitent (**TABLEAU 5.7**).

TABLEAU 5.7
Tableau des signes

	$]-\infty, -2[$		$]-2, 3[$		$]3, \infty[$
x		-2		3	
$f'(x)$	$+$	0	$-$	0	$+$
$f(x)$	↗	49 max. rel.	↘	−76 min. rel.	↗

En vertu du test de la dérivée première (théorème 5.3, p. 287), la fonction $f(x) = 2x^3 - 3x^2 - 36x + 5$ atteint donc un maximum relatif de 49 en $x = -2$ puisque le signe de la dérivée passe de positif à négatif en $x = -2$. De plus, $f(x)$ atteint un minimum relatif de -76 en $x = 3$ puisque le signe de la dérivée passe de négatif à positif en $x = 3$. La **FIGURE 5.8** permet de visualiser ces résultats.

FIGURE 5.8
$f(x) = 2x^3 - 3x^2 - 36x + 5$

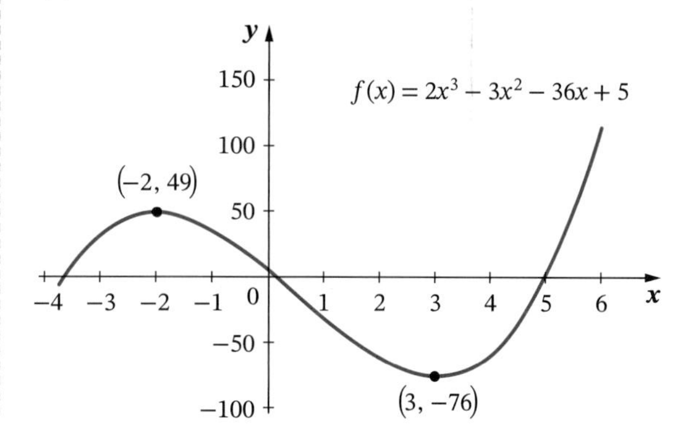

QUESTION ÉCLAIR 5.2

Soit $f(x)$ une fonction continue sur $\mathbb{R}$ qui admet comme seules valeurs critiques $x = -3$, $x = -1$ et $x = 1$. Complétez le **TABLEAU 5.8** et déterminez les extremums relatifs de la fonction $f(x)$ ainsi que les valeurs de x où ils se produisent.

TABLEAU 5.8
Tableau des signes

	$]-\infty, -3[$		$]-3, -1[$		$]-1, 1[$		$]1, \infty[$
x		-3		-1		1	
$f'(x)$	$-$	$\nexists$	$+$	0	$-$	$\nexists$	$+$
$f(x)$		2		6		2	

Animations GeoGebra
Test de la dérivée première

Trouvez cette animation sur la plateforme *i+ Interactif*.

EXEMPLE 5.5

Déterminons les extremums relatifs de la fonction $g(x) = \dfrac{x^4}{2} - \dfrac{4x^3}{3}$ continue sur $\mathbb{R}$. En vertu du théorème 5.2 (p. 285), si la fonction $g(x)$ admet des extremums relatifs, alors ils seront atteints à une valeur critique de la fonction $g(x)$, c'est-à-dire à un élément du domaine de la fonction où la dérivée est nulle, ou encore là où elle n'existe pas. On a

$$g'(x) = \frac{d}{dx}\left(\frac{x^4}{2} - \frac{4x^3}{3}\right) = 2x^3 - 4x^2 = 2x^2(x-2)$$

Par conséquent, $g'(x)$ existe toujours et

$$g'(x) = 0 \Leftrightarrow 2x^2(x-2) = 0 \Leftrightarrow 2x^2 = 0 \text{ ou } x - 2 = 0 \Leftrightarrow x = 0 \text{ ou } x = 2$$

Construisons le tableau des signes de $g'(x)$ (**TABLEAU 5.9**).

TABLEAU 5.9
Tableau des signes

	$]-\infty, 0[$		$]0, 2[$		$]2, \infty[$
x		0		2	
$g'(x)$	$-$	0	$-$	0	$+$
$g(x)$	$\searrow$	0	$\searrow$	$-8/3$ min. rel.	$\nearrow$

En vertu du théorème 5.3 (p. 287), la fonction $g(x) = \dfrac{x^4}{2} - \dfrac{4x^3}{3}$ atteint donc un minimum relatif de $-\frac{8}{3}$ en $x = 2$. Elle n'admet cependant aucun maximum relatif.

Remarquons que la fonction $g(x)$ n'admet pas de maximum relatif ni de minimum relatif en $x = 0$ puisque cette valeur critique satisfait à la troisième partie du théorème 5.3, c'est-à-dire que la dérivée ne change pas de signe en $x = 0$. La **FIGURE 5.9** permet d'observer ces résultats.

FIGURE 5.9

$g(x) = \frac{x^4}{2} - \frac{4x^3}{3}$

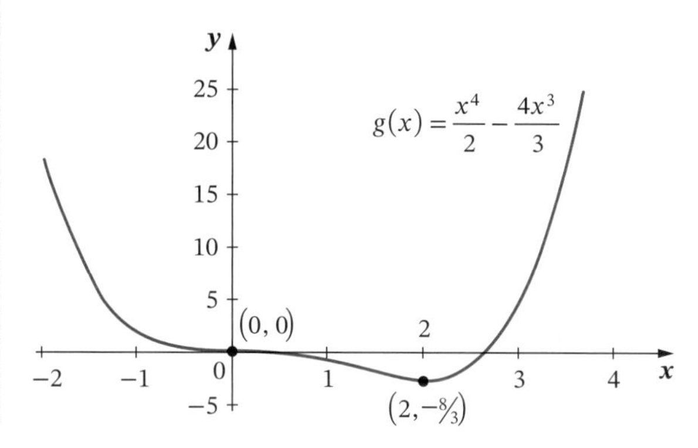

EXEMPLE 5.6

Animations GeoGebra
Test de la dérivée première

Trouvez cette animation sur la plateforme *i+ Interactif*.

Déterminons les extremums relatifs de la fonction $h(x) = 3 - \sqrt[3]{(4x+2)^2}$ continue sur $\mathbb{R}$.

En vertu du théorème 5.2 (p. 285), si la fonction $h(x)$ admet des extremums relatifs, alors ils seront atteints à une valeur critique de la fonction $h(x)$, c'est-à-dire à un élément du domaine de la fonction où la dérivée est nulle, ou encore là où elle n'existe pas. On a

$$h'(x) = \frac{d}{dx}\left[3 - (4x+2)^{2/3}\right] = -\frac{2}{3}(4x+2)^{-1/3}\frac{d}{dx}(4x+2) = \frac{-8}{3\sqrt[3]{4x+2}}$$

Par conséquent, $h'(x) \neq 0$ pour tout $x \in \mathbb{R}$ et

$$\begin{aligned} h'(x) \text{ n'existe pas} &\Leftrightarrow 3\sqrt[3]{4x+2} = 0 \Leftrightarrow 4x+2=0 \\ &\Leftrightarrow 4x = -2 \Leftrightarrow x = -\tfrac{1}{2} \end{aligned}$$

Construisons le tableau des signes de $h'(x)$ (**TABLEAU 5.10**).

TABLEAU 5.10
Tableau des signes

	$]-\infty, -1/2[$		$]-1/2, \infty[$
x		$-1/2$	
$h'(x)$	+	∄	−
$h(x)$	↗	3 max. rel.	↘

En vertu du test de la dérivée première (théorème 5.3, p. 287), la fonction $h(x) = 3 - \sqrt[3]{(4x+2)^2}$ atteint donc un maximum relatif de 3 en $x = -\frac{1}{2}$. Elle n'admet cependant aucun minimum relatif. La FIGURE 5.10 (p. 292) permet de constater ces résultats.

FIGURE 5.10

$h(x) = 3 - \sqrt[3]{(4x+2)^2}$

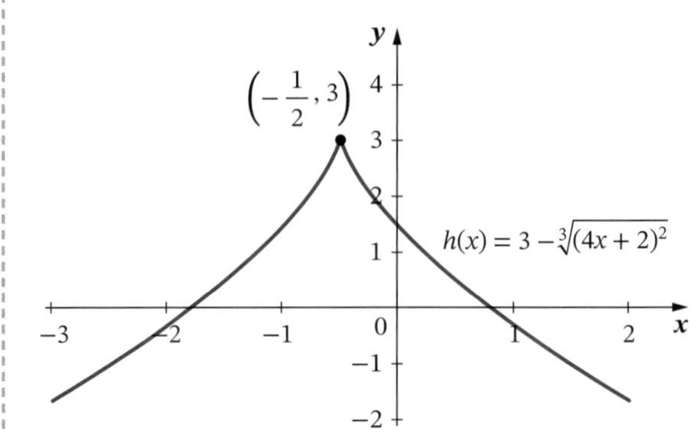

EXERCICE 5.2

Déterminez les extremums relatifs de la fonction $f(x)$ sur $\mathbb{R}$. (Utilisez les tableaux des signes obtenus à l'exercice 5.1 de la page 285.)

a) $f(x) = -3x^5 + 20x^3 + 4$

b) $f(x) = \sqrt[3]{x^2 - 9}$

c) $f(x) = 2xe^{-3x}$

5.1.4 EXTREMUMS RELATIFS D'UNE FONCTION SUR UN INTERVALLE FERMÉ

Soit une fonction continue $f(x)$ définie sur un intervalle fermé $[a, b]$. Le théorème 5.3 (p. 287) permet de déterminer les extremums relatifs de la fonction $f(x)$ sur l'intervalle ouvert $]a, b[$. Le théorème 5.4 présente une procédure permettant de déterminer si $f(a)$ et $f(b)$ sont des extremums relatifs.

THÉORÈME 5.4

Soit une fonction $f(x)$ continue définie sur un intervalle $[a, b]$.

1. S'il existe $c \in]a, b[$ tel que $f'(x) > 0$ [respectivement $f'(x) < 0$] pour tout $x \in]a, c[$, alors $f(a)$ est un minimum relatif (respectivement un maximum relatif) de la fonction $f(x)$.
2. S'il existe $d \in]a, b[$ tel que $f'(x) < 0$ [respectivement $f'(x) > 0$] pour tout $x \in]d, b[$, alors $f(b)$ est un minimum relatif (respectivement un maximum relatif) de la fonction $f(x)$.

PREUVE

1. Supposons qu'il existe $c \in]a, b[$ tel que $f'(x) > 0$ pour tout $x \in]a, c[$. En vertu du théorème 5.1 (p. 281), la fonction $f(x)$ est croissante sur $[a, c]$. On a alors $f(a) \leq f(x)$ pour tout $x \in [a, c]$, de sorte que $f(a)$ est un minimum relatif de la fonction $f(x)$.

Supposons qu'il existe plutôt $c \in \,]a, b[$ tel que $f'(x) < 0$ pour tout $x \in \,]a, c[$. En vertu du théorème 5.1, la fonction $f(x)$ est décroissante sur $[a, c]$. On a alors $f(a) \geq f(x)$ pour tout $x \in [a, c]$, de sorte que $f(a)$ est un maximum relatif de la fonction $f(x)$.

2. Le deuxième énoncé se démontre de façon similaire. ▣

EXEMPLE 5.7

Déterminons les extremums relatifs de la fonction continue $f(x) = x^4 - 2x^2$ sur $\left[-\frac{3}{2}, 2\right]$. En vertu du théorème 5.2 (p. 285), si la fonction $f(x)$ admet des extremums relatifs, alors ils seront atteints aux extrémités de l'intervalle ou à une valeur critique de la fonction $f(x)$, c'est-à-dire à un élément du domaine de la fonction où la dérivée est nulle, ou encore là où elle n'existe pas. On a

$$f'(x) = \frac{d}{dx}(x^4 - 2x^2) = 4x^3 - 4x = 4x(x^2 - 1) = 4x(x - 1)(x + 1)$$

Par conséquent, sur $\left]-\frac{3}{2}, 2\right[$, $f'(x)$ existe toujours et

$$f'(x) = 0 \Leftrightarrow 4x(x-1)(x+1) = 0 \Leftrightarrow 4x = 0, x-1 = 0 \text{ ou } x+1 = 0$$
$$\Leftrightarrow x = 0, x = 1 \text{ ou } x = -1$$

Construisons le tableau des signes de $f'(x)$ sur $\left[-\frac{3}{2}, 2\right]$ (**TABLEAU 5.11**).

TABLEAU 5.11
Tableau des signes

		$]-3/2, -1[$		$]-1, 0[$		$]0, 1[$		$]1, 2[$	
x	$-3/2$		-1		0		1		2
$f'(x)$		$-$	0	$+$	0	$-$	0	$+$	
$f(x)$	$9/16$ max. rel.	↘	-1 min. rel.	↗	0 max. rel.	↘	-1 min. rel.	↗	8 max. rel.

En vertu du théorème 5.3 (p. 287), sur $\left[-\frac{3}{2}, 2\right]$, la fonction $f(x) = x^4 - 2x^2$ atteint donc un maximum relatif de 0 en $x = 0$ et un minimum relatif de -1 en $x = -1$ et en $x = 1$. De plus, en vertu du théorème 5.4, la fonction $f(x)$ atteint un maximum relatif de $\frac{9}{16}$ en $x = -\frac{3}{2}$ et un maximum relatif de 8 en $x = 2$. La **FIGURE 5.11** illustre ces résultats.

FIGURE 5.11
$f(x) = x^4 - 2x^2$

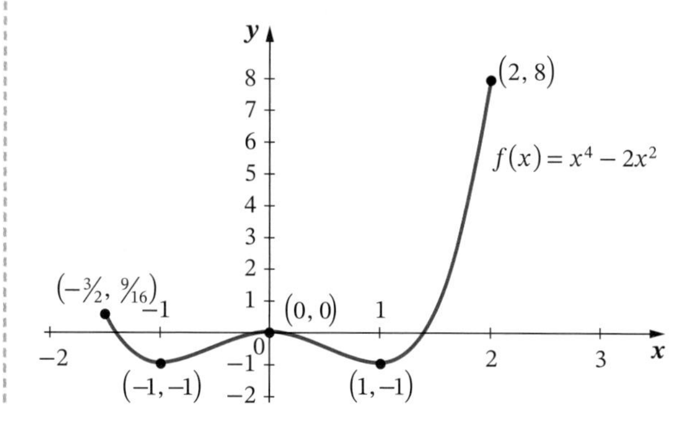

QUESTION ÉCLAIR 5.3

Soit $f(x)$ une fonction continue sur $[-4, 5]$ qui admet comme seules valeurs critiques $x = -2$ et $x = 3$. Complétez le **TABLEAU 5.12** et déterminez les extremums relatifs de la fonction $f(x)$ sur l'intervalle $[-4, 5]$ ainsi que les valeurs de x où $f(x)$ admet des extremums relatifs.

TABLEAU 5.12
Tableau des signes

		$]-4, -2[$		$]-2, 3[$		$]3, 5[$	
x	-4		-2		3		5
$f'(x)$		$+$	$\nexists$	$-$	0	$+$	
$f(x)$	$-3/4$		5		-3		$5/2$

EXEMPLE 5.8

Déterminons les extremums relatifs de la fonction continue $g(x) = xe^{-x}$ sur $[0, 2]$. On a

$$\begin{aligned} g'(x) &= \frac{d}{dx}(xe^{-x}) \\ &= x\frac{d}{dx}(e^{-x}) + e^{-x}\frac{d}{dx}(x) \\ &= xe^{-x}\frac{d}{dx}(-x) + e^{-x} \\ &= -xe^{-x} + e^{-x} \\ &= e^{-x}(1 - x) \end{aligned}$$

Par conséquent, sur $]0, 2[$, $g'(x)$ existe toujours et, comme $e^{-x} > 0$ pour tout $x \in]0, 2[$, on a

$$g'(x) = 0 \Leftrightarrow \underbrace{e^{-x}}_{>0}(1 - x) = 0 \Leftrightarrow 1 - x = 0 \Leftrightarrow x = 1$$

Construisons le tableau des signes de $g'(x)$ sur $[0, 2]$ (**TABLEAU 5.13**).

TABLEAU 5.13
Tableau des signes

		$]0, 1[$		$]1, 2[$	
x	0		1		2
$g'(x)$		$+$	0	$-$	
$g(x)$	0 min. rel.	↗	$e^{-1} \approx 0{,}37$ max. rel.	↘	$2e^{-2} \approx 0{,}27$ min. rel.

En vertu du théorème 5.3 (p. 287), sur $[0, 2]$, la fonction $g(x) = xe^{-x}$ atteint donc un maximum relatif de $e^{-1} \approx 0{,}37$ en $x = 1$. De plus, en vertu du théorème 5.4 (p. 292), $g(x)$ atteint un minimum relatif de 0 en $x = 0$ et un minimum relatif de $2e^{-2} \approx 0{,}27$ en $x = 2$. On constate ces résultats sur la **FIGURE 5.12**.

FIGURE 5.12

$g(x) = xe^{-x}$

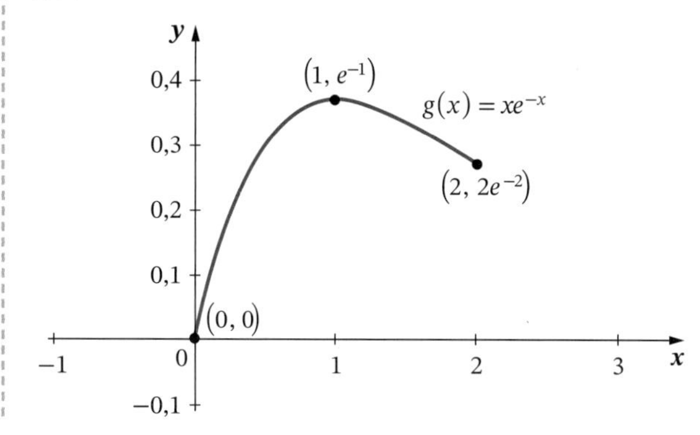

EXEMPLE 5.9

Déterminons les extremums relatifs de la fonction continue $f(x) = \cos^2(2x)$ sur $[0, \pi]$. On a

$$\begin{aligned} f'(x) &= \frac{d}{dx}[\cos(2x)]^2 = 2\cos(2x)\frac{d}{dx}[\cos(2x)] \\ &= 2\cos(2x)[-\sin(2x)]\frac{d}{dx}(2x) \\ &= -4\sin(2x)\cos(2x) \\ &= -2\sin(4x) \quad \text{car } 2\sin\theta\cos\theta = \sin(2\theta) \end{aligned}$$

Par conséquent, $f'(x)$ existe toujours et

$$f'(x) = 0 \Leftrightarrow -2\sin(4x) = 0 \Leftrightarrow 4x = k\pi (\text{où } k \in \mathbb{Z}) \Leftrightarrow x = \tfrac{k\pi}{4} (\text{où } k \in \mathbb{Z})$$

Puisqu'on cherche les valeurs critiques appartenant à $]0, \pi[$, on ne retient que les valeurs $x = \frac{\pi}{4}$, $x = \frac{\pi}{2}$ et $x = \frac{3\pi}{4}$. Construisons le tableau des signes de $f'(x)$ sur $[0, \pi]$ (TABLEAU 5.14).

TABLEAU 5.14

Tableau des signes

x	0	$\left]0, \frac{\pi}{4}\right[$	$\frac{\pi}{4}$	$\left]\frac{\pi}{4}, \frac{\pi}{2}\right[$	$\frac{\pi}{2}$	$\left]\frac{\pi}{2}, \frac{3\pi}{4}\right[$	$\frac{3\pi}{4}$	$\left]\frac{3\pi}{4}, \pi\right[$	π
$f'(x)$		−	0	+	0	−	0	+	
$f(x)$	1 max. rel.	↘	0 min. rel.	↗	1 max. rel.	↘	0 min. rel.	↗	1 max. rel.

Sur $[0, \pi]$, la fonction $f(x) = \cos^2(2x)$ atteint donc un maximum relatif de 1 en $x = 0$, en $x = \frac{\pi}{2}$ et en $x = \pi$. De plus, la fonction $f(x)$ atteint un minimum relatif de 0 en $x = \frac{\pi}{4}$ et en $x = \frac{3\pi}{4}$. On observe ces résultats sur la FIGURE 5.13 (p. 296).

FIGURE 5.13

$f(x) = \cos^2(2x)$

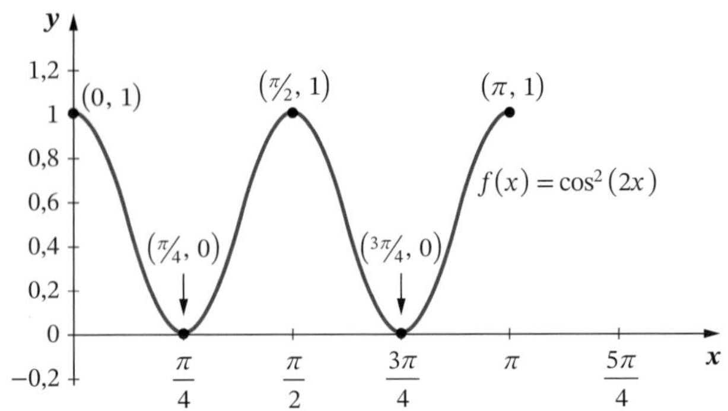

EXERCICE 5.3

Déterminez les extremums relatifs de la fonction $f(x)$ sur l'intervalle donné.

a) $f(x) = 4x^3 - x^4$ sur $[1, 4]$

b) $f(x) = -4x\sqrt{x+2}$ sur $[-2, 2]$

c) $f(x) = \dfrac{\ln x}{x}$ sur $[1, e^2]$

d) $f(x) = 2\cos x + \sin^2 x$ sur $[0, 2\pi]$

5.1.5 TEST DE LA DÉRIVÉE SECONDE

Il existe un lien entre les extremums relatifs d'une fonction et le signe de la dérivée seconde de cette fonction. Examinons la FIGURE 5.14.

Animations GeoGebra
Signe de la dérivée seconde et concavité

Trouvez cette animation sur la plateforme *i+ Interactif*.

FIGURE 5.14

Extremum relatif et signe de la dérivée seconde

a)

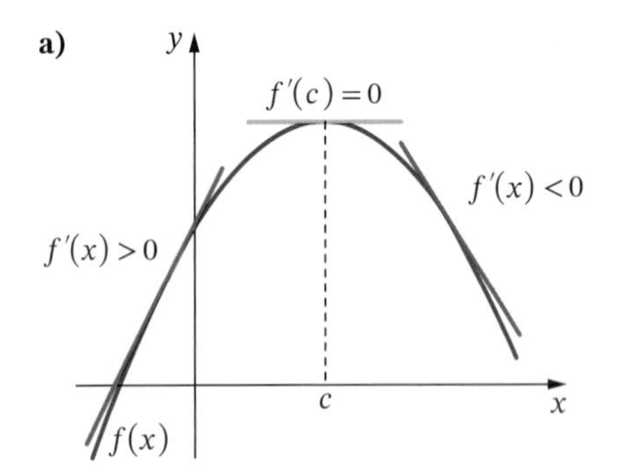

b)

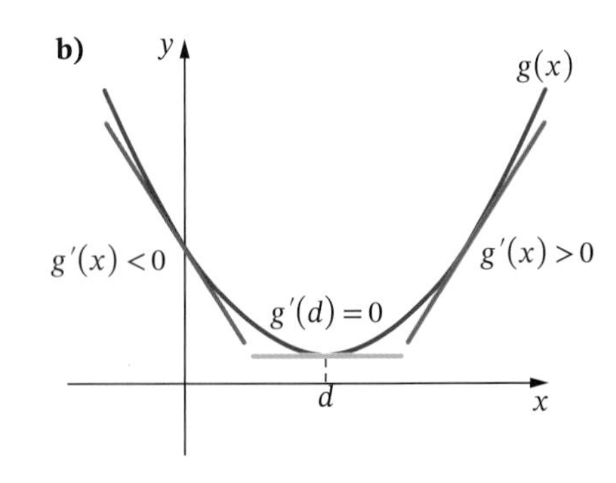

Sur la figure 5.14 *a*, on observe un maximum relatif en $x = c$. On a $f'(x) > 0$ si $x < c$ puisque la fonction $f(x)$ est croissante. De plus, $f'(x) = 0$ si $x = c$ puisque la droite tangente est horizontale, et $f'(x) < 0$ si $x > c$, car la fonction $f(x)$ est décroissante. La dérivée $f'(x)$ est donc positive, puis nulle et enfin négative : bref, elle est décroissante. La dérivée de $f'(x)$ est donc négative, c'est-à-dire que $f''(x) < 0$.

Sur la figure 5.14 *b*, on observe un minimum relatif en $x = d$. On a $g'(x) < 0$ si $x < d$ puisque la fonction $g(x)$ est décroissante. De plus, $g'(x) = 0$ si $x = d$ puisque la droite tangente est horizontale, et $g'(x) > 0$ si $x > d$, car la fonction $g(x)$ est croissante. La dérivée $g'(x)$ est donc négative, puis nulle et enfin positive : bref, elle est croissante. La dérivée de $g'(x)$ est donc positive, c'est-à-dire que $g''(x) > 0$.

Le théorème 5.5 formalise ce que nous avons observé sur la figure 5.14.

THÉORÈME 5.5

Soit $f(x)$ une fonction telle que $f'(x)$ et $f''(x)$ existent pour tout $x \in \,]a, b[$, et soit $c \in \,]a, b[$ tel que $f'(c) = 0$.

1. Si $f''(c) < 0$, alors $f(c)$ est un maximum relatif de la fonction $f(x)$.
2. Si $f''(c) > 0$, alors $f(c)$ est un minimum relatif de la fonction $f(x)$.

PREUVE

1. Puisque $f''(c) < 0$, on a

$$f''(c) = \lim_{x \to c} \frac{f'(x) - f'(c)}{x - c} = \lim_{x \to c} \frac{f'(x)}{x - c} < 0, \text{ car } f'(c) = 0$$

Si x s'approche de c par la gauche, alors $x - c < 0$ et

$$\lim_{x \to c^-} \frac{f'(x)}{x - c} < 0 \quad \Rightarrow \quad f'(x) > 0$$

Si x s'approche de c par la droite, alors $x - c > 0$ et

$$\lim_{x \to c^+} \frac{f'(x)}{x - c} < 0 \quad \Rightarrow \quad f'(x) < 0$$

Par le test de la dérivée première (théorème 5.3, p. 287), $f(c)$ est un maximum relatif de la fonction $f(x)$.

2. Le deuxième énoncé se démontre de façon similaire. ▪

EXEMPLE 5.10

À l'aide du test de la dérivée seconde, déterminons les extremums relatifs de la fonction $f(x) = x^4 - 2x^2$ sur $\mathbb{R}$. On a

$$f'(x) = \frac{d}{dx}(x^4 - 2x^2) = 4x^3 - 4x = 4x(x^2 - 1) = 4x(x - 1)(x + 1)$$

et

$$f''(x) = \frac{d}{dx}(4x^3 - 4x) = 12x^2 - 4$$

Or, $f'(x)$ et $f''(x)$ existent toujours dans $\mathbb{R}$ et

$$f'(x) = 0 \Leftrightarrow 4x(x - 1)(x + 1) = 0 \Leftrightarrow 4x = 0, x - 1 = 0 \text{ ou } x + 1 = 0$$
$$\Leftrightarrow x = 0, x = 1 \text{ ou } x = -1$$

Évaluons la dérivée seconde en chacune de ces valeurs critiques :

$$f''(-1) = 8 > 0$$
$$f''(0) = -4 < 0$$
$$f''(1) = 8 > 0$$

En vertu du test de la dérivée seconde (théorème 5.5), la fonction $f(x) = x^4 - 2x^2$ admet un minimum relatif de $f(-1) = -1$ en $x = -1$, un maximum relatif de $f(0) = 0$ en $x = 0$ et un minimum relatif de $f(1) = -1$ en $x = 1$. La FIGURE 5.15 corrobore ces résultats.

FIGURE 5.15
$f(x) = x^4 - 2x^2$

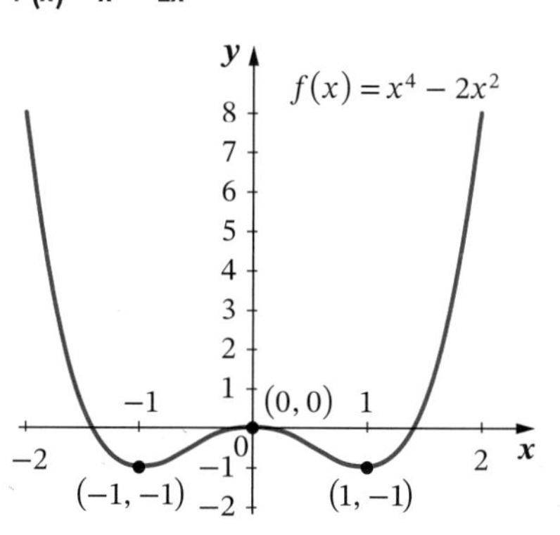

QUESTION ÉCLAIR 5.4

Soit la fonction continue $f(x) = x^3 + 3x^2 - 5$ sur $\mathbb{R}$.

a) Déterminez la dérivée de la fonction $f(x)$ et ses valeurs critiques.

b) À l'aide du test de la dérivée seconde, déterminez les extremums relatifs de la fonction $f(x)$ sur $\mathbb{R}$.

EXEMPLE 5.11

À l'aide du test de la dérivée seconde, déterminons, si cela est possible, les extremums relatifs de la fonction $h(x) = 3 - \sqrt[3]{(4x+2)^2}$ sur $\mathbb{R}$. On a

$$h'(x) = \frac{d}{dx}\left[3 - (4x+2)^{2/3}\right] = -\frac{2}{3}(4x+2)^{-1/3}\frac{d}{dx}(4x+2) = \frac{-8}{3\sqrt[3]{4x+2}}$$

Par conséquent, $h'(x) \neq 0$ pour tout $x \in \mathbb{R}$, et le test de la dérivée seconde ne s'applique pas. On ne peut donc pas déterminer les extremums relatifs de cette fonction à l'aide du théorème 5.5. Par ailleurs, à l'aide du théorème 5.3 (p. 287), on a déterminé, à l'exemple 5.6 (p. 291), que cette fonction admet un maximum relatif de 3 en $x = -\frac{1}{2}$.

L'exemple 5.11 permet de constater que le théorème 5.5 ne donne pas tous les extremums relatifs d'une fonction : il ne s'applique pas lorsque $f'(x)$ n'existe pas, ni aux extrémités d'un intervalle fermé, alors qu'il peut effectivement y avoir des extremums relatifs à ces endroits. Le théorème 5.3 (test de la dérivée première, p. 287) s'avère donc plus utile que le théorème 5.5 (test de la dérivée seconde), même si ce dernier permet, à l'occasion, de produire un résultat plus rapidement.

Notons également que le théorème 5.5 ne nous permet pas de conclure sur la nature de $f(c)$ si $f''(c) = 0$.

EXEMPLE 5.12

Considérons les fonctions $f(x) = x^3$ et $g(x) = x^4$. On a

$$f'(x) = 3x^2 \text{ et } f''(x) = 6x$$

et

$$g'(x) = 4x^3 \text{ et } g''(x) = 12x^2$$

Les dérivées premières et secondes existent toujours pour les deux fonctions. De plus, $f'(x) = 0$ et $g'(x) = 0$ si et seulement si $x = 0$. En remplaçant x par cette valeur dans les deux dérivées secondes, on obtient

$$f''(0) = 0 \text{ et } g''(0) = 0$$

Le théorème 5.5 ne permet pas de déterminer si $f(0) = 0$ et $g(0) = 0$ sont (ou ne sont pas) des extremums relatifs. Cependant, en observant les graphiques des deux fonctions (FIGURE 5.16), on constate que $f(0) = 0$ n'est pas un extremum relatif de la fonction $f(x)$. En revanche, $g(0) = 0$ est un minimum relatif de la fonction $g(x)$.

FIGURE 5.16

$f(x) = x^3$ et $g(x) = x^4$

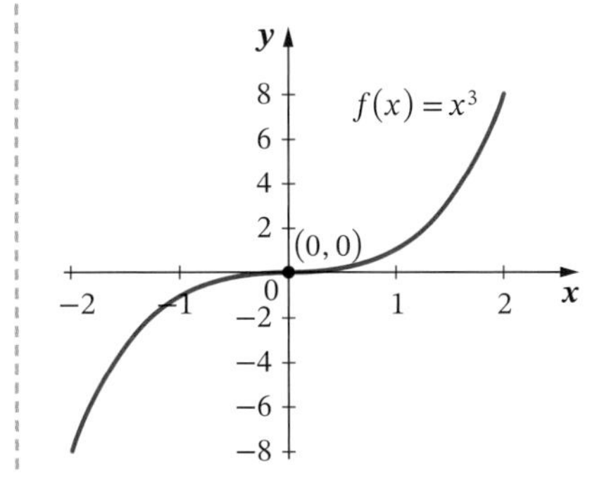

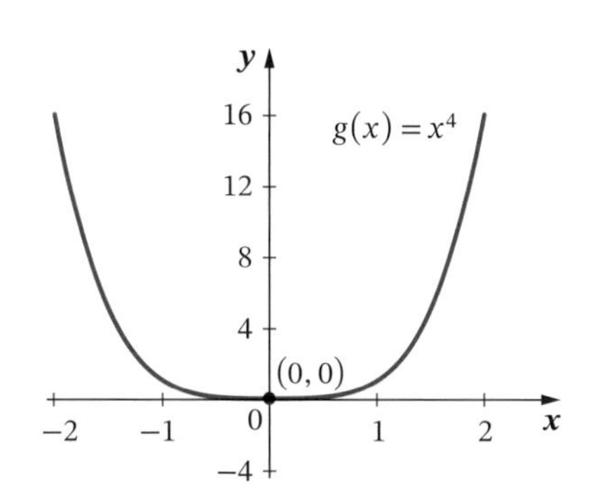

EXERCICE 5.4

Déterminez les extremums relatifs de la fonction $f(x)$ sur $\mathbb{R}$ à l'aide du test de la dérivée seconde. Si le test de la dérivée seconde ne s'applique pas, utilisez le test de la dérivée première.

a) $f(x) = x^3 - 12x + 1$

b) $f(x) = \sqrt[3]{x^2 - 4}$

Vous pouvez maintenant faire les exercices récapitulatifs 1 à 3.

5.2 EXTREMUMS ABSOLUS D'UNE FONCTION

DANS CETTE SECTION : *maximum absolu – minimum absolu – extremums absolus.*

La recherche d'une solution optimale consiste à déterminer la valeur maximale (ou minimale) d'une fonction.

Maximum absolu

Le maximum absolu d'une fonction sur un intervalle I est la valeur maximale atteinte par la fonction sur cet intervalle.

Minimum absolu

Le minimum absolu d'une fonction sur un intervalle I est la valeur minimale atteinte par la fonction sur cet intervalle.

Extremums absolus

Le minimum absolu et le maximum absolu d'une fonction $f(x)$ sont appelés extremums absolus (ou *extremums globaux*) de la fonction $f(x)$.

Le **maximum absolu** d'une fonction sur un intervalle I est la valeur maximale atteinte par la fonction sur cet intervalle, et le **minimum absolu** d'une fonction sur un intervalle I est la valeur minimale atteinte par la fonction sur cet intervalle.

Une fonction $f(x)$ atteint donc un maximum absolu en $x = c$ si $f(c) \geq f(x)$ pour toutes les valeurs x de l'intervalle I et un minimum absolu en $x = d$ si $f(d) \leq f(x)$ pour toutes les valeurs x de l'intervalle I. On appelle alors $f(c)$ et $f(d)$ les **extremums absolus** (ou *extremums globaux*) de la fonction f.

On déduit des définitions précédentes que les extremums absolus, s'ils existent, sont des extremums relatifs.

La FIGURE 5.17 (p. 300) présente trois fonctions continues définies sur $\mathbb{R}$ et très différentes l'une de l'autre.

La fonction $f(x)$ illustrée à la figure 5.17 *a* admet un maximum absolu et un minimum absolu.

En revanche, la fonction $g(x)$ illustrée à la figure 5.17 *b* n'admet pas de maximum absolu, car $g(x) \to \infty$ quand $x \to \infty$. De plus, la fonction $g(x)$ n'admet pas de minimum absolu, car $g(x) \to -\infty$ quand $x \to -\infty$.

La fonction $h(x)$ illustrée à la figure 5.17 *c* n'admet pas d'extremums absolus puisqu'elle n'a pas d'extremums relatifs.

FIGURE 5.17

Fonctions continues sur ℝ

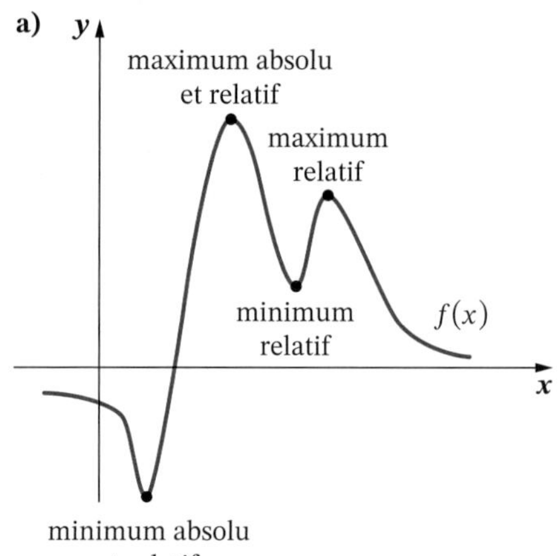

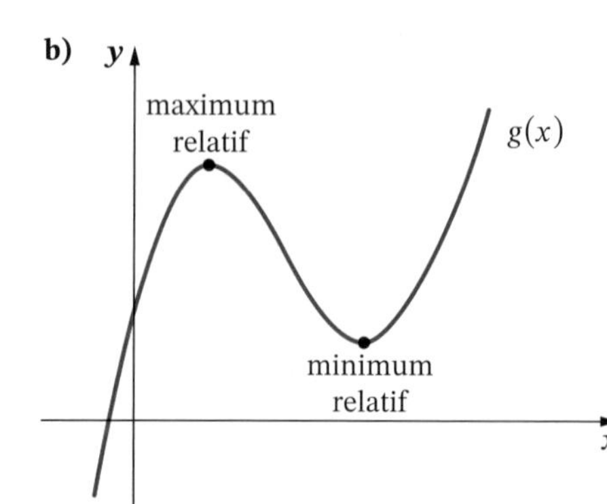

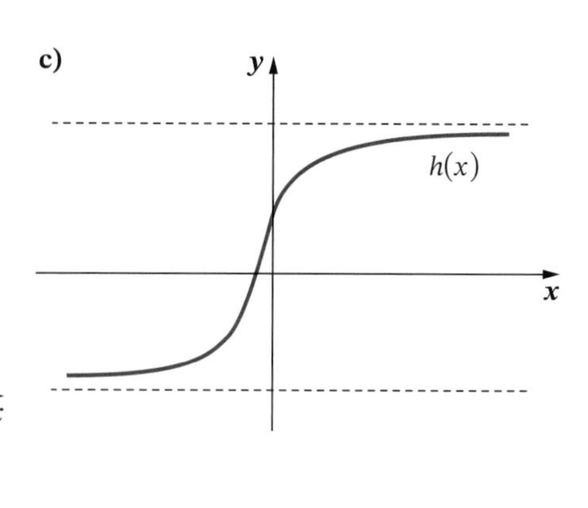

La figure 5.17 permet de constater que les extremums absolus d'une fonction n'existent pas toujours. Ce qui nous amène à vouloir déterminer les conditions qui garantissent la présence d'un maximum absolu et d'un minimum absolu.

La FIGURE 5.18 présente une même fonction définie sur des intervalles différents.

Animations GeoGebra
Extremums absolus d'une fonction selon son domaine

Trouvez cette animation sur la plateforme *i+ Interactif*.

FIGURE 5.18

Fonction $f(x) = 2x + \frac{x^2}{2} - \frac{x^3}{3}$ sur différents intervalles

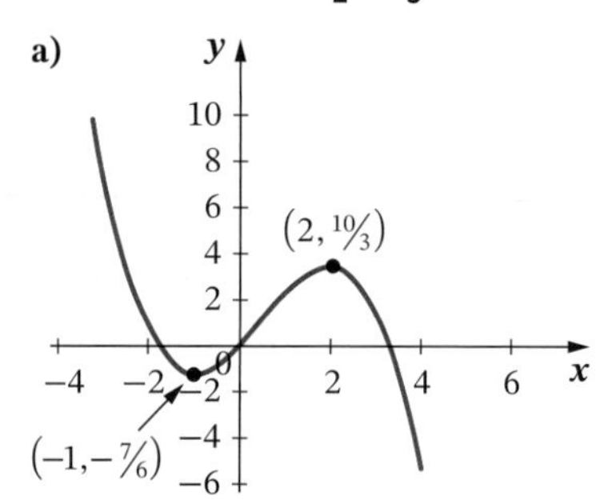

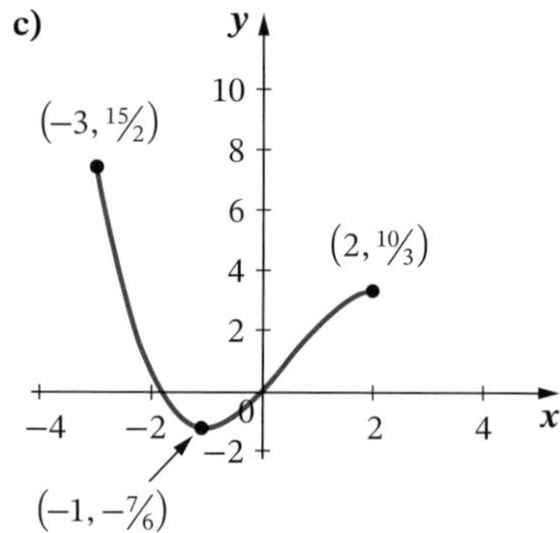

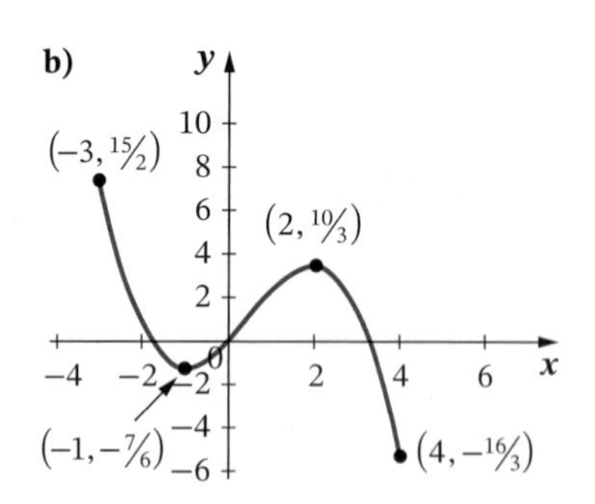

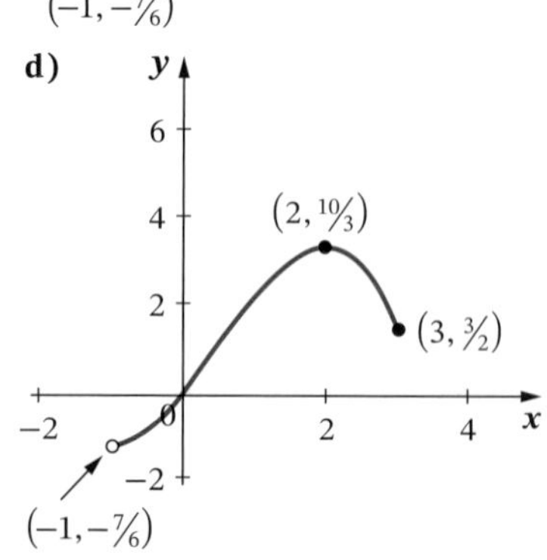

La fonction $f(x) = 2x + \frac{x^2}{2} - \frac{x^3}{3}$ définie sur ℝ (figure 5.18 *a*) ne possède pas de maximum absolu puisque $f(x) \to \infty$ lorsque $x \to -\infty$. La fonction $f(x)$ n'admet pas de minimum absolu puisque $f(x) \to -\infty$ lorsque $x \to \infty$.

Si on considère plutôt la fonction $f(x) = 2x + \frac{x^2}{2} - \frac{x^3}{3}$ définie sur $[-3, 4]$ (figure 5.18 *b*), alors elle admet un minimum absolu de $f(4) = -\frac{16}{3}$ en $x = 4$ et un maximum absolu de $f(-3) = \frac{15}{2}$ en $x = -3$.

Par ailleurs, la fonction $f(x) = 2x + \frac{x^2}{2} - \frac{x^3}{3}$ définie sur $[-3, 2]$ (figure 5.18 *c*) admet un maximum absolu de $f(-3) = \frac{15}{2}$ en $x = -3$ et admet un minimum absolu de $f(-1) = -\frac{7}{6}$ en $x = -1$.

Finalement, la fonction $f(x) = 2x + \frac{x^2}{2} - \frac{x^3}{3}$ définie sur $]-1, 3]$ (figure 5.18 *d*) n'admet pas de minimum absolu, car il n'y a pas de valeur minimale atteinte par la fonction (point ouvert), et admet un maximum absolu de $f(2) = \frac{10}{3}$ en $x = 2$.

Il semble donc que l'une des conditions qui assure l'existence des extremums absolus d'une fonction $f(x)$ sur un intervalle I est que l'intervalle soit fermé. Mais cette condition n'est pas suffisante, comme l'illustre la **FIGURE 5.19**.

FIGURE 5.19

Fonctions sur un intervalle fermé

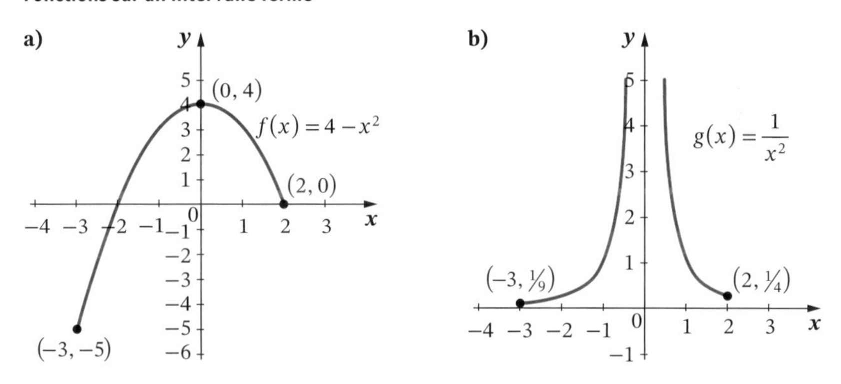

Sur l'intervalle fermé $[-3, 2]$, la fonction $f(x) = 4 - x^2$ (figure 5.19 *a*) admet un maximum absolu de $f(0) = 4$ en $x = 0$ (sommet de la parabole) et un minimum absolu de $f(-3) = -5$ en $x = -3$.

En revanche, sur l'intervalle fermé $[-3, 2]$, la fonction $g(x) = \frac{1}{x^2}$ (figure 5.19 *b*) admet un minimum absolu de $g(-3) = \frac{1}{9}$ en $x = -3$, mais ne possède pas de maximum absolu, car $g(x) \to \infty$ quand $x \to 0$.

5.2.1 EXTREMUMS ABSOLUS D'UNE FONCTION SUR UN INTERVALLE FERMÉ

Les figures 5.18 et 5.19 nous amènent à penser que, si elle est continue sur un intervalle fermé, la fonction admet un maximum absolu et un minimum absolu sur cet intervalle, ce que confirme le théorème 5.6. Nous admettrons ce théorème sans démonstration.

THÉORÈME 5.6 Théorème des valeurs extrêmes

Si la fonction $f(x)$ est continue sur un intervalle fermé $[a, b]$, alors la fonction f admet un maximum absolu et un minimum absolu sur cet intervalle.

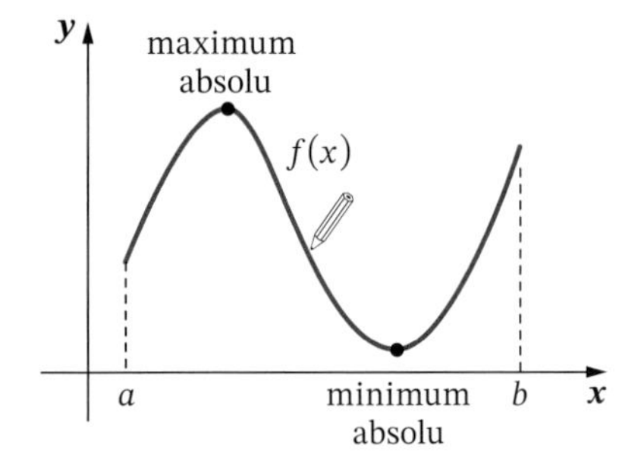

FIGURE 5.20
Tracé d'une fonction continue sur un intervalle fermé

Intuitivement, si on trace une courbe en partant d'un point $(a, f(a))$ pour se rendre à un point $(b, f(b))$ et qu'on effectue ce tracé sans lever la pointe du crayon [la fonction $f(x)$ est continue], alors il n'existe aucune façon de tracer cette courbe sans qu'elle ait de maximum absolu et de minimum absolu (FIGURE 5.20).

EXEMPLE 5.13

Déterminons si la fonction $f(x) = \dfrac{2x+3}{x-2}$ admet des extremums absolus sur $[4, 7]$.

La fonction $f(x)$ est continue sur $\mathbb{R}\backslash\{2\}$, car c'est une fonction rationnelle dont le dénominateur s'annule seulement en $x = 2$. Par conséquent, elle est continue sur l'intervalle fermé $[4, 7]$.

En vertu du théorème 5.6, la fonction $f(x) = \dfrac{2x+3}{x-2}$ admet un maximum absolu et un minimum absolu sur l'intervalle fermé $[4, 7]$.

La FIGURE 5.21 permet de faire ce constat. En effet, on voit que $f(x)$ atteint un maximum absolu de $\frac{11}{2}$ en $x = 4$ et un minimum absolu de $\frac{17}{5}$ en $x = 7$.

FIGURE 5.21
$f(x) = \dfrac{2x+3}{x-2}$

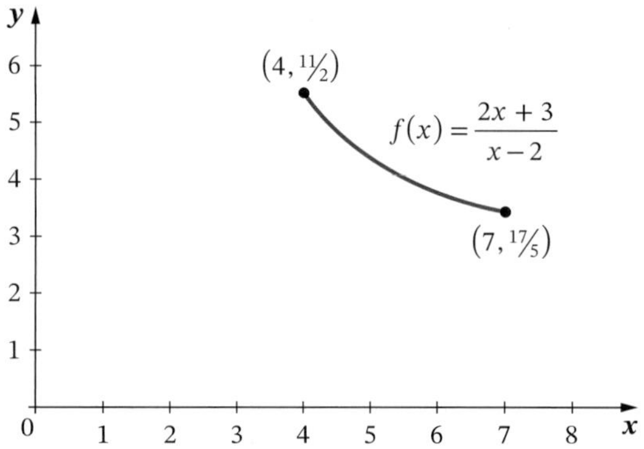

y
6
5
4
3
2
1
0 1 2 3 4 5 6 7 8 x
$(4, 11/2)$
$f(x) = \dfrac{2x+3}{x-2}$
$(7, 17/5)$

QUESTION ÉCLAIR 5.5

Déterminez si la fonction $f(x) = \sqrt{x+5}$ admet des extremums absolus sur $[-4, 11]$.

EXEMPLE 5.14

Déterminons si la fonction $g(x) = \begin{cases} 4 - x^2 & \text{si } x \leq 1 \\ x - 2 & \text{si } x > 1 \end{cases}$ admet des extremums absolus sur $[-1, 4]$.

La fonction $g(x)$ n'est pas continue en $x = 1$ puisque $\lim\limits_{x \to 1^+} g(x) = \lim\limits_{x \to 1^+} (x - 2) = -1$ et que $g(1) = 3$. Par conséquent, la fonction $g(x)$ n'est pas continue sur $[-1, 4]$. Le théorème 5.6 ne s'applique donc pas. On ne sait pas si la fonction $g(x)$ admet ou non des extremums absolus sur l'intervalle fermé $[-1, 4]$.

Cependant, à l'examen du graphique de $g(x)$ sur $[-1, 4]$ (FIGURE 5.22), on constate qu'elle admet un maximum absolu de $g(0) = 4$ en $x = 0$ (sommet de la parabole), mais elle n'admet pas de minimum absolu (point ouvert en $x = 1$).

g (x)

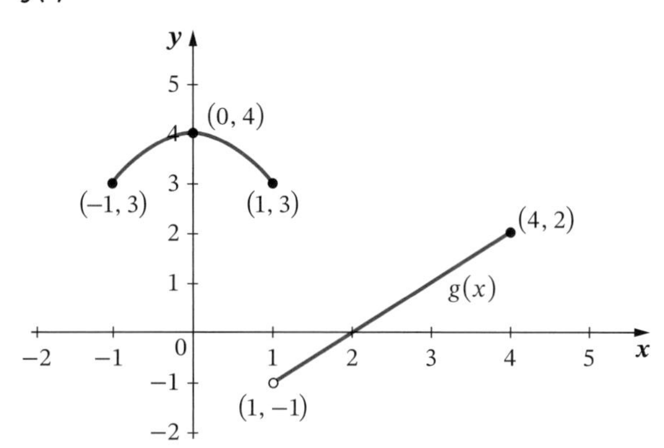

Les exemples 5.13 et 5.14 permettent de voir les limites du théorème 5.6 : il ne s'applique pas toujours et, lorsqu'il s'applique, il indique seulement l'existence des extremums absolus, mais il ne donne pas ces extremums et n'indique pas où ils se produisent.

Puisque les extremums absolus sont aussi des extremums relatifs, on sait qu'ils se produiront soit aux extrémités de l'intervalle, soit en une valeur critique de la fonction (théorème 5.2, p. 285). Le théorème 5.7 est une adaptation du théorème 5.2 aux extremums absolus.

THÉORÈME 5.7

Si la fonction $f(x)$ est continue sur un intervalle fermé $[a, b]$ et si $c \in [a, b]$ est tel que $f(c)$ est un extremum absolu de la fonction $f(x)$, alors c satisfait à l'une ou l'autre des deux conditions suivantes :

1. c est l'une des extrémités de $[a, b]$, c'est-à-dire $c = a$ ou $c = b$;
2. c est une valeur critique de la fonction $f(x)$, c'est-à-dire que $c \in \text{Dom}_f$ et que $f'(c) = 0$ ou $f'(c)$ n'existe pas.

PREUVE

Supposons que $f(c)$ est un extremum absolu de la fonction $f(x)$ sur $[a, b]$. Alors, cet extremum est également un extremum relatif de la fonction $f(x)$ sur $[a, b]$. En vertu du théorème 5.2 (p. 285), $c = a$, $c = b$ ou c est une valeur critique de la fonction $f(x)$. ▣

Le théorème 5.7 permet d'établir une procédure pour repérer les extremums absolus d'une fonction continue $f(x)$ sur un intervalle fermé $[a, b]$.

1. Déterminer les candidats, soit $x = a$, $x = b$ et toutes les valeurs critiques de $f(x)$, c'est-à-dire les valeurs de $c \in]a, b[$ pour lesquelles $f'(c) = 0$ ou $f'(c)$ n'existe pas.

2. Évaluer la fonction $f(x)$ à chacune des valeurs déterminées à la première étape.
3. Le maximum absolu de la fonction $f(x)$ correspond à la plus grande valeur obtenue à la deuxième étape, et le minimum absolu de la fonction $f(x)$ correspond à la plus petite valeur obtenue à la deuxième étape.

EXEMPLE 5.15

Déterminons les extremums absolus de la fonction $f(x) = x^4 - 2x^3 - 2x^2 + 1$ sur $[-1, 4]$.

La fonction $f(x)$ est continue sur $\mathbb{R}$ et elle est donc continue sur l'intervalle fermé $[-1, 4]$. En vertu du théorème 5.6 (p. 301), la fonction $f(x)$ admet un maximum absolu et un minimum absolu sur l'intervalle fermé $[-1, 4]$.

De plus, en vertu du théorème 5.7, ces extremums sont atteints aux extrémités de l'intervalle ou en une valeur critique de $f(x)$ appartenant à $]-1, 4[$, c'est-à-dire là où $f'(x) = 0$, ou encore là où $f'(x)$ n'existe pas. Or,

$$f'(x) = \frac{d}{dx}(x^4 - 2x^3 - 2x^2 + 1) = 4x^3 - 6x^2 - 4x = 2x(2x^2 - 3x - 2)$$

Par conséquent, $f'(x)$ existe toujours pour $x \in\ ]-1, 4[$ et, sur cet intervalle,

$$\begin{aligned} f'(x) = 0 &\Leftrightarrow 2x(2x^2 - 3x - 2) = 0 \Leftrightarrow 2x = 0 \text{ ou } 2x^2 - 3x - 2 = 0 \\ &\Leftrightarrow x = 0, x = \frac{-(-3) \pm \sqrt{(-3)^2 - 4(2)(-2)}}{2(2)} = \frac{3 \pm \sqrt{25}}{4} \\ &\Leftrightarrow x = 0, x = -\tfrac{1}{2} \text{ ou } x = 2 \end{aligned}$$

Évaluons la fonction $f(x)$ aux extrémités de l'intervalle ainsi qu'aux valeurs critiques*:

$$f(-1) = 2, f(-\tfrac{1}{2}) = \tfrac{13}{16}, f(0) = 1, f(2) = -7 \text{ et } f(4) = 97$$

On peut donc conclure que, sur l'intervalle $[-1, 4]$, la fonction

$$f(x) = x^4 - 2x^3 - 2x^2 + 1$$

atteint un maximum absolu de 97 en $x = 4$ et un minimum absolu de -7 en $x = 2$, ce que la **FIGURE 5.23** permet d'observer.

FIGURE 5.23

$f(x) = x^4 - 2x^3 - 2x^2 + 1$

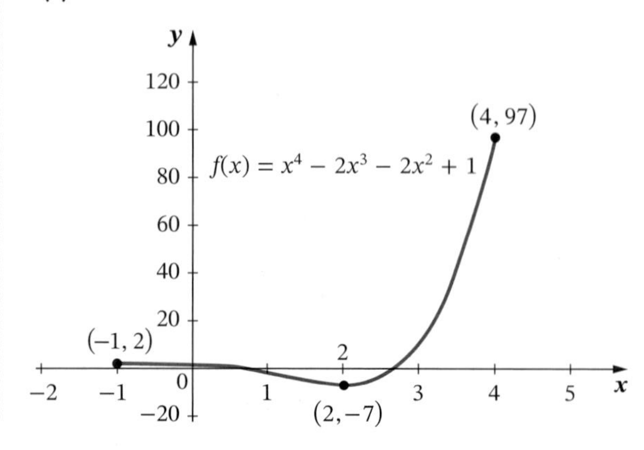

* On pourrait choisir de construire le tableau des signes de $f'(x)$ plutôt que d'utiliser les théorèmes 5.6 et 5.7 (p. 301 et 303).

QUESTION ÉCLAIR 5.6

Déterminez les extremums absolus de la fonction $f(x) = \sqrt{16 - x^2}$ sur $[-2, 3]$.

EXEMPLE 5.16

Déterminons les extremums absolus de la fonction $g(x) = 4 + (x-2)^{2/3}$ sur $[-6, 3]$.

La fonction $g(x)$ est continue sur $\mathbb{R}$ et elle est par conséquent continue sur l'intervalle fermé $[-6, 3]$. Ses extremums absolus sont donc atteints aux extrémités de l'intervalle ou en une valeur critique de $g(x)$ appartenant à $]-6, 3[$. Or,

$$g'(x) = \frac{d}{dx}\left[4 + (x-2)^{2/3}\right] = \frac{2}{3}(x-2)^{-1/3}\frac{d}{dx}(x-2) = \frac{2}{3\sqrt[3]{x-2}}$$

Par conséquent, $g'(x) \neq 0$ pour tout $x \in\ ]-6, 3[$ et, sur cet intervalle,

$$g'(x) \text{ n'existe pas } \Leftrightarrow 3\sqrt[3]{x-2} = 0 \Leftrightarrow x - 2 = 0 \Leftrightarrow x = 2$$

Évaluons la fonction $g(x)$ aux extrémités de l'intervalle ainsi qu'à la valeur critique:

$$g(-6) = 8,\ g(2) = 4 \text{ et } g(3) = 5$$

On peut donc conclure que, sur l'intervalle $[-6, 3]$, la fonction $g(x) = 4 + (x-2)^{2/3}$ atteint un maximum absolu de 8 en $x = -6$ et un minimum absolu de 4 en $x = 2$. La FIGURE 5.24 permet de visualiser ces résultats.

FIGURE 5.24
$g(x) = 4 + (x-2)^{2/3}$

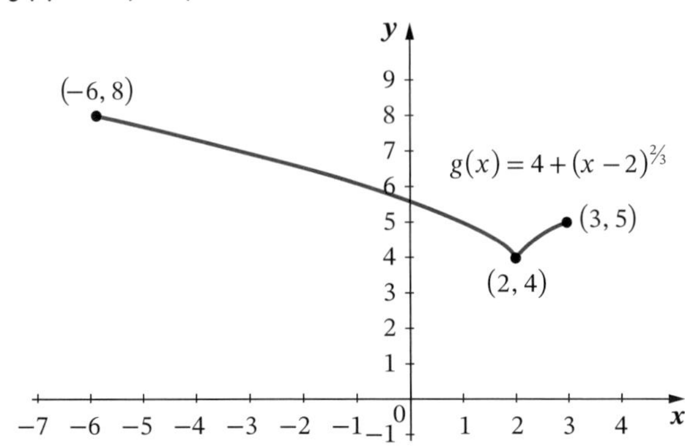

EXEMPLE 5.17

Déterminons les extremums absolus de la fonction $f(x) = x - \text{tg}\,x$ sur $\left[-\frac{\pi}{4}, \frac{\pi}{4}\right]$.

La fonction $f(x)$ est continue sur $\mathbb{R}\backslash\left\{(2k+1)\frac{\pi}{2} \mid k \in \mathbb{Z}\right\}$ et elle est par conséquent continue sur l'intervalle fermé $\left[-\frac{\pi}{4}, \frac{\pi}{4}\right]$. Ses extremums absolus sont donc atteints aux extrémités de l'intervalle ou en une valeur critique de $f(x)$ appartenant à $\left]-\frac{\pi}{4}, \frac{\pi}{4}\right[$.

Or,

$$f'(x) = \frac{d}{dx}(x - \text{tg}\,x) = 1 - \sec^2 x = 1 - \frac{1}{\cos^2 x}$$

$$= \frac{\cos^2 x - 1}{\cos^2 x} = \frac{(\cos x - 1)(\cos x + 1)}{\cos^2 x}$$

Par conséquent, $f'(x)$ existe toujours sur $\left]-\frac{\pi}{4}, \frac{\pi}{4}\right[$ puisque $\cos x > 0$ sur cet intervalle. Par ailleurs,

$$f'(x) = 0 \Leftrightarrow (\cos x - 1)(\cos x + 1) = 0 \Leftrightarrow \cos x - 1 = 0 \text{ ou } \cos x + 1 = 0$$
$$\Leftrightarrow \cos x = 1 \text{ ou } \cos x = -1 \Leftrightarrow x = k\pi \,(\text{où } k \in \mathbb{Z})$$

Puisqu'on cherche les valeurs critiques appartenant à $\left]-\frac{\pi}{4}, \frac{\pi}{4}\right[$, on ne retient que la valeur $x = 0$.

Évaluons la fonction $f(x)$ aux extrémités de l'intervalle ainsi qu'à la valeur critique :

$$f\left(-\tfrac{\pi}{4}\right) = -\tfrac{\pi}{4} + 1 \approx 0{,}21, f(0) = 0 \text{ et } f\left(\tfrac{\pi}{4}\right) = \tfrac{\pi}{4} - 1 \approx -0{,}21$$

On peut donc conclure que, sur l'intervalle $\left[-\frac{\pi}{4}, \frac{\pi}{4}\right]$, la fonction $f(x) = x - \operatorname{tg} x$ atteint un maximum absolu d'environ 0,21 en $x = -\frac{\pi}{4}$ et un minimum absolu d'environ −0,21 en $x = \frac{\pi}{4}$, ce que la **FIGURE 5.25** permet d'observer.

FIGURE 5.25
$f(x) = x - \operatorname{tg} x$

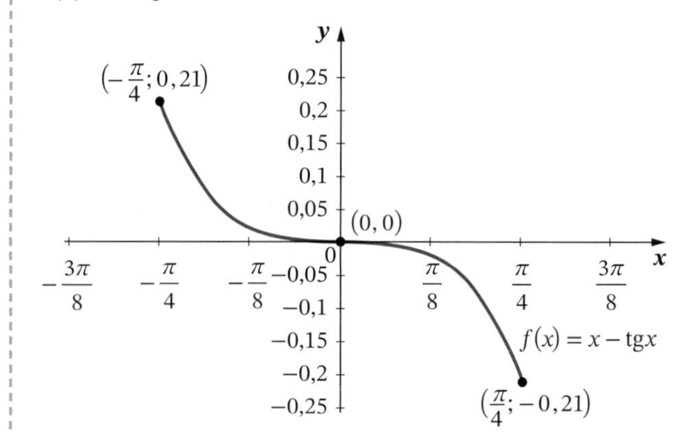

EXERCICE 5.5

Déterminez les extremums absolus de la fonction $f(x)$ sur l'intervalle donné.

a) $f(x) = \dfrac{x}{x^2 + 2}$ sur $[-1, 3]$

b) $f(x) = x\sqrt[5]{3 - x}$ sur $[0, 4]$

c) $f(x) = x^2 e^{3x}$ sur $[-2, 1]$

5.2.2 EXTREMUMS ABSOLUS D'UNE FONCTION SUR UN INTERVALLE NON FERMÉ

Il reste à déterminer une méthode pour obtenir les extremums absolus d'une fonction continue sur $\mathbb{R}$ ou sur $]a, b[$*. Nous savons, que s'ils existent, les extremums absolus sont des extremums relatifs. Nous savons également comment déterminer tous les extremums relatifs d'une fonction. Le maximum absolu, s'il existe, est le plus grand maximum relatif. De même, le minimum absolu, s'il existe, est le plus petit minimum relatif.

* Pour déterminer les extremums absolus d'une fonction continue sur un intervalle $[a, b[$ (respectivement $]a, b]$), nous utiliserons la même méthode que sur l'intervalle $]a, b[$. Il ne faut toutefois pas oublier d'utiliser le théorème 5.4 (p. 292) pour établir la nature de l'extremum relatif en $x = a$ (respectivement en $x = b$).

La FIGURE 5.26 présente des situations où une fonction continue sur $\mathbb{R}$ ou sur $]a, b[$ n'admet pas d'extremums absolus. Analysons ces situations.

FIGURE 5.26

Fonctions continues n'admettant pas d'extremums absolus

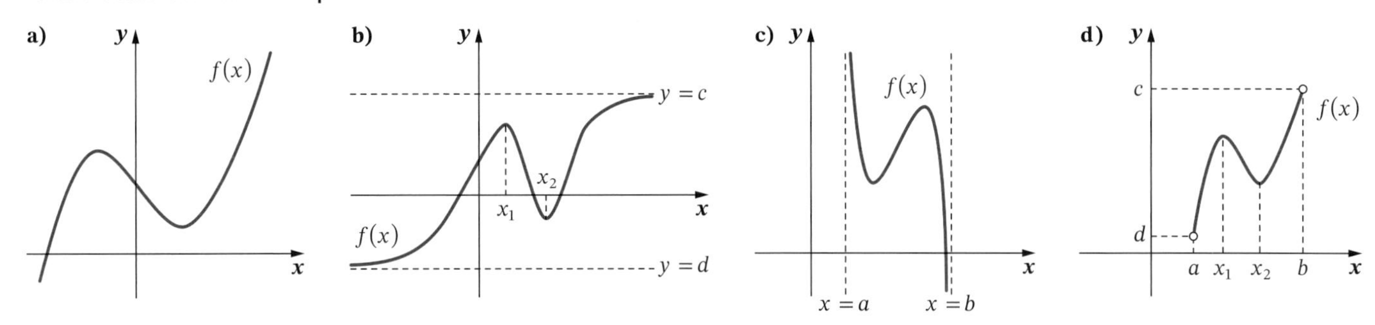

La fonction $f(x)$ définie sur $\mathbb{R}$ et illustrée à la figure 5.26 *a* n'admet pas de maximum absolu puisque $f(x) \to \infty$ quand $x \to \infty$. De plus, elle n'admet pas de minimum absolu puisque $f(x) \to -\infty$ quand $x \to -\infty$.

La fonction $f(x)$ définie sur $\mathbb{R}$ et illustrée à la figure 5.26 *b* n'admet pas de maximum absolu puisque $f(x) \to c$ quand $x \to \infty$ et que $c > f(x_1)$, qui est le seul maximum relatif de la fonction $f(x)$. De plus, elle n'admet pas de minimum absolu puisque $f(x) \to d$ quand $x \to -\infty$ et que $d < f(x_2)$, qui est le seul minimum relatif de la fonction $f(x)$.

La fonction $f(x)$ définie sur $]a, b[$ et illustrée à la figure 5.26 *c* n'admet pas de maximum absolu puisque $f(x) \to \infty$ quand $x \to a^+$. De plus, elle n'admet pas de minimum absolu puisque $f(x) \to -\infty$ quand $x \to b^-$.

La fonction $f(x)$ définie sur $]a, b[$ et illustrée à la figure 5.26 *d* n'admet pas de maximum absolu puisque $\lim_{x \to b^-} f(x) = c$ et que $c > f(x_1)$, qui est le seul maximum relatif de la fonction $f(x)$. De plus, elle n'admet pas de minimum absolu puisque $\lim_{x \to a^+} f(x) = d$ et que $d < f(x_2)$, qui est le seul minimum relatif de la fonction $f(x)$.

Les observations faites à partir de la figure 5.26 permettent de décrire une procédure pour déterminer les extremums absolus d'une fonction continue $f(x)$ sur $\mathbb{R}$ ou sur $]a, b[$.

1. Si la fonction est définie sur $\mathbb{R}$, évaluer $\lim_{x \to -\infty} f(x)$ et $\lim_{x \to \infty} f(x)$. Si la fonction est définie sur $]a, b[$, évaluer plutôt $\lim_{x \to a^+} f(x)$ et $\lim_{x \to b^-} f(x)$.
2. Si l'une des limites évaluées à la première étape donne ∞, alors la fonction $f(x)$ n'admet pas de maximum absolu.
3. Si l'une des limites évaluées à la première étape donne $-\infty$, alors la fonction $f(x)$ n'admet pas de minimum absolu.
4. Si aucune des limites évaluées à la première étape donne ∞, déterminer les maximums relatifs de la fonction $f(x)$ à l'aide du test de la dérivée première. S'il n'y a pas de maximum relatif, il n'y a pas de maximum absolu. S'il y a des maximums relatifs, vérifier si le plus grand maximum relatif est supérieur aux limites évaluées à la première étape. Si oui, le plus grand maximum relatif est le maximum absolu, sinon il n'y a pas de maximum absolu.
5. Si aucune des limites évaluées à la première étape donne $-\infty$, déterminer les minimums relatifs de la fonction $f(x)$ à l'aide du test de la dérivée première.

S'il n'y a pas de minimum relatif, il n'y a pas de minimum absolu. S'il y a des minimums relatifs, vérifier si le plus petit minimum relatif est inférieur aux limites évaluées à la première étape. Si oui, le plus petit minimum relatif est le minimum absolu, sinon il n'y a pas de minimum absolu.

EXEMPLE 5.18

Déterminons les extremums absolus de la fonction continue $f(x) = \frac{6x}{x^2 + 9}$ sur $\mathbb{R}$. On a

$$\underbrace{\lim_{x \to -\infty} \frac{6x}{x^2 + 9}}_{\text{forme } \frac{-\infty}{\infty}} \stackrel{\text{H}}{=} \underbrace{\lim_{x \to -\infty} \frac{6}{2x}}_{\text{forme } \frac{6}{-\infty}} = 0 \quad \text{et} \quad \underbrace{\lim_{x \to \infty} \frac{6x}{x^2 + 9}}_{\text{forme } \frac{\infty}{\infty}} \stackrel{\text{H}}{=} \underbrace{\lim_{x \to \infty} \frac{6}{2x}}_{\text{forme } \frac{6}{\infty}} = 0$$

Puisque ces deux limites* ne donnent pas ∞ ou $-\infty$, déterminons les extremums relatifs de $f(x)$ à l'aide du test de la dérivée première. On a

$$\begin{aligned} f'(x) &= \frac{(x^2 + 9)\frac{d}{dx}(6x) - 6x\frac{d}{dx}(x^2 + 9)}{(x^2 + 9)^2} \\ &= \frac{(x^2 + 9)(6) - 6x(2x)}{(x^2 + 9)^2} \\ &= \frac{54 - 6x^2}{(x^2 + 9)^2} = \frac{6(9 - x^2)}{(x^2 + 9)^2} \\ &= \frac{6(3 - x)(3 + x)}{(x^2 + 9)^2} \end{aligned}$$

Puisque $(x^2 + 9)^2 \neq 0$ pour tout $x \in \mathbb{R}$, alors $f'(x)$ existe toujours et

$$\begin{aligned} f'(x) = 0 &\Leftrightarrow 6(3 - x)(3 + x) = 0 \\ &\Leftrightarrow 3 - x = 0 \text{ ou } 3 + x = 0 \\ &\Leftrightarrow x = 3 \text{ ou } x = -3 \end{aligned}$$

Construisons le tableau des signes de $f'(x)$ (**TABLEAU 5.15**).

TABLEAU 5.15
Tableau des signes

	$]-\infty, -3[$		$]-3, 3[$		$]3, \infty[$
x		-3		3	
$f'(x)$	$-$	0	$+$	0	$-$
$f(x)$	↘	-1 min. rel.	↗	1 max. rel.	↘

En vertu du test de la dérivée première (théorème 5.3, p. 287), la fonction $f(x) = \frac{6x}{x^2 + 9}$ admet un minimum relatif de $f(-3) = -1$ en $x = -3$.

Vérifions que ce minimum est également le minimum absolu de la fonction $f(x)$. Or, $f(-3) = -1$ est le plus petit minimum relatif de la fonction $f(x)$ puisque c'est le seul minimum relatif. De plus,

$$f(-3) = -1 < \lim_{x \to -\infty} f(x) = 0 \quad \text{et} \quad f(-3) = -1 < \lim_{x \to \infty} f(x) = 0$$

* Au lieu de la règle de L'Hospital, nous aurions pu utiliser la mise en évidence de la plus haute puissance de x pour évaluer ces limites (chapitre 1).

Par conséquent, $f(-3) = -1$ est le minimum absolu de la fonction $f(x)$ sur $\mathbb{R}$.

En vertu du test de la dérivée première (théorème 5.3), la fonction $f(x) = \dfrac{6x}{x^2 + 9}$ admet un maximum relatif de $f(3) = 1$ en $x = 3$.

Vérifions que ce maximum est également le maximum absolu de la fonction $f(x)$. Or, $f(3) = 1$ est le plus grand maximum relatif de la fonction $f(x)$ puisque c'est le seul maximum relatif. De plus,

$$f(3) = 1 > \lim_{x \to -\infty} f(x) = 0 \quad \text{et} \quad f(3) = 1 > \lim_{x \to \infty} f(x) = 0$$

Par conséquent, $f(3) = 1$ est le maximum absolu de la fonction $f(x)$ sur $\mathbb{R}$. La **FIGURE 5.27** permet d'observer ces résultats.

FIGURE 5.27

$f(x) = \dfrac{6x}{x^2 + 9}$

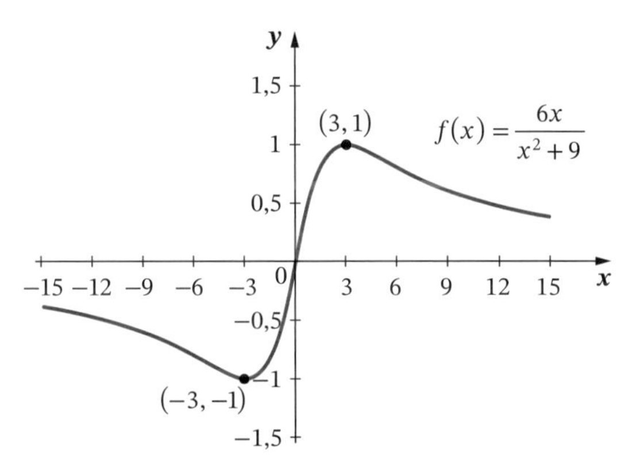

QUESTION ÉCLAIR 5.7

Soit la fonction continue $f(x) = \sqrt[3]{(9 - x^2)^2}$ sur $]-4, 2[$.

a) Évaluez $\lim\limits_{x \to -4^+} \sqrt[3]{(9 - x^2)^2}$.

b) Évaluez $\lim\limits_{x \to 2^-} \sqrt[3]{(9 - x^2)^2}$.

c) Sachant que $f'(x) = \dfrac{-4x}{3(9 - x^2)^{1/3}} = \dfrac{-4x}{3[(3 - x)(3 + x)]^{1/3}}$, déterminez les valeurs critiques de la fonction $f(x)$ appartenant à $]-4, 2[$.

d) Déterminez les extremums relatifs de la fonction $f(x)$ à l'aide du test de la dérivée première.

e) Déterminez les extremums absolus de la fonction $f(x)$.

EXEMPLE 5.19

Déterminons les extremums absolus de la fonction continue $f(x) = (4 - x^2)^2$ sur $\mathbb{R}$. On a

$$\underbrace{\lim_{x \to -\infty} (4 - x^2)^2}_{\text{forme } (4 - \infty)^2} = \infty \quad \text{et} \quad \underbrace{\lim_{x \to \infty} (4 - x^2)^2}_{\text{forme } (4 - \infty)^2} = \infty$$

Puisque ces deux limites donnent ∞, il n'y a pas de maximum absolu. Déterminons les extremums relatifs de $f(x)$ à l'aide du test de la dérivée première. On a

$$f'(x) = 2(4 - x^2)\frac{d}{dx}(4 - x^2) = 2(4 - x^2)(-2x) = -4x(2 - x)(2 + x)$$

Or, $f'(x)$ existe toujours sur $\mathbb{R}$ et

$$f'(x) = 0 \Leftrightarrow -4x(2 - x)(2 + x) = 0 \Leftrightarrow -4x = 0, 2 - x = 0 \text{ ou } 2 + x = 0$$
$$\Leftrightarrow x = 0, x = 2 \text{ ou } x = -2$$

Construisons le tableau des signes de $f'(x)$ (**TABLEAU 5.16**).

TABLEAU 5.16
Tableau des signes

	$]-\infty, -2[$		$]-2, 0[$		$]0, 2[$		$]2, \infty[$
x		-2		0		2	
$f'(x)$	$-$	0	+	0	$-$	0	+
$f(x)$	↘	0 min. rel.	↗	16 max. rel.	↘	0 min. rel.	↗

En vertu du test de la dérivée première (théorème 5.3, p. 287), la fonction $f(x) = (4 - x^2)^2$ admet un minimum relatif de 0 en $x = -2$ et en $x = 2$.

Vérifions que ce minimum est également le minimum absolu de la fonction $f(x)$. Or, 0 est le plus petit minimum relatif de la fonction $f(x)$. De plus,

$$0 < \lim_{x \to -\infty} f(x) = \infty \quad \text{et} \quad 0 < \lim_{x \to \infty} f(x) = \infty$$

Par conséquent, 0 est le minimum absolu de la fonction $f(x)$ sur $\mathbb{R}$.

En vertu du test de la dérivée première (théorème 5.3), la fonction $f(x) = (4 - x^2)^2$ admet un maximum relatif de $f(0) = 16$ en $x = 0$. Ce maximum n'est pas un maximum absolu puisque $\lim_{x \to \infty} f(x) = \infty$ et, par conséquent, la fonction $f(x)$ atteint des valeurs supérieures à 16.

La **FIGURE 5.28** permet de visualiser ces résultats.

FIGURE 5.28
$f(x) = (4 - x^2)^2$

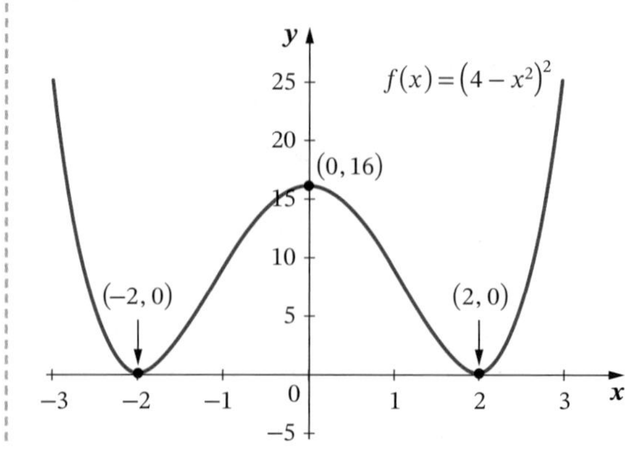

EXEMPLE 5.20

Déterminons les extremums absolus de la fonction continue $f(x) = (2x + 1)e^{-x^2}$ sur $]-2, 1[$. On a

$$\lim_{x \to -2^+} \left[(2x + 1)e^{-x^2}\right] = -3e^{-4} \approx -0{,}055$$

et

$$\lim_{x \to 1^-} \left[(2x + 1)e^{-x^2}\right] = 3e^{-1} \approx 1{,}104$$

Puisque ces deux limites ne donnent pas ∞ ou $-\infty$, déterminons les extremums relatifs de $f(x)$ à l'aide du test de la dérivée première. On a

$$\begin{aligned} f'(x) &= (2x + 1)\frac{d}{dx}\left(e^{-x^2}\right) + e^{-x^2}\frac{d}{dx}(2x + 1) \\ &= (2x + 1)e^{-x^2}\frac{d}{dx}(-x^2) + 2e^{-x^2} \\ &= -2x(2x + 1)e^{-x^2} + 2e^{-x^2} \\ &= -2e^{-x^2}(2x^2 + x - 1) \end{aligned}$$

Or, $f'(x)$ existe toujours sur $\mathbb{R}$ et

$$f'(x) = 0 \Leftrightarrow -2\underbrace{e^{-x^2}}_{>0}(2x^2 + x - 1) = 0 \Leftrightarrow 2x^2 + x - 1 = 0$$

$$\Leftrightarrow x = \frac{-1 \pm \sqrt{1^2 - 4(2)(-1)}}{2(2)} = \frac{-1 \pm \sqrt{9}}{4} \Leftrightarrow x = -1 \text{ ou } x = \tfrac{1}{2}$$

Construisons le tableau des signes de $f'(x)$ sur $]-2, 1[$ (**TABLEAU 5.17**).

TABLEAU 5.17
Tableau des signes

	$]-2, -1[$		$]-1, 1/2[$		$]1/2, 1[$
x		-1		$1/2$	
$f'(x)$	$-$	0	$+$	0	$-$
$f(x)$	↘	$-e^{-1}$ min. rel.	↗	$2e^{-1/4}$ max. rel.	↘

En vertu du test de la dérivée première (théorème 5.3, p. 287), la fonction $f(x) = (2x + 1)e^{-x^2}$ admet un minimum relatif de $f(-1) = -e^{-1} \approx -0{,}37$ en $x = -1$.

Vérifions que ce minimum est également le minimum absolu de la fonction $f(x)$. Or, $f(-1) = -e^{-1}$ est le plus petit minimum relatif de la fonction $f(x)$ puisque c'est le seul minimum relatif. De plus,

$$f(-1) = -e^{-1} < \lim_{x \to -2^+} f(x) = -3e^{-4} \text{ et } f(-1) = -e^{-1} < \lim_{x \to 1^-} f(x) = 3e^{-1}$$

Par conséquent, $f(-1) = -e^{-1}$ est le minimum absolu de la fonction $f(x)$ sur $]-2, 1[$.

En vertu du test de la dérivée première, la fonction $f(x) = (2x + 1)e^{-x^2}$ admet un maximum relatif de $f\left(\frac{1}{2}\right) = 2e^{-1/4} \approx 1{,}56$ en $x = \frac{1}{2}$.

Vérifions que ce maximum est également le maximum absolu de la fonction $f(x)$. Or, $f\left(\frac{1}{2}\right) = 2e^{-1/4}$ est le plus grand maximum relatif de la fonction $f(x)$ puisque c'est le seul maximum relatif. De plus,

$$f\left(\tfrac{1}{2}\right) = 2e^{-1/4} > \lim_{x \to -2^+} f(x) = -3e^{-4} \quad \text{et} \quad f\left(\tfrac{1}{2}\right) = 2e^{-1/4} > \lim_{x \to 1^-} f(x) = 3e^{-1}$$

Par conséquent, $f\left(\frac{1}{2}\right) = 2e^{-1/4}$ est le maximum absolu de la fonction $f(x)$ sur $]-2, 1[$. La FIGURE 5.29 permet de confirmer ces résultats.

FIGURE 5.29
$f(x) = (2x + 1)e^{-x^2}$

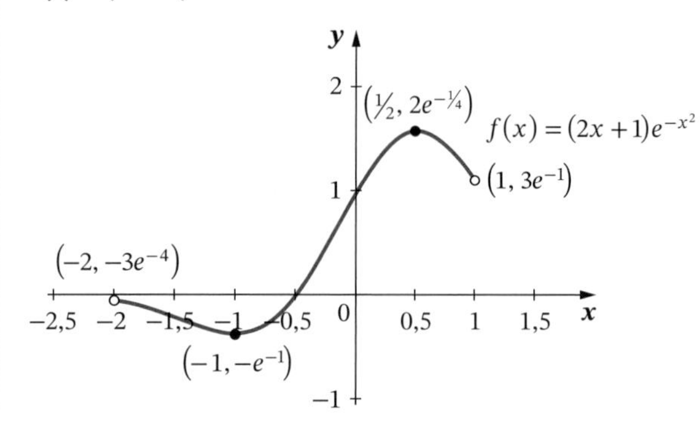

EXERCICE 5.6

Déterminez les extremums absolus de la fonction $f(x)$ sur l'intervalle donné.

a) $f(x) = 4x^3 - 9x^2 - 12x + 3$ sur $]-1, 4[$

b) $f(x) = \dfrac{3 - 2x^2}{x}$ sur $]0, \infty[$

c) $f(x) = \dfrac{1 - x^2}{x^2 + 2}$ sur $\mathbb{R}$

Vous pouvez maintenant faire les exercices récapitulatifs 4 à 10.

UN PEU D'HISTOIRE

Dans l'Énéide, Virgile (70-19 avant notre ère) raconte l'histoire de la princesse Didon (fin du IXe siècle avant notre ère), qui, après le meurtre de son mari, se réfugia sur les côtes de l'Afrique. Elle aurait alors demandé à un seigneur local de lui donner des terres. Selon la légende, ce dernier aurait accepté de lui octroyer tout le territoire qu'elle pourrait délimiter avec la peau d'un bœuf. Didon prit donc la peau de l'animal, la découpa en fines lanières qu'elle joignit pour former une longue corde. Elle s'installa ensuite le long de la Méditerranée, forma un demi-cercle avec la corde (le rivage servant de diamètre) et délimita ainsi un territoire qui allait devenir la ville de Carthage. Didon avait intuitivement trouvé la solution de ce qui allait devenir un problème classique d'optimisation : déterminer parmi toutes les courbes isopérimètres, c'est-à-dire les courbes de même longueur, celle (un cercle) qui délimite une surface d'aire maximale.

Cette anecdote illustre bien le fait que les problèmes d'optimisation préoccupent l'être humain depuis fort longtemps. Ainsi, dans le livre V de son traité sur les coniques, Apollonius de Perge (262-190 avant notre ère) traita de la maximisation et de la minimisation de la longueur de segments joignant des points à une conique. Héron d'Alexandrie (fin du Ier siècle) énonça le principe d'optique en vertu duquel l'angle de réflexion d'un rayon lumineux sur un miroir est celui qui minimise une certaine distance. Galilée (1564-1642) observa que, dans le vide, l'angle de tir qui maximise la portée d'un projectile est de 45°.

Ce n'est toutefois qu'au début du XVIIe siècle qu'on formula les principes mathématiques permettant de repérer les extremums d'une fonction. Ainsi, en 1615, dans *Nova stereometria doliorum vinariorum*, Johannes Kepler (1571-1630) écrivit : « Decrementa habet insitio insensibilia », ce qui, dans le contexte, voulait dire qu'autour d'un maximum, les décréments de chaque côté sont initialement imperceptibles ; autrement dit, en termes modernes, la variation d'une fonction près d'un maximum est pratiquement nulle. Kepler avait ainsi obtenu un résultat étonnamment proche de celui qu'on utilise encore aujourd'hui pour trouver les extremums d'une fonction. Dans son traité, il vérifia notamment que, de tous les parallélépipèdes rectangles à base carrée inscrits dans une sphère, le cube est celui qui occupe le plus grand volume.

Dans une lettre adressée au père Marin Mersenne (1588-1648), Pierre de Fermat (1601-1665) soumit le problème suivant : partager une droite de telle sorte que le produit de ses segments soit maximal. Voici, transposée en terminologie moderne, la solution que Fermat proposa :

> Soit un segment de longueur a qu'on partage en deux segments dont les longueurs sont respectivement x et $(a - x)$. Le produit A des longueurs est alors $A = x(a - x)$. Si on partage plutôt le segment dans des longueurs $x + E$ et $[a - (x + E)]$, le produit des longueurs est alors de $B = (x + E)[a - (x + E)]$. Étant donné que près d'un maximum* les deux produits doivent être sensiblement égaux, on a
>
> $$(x + E)[a - (x + E)] - x(a - x) = 0$$

* C'est le constat qu'avait fait Kepler dans son texte de 1615.

de sorte que, si $E \neq 0$, alors

$$ax + aE - x^2 - 2Ex - E^2 - (ax - x^2) = 0$$

$$aE - 2Ex - E^2 = 0$$

$$2x - a + E = 0 \quad E \neq 0$$

$$x = \frac{a}{2} \quad E \approx 0$$

Par conséquent, il faut diviser le segment en son milieu.

Même si l'argument de Fermat présente des lacunes, on peut y retrouver les fondements de la manière contemporaine de trouver un extremum: il mesura l'écart entre B et A, soit

$$(x+E)[a-(x+E)] - x(a-x)$$

$[$ce qui équivaut à $f(x+\Delta x) - f(x)]$, qu'il divisa ensuite par une faible valeur E, soit

$$\frac{(x+E)[a-(x+E)] - x(a-x)}{E}$$

ce qui équivaut à

$$\frac{f(x+\Delta x) - f(x)}{\Delta x}$$

et il négligea ensuite le terme E. Fermat posa essentiellement l'équation

$$\lim_{E \to 0} \frac{(x+E)[a-(x+E)] - x(a-x)}{E} = 0$$

résultat qui revient à dire que la dérivée de la fonction $A(x)$ est nulle.

Malgré ses déficiences, la méthode de Fermat fut rapidement acceptée par la communauté mathématique et elle permit de résoudre de nombreux problèmes d'optimisation. C'est grâce à cette méthode que le très célèbre mathématicien Joseph Louis Lagrange (1736-1813) affirma qu'il considérait Fermat comme l'inventeur du calcul différentiel.

Dans la foulée des travaux de Fermat apparurent des problèmes d'optimisation qui ne pouvaient pas être résolus par les méthodes élémentaires du calcul différentiel. Signalons entre autres le fameux problème du brachistochrone proposé par Jean Bernoulli (1667-1748): parmi toutes les courbes qui joignent deux points A et B non situés sur une même verticale et où A est situé plus haut que B, trouver celle qui minimise le temps mis par un point M abandonné en A, sans vitesse initiale, à se déplacer sur la courbe sous la seule influence de la gravité. En plus de l'auteur de ce problème, plusieurs des grands mathématiciens de l'époque le résolurent, notamment Isaac Newton (1642-1727), Jacques Bernoulli (1654-1705), Gottfried Wilhelm Leibniz (1646-1716) et Guillaume François Antoine de l'Hospital (1661-1704). Le calcul des variations, élaboré par Lagrange et Leonhard Euler (1707-1783), tire son origine de ce célèbre problème et constitue une branche des mathématiques qui traite de la détermination des extremums d'une fonction définie sur des espaces dits fonctionnels.

L'avènement d'ordinateurs puissants a permis l'émergence de la programmation linéaire, soit la branche des mathématiques qui a pour objet l'optimisation d'une fonction linéaire de plusieurs variables indépendantes soumises à des contraintes présentées sous forme d'équations ou d'inéquations linéaires. La programmation linéaire utilise l'algèbre plutôt que le calcul différentiel dans la recherche d'une solution optimale. Mise au point initialement pour répondre à des besoins militaires d'affectation efficace de ressources, la programmation linéaire est aujourd'hui présente dans de nombreux domaines (transport, production manufacturière, etc.) où l'utilisation de ressources limitées doit être optimisée. Parmi les méthodes utilisées en programmation linéaire, il faut souligner l'algorithme du simplexe établi par George Bernard Dantzig (1914-2005), et qui est généralement étudié dans les programmes universitaires de premier cycle en gestion et en ingénierie.

5.3 PROBLÈMES D'OPTIMISATION

Nous allons maintenant appliquer à la résolution de problèmes concrets les notions exposées dans les sections précédentes.

5.3.1 PROBLÈME D'OPTIMISATION D'UNE FONCTION CONTINUE SUR UN INTERVALLE FERMÉ

Animations GeoGebra
Optimisation: volume d'une boîte

Trouvez cette animation sur la plateforme *i+ Interactif*.

EXEMPLE 5.21

On veut construire une boîte sans couvercle à l'aide d'une feuille de carton de 32 cm sur 14 cm en découpant dans chaque coin des carrés de même aire et en repliant les bords comme cela est indiqué dans la FIGURE 5.30.

FIGURE 5.30
Boîte sans couvercle

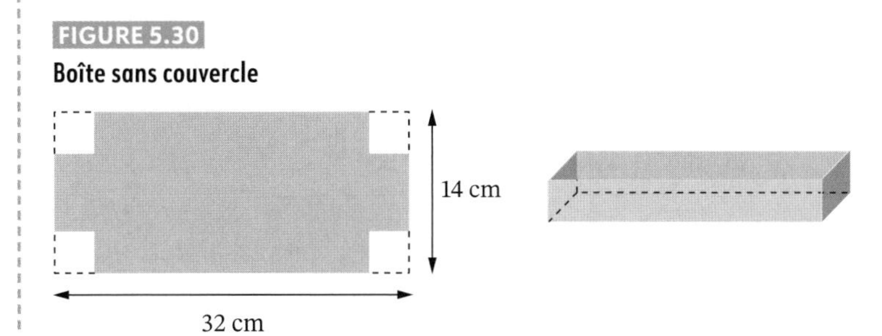

Déterminons la mesure x des côtés des carrés à découper qui maximise le volume V que peut occuper une telle boîte et les dimensions de celle-ci.

Le volume V d'une boîte rectangulaire est donné par

$$V = \text{Longueur} \times \text{Largeur} \times \text{Hauteur}$$
$$V = L\ell h$$

Exprimons ces dimensions en fonction de la mesure x des côtés des carrés découpés (FIGURE 5.31).

FIGURE 5.31

Dimensions d'une boîte sans couvercle

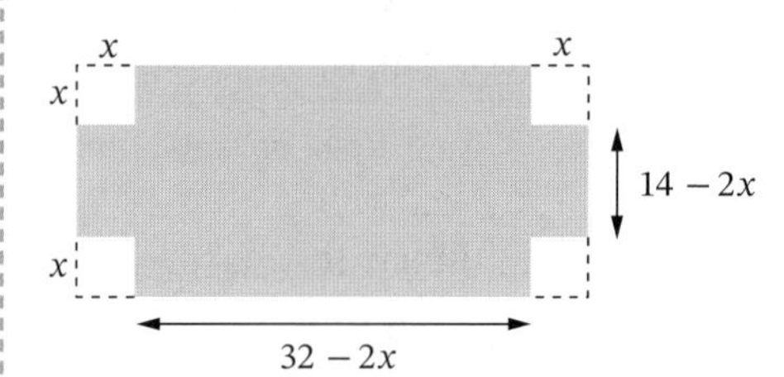

Par conséquent,

$$\begin{aligned} V &= L\ell h \\ &= (32 - 2x)(14 - 2x)x \\ &= 4x^3 - 92x^2 + 448x \end{aligned}$$

Les dimensions de la boîte ne peuvent être négatives. Il faut donc que

$$L \geq 0 \Leftrightarrow 32 - 2x \geq 0 \Leftrightarrow -2x \geq -32 \Leftrightarrow x \leq 16$$
$$\ell \geq 0 \Leftrightarrow 14 - 2x \geq 0 \Leftrightarrow -2x \geq -14 \Leftrightarrow x \leq 7$$
$$h \geq 0 \Leftrightarrow x \geq 0$$

On cherche donc à maximiser la fonction $V(x) = 4x^3 - 92x^2 + 448x$ sur l'intervalle $[0, 7]$. On a

$$V'(x) = \frac{d}{dx}(4x^3 - 92x^2 + 448x) = 12x^2 - 184x + 448$$

Or, $V'(x)$ existe toujours sur $]0, 7[$ et

$$V'(x) = 0 \Leftrightarrow x = \frac{-(-184) \pm \sqrt{(-184)^2 - 4(12)(448)}}{2(12)} \Leftrightarrow x = \frac{184 \pm \sqrt{12\,352}}{24}$$

Il n'y a donc qu'une seule valeur critique appartenant à l'intervalle $]0, 7[$, soit

$$x = \frac{184 - \sqrt{12\,352}}{24} \approx 3{,}04 \text{ cm}$$

La fonction $V(x) = 4x^3 - 92x^2 + 448x$ est continue sur $[0, 7]$, car c'est un polynôme. En vertu du théorème 5.7 (p. 303), le maximum absolu est donc atteint à une extrémité de l'intervalle ou en la valeur critique. Or,

$$V(0) = 0 \text{ cm}^3,\ V(3{,}04) \approx 624{,}07 \text{ cm}^3 \text{ et } V(7) = 0 \text{ cm}^3$$

Par conséquent, pour obtenir une boîte de volume maximal avec cette feuille de carton, il faut découper dans chaque coin un carré d'environ 3,04 cm de côté.

Le volume de la boîte qu'on obtient en repliant les bords est d'environ 624,07 cm^3. La longueur de la boîte est alors de $32 - 2x \approx 32 - 2(3{,}04) = 25{,}92$ cm, sa hauteur est d'environ 3,04 cm et sa largeur est de $14 - 2x \approx 14 - 2(3{,}04) = 7{,}92$ cm.

L'exemple 5.21 permet d'établir une procédure pour résoudre un problème d'optimisation d'une fonction continue sur un intervalle fermé.

1. Lire attentivement le problème et nommer les différentes variables en jeu. (S'il y a lieu, esquisser un schéma et y consigner les variables.)
2. Déterminer la variable à optimiser.
3. Exprimer la variable à optimiser (la variable dépendante) en fonction d'une seule autre variable (la variable indépendante).
4. Déterminer le domaine de la fonction à optimiser, c'est-à-dire les valeurs de la variable indépendante qui sont plausibles dans le contexte.
5. Dériver la fonction à optimiser.
6. Déterminer les valeurs critiques de la fonction à optimiser qui font partie du domaine.
7. Déterminer le maximum (ou le minimum) de la fonction en l'évaluant aux extrémités de l'intervalle ainsi qu'aux valeurs critiques.
8. Répondre à la question posée dans l'énoncé du problème.

QUESTION ÉCLAIR 5.8

On veut déterminer les dimensions du rectangle d'aire maximale qu'on peut inscrire dans un triangle rectangle dont les côtés de l'angle droit mesurent respectivement 5 cm et 20 cm.

a) Si x est la mesure de la base du rectangle et y est la mesure de sa hauteur, complétez le schéma suivant (qui n'est pas à l'échelle) en y consignant les variables et les quantités connues (FIGURE 5.32).

FIGURE 5.32

Rectangle inscrit dans un triangle rectangle

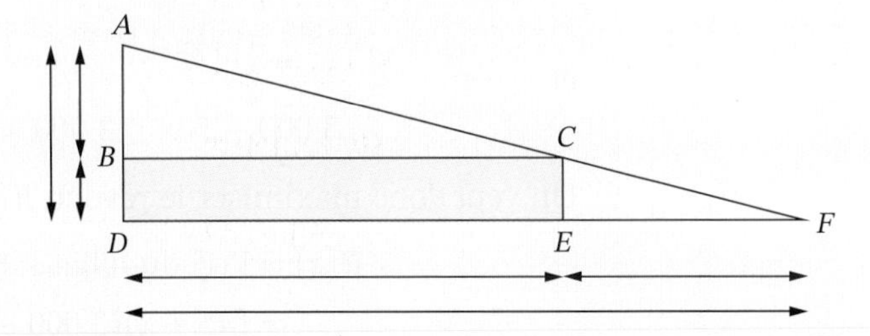

b) En utilisant les triangles semblables, exprimez y en fonction de x.

c) Déterminez la variable à optimiser et exprimez-la en fonction d'une seule autre variable.

d) Déterminez le domaine de la fonction à optimiser, c'est-à-dire les valeurs de la variable indépendante qui sont plausibles dans le contexte.

e) Dérivez la fonction à optimiser et trouvez les valeurs critiques appartenant au domaine.

f) Déterminez les dimensions du rectangle d'aire maximale qu'on peut inscrire dans le triangle rectangle.

EXEMPLE 5.22

L'administrateur d'une salle de spectacle pouvant accueillir 3 000 personnes sait qu'en fixant le prix du billet à 45 \$ pour un spectacle, il y aura salle comble. En revanche, pour toute augmentation de 1 \$ du prix du billet, il y aura une diminution des ventes de 50 billets. Déterminons à quel prix l'administrateur devrait vendre les billets pour que le revenu de leur vente soit maximal, et déterminons également le revenu maximal résultant de leur vente.

Soit x l'augmentation (en dollars) du prix du billet. La fonction donnant le revenu $R(x)$ tiré de la vente des billets est définie par

$$R(x) = \text{Prix du billet} \times \text{Nombre de billets vendus}$$

Par ailleurs, le nombre de billets vendus dépend de leur prix, comme l'illustre le **TABLEAU 5.18**.

TABLEAU 5.18

Nombre de billets vendus en fonction du prix

Augmentation du prix du billet (\$)	Prix du billet (\$)	Nombre de billets vendus
0	$45 + 0$	$3\,000 - 50(0)$
1	$45 + 1$	$3\,000 - 50(1)$
2	$45 + 2$	$3\,000 - 50(2)$
3	$45 + 3$	$3\,000 - 50(3)$
x	$45 + x$	$3\,000 - 50(x)$

Puisque le nombre de billets vendus ne peut pas être négatif et ne peut pas dépasser la capacité de la salle, on obtient les inégalités suivantes :

$$3\,000 - 50x \geq 0 \Leftrightarrow -50x \geq -3\,000 \Leftrightarrow x \leq 60\ \$$$

et

$$3\,000 - 50x \leq 3\,000 \Leftrightarrow -50x \leq 0 \Leftrightarrow x \geq 0\ \$$$

On veut donc maximiser le revenu $R(x)$ sur l'intervalle $[0, 60]$. Or,

$$\begin{aligned} R(x) &= \text{Prix du billet} \times \text{Nombre de billets vendus} \\ &= (45 + x)(3\,000 - 50x) \\ &= 135\,000 + 750x - 50x^2 \end{aligned}$$

On a $R'(x) = 750 - 100x$. Par conséquent, sur $]0, 60[$, la dérivée existe toujours et

$$R'(x) = 0 \Leftrightarrow 750 - 100x = 0 \Leftrightarrow -100x = -750 \Leftrightarrow x = 7{,}50\ \$$$

La fonction $R(x) = 135\,000 + 750x - 50x^2$ est continue sur $[0, 60]$, car c'est un polynôme. En vertu du théorème 5.7 (p. 303), le maximum absolu est donc atteint à une extrémité de l'intervalle ou en la valeur critique. Or,

$$R(0) = 135\,000\ \$,\ R(7{,}50) = 137\,812{,}50\ \$ \text{ et } R(60) = 0\ \$$$

Par conséquent, pour maximiser le revenu tiré de la vente des billets, l'administrateur devrait donc augmenter le prix du billet de 7,50 \$. Le prix du billet serait alors de $45 + 7{,}50 = 52{,}50$ \$ et il obtiendrait un revenu de 137 812,50 \$.

Animations GeoGebra

Optimisation : alimentation en électricité d'une île

Trouvez cette animation sur la plateforme *i+ Interactif*.

EXEMPLE 5.23

On veut alimenter en électricité une île en reliant un point A situé sur l'île au réseau électrique déjà existant situé en un point B sur la rive, ainsi que l'illustre la FIGURE 5.33.

FIGURE 5.33

Alimentation en électricité d'une île

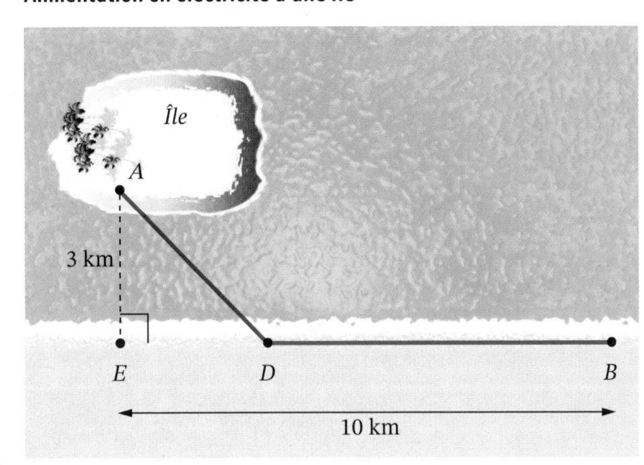

Pour y arriver, il y a plusieurs façons de procéder : on peut relier directement A et B en passant la ligne électrique sous l'eau ; on peut relier A et E sous l'eau, et ensuite E et B sur la terre ferme ; ou bien on peut relier A et D sous l'eau, et ensuite D et B sur la terre ferme.

Déterminons la solution qui minimisera les coûts d'installation de la ligne électrique, sachant qu'il en coûte 2 fois plus cher du kilomètre pour passer la ligne électrique sous l'eau que sur la terre ferme.

Soit x la distance (en kilomètres) entre le point E et le point D. Alors $x \in [0, 10]$, la distance entre D et B est $10 - x$, et celle entre A et D est $\sqrt{x^2 + 9}$ (FIGURE 5.34).

FIGURE 5.34

Distances entre différents points sur la rive et sur l'île

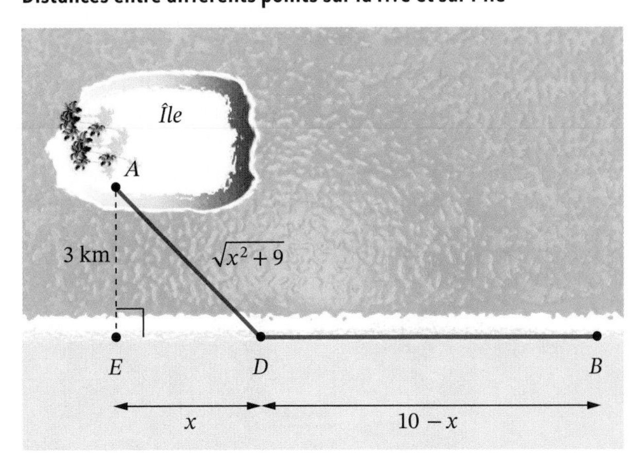

En supposant qu'il en coûte P \$ pour 1 km de ligne électrique sur la terre ferme (et donc $2P$ \$ pour 1 km sous l'eau), la fonction $C(x)$ donnant le coût d'installation de la ligne électrique reliant le point A au point B est

$$C(x) = 2P\sqrt{x^2 + 9} + P(10 - x) \text{ où } x \in [0, 10]$$

Dérivons la fonction $C(x)$ afin d'en trouver les valeurs critiques :

$$\begin{aligned}C'(x) &= \frac{d}{dx}\left[2P\sqrt{x^2+9} + P(10-x)\right]\\ &= 2P\left[\frac{1}{2}(x^2+9)^{-1/2}\frac{d}{dx}(x^2+9)\right] - P\\ &= 2P\left[\frac{1}{2\sqrt{x^2+9}}(2x)\right] - P\\ &= \frac{2Px}{\sqrt{x^2+9}} - P\end{aligned}$$

Puisque $x^2 + 9 > 0$, alors $C'(x)$ existe toujours sur $]0, 10[$ et, sur cet intervalle, on a

$$\begin{aligned}C'(x) = 0 &\Leftrightarrow \frac{2Px}{\sqrt{x^2+9}} = P \Leftrightarrow 2Px = P\sqrt{x^2+9}\\ &\Leftrightarrow 2x = \sqrt{x^2+9} \Leftrightarrow 4x^2 = x^2 + 9\\ &\Leftrightarrow 3x^2 = 9 \Leftrightarrow x^2 = 3\\ &\Leftrightarrow x = \sqrt{3} \text{ ou } \underbrace{x = -\sqrt{3}}_{\substack{\text{à rejeter, car}\\ -\sqrt{3} \notin]0,\,10[}}\end{aligned}$$

Par conséquent, $x = \sqrt{3}$ est la seule valeur critique de la fonction $C(x)$ sur $]0, 10[$.

La fonction $C(x) = 2P\sqrt{x^2+9} + P(10-x)$ est continue sur $[0, 10]$, car c'est la somme de deux fonctions continues sur cet intervalle. En vertu du théorème 5.7 (p. 303), le minimum absolu est donc atteint à une extrémité de l'intervalle ou en la valeur critique. Or,

$$\begin{aligned}&C(0) = 2P\sqrt{9} + P(10) = 16P \text{ \$}\\ &C(\sqrt{3}) = 2P\sqrt{12} + P(10-\sqrt{3}) = (10 + 3\sqrt{3})P \approx 15{,}2P \text{ \$}\\ &C(10) = 2P\sqrt{109} + P(0) \approx 20{,}88P \text{ \$}\end{aligned}$$

Par conséquent, pour alimenter en électricité l'île en reliant le point A au point B au coût minimal, il faut relier le point A au point D situé à $\sqrt{3}$ km à droite du point E en faisant passer la ligne électrique sous l'eau, et ensuite relier le point D au point B en la faisant passer sur la terre ferme (FIGURE 5.35).

FIGURE 5.35

Alimentation en électricité d'une île au coût minimal

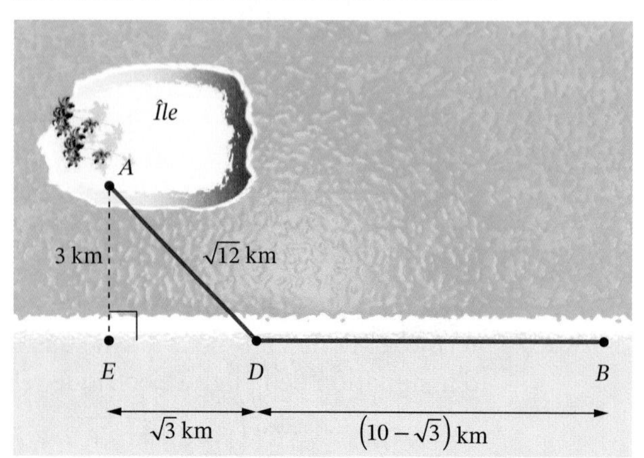

EXEMPLE 5.24

Un triangle isocèle a des côtés congrus mesurant 8 cm. Déterminons la valeur de l'angle θ formé par les deux côtés congrus qui maximise l'aire du triangle.

Plaçons le triangle isocèle de façon que l'un des côtés congrus soit la base du triangle (FIGURE 5.36).

FIGURE 5.36
Triangle isocèle

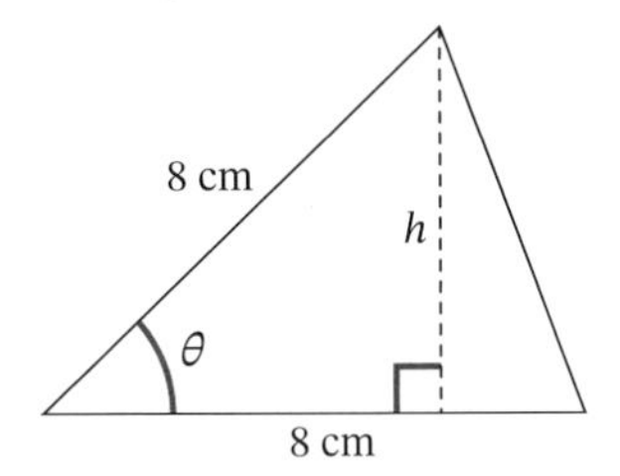

L'aire A d'un triangle est donnée par

$$A = \frac{\text{Base} \times \text{Hauteur}}{2} = \frac{bh}{2}$$

On a $b = 8$ cm et $\sin\theta = \frac{h}{8}$, c'est-à-dire $h = 8 \sin\theta$. Par conséquent, on veut maximiser

$$A(\theta) = \frac{8(8 \sin\theta)}{2} = 32 \sin\theta$$

où $\theta \in [0, \pi]^*$ puisque cet angle du triangle est un angle interne. Dérivons la fonction $A(\theta)$ afin d'en trouver les valeurs critiques:

$$A'(\theta) = \frac{d}{d\theta}(32 \sin\theta) = 32 \cos\theta$$

Or, $A'(\theta)$ existe toujours et

$$A'(\theta) = 0 \Leftrightarrow 32 \cos\theta = 0 \Leftrightarrow \cos\theta = 0 \Leftrightarrow \theta = (2k+1)\tfrac{\pi}{2} \text{ où } k \in \mathbb{Z}$$

Sur $]0, \pi[$, on ne retient que $\theta = \frac{\pi}{2}$ comme valeur critique.

La fonction $A(\theta) = 32 \sin\theta$ est continue sur $[0, \pi]$, car elle l'est sur l'ensemble des nombres réels. En vertu du théorème 5.7 (p. 303), le maximum absolu est donc atteint à une extrémité de l'intervalle ou en la valeur critique. Or,

$$A(0) = 32 \sin(0) = 0 \text{ cm}^2$$

$$A\left(\tfrac{\pi}{2}\right) = 32 \sin\left(\tfrac{\pi}{2}\right) = 32 \text{ cm}^2$$

$$A(\pi) = 32 \sin(\pi) = 0 \text{ cm}^2$$

Par conséquent, l'aire du triangle est maximale si $\theta = \frac{\pi}{2}$, c'est-à-dire si le triangle est isocèle et rectangle. L'aire maximale d'un tel triangle est de 32 cm^2.

EXEMPLE 5.25

La FIGURE 5.37 (p. 320) représente la vue à vol d'oiseau d'un immeuble de bureaux. On veut installer une caméra fixe sur un des murs de cet édifice. L'angle d'observation θ (en radians) de la caméra dépend de sa distance x (en mètres) du mur de gauche.

* En pratique, si $\theta = 0$ ou si $\theta = \pi$, on n'a plus de triangle. En théorie, on peut cependant considérer qu'il s'agit alors d'un triangle dégénéré. Comme il est plus facile de trouver un extremum sur un intervalle fermé que sur un intervalle ouvert, nous avons fait le choix de traiter les cas dégénérés comme des cas valables, lorsque le contexte s'y prête.

FIGURE 5.37

Angle d'observation d'une caméra

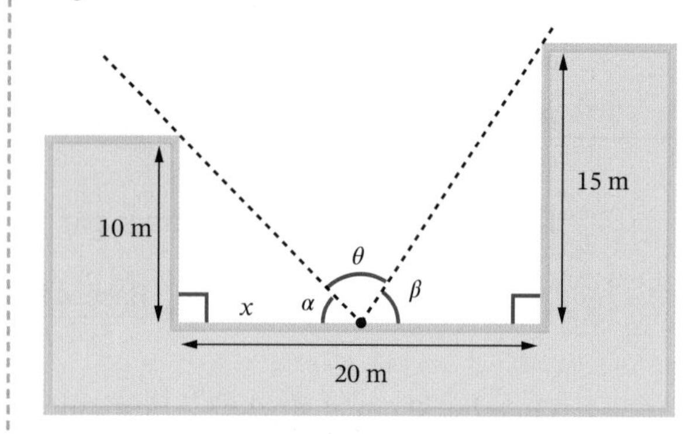

Déterminons la distance x du mur de gauche à laquelle on doit installer la caméra pour que l'angle d'observation θ soit maximal.

On a $\theta = \pi - \alpha - \beta$. Or,

$$\text{cotg}\,\alpha = \frac{x}{10} \Rightarrow \alpha = \text{arccotg}\left(\frac{x}{10}\right)$$

et

$$\text{cotg}\,\beta = \frac{20 - x}{15} \Rightarrow \beta = \text{arccotg}\left(\frac{20 - x}{15}\right)$$

Par conséquent, on veut maximiser

$$\theta(x) = \pi - \text{arccotg}\left(\frac{x}{10}\right) - \text{arccotg}\left(\frac{20 - x}{15}\right) \text{ où } x \in [0, 20]$$

Dérivons la fonction $\theta(x)$ afin de trouver les valeurs critiques.

$$\begin{aligned}
\theta'(x) &= \frac{d}{dx}\left[\pi - \text{arccotg}\left(\frac{x}{10}\right) - \text{arccotg}\left(\frac{20 - x}{15}\right)\right] \\
&= \frac{1}{1 + \left(\frac{x}{10}\right)^2}\frac{d}{dx}\left(\frac{x}{10}\right) + \frac{1}{1 + \left(\frac{20 - x}{15}\right)^2}\frac{d}{dx}\left(\frac{20 - x}{15}\right) \\
&= \frac{1}{1 + \frac{x^2}{100}}\left(\frac{1}{10}\right) + \frac{1}{1 + \frac{(20 - x)^2}{225}}\left(\frac{-1}{15}\right) \\
&= \frac{1}{\frac{100 + x^2}{100}}\left(\frac{1}{10}\right) + \frac{1}{\frac{225 + (20 - x)^2}{225}}\left(\frac{-1}{15}\right) \\
&= \frac{100}{100 + x^2}\left(\frac{1}{10}\right) + \frac{225}{225 + (20 - x)^2}\left(\frac{-1}{15}\right) \\
&= \frac{10}{100 + x^2} - \frac{15}{225 + (20 - x)^2}
\end{aligned}$$

Or, $\theta'(x)$ existe toujours puisque les dénominateurs sont toujours positifs. De plus,

$$\begin{aligned}
\theta'(x) = 0 &\Leftrightarrow \frac{10}{100 + x^2} = \frac{15}{225 + (20 - x)^2} \\
&\Leftrightarrow 2\,250 + 10(20 - x)^2 = 1\,500 + 15x^2
\end{aligned}$$

$$\Leftrightarrow\ 10x^2 - 400x + 6\,250 = 1\,500 + 15x^2$$

$$\Leftrightarrow\ 0 = 5x^2 + 400x - 4\,750$$

$$\Leftrightarrow\ x = \frac{-400 \pm \sqrt{400^2 - 4(5)(-4\,750)}}{10}$$

$$\Leftrightarrow\ x \approx 10{,}5 \text{ ou } x \approx -90{,}5$$

Sur $]0, 20[$, on ne retient que $x \approx 10{,}5$ comme valeur critique.

La fonction $\theta(x) = \pi - \text{arccotg}\left(\dfrac{x}{10}\right) - \text{arccotg}\left(\dfrac{20-x}{15}\right)$ est continue sur $[0, 20]$, car elle l'est sur l'ensemble des nombres réels. En vertu du théorème 5.7 (p. 303), le maximum absolu est donc atteint à une extrémité de l'intervalle ou en la valeur critique. Or,

$$\theta(0) = \pi - \text{arccotg}(0) - \text{arccotg}\left(\tfrac{20}{15}\right) = \pi - \tfrac{\pi}{2} - \text{arctg}\left(\tfrac{15}{20}\right) \approx 0{,}927 \text{ rad}$$

$$\theta(10{,}5) = \pi - \text{arccotg}\left(\tfrac{10{,}5}{10}\right) - \text{arccotg}\left(\tfrac{9{,}5}{15}\right)$$

$$= \pi - \text{arctg}\left(\tfrac{10}{10{,}5}\right) - \text{arctg}\left(\tfrac{15}{9{,}5}\right) \approx 1{,}374 \text{ rad}$$

$$\theta(20) = \pi - \text{arccotg}(2) - \text{arccotg}(0) = \pi - \text{arctg}\left(\tfrac{1}{2}\right) - \tfrac{\pi}{2} \approx 1{,}107 \text{ rad}$$

Par conséquent, l'angle d'observation maximal de la caméra est de $\theta \approx 1{,}374$ rad (ou environ 78,7°), et on l'obtient en installant la caméra à environ 10,5 m du mur de gauche.

EXERCICES 5.7

1. Vous voulez construire un enclos rectangulaire divisé en deux comme l'illustre la FIGURE 5.38. La clôture formant le périmètre de l'enclos coûte 18 $/m et celle pour la subdivision coûte 12 $/m. Si vous disposez d'un budget de 3 600 $, déterminez les dimensions de l'enclos d'aire maximale que vous pouvez construire.

FIGURE 5.38

Enclos

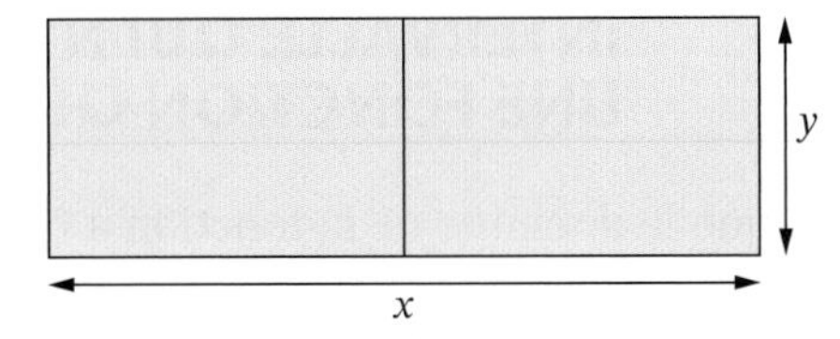

2. Un nouveau centre de villégiature est situé sur une île. Pour transporter les clients de l'aéroport (point A) au centre de villégiature (point B), on doit faire une partie du trajet par la route qui longe la rive et une autre par bateau, comme l'illustre la FIGURE 5.39 (p. 322). Le propriétaire du centre de villégiature désire choisir un emplacement le long de la rive (point C) pour y construire le quai d'embarquement lui permettant de transporter ses clients vers l'île.

FIGURE 5.39
Trajet de l'aéroport au centre de villégiature

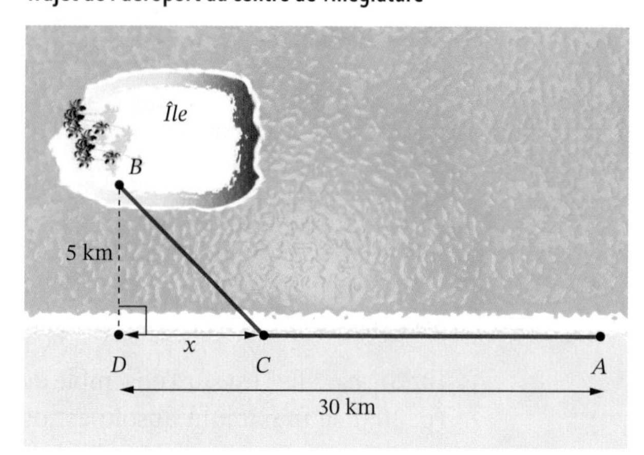

a) À quelle distance x (en kilomètres) du point D doit-il construire le quai afin de minimiser le temps requis pour transporter les clients de l'aéroport au centre de villégiature, sachant que le transport par la route se fait à une vitesse de 50 km/h et que le transport par bateau se fait à une vitesse de 40 km/h?

Indice: $\text{Temps de transport} = \dfrac{\text{Distance sur la route}}{50} + \dfrac{\text{Distance sur l'eau}}{40}$

b) Quel est le temps de transport minimal des clients de l'aéroport au centre de villégiature?

c) Quelles sont alors les distances parcourues par la route et sur l'eau?

3. Un fil de fer de 60 m est coupé en deux morceaux afin de former un carré et un cercle. Déterminez la longueur du côté du carré et le rayon du cercle qui produisent la plus petite somme des aires de ces figures.

4. Un triangle rectangle est inscrit dans un demi-cercle de 5 cm de rayon, de sorte que son hypoténuse coïncide avec le diamètre du demi-cercle (FIGURE 5.40). Déterminez l'angle θ qui maximise l'aire du triangle inscrit.

FIGURE 5.40
Triangle rectangle inscrit dans un demi-cercle

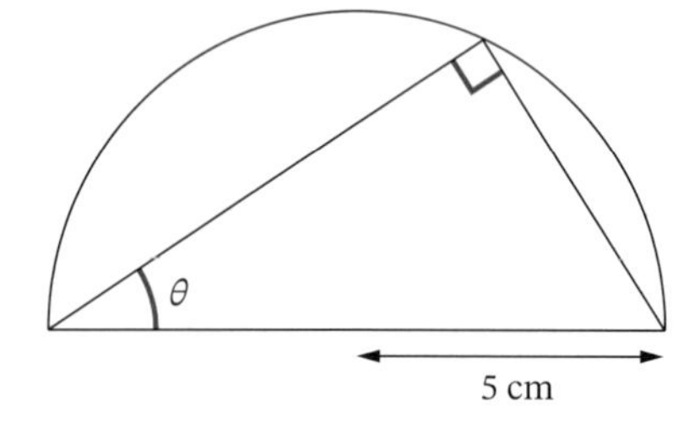

Vous pouvez maintenant faire les exercices récapitulatifs 11 à 47.

5.3.2 PROBLÈME D'OPTIMISATION SUR UN INTERVALLE QUI N'EST PAS FERMÉ OU POUR UNE FONCTION QUI N'EST PAS CONTINUE

Lorsque le domaine de la fonction à optimiser n'est pas un intervalle fermé ou que la fonction à optimiser n'est pas continue, il faut utiliser le test de la dérivée première (théorème 5.3, p. 287) pour déterminer la solution optimale.

EXEMPLE 5.26

Déterminons la quantité minimale de carton nécessaire pour fabriquer une boîte rectangulaire à base carrée ouverte sur le dessus et dont le volume est de 500 cm^3 (FIGURE 5.41).

FIGURE 5.41
Boîte rectangulaire à base carrée

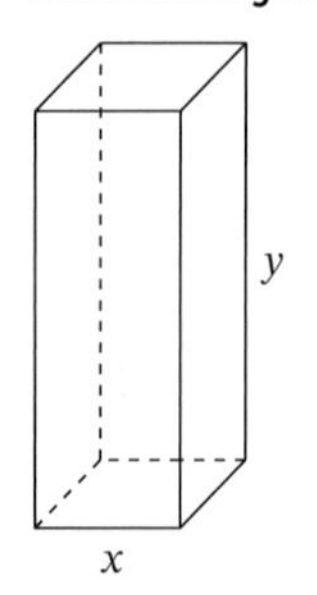

Soit x la mesure du côté du carré formant la base de la boîte et y la hauteur de la boîte. La surface latérale S est alors

$$\begin{aligned} S &= \text{Aire du fond} + \text{Aire des côtés} \\ &= x^2 + 4xy \end{aligned}$$

Puisque le volume V de la boîte est de 500 cm^3, on a

$$V = \text{Aire de la base} \times \text{Hauteur}$$
$$500 = x^2 y$$

Par conséquent, $y = \frac{500}{x^2}$. On veut donc minimiser la fonction

$$S(x) = x^2 + 4x\left(\frac{500}{x^2}\right) = x^2 + \frac{2\,000}{x}$$

Les dimensions de la boîte ne peuvent être négatives. Il faut donc que $x \geq 0$ et

$$y \geq 0 \Leftrightarrow \frac{500}{x^2} \geq 0 \Leftrightarrow x \neq 0$$

On cherche donc à minimiser la fonction $S(x) = x^2 + \frac{2\,000}{x}$ sur l'intervalle $]0, \infty[$.

Dérivons la fonction $S(x)$ afin d'en déterminer les valeurs critiques :

$$S'(x) = \frac{d}{dx}(x^2 + 2\,000x^{-1}) = 2x - \frac{2\,000}{x^2} = \frac{2x^3 - 2\,000}{x^2} = \frac{2(x^3 - 1\,000)}{x^2}$$

Or, $S'(x)$ existe toujours si $x > 0$ et

$$S'(x) = 0 \Leftrightarrow \frac{2(x^3 - 1\,000)}{x^2} = 0 \Leftrightarrow 2(x^3 - 1\,000) = 0$$
$$\Leftrightarrow x^3 = 1\,000 \Leftrightarrow x = 10$$

Construisons le tableau des signes de $S'(x)$ sur $]0, \infty[$ (**TABLEAU 5.19**).

TABLEAU 5.19
Tableau des signes

	$]0, 10[$		$]10, \infty[$
x		10	
$S'(x)$	−	0	+
$S(x)$	↘	300 min. rel.	↗

En vertu du test de la dérivée première (théorème 5.3, p. 287), la fonction $S(x)$ admet un minimum relatif de 300 cm^2 en $x = 10$ cm. Ce minimum est également le minimum absolu de la fonction $S(x)$ sur $]0, \infty[$ puisque $S(x)$ est décroissante sur $]0, 10]$ et croissante sur $[10, \infty[$.

Il faut donc une quantité minimale de 300 cm^2 de carton pour fabriquer une boîte rectangulaire à base carrée ouverte sur le dessus et dont le volume est de 500 cm^3. Les dimensions de la boîte sont alors de 10 cm × 10 cm × 5 cm. Pour ce volume, ce sont les dimensions de la boîte la moins couteuse à produire.

L'exemple 5.26 permet d'établir une procédure pour résoudre un problème d'optimisation sur un intervalle qui n'est pas fermé ou pour une fonction qui n'est pas continue.

1. Lire attentivement le problème et nommer les différentes variables en jeu. (S'il y a lieu, esquisser un schéma et y consigner les variables.)
2. Déterminer la variable à optimiser.

3. Exprimer la variable à optimiser (la variable dépendante) en fonction d'une seule autre variable (la variable indépendante).
4. Déterminer le domaine de la fonction à optimiser, c'est-à-dire les valeurs de la variable indépendante qui sont plausibles dans le contexte.
5. Dériver la fonction à optimiser.
6. Déterminer les valeurs critiques de la fonction à optimiser qui font partie du domaine.
7. Déterminer le maximum (ou le minimum) de la fonction en utilisant le test de la dérivée première.
8. Répondre à la question posée dans l'énoncé du problème.

QUESTION ÉCLAIR 5.9

FIGURE 5.42
Potager rectangulaire

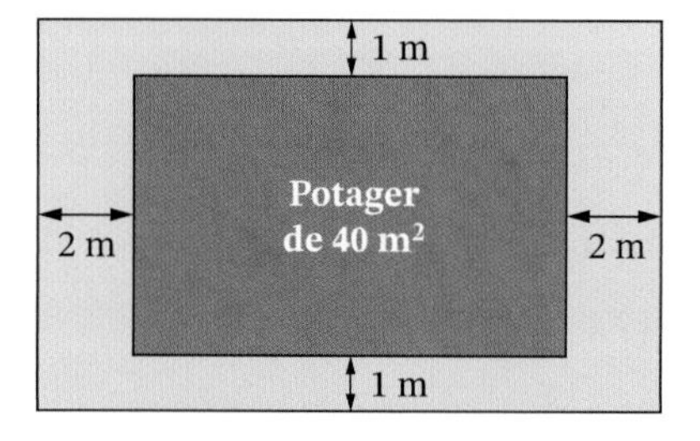

Un potager rectangulaire de 40 m^2 est entouré d'une bordure de pelouse comme l'illustre la FIGURE 5.42. On veut déterminer les dimensions du potager qui minimisent l'aire du terrain rectangulaire comprenant le potager et la bordure de pelouse.

a) Soit x la longueur (en mètres) du potager, y sa largeur (en mètres) et A l'aire (en mètres carrés) du terrain rectangulaire comprenant le potager et la bordure de pelouse. Définissez la variable à optimiser (A) en fonction de x et de y.

b) Exprimez la variable à optimiser en fonction d'une seule autre variable. (Indice : Exprimez y en fonction de x.)

c) Déterminez le domaine de la fonction à optimiser, c'est-à-dire les valeurs de la variable indépendante qui sont plausibles dans le contexte.

d) Dérivez la fonction à optimiser et trouvez les valeurs critiques qui font partie du domaine.

e) Déterminez les dimensions du potager qui minimisent l'aire du terrain rectangulaire comprenant le potager et la bordure de pelouse. Quelle est alors l'aire minimale du terrain ?

EXEMPLE 5.27

Déterminons le point ou les points de la parabole $y = 2x^2$ les plus proches du point $(0, 10)$ (FIGURE 5.43).

La distance D entre un point (x, y) de la parabole et le point $(0, 10)$ est

$$\begin{aligned} D &= \sqrt{(0-x)^2 + (10-y)^2} \\ &= \sqrt{x^2 + (10-2x^2)^2} \quad \text{car } y = 2x^2 \\ &= \sqrt{4x^4 - 39x^2 + 100} \end{aligned}$$

FIGURE 5.43

Parabole $y = 2x^2$

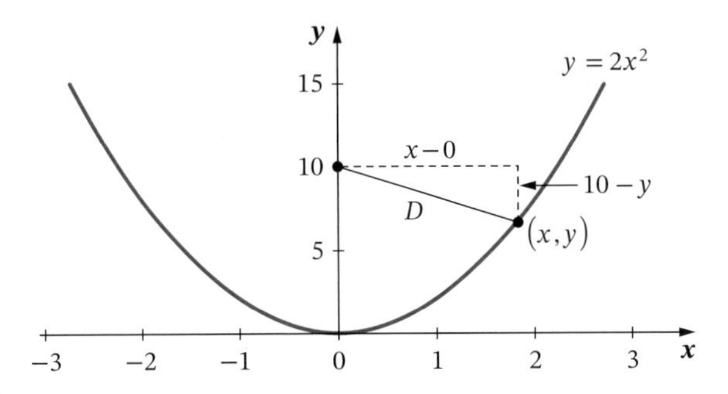

On veut donc minimiser $D(x) = \sqrt{4x^4 - 39x^2 + 100}$ où $x \in \mathbb{R}$.

Dérivons la fonction $D(x)$ afin d'en trouver les valeurs critiques :

$$\begin{aligned} D'(x) &= \frac{d}{dx}\left[\left(4x^4 - 39x^2 + 100\right)^{1/2}\right] \\ &= \frac{1}{2}\left(4x^4 - 39x^2 + 100\right)^{-1/2}\frac{d}{dx}\left(4x^4 - 39x^2 + 100\right) \\ &= \frac{1}{2\left(4x^4 - 39x^2 + 100\right)^{1/2}}\left(16x^3 - 78x\right) \\ &= \frac{\cancel{2}x\left(8x^2 - 39\right)}{\cancel{2}\sqrt{4x^4 - 39x^2 + 100}} = \frac{x\left(8x^2 - 39\right)}{\sqrt{4x^4 - 39x^2 + 100}} \end{aligned}$$

La dérivée existe toujours, car $\sqrt{4x^4 - 39x^2 + 100} > 0$. En effet, la distance entre un point de la parabole et le point $(0, 10)$ qui n'est pas sur la parabole est positive. De plus,

$$\begin{aligned} D'(x) = 0 &\Leftrightarrow x\left(8x^2 - 39\right) = 0 \Leftrightarrow x = 0 \text{ ou } 8x^2 - 39 = 0 \\ &\Leftrightarrow x = 0 \text{ ou } 8x^2 = 39 \Leftrightarrow x = 0 \text{ ou } x^2 = \tfrac{39}{8} \\ &\Leftrightarrow x = 0, x = -\sqrt{\tfrac{39}{8}} \text{ ou } x = \sqrt{\tfrac{39}{8}} \end{aligned}$$

Construisons le tableau des signes de $D'(x)$ (**TABLEAU 5.20**).

TABLEAU 5.20

Tableau des signes

	$]-\infty, -\sqrt{39/8}[$		$]-\sqrt{39/8}, 0[$		$]0, \sqrt{39/8}[$		$]\sqrt{39/8}, \infty[$
x		$-\sqrt{39/8}$		**0**		$\sqrt{39/8}$	
$D'(x)$	−	0	+	0	−	0	+
$D(x)$	↘	$\sqrt{79}/4$ min. rel.	↗	10 max. rel.	↘	$\sqrt{79}/4$ min. rel.	↗

En vertu du test de la dérivée première (théorème 5.3, p. 287), la fonction $D(x)$ admet un minimum relatif de $\frac{\sqrt{79}}{4}$ en $x = -\sqrt{\frac{39}{8}}$ et en $x = \sqrt{\frac{39}{8}}$.

De plus, puisque la fonction $D(x)$ est décroissante sur $\left]-\infty, -\sqrt{\frac{39}{8}}\right]$ et ensuite croissante sur $\left[-\sqrt{\frac{39}{8}}, 0\right]$, alors $\frac{\sqrt{79}}{4}$ est la plus petite valeur de la fonction $D(x)$ sur $]-\infty, 0]$. De même, $\frac{\sqrt{79}}{4}$ est la plus petite valeur de la fonction $D(x)$ sur $[0, \infty[$.

Par conséquent, la fonction $D(x)$ admet un minimum absolu de $\frac{\sqrt{79}}{4}$ en $x = -\sqrt{\frac{39}{8}}$ et en $x = \sqrt{\frac{39}{8}}$.

Les points $\left(-\sqrt{\frac{39}{8}}, \frac{39}{4}\right)$ et $\left(\sqrt{\frac{39}{8}}, \frac{39}{4}\right)$ sont donc les points de la parabole $y = 2x^2$ qui sont les plus proches du point $(0, 10)$.

EXEMPLE 5.28

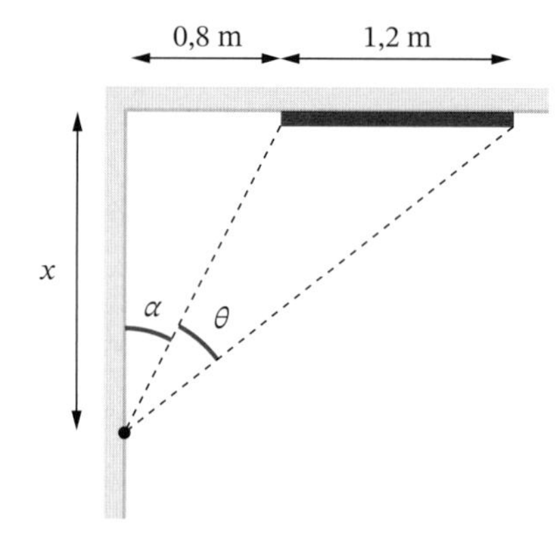

FIGURE 5.44
Faisceau de lumière dirigé sur une toile

Dans une galerie d'art, une toile de 1,2 m de largeur est accrochée au mur, comme l'indique la FIGURE 5.44. On installe un projecteur sur le mur adjacent de telle sorte que le faisceau de lumière soit dirigé uniquement sur la toile. Déterminons la distance x (en mètres) entre le projecteur et le mur sur lequel est accrochée la toile, distance qui maximise l'angle d'éclairage θ (en radians) de la toile.

On a $\text{cotg}\,\alpha = \dfrac{x}{0,8} = 1,25x$ et $\text{cotg}(\alpha + \theta) = \dfrac{x}{0,8 + 1,2} = 0,5x$. Par conséquent, $\alpha = \text{arccotg}(1,25x)$ et $\alpha + \theta = \text{arccotg}(0,5x)$. On obtient alors

$$\theta = (\alpha + \theta) - \alpha = \text{arccotg}(0,5x) - \text{arccotg}(1,25x)$$

On veut donc maximiser la fonction $\theta(x) = \text{arccotg}(0,5x) - \text{arccotg}(1,25x)$, où $x \geq 0$ puisqu'une distance ne peut être négative.

On aurait dû utiliser un intervalle fermé puisque la pièce dans laquelle se trouve la toile a une certaine profondeur. Mais, comme cette profondeur n'est pas spécifiée dans l'énoncé du problème, on cherchera le maximum de la fonction $\theta(x)$ sur l'intervalle $[0, \infty[$.

Dérivons la fonction $\theta(x)$ afin d'en déterminer les valeurs critiques :

$$\begin{aligned}\theta'(x) &= \frac{d}{dx}\left[\text{arccotg}(0,5x) - \text{arccotg}(1,25x)\right] \\ &= \frac{-1}{1 + (0,5x)^2}\frac{d}{dx}(0,5x) - \frac{-1}{1 + (1,25x)^2}\frac{d}{dx}(1,25x) \\ &= \frac{-0,5}{1 + 0,25x^2} + \frac{1,25}{1 + 1,5625x^2}\end{aligned}$$

Or, $\theta'(x)$ existe toujours puisque les dénominateurs sont toujours positifs. De plus,

$$\begin{aligned}\theta'(x) = 0 &\Leftrightarrow \frac{0,5}{1 + 0,25x^2} = \frac{1,25}{1 + 1,5625x^2} \\ &\Leftrightarrow 0,5 + 0,781\,25x^2 = 1,25 + 0,3125x^2 \\ &\Leftrightarrow 0,468\,75x^2 = 0,75 \\ &\Leftrightarrow x^2 = 1,6 \\ &\Leftrightarrow x = \sqrt{1,6} = \sqrt{\tfrac{8}{5}} \text{ ou } x = -\sqrt{1,6} = -\sqrt{\tfrac{8}{5}}\end{aligned}$$

Sur $]0, \infty[$, on ne retient que $x = \sqrt{\frac{8}{5}}$ comme valeur critique.

Construisons le tableau des signes de $\theta'(x)$ sur $[0, \infty[$ (TABLEAU 5.21).

TABLEAU 5.21

Tableau des signes

x	0	$]0, \sqrt{8/5}[$	$\sqrt{8/5}$	$]\sqrt{8/5}, \infty[$
$\theta'(x)$		+	0	−
$\theta(x)$	0 min. rel.	↗	0,4429 max. rel.	↘

En vertu du test de la dérivée première (théorème 5.3, p. 287), la fonction $\theta(x)$ admet un maximum relatif de

$$\begin{aligned}\theta\left(\sqrt{\tfrac{8}{5}}\right) &= \operatorname{arccotg}\left(0{,}5\sqrt{\tfrac{8}{5}}\right) - \operatorname{arccotg}\left(1{,}25\sqrt{\tfrac{8}{5}}\right)\\ &= \operatorname{arctg}\left(\frac{1}{0{,}5\sqrt{\frac{8}{5}}}\right) - \operatorname{arctg}\left(\frac{1}{1{,}25\sqrt{\frac{8}{5}}}\right)\\ &\approx 0{,}4429 \text{ rad}\end{aligned}$$

en $x = \sqrt{\frac{8}{5}} \approx 1{,}26$ m. Ce maximum est également le maximum absolu de la fonction $\theta(x)$ sur $[0, \infty[$ puisque $\theta(x)$ est croissante sur $\left[0, \sqrt{\frac{8}{5}}\right]$ et décroissante sur $\left[\sqrt{\frac{8}{5}}, \infty\right[$.

Pour obtenir un angle d'éclairage maximal, il faut donc placer le projecteur sur le mur adjacent à environ 1,26 m du mur sur lequel est accrochée la toile. L'angle d'éclairage est alors d'environ 0,4429 rad (ou environ 25,4°).

EXERCICES 5.8

1. Déterminez la quantité minimale de métal nécessaire à la fabrication d'une boîte de conserve cylindrique dont le volume est de 540 cm^3. Déterminez également les dimensions de la boîte de conserve optimale (qui est en fait la boîte de conserve la plus économique à produire).

2. Déterminez les dimensions du rectangle d'aire maximale qu'on peut inscrire dans la région située sous la courbe décrite par $f(x) = \dfrac{8}{x^2 + 4}$ et au-dessus de l'axe des abscisses, si un des côtés du rectangle est situé sur cet axe (FIGURE 5.45).

FIGURE 5.45

Rectangle inscrit sous une courbe

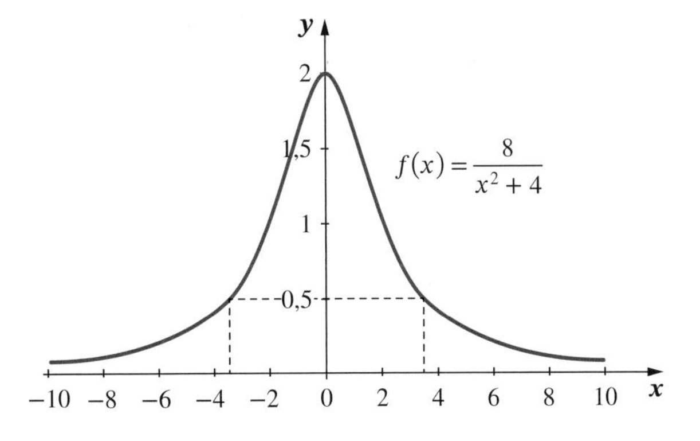

3. Dans un musée, une toile de 1,5 m de hauteur est accrochée à un mur de telle sorte que le bas de la toile est situé à 2 m du sol (FIGURE 5.46). Déterminez la distance x (en mètres) à laquelle une observatrice doit se situer de ce mur pour que l'angle d'observation θ (en radians) soit maximal. (Indice : Exprimez l'angle d'observation θ en fonction de la distance $x \geq 0$.)

FIGURE 5.46

Observation d'une toile

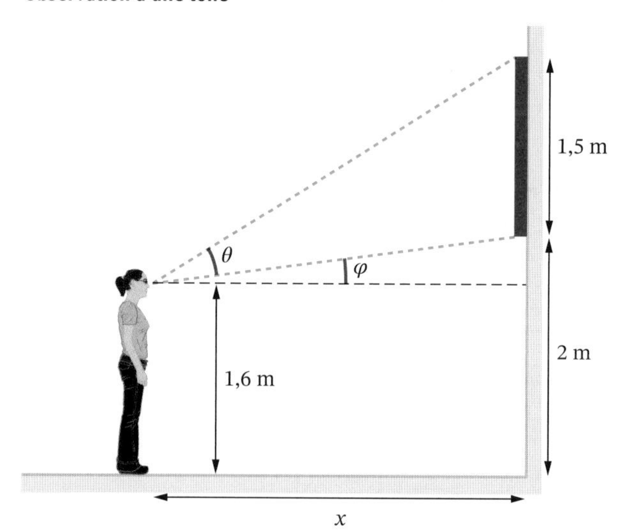

Vous pouvez maintenant faire les exercices récapitulatifs 48 à 83.

RÉSUMÉ

La recherche d'optimums constitue un objectif majeur dans de nombreux champs de l'activité humaine. Ainsi, une entreprise souhaite minimiser ses coûts de production ou encore maximiser ses profits ; une agence publicitaire cherche à obtenir la plus grande visibilité pour un produit dans une population cible ; des militaires veulent maximiser la portée d'un projectile ; etc. Lorsque l'expression à optimiser s'écrit sous la forme d'une fonction, on peut recourir au calcul différentiel pour en trouver, si elles existent, les valeurs extrêmes (maximum ou minimum), ainsi que les valeurs de la ou des variables indépendantes qui produisent ces extremums.

Intuitivement, un maximum représente un sommet, et un minimum un creux, de sorte qu'on peut concevoir qu'on atteint un maximum en $x = x_0$ si la **fonction** passe de **croissante** à décroissante en ce point. De manière similaire, une fonction atteint un minimum en $x = x_0$ si la **fonction** passe de **décroissante** à croissante en ce point.

La dérivée permet notamment de déterminer si une fonction est croissante ou décroissante sur un intervalle. En effet, soit $f(x)$ une fonction continue sur un intervalle I et dérivable en tout point x intérieur de I. Si $f'(x) > 0$ pour tout point x intérieur de I, alors $f(x)$ est croissante sur I ; si $f'(x) < 0$ pour tout point x intérieur de I, alors $f(x)$ est décroissante sur I. Pour déterminer les intervalles de croissance et les intervalles de décroissance d'une fonction, il est conseillé de dresser un tableau des signes dans lequel on consigne notamment les **valeurs critiques** de la fonction $f(x)$, c'est-à-dire les valeurs du domaine de la fonction pour lesquelles la dérivée $f'(x)$ est nulle ou n'existe pas.

On dira qu'une fonction $f(x)$ atteint un **maximum relatif** en $x = x_0$ si $f(x_0)$ est la plus grande valeur de la fonction pour des valeurs de x dans un voisinage de x_0. De manière similaire, la fonction atteint un **minimum relatif** en $x = x_0$ si $f(x_0)$ est la plus petite valeur de la fonction pour des valeurs de x dans un voisinage de x_0. Dans le cas d'une fonction continue définie sur un intervalle, on peut aisément repérer les valeurs susceptibles de produire un extremum.

En effet, les **extremums relatifs** d'une fonction continue se retrouvent parmi les extrémités de l'intervalle considéré ou encore en l'une des valeurs critiques de la fonction, c'est-à-dire en une valeur c appartenant au domaine de la fonction et pour laquelle la dérivée est nulle ou n'existe pas.

En particulier, le théorème 5.3 (test de la dérivée première, p. 287) propose une stratégie pour déterminer la nature d'un extremum relatif d'une fonction continue sur un intervalle ouvert. On peut également appliquer le théorème 5.5 (test de la dérivée seconde, p. 297) pour déterminer la nature d'un extremum relatif, même si une étude du tableau des signes s'avère généralement suffisante pour déterminer la nature des valeurs critiques de la fonction.

La recherche des **extremums absolus** d'une fonction, soit sa plus grande ou sa plus petite valeur, s'avère encore plus importante. Dans le cas particulier d'une fonction continue $f(x)$ définie sur un intervalle fermé $[a, b]$, le **maximum** et le **minimum absolus** sont nécessairement atteints sur l'intervalle, et ces extremums correspondent respectivement à la plus grande et à la plus petite valeur de l'ensemble des valeurs $f(a)$, $f(b)$ et $f(c)$, où c est une valeur critique de la fonction.

La résolution d'un problème d'optimisation réside dans la recherche des extremums dans un contexte appliqué. On peut donc utiliser le calcul différentiel pour résoudre de tels problèmes, en procédant comme suit :

1. Lire attentivement le problème et nommer les différentes variables en jeu. (S'il y a lieu, esquisser un schéma et y consigner les variables.)
2. Déterminer la variable à optimiser.
3. Exprimer la variable à optimiser (la variable dépendante) en fonction d'une seule autre variable (la variable indépendante).
4. Déterminer le domaine de la fonction à optimiser, c'est-à-dire les valeurs de la variable indépendante qui sont plausibles dans le contexte.
5. Dériver la fonction à optimiser.
6. Déterminer les valeurs critiques de la fonction à optimiser qui font partie du domaine.
7. Si la variable dépendante est définie sur un intervalle fermé, l'extremum recherché est atteint à l'une des valeurs critiques ou à l'une des extrémités de l'intervalle. Si la variable est définie sur un intervalle qui n'est pas fermé, une étude de la croissance et de la décroissance de la fonction autour d'une valeur critique permet généralement de déterminer si celle-ci produit un maximum ou un minimum.
8. Répondre à la question posée dans l'énoncé du problème.

MOTS clés

RÉSEAU de concepts

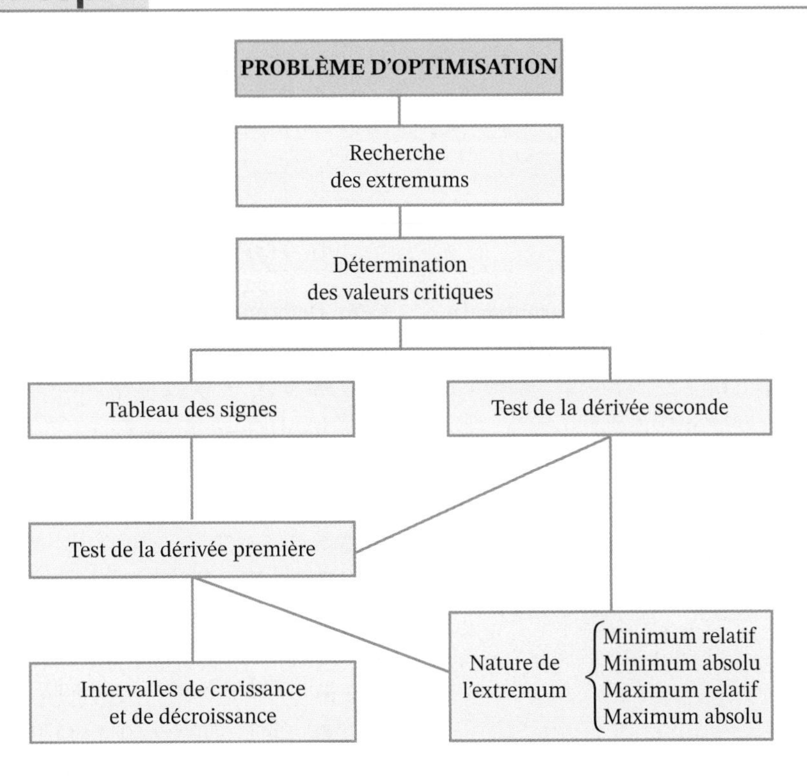

EXERCICES récapitulatifs

SECTION 5.1

▲ **1.** Déterminez les intervalles de croissance, les intervalles de décroissance ainsi que les extremums relatifs de la fonction $f(x)$ sur $\mathbb{R}$.

a) $f(x) = 2x^3 - 6x^2 - 18x - 10$

b) $f(x) = -3x^5 + 5x^3 + 4$

c) $f(x) = \dfrac{4x}{x^2 + 2}$

d) $f(x) = 3 - \sqrt{4x^2 + 1}$

e) $f(x) = x^{2/3}(2 - x)$

f) $f(x) = (x^2 - 64)^{2/3}$

g) $f(x) = \ln(1 + x^2)$

h) $f(x) = x^2 e^{-x^2}$

i) $f(x) = \dfrac{6}{e^{2x+3} + 1}$

j) $f(x) = x(3^{-x})$

■ **2.** Déterminez les extremums relatifs de la fonction $f(x)$ sur l'intervalle donné.

a) $f(x) = 6x^2 - x^4$ sur $[-2, 4]$

b) $f(x) = 5 + \sqrt[3]{x}$ sur $[-8, 1]$

c) $f(x) = x\sqrt{2 - x}$ sur $[0, 2]$

d) $f(x) = \dfrac{2x^2 - 1}{x^2 + 4}$ sur $[-4, 3]$

e) $f(x) = -\dfrac{8x}{x^2 + 1}$ sur $[-3, 7]$

f) $f(x) = \dfrac{\ln x}{\sqrt{x}}$ sur $]0, \infty[$

g) $f(x) = \sin^2 x + \sin x$ sur $[0, 2\pi]$

h) $f(x) = 2x - \text{tg}\, x$ sur $]-\frac{\pi}{2}, \frac{\pi}{2}[$

i) $f(x) = x - 2\text{arctg}\, x$ sur $[-\sqrt{3}, \sqrt{3}]$

j) $f(x) = 2x + \arccos x$ sur $[-1, 1]$

▲ **3.** En utilisant le test de la dérivée seconde, déterminez les extremums relatifs de la fonction $f(x)$ sur $\mathbb{R}$. Si le test de la dérivée seconde ne s'applique pas, utilisez le test de la dérivée première.

a) $f(x) = 2x + \dfrac{x^2}{2} - \dfrac{x^3}{3}$

b) $f(x) = -2x^4 + 4x^2 + 3$

c) $f(x) = x^6$

d) $f(x) = \ln(3x^2 + 2)$

e) $f(x) = \dfrac{x}{e^x}$

f) $f(x) = \dfrac{x^2 - 1}{x^2 + 1}$

g) $f(x) = x^{4/5}(3 - 2x)$

h) $f(x) = \sin^2 x$

SECTION 5.2

■ **4.** Déterminez les extremums absolus de la fonction $f(x)$ sur l'intervalle donné.

a) $f(x) = x^3 + 3x^2$ sur $[-3, 1]$

b) $f(x) = x^3 + 2x^2 - 4x + 1$ sur $[-4, 0]$

c) $f(x) = \dfrac{x^2}{x^2 + 3}$ sur $[-1, 2]$

d) $f(x) = 2 + x^{2/3}$ sur $[-1, 8]$

e) $f(x) = x(x - 12)^{2/3}$ sur $[2, 9]$

f) $f(x) = e^{3x - x^3}$ sur $[0, 2]$

g) $f(x) = xe^{-x^2}$ sur $[-3, 4]$

h) $f(x) = 100e^{\sin x}$ sur $[0, 12]$

i) $f(x) = \sin x + \cos x$ sur $[0, \frac{5\pi}{3}]$

j) $f(x) = \text{tg}\, x - \sec x$ sur $[-\frac{\pi}{3}, \frac{\pi}{3}]$

■ **5.** Déterminez les extremums relatifs et les extremums absolus de la fonction $f(x)$ sur l'intervalle donné.

a) $f(x) = x^3 - 27x$ sur $[-10, 5]$

b) $f(x) = x^3 - x^2 - x - 1$ sur $[-3, 3]$

c) $f(x) = 3x^5 + 15x^4 - 25x^3$ sur $[-6, 2]$

d) $f(x) = x^{1/3} - \frac{1}{3}x$ sur $[-2, 2]$

e) $f(x) = 1 - (x - 1)^{2/3}$ sur $[-1, 3]$

f) $f(x) = e^{2x}(x^2 - 2)$ sur $[-5, 5]$

g) $f(x) = x\sqrt{27 - 3x^2}$ sur $[0, \frac{5}{2}]$

h) $f(x) = \dfrac{\ln x}{x^2}$ sur $[1, 5]$

i) $f(x) = \dfrac{\sqrt[3]{x - 3}}{x - 1}$ sur $[2, 5]$

j) $f(x) = \dfrac{4}{4 + \cos x}$ sur $[-\frac{\pi}{2}, \frac{\pi}{2}]$

■ **6.** Déterminez les extremums absolus de la fonction $f(x)$ sur l'intervalle donné.

a) $f(x) = 3x^5 - 20x^3$ sur $\mathbb{R}$

b) $f(x) = e^{-x^2}$ sur $\mathbb{R}$

c) $f(x) = 2 + x^{2/5}$ sur $\mathbb{R}$

d) $f(x) = -3x^4 - 2x^3 + 9x^2$ sur $\mathbb{R}$

e) $f(x) = \sqrt{x} + \dfrac{1}{\sqrt{x}}$ sur $]0, \infty[$

f) $f(x) = \dfrac{2 - x}{5 + x^2}$ sur $\mathbb{R}$

g) $f(x) = 2\cos x - x$ sur $]0, 2\pi[$

h) $f(x) = \sin x - \cos x$ sur $]0, 2\pi[$

▲ **7.** Soit la courbe décrite par la fonction $f(x)$ sur l'intervalle $[-8, 8]$.

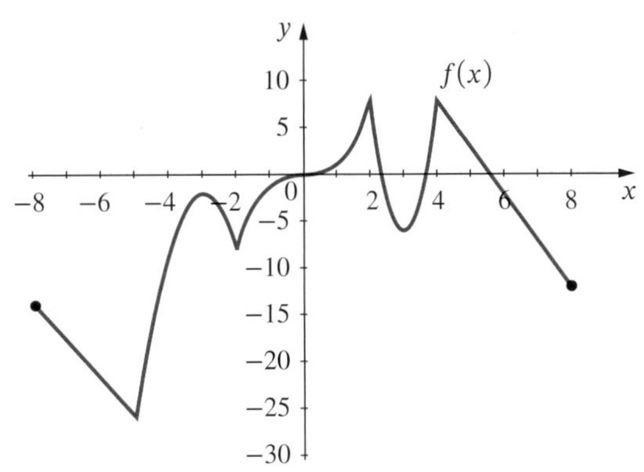

a) La fonction $f(x)$ est-elle continue sur l'intervalle $[-8, 8]$? Justifiez votre réponse en recourant à un argument de nature géométrique.

b) Quels sont les intervalles de croissance de la fonction $f(x)$?

c) Quels sont les intervalles de décroissance de la fonction $f(x)$?

d) Combien de valeurs critiques la fonction $f(x)$ comporte-t-elle? Justifiez votre réponse.

e) Déterminez tous les extremums (relatifs et absolus) de la fonction et indiquez la nature de l'extremum, de même que la valeur de x où ces extremums se produisent.

8. Déterminez les valeurs de a et de b pour lesquelles la fonction $f(x) = \frac{b}{x} + ax^3$ atteint un minimum relatif au point $(1, 4)$.

9. Si $f'(x) = x^2 \sin(1 - x)$, en quelle valeur de l'intervalle $]-\pi, \pi]$ la fonction $f(x)$ atteint-elle un maximum relatif?

10. Dites si l'énoncé est vrai ou faux.

a) La fonction $f(x) = 6x^2 - 3x^4$ est décroissante sur l'intervalle $]1, \infty[$.

b) La fonction $f(x) = -x^4 + 18x^2 + 50$ admet un maximum relatif en $x = 0$.

c) Si la fonction $f(x)$ admet une dérivée pour tout $x \in \mathbb{R}$, si $f'(0) = 0$, si $f'(x) > 0$ pour $x < 0$ et si $f'(x) < 0$ pour $x > 0$, alors $f(x)$ admet un maximum relatif en $x = 0$.

d) Si $f(x)$ est une fonction continue définie sur $[-2, 3]$, alors la valeur minimale de cette fonction sur cet intervalle est atteinte en une valeur de x pour laquelle $f'(x) = 0$.

e) Si la fonction $f(x)$ est continue sur l'intervalle ouvert $]-2, 2[$, alors la fonction atteint sa valeur maximale sur cet intervalle.

SECTION 5.3.1

▲ **11.** Vous disposez de 450 m de clôture pour construire un enclos rectangulaire dont un côté est adjacent à une rivière, comme l'illustre la figure suivante. Déterminez les dimensions de l'enclos d'aire maximale que vous pouvez construire avec ces 450 m de clôture, si le côté adjacent à la rivière n'a pas besoin d'être clôturé.

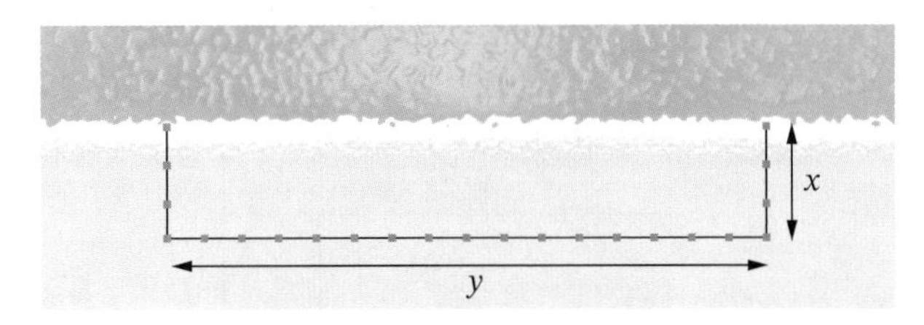

12. Vous possédez un grand terrain et décidez d'en clôturer une partie rectangulaire pour faire l'élevage de chèvres. Vous utiliserez une clôture à 40 $ le mètre pour trois côtés de l'enclos et vous utiliserez une clôture un peu plus ornée se vendant 60 $ le mètre pour le quatrième côté (celui le plus visible à partir de votre maison). Quelles sont les dimensions de l'enclos d'aire maximale que vous pouvez construire avec un budget de 2 400 $?

13. On veut construire un enclos rectangulaire divisé en quatre parties rectangulaires de mêmes dimensions. La clôture formant le périmètre de l'enclos coûte 20 $/m, alors que celle servant aux trois subdivisions coûte 15 $/m. Quelles sont les dimensions de l'enclos d'aire maximale que vous pouvez construire avec un budget de 1 360 $?

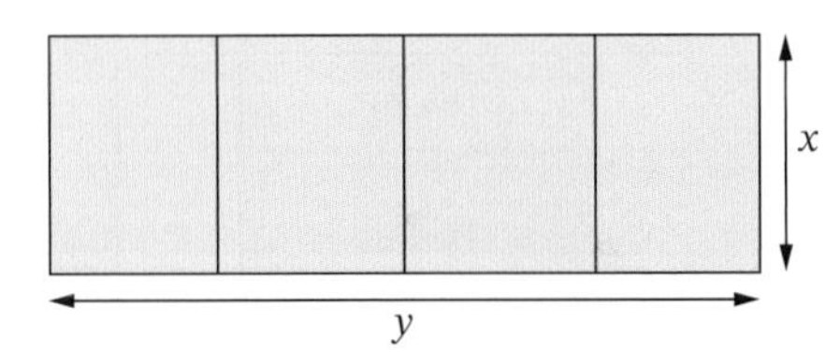

14. Un éleveur de chevaux veut construire un enclos devant une étable de 20 m de façade (le schéma n'est pas à l'échelle). L'éleveur dispose de 600 m de clôture pour délimiter l'enclos. Quelles sont les dimensions de l'enclos qui en maximiseront l'aire s'il n'est pas nécessaire de clôturer la partie de l'enclos donnant sur l'étable?

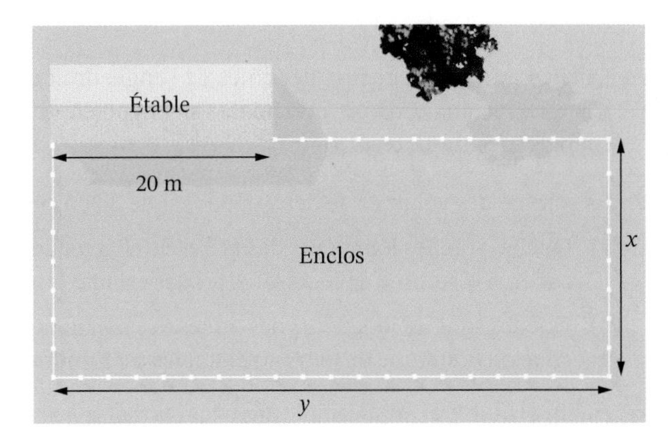

▲ **15.** Un transporteur n'accepte que des boîtes qui ont la forme d'un prisme rectangulaire dont la base est carrée. De plus, la somme de la longueur, de la largeur et de la hauteur de la boîte ne doit pas excéder 1,5 m. Déterminez les dimensions de la boîte de plus grand volume acceptée par ce transporteur.

16. On peut construire une boîte rectangulaire ouverte sur le dessus en pliant, comme sur le schéma suivant, une feuille de carton de 25 cm sur 40 cm dont on a découpé les parties qui sont en pointillé.

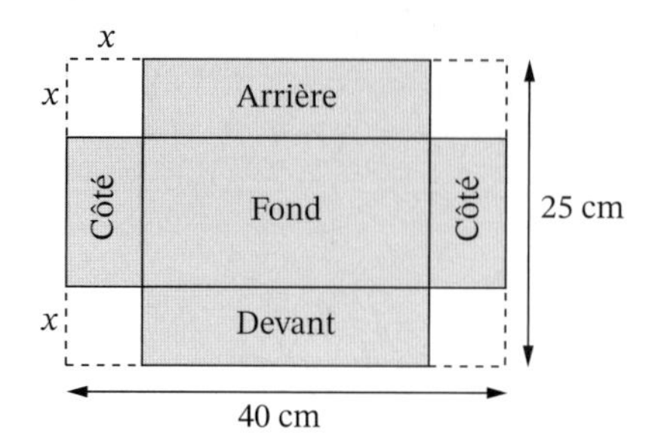

Trouvez les dimensions de la boîte de volume maximal qu'on peut ainsi construire.

17. On peut construire une boîte rectangulaire fermée en pliant, comme sur le schéma suivant, une feuille de carton carrée de 20 cm de côté dont on a découpé les parties qui sont en pointillé.

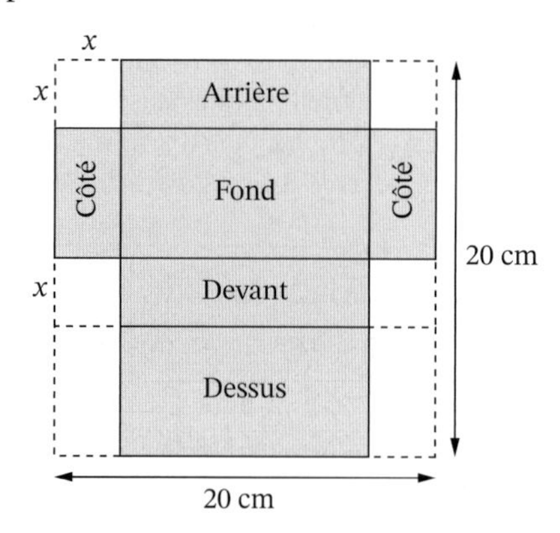

Trouvez les dimensions de la boîte de volume maximal qu'on peut ainsi construire.

18. Quelles sont les longueurs des côtés de l'angle droit d'un triangle rectangle d'aire maximale, si la somme des longueurs de ces côtés est de 4 m ?

19. Quelles sont les longueurs des côtés de l'angle droit d'un triangle rectangle d'aire maximale, si l'hypoténuse du triangle mesure 10 cm ?

20. La somme des volumes de deux cubes est de 2 000 cm^3.

a) Quelles sont les longueurs des arêtes de chacun de ces cubes si la somme de leurs aires totales est maximale ?

b) Quelles sont les longueurs des arêtes de chacun de ces cubes si la somme de leurs aires totales est minimale ?

21. Quelles sont les dimensions du triangle isocèle d'aire maximale, si le périmètre du triangle est de 20 cm ?

22. L'hypoténuse d'un triangle rectangle mesure 20 cm. On fait tourner ce triangle autour d'un des côtés de l'angle droit et on forme ainsi un cône. Quelles sont les longueurs des deux côtés de l'angle droit qui engendrent le cône de volume maximal ?

23. Une piste d'athlétisme de 400 m est formée d'un rectangle compris entre deux demi-cercles. Quelles sont les dimensions du rectangle dont l'aire est maximale ?

24. Un vitrail est formé d'un rectangle surmonté d'un demi-cercle. Si son périmètre est de 8 m, quelles sont les dimensions du vitrail (diamètre du demi-cercle et longueur des côtés du rectangle) qui maximisent l'entrée de lumière ?

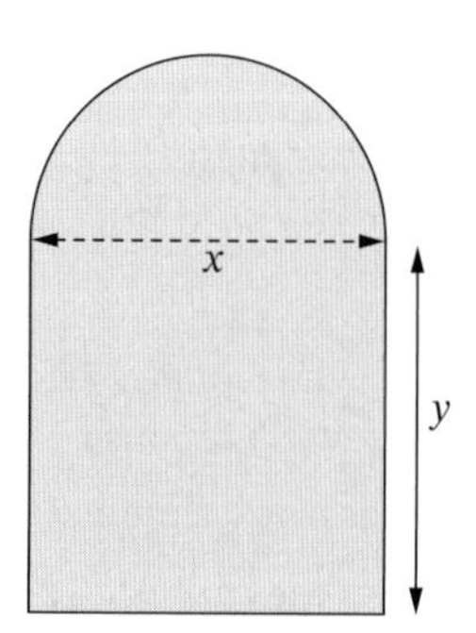

25. Un cadre a un périmètre extérieur de 260 cm, et il constitue une bordure de 5 cm autour d'une œuvre d'art. Quelles sont les dimensions de l'œuvre d'art dont l'aire est maximale ?

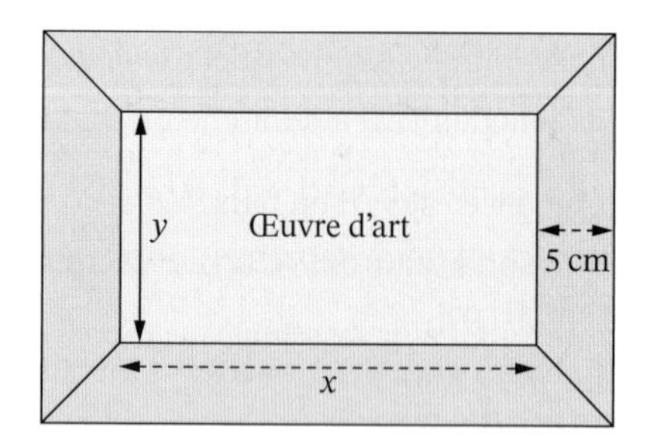

26. Soit une feuille de papier dont l'aire est de 2 m^2. Quelles devront être ses dimensions pour que la surface d'impression soit maximale, sachant que la feuille comporte des marges non imprimées de 8 cm de chaque côté et de 10 cm en haut et en bas ?

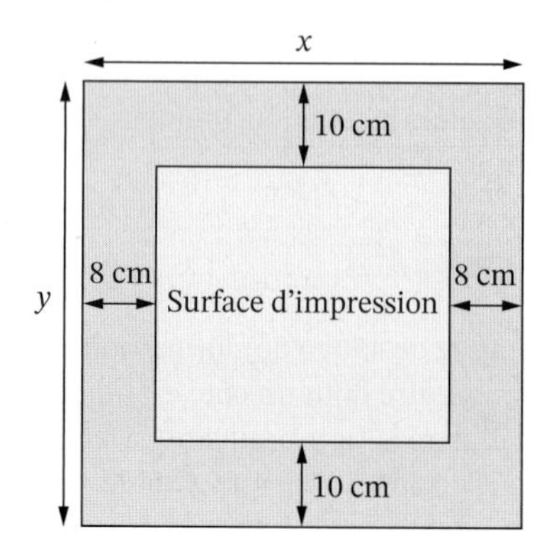

27. Un lustre doit être suspendu à 6 m du plafond à l'aide de câbles attachés à deux ancrages situés à 2 m de distance l'un de l'autre, tel que l'illustre le schéma ci-dessous.

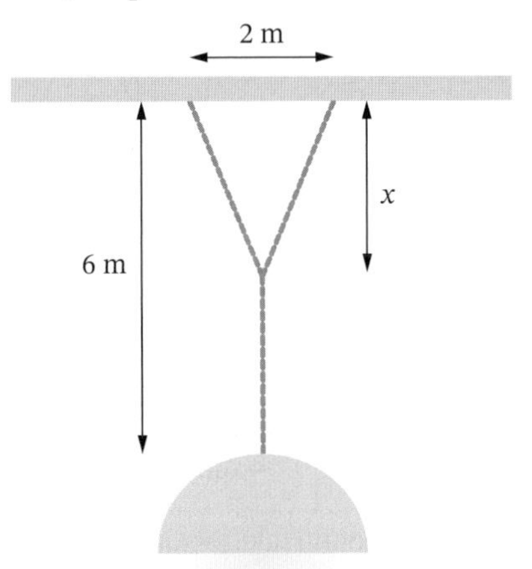

À quelle distance x (en mètres) du plafond les deux câbles doivent-ils se rejoindre pour minimiser la quantité totale de câble utilisée pour suspendre le lustre? (Vous pouvez supposer que le triangle formé par les câbles est isocèle.)

28. Un linguiste a émis l'hypothèse que la capacité d'apprendre une langue étrangère est fonction de l'âge. Il a estimé qu'entre 5 et 80 ans, une personne dont l'âge est de t années peut apprendre $2te^{-0,1t}$ nouveaux mots par jour, en moyenne. D'après les observations de ce linguiste, à quel âge une personne peut-elle apprendre le plus grand nombre de mots par jour?

29. La popularité d'un candidat lors d'une campagne électorale correspond à la proportion des électeurs qui déclarent avoir l'intention de voter pour lui. Cette popularité, notée p, varie selon le temps t (en jours) écoulé depuis le début de la campagne électorale dont la durée prévue est de 36 jours et est donnée par $p(t) = \dfrac{8t}{t^2 + 900} + 0{,}25$.

a) Sur quel intervalle de temps mesure-t-on la popularité du candidat?

b) Quelle est la popularité du candidat au début de la campagne électorale?

c) Quelle est la popularité du candidat à la fin de la campagne électorale?

d) Le candidat atteint-il le pic de sa popularité avant la fin de la campagne électorale?

30. Le propriétaire d'un verger veut choisir le moment le plus approprié pour effectuer sa récolte. S'il commence maintenant, la production moyenne sera de 50 kg de fruits par arbre, qu'il pourra vendre au prix de 4 \$/kg. Par ailleurs, s'il attend, la production augmentera de 2 kg par arbre par semaine, mais le prix diminuera de 0,10 \$ le kilogramme par semaine. À quel moment, au cours des quatre prochaines semaines, le producteur doit-il effectuer sa récolte pour maximiser le revenu tiré de la vente des fruits?

31. Le propriétaire d'un verger estime que ses pommiers produisent en moyenne 400 pommes lorsque la densité des pommiers est de 50 arbres par hectare. Chaque augmentation d'un arbre par hectare provoque une diminution moyenne de 4 pommes par pommier. Combien d'arbres par hectare doit-il y avoir dans le verger pour que la production de pommes par hectare soit maximale?

32. Une association de retraités veut organiser un voyage à Cuba. Le responsable consulte un agent de voyages qui lui fait l'offre suivante:

- Le groupe doit compter entre 70 et 100 personnes.
- Le prix du voyage sera de 900 \$/personne pour un groupe de 70 personnes avec une réduction de 10 \$/personne pour chaque personne s'ajoutant au nombre minimal exigé.

Déterminez le nombre de personnes qui doivent participer à ce voyage pour maximiser le revenu des ventes de l'agent et déterminez également le revenu maximal que celui-ci en tirera.

33. L'administratrice d'un vaste complexe de 100 logements sait que si elle fixe le prix de location à 1 200 \$ par mois, tous les logements seront occupés. Une analyse du marché révèle que pour chaque augmentation de 30 \$ du prix de location, elle perdra 2 locataires (et deux logements seront donc vides). Quel prix de location l'administratrice devrait-elle fixer pour obtenir un revenu de location maximal? Quel est ce revenu maximal?

34. Une entreprise peut fabriquer quotidiennement x milliers de kilogrammes d'un produit chimique A (où $1 \leq x \leq 4$) et $y = \dfrac{32 - 8x}{6 - x}$ milliers de kilogrammes d'un produit B. Si elle peut tirer un profit de 4 \$/kg du produit A et de 2 \$/kg du produit B, quelle quantité du produit A l'entreprise doit-elle fabriquer pour maximiser son profit?

35. Quelles sont les dimensions du rectangle d'aire maximale qu'on peut inscrire dans la région sous la courbe décrite par la fonction $f(x)$ et au-dessus de l'axe des abscisses, si un des côtés du rectangle est situé sur cet axe?

a) $f(x) = \sqrt{4 - x^2}$

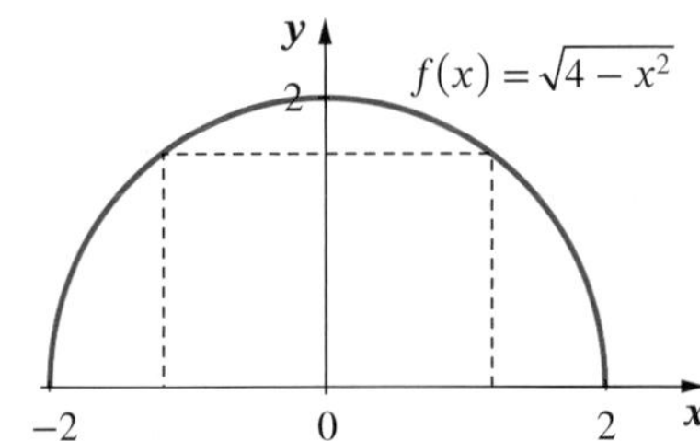

b) $f(x) = 16 - x^2$

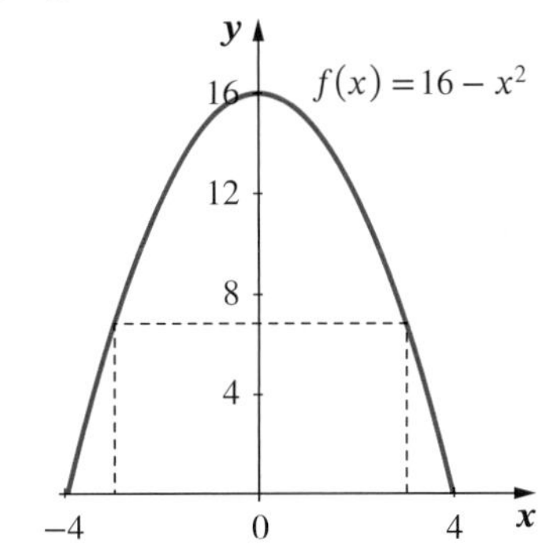

c) $f(x) = \frac{1}{2}\sqrt{1 - x^2}$

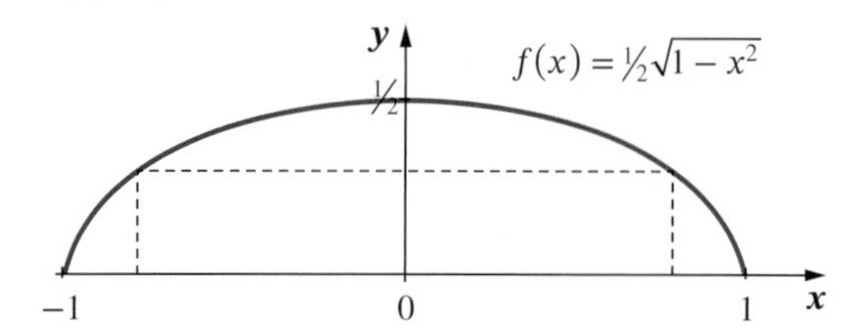

36. Soit les fonctions $f(x) = -x^2 + 4x$ et $g(x) = -2x + 5$.

a) Déterminez les abscisses des points d'intersection des courbes décrites par ces fonctions.

b) Représentez les courbes décrites par ces fonctions dans un même graphique.

c) Déterminez la distance verticale maximale entre ces deux courbes pour les valeurs des abscisses comprises entre les points d'intersection déterminés en *a*.

37. Soit les fonctions $f(x) = x^2 - 9$ et $g(x) = 18 - 2x^2$.

a) Déterminez les abscisses des points d'intersection des courbes décrites par ces fonctions.

b) Représentez les courbes décrites par ces fonctions dans un même graphique et ombrez la région R comprise entre les deux courbes.

c) Déterminez l'aire du plus grand rectangle dont les côtés sont parallèles aux axes de coordonnées et qui est inscrit dans la région R.

38. Quelles sont les dimensions du cylindre circulaire droit de volume maximal, cylindre qui est inscrit dans une sphère dont le rayon mesure 6 cm ?

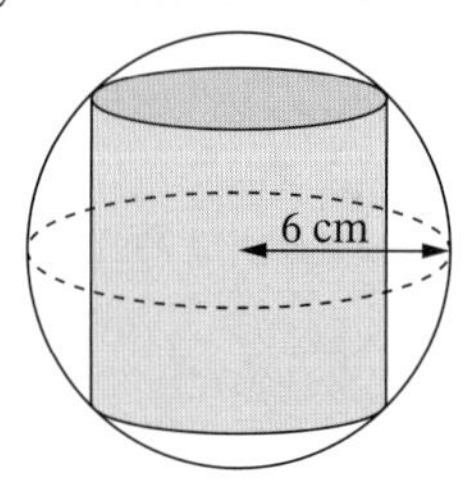

39. Quelles sont les dimensions du cylindre circulaire droit de volume maximal, cylindre qui est inscrit dans un cône circulaire droit dont le rayon mesure 4 cm et la hauteur mesure 16 cm ?

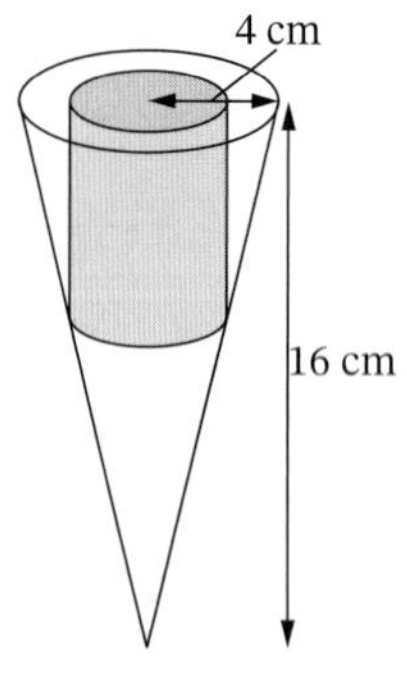

40. Quelles sont les dimensions du cône circulaire droit de volume maximal, cône qui est inscrit dans une sphère dont le rayon mesure 6 cm ?

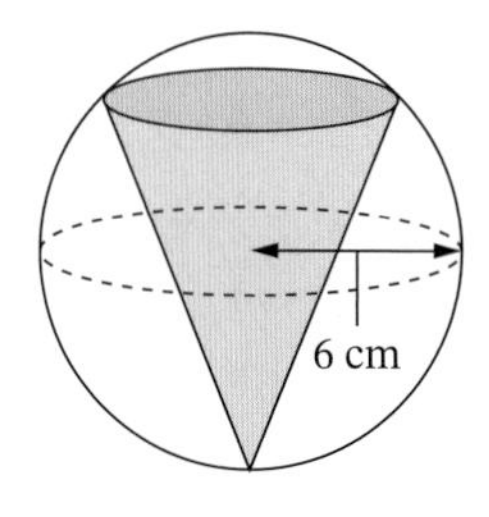

41. La coupe transversale d'une poutre en bois est un rectangle dont la hauteur mesure h cm et dont la base mesure b cm. La résistance R d'une poutre est proportionnelle au produit de sa base et du carré de sa hauteur. Quelles sont les dimensions de la poutre la plus résistante qu'on peut tirer d'une bille de bois de 30 cm de diamètre ?

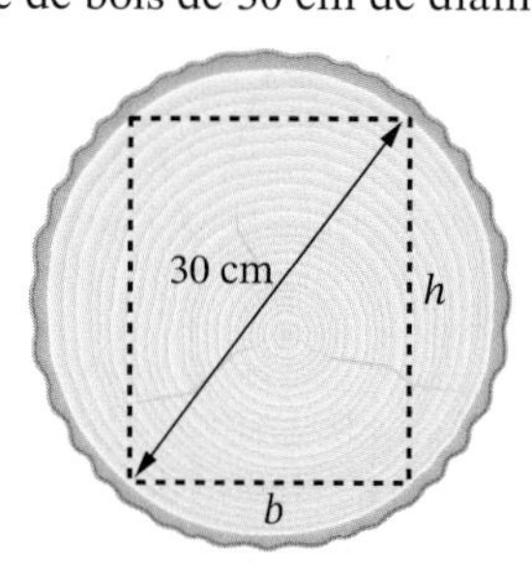

42. C'est un fait bien connu que, lorsqu'on tousse, le diamètre de la trachée diminue, ce qui provoque un changement de pression et une expulsion de l'air. En vertu d'un modèle mathématique décrivant le phénomène, lorsqu'une personne tousse, l'air est expulsé à une vitesse de $v(r) = a(r_0 - r)r^2$ où :

- a est une constante positive ;
- r_0 représente le rayon normal de la trachée ;
- r représente le rayon de la trachée au moment de la toux ;
- v représente la vitesse d'expulsion de l'air au moment de la toux ;

et où $\frac{1}{2}r_0 \leq r \leq r_0$.

Par ailleurs, l'écoulement de l'air E (volume d'air/unité de temps) est donné par l'expression $E(r) = b(r_0 - r)r^4$, où b est une constante positive.

a) Exprimez, en fonction du rayon normal de la trachée, le rayon r de la trachée qui maximise la vitesse d'expulsion de l'air.

b) Exprimez, en fonction du rayon normal de la trachée, le rayon r de la trachée qui maximise l'écoulement de l'air.

43. Si on néglige la résistance de l'air, la portée P d'un projectile lancé avec une vitesse initiale de v_0 et un angle de θ par rapport à l'horizontale est donnée par $P = \frac{v_0^2}{9{,}8}\sin(2\theta)$, où $0 \leq \theta \leq \frac{\pi}{2}$. Déterminez l'angle qui maximise la portée du projectile*.

* Niccolò Fontana (1499-1557) formula un théorème, dit théorème de Tartaglia, qui donne l'angle d'élévation requis pour maximiser la portée d'un projectile. Fontana fut surnommé Tartaglia (« bègue » en italien) à cause d'un sérieux problème d'élocution dû à un coup de sabre reçu à la mâchoire alors qu'il n'avait que 12 ans. Tartaglia est surtout connu pour avoir conçu un algorithme permettant de résoudre certaines équations cubiques, algorithme à partir duquel Gerolamo Cardano (Jérôme Cardan) (1501-1576) produisit une méthode de résolution de toutes les équations de degré 3. L'histoire de la résolution d'équations (notamment celles de degré 3 et de degré 4) est remplie de rebondissements. On en apprendra tous les détails en consultant tout bon livre d'histoire des mathématiques. En plus de Tartaglia et de Cardan, les personnages marquants de cette histoire sont Scipione del Ferro, Antonio Maria Fiore, Ludovico Ferrari, Évariste Galois et Niels Henrik Abel.

44. Déterminez l'angle θ qui maximise le volume du prisme triangulaire ci-contre et la valeur de ce volume maximal.

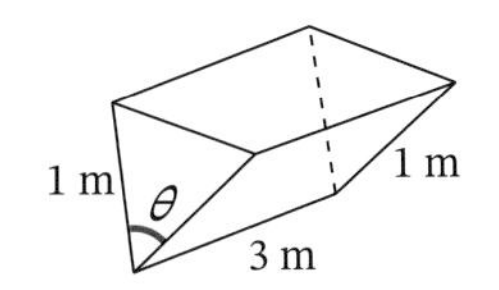

45. Déterminez la valeur de l'angle au centre θ qui maximise l'aire d'un triangle dont l'un des sommets est situé au centre d'un cercle ayant un rayon de 8 cm et dont les deux autres sommets sont situés sur la circonférence du cercle.

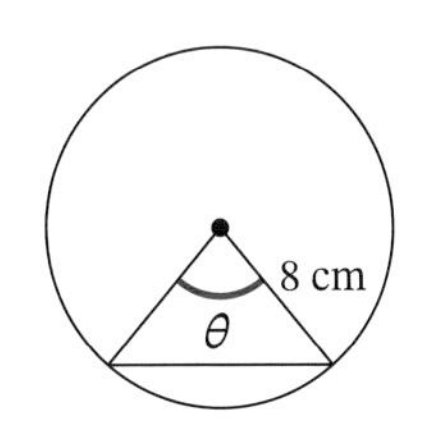

46. Les villes A et B, situées sur le même côté d'une rivière, veulent construire une station de pompage (en un point C) pour s'approvisionner en eau, comme l'illustre le schéma qui suit. À quel endroit (la distance x par rapport au point D) doit-on construire la station de pompage pour minimiser la longueur totale des conduites reliant chacune des villes à la station ?

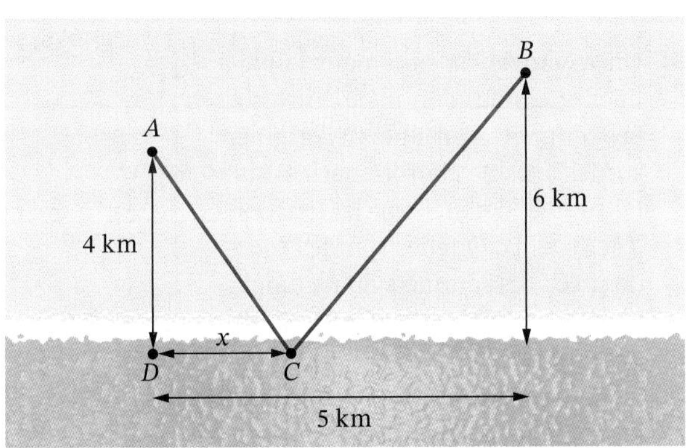

47. Dans le schéma qui suit, pour quelle valeur de $x \in [0, 15]$ l'angle θ prend-il sa valeur maximale ?

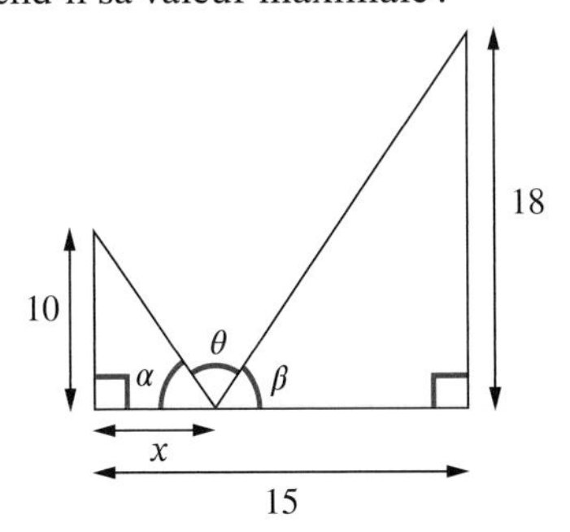

SECTION 5.3.2

48. Quels sont les deux nombres positifs dont la somme est 120 et dont le produit du carré du premier par le second est le plus grand possible ?

49. Quels sont les deux nombres réels dont la somme est 40 et dont la somme des carrés est le plus petit possible ?

50. Quelles sont les dimensions du rectangle dont la diagonale mesure 36 cm et qui admet la plus grande aire ?

51. On doit clôturer un terrain rectangulaire dont un des côtés donne sur un cours d'eau et dont un autre côté donne sur une route perpendiculaire au cours d'eau. La superficie à clôturer est de 4 000 m^2. Il en coûte 30 \$/m pour clôturer le côté donnant sur le cours d'eau, 15 \$/m pour le côté donnant sur la route et 10 \$/m pour les deux autres côtés. Déterminez les dimensions du terrain qui minimisent le coût de la clôture.

52. On veut construire un enclos rectangulaire divisé en quatre parties rectangulaires de mêmes dimensions. L'enclos doit occuper une superficie de 90 m^2. La clôture formant le périmètre de l'enclos coûte 15 \$/m, alors que celle servant aux trois subdivisions coûte 10 \$/m. Déterminez les dimensions de l'enclos le plus économique à construire, ainsi que le coût de cet enclos.

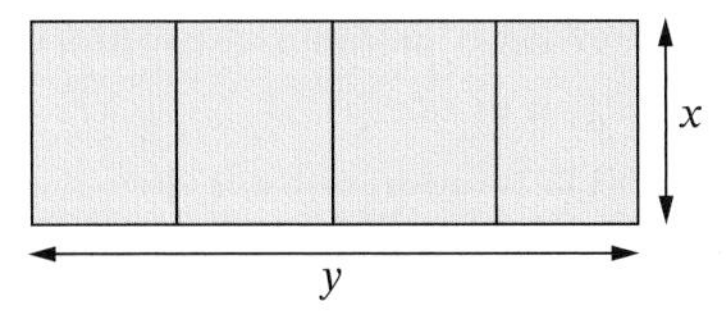

53. Une entrepreneure veut construire un entrepôt occupant une superficie de 20 480 m^2. Les normes de construction de la municipalité exigent la présence de zones tampons autour de l'entrepôt comme cela est indiqué dans le schéma.

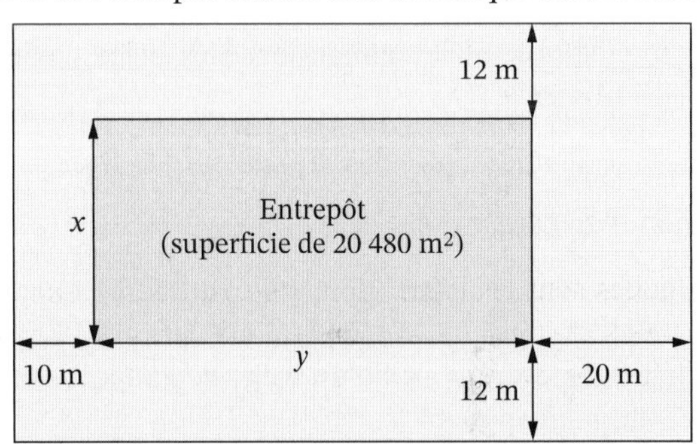

a) Déterminez les dimensions de l'entrepôt qui minimisent la superficie du terrain que l'entrepreneure doit acheter pour y installer son entrepôt en respectant les normes de la municipalité.

b) Quelles sont alors les dimensions du terrain ?

54. On fabrique des caisses qui ont la forme d'un prisme rectangulaire dont la base est carrée. Le volume des caisses est de 4 m^3. Le matériel utilisé pour la base coûte quatre fois plus que celui utilisé pour le dessus, alors qu'il ne coûte que deux fois plus que celui utilisé pour les panneaux latéraux. Quelles sont les dimensions de la caisse la plus économique à fabriquer ?

55. Une entreprise fabrique un réservoir dont la capacité est de 30 m^3 pour entreposer du gaz propane. Le réservoir a la forme d'un tube cylindrique fermé à ses deux extrémités par des calottes hémisphériques. Le coût de fabrication (par mètres carrés) d'une calotte hémisphérique est deux fois plus élevé que celui d'un cylindre. Quel sera le rayon de la calotte hémisphérique du réservoir le plus économique à fabriquer ?

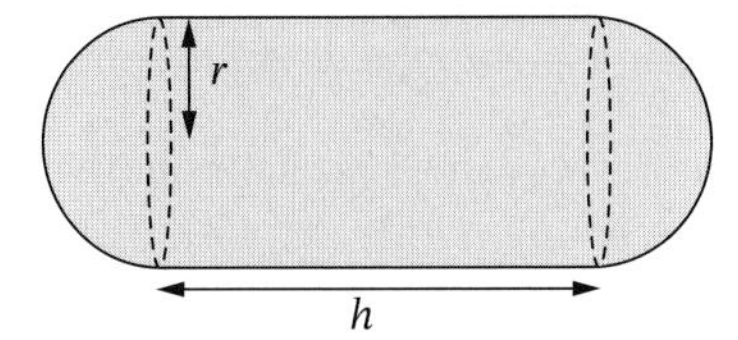

56. Déterminez les dimensions du contenant cylindrique de 500 cm^3 le plus léger sachant que la matière utilisée pour les extrémités est deux fois plus lourde que celle utilisée pour le côté.

57. On fabrique un contenant métallique cylindrique de 8 000 cm^3. Le côté du contenant est formé d'une plaque rectangulaire qu'on a replié pour obtenir une forme cylindrique de rayon r et de hauteur h. Les extrémités sont obtenues en découpant des cercles de rayon r dans deux plaques carrées de côté $2r$.

a) Si on note x la longueur du côté de la plaque rectangulaire qu'on replie pour former le cercle de rayon r (l'autre côté de la plaque mesurant h), quelle est la relation entre x et r?

b) Quelle est la relation entre h et r?

c) Exprimez la quantité de métal Q requise pour fabriquer le contenant cylindrique en fonction de r. N'oubliez pas qu'il faut utiliser une plaque rectangulaire et deux plaques carrées pour le fabriquer.

d) Quelle est la plus petite quantité de métal Q requise pour fabriquer le contenant?

e) Quelles sont les dimensions des pièces métalliques utilisées?

58. Si on exclut le salaire du camionneur, les frais d'exploitation d'un camion sont de $\left(0{,}75 + \dfrac{v}{400}\right)$ \$/km, où v est la vitesse du camion (en kilomètres par heure). Le salaire du camionneur est de 20 \$/h. À quelle vitesse le camionneur doit-il conduire pour qu'un trajet de 250 km soit le plus économique possible?

59. Un producteur forestier se demande combien de temps il doit attendre avant de couper le bois sur un territoire. Plus il attendra, plus le volume de bois sera considérable, et plus il en tirera d'argent. Toutefois, plus il attendra, plus il recevra son argent tardivement, ce qui est moins intéressant sur le plan financier. Sachant que la valeur (en centaines de millions de dollars) du bois que le producteur peut tirer du territoire exploité est de $V(t) = (1{,}5)^{\sqrt{t}}e^{-0{,}04t}$, où le temps t est mesuré en années, déterminez le moment le plus opportun pour couper le bois.

60. L'arbelos (le «couteau du savetier») est la surface délimitée par trois demi-cercles mutuellement tangents et correspond à la portion ombrée de la figure ci-contre.

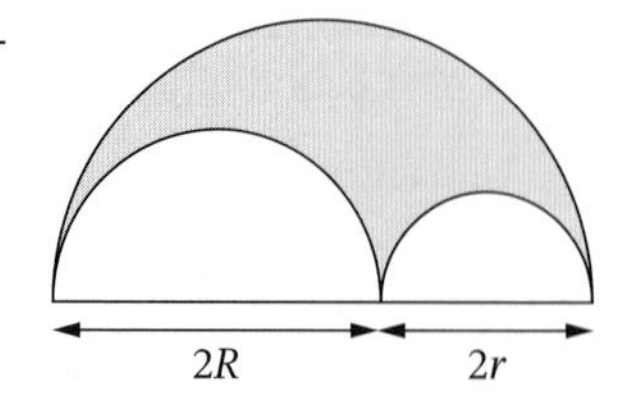

Quelle est l'aire maximale de l'arbelos délimité par un demi-cercle extérieur dont le rayon mesure 1 m et deux demi-cercles intérieurs dont les rayons (en mètres) mesurent respectivement R (pour le plus grand des deux demi-cercles) et r?

61. Trouvez le rayon d'une pizza circulaire qui vous permettrait d'obtenir une pointe de pizza d'aire maximale si le périmètre de cette pointe est de 60 cm.

62. On découpe un secteur circulaire formant un angle au centre θ dans un cercle de rayon r. Si l'aire du secteur circulaire est de 10 cm^2, déterminez les valeurs de l'angle et du rayon telles que le périmètre du secteur prend sa plus petite valeur.

63. Quelles sont les dimensions du rectangle d'aire maximale qu'on peut inscrire dans la région sous la courbe décrite par la fonction $f(x) = e^{-x^2}$ et au-dessus de l'axe des abscisses, si un des côtés du rectangle est situé sur cet axe?

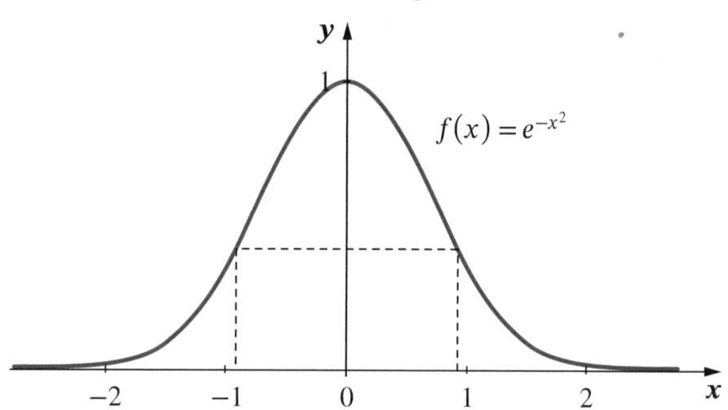

64. Un rectangle est situé dans le premier quadrant d'un plan cartésien. Ses sommets sont situés à l'origine, sur les axes de coordonnées et sur la courbe décrite par la fonction $f(x) = -\ln x$. Quelles sont les coordonnées des sommets du rectangle d'aire maximale? Quelle est l'aire de ce rectangle?

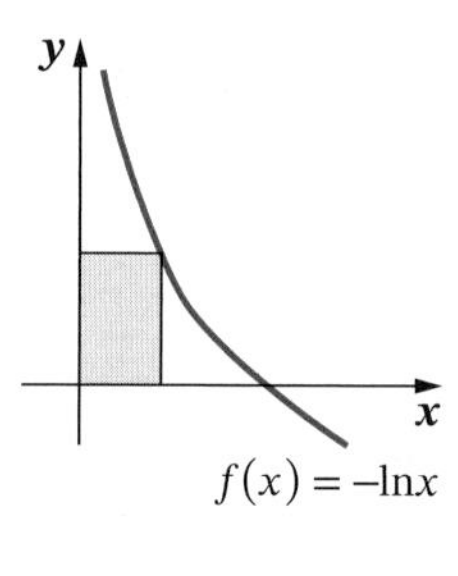

65. Quel point de la courbe décrite par la fonction $f(x)$ est le plus proche du point P?

a) $f(x) = \sqrt{x}$; $P(4, 0)$

b) $f(x) = \sqrt{2x + 15}$; $P(6, 0)$

c) $f(x) = \dfrac{8}{x}$; $P(0, 0)$, lorsque $x > 0$

66. Deux rues se coupent à angle droit, la première étant dans l'axe nord-sud. Une voiture se dirigeant vers l'est passe à l'intersection des deux rues à une vitesse constante de 30 km/h. Au même moment, une autre voiture située à 1 km au nord de l'intersection se déplace vers le sud à une vitesse constante de 50 km/h. Déterminez le moment où la distance séparant les deux voitures est minimale. Déterminez également la distance séparant les deux voitures à cet instant.

67. La position d'un objet X se déplaçant sur l'axe des abscisses est donnée par $x(t) = t$ et celle d'un objet Y se déplaçant sur l'axe des ordonnées est donnée par $y(t) = t^2 - 2$. Les positions sont mesurées en mètres et le temps, en minutes.

a) Quelle est la position initiale de l'objet X?

b) Quelle est la vitesse de l'objet X après 45 s?

c) Quelle est la position initiale de l'objet Y?

d) Quelle est la vitesse de l'objet Y après 45 s?

e) Quelle est, en fonction du temps, l'expression de la distance D séparant les deux objets?

f) Déterminez la plus courte distance entre les deux objets ainsi que le moment où cette distance est atteinte.

68. La distance (en mètres) par rapport à l'origine d'une masse attachée à un ressort, laquelle se déplace horizontalement sans frottement, est donnée par

$$s(t) = 4 + \sin(2t) + \sqrt{3}\cos(2t)$$

où le temps t est mesuré en secondes. À quel moment la masse est-elle le plus proche de l'origine pour la première fois?

69. Une clôture de 3 m de haut est située à 1 m d'un immeuble. Quelle est la longueur L de la plus courte échelle qui peut prendre appui sur le sommet de la clôture et sur l'immeuble? (Indice: Comparez des triangles semblables.)

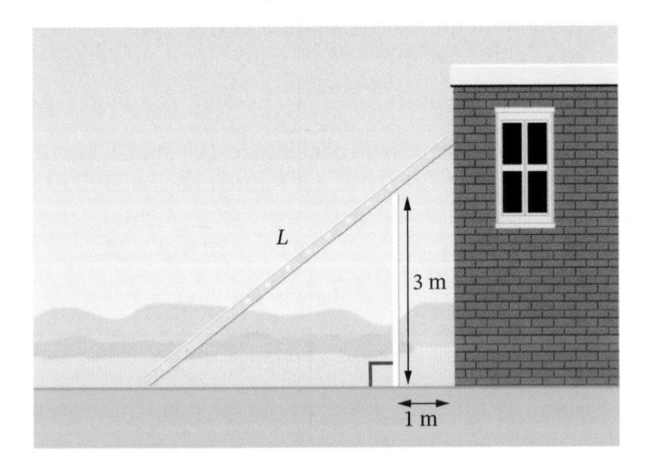

70. Un couloir de 3 m de large en rejoint un autre de 2 m de large et ils forment un angle droit. Quelle est la longueur de la plus longue tige métallique non flexible qu'on peut transporter horizontalement d'un couloir à l'autre si on ne tient pas compte de l'épaisseur de la tige? (Remarque: La plus longue tige métallique qu'on peut transporter d'un couloir à l'autre est la plus courte tige métallique touchant les murs extérieurs des deux couloirs et le coin intérieur formé par les deux couloirs tel que l'illustre le schéma.)

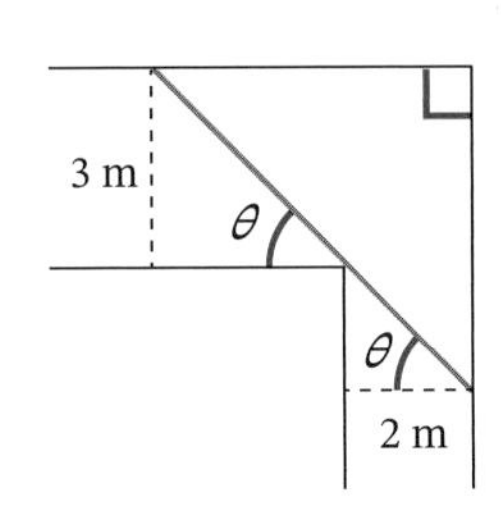

71. En chimie, un catalyseur est une substance qui accélère une réaction chimique. On parle d'autocatalyse lorsque le produit d'une réaction sert de catalyseur. Dans un tel cas, on peut supposer que le rythme de transformation r d'une substance A en une substance X est donné par $r(x) = kx(a - x)$, où k est une constante de proportionnalité positive, où a représente la quantité initiale de la substance A et où x désigne la quantité de la substance X. Pour quelle quantité x de la substance X le rythme de transformation est-il le plus rapide?

72. Le nombre de Reynolds est un paramètre utilisé en mécanique des fluides. On le retrouve notamment dans l'étude de la circulation sanguine. Ainsi, chez de nombreuses espèces animales, le nombre de Reynolds (R) est donné par la fonction $R(r) = A\ln r - Br$, où A et B sont des constantes positives et où r représente le rayon de l'aorte. Quelle est la valeur maximale du nombre de Reynolds dans le cas de la circulation sanguine?

73. La réaction r à une dose q d'un médicament est donnée par $r = aq^2(b - q)$, où a et b sont des constantes positives. À titre d'exemple, la réaction peut être mesurée par la température ou encore par la pression sanguine. La sensibilité s à cette dose q est définie par $s = \frac{dr}{dq}$.

a) Pour quelle valeur de q, la réaction est-elle maximale?

b) Pour quelle valeur de q, la sensibilité est-elle maximale?

74. Il existe plusieurs modèles mathématiques pour décrire la dynamique de population de certaines espèces de poissons. Voici deux de ces modèles dans lesquels y représente le nombre de poissons sur un site de reproduction en fonction du nombre x de poissons observés l'année précédente:

- $y = axe^{-bx}$, où $a > 0$ et $b > 0$ (modèle de Ricker);
- $y = \frac{ax}{1 + (bx)^2}$, où $a > 0$ et $b > 0$ (modèle de Shepherd).

Déterminez la valeur de x qui maximise y dans chacun des deux modèles.

75. Les fibres nerveuses transmettent des impulsions électriques. Elles comportent un axone qui transporte les impulsions et qui est recouvert d'une gaine isolante, la myéline. Une fibre nerveuse ressemble donc à un câble cylindrique isolé dont le rayon du cylindre interne (l'axone) est r et le rayon du cylindre externe (l'axone et la myéline) est R.

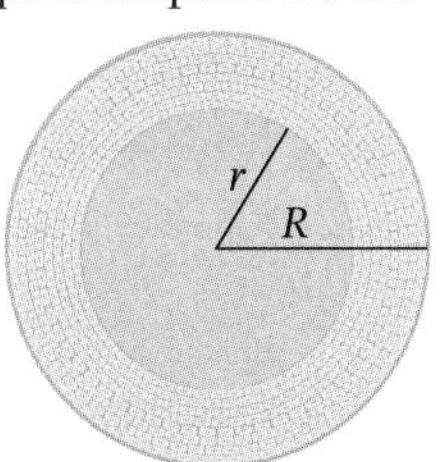

En vertu de principes physiques, la vitesse d'une impulsion électrique est donnée par $v(x) = -ax^2\ln x$, où a est une constante positive et où $0 < x = \frac{r}{R} < 1$.

a) Vérifiez que $v(x) > 0$.

b) Complétez le tableau de valeurs suivant pour estimer $\lim\limits_{x \to 0^+} \frac{v(x)}{a}$ et en déduire la valeur de $\lim\limits_{x \to 0^+} v(x)$.

Quand x s'approche de 0 par la droite $(x \to 0^+)$,

x	0,001	0,01	0,1
$\frac{v(x)}{a}$			

$\frac{v(x)}{a}$ s'approche de ...

c) Évaluez $\lim\limits_{x \to 1^-} v(x)$.

d) Déterminez la valeur de x pour laquelle la vitesse d'une impulsion électrique est maximale. Comparez ce résultat avec la valeur 0,6 qui est la mesure généralement observée dans les fibres nerveuses.

76. Un poisson remonte le courant. La vitesse du poisson est de v alors que celle du courant est de v_c, de sorte que la vitesse nette du poisson est de $v - v_c$. L'énergie E dépensée par le poisson en remontant le courant à une vitesse v est donnée par $E(v) = k\frac{v^a}{v - v_c}$, où a et k sont des constantes telles que $a > 1$ et que $k > 0$. À quelle vitesse le poisson doit-il se déplacer pour minimiser sa dépense énergétique?

77. Deux sources de chaleur, A et B, sont situées à 6 m de distance. La source A émet une chaleur d'intensité a, et la source B une chaleur d'intensité b, où a et b sont des constantes positives. L'intensité C de la chaleur en un point P situé entre les deux sources et à une distance x (en mètres) de la source A est donnée par $C(x) = \dfrac{a}{x^2} + \dfrac{b}{(6-x)^2}$.
Déterminez la position du point P, situé entre les deux sources, où l'intensité de la chaleur est la plus faible.

78. La concentration Q d'un médicament dans le sang, après un temps t (en heures) écoulé depuis l'injection, est donnée par l'expression $Q(t) = \dfrac{c}{b-a}(e^{-at} - e^{-bt})$, où a, b et c sont des paramètres positifs, et où $a < b$.

a) Que vaut $Q(0)$? Expliquez ce résultat dans le contexte.

b) Évaluez $\lim\limits_{t\to\infty} Q(t)$ et interprétez le résultat.

c) Calculez $Q'(t)$ et donnez-en une interprétation.

d) Calculez $Q''(t)$.

e) Déterminez la valeur critique de la fonction $Q(t)$ sur $[0, \infty[$.

f) Si $a = 0{,}5$, $b = 0{,}55$ et $c = 0{,}1$, utilisez le test de la dérivée seconde pour montrer que la concentration du médicament dans le sang est maximale en la valeur critique obtenue en e.

79. Un sociologue a proposé un modèle de diffusion d'une innovation technologique dans une population de taille N. Il a postulé que le nombre $n(t)$ de personnes ayant adopté la nouvelle technologie est donné par

$$n(t) = \frac{N}{1 + (N-1)e^{-kt}}$$

où t est le temps écoulé depuis le moment où une première personne a adopté l'innovation technologique et où k est un paramètre positif.

a) Que vaut $n(0)$? Expliquez ce résultat dans le contexte.

b) Que vaut $\lim\limits_{t\to\infty} n(t)$?

c) Calculez la vitesse de propagation de la nouvelle technologie, soit $\dfrac{dn}{dt}$.

d) À quel moment la vitesse de propagation de la nouvelle technologie est-elle maximale? Vous pouvez supposer que cette vitesse maximale existe et se produit en un temps fini supérieur à 0.

80. Dans une ruche, les alvéoles ont la forme d'un prisme hexagonal régulier fermé par un trièdre déterminant un angle apical de θ. On a établi que l'aire de la surface latérale d'une alvéole est donnée par $A(\theta) = b + c\left(\sqrt{3}\operatorname{cosec}\theta - \operatorname{cotg}\theta\right)$, où $0 < \theta < \frac{\pi}{2}$, et où b et c sont des constantes positives. Déterminez la valeur de l'angle apical qui minimise l'aire latérale de l'alvéole et qui exigerait donc la plus petite quantité de cire pour sa fabrication.

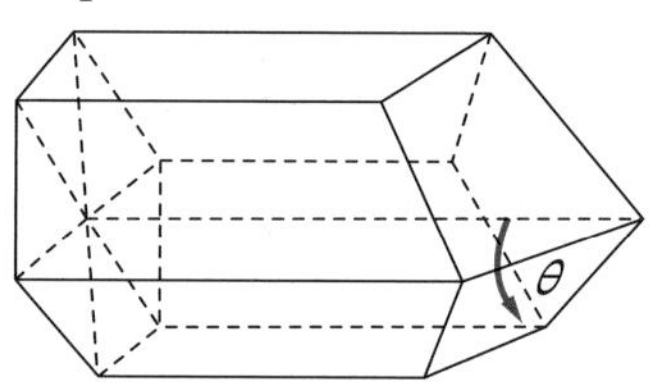

81. Un source lumineuse ponctuelle est située en un point P, à une hauteur h au-dessus d'un point O au sol. Le point O est le centre d'un cercle dont le rayon mesure 20 cm. Soit R un point du cercle. La luminosité observée en ce point situé à une distance r de la source lumineuse est donnée par l'expression $L = k\dfrac{\cos\theta}{r^2}$, où k est une constante positive et θ représente l'angle d'incidence, soit l'angle formé par les segments PO et PR. La figure ci-dessous illustre la situation.

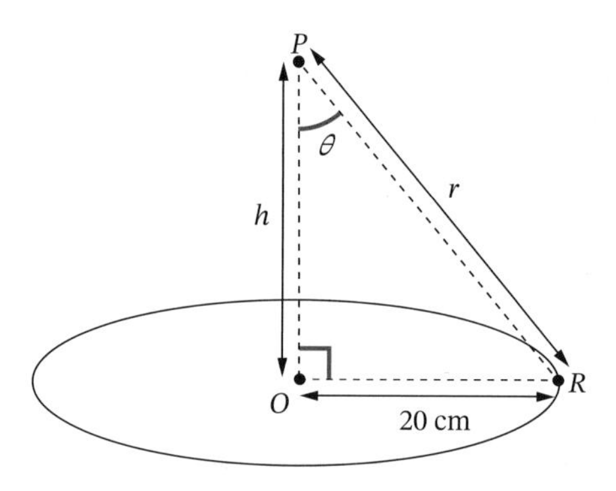

À quelle hauteur h doit-on placer la source lumineuse pour assurer la plus grande luminosité au point R?

82. En vertu du principe de Fermat en optique, la lumière se déplace selon le trajet qui minimise le temps t de parcours. Si un faisceau lumineux est réfléchi sur un miroir plat, vérifiez que l'angle d'incidence α et l'angle de réflexion β sont égaux (voir le schéma). Vous pouvez supposer que le temps minimal est atteint lorsque $\dfrac{dt}{dc} = 0$. (Indice: La vitesse v du faisceau dans l'air est constante:

$$v = \frac{\text{Longueur du déplacement}}{\text{Temps de déplacement}} = \frac{s}{t}.)$$

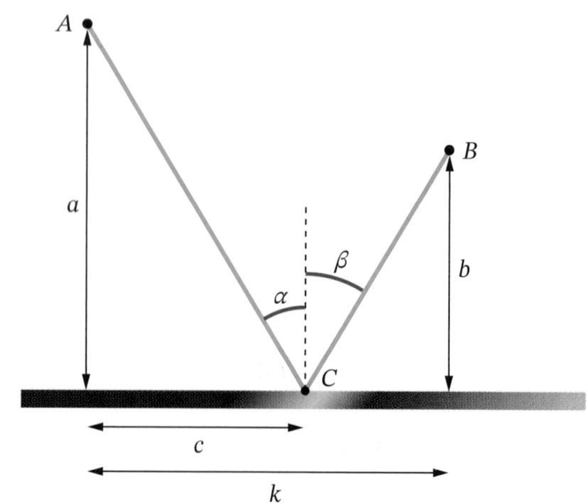

83. En vertu du principe de Fermat en optique, la lumière se déplace entre un point A au-dessus de l'eau et un point B sous l'eau selon le trajet qui minimise le temps de parcours, comme cela est indiqué sur le schéma ci-dessous.

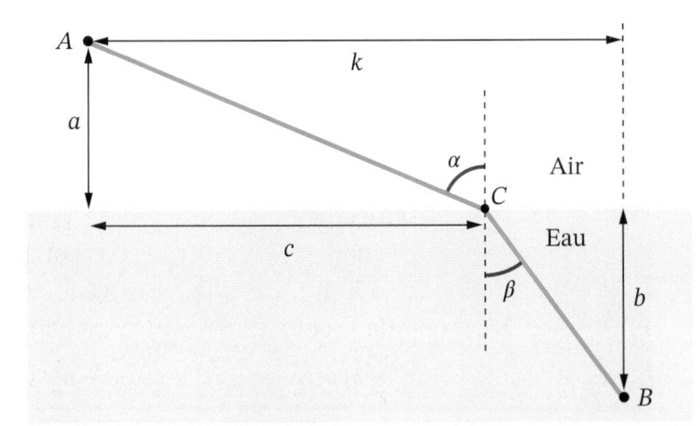

Soit v_a la vitesse de la lumière dans l'air et v_e celle de la lumière dans l'eau.

a) Quelle est l'expression du temps t requis par la lumière pour passer du point A au point B en fonction de la distance c?

b) Vérifiez que le temps requis est minimal lorsque l'angle d'incidence α et l'angle de réfraction β satisfont à la loi de Snell, c'est-à-dire lorsque $\frac{\sin\alpha}{\sin\beta} = \frac{v_a}{v_e}$. Vous pouvez supposer que le temps minimal est atteint lorsque $\frac{dt}{dc} = 0$.

EXERCICES de révision

1. Encerclez la lettre qui correspond à la bonne réponse.

a) Pour quelle valeur de x la fonction

$$f(x) = x^3 - 3x^2 - 45x + 30$$

prend-elle sa valeur maximale sur l'intervalle $[-6, 6]$?

A. −6 D. 5
B. −5 E. 6
C. 3 F. Aucune de ces réponses.

b) Quelle est la plus petite valeur (approchée à 2 décimales) de la fonction $f(x) = x^3 \ln x$ sur l'intervalle $]0, 3]$?

A. −0,04 E. −0,20
B. −0,08 F. −0,24
C. −0,12 G. −0,28
D. −0,16 H. −0,32

c) Un courtier d'assurances peut vendre hebdomadairement 80 contrats d'assurance-vie au coût de 60 $. Chaque augmentation de 1 $ du prix du contrat fait chuter de 1 unité le nombre de contrats vendus. Quel revenu maximal hebdomadaire le courtier peut-il tirer de la vente des contrats d'assurance-vie?

A. 4 500 $ D. 5 100 $
B. 4 800 $ E. 5 200 $
C. 4 900 $ F. Aucune de ces réponses.

d) Soit la fonction $f(x) = e^{-4x}$. Soit $P(x)$ le périmètre du rectangle dont les sommets sont situés aux points $(0, 0)$, $(x, 0)$, $(x, f(x))$ et $(0, f(x))$ lorsque $x > 0$. Lequel des énoncés suivants est vrai?

A. La fonction $P(x)$ admet un maximum absolu, mais pas de minimum absolu sur $\mathbb{R}^+$.
B. La fonction $P(x)$ admet un minimum absolu, mais pas de maximum absolu sur $\mathbb{R}^+$.
C. La fonction $P(x)$ admet un maximum absolu et un minimum absolu sur $\mathbb{R}^+$.
D. La fonction $P(x)$ n'admet ni maximum absolu ni minimum absolu sur $\mathbb{R}^+$.

e) La courbe décrite par la fonction $f'(x)$ d'une fonction $f(x)$ dérivable partout est la suivante:

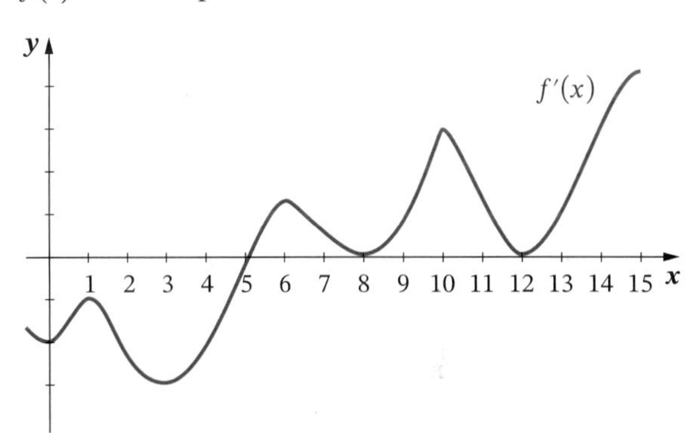

À quelle valeur de x la fonction atteint-elle son minimum absolu sur l'intervalle $[0, 15]$?

A. 0 D. 8
B. 3 E. 12
C. 5 F. Aucune de ces réponses.

2. Quels sont les extremums absolus et relatifs de la fonction continue $f(x) = x^4 + 4/3x^3 - 12x^2 + 10$ sur $[-4, 3]$, et en quelles valeurs de x la fonction les atteint-elle?

3. Trouvez un nombre positif tel que la somme de ce nombre et de son inverse multiplicatif soit la plus petite possible.

4. On exerce une force d'intensité F (en Newtons) faisant un angle θ (où $0 \leq \theta \leq \frac{\pi}{2}$) avec l'horizontale pour déplacer une masse sur une surface horizontale. Sachant que

$$F(\theta) = \frac{12}{\sin\theta + \cos\theta}$$

déterminez l'angle qui minimise la force requise pour déplacer la masse.

5. En vertu de la loi d'Ohm, le lien entre la tension E (en volts), le courant I (en ampères), la résistance interne r d'une batterie et la résistance externe R (en ohms) est donné par $I = \dfrac{E}{R+r}$, où la tension et la résistance interne sont des constantes, alors que la résistance externe est variable. La puissance P (en watts) fournie par la batterie est donnée par $P = RI^2$. Vérifiez que la puissance est maximale lorsque la résistance externe prend la même valeur que la résistance interne.

6. Une fenêtre dont le périmètre est de 6 m a la forme d'un rectangle surmonté d'un triangle équilatéral. Quelles sont les dimensions du rectangle qui maximisent l'aire de cette fenêtre ?

7. Lorsqu'on fait tourner autour d'un de ses côtés une surface rectangulaire dont le périmètre est de 64 cm, on produit un cylindre circulaire droit. Déterminez les dimensions du rectangle qui maximisent le volume du cylindre ainsi engendré.

8. Le propriétaire d'une animalerie vous demande de trouver les dimensions de l'aquarium le plus économique qui satisferaient aux conditions suivantes :

- le volume de l'aquarium doit être de 1 m^3 ;
- la longueur x de l'aquarium doit être deux fois plus grande que sa largeur y ;
- le coût de fabrication de la base de l'aquarium est de 12 $/$m^2$, alors que celui des côtés est de 8 $/$m^2$.

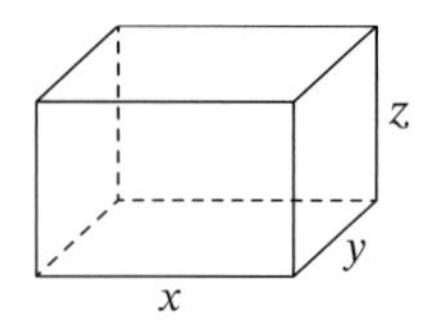

9. Une route relie une ville A à une ville B qui est située à 15 km à l'est de la première. Une ville D est située à 5 km au sud de la ville B. On veut construire une route joignant la ville A à la ville D en refaisant une partie de celle qui relie A et B, puis en créant une nouvelle route à partir d'un point E jusqu'à la ville D, comme l'indique le schéma.

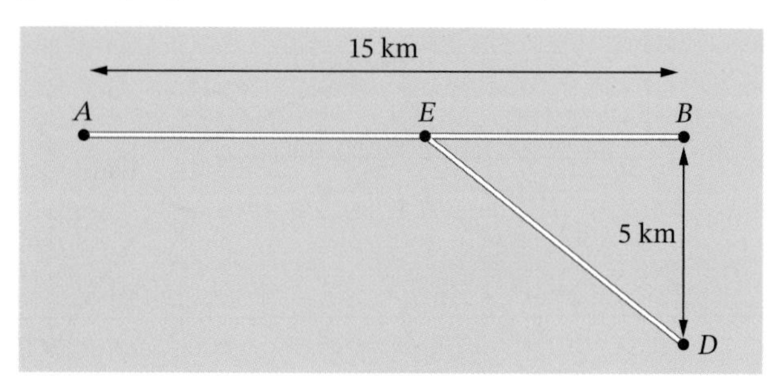

Si la réfection du tronçon reliant A et E coûte 600 000 $/km et la construction de la nouvelle route entre E et D coûte 1 000 000 $/km, à quelle distance du point B doit-on entreprendre la construction de la nouvelle route pour relier les villes A et D de la manière la plus économique ?

CHAPITRE 6

TRACÉ DE COURBES

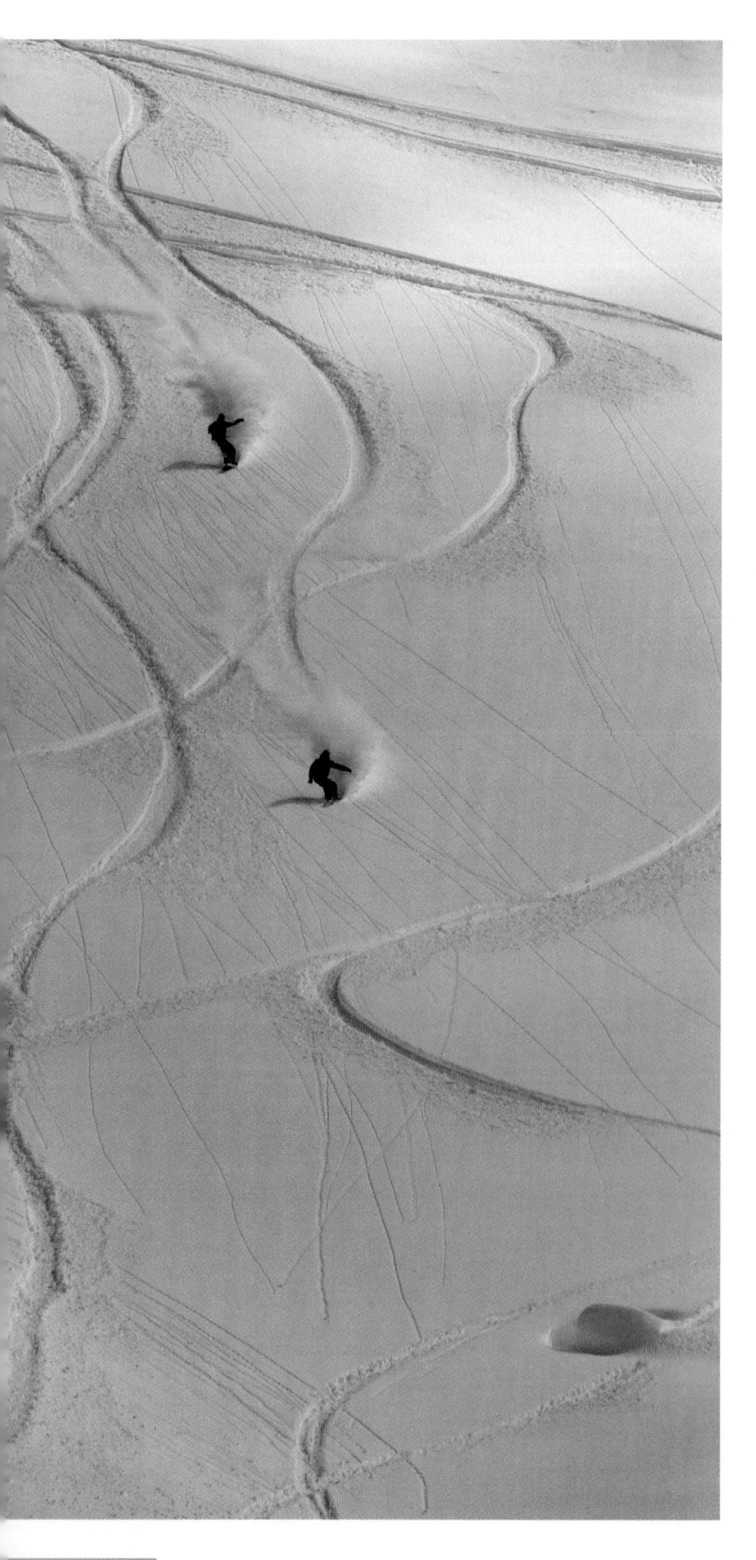

> Les courbes sont des figures géométriques engendrées par le mouvement d'un point, c'est-à-dire un mouvement continu.
>
> **Hans Hahn**

On dit souvent qu'une image vaut mille mots. Cela est particulièrement vrai en mathématiques. En effet, la représentation graphique d'une fonction permet d'en saisir d'un seul coup d'œil les principaux attributs. Grâce au calcul différentiel, on peut dégager les caractéristiques essentielles du comportement de la courbe décrite par une fonction et faire une esquisse assez précise de cette courbe.

Ainsi, l'évaluation de limites à l'infini et la localisation de limites infinies permettent de trouver les asymptotes à la courbe décrite par une fonction. De plus, le signe de la dérivée première d'une fonction permet de déterminer les intervalles de croissance et les intervalles de décroissance de la fonction, ainsi que ses valeurs extrêmes. Enfin, le signe de la dérivée seconde permet de déterminer les intervalles de concavité vers le haut et les intervalles de concavité vers le bas de la courbe décrite par la fonction, ainsi que ses points d'inflexion.

OBJECTIFS

- Déterminer le domaine d'une fonction (6.1).
- Trouver les asymptotes à la courbe décrite par une fonction (6.2).
- Déterminer l'ordonnée à l'origine d'une fonction (6.3).
- Déterminer les zéros d'une fonction (6.3).
- Déterminer les intervalles de concavité vers le bas et les intervalles de concavité vers le haut d'une fonction (6.4).
- Trouver les points d'inflexion d'une fonction (6.4).
- Faire l'esquisse de la courbe décrite par une fonction (6.5).

SOMMAIRE

ANIMATIONS GEOGEBRA

UN PORTRAIT DE

Maria Gaetana Agnesi

Maria Gaetana Agnesi

Maria Gaetana Agnesi naquit à Milan le 16 mai 1718. Son père, Pietro Agnesi, était issu d'une famille qui avait fait fortune dans le commerce de la soie. Il eut 21 enfants de trois mariages. Maria était l'aînée de la famille. Après la mort de sa mère, elle dut veiller à l'éducation de ses nombreux frères et sœurs.

Comme il était relativement à l'aise financièrement, Pietro Agnesi put engager des tuteurs compétents pour faire instruire tous ses enfants, de sorte que ceux-ci reçurent tous une éducation de qualité.

Maria était particulièrement douée pour l'apprentissage des langues et des mathématiques, ce dont Pietro était très fier. Il organisait régulièrement des réceptions au cours desquelles Maria donnait des causeries de nature philosophique et scientifique devant un auditoire composé de gens instruits de la haute société locale et d'intellectuels venus de l'étranger. Ainsi, lors d'une de ces réceptions, alors qu'elle n'avait que neuf ans, Maria fit une allocution en latin pour réclamer l'accession des femmes à l'enseignement supérieur. Charles de Brosses, témoin oculaire d'une de ces rencontres chez Pietro Agnesi, raconta comment Maria était impressionnante, comment elle s'exprimait avec élégance et éloquence, non seulement sur des sujets philosophiques mais également sur des questions scientifiques comme la propagation de la lumière et l'analyse des courbes de l'espace. En 1738, Maria publia d'ailleurs un recueil de 191 essais (*Propositiones philosophicae*) traitant des sujets qu'elle avait abordés lors des causeries organisées par son père.

Comme nous l'avons dit précédemment, Maria était très douée pour les mathématiques. Le moine Ramiro Rampinelli, qui enseignait les mathématiques, joua un rôle de premier plan dans la formation mathématique de Maria. Ainsi, non seulement lui présenta-t-il les dernières découvertes de l'époque, mais aussi lui fit-il connaître des œuvres importantes comme celles de Reyneau et du marquis de L'Hospital. Maria, qui était responsable de l'éducation de ses frères et de ses sœurs, se mit à écrire des leçons pour leur faire comprendre les rudiments du calcul. Ce qui commença comme un simple ouvrage à usage privé prit rapidement de l'ampleur. Rampinelli encouragea Maria à écrire un manuel complet en calcul différentiel, ce qu'elle fit avec empressement. Le premier tome de *Instituzioni analitiche ad uso della gioventù italiana* parut en 1748 et traitait principalement d'algèbre; le deuxième tome parut l'année suivante et portait sur le calcul différentiel et intégral, les séries ainsi que les équations différentielles. Maria supervisa étroitement la production de l'ouvrage, faisant même installer l'imprimerie locale dans la résidence paternelle. *Instituzioni* était un modèle sur le plan de la typographie et de la pédagogie: les marges étaient larges, la police de caractère choisie facilitait la lecture de l'ouvrage, 49 pages d'illustrations soignées accompagnaient les explications, les sujets étaient traités par ordre croissant de difficulté, etc.

Le pape Benoît XIV, qui avait une certaine formation en mathématiques, fut si impressionné par la qualité du livre qu'il nomma Maria professeur honoraire de l'Université de Bologne. Elle refusa cependant ce poste puisqu'elle choisit, après la mort de son père survenue en 1752, de consacrer le reste de sa vie à des œuvres caritatives. Maria n'apporta plus aucune contribution aux mathématiques et mourut dans une pauvreté absolue le 9 janvier 1799.

Le manuel de calcul de Maria était tellement remarquable que l'Académie des sciences de Paris le signala comme le meilleur traité de calcul et le plus complet pour sa synthèse claire, précise et brillante des découvertes effectuées jusqu'alors et pour la présentation systématique de celles-ci. C'est sans doute pour cette raison que la prestigieuse institution en recommanda la traduction, laquelle fut assurée par d'Antelmy et accompagnée de notes de l'abbé Bossuet. Publiée en 1775 sous le titre de *Traités élémentaires de calcul différentiel et de calcul intégral*, l'édition française, qui ne comprenait que le second tome, comportait 500 pages, alors que l'œuvre originale complète d'Agnesi en comptait 1 020.

Le nom d'Agnesi est associé à la courbe d'équation $y = \frac{a^3}{a^2 + x^2}$, nommée « Sorcière d'Agnesi », qui figure dans le premier tome de son célèbre ouvrage. John Colson, qui traduisit l'ouvrage d'Agnesi en anglais sous le titre *Analytical Institutions*, crut que le mot *versiera* (pour « verseau »), choisi par Agnesi pour nommer la courbe, était l'abréviation de *avversiera* (« femme du diable »), d'où la désignation erronée de « Sorcière d'Agnesi ».

Même si Maria Gaetana Agnesi n'a pas apporté d'idées originales aux mathématiques, son nom demeure attaché au domaine non seulement par l'erreur de traduction de Colson, mais également pour sa contribution à la diffusion des connaissances mathématiques. Soulignons enfin que la compositrice canadienne Elma Miller a écrit une pièce musicale intitulée *The Witch of Agnesi* et commanditée par l'*Alliance for Canadian New Music Projects*. Par un heureux hasard, cette pièce fut interprétée pour la première fois à Toronto en octobre 1989, la veille de l'Halloween; elle avait été inspirée par la célèbre courbe d'Agnesi.

6.1 DOMAINE D'UNE FONCTION

DANS CETTE SECTION : *domaine d'une fonction.*

Lorsqu'on représente graphiquement une fonction, on s'intéresse particulièrement aux principales caractéristiques de la courbe décrite par cette fonction : discontinuités, asymptotes, intervalles de croissance, intervalles de décroissance, maximum, minimum, etc. Le calcul différentiel permet de préciser ces caractéristiques importantes et de s'en servir pour esquisser la courbe décrite par la fonction.

Domaine d'une fonction

Le domaine d'une fonction $f(x)$ est l'ensemble des valeurs de x pour lesquelles la fonction $f(x)$ est définie. On note cet ensemble par Dom_f.

La première étape de l'étude d'une fonction $f(x)$ est la détermination de son domaine. Le **domaine d'une fonction** $f(x)$ correspond à l'ensemble des valeurs de la variable indépendante x pour lesquelles la fonction est définie, c'est-à-dire pour lesquelles il est possible de l'évaluer. On note Dom_f le domaine d'une fonction $f(x)$.

EXEMPLE 6.1

Déterminons le domaine de la fonction $f(x) = \dfrac{3x-1}{2x^2+3}$.

Pour que la fonction $f(x)$ soit définie, il faut que le dénominateur ne soit pas nul (puisqu'on ne doit pas effectuer une division par zéro). Or, $2x^2 + 3 \geq 3$ pour tout $x \in \mathbb{R}$ puisque $x^2 \geq 0$. Le dénominateur n'étant jamais nul, on peut conclure que $\text{Dom}_f = \mathbb{R}$.

EXEMPLE 6.2

Déterminons le domaine de la fonction $g(x) = \dfrac{x^3-1}{e^x(3-x^2)}$.

La fonction $g(x)$ est définie lorsque son dénominateur est non nul. Or, puisque $e^x > 0$ pour tout $x \in \mathbb{R}$, on a

$$\begin{aligned} g(x) \text{ est définie} &\Leftrightarrow \underbrace{e^x}_{>0}(3-x^2) \neq 0 \Leftrightarrow 3 - x^2 \neq 0 \\ &\Leftrightarrow x^2 \neq 3 \Leftrightarrow x \neq -\sqrt{3} \text{ et } x \neq \sqrt{3} \end{aligned}$$

Par conséquent, $\text{Dom}_g = \mathbb{R}\setminus\left\{-\sqrt{3}, \sqrt{3}\right\}$.

EXEMPLE 6.3

Déterminons le domaine de la fonction $h(x) = \text{cotg}\, x$.

Puisque $h(x) = \dfrac{\cos x}{\sin x}$, la fonction est définie lorsque le dénominateur est non nul. Alors,

$$h(x) \text{ est définie} \Leftrightarrow \sin x \neq 0 \Leftrightarrow x \neq k\pi \text{ où } k \in \mathbb{Z}$$

Par conséquent, $\text{Dom}_h = \mathbb{R}\setminus\left\{k\pi \mid k \in \mathbb{Z}\right\}$.

QUESTION ÉCLAIR 6.1

Déterminez le domaine de la fonction $f(x) = \dfrac{-3}{x-5}$.

EXEMPLE 6.4

Déterminons le domaine de la fonction $s(x) = \sqrt[4]{3x^2 - 12}$.

Une racine paire est définie seulement si la quantité sous le radical n'est pas négative. La fonction $s(x)$ est donc définie si et seulement si $3x^2 - 12 \geq 0$.

Déterminons d'abord les valeurs de x pour lesquelles $3x^2 - 12 = 0$.

$$3x^2 - 12 = 0 \Leftrightarrow 3(x^2 - 4) = 0 \Leftrightarrow 3(x - 2)(x + 2) = 0$$
$$\Leftrightarrow x - 2 = 0 \text{ ou } x + 2 = 0 \Leftrightarrow x = 2 \text{ ou } x = -2$$

Construisons un tableau des signes de la fonction $u(x) = 3x^2 - 12 = 3(x - 2)(x + 2)$ en plaçant les valeurs qui annulent $u(x)$ en ordre croissant et en prévoyant une colonne pour chaque sous-intervalle qu'elles délimitent (**TABLEAU 6.1**).

TABLEAU 6.1

Tableau des signes

	$]-\infty, -2[$		$]-2, 2[$		$]2, \infty[$
x		-2		2	
$u(x) = 3(x-2)(x+2)$	$+$	0	$-$	0	$+$

Alors,

$$s(x) \text{ est définie } \Leftrightarrow u(x) = 3x^2 - 12 = 3(x - 2)(x + 2) \geq 0$$
$$\Leftrightarrow x \in]-\infty, -2] \text{ ou si } x \in [2, \infty[$$

Par conséquent, $\text{Dom}_s =]-\infty, -2] \cup [2, \infty[$.

QUESTION ÉCLAIR 6.2

Complétez le **TABLEAU 6.2** afin de déterminer les valeurs de x pour lesquelles l'expression $x^3 - 16x$ est non négative.

TABLEAU 6.2

Tableau des signes

	$]-\infty, -4[$		$]-4, 0[$		$]0, 4[$		$]4, \infty[$
x		-4		0		4	
$x^3 - 16x$							

EXEMPLE 6.5

Déterminons le domaine de la fonction $v(x) = \log(x^3 - 1)$.

On ne peut évaluer le logarithme d'une quantité que si elle positive. Alors,

$$v(x) \text{ est définie } \Leftrightarrow x^3 - 1 > 0 \Leftrightarrow x^3 > 1 \Leftrightarrow x > 1$$

Par conséquent, $\text{Dom}_v =]1, \infty[$.

Les exemples 6.1 à 6.3 permettent de constater que les valeurs de la variable indépendante qui annulent le dénominateur d'une fraction ne font pas partie du domaine d'une fonction. Il en est de même des valeurs pour lesquelles l'argument d'une fonction logarithmique n'est pas positif (exemple 6.5) et des valeurs pour lesquelles l'expression sous un radical $n^{\text{ième}}$, où n est pair, est négative (exemple 6.4).

EXERCICE 6.1

Déterminez le domaine de la fonction $f(x)$.

a) $f(x)=\dfrac{1-x}{x^2+16}$

b) $f(x)=\dfrac{5}{2^x(x^2+x-6)}$

c) $f(x)=\sec x \operatorname{tg} x$

d) $f(x)=3+\ln(3-2x)$

e) $f(x)=\sqrt[3]{9-x^2}$

f) $f(x)=\sqrt{9-x^2}$

6.2 ASYMPTOTES À LA COURBE DÉCRITE PAR UNE FONCTION

DANS CETTE SECTION : *asymptote - asymptote verticale - asymptote horizontale.*

Asymptote
Une asymptote est une droite dont la distance aux points d'une courbe tend vers 0 lorsqu'on laisse un point sur la courbe s'éloigner de l'origine à l'infini.

Une **asymptote** est une droite dont la distance aux points d'une courbe tend vers 0 lorsqu'on laisse un point sur la courbe s'éloigner de l'origine à l'infini. Nous étudierons deux types d'asymptotes : verticale et horizontale.

6.2.1 ASYMPTOTES VERTICALES

La FIGURE 6.1 présente deux fonctions admettant une asymptote verticale.

FIGURE 6.1
Notion intuitive d'asymptote verticale

a)
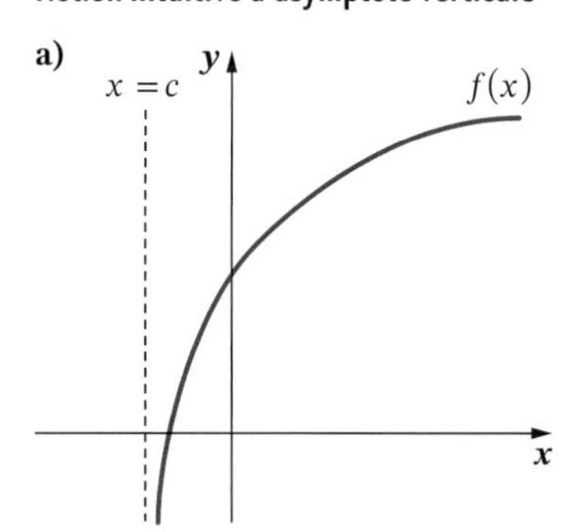

b)
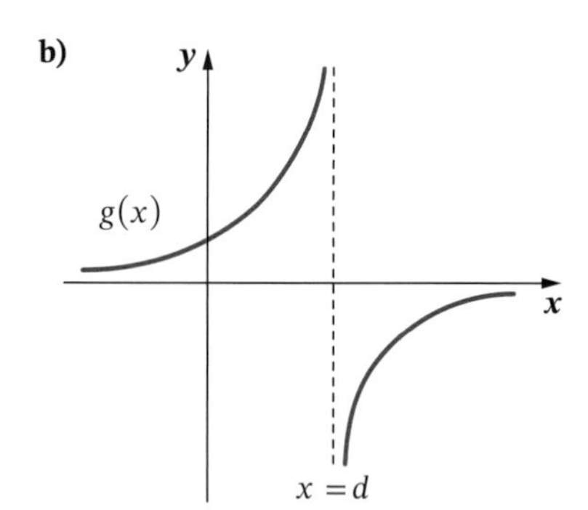

Sur la figure 6.1 *a*, on constate que, si $x \to c^+$, alors $f(x) \to -\infty$, et la distance entre le point $(x, f(x))$ et la droite $x = c$ tend vers 0, c'est-à-dire que la courbe décrite par la fonction $f(x)$ s'approche de plus en plus de la droite $x = c$. On dit que la droite $x = c$ est une asymptote verticale à la courbe décrite par la fonction $f(x)$ et on la représente par un trait pointillé puisqu'elle ne fait pas partie de la courbe décrite par la fonction $f(x)$.

Sur la figure 6.1 *b*, on constate que, si $x \to d^-$, alors $g(x) \to \infty$, et la distance entre le point $(x, g(x))$ et la droite $x = d$ tend vers 0, c'est-à-dire que la courbe décrite par la fonction $g(x)$ s'approche de plus en plus de la droite $x = d$. De plus, $\lim\limits_{x\to d^+} g(x) = -\infty$ et, lorsque $x \to d^+$, la courbe décrite par la fonction $g(x)$ est de plus en plus proche de la droite $x = d$. La droite $x = d$ est une asymptote verticale à la courbe décrite par la fonction $g(x)$.

Asymptote verticale

La droite $x = a$ (où $a \in \mathbb{R}$) est une asymptote verticale à la courbe décrite par la fonction $f(x)$ si au moins une des deux limites $\lim_{x \to a^-} f(x)$ ou $\lim_{x \to a^+} f(x)$ donne ∞ ou $-\infty$.

De façon générale, la droite $x = a$ (où $a \in \mathbb{R}$) est une **asymptote verticale** à la courbe décrite par une fonction $f(x)$ si $\lim_{x \to a^-} f(x)$ ou $\lim_{x \to a^+} f(x)$ donne $-\infty$ ou ∞.

Les valeurs de x susceptibles de produire une asymptote verticale sont notamment celles qui annulent le dénominateur d'une fraction ou celles qui annulent l'argument d'un logarithme.

QUESTION ÉCLAIR 6.3

Déterminez les valeurs de x susceptibles de produire une asymptote verticale.

a) $f(x) = \dfrac{x - 1}{x^4 - 6x^3}$ b) $g(x) = \ln(x^2 - 4x - 5)$

EXEMPLE 6.6

Déterminons, s'il y en a, les asymptotes verticales à la courbe décrite par la fonction $f(x) = \dfrac{x^2 + x - 2}{x^2 + 5x + 6}$.

Les valeurs susceptibles de produire une asymptote verticale sont les valeurs de x qui annulent le dénominateur de la fonction $f(x)$. Or,

$$x^2 + 5x + 6 = 0 \Leftrightarrow x = \frac{-5 \pm \sqrt{5^2 - 4(1)(6)}}{2(1)} = \frac{-5 \pm \sqrt{1}}{2}$$

$$\Leftrightarrow x = -3 \text{ ou } x = -2$$

Par conséquent, $\text{Dom}_f = \mathbb{R} \backslash \{-3, -2\}$. Étudions le comportement de la fonction $f(x)$ autour de $x = -3$:

$$\lim_{x \to -3^-} f(x) = \lim_{x \to -3^-} \frac{x^2 + x - 2}{x^2 + 5x + 6} = \underbrace{\lim_{x \to -3^-} \frac{x^2 + x - 2}{(x + 3)(x + 2)}}_{\text{forme } \frac{4}{0^+}} = \infty$$

et

$$\lim_{x \to -3^+} f(x) = \lim_{x \to -3^+} \frac{x^2 + x - 2}{x^2 + 5x + 6} = \underbrace{\lim_{x \to -3^+} \frac{x^2 + x - 2}{(x + 3)(x + 2)}}_{\text{forme } \frac{4}{0^-}} = -\infty$$

Par conséquent, la droite $x = -3$ est une asymptote verticale à la courbe décrite par la fonction $f(x)$.

Étudions le comportement de la fonction $f(x)$ autour de $x = -2$:

$$\lim_{x \to -2} f(x) = \underbrace{\lim_{x \to -2} \frac{x^2 + x - 2}{x^2 + 5x + 6}}_{\text{forme } \frac{0}{0}} \stackrel{\text{H}}{=} \lim_{x \to -2} \frac{2x + 1}{2x + 5} = \frac{-3}{1} = -3$$

Puisque cette limite* ne donne ni ∞ ni $-\infty$, alors la droite $x = -2$ n'est pas une asymptote verticale à la courbe décrite par la fonction $f(x)$. En fait, la fonction $f(x)$ admet une discontinuité non essentielle par trou en $x = -2$. Le point $(-2, -3)$ sera donc représenté par un cercle vide.

La FIGURE 6.2 (p. 350) confirme ces résultats. Nous verrons plus loin que la droite $y = 1$ est une asymptote horizontale à la courbe décrite par $f(x)$.

* Dans ce chapitre, nous utiliserons la règle de L'Hospital pour évaluer les limites (lorsqu'elle s'applique) plutôt que les stratégies développées au chapitre 1.

FIGURE 6.2

$f(x) = \dfrac{x^2 + x - 2}{x^2 + 5x + 6}$

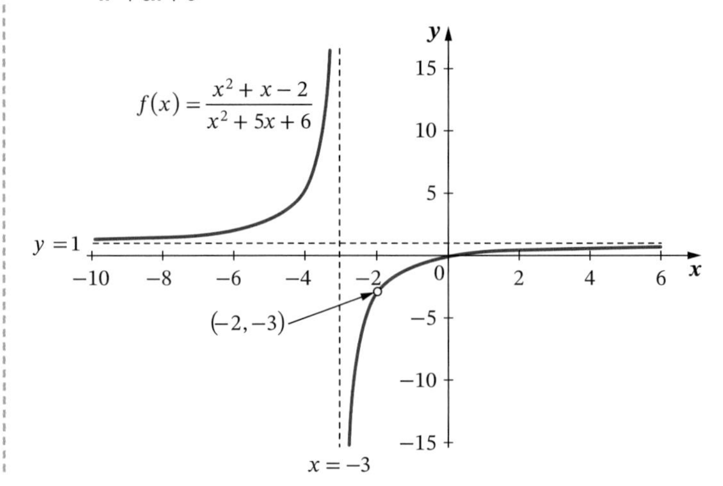

QUESTION ÉCLAIR 6.4

Déterminez, s'il y en a, les asymptotes verticales à la courbe décrite par la fonction $f(x) = \dfrac{-3}{x - 5}$.

EXEMPLE 6.7

Déterminons, s'il y en a, les asymptotes verticales à la courbe décrite par la fonction $v(x) = \log(x^3 - 1)$.

À l'exemple 6.5 (p. 347), on a déterminé que $\text{Dom}_v = \,]1, \infty[$. La seule valeur de x susceptible de produire une asymptote verticale est celle qui annule l'argument du logarithme, soit $x = 1$.

Étudions le comportement de la fonction $v(x)$ à droite de $x = 1$ puisque le domaine de la fonction est $\text{Dom}_v = \,]1, \infty[$. On a

$$\lim_{x \to 1^+} v(x) = \underbrace{\lim_{x \to 1^+} \log(x^3 - 1)}_{\text{forme } \log(0^+)} = -\infty$$

Par conséquent, la droite $x = 1$ est une asymptote verticale à la courbe décrite par la fonction $v(x)$, ce qu'on peut constater sur la FIGURE 6.3.

FIGURE 6.3

$v(x) = \log(x^3 - 1)$

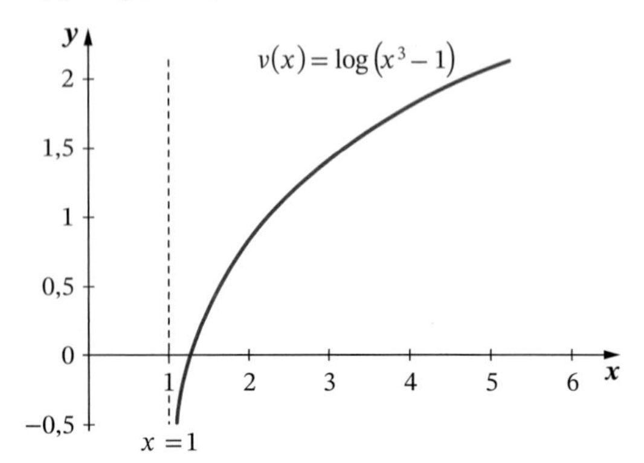

EXERCICE 6.2

Déterminez, s'il y en a, les asymptotes verticales à la courbe décrite par la fonction $f(x)$.

a) $f(x) = \dfrac{2x+1}{x^2-3x}$

b) $f(x) = \dfrac{x^2-4}{2-x}$

c) $f(x) = \sec x$ sur $[0, 2\pi]$

d) $f(x) = \ln(3x+1)$

6.2.2 ASYMPTOTES HORIZONTALES

La FIGURE 6.4 présente deux fonctions admettant une ou plusieurs asymptotes horizontales.

FIGURE 6.4

Notion intuitive d'asymptote horizontale

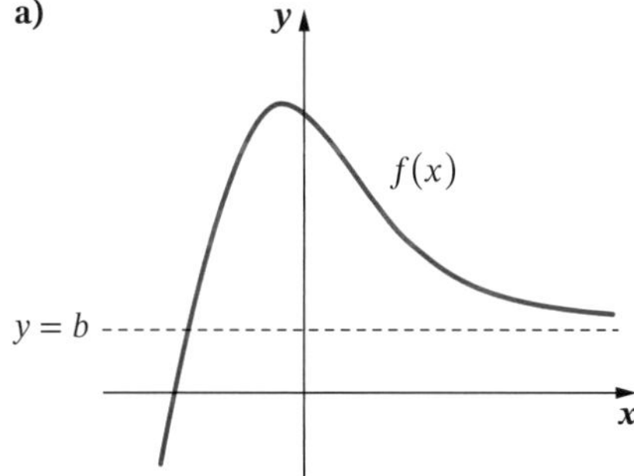

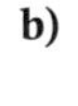

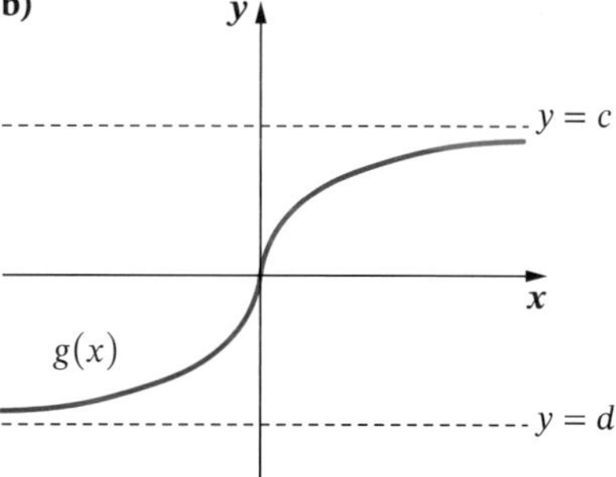

Sur la figure 6.4 *a*, on constate que, si $x \to \infty$, alors $f(x) \to b$ et la distance entre le point $(x, f(x))$ et la droite $y = b$ tend vers 0, c'est-à-dire que la courbe décrite par la fonction $f(x)$ s'approche de plus en plus de la droite $y = b$. On dit que la droite $y = b$ est une asymptote horizontale à la courbe décrite par la fonction $f(x)$ et on la représente par un trait pointillé puisqu'elle ne fait pas partie de la courbe décrite par la fonction $f(x)$.

Sur la figure 6.4 *b*, on constate que, si $x \to -\infty$, alors $g(x) \to d$, et la distance entre le point $(x, g(x))$ et la droite $y = d$ tend vers 0, c'est-à-dire que la courbe décrite par la fonction $g(x)$ s'approche de plus en plus de la droite $y = d$. De plus, $\lim\limits_{x\to\infty} g(x) = c$ et, lorsque $x \to \infty$, la courbe décrite par la fonction $g(x)$ s'approche de plus en plus de la droite $y = c$. Les droites $y = c$ et $y = d$ sont donc des asymptotes horizontales à la courbe décrite par la fonction $g(x)$.

Asymptote horizontale

La droite $y = b$ (où $b \in \mathbb{R}$) est une asymptote horizontale à la courbe décrite par la fonction $f(x)$ si $\lim\limits_{x\to\infty} f(x) = b$ ou si $\lim\limits_{x\to-\infty} f(x) = b$.

De façon générale, la droite $y = b$ (où $b \in \mathbb{R}$) est une **asymptote horizontale** à la courbe décrite par une fonction $f(x)$ si $\lim\limits_{x\to-\infty} f(x) = b$ ou si $\lim\limits_{x\to\infty} f(x) = b$.

QUESTION ÉCLAIR 6.5

Évaluez l'expression.

a) $\lim\limits_{x\to\infty} \dfrac{2x+5}{3x-2}$

b) $\lim\limits_{x\to-\infty} \dfrac{2x+5}{\sqrt{x^2-1}}$

EXEMPLE 6.8

Déterminons, s'il y en a, les asymptotes horizontales à la courbe décrite par la fonction $f(x) = \dfrac{x^2 + x - 2}{x^2 + 5x + 6}$. On a

$$\underbrace{\lim_{x\to-\infty} \frac{x^2 + x - 2}{x^2 + 5x + 6}}_{\text{forme } \frac{\infty}{\infty}} \overset{\text{H}}{=} \underbrace{\lim_{x\to-\infty} \frac{2x + 1}{2x + 5}}_{\text{forme } \frac{-\infty}{-\infty}} \overset{\text{H}}{=} \lim_{x\to-\infty} \frac{2}{2} = 1$$

et, similairement,

$$\underbrace{\lim_{x\to\infty} \frac{x^2 + x - 2}{x^2 + 5x + 6}}_{\text{forme } \frac{\infty}{\infty}} \overset{\text{H}}{=} \underbrace{\lim_{x\to\infty} \frac{2x + 1}{2x + 5}}_{\text{forme } \frac{\infty}{\infty}} \overset{\text{H}}{=} \lim_{x\to\infty} \frac{2}{2} = 1$$

Par conséquent, la droite $y = 1$ est la seule asymptote horizontale à la courbe décrite par la fonction $f(x)$. La **FIGURE 6.5** confirme ce résultat.

FIGURE 6.5

$f(x) = \dfrac{x^2 + x - 2}{x^2 + 5x + 6}$

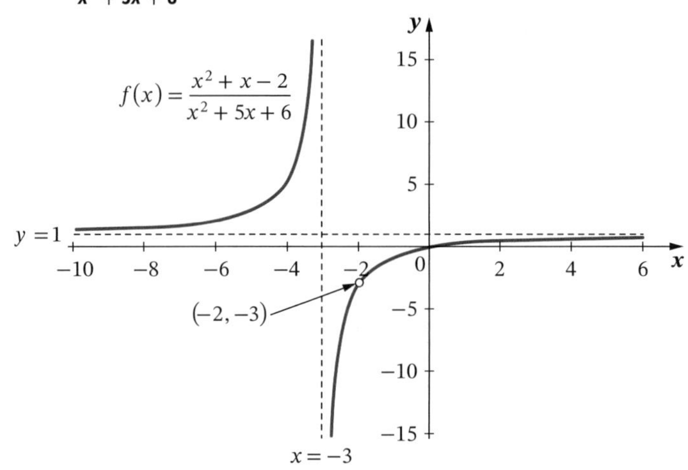

QUESTION ÉCLAIR 6.6

Déterminez, s'il y en a, les asymptotes horizontales à la courbe décrite par la fonction $f(x) = 4 + \dfrac{1}{x + 2}$.

EXEMPLE 6.9

Déterminons, s'il y en a, les asymptotes horizontales à la courbe décrite par la fonction $g(x) = 10 - 3e^{0,2x}$.

On veut évaluer $\lim\limits_{x\to-\infty} g(x) = \lim\limits_{x\to-\infty} (10 - 3e^{0,2x})$ et $\lim\limits_{x\to\infty} g(x) = \lim\limits_{x\to\infty} (10 - 3e^{0,2x})$.

Comme $\underbrace{\lim\limits_{x\to-\infty} e^{0,2x}}_{\text{forme } e^{-\infty}} = 0$, on a $\lim\limits_{x\to-\infty} g(x) = \lim\limits_{x\to-\infty} (10 - 3e^{0,2x}) = 10 - 3(0) = 10.$

Par ailleurs, comme $\underbrace{\lim\limits_{x\to\infty} e^{0,2x}}_{\text{forme } e^{\infty}} = \infty$, on a $\lim\limits_{x\to\infty} g(x) = \underbrace{\lim\limits_{x\to\infty} (10 - 3e^{0,2x})}_{\text{forme } 10 - 3(\infty)} = -\infty.$

La droite $y = 10$ est la seule asymptote horizontale à la courbe décrite par la fonction $g(x)$, ce que l'on peut constater sur la FIGURE 6.6.

FIGURE 6.6
$g(x) = 10 - 3e^{0,2x}$

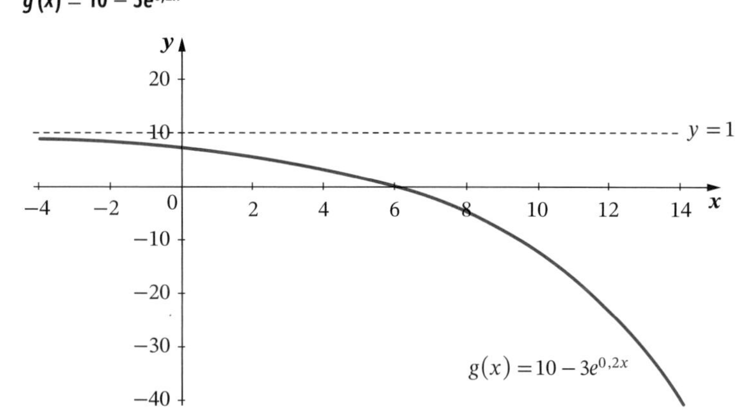

EXERCICE 6.3

Déterminez, s'il y en a, les asymptotes horizontales à la courbe décrite par la fonction $f(x)$.

a) $f(x) = \dfrac{2x + 1}{x^2 - 3x}$

b) $f(x) = \dfrac{x^2 - 4}{2 - x}$

c) $f(x) = 2e^{-x^2} + 1$

d) $f(x) = 3 - \dfrac{x}{\sqrt{x^2 + 4}}$

6.3 ORDONNÉE À L'ORIGINE ET ZÉROS D'UNE FONCTION

DANS CETTE SECTION : *ordonnée à l'origine d'une fonction - zéro d'une fonction.*

Ordonnée à l'origine d'une fonction

L'ordonnée à l'origine d'une fonction $f(x)$ est la valeur de $f(0)$ lorsque $0 \in \text{Dom}_f$. Dans un graphique, l'ordonnée à l'origine d'une fonction est l'ordonnée du point d'intersection de la courbe décrite par la fonction $f(x)$ et de l'axe vertical.

Zéro d'une fonction

Un zéro (ou *abscisse à l'origine*) d'une fonction $f(x)$ est une valeur $x \in \text{Dom}_f$ pour laquelle $f(x) = 0$. Dans un graphique, un zéro d'une fonction est l'abscisse d'un point d'intersection de la courbe décrite par la fonction $f(x)$ et de l'axe horizontal.

L'**ordonnée à l'origine d'une fonction** $f(x)$ est la valeur que prend la fonction en $x = 0$; c'est donc la valeur de $f(0)$. Par conséquent, si $0 \notin \text{Dom}_f$, la fonction n'admet pas d'ordonnée à l'origine.

Dans un graphique, l'ordonnée à l'origine est l'ordonnée du point d'intersection de la courbe décrite par la fonction $f(x)$ et de l'axe vertical. Une fonction ne peut admettre qu'une seule ordonnée à l'origine.

Un **zéro** (ou *abscisse à l'origine*) **d'une fonction** $f(x)$ est une valeur $x \in \text{Dom}_f$ pour laquelle $f(x) = 0$. S'il n'existe pas de telles valeurs, la fonction n'admet pas de zéros.

Dans un graphique, un zéro d'une fonction est l'abscisse d'un point d'intersection de la courbe décrite par la fonction $f(x)$ et de l'axe horizontal. Une fonction peut admettre plus d'un zéro.

EXEMPLE 6.10

Déterminons, si possible, l'ordonnée à l'origine et les zéros de la fonction $f(x) = x^4 - 2x^2$.

La fonction $f(x) = x^4 - 2x^2$ est toujours définie. Alors, $\text{Dom}_f = \mathbb{R}$.

On a $f(0) = 0^4 - 2(0)^2 = 0$, de sorte que l'ordonnée à l'origine de la fonction $f(x) = x^4 - 2x^2$ est 0. Ainsi, la courbe décrite par la fonction coupe l'axe des ordonnées au point $(0, 0)$.

Pour obtenir les zéros de la fonction $f(x) = x^4 - 2x^2$, on détermine les valeurs de x pour lesquelles $f(x) = 0$:

$$f(x) = 0 \Leftrightarrow x^4 - 2x^2 = 0 \Leftrightarrow x^2(x^2 - 2) = 0 \Leftrightarrow x^2(x - \sqrt{2})(x + \sqrt{2}) = 0$$
$$\Leftrightarrow x^2 = 0, x - \sqrt{2} = 0 \text{ ou } x + \sqrt{2} = 0 \Leftrightarrow x = 0, x = \sqrt{2} \text{ ou } x = -\sqrt{2}$$

Les zéros de la fonction $f(x) = x^4 - 2x^2$ sont donc $x = -\sqrt{2}$, $x = 0$ et $x = \sqrt{2}$. Ainsi, la courbe décrite par la fonction coupe l'axe des abscisses aux points $(-\sqrt{2}, 0)$, $(0, 0)$ et $(\sqrt{2}, 0)$. On peut confirmer ces résultats à l'aide de la FIGURE 6.7.

FIGURE 6.7

$f(x) = x^4 - 2x^2$

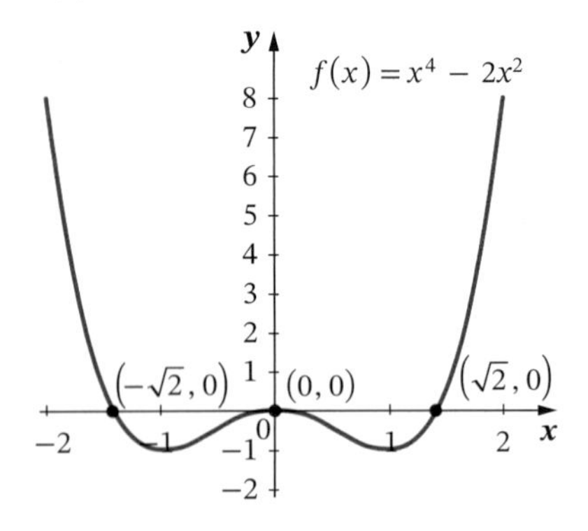

QUESTION ÉCLAIR 6.7

Déterminez l'ordonnée à l'origine et le zéro de la fonction $f(x) = x^3 + 8$.

EXEMPLE 6.11

Déterminons, si possible, l'ordonnée à l'origine et les zéros de la fonction $g(x) = 2 + (1 - 2x)^{2/3}$.

La fonction $g(x) = 2 + (1 - 2x)^{2/3}$ est toujours définie. Alors, $\text{Dom}_g = \mathbb{R}$.

On a $g(0) = 2 + [1 - 2(0)]^{2/3} = 3$, de sorte que l'ordonnée à l'origine de la fonction $g(x) = 2 + (1 - 2x)^{2/3}$ est 3. Ainsi, la courbe décrite par la fonction coupe l'axe des ordonnées au point $(0, 3)$.

Pour obtenir les zéros de la fonction $g(x) = 2 + (1 - 2x)^{2/3}$, on détermine les valeurs de x pour lesquelles $g(x) = 0$:

$$g(x) = 0 \Leftrightarrow 2 + (1 - 2x)^{2/3} = 0 \Leftrightarrow (1 - 2x)^{2/3} = -2$$
$$\Leftrightarrow \left[(1 - 2x)^{2/3}\right]^3 = (-2)^3 \Leftrightarrow (1 - 2x)^2 = -8$$

La dernière égalité est toujours fausse, car $(1 - 2x)^2 \geq 0$ pour tout $x \in \mathbb{R}$. La fonction $g(x) = 2 + (1 - 2x)^{2/3}$ ne possède aucun zéro, de sorte que la courbe décrite par la fonction ne coupe pas l'axe des abscisses. On peut confirmer ces résultats à l'aide de la FIGURE 6.8.

FIGURE 6.8

$g(x) = 2 + (1 - 2x)^{2/3}$

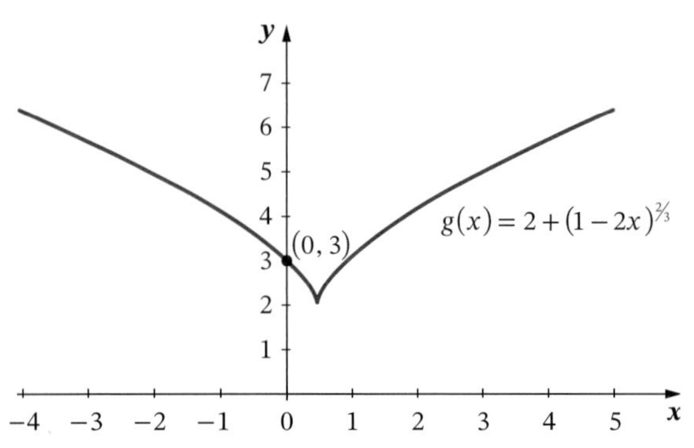

EXEMPLE 6.12

Déterminons, si possible, l'ordonnée à l'origine et les zéros de la fonction $h(x) = 2\sqrt{-3x-2} + 1$.

Pour que la fonction $h(x)$ soit définie, il faut que la quantité sous le radical soit supérieure ou égale à 0. Alors,

$$h(x) \text{ est définie } \Leftrightarrow\ -3x - 2 \geq 0 \ \Leftrightarrow\ -3x \geq 2 \ \Leftrightarrow\ x \leq -\tfrac{2}{3}$$

Par conséquent, on a $\text{Dom}_h = \left]-\infty, -\tfrac{2}{3}\right]$.

Comme $0 \notin \text{Dom}_h$, la fonction $h(x) = 2\sqrt{-3x-2} + 1$ n'admet pas d'ordonnée à l'origine. La courbe décrite par la fonction ne coupe donc pas l'axe des ordonnées.

Pour obtenir les zéros de la fonction $h(x) = 2\sqrt{-3x-2} + 1$, on détermine les valeurs de x pour lesquelles $h(x) = 0$:

$$\begin{aligned} h(x) = 0 \ &\Leftrightarrow\ 2\sqrt{-3x-2} + 1 = 0 \ \Leftrightarrow\ 2\sqrt{-3x-2} = -1 \\ &\Leftrightarrow\ \sqrt{-3x-2} = -\tfrac{1}{2} \end{aligned}$$

La dernière égalité est toujours fausse, car $\sqrt{-3x-2} \geq 0$ pour tout $x \in \text{Dom}_h$. La fonction $h(x) = 2\sqrt{-3x-2} + 1$ ne possède aucun zéro, de sorte que la courbe décrite par la fonction ne coupe pas l'axe des abscisses. On peut confirmer ces résultats à l'aide de la FIGURE 6.9.

FIGURE 6.9

$h(x) = 2\sqrt{-3x-2} + 1$

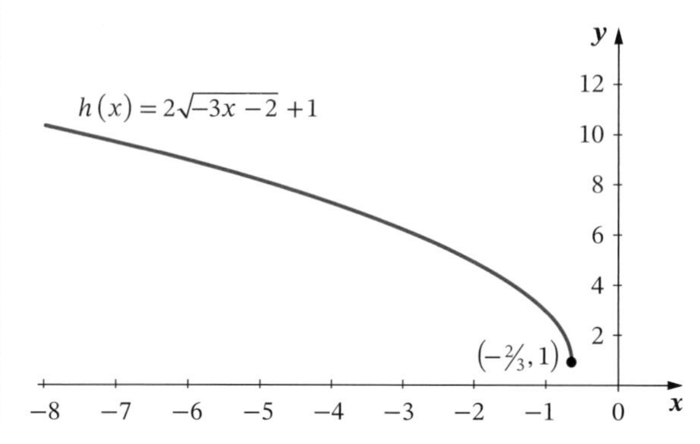

EXEMPLE 6.13

Déterminons, si possible, l'ordonnée à l'origine et les zéros de la fonction $u(x) = x \ln x$.

Pour que la fonction $u(x)$ soit définie, il faut que l'argument du logarithme soit positif, c'est-à-dire que $x > 0$. Par conséquent, on a $\text{Dom}_u =]0, \infty[$.

Comme $0 \notin \text{Dom}_u$, la fonction $u(x) = x \ln x$ n'admet pas d'ordonnée à l'origine. La courbe décrite par la fonction ne coupe donc pas l'axe des ordonnées.

Pour obtenir les zéros de la fonction $u(x) = x \ln x$, on détermine les valeurs de x pour lesquelles $u(x) = 0$:

$$\begin{aligned} u(x) = 0 \ &\Leftrightarrow\ x \ln x = 0 \ \Leftrightarrow\ x = 0 \text{ ou } \ln x = 0 \\ &\Leftrightarrow\ \underbrace{x = 0}_{\substack{\text{à rejeter, car} \\ 0 \notin \text{Dom}_u}} \text{ ou } x = e^0 = 1 \end{aligned}$$

Le zéro de la fonction $u(x) = x \ln x$ est donc $x = 1$. Ainsi, la courbe décrite par la fonction coupe l'axe des abscisses au point $(1, 0)$. On peut confirmer ces résultats à l'aide de la FIGURE 6.10.

FIGURE 6.10

$u(x) = x \ln x$

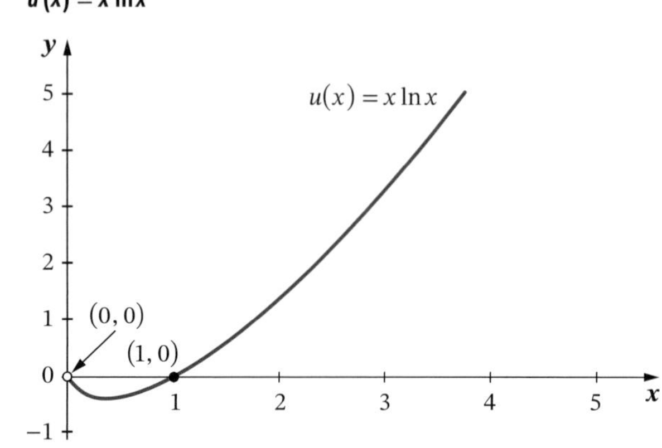

EXERCICE 6.4

Déterminez, si possible, l'ordonnée à l'origine et les zéros de la fonction $f(x)$.

a) $f(x) = x^2 + 16$

b) $f(x) = \dfrac{2x + 1}{x^2 - 3x}$

c) $f(x) = 2(3^{x-1}) - 6$

d) $f(x) = 3\sqrt{x - 2} + 4$

6.4 CONCAVITÉ ET POINTS D'INFLEXION

DANS CETTE SECTION : *fonction concave vers le haut – fonction concave vers le bas – point d'inflexion.*

Au chapitre précédent, nous avons déterminé qu'une fonction $f(x)$ est croissante si $f'(x) > 0$ et décroissante si $f'(x) < 0$. Nous avons également déterminé que les extremums relatifs de la fonction $f(x)$, s'ils existent, se produisent aux extrémités de l'intervalle sur lequel la fonction $f(x)$ est définie ou en une valeur critique de $f(x)$.

Ces résultats ne sont cependant pas suffisants pour réaliser une esquisse de la courbe décrite par la fonction $f(x)$. En effet, la FIGURE 6.11 présente quatre fonctions croissantes sur l'ensemble des réels qui sont très différentes l'une de l'autre.

Pour esquisser la courbe décrite par une fonction, il n'est donc pas suffisant de savoir qu'elle est croissante ou décroissante. Il faut également pouvoir déterminer comment elle est incurvée. Analysons les fonctions apparaissant à la figure 6.11.

La fonction $f(x)$ est croissante et elle n'est pas incurvée (figure 6.11 *a*). C'est une droite. On remarque aussi que la fonction $f(x)$ croît à un rythme constant.

La fonction $g(x)$ est également croissante et elle est incurvée vers le haut (figure 6.11 *b*). On constate que la fonction $g(x)$ croît de plus en plus vite.

La fonction $u(x)$ est croissante et elle est incurvée vers le bas (figure 6.11 *c*). La fonction $u(x)$ croît de plus en plus lentement.

La fonction $v(x)$ est également croissante (figure 6.11 *d*). De plus, elle est incurvée vers le haut lorsque $x < c$ et incurvée vers le bas lorsque $x > c$. La fonction $v(x)$ croît de plus en plus vite sur $]-\infty, c[$ et de plus en plus lentement sur $]c, \infty[$.

FIGURE 6.11

Différentes fonctions croissantes

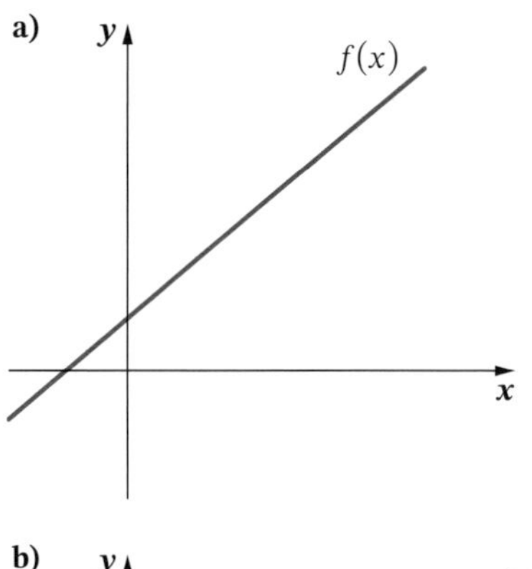

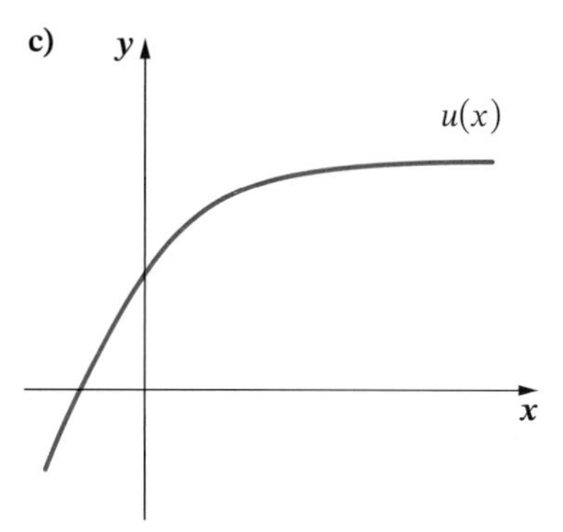

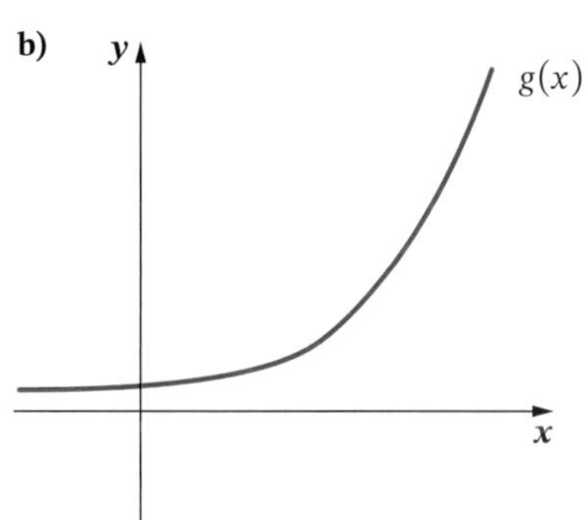

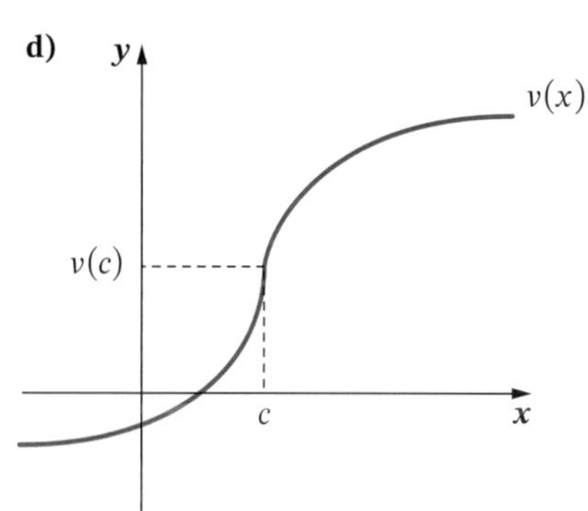

6.4.1 FONCTION CONCAVE VERS LE HAUT ET FONCTION CONCAVE VERS LE BAS

Une **fonction** $f(x)$ est **concave vers le haut** sur un intervalle ouvert I si la courbe décrite par la fonction $f(x)$ est située au-dessus des droites tangentes sur l'intervalle I. La FIGURE 6.12 *a* illustre une fonction concave vers le haut.

Une **fonction** $f(x)$ est **concave vers le bas** sur un intervalle ouvert I si la courbe décrite par la fonction $f(x)$ est située au-dessous des droites tangentes sur l'intervalle I. La FIGURE 6.12 *b* illustre une fonction concave vers le bas.

Fonction concave vers le haut

Une fonction $f(x)$ est concave vers le haut sur un intervalle ouvert I si la courbe décrite par la fonction $f(x)$ est située au-dessus des droites tangentes sur l'intervalle I.

Fonction concave vers le bas

Une fonction $f(x)$ est concave vers le bas sur un intervalle ouvert I si la courbe décrite par la fonction $f(x)$ est située au-dessous des droites tangentes sur l'intervalle I.

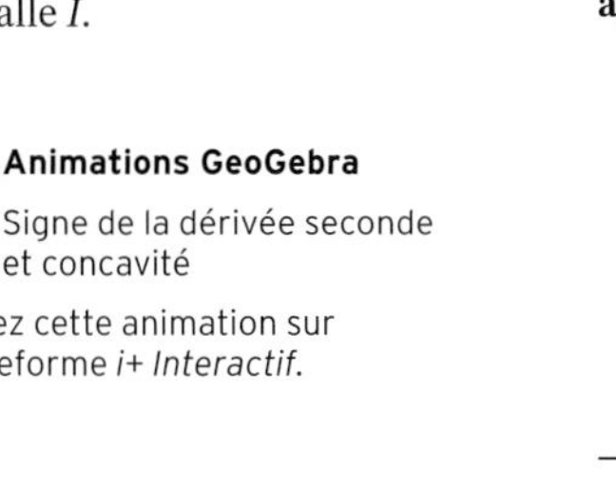

Trouvez cette animation sur la plateforme *i+ Interactif*.

FIGURE 6.12

Fonction concave vers le haut et fonction concave vers le bas

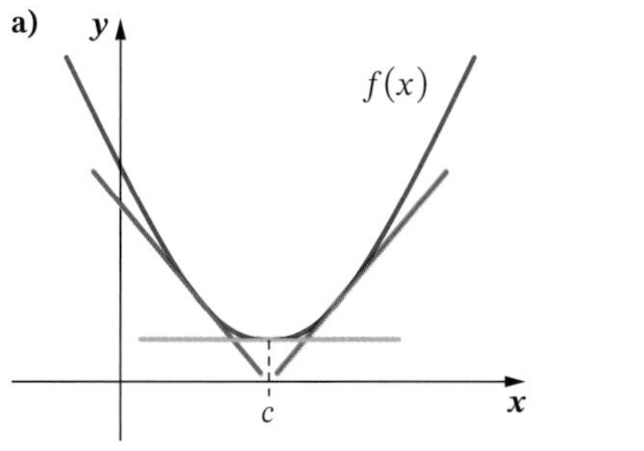

Fonction concave vers le haut

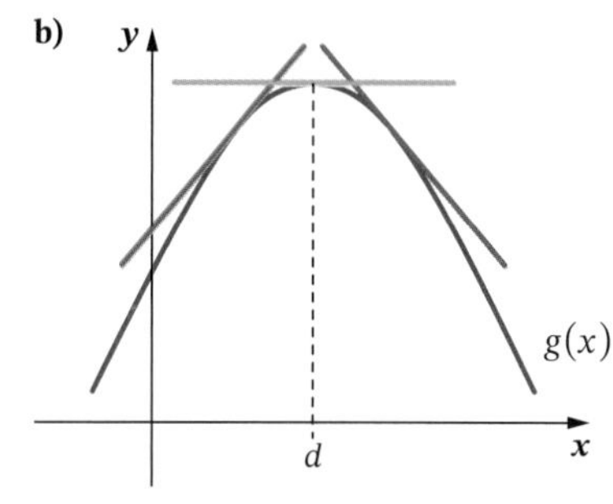

Fonction concave vers le bas

La fonction $f(x)$ décrite à la figure 6.12 *a* est décroissante si $x < c$ et croissante si $x > c$. Elle atteint donc un minimum absolu en $x = c$. On a alors $f'(x) < 0$ si $x < c$, $f'(c) = 0$ et $f'(x) > 0$ si $x > c$. La dérivée $f'(x)$ est donc négative, puis nulle et enfin positive : bref, elle est croissante. La dérivée de $f'(x)$, soit $f''(x)$, est donc positive, c'est-à-dire que $f''(x) > 0$.

La fonction $g(x)$ décrite à la figure 6.12 *b* est croissante si $x < d$ et décroissante si $x > d$. Elle atteint donc un maximum absolu en $x = d$. On a alors $g'(x) > 0$ si $x < d$, $g'(d) = 0$ et $g'(x) < 0$ si $x > d$. La dérivée $g'(x)$ est donc positive, puis nulle et enfin négative : bref, elle est décroissante. La dérivée de $g'(x)$, soit $g''(x)$, est donc négative, c'est-à-dire que $g''(x) < 0$.

Le théorème 6.1, que nous admettrons sans démonstration, formalise les observations faites à partir de la figure 6.12 (p. 357).

THÉORÈME 6.1

Soit une fonction $f(x)$ continue sur un intervalle I telle que $f''(x)$ existe en tout point intérieur de l'intervalle I.

1. Si $f''(x) > 0$ pour tout point intérieur $x \in I$, alors $f(x)$ est concave vers le haut sur l'intervalle I.
2. Si $f''(x) < 0$ pour tout point intérieur $x \in I$, alors $f(x)$ est concave vers le bas sur l'intervalle I.

EXEMPLE 6.14

Déterminons les intervalles de concavité vers le haut et les intervalles de concavité vers le bas de la fonction continue $f(x) = -x^4 - x^3 + 3x^2$ sur $\mathbb{R}$. On a

$$f'(x) = \frac{d}{dx}(-x^4 - x^3 + 3x^2) = -4x^3 - 3x^2 + 6x$$

et

$$f''(x) = \frac{d}{dx}(-4x^3 - 3x^2 + 6x) = -12x^2 - 6x + 6 = -6(2x^2 + x - 1)$$

Trouvons les valeurs de x qui annulent la dérivée seconde :

$$f''(x) = 0 \Leftrightarrow 2x^2 + x - 1 = 0 \Leftrightarrow x = \frac{-1 \pm \sqrt{1^2 - 4(2)(-1)}}{2(2)} = \frac{-1 \pm \sqrt{9}}{4}$$

$$\Leftrightarrow x = -1 \text{ ou } x = \tfrac{1}{2}$$

On a alors $f''(x) = -12x^2 - 6x + 6 = -6(2x^2 + x - 1) = -12(x + 1)\left(x - \frac{1}{2}\right)$.

Construisons le tableau des signes de $f''(x)$ en plaçant par ordre croissant les valeurs qui annulent la dérivée seconde et en gardant une colonne pour chaque sous-intervalle qu'elles délimitent (**TABLEAU 6.3**). Ce tableau nous permettra d'indiquer le signe de la dérivée seconde sur chaque sous-intervalle et ainsi de déterminer les intervalles de concavité vers le haut et les intervalles de concavité vers le bas de la fonction $f(x)$.

TABLEAU 6.3
Tableau des signes

	$]-\infty, -1[$		$]-1, \frac{1}{2}[$		$]\frac{1}{2}, \infty[$
x		-1		$\frac{1}{2}$	
$f''(x)$		0		0	
$f(x)$					

Si $x \in \left]-\infty, -1\right[$, alors $f''(x) = -12\underbrace{(x+1)}_{\text{négatif}}\underbrace{\left(x-\frac{1}{2}\right)}_{\text{négatif}} < 0$. Puisque la dérivée seconde est négative (–) sur $\left]-\infty, -1\right[$, alors, en vertu du théorème 6.1, la fonction $f(x)$ est concave vers le bas (∩) sur $\left]-\infty, -1\right]$ (**TABLEAU 6.4**).

De plus, si $x \in \left]-1, \frac{1}{2}\right[$, alors $f''(x) = -12\underbrace{(x+1)}_{\text{positif}}\underbrace{\left(x-\frac{1}{2}\right)}_{\text{négatif}} > 0$. Puisque la dérivée seconde est positive (+) sur $\left]-1, \frac{1}{2}\right[$, alors, en vertu du théorème 6.1, la fonction $f(x)$ est concave vers le haut (∪) sur $\left[-1, \frac{1}{2}\right]$.

Finalement, si $x \in \left]\frac{1}{2}, \infty\right[$, alors $f''(x) = -12\underbrace{(x+1)}_{\text{positif}}\underbrace{\left(x-\frac{1}{2}\right)}_{\text{positif}} < 0$. Puisque la dérivée seconde est négative (–) sur $\left]\frac{1}{2}, \infty\right[$, alors, en vertu du théorème 6.1, la fonction $f(x)$ est concave vers le bas (∩) sur $\left[\frac{1}{2}, \infty\right[$.

Le tableau des signes de $f''(x)$ est donc le suivant (tableau 6.4).

TABLEAU 6.4
Tableau des signes

	$\left]-\infty, -1\right[$		$\left]-1, 1/2\right[$		$\left]1/2, \infty\right[$
x		-1		$1/2$	
$f''(x)$	–	0	+	0	–
$f(x)$	∩	3	∪	$9/16$	∩

La **FIGURE 6.13** permet de confirmer ces résultats.

FIGURE 6.13
$f(x) = -x^4 - x^3 + 3x^2$

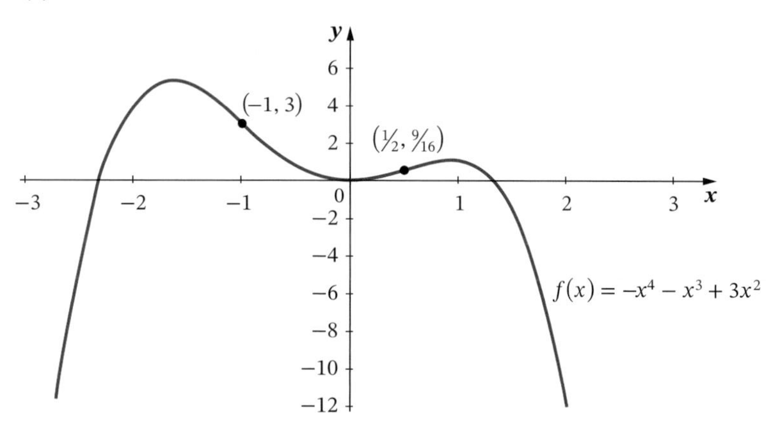

On voit bien que $f(x)$ est concave vers le bas sur $\left]-\infty, -1\right]$ et sur $\left[\frac{1}{2}, \infty\right[$, et qu'elle est concave vers le haut sur $\left[-1, \frac{1}{2}\right]$.

L'exemple 6.14 illustre l'importance de factoriser, lorsque cela est possible, l'expression de la dérivée seconde $f''(x)$ afin de pouvoir en déterminer le signe et donc de déterminer les intervalles de concavité vers le haut et les intervalles de concavité vers le bas de la fonction $f(x)$. En effet, il est relativement aisé de déterminer le signe d'un produit de facteurs. Par conséquent, il est fortement recommandé de factoriser l'expression de la dérivée seconde pour en faciliter l'étude des signes.

QUESTION ÉCLAIR 6.8

Soit la fonction continue $f(x) = x^6 - 3x^5 + 4$ sur $\mathbb{R}$.

a) Déterminez la dérivée seconde de la fonction $f(x)$ et décomposez-la en facteurs.

b) Vérifiez que $x = 0$ et $x = 2$ sont les seules valeurs qui annulent la dérivée seconde.

c) Complétez le **TABLEAU 6.5**.

TABLEAU 6.5
Tableau des signes

	$]-\infty, 0[$		$]0, 2[$		$]2, \infty[$
x		0		2	
$f''(x)$					
$f(x)$					

d) Donnez les intervalles de concavité vers le haut et les intervalles de concavité vers le bas de la fonction $f(x)$.

6.4.2 POINTS D'INFLEXION

L'exemple 6.14 (p. 358) permet également de remarquer que la fonction

$$f(x) = -x^4 - x^3 + 3x^2$$

change de concavité en $x = -1$ et en $x = \frac{1}{2}$. Les points $(-1, 3)$ et $\left(\frac{1}{2}, \frac{9}{16}\right)$ sont appelés des points d'inflexion de la fonction $f(x)$.

De façon générale, un point $(c, f(c))$ de la courbe décrite par la fonction $f(x)$ est un **point d'inflexion** de $f(x)$ s'il se produit un changement de concavité en $x = c$. La **FIGURE 6.14** présente deux fonctions admettant un point d'inflexion.

Point d'inflexion
Un point $(c, f(c))$ de la courbe décrite par la fonction $f(x)$ est un point d'inflexion de $f(x)$ s'il se produit un changement de concavité en $x = c$.

Animations GeoGebra
Concavité et points d'inflexion

Trouvez cette animation sur la plateforme *i+ Interactif*.

FIGURE 6.14
Points d'inflexion

a)

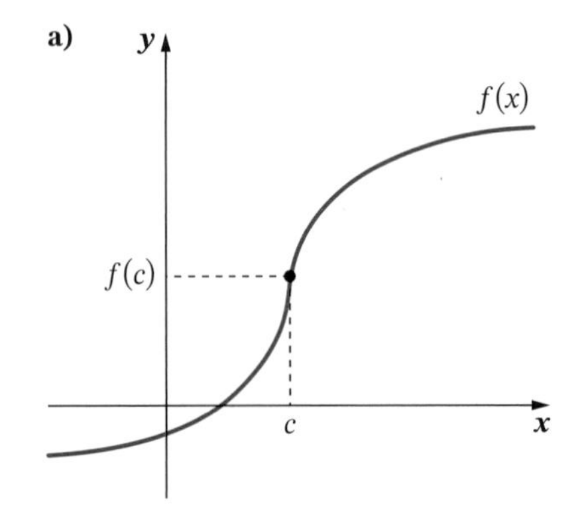

b)

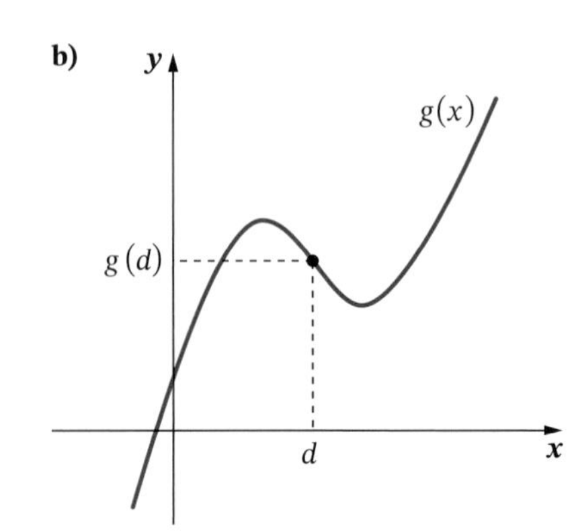

Le point $(c, f(c))$ est un point d'inflexion de la fonction $f(x)$ apparaissant à la figure 6.14 *a*. En effet, la fonction $f(x)$ est concave vers le haut sur l'intervalle $]-\infty, c]$ et concave vers le bas sur l'intervalle $[c, \infty[$. Il se produit donc un changement de concavité en $x = c$.

Par ailleurs, le point $(d, g(d))$ est un point d'inflexion de la fonction $g(x)$ présentée à la figure 6.14 *b*. En effet, la fonction $g(x)$ est concave vers le bas sur l'intervalle $]-\infty, d]$ et concave vers le haut sur l'intervalle $[d, \infty[$. Il se produit donc un changement de concavité en $x = d$.

Le théorème 6.2 présente une condition que vérifient tous les points d'inflexion d'une fonction.

THÉORÈME 6.2

Si le point $(c, f(c))$ est un point d'inflexion de la fonction $f(x)$, alors $f''(c) = 0$ ou $f''(c)$ n'existe pas.

PREUVE

Soit $(c, f(c))$ un point d'inflexion de la fonction $f(x)$. Alors, la fonction $f(x)$ change de concavité en $x = c$.

Supposons que la fonction $f(x)$ passe de concave vers le haut à concave vers le bas en $x = c$. Alors, il existe $a < c$ tel que $f''(x) > 0$ sur l'intervalle $]a, c[$ et il existe $b > c$ tel que $f''(x) < 0$ sur l'intervalle $]c, b[$. Par conséquent, la fonction $f'(x)$ est croissante sur $]a, c[$ et décroissante sur $]c, b[$. La fonction $f'(x)$ atteint donc un maximum relatif en $x = c$, ce qui implique que $f''(c) = 0$ ou $f''(c)$ n'existe pas.

La démonstration est similaire si la fonction $f(x)$ passe de concave vers le bas à concave vers le haut en $x = c$. ▣

Les théorèmes 6.1 (p. 358) et 6.2 donnent une procédure pour déterminer les intervalles de concavité vers le haut, les intervalles de concavité vers le bas ainsi que les points d'inflexion d'une fonction continue $f(x)$.

1. Déterminer la dérivée seconde $f''(x)$.
2. Déterminer les valeurs de x susceptibles de produire un point d'inflexion, c'est-à-dire les valeurs de $x \in \text{Dom}_f$ pour lesquelles $f''(x) = 0$ ou $f''(x)$ n'existe pas.
3. Construire le tableau des signes de $f''(x)$ en plaçant par ordre croissant les valeurs de x susceptibles de produire un point d'inflexion et en gardant une colonne pour chaque sous-intervalle qu'elles délimitent.
4. Déterminer le signe de $f''(x)$ sur chacun de ces sous-intervalles.
5. Utiliser le théorème 6.1 pour déterminer les intervalles de concavité vers le haut et les intervalles de concavité vers le bas de la fonction $f(x)$.
6. Déterminer les points d'inflexion de la fonction $f(x)$ en regardant s'il y a un changement de concavité en chaque valeur de x définie à l'étape 2.

QUESTION ÉCLAIR 6.9

Sachant que $\text{Dom}_f = \mathbb{R}$ et que $f''(x) = \dfrac{x^2 - 3}{(x-2)^{4/5}}$, déterminez les valeurs de x susceptibles de produire un point d'inflexion de la fonction $f(x)$.

EXEMPLE 6.15

Déterminons les intervalles de concavité vers le haut, les intervalles de concavité vers le bas et les points d'inflexion de la fonction $f(x) = 2x^5 - 5x^4 + 5$.

On a

$$f'(x) = \frac{d}{dx}(2x^5 - 5x^4 + 5) = 10x^4 - 20x^3$$

et

$$f''(x) = \frac{d}{dx}(10x^4 - 20x^3) = 40x^3 - 60x^2 = 20x^2(2x - 3)$$

La dérivée seconde $f''(x)$ existe toujours et

$$\begin{aligned} f''(x) = 0 &\Leftrightarrow 20x^2(2x - 3) = 0 \Leftrightarrow 20x^2 = 0 \text{ ou } 2x - 3 = 0 \\ &\Leftrightarrow x^2 = 0 \text{ ou } 2x = 3 \Leftrightarrow x = 0 \text{ ou } x = \tfrac{3}{2} \end{aligned}$$

Construisons le tableau des signes de $f''(x)$ (**TABLEAU 6.6**).

TABLEAU 6.6
Tableau des signes

	$]-\infty, 0[$		$]0, 3/2[$		$]3/2, \infty[$
x		**0**		3/2	
$f''(x)$	−	0	−	0	+
$f(x)$	∩	5	∩	−41/8 point d'inflexion	∪

La fonction $f(x) = 2x^5 - 5x^4 + 5$ est concave vers le bas sur l'intervalle $\left]-\infty, \frac{3}{2}\right]$ et concave vers le haut sur l'intervalle $\left[\frac{3}{2}, \infty\right[$. Le point $\left(\frac{3}{2}, -\frac{41}{8}\right)$ est un point d'inflexion de la fonction $f(x)$ puisqu'il y a un changement de concavité en $x = \frac{3}{2}$.

En revanche, le point $(0, 5)$ n'est pas un point d'inflexion de la fonction $f(x)$ même si $f''(0) = 0$ puisque $f(x)$ est concave vers le bas sur l'intervalle $\left]-\infty, \frac{3}{2}\right]$. On observe plutôt un maximum relatif de 5 en $x = 0$ comme on peut le constater sur la **FIGURE 6.15**.

FIGURE 6.15
$f(x) = 2x^5 - 5x^4 + 5$

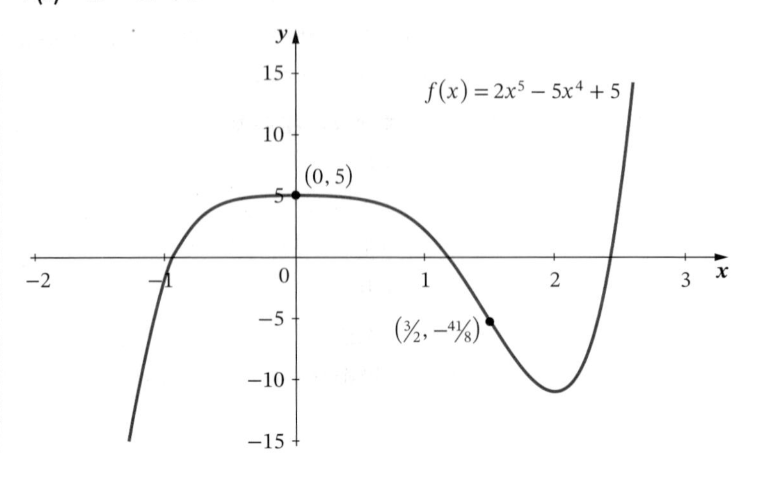

QUESTION ÉCLAIR 6.10

Soit $f(x)$ une fonction continue sur $\mathbb{R}$ qui admet comme seules valeurs susceptibles de produire un point d'inflexion $x = -4$, $x = -1$ et $x = 2$. Complétez le **TABLEAU 6.7** et déterminez les points d'inflexion de la fonction $f(x)$.

TABLEAU 6.7

Tableau des signes

	$]-\infty, -4[$		$]-4, -1[$		$]-1, 2[$		$]2, \infty[$
x		-4		-1		2	
$f''(x)$	$+$	0	$+$	0	$-$	0	$+$
$f(x)$		1		7		3	

EXEMPLE 6.16

Déterminons les intervalles de concavité vers le haut, les intervalles de concavité vers le bas et les points d'inflexion de la fonction $g(x) = \sqrt[3]{x} + x + 4$.

On a

$$g'(x) = \frac{d}{dx}(x^{1/3} + x + 4) = \frac{1}{3}x^{-2/3} + 1$$

et

$$g''(x) = \frac{d}{dx}\left(\frac{1}{3}x^{-2/3} + 1\right) = -\frac{2}{9}x^{-5/3} = -\frac{2}{9x^{5/3}}$$

Par conséquent, $g''(x) \neq 0$ pour tout $x \in \mathbb{R}$ et

$$g''(x) \text{ n'existe pas } \Leftrightarrow 9x^{5/3} = 0 \Leftrightarrow x^{5/3} = 0 \Leftrightarrow x = 0$$

Construisons le tableau des signes de $g''(x)$ (**TABLEAU 6.8**).

TABLEAU 6.8

Tableau des signes

	$]-\infty, 0[$		$]0, \infty[$
x		0	
$g''(x)$	$+$	$\nexists$	$-$
$g(x)$	$\cup$	4 point d'inflexion	$\cap$

La fonction $g(x) = \sqrt[3]{x} + x + 4$ est concave vers le haut sur l'intervalle $]-\infty, 0]$ et concave vers le bas sur l'intervalle $[0, \infty[$. Le point $(0, 4)$ est un point d'inflexion de la fonction $g(x)$ puisqu'il y a un changement de concavité en $x = 0$, ce qu'on peut constater sur la **FIGURE 6.16**.

FIGURE 6.16

$g(x) = \sqrt[3]{x} + x + 4$

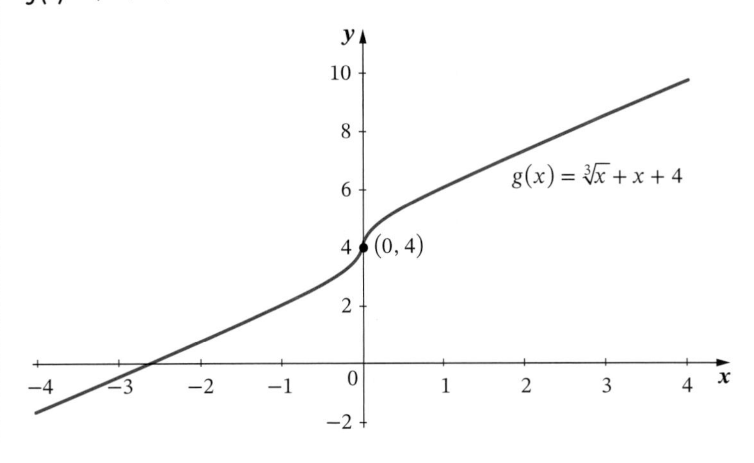

EXERCICE 6.5

Déterminez les intervalles de concavité vers le haut, les intervalles de concavité vers le bas et les points d'inflexion de la fonction $f(x)$.

a) $f(x) = (4 - x^2)^2$

b) $f(x) = -x^5 + 2x^4 - 1$

c) $f(x) = \dfrac{x}{x^2 + 16}$

d) $f(x) = x^2 e^{3x}$

Vous pouvez maintenant faire les exercices récapitulatifs 1 à 6.

6.5 ESQUISSE DE LA COURBE DÉCRITE PAR UNE FONCTION

La représentation graphique d'une fonction permet de visualiser les caractéristiques de la fonction. Pour réaliser une bonne esquisse de la courbe décrite par la fonction $f(x)$, il faut déterminer l'ordonnée à l'origine et les zéros de la fonction, ce qui nous permettra d'obtenir les points où la courbe coupe les axes de coordonnées.

Il faut aussi déterminer les points où la fonction change de nature: les points de discontinuité, les minimums relatifs, les maximums relatifs ainsi que les points d'inflexion.

Ensuite, il faut étudier l'allure de la courbe représentant la fonction $f(x)$ de part et d'autre de chacun de ces points particuliers: croissance, décroissance, concavité vers le bas et concavité vers le haut.

La détermination des asymptotes à la courbe décrite par la fonction $f(x)$ est également importante puisqu'elle permet l'étude du comportement de la fonction autour de valeurs de x n'appartenant pas au domaine ainsi que l'étude du comportement de la fonction lorsque $x \to \infty$ ou lorsque $x \to -\infty$.

L'analyse complète d'une fonction $f(x)$ comporte sept étapes.

1. Déterminer le domaine de la fonction $f(x)$.
2. Rechercher les asymptotes à la courbe décrite par la fonction $f(x)$.
3. Déterminer l'ordonnée à l'origine et les zéros de la fonction $f(x)$.
4. Déterminer les valeurs critiques de la fonction $f(x)$, c'est-à-dire les valeurs de $x \in \text{Dom}_f$ pour lesquelles $f'(x) = 0$ ou $f'(x)$ n'existe pas.
5. Déterminer les valeurs de $x \in \text{Dom}_f$ susceptibles de produire un point d'inflexion, c'est-à-dire les valeurs de $x \in \text{Dom}_f$ pour lesquelles $f''(x) = 0$ ou $f''(x)$ n'existe pas.
6. Construire le tableau des signes en plaçant par ordre croissant les valeurs de x correspondant aux asymptotes verticales (définies à l'étape 2), les valeurs critiques de $f(x)$ (définies à l'étape 4) ainsi que les valeurs de x susceptibles de produire un point d'inflexion (définies à l'étape 5), et en gardant une colonne pour chaque sous-intervalle qu'elles délimitent. Grâce aux signes des dérivées première et seconde sur chacun de ces sous-intervalles, on peut déterminer les intervalles de croissance $[f'(x) > 0]$, les intervalles de décroissance $[f'(x) < 0]$, les intervalles de concavité vers le haut $[f''(x) > 0]$ ainsi que les intervalles de concavité vers le bas $[f''(x) < 0]$ de la fonction $f(x)$. Ce tableau permet également de déterminer les extremums (maximums ou minimums, relatifs ou absolus) de même que les points d'inflexion de la fonction $f(x)$.
7. Faire l'esquisse de la courbe décrite par la fonction $f(x)$ en utilisant les informations consignées dans le tableau des signes construit à l'étape 6.

EXEMPLE 6.17

Effectuons l'analyse complète de la fonction $f(x) = \frac{x^4}{2} - \frac{4x^3}{3}$.

Détermination du domaine de la fonction

La fonction $f(x) = \frac{x^4}{2} - \frac{4x^3}{3}$ est définie pour tout $x \in \mathbb{R}$, de sorte que $\text{Dom}_f = \mathbb{R}$.

Recherche des asymptotes

- Les valeurs de x susceptibles de produire une asymptote verticale sont celles qui annulent le dénominateur d'une fraction ou celles qui annulent l'argument d'un logarithme. La courbe décrite par la fonction $f(x)$ n'admet donc aucune asymptote verticale.
- La courbe décrite par la fonction $f(x)$ n'admet aucune asymptote horizontale puisque

$$\lim_{x \to -\infty} \left(\frac{x^4}{2} - \frac{4x^3}{3} \right) = \underbrace{\lim_{x \to -\infty} \left[x^4 \left(\frac{1}{2} - \frac{4}{3x} \right) \right]}_{\text{forme } \infty\ (1/2 - 0)} = \infty$$

et

$$\lim_{x \to \infty} \left(\frac{x^4}{2} - \frac{4x^3}{3} \right) = \underbrace{\lim_{x \to \infty} \left[x^4 \left(\frac{1}{2} - \frac{4}{3x} \right) \right]}_{\text{forme } \infty\ (1/2 - 0)} = \infty$$

Détermination de l'ordonnée à l'origine et des zéros de la fonction

- On a $f(0) = \frac{0^4}{2} - \frac{4(0)^3}{3} = 0$, de sorte que l'ordonnée à l'origine de la fonction $f(x)$ est 0. Ainsi, la courbe décrite par la fonction coupe l'axe des ordonnées au point $(0, 0)$.
- Pour obtenir les zéros de la fonction $f(x)$, on détermine les valeurs de x pour lesquelles $f(x) = 0$:

$$f(x) = 0 \Leftrightarrow \frac{x^4}{2} - \frac{4x^3}{3} = 0 \Leftrightarrow x^3 \left(\frac{x}{2} - \frac{4}{3} \right) = 0 \Leftrightarrow x^3 = 0 \text{ ou } \frac{x}{2} - \frac{4}{3} = 0$$

$$\Leftrightarrow x = 0 \text{ ou } \frac{x}{2} = \frac{4}{3} \Leftrightarrow x = 0 \text{ ou } x = \frac{8}{3}$$

Les zéros de la fonction $f(x)$ sont donc $x = 0$ et $x = \frac{8}{3}$. Ainsi, la courbe décrite par la fonction coupe l'axe des abscisses aux points $(0, 0)$ et $\left(\frac{8}{3}, 0\right)$.

Détermination des valeurs critiques de la fonction

On a $f'(x) = \frac{d}{dx}\left(\frac{x^4}{2} - \frac{4x^3}{3} \right) = 2x^3 - 4x^2 = 2x^2(x - 2)$. Par conséquent,

- $f'(x)$ existe toujours.
- $f'(x) = 0 \Leftrightarrow 2x^2(x - 2) = 0 \Leftrightarrow 2x^2 = 0 \text{ ou } x - 2 = 0$
  $\Leftrightarrow x = 0 \text{ ou } x = 2$

La fonction $f(x)$ admet donc deux valeurs critiques : $x = 0$ et $x = 2$.

Détermination des valeurs susceptibles de produire un point d'inflexion

On a $f''(x) = \frac{d}{dx}(2x^3 - 4x^2) = 6x^2 - 8x = 2x(3x - 4)$. Par conséquent,

- $f''(x)$ existe toujours.
- $f''(x) = 0 \Leftrightarrow 2x(3x - 4) = 0 \Leftrightarrow 2x = 0$ ou $3x - 4 = 0$
  $\Leftrightarrow x = 0$ ou $x = \frac{4}{3}$

La fonction $f(x)$ admet donc deux valeurs de x susceptibles de produire un point d'inflexion : $x = 0$ et $x = \frac{4}{3}$.

Construction du tableau des signes

Plaçons par ordre croissant les valeurs critiques de la fonction $f(x)$ ainsi que les valeurs de x susceptibles de produire un point d'inflexion, et gardons une colonne pour chaque sous-intervalle qu'elles délimitent (TABLEAU 6.9).

Étudions ensuite les signes de $f'(x)$ afin de déterminer les intervalles de croissance et les intervalles de décroissance de la fonction $f(x)$, et les signes de $f''(x)$ afin de déterminer les intervalles de concavité vers le haut et les intervalles de concavité vers le bas de la fonction $f(x)$.

TABLEAU 6.9
Tableau des signes

	]−∞, 0[		]0, 4/3[		]4/3, 2[		]2, ∞[
x		**0**		**4/3**		**2**	
$f'(x)$	−	0	−	−	−	0	+
$f''(x)$	+	0	−	0	+	+	+
$f(x)$	↘ (	0 point d'inflexion	↘)	−128/81 point d'inflexion	↘ (	−8/3 minimum relatif et absolu	↗)

La fonction $f(x)$ est décroissante (↘) et concave vers le haut (( ) sur l'intervalle $]-\infty, 0]$ et sur l'intervalle $\left[\frac{4}{3}, 2\right]$. De plus, sur l'intervalle $\left[0, \frac{4}{3}\right]$, la fonction $f(x)$ est décroissante (↘) et concave vers le bas ( )). Enfin, sur l'intervalle $[2, \infty[$, la fonction $f(x)$ est croissante (↗) et concave vers le haut ( )).

Les points $(0, 0)$ et $\left(\frac{4}{3}, -\frac{128}{81}\right)$ sont les points d'inflexion de la fonction $f(x)$ puisque la fonction change de concavité en $x = 0$ et en $x = \frac{4}{3}$. De plus, la fonction $f(x)$ atteint un minimum relatif de $-\frac{8}{3}$ en $x = 2$. Ce minimum est également le minimum absolu puisque la fonction est décroissante sur $]-\infty, 2]$ et croissante sur $[2, \infty[$.

Esquisse de la courbe décrite par la fonction

En utilisant l'information contenue dans le tableau des signes, on obtient la FIGURE 6.17.

Rappelons que la courbe décrite par la fonction $f(x)$ doit couper les axes de coordonnées aux points $(0, 0)$ et $\left(\frac{8}{3}, 0\right)$.

FIGURE 6.17

$f(x) = \frac{x^4}{2} - \frac{4x^3}{3}$

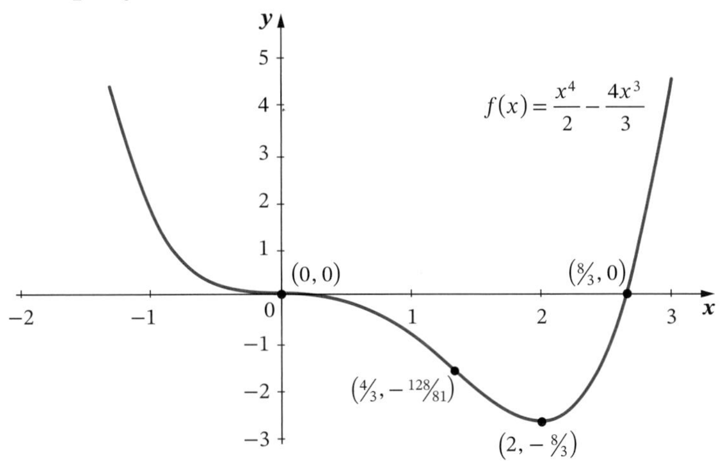

QUESTION ÉCLAIR 6.11

Utilisez l'information contenue dans le **TABLEAU 6.10** pour esquisser la courbe décrite par la fonction continue $f(x)$ sachant que son ordonnée à l'origine est 7, que son zéro est $x = \frac{1}{3}$ et qu'elle n'admet pas d'asymptotes.

TABLEAU 6.10

Tableau des signes

	$]-\infty, 2[$		$]2, 3[$		$]3, 4[$		$]4, \infty[$
x		**2**		**3**		**4**	
$f'(x)$	$-$	0	$+$	$+$	$+$	0	$-$
$f''(x)$	$+$	$+$	$+$	0	$-$	$-$	$-$
$f(x)$	↘ (	-13	↗)	-11	↗ (	-9	↘)

EXEMPLE 6.18

Effectuons l'analyse complète de la fonction $g(x) = x^{2/3}(2 - x)$.

Détermination du domaine de la fonction

La fonction $g(x) = x^{2/3}(2 - x)$ est définie pour tout $x \in \mathbb{R}$, de sorte que $\text{Dom}_g = \mathbb{R}$.

Recherche des asymptotes

- Les valeurs de x susceptibles de produire une asymptote verticale sont celles qui annulent le dénominateur d'une fraction ou celles qui annulent l'argument d'un logarithme. La courbe décrite par la fonction $g(x)$ n'admet donc aucune asymptote verticale.
- La courbe décrite par la fonction $g(x)$ n'admet aucune asymptote horizontale puisque

$$\underbrace{\lim_{x \to -\infty} \left[x^{2/3}(2 - x)\right]}_{\text{forme } \infty \times \infty} = \infty \text{ et } \underbrace{\lim_{x \to \infty} \left[x^{2/3}(2 - x)\right]}_{\text{forme } \infty \times (-\infty)} = -\infty$$

Détermination de l'ordonnée à l'origine et des zéros de la fonction

- On a $g(0) = 0^{2/3}(2 - 0) = 0$, de sorte que l'ordonnée à l'origine de la fonction $g(x)$ est 0. Ainsi, la courbe décrite par la fonction coupe l'axe des ordonnées au point $(0, 0)$.
- Pour obtenir les zéros de la fonction $g(x)$, on détermine les valeurs de x pour lesquelles $g(x) = 0$:

$$g(x) = 0 \Leftrightarrow x^{2/3}(2 - x) = 0 \Leftrightarrow x^{2/3} = 0 \text{ ou } 2 - x = 0 \Leftrightarrow x = 0 \text{ ou } x = 2$$

Les zéros de la fonction $g(x)$ sont donc $x = 0$ et $x = 2$. Ainsi, la courbe décrite par la fonction coupe l'axe des abscisses aux points $(0, 0)$ et $(2, 0)$.

Détermination des valeurs critiques de la fonction

On a

$$\begin{aligned} g'(x) &= \frac{d}{dx}[x^{2/3}(2 - x)] = \frac{d}{dx}(2x^{2/3} - x^{5/3}) = 2\left(\frac{2}{3}x^{-1/3}\right) - \frac{5}{3}x^{2/3} \\ &= \frac{4}{3x^{1/3}} - \frac{5x^{2/3}}{3} = \frac{4}{3x^{1/3}} - \frac{5x^{2/3}x^{1/3}}{3x^{1/3}} = \frac{4 - 5x}{3x^{1/3}} \end{aligned}$$

Par conséquent,

- $g'(x)$ n'existe pas $\Leftrightarrow 3x^{1/3} = 0 \Leftrightarrow x^{1/3} = 0 \Leftrightarrow x = 0$.
- $g'(x) = 0 \Leftrightarrow 4 - 5x = 0 \Leftrightarrow -5x = -4 \Leftrightarrow x = \frac{4}{5}$.

La fonction $g(x)$ admet donc deux valeurs critiques: $x = 0$ et $x = \frac{4}{5}$.

Détermination des valeurs susceptibles de produire un point d'inflexion

On a

$$\begin{aligned} g''(x) &= \frac{d}{dx}\left(\frac{4 - 5x}{3x^{1/3}}\right) = \frac{d}{dx}\left(\frac{4}{3}x^{-1/3} - \frac{5}{3}x^{2/3}\right) = \frac{4}{3}\left(-\frac{1}{3}x^{-4/3}\right) - \frac{5}{3}\left(\frac{2}{3}x^{-1/3}\right) \\ &= -\frac{4}{9x^{4/3}} - \frac{10}{9x^{1/3}} = -\left(\frac{4}{9x^{4/3}} + \frac{10x}{9x^{1/3}x}\right) = -\frac{4 + 10x}{9x^{4/3}} \end{aligned}$$

Par conséquent,

- $g''(x)$ n'existe pas $\Leftrightarrow 9x^{4/3} = 0 \Leftrightarrow x^{4/3} = 0 \Leftrightarrow x = 0$.
- $g''(x) = 0 \Leftrightarrow 4 + 10x = 0 \Leftrightarrow 10x = -4 \Leftrightarrow x = -\frac{2}{5}$.

La fonction $g(x)$ admet donc deux valeurs de x susceptibles de produire un point d'inflexion: $x = 0$ et $x = -\frac{2}{5}$.

Construction du tableau des signes

Plaçons parordre croissant les valeurs critiques de la fonction $g(x)$ ainsi que les valeurs de x susceptibles de produire un point d'inflexion, et gardons une colonne pour chaque sous-intervalle qu'elles délimitent (**TABLEAU 6.11**).

Étudions ensuite les signes de $g'(x)$ afin de déterminer les intervalles de croissance et les intervalles de décroissance de la fonction $g(x)$, et les signes de $g''(x)$ afin de déterminer les intervalles de concavité vers le haut et les intervalles de concavité vers le bas de la fonction $g(x)$.

TABLEAU 6.11

Tableau des signes

x	$]-\infty, -2/5[$	$-2/5$	$]-2/5, 0[$	0	$]0, 4/5[$	$4/5$	$]4/5, \infty[$
$g'(x)$	$-$	$-$	$-$	$\nexists$	$+$	0	$-$
$g''(x)$	$+$	0	$-$	$\nexists$	$-$	$-$	$-$
$g(x)$	↘ (	1,303 point d'inflexion	↘)	0 minimum relatif	↗ (	1,034 maximum relatif	↘)

La fonction $g(x)$ est décroissante et concave vers le haut sur l'intervalle $\left]-\infty, -\frac{2}{5}\right]$. De plus, sur l'intervalle $\left[-\frac{2}{5}, 0\right]$ et sur l'intervalle $\left[\frac{4}{5}, \infty\right[$, la fonction $g(x)$ est décroissante et concave vers le bas. Enfin, sur l'intervalle $\left[0, \frac{4}{5}\right]$, la fonction $g(x)$ est croissante et concave vers le bas.

Le point $\left(-\frac{2}{5}; 1{,}303\right)$ est un point d'inflexion de la fonction $g(x)$ puisque la fonction passe de concave vers le haut à concave vers le bas en $x = -\frac{2}{5}$. De plus, la fonction $g(x)$ atteint un minimum relatif de 0 en $x = 0$ puisque la fonction passe de décroissante à croissante en $x = 0$. Finalement, la fonction $g(x)$ atteint un maximum relatif d'environ 1,034 en $x = \frac{4}{5}$ puisque la fonction passe de croissante à décroissante en $x = \frac{4}{5}$.

Esquisse de la courbe décrite par la fonction

En utilisant l'information contenue dans le tableau des signes, on obtient la FIGURE 6.18.

Rappelons que la courbe décrite par la fonction $g(x)$ doit couper les axes de coordonnées aux points $(0, 0)$ et $(2, 0)$.

FIGURE 6.18

$g(x) = x^{2/3}(2 - x)$

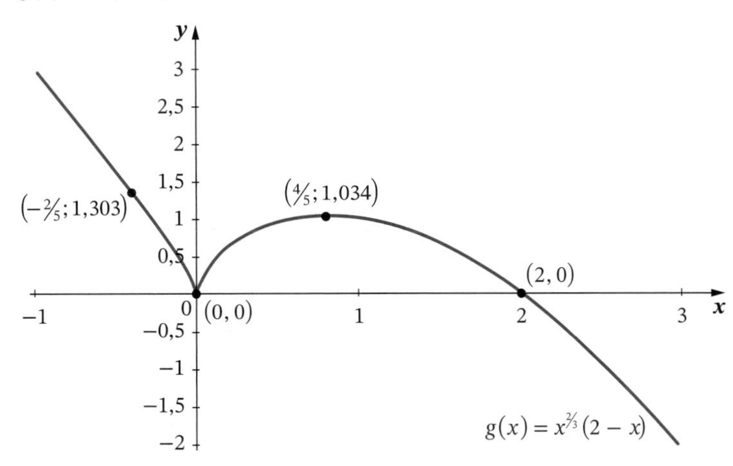

EXERCICE 6.6

Faites l'étude complète de la fonction en respectant les sept étapes proposées.

a) $f(x) = x^3 - 3x$

b) $f(x) = x^4 - 18x^2 + 17$

c) $f(x) = \dfrac{x^3 - 1}{x - 1}$

d) $f(x) = x^{2/3}(x + 1)$

UN PEU D'HISTOIRE

On désigne certaines courbes par un nom de mathématicien ou de mathématicienne. Ainsi, comme nous l'avons vu au début du chapitre en brossant le portrait de Maria Gaetana Agnesi (1718-1799), la courbe décrite par l'équation

$$y = \frac{a^3}{a^2 + x^2}$$

est nommée « Sorcière d'Agnesi ».

De même, dans le chapitre 2, nous avons étudié une courbe d'équation

$$(x^2 + y^2)^2 = a^2(x^2 - y^2)$$

nommée « Lemniscate de Bernoulli » en l'honneur de Jean Bernoulli (1667-1748).

Jacques Bernoulli (1654-1705), le frère aîné de Jean, n'est pas en reste dans la nomenclature des mathématiques puisque la spirale logarithmique porte également le nom de « Spirale de Bernoulli ». Cette courbe, dont l'équation polaire est $r = e^{a\theta}$, a tellement fasciné Bernoulli qu'il a demandé qu'elle soit gravée sur son tombeau (dans le cloître attenant à la cathédrale de Bâle) avec l'inscription *Eadem mutata resurgo* (« Elle renaît changée en elle-même »). Mais le graveur, qui n'était pas mathématicien, cisela plutôt une « Spirale d'Archimède » (environ 287-212 avant notre ère), dont l'équation polaire est $r = a\theta$. L'écrivain français Alfred Jarry, un des ancêtres du surréalisme, orna le costume du père Ubu de la spirale de Bernoulli. Cette spirale figure également sur la cravate du Collège de Pataphysique, la Pataphysique étant, selon Jarry, la science du particulier qui apporte des solutions imaginaires aux problèmes généraux. Signalons enfin que la spirale parabolique d'équation polaire $r^2 = a\theta$ porte également le nom de « Spirale de Fermat » (1601-1665).

Le « folium de Descartes » (1596-1650) a pour équation

$$x^3 + y^3 = 3axy$$

Comme son nom latin l'indique, il a la forme d'une feuille.

Giovanni Dominico Cassini (1625-1712) rejeta l'idée de Johannes Kepler (1571-1630) selon laquelle les orbites des planètes décrivent une ellipse et proposa qu'elles se déplacent selon des trajectoires qui portent maintenant le nom d'« Ovales de Cassini ». Une ovale de Cassini est l'ensemble des points du plan dont le produit des distances à deux points fixes, A et B, est constante. La lemniscate de Bernoulli est un cas particulier des ovales de Cassini.

La démarche proposée dans le chapitre 6 pour tracer des courbes ne s'applique pas à toutes celles que nous venons de mentionner, mais elle peut être utilisée pour tracer la « Sorcière d'Agnesi » et l'anguinea, ou « Serpentine de Newton » (1642-1727), dont l'équation est

$$y = \frac{ahx}{x^2 + h^2}$$

Comme son nom l'indique (*anguis* veut dire « serpent » en latin), l'anguinea prend la forme d'un serpent en mouvement.

Notre étude de l'esquisse d'une courbe ne pourrait être complète sans l'examen de quelques exemples de courbes admettant des asymptotes.

EXEMPLE 6.19

Effectuons l'analyse complète de la fonction $f(x) = \dfrac{2x^2 - 6}{x^2 + 4}$.

Détermination du domaine de la fonction

Comme $x^2 + 4 \neq 0$ pour tout $x \in \mathbb{R}$, la fonction $f(x) = \dfrac{2x^2 - 6}{x^2 + 4}$ est définie pour tout $x \in \mathbb{R}$. Par conséquent, $\text{Dom}_f = \mathbb{R}$.

Recherche des asymptotes

- Les valeurs de x susceptibles de produire une asymptote verticale sont celles qui annulent le dénominateur d'une fraction ou celles qui annulent l'argument d'un logarithme. La courbe décrite par la fonction $f(x)$ n'admet donc aucune asymptote verticale.
- La droite $y = 2$ est une asymptote horizontale à la courbe décrite par la fonction $f(x)$ puisque

$$\underbrace{\lim_{x\to-\infty} \frac{2x^2 - 6}{x^2 + 4}}_{\text{forme } \frac{\infty}{\infty}} \overset{\text{H}}{=} \lim_{x\to-\infty} \frac{4\cancel{x}}{2\cancel{x}} = \lim_{x\to-\infty} 2 = 2$$

et

$$\underbrace{\lim_{x\to\infty} \frac{2x^2 - 6}{x^2 + 4}}_{\text{forme } \frac{\infty}{\infty}} \overset{\text{H}}{=} \lim_{x\to\infty} \frac{4\cancel{x}}{2\cancel{x}} = \lim_{x\to\infty} 2 = 2$$

Détermination de l'ordonnée à l'origine et des zéros de la fonction

- On a $f(0) = \dfrac{2(0)^2 - 6}{0^2 + 4} = -\dfrac{3}{2}$, de sorte que l'ordonnée à l'origine de la fonction $f(x)$ est $-\frac{3}{2}$. Ainsi, la courbe décrite par la fonction coupe l'axe des ordonnées au point $\left(0, -\frac{3}{2}\right)$.
- Pour obtenir les zéros de la fonction $f(x)$, on détermine les valeurs de x pour lesquelles $f(x) = 0$:

$$f(x) = 0 \Leftrightarrow \frac{2x^2 - 6}{x^2 + 4} = 0 \Leftrightarrow 2x^2 - 6 = 0 \Leftrightarrow 2x^2 = 6$$
$$\Leftrightarrow x^2 = 3 \Leftrightarrow x = -\sqrt{3} \text{ ou } x = \sqrt{3}$$

Les zéros de la fonction $f(x)$ sont donc $x = -\sqrt{3}$ et $x = \sqrt{3}$. Ainsi, la courbe décrite par la fonction coupe l'axe des abscisses aux points $\left(-\sqrt{3}, 0\right)$ et $\left(\sqrt{3}, 0\right)$.

Détermination des valeurs critiques de la fonction

On a

$$f'(x) = \frac{d}{dx}\left(\frac{2x^2 - 6}{x^2 + 4}\right) = \frac{(x^2 + 4)\frac{d}{dx}(2x^2 - 6) - (2x^2 - 6)\frac{d}{dx}(x^2 + 4)}{(x^2 + 4)^2}$$

$$= \frac{(x^2 + 4)(4x) - (2x^2 - 6)(2x)}{(x^2 + 4)^2} = \frac{\cancel{4x^3} + 16x - \cancel{4x^3} + 12x}{(x^2 + 4)^2} = \frac{28x}{(x^2 + 4)^2}$$

Par conséquent,

- $f'(x)$ existe toujours, car $(x^2 + 4)^2 \neq 0$ pour tout $x \in \mathbb{R}$.
- $f'(x) = 0 \Leftrightarrow 28x = 0 \Leftrightarrow x = 0$.

La fonction $f(x)$ admet une seule valeur critique: $x = 0$.

Détermination des valeurs susceptibles de produire un point d'inflexion

On a

$$f''(x) = \frac{d}{dx}\left[\frac{28x}{(x^2 + 4)^2}\right] = \frac{(x^2 + 4)^2\frac{d}{dx}(28x) - 28x\frac{d}{dx}\left[(x^2 + 4)^2\right]}{\left[(x^2 + 4)^2\right]^2}$$

$$= \frac{28(x^2 + 4)^2 - 28x\left[2(x^2 + 4)\frac{d}{dx}(x^2 + 4)\right]}{(x^2 + 4)^4}$$

$$= \frac{28(x^2 + 4)^2 - 56x(x^2 + 4)(2x)}{(x^2 + 4)^4}$$

$$= \frac{28(x^2 + 4)\left[(x^2 + 4) - 4x^2\right]}{(x^2 + 4)^4}$$

$$= \frac{28(4 - 3x^2)}{(x^2 + 4)^3}$$

Par conséquent,

- $f''(x)$ existe toujours, car $(x^2+4)^3 \neq 0$ pour tout $x \in \mathbb{R}$.
- $f''(x) = 0 \Leftrightarrow 28(4-3x^2) = 0 \Leftrightarrow 4 - 3x^2 = 0$

$$\Leftrightarrow -3x^2 = -4 \Leftrightarrow x^2 = \tfrac{4}{3}$$

$$\Leftrightarrow x = -\tfrac{2}{\sqrt{3}} = -\tfrac{2\sqrt{3}}{3} \text{ ou } x = \tfrac{2}{\sqrt{3}} = \tfrac{2\sqrt{3}}{3}$$

La fonction $f(x)$ admet donc deux valeurs de x susceptibles de produire un point d'inflexion : $x = -\frac{2\sqrt{3}}{3}$ et $x = \frac{2\sqrt{3}}{3}$.

Construction du tableau des signes

Plaçons par ordre croissant la valeur critique de la fonction $f(x)$ ainsi que les valeurs de x susceptibles de produire un point d'inflexion, et gardons une colonne pour chaque sous-intervalle qu'elles délimitent (TABLEAU 6.12).

Étudions ensuite les signes de $f'(x)$ afin de déterminer les intervalles de croissance et les intervalles de décroissance de la fonction $f(x)$, et les signes de $f''(x)$ afin de déterminer les intervalles de concavité vers le haut et les intervalles de concavité vers le bas de la fonction $f(x)$.

TABLEAU 6.12
Tableau des signes

	$\left]-\infty, -\frac{2\sqrt{3}}{3}\right[$		$\left]-\frac{2\sqrt{3}}{3}, 0\right[$		$\left]0, \frac{2\sqrt{3}}{3}\right[$		$\left]\frac{2\sqrt{3}}{3}, \infty\right[$
x		$-\frac{2\sqrt{3}}{3}$		**0**		$\frac{2\sqrt{3}}{3}$	
$f'(x)$	−	−	−	0	+	+	+
$f''(x)$	−	0	+	+	+	0	−
$f(x)$	↘)	$-\frac{5}{8}$ point d'inflexion	↘ (	$-\frac{3}{2}$ minimum relatif et absolu	↗)	$-\frac{5}{8}$ point d'inflexion	↗ (

La fonction $f(x)$ est décroissante et concave vers le bas sur l'intervalle $\left]-\infty, -\frac{2\sqrt{3}}{3}\right]$, décroissante et concave vers le haut sur l'intervalle $\left[-\frac{2\sqrt{3}}{3}, 0\right]$, croissante et concave vers le haut sur l'intervalle $\left[0, \frac{2\sqrt{3}}{3}\right]$, et croissante et concave vers le bas sur l'intervalle $\left[\frac{2\sqrt{3}}{3}, \infty\right[$.

Les points $\left(-\frac{2\sqrt{3}}{3}, -\frac{5}{8}\right)$ et $\left(\frac{2\sqrt{3}}{3}, -\frac{5}{8}\right)$ sont les points d'inflexion de la fonction $f(x)$ puisque la fonction change de concavité en $x = -\frac{2\sqrt{3}}{3}$ et en $x = \frac{2\sqrt{3}}{3}$.

De plus, la fonction $f(x)$ atteint un minimum relatif de $-\frac{3}{2}$ en $x = 0$. Ce minimum est également le minimum absolu puisque la fonction est décroissante sur l'intervalle $]-\infty, 0]$ et croissante sur l'intervalle $[0, \infty[$.

Esquisse de la courbe décrite par la fonction

En utilisant l'information contenue dans le tableau des signes, on obtient la FIGURE 6.19.

Rappelons que la courbe décrite par la fonction $f(x)$ doit couper les axes de coordonnées aux points $(-\sqrt{3}, 0)$, $\left(0, -\frac{3}{2}\right)$ et $(\sqrt{3}, 0)$.

FIGURE 6.19

$f(x) = \dfrac{2x^2 - 6}{x^2 + 4}$

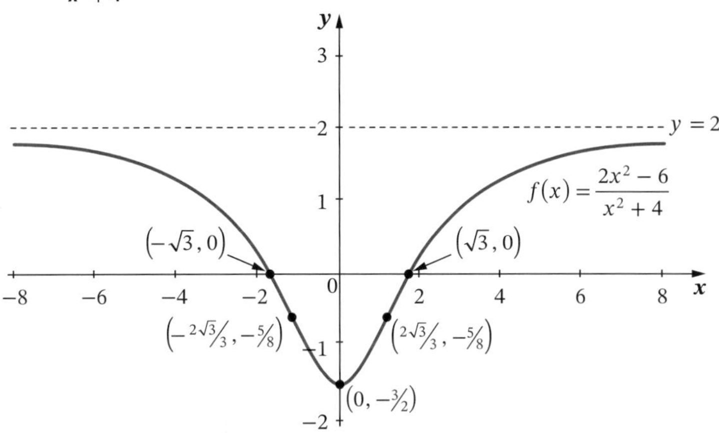

EXEMPLE 6.20

Effectuons l'analyse complète de la fonction $g(x) = \dfrac{8x - 16}{(2x - 3)^2}$.

Détermination du domaine de la fonction

Puisque

$$g(x) \text{ est définie} \Leftrightarrow (2x - 3)^2 \neq 0 \Leftrightarrow 2x - 3 \neq 0 \Leftrightarrow 2x \neq 3 \Leftrightarrow x \neq \tfrac{3}{2}$$

alors $\text{Dom}_g = \mathbb{R} \setminus \left\{ \frac{3}{2} \right\}$.

Recherche des asymptotes

- Les valeurs de x susceptibles de produire une asymptote verticale sont celles qui annulent le dénominateur d'une fraction ou celles qui annulent l'argument d'un logarithme. Alors, $x = 3/2$ est la seule valeur susceptible de produire une asymptote verticale à la courbe décrite par la fonction $g(x)$. On a

$$\lim_{x \to \frac{3}{2}^-} g(x) = \underbrace{\lim_{x \to \frac{3}{2}^-} \frac{8x - 16}{(2x - 3)^2}}_{\text{forme } \frac{-4}{0^+}} = -\infty \text{ et } \lim_{x \to \frac{3}{2}^+} g(x) = \underbrace{\lim_{x \to \frac{3}{2}^+} \frac{8x - 16}{(2x - 3)^2}}_{\text{forme } \frac{-4}{0^+}} = -\infty$$

Par conséquent, la droite $x = \frac{3}{2}$ est une asymptote verticale à la courbe décrite par la fonction $g(x)$.

- La droite $y = 0$ est une asymptote horizontale à la courbe décrite par la fonction $g(x)$ puisque

$$\underbrace{\lim_{x \to -\infty} \frac{8x - 16}{(2x - 3)^2}}_{\text{forme } \frac{-\infty}{\infty}} \overset{\text{H}}{=} \lim_{x \to -\infty} \frac{8}{2(2x - 3)(2)} = \underbrace{\lim_{x \to -\infty} \frac{8}{4(2x - 3)}}_{\text{forme } \frac{8}{-\infty}} = 0$$

et

$$\underbrace{\lim_{x \to \infty} \frac{8x - 16}{(2x - 3)^2}}_{\text{forme } \frac{\infty}{\infty}} \overset{\text{H}}{=} \lim_{x \to \infty} \frac{8}{2(2x - 3)(2)} = \underbrace{\lim_{x \to \infty} \frac{8}{4(2x - 3)}}_{\text{forme } \frac{8}{\infty}} = 0$$

Détermination de l'ordonnée à l'origine et des zéros de la fonction

- On a $g(0) = \dfrac{8(0) - 16}{[2(0) - 3]^2} = -\dfrac{16}{9}$, de sorte que l'ordonnée à l'origine de la fonction $g(x)$ est $-\frac{16}{9}$. Ainsi, la courbe décrite par la fonction coupe l'axe des ordonnées au point $\left(0, -\frac{16}{9}\right)$.
- Pour obtenir les zéros de la fonction $g(x)$, on détermine les valeurs de x pour lesquelles $g(x) = 0$:

$$g(x) = 0 \Leftrightarrow \frac{8x - 16}{(2x - 3)^2} = 0 \Leftrightarrow 8x - 16 = 0 \Leftrightarrow 8x = 16 \Leftrightarrow x = 2$$

  Le zéro de la fonction $g(x)$ est donc $x = 2$. Ainsi, la courbe décrite par la fonction coupe l'axe des abscisses au point $(2, 0)$.

Détermination des valeurs critiques de la fonction

On a

$$g'(x) = \frac{d}{dx}\left[\frac{8x - 16}{(2x - 3)^2}\right] = \frac{(2x-3)^2 \frac{d}{dx}(8x - 16) - (8x - 16)\frac{d}{dx}(2x - 3)^2}{\left[(2x - 3)^2\right]^2}$$

$$= \frac{8(2x - 3)^2 - 8(x - 2)\left[2(2x - 3)\frac{d}{dx}(2x - 3)\right]}{(2x - 3)^4}$$

$$= \frac{8(2x - 3)^2 - 32(x - 2)(2x - 3)}{(2x - 3)^4}$$

$$= \frac{8(2x - 3)[(2x - 3) - 4(x - 2)]}{(2x - 3)^4}$$

$$= \frac{8(2x - 3 - 4x + 8)}{(2x - 3)^3} = \frac{8(5 - 2x)}{(2x - 3)^3}$$

Par conséquent,

- $g'(x)$ n'existe pas $\Leftrightarrow (2x - 3)^3 = 0 \Leftrightarrow 2x - 3 = 0 \Leftrightarrow x = \frac{3}{2}$.
- $g'(x) = 0 \Leftrightarrow 8(5 - 2x) = 0 \Leftrightarrow 5 - 2x = 0 \Leftrightarrow x = \frac{5}{2}$.

La fonction $g(x)$ admet donc une seule valeur critique : $x = \frac{5}{2}$. Remarquons que $x = \frac{3}{2}$ n'est pas une valeur critique de la fonction $g(x)$ puisque $\frac{3}{2} \notin \text{Dom}_g$.

Détermination des valeurs susceptibles de produire un point d'inflexion

On a

$$g''(x) = \frac{d}{dx}\left[\frac{8(5 - 2x)}{(2x - 3)^3}\right] = \frac{(2x - 3)^3 \frac{d}{dx}[8(5 - 2x)] - 8(5 - 2x)\frac{d}{dx}\left[(2x - 3)^3\right]}{\left[(2x - 3)^3\right]^2}$$

$$= \frac{-16(2x - 3)^3 - 8(5 - 2x)\left[3(2x - 3)^2\frac{d}{dx}(2x - 3)\right]}{(2x - 3)^6}$$

$$= \frac{-16(2x - 3)^3 - 48(5 - 2x)(2x - 3)^2}{(2x - 3)^6}$$

$$= \frac{-16(2x-3)^2[(2x-3)+3(5-2x)]}{(2x-3)^6}$$

$$= \frac{-16(2x-3+15-6x)}{(2x-3)^4} = \frac{-16(12-4x)}{(2x-3)^4} = \frac{-64(3-x)}{(2x-3)^4}$$

Par conséquent,

- $g''(x)$ n'existe pas $\Leftrightarrow (2x-3)^4 = 0 \Leftrightarrow 2x-3=0 \Leftrightarrow x = \frac{3}{2}$.
- $g''(x) = 0 \Leftrightarrow -64(3-x) = 0 \Leftrightarrow 3-x=0 \Leftrightarrow x = 3$.

La fonction $g(x)$ admet donc une valeur de x susceptible de produire un point d'inflexion : $x = 3$. Remarquons qu'il n'y a pas de point d'inflexion en $x = \frac{3}{2}$ puisque $\frac{3}{2} \notin \text{Dom}_g$.

Construction du tableau des signes

Plaçons par ordre croissant la valeur critique de la fonction $g(x)$, la valeur de x susceptible de produire un point d'inflexion ainsi que la valeur de x correspondant à l'asymptote verticale de la fonction $g(x)$, et gardons une colonne pour chaque sous-intervalle qu'elles délimitent (TABLEAU 6.13).

Étudions ensuite les signes de $g'(x)$ afin de déterminer les intervalles de croissance et les intervalles de décroissance de la fonction $g(x)$, et les signes de $g''(x)$ afin de déterminer les intervalles de concavité vers le haut et les intervalles de concavité vers le bas de la fonction $g(x)$.

TABLEAU 6.13
Tableau des signes

x	$]-\infty, 3/2[$	$3/2$	$]3/2, 5/2[$	$5/2$	$]5/2, 3[$	3	$]3, \infty[$
$g'(x)$	−	∄	+	0	−	−	−
$g''(x)$	−	∄	−	−	−	0	+
$g(x)$	↘)	∄ asymptote verticale	↗ (	1 maximum relatif et absolu	↘)	8/9 point d'inflexion	↘ (

La fonction $g(x)$ est décroissante et concave vers le bas sur l'intervalle $\left]-\infty, \frac{3}{2}\right[$. Elle est croissante et concave vers le bas sur l'intervalle $\left]\frac{3}{2}, \frac{5}{2}\right]$, et décroissante et concave vers le bas sur $\left[\frac{5}{2}, 3\right]$. Enfin, la fonction $g(x)$ est décroissante et concave vers le haut sur l'intervalle $[3, \infty[$.

Le point $\left(3, \frac{8}{9}\right)$ est un point d'inflexion de la fonction $g(x)$ puisque la fonction passe de concave vers le bas à concave vers le haut en $x = 3$.

De plus, la fonction $g(x)$ atteint un maximum relatif de 1 en $x = \frac{5}{2}$. Ce maximum est également un maximum absolu puisque c'est le seul maximum relatif et que $\lim_{x \to \infty} g(x) = 0 < 1$, $\lim_{x \to -\infty} g(x) = 0 < 1$, $\lim_{x \to \frac{3}{2}^-} g(x) = -\infty$ et $\lim_{x \to \frac{3}{2}^+} g(x) = -\infty$: la fonction ne prend donc pas de valeurs supérieures à 1.

Esquisse de la courbe décrite par la fonction

En utilisant l'information contenue dans le tableau des signes, on obtient la FIGURE 6.20 (p. 376).

Rappelons que la courbe décrite par la fonction $g(x)$ doit couper les axes de coordonnées aux points $\left(0, -\frac{16}{9}\right)$ et $(2, 0)$.

FIGURE 6.20

$g(x) = \dfrac{8x - 16}{(2x-3)^2}$

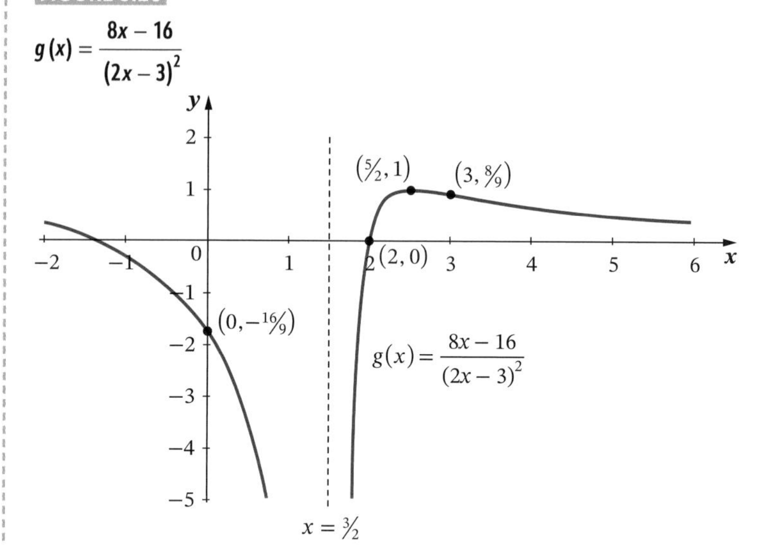

EXEMPLE 6.21

Effectuons l'analyse complète de la fonction $h(x) = \dfrac{x^2 + 3x}{x^2 - 9}$.

Détermination du domaine de la fonction

On a $h(x) = \dfrac{x^2 + 3x}{x^2 - 9} = \dfrac{x(x+3)}{(x-3)(x+3)}$. Alors,

$$h(x) \text{ est définie } \Leftrightarrow (x-3)(x+3) \neq 0 \Leftrightarrow x - 3 \neq 0 \text{ et } x + 3 \neq 0$$
$$\Leftrightarrow x \neq 3 \text{ et } x \neq -3$$

Par conséquent, $\text{Dom}_h = \mathbb{R}\setminus\{-3, 3\}$.

Recherche des asymptotes

- Les valeurs de x susceptibles de produire une asymptote verticale sont celles qui annulent le dénominateur d'une fraction ou celles qui annulent l'argument d'un logarithme. Alors, $x = -3$ et $x = 3$ sont les valeurs de x susceptibles de produire une asymptote verticale à la courbe décrite par la fonction $h(x)$.

  Étudions le comportement de la fonction $h(x)$ autour de $x = -3$:

  $$\lim_{x \to -3} h(x) = \underbrace{\lim_{x \to -3} \frac{x^2 + 3x}{x^2 - 9}}_{\text{forme } \frac{0}{0}} \overset{\text{H}}{=} \lim_{x \to -3} \frac{2x + 3}{2x} = \frac{-3}{-6} = \frac{1}{2}$$

  Puisque cette limite ne donne pas ∞ ni $-\infty$, la droite $x = -3$ n'est pas une asymptote verticale à la courbe décrite par la fonction $h(x)$. La fonction admet plutôt une discontinuité non essentielle par trou en $x = -3$. Le point $\left(-3, \frac{1}{2}\right)$ sera donc représenté par un cercle vide.

  Étudions le comportement de la fonction $h(x)$ autour de $x = 3$:

  $$\lim_{x \to 3^-} h(x) = \lim_{x \to 3^-} \frac{x\cancel{(x+3)}}{(x-3)\cancel{(x+3)}} = \underbrace{\lim_{x \to 3^-} \frac{x}{x - 3}}_{\text{forme } \frac{3}{0^-}} = -\infty$$

et

$$\lim_{x\to 3^+} h(x) = \lim_{x\to 3^+} \frac{x\cancel{(x+3)}}{(x-3)\cancel{(x+3)}} = \underbrace{\lim_{x\to 3^+} \frac{x}{x-3}}_{\text{forme } \frac{3}{0^+}} = \infty$$

Par conséquent, la droite $x = 3$ est une asymptote verticale à la courbe décrite par la fonction $h(x)$.

- La droite $y = 1$ est une asymptote horizontale à la courbe décrite par la fonction $h(x)$ puisque

$$\underbrace{\lim_{x\to -\infty} \frac{x^2+3x}{x^2-9}}_{\text{forme } \frac{\infty}{\infty}} \overset{\text{H}}{=} \underbrace{\lim_{x\to -\infty} \frac{2x+3}{2x}}_{\text{forme } \frac{-\infty}{-\infty}} \overset{\text{H}}{=} \lim_{x\to -\infty} \frac{2}{2} = 1$$

et

$$\underbrace{\lim_{x\to \infty} \frac{x^2+3x}{x^2-9}}_{\text{forme } \frac{\infty}{\infty}} \overset{\text{H}}{=} \underbrace{\lim_{x\to \infty} \frac{2x+3}{2x}}_{\text{forme } \frac{\infty}{\infty}} \overset{\text{H}}{=} \lim_{x\to \infty} \frac{2}{2} = 1$$

Détermination de l'ordonnée à l'origine et des zéros de la fonction

- On a $h(0) = \dfrac{0^2+3(0)}{0^2-9} = 0$, de sorte que l'ordonnée à l'origine de la fonction $h(x)$ est 0. Ainsi, la courbe décrite par la fonction coupe l'axe des ordonnées au point $(0, 0)$.
- Pour obtenir les zéros de la fonction $h(x)$, on détermine les valeurs de x pour lesquelles $h(x) = 0$:

$$\begin{aligned} h(x) = 0 &\Leftrightarrow \frac{x^2+3x}{x^2-9} = 0 \Leftrightarrow x^2+3x = 0 \Leftrightarrow x(x+3) = 0 \\ &\Leftrightarrow x = 0 \text{ ou } x+3 = 0 \Leftrightarrow x = 0 \text{ ou } \underbrace{x = -3}_{\substack{\text{à rejeter, car} \\ -3 \notin \text{Dom}_h}} \end{aligned}$$

Le zéro de la fonction $h(x)$ est donc $x = 0$. Ainsi, la courbe décrite par la fonction coupe l'axe des abscisses au point $(0, 0)$.

Détermination des valeurs critiques de la fonction

Puisque $h(-3)$ n'est pas définie, il en est de même pour $h'(-3)$. Supposons donc que $x \neq -3$. On a

$$\begin{aligned} h'(x) &= \frac{d}{dx}\left[\frac{x(x+3)}{(x-3)(x+3)}\right] = \frac{d}{dx}\left(\frac{x}{x-3}\right) \qquad \text{si } x \neq -3 \\ &= \frac{(x-3)\frac{d}{dx}(x) - x\frac{d}{dx}(x-3)}{(x-3)^2} = \frac{(\cancel{x}-3)-\cancel{x}}{(x-3)^2} = \frac{-3}{(x-3)^2} \end{aligned}$$

Par conséquent, si $x \neq -3$, on a

- $h'(x)$ n'existe pas $\Leftrightarrow (x-3)^2 = 0 \Leftrightarrow x - 3 = 0 \Leftrightarrow x = 3$.
- $h'(x) \neq 0$ pour tout $x \in \mathbb{R}\backslash\{-3\}$.

La fonction $h(x)$ n'admet donc aucune valeur critique puisque $3 \notin \text{Dom}_h$.

Détermination des valeurs susceptibles de produire un point d'inflexion

Puisque $h(-3)$ n'est pas définie, il en est de même pour $h''(-3)$. Supposons donc que $x \neq -3$. On a

$$h''(x) = \frac{d}{dx}\left[\frac{-3}{(x-3)^2}\right] = \frac{d}{dx}\left[-3(x-3)^{-2}\right]$$
$$= 6(x-3)^{-3}\frac{d}{dx}(x-3) = \frac{6}{(x-3)^3}$$

Par conséquent, si $x \neq -3$, on a

- $h''(x)$ n'existe pas $\Leftrightarrow (x-3)^3 = 0 \Leftrightarrow x - 3 = 0 \Leftrightarrow x = 3$.
- $h''(x) \neq 0$ pour tout $x \in \mathbb{R}\backslash\{-3\}$.

La fonction $h(x)$ n'admet donc aucune valeur susceptible de produire un point d'inflexion puisque $3 \notin \text{Dom}_h$.

Construction du tableau des signes

Plaçons par ordre croissant les valeurs de x correspondant à l'asymptote verticale ou à la discontinuité non essentielle par trou de la fonction $h(x)$, et gardons une colonne pour chaque sous-intervalle qu'elles délimitent (TABLEAU 6.14).

Étudions ensuite les signes de $h'(x)$ afin de déterminer les intervalles de croissance et les intervalles de décroissance de la fonction $h(x)$, et les signes de $h''(x)$ afin de déterminer les intervalles de concavité vers le haut et les intervalles de concavité vers le bas de la fonction $h(x)$.

TABLEAU 6.14
Tableau des signes

	$]-\infty, -3[$		$]-3, 3[$		$]3, \infty[$
x		-3		3	
$h'(x)$	$-$	$\nexists$	$-$	$\nexists$	$-$
$h''(x)$	$-$	$\nexists$	$-$	$\nexists$	$+$
$h(x)$	↘)	$\nexists$ trou	↘)	$\nexists$ asymptote verticale	↘ (

La fonction $h(x)$ est décroissante et concave vers le bas sur l'intervalle $]-\infty, -3[$ et sur l'intervalle $]-3, 3[$. Elle est décroissante et concave vers le haut sur l'intervalle $]3, \infty[$.

De plus, la fonction $h(x)$ n'admet aucun extremum ni aucun point d'inflexion.

Esquisse de la courbe décrite par la fonction

En utilisant l'information contenue dans le tableau des signes, on obtient la FIGURE 6.21.

Rappelons que la courbe décrite par la fonction $h(x)$ doit couper les axes de coordonnées au point $(0, 0)$.

FIGURE 6.21

$h(x) = \dfrac{x^2 + 3x}{x^2 - 9}$

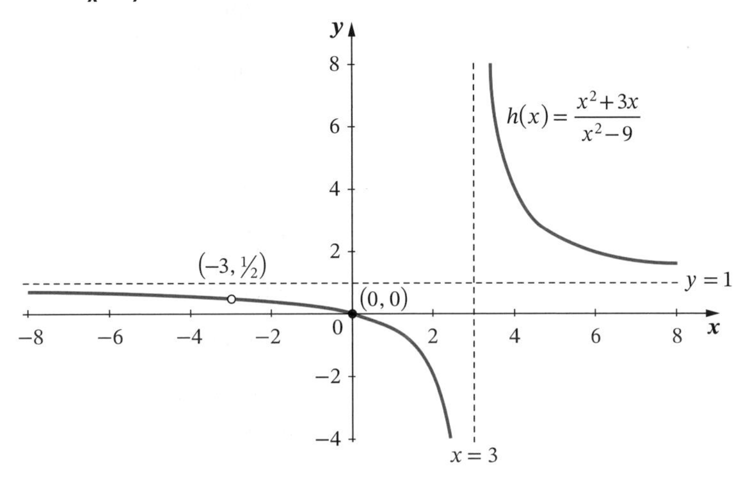

EXEMPLE 6.22

Un démographe anticipe que la taille P de la population (en millions d'habitants) d'un pays dans t années sera de $P(t) = \dfrac{10}{1 + 4e^{-0,2t}}$. Effectuons l'analyse complète de la fonction $P(t)$.

Détermination du domaine de la fonction

Comme $e^{-0,2t} > 0$ pour tout $t \in \mathbb{R}$, on a que $1 + 4e^{-0,2t} > 1$ pour tout $t \in \mathbb{R}$. Par conséquent, le dénominateur de $P(t)$ n'est jamais nul.

La fonction $P(t) = \dfrac{10}{1 + 4e^{-0,2t}}$ est donc définie pour tout $t \in \mathbb{R}$.

Cependant, dans le contexte, on a $t \geq 0$ puisqu'on considère la taille de la population dans t années.

Par conséquent, dans le contexte, $\text{Dom}_P = [0, \infty[$.

Recherche des asymptotes

- Les valeurs de t susceptibles de produire une asymptote verticale sont celles qui annulent le dénominateur d'une fraction ou celles qui annulent l'argument d'un logarithme. La courbe décrite par la fonction $P(t)$ n'admet donc aucune asymptote verticale.
- La droite $y = 10$ est une asymptote horizontale à la courbe décrite par la fonction $P(t)$ puisque

$$\lim_{t\to\infty} P(t) = \underbrace{\lim_{t\to\infty} \frac{10}{1 + 4e^{-0,2t}}}_{\text{forme } \frac{10}{1+4e^{-\infty}}} = \frac{10}{1 + 4(0)} = 10$$

Donc, à long terme, la population se stabilisera à environ 10 millions d'habitants.

Dans le contexte, il n'est pas pertinent d'évaluer $\lim\limits_{t\to-\infty} P(t)$.

Détermination de l'ordonnée à l'origine et des zéros de la fonction

- On a $P(0) = \dfrac{10}{1 + 4e^{-0,2(0)}} = \dfrac{10}{1 + 4(1)} = 2$, de sorte que l'ordonnée à l'origine de la fonction $P(t)$ est 2. Ainsi, la population initiale est de 2 millions d'habitants et la courbe décrite par la fonction coupe l'axe des ordonnées au point $(0, 2)$.
- Comme $P(t) = \dfrac{10}{1 + 4e^{-0,2t}} \neq 0$ pour tout $t \in \mathbb{R}$ (et donc pour tout $t \in [0, \infty[$), la fonction $P(t)$ n'admet aucun zéro. Ainsi, la courbe décrite par la fonction ne coupe pas l'axe des abscisses.

Détermination des valeurs critiques de la fonction

On a

$$\begin{aligned}
P'(t) &= \frac{d}{dt}\left(\frac{10}{1 + 4e^{-0,2t}}\right) = \frac{d}{dt}\left[10(1 + 4e^{-0,2t})^{-1}\right] \\
&= -10(1 + 4e^{-0,2t})^{-2}\frac{d}{dt}(1 + 4e^{-0,2t}) \\
&= \frac{-10}{(1 + 4e^{-0,2t})^2}\left[4e^{-0,2t}\frac{d}{dt}(-0,2t)\right] \\
&= \frac{-10}{(1 + 4e^{-0,2t})^2}(-0,8e^{-0,2t}) = \frac{8e^{-0,2t}}{(1 + 4e^{-0,2t})^2}
\end{aligned}$$

Par conséquent,

- $P'(t)$ existe toujours, car $(1 + 4e^{-0,2t})^2 \neq 0$ pour tout $t \in \mathbb{R}$, et en particulier pour $t \geq 0$.
- $P'(t) \neq 0$ pour tout $t \in \mathbb{R}$, car $8e^{-0,2t} > 0$ pour tout $t \in \mathbb{R}$, et en particulier pour $t \geq 0$.

La fonction $P(t)$ n'admet donc aucune valeur critique.

Détermination des valeurs susceptibles de produire un point d'inflexion

On a

$$\begin{aligned}
P''(t) &= \frac{d}{dt}\left[\frac{8e^{-0,2t}}{(1 + 4e^{-0,2t})^2}\right] = \frac{(1 + 4e^{-0,2t})^2\frac{d}{dt}(8e^{-0,2t}) - 8e^{-0,2t}\frac{d}{dt}\left[(1 + 4e^{-0,2t})^2\right]}{\left[(1 + 4e^{-0,2t})^2\right]^2} \\
&= \frac{(1 + 4e^{-0,2t})^2(8e^{-0,2t})\frac{d}{dt}(-0,2t) - 16e^{-0,2t}(1 + 4e^{-0,2t})\frac{d}{dt}(1 + 4e^{-0,2t})}{(1 + 4e^{-0,2t})^4} \\
&= \frac{-1,6e^{-0,2t}(1 + 4e^{-0,2t})^2 - 16e^{-0,2t}(1 + 4e^{-0,2t})(4e^{-0,2t})\frac{d}{dt}(-0,2t)}{(1 + 4e^{-0,2t})^4} \\
&= \frac{-1,6e^{-0,2t}(1 + 4e^{-0,2t})^2 + 12,8(1 + 4e^{-0,2t})(e^{-0,2t})^2}{(1 + 4e^{-0,2t})^4} \\
&= \frac{-1,6e^{-0,2t}(1 + 4e^{-0,2t})\left[(1 + 4e^{-0,2t}) - 8e^{-0,2t}\right]}{(1 + 4e^{-0,2t})^4} \\
&= \frac{-1,6e^{-0,2t}(1 - 4e^{-0,2t})}{(1 + 4e^{-0,2t})^3}
\end{aligned}$$

Par conséquent,

- $P''(t)$ existe toujours, car $(1+4e^{-0,2t})^3 \neq 0$ pour tout $t \in \mathbb{R}$, et en particulier pour $t \geq 0$.
- Comme $e^{-0,2t} > 0$ pour tout $t \in \mathbb{R}$, et en particulier pour $t \geq 0$, on a

$$P''(t)=0 \Leftrightarrow -1{,}6\underbrace{e^{-0,2t}}_{>0}(1-4e^{-0,2t})=0 \Leftrightarrow 1-4e^{-0,2t}=0$$

$$\Leftrightarrow -4e^{-0,2t}=-1 \Leftrightarrow e^{-0,2t}=\frac{1}{4} \Leftrightarrow \frac{1}{e^{0,2t}}=\frac{1}{4}$$

$$\Leftrightarrow e^{0,2t}=4 \Leftrightarrow 0{,}2t=\ln 4 \Leftrightarrow t=\frac{\ln 4}{0{,}2} \Leftrightarrow t=5\ln 4$$

La fonction $P(t)$ n'admet donc qu'une seule valeur susceptible de produire un point d'inflexion : $t = 5\ln 4 \approx 6{,}93$.

Construction du tableau des signes

Plaçons la valeur susceptible de produire un point d'inflexion de la fonction $P(t)$ et gardons une colonne pour chaque sous-intervalle qu'elle délimite (TABLEAU 6.15). Limitons notre étude à l'intervalle $[0, \infty[$ qui constitue le domaine de $P(t)$ dans le contexte.

Étudions ensuite les signes de $P'(t)$ afin de déterminer les intervalles de croissance et les intervalles de décroissance de la fonction $P(t)$, et les signes de $P''(t)$ afin de déterminer les intervalles de concavité vers le haut et les intervalles de concavité vers le bas de la fonction $P(t)$.

TABLEAU 6.15

Tableau des signes sur $[0, \infty[$

		$]0, 5\ln 4[$		$]5\ln 4, \infty[$
t	0		$5\ln 4$	
$P'(t)$		+	+	+
$P''(t)$		+	0	−
$P(t)$	2 minimum relatif et absolu	↗)	5 point d'inflexion	↗ (

La fonction $P(t)$ est croissante et concave vers le haut sur l'intervalle $[0, 5\ln 4]$. Elle est croissante et concave vers le bas sur l'intervalle $[5\ln 4, \infty[$.

Le point $(5\ln 4, 5)$ est un point d'inflexion de la fonction $P(t)$ puisque la fonction passe de concave vers le haut à concave vers le bas en $t = 5\ln 4$.

De plus, la fonction $P(t)$ atteint un minimum relatif de 2 en $t = 0$. Ce minimum est également un minimum absolu puisque la fonction $P(t)$ est croissante sur tout son domaine, soit sur $[0, \infty[$.

Esquisse de la courbe décrite par la fonction

En utilisant l'information contenue dans le tableau des signes, on obtient la FIGURE 6.22 (p. 382).

Initialement (en $t = 0$), ce pays compte 2 millions d'habitants. De plus, la taille de cette population augmente constamment. Cette croissance se fait à un rythme de plus en plus rapide jusqu'à $t = 5 \ln 4$, soit environ 6,93 années, et à un rythme de plus en plus faible par la suite. À long terme, la taille de cette population tend vers 10 millions d'habitants.

FIGURE 6.22

$P(t) = \dfrac{10}{1 + 4e^{-0,2t}}$

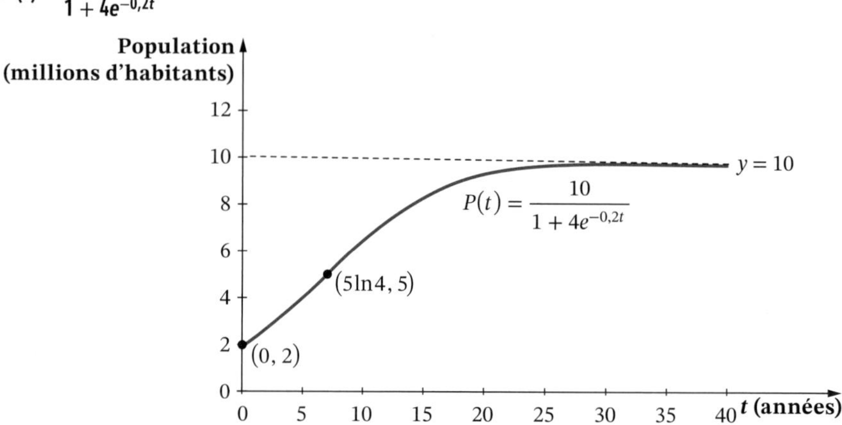

EXERCICES 6.7

1. Faites l'étude complète de la fonction en respectant les sept étapes proposées.

a) $f(x) = -\dfrac{x}{x^2 + 1}$

b) $f(x) = \dfrac{x(2 - x)}{(x - 1)^2}$

c) $f(x) = 3xe^{-x/4}$

d) $f(x) = \dfrac{x^2 + x - 6}{x^2 + x - 2} = \dfrac{(x + 3)(x - 2)}{(x + 2)(x - 1)}$

e) $f(x) = \dfrac{4x}{(2x + 1)^2}$

f) $f(x) = \arccos(x^2)$

2. La concentration C (en milligrammes par litre de sang) d'antibiotique en fonction du temps t (en heures) écoulé depuis l'absorption est donnée par $C(t) = \dfrac{t^2}{t^3 + 50}$.

a) Déterminez les valeurs de t plausibles dans le contexte.

b) Esquissez la courbe décrite par la fonction $C(t)$ sur l'intervalle obtenu en a en respectant les sept étapes proposées.

c) Commentez la courbe esquissée en b dans le contexte.

Vous pouvez maintenant faire les exercices récapitulatifs 7 à 18.

RÉSUMÉ

Lorsqu'on représente graphiquement une fonction, on s'intéresse particulièrement aux principales caractéristiques de la courbe décrite par la fonction : discontinuités, asymptotes, intervalles de croissance, intervalles de décroissance, intervalles de concavité vers le haut, intervalles de concavité vers le bas, extremums, points d'inflexion, etc. Le calcul différentiel permet de déterminer ces caractéristiques importantes et de s'en servir pour esquisser la courbe décrite par la fonction.

L'analyse complète d'une fonction comporte sept étapes :

1. La détermination du domaine de la fonction.
2. La recherche des asymptotes.
3. La détermination de l'ordonnée à l'origine et des zéros de la fonction.
4. La détermination des valeurs critiques de la fonction.
5. La détermination des valeurs susceptibles de produire un point d'inflexion.

6. La construction du tableau des signes.
7. L'esquisse de la courbe décrite par la fonction.

Le **domaine d'une fonction** $f(x)$, noté Dom_f, correspond à l'ensemble des valeurs de la variable indépendante x pour lesquelles la fonction est définie. On doit exclure du domaine d'une fonction les valeurs de x qui annulent un dénominateur, qui rendent l'argument d'une fonction logarithmique inférieur ou égal à 0 ainsi que les valeurs qui rendent l'expression sous un radical $n^{\text{ième}}$ (n pair) inférieure à 0.

Une **asymptote** est une droite dont la distance aux points d'une courbe tend vers 0 lorsqu'on laisse un point de la courbe s'éloigner de l'origine à l'infini. Nous avons étudié deux types d'asymptotes : verticale et horizontale.

La courbe décrite par une fonction $f(x)$ admet une **asymptote verticale** $x = a$ (où $a \in \mathbb{R}$) lorsque $\lim_{x \to a^-} f(x) = \infty$ (ou $-\infty$) ou lorsque $\lim_{x \to a^+} f(x) = \infty$ (ou $-\infty$). Les valeurs de x susceptibles de produire une asymptote verticale sont notamment celles qui annulent un dénominateur ou qui annulent l'argument d'un logarithme.

La courbe décrite par une fonction $f(x)$ admet une **asymptote horizontale** $y = b$ (où $b \in \mathbb{R}$) lorsque $\lim_{x \to -\infty} f(x) = b$ ou lorsque $\lim_{x \to \infty} f(x) = b$.

L'**ordonnée à l'origine d'une fonction** $f(x)$ est la valeur de $f(0)$ lorsque $0 \in \text{Dom}_f$. Dans un graphique, l'ordonnée à l'origine d'une fonction est l'ordonnée du point d'intersection de la courbe décrite par la fonction $f(x)$ et de l'axe vertical.

Un **zéro** (ou *abscisse à l'origine*) **d'une fonction** $f(x)$ est une valeur $x \in \text{Dom}_f$ pour laquelle $f(x) = 0$. Dans un graphique, un zéro d'une fonction est l'abscisse d'un point d'intersection de la courbe décrite par la fonction $f(x)$ et de l'axe horizontal.

Les valeurs critiques d'une fonction $f(x)$ sont les valeurs de la variable indépendante x appartenant au domaine de la fonction pour lesquelles la dérivée est nulle ou n'existe pas. Ces valeurs sont utiles dans l'établissement des intervalles de croissance, des intervalles de décroissance et des extremums de la fonction.

Afin d'esquisser correctement la courbe décrite par une fonction, il faut en déterminer la concavité. On recourt au théorème 6.1 (p. 358) pour déterminer la concavité d'une fonction sur un intervalle. En vertu de ce théorème, une **fonction** est **concave vers le bas** lorsque sa dérivée seconde est négative et **concave vers le haut** lorsque sa dérivée seconde est positive. Le point $(c, f(c))$ est un **point d'inflexion** de la courbe décrite par la fonction $f(x)$ si la courbe change de concavité en $x = c \in \text{Dom}_f$. En vertu du théorème 6.2 (p. 361), les seules valeurs de $x \in \text{Dom}_f$ susceptibles de produire un point d'inflexion sont celles où la dérivée seconde n'existe pas ou est nulle.

Dans un tableau des signes, on place généralement les valeurs où on observe une discontinuité de la fonction, les valeurs critiques, ainsi que les valeurs susceptibles de produire un point d'inflexion. À partir de ces valeurs, des intervalles qu'elles délimitent ainsi que des signes des dérivées première et seconde sur ces intervalles, on peut aisément déterminer les intervalles de croissance et les intervalles de décroissance de la fonction, et, par le fait même, les extremums de la fonction. On peut également déterminer les intervalles de concavité vers le haut et les intervalles de concavité vers le bas de la fonction, et, par le fait même, les points d'inflexion.

Les informations contenues dans le tableau des signes de même que les informations obtenues lors de la recherche des asymptotes, de l'ordonnée à l'origine et des zéros permettent alors de tracer une esquisse sommaire, mais assez fidèle, de la courbe décrite par une fonction $f(x)$. On peut ainsi avoir une image assez précise du comportement de la fonction.

MOTS clés

RÉSEAU de concepts

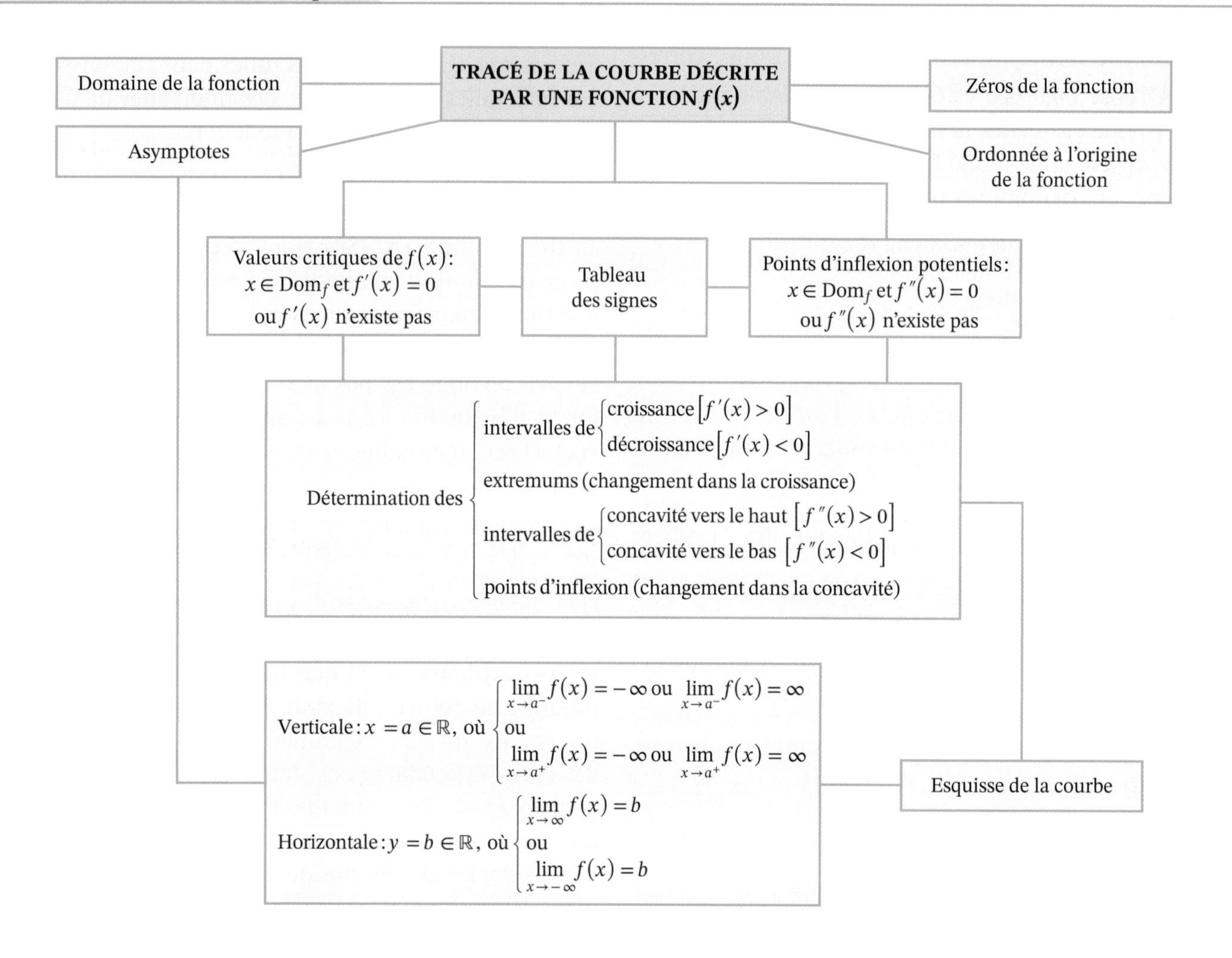

EXERCICES récapitulatifs

SECTIONS 6.1 À 6.4

1. Déterminez le domaine de la fonction $f(x)$.

a) $f(x) = \dfrac{1-2x}{x^2-3x}$

b) $f(x) = \dfrac{3x+4}{e^{-x}-2}$

c) $f(x) = 2e^{-x^2}+1$

d) $f(x) = \sqrt[4]{-2x+5}$

e) $f(x) = \sqrt{2x^4-162}$

f) $f(x) = \dfrac{3}{\sqrt[3]{2x^4-162}}$

g) $f(x) = \log_2(x^3+8)$

h) $f(x) = \ln(32-2x^2)$

i) $f(x) = \log(x^4-1)$

j) $f(x) = x - \sec x$

2. Déterminez, s'il y en a, les asymptotes verticales et les asymptotes horizontales à la courbe décrite par la fonction $f(x)$.

a) $f(x) = \dfrac{6x}{x^2+9}$

b) $f(x) = \dfrac{1-x^3}{x}$

c) $f(x) = \dfrac{x^2-3x}{9-x^2}$

d) $f(x) = \dfrac{3x+4}{2x^2-x-6}$

e) $f(x) = \dfrac{4x^2+2x-2}{x^2-2x-3}$

f) $f(x) = \dfrac{\sqrt{16x^2+1}}{3x+1}$

g) $f(x) = \ln(32-2x^2)$

h) $f(x) = \log(x^4-1)$

i) $f(x) = \dfrac{e^x}{e^x-e}$

j) $f(x) = \dfrac{e^x+e^{-x}}{e^x-e^{-x}}$

3. Déterminez, si possible, l'ordonnée à l'origine et les zéros de la fonction $f(x)$.

a) $f(x) = 6x^2+13x-5$

b) $f(x) = \dfrac{1-x^3}{x}$

c) $f(x) = \dfrac{3x+4}{e^{-x}-2}$

d) $f(x) = \dfrac{x^3-16x}{2x-x^2}$

e) $f(x) = 4 - \sqrt{4-2x}$

f) $f(x) = 4\sqrt{x-3}+1$

g) $f(x) = 8 - \left(\frac{1}{2}\right)^{x-2}$

h) $f(x) = \frac{1}{2}(3^x)+1$

i) $f(x) = \ln(x^2+3)$

j) $f(x) = -2\log_4(2x-3)+1$

4. Soit la fonction

$$f(x)=\begin{cases}\dfrac{3\sqrt{x^2+1}}{2x-1} & \text{si } x<\frac{1}{2}\\ \dfrac{x^2-5x+6}{2x^2-7x+3} & \text{si } \frac{1}{2}<x<3\\ \dfrac{8-2x}{5x-5} & \text{si } x>3\end{cases}$$

a) Quel est le domaine de la fonction $f(x)$?

b) Quel est le type de discontinuité de la fonction $f(x)$ en $x=\frac{1}{2}$? Justifiez votre réponse.

c) Quelle valeur doit-on donner à la fonction $f(x)$ pour qu'elle soit continue en $x=3$? Justifiez votre réponse.

d) Quelle est l'équation de l'asymptote verticale à la courbe décrite par la fonction $f(x)$?

e) Quelles sont les équations des asymptotes horizontales à la courbe décrite par la fonction $f(x)$?

f) Quelle est l'ordonnée à l'origine de la fonction $f(x)$?

g) Quels sont les zéros de la fonction $f(x)$?

5. Déterminez les intervalles de concavité vers le bas, les intervalles de concavité vers le haut ainsi que les points d'inflexion de la fonction $f(x)$.

a) $f(x)=-3x^5+20x^3+4$

b) $f(x)=x^5+5x^4-3$

c) $f(x)=\sqrt[3]{x^2-9}$

d) $f(x)=\dfrac{6x}{x^2+9}$

e) $f(x)=-4x\sqrt{x+2}$

f) $f(x)=\ln(1+x^2)$

g) $f(x)=2xe^{-3x}$

h) $f(x)=x-\operatorname{tg}x$ sur $\left[-\frac{\pi}{4},\frac{\pi}{4}\right]$

i) $f(x)=\cos^2(2x)$ sur $[0,\pi]$

j) $f(x)=x-2\operatorname{arctg}x$

6. La courbe décrite par la fonction $f(x)$ définie sur l'intervalle $[a,b]$ est donnée ci-dessous.

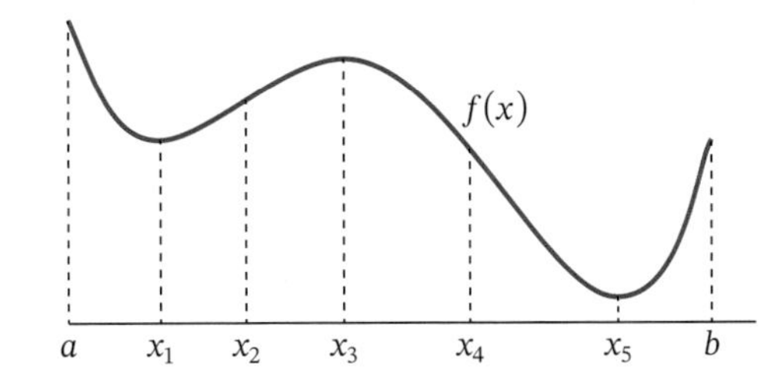

a) Déterminez les valeurs de x dans l'intervalle $]a,b[$ où $f'(x)$ change de signe.

b) Déterminez les intervalles de croissance de la fonction $f(x)$.

c) Déterminez les intervalles de décroissance de la fonction $f(x)$.

d) Déterminez les valeurs de x dans l'intervalle $[a,b]$ où la fonction atteint un maximum et indiquez la nature du maximum (relatif ou absolu) atteint en cette valeur.

e) Déterminez les valeurs de x dans l'intervalle $[a,b]$ où la fonction atteint un minimum et indiquez la nature du minimum (relatif ou absolu) atteint en cette valeur.

f) Déterminez les valeurs de x dans l'intervalle $[a,b]$ où la courbe décrite par la fonction admet un point d'inflexion.

g) Déterminez les valeurs de x dans l'intervalle $]a,b[$ où $f''(x)$ change de signe.

h) Déterminez les intervalles où la fonction est concave vers le bas.

i) Déterminez les intervalles où la fonction est concave vers le haut.

SECTION 6.5

7. Faites l'étude complète de la fonction en respectant les sept étapes proposées.

a) $f(x)=x^3+6x^2$

b) $f(x)=(x^2-1)^2-4$

c) $f(x)=(x-1)^3(x+1)$

d) $f(x)=(x^2-1)^{2/3}$

e) $f(x)=x^{1/3}+x^{4/3}$

f) $f(x)=x^{5/3}-8x^{2/3}$

g) $f(x)=3x^{5/2}-x^{3/2}$

h) $f(x)=2^{x^2}$

i) $f(x)=e^x-e^{-x}$

j) $f(x)=\ln(1+x^2)$

8. Faites l'étude complète de la fonction en respectant les sept étapes proposées.

a) $f(x)=\dfrac{x}{x^2+4}$

b) $f(x)=\dfrac{x^3}{x-3}$

c) $f(x)=\dfrac{x+5}{2-x}$

d) $f(x)=\dfrac{6}{x^2}-\dfrac{6}{x}$

e) $f(x)=\dfrac{x}{x^2-4}$

f) $f(x)=\dfrac{x^2-1}{x^2+1}$

g) $f(x)=\dfrac{x-4}{x^2-16}$

h) $f(x)=\dfrac{x^2+x-1}{x^2}$

i) $f(x)=e^{-x^2}$

j) $f(x)=\dfrac{8}{1+e^{2-x}}$

9. Faites l'étude complète de la fonction en respectant les sept étapes proposées.

a) $f(x)=(4-x^2)^3$

b) $f(x)=\dfrac{e^x}{2x}$

c) $f(x)=\dfrac{\ln x}{x}$

d) $f(x)=x^2e^{2x}$

e) $f(x)=x\sqrt{1-x^2}$

f) $f(x)=\dfrac{2x^2+8x+6}{x^2+4x-5}$

g) $f(x) = \sin x + \cos x$ sur $[0, \pi]$

h) $f(x) = \cos^2(2x)$ sur $[0, \frac{\pi}{2}]$

i) $f(x) = \text{arctg}(x^2)$

j) $f(x) = 2x + \arccos x$

(Note : La courbe décrite par cette fonction n'admet aucun zéro.)

10. Un avion se prépare à décoller et le pilote souhaite atteindre une altitude de 8 km après avoir parcouru une distance horizontale de 100 km depuis son point de décollage. L'altitude A (en kilomètres) de cet avion en fonction de la distance horizontale x (en kilomètres) parcourue depuis le décollage est donnée par $A(x) = -0{,}000\,01x^3 + 0{,}0018x^2$. Esquissez la courbe décrite par cette fonction pour $x \in [0, 100]$ en respectant les sept étapes proposées.

11. Lors d'une étude clinique sur l'effet analgésique de l'acétaminophène, des chercheurs ont demandé à des sujets d'indiquer le pourcentage de soulagement de la douleur ressenti après l'absorption de différentes doses du médicament. Ils ont pu établir que la fonction $p(x) = \dfrac{4\,800x^2}{48x^2 + 1}$ décrivait bien le pourcentage p de soulagement procuré par l'absorption d'une quantité x (en grammes) de médicament.

a) Déterminez les valeurs de x plausibles dans le contexte.

b) Esquissez la courbe décrite par la fonction $p(x)$ sur l'intervalle obtenu en a en respectant les sept étapes proposées.

c) Commentez la courbe esquissée en b dans le contexte.

12. La fonction $A(t) = \dfrac{1{,}4t}{4t^2 + 1}$ donne le taux d'alcool (en grammes par litre) dans le sang t heures après la consommation d'une bière.

a) Déterminez les valeurs de t plausibles dans le contexte.

b) Esquissez la courbe décrite par la fonction $A(t)$ sur l'intervalle obtenu en a en respectant les sept étapes proposées.

c) Commentez la courbe esquissée en b dans le contexte.

13. La fonction $N(t) = 10\left[1 - \dfrac{6}{t+5} + \dfrac{30}{(t+5)^2}\right]$ représente le taux d'oxygène (en milligrammes par litre) dans un plan d'eau t mois après un déversement de pétrole.

a) Déterminez les valeurs de t plausibles dans le contexte.

b) Esquissez la courbe décrite par la fonction $N(t)$ sur l'intervalle obtenu en a en respectant les sept étapes proposées.

c) Commentez la courbe esquissée en b dans le contexte.

14. La taille y (en centimètres) d'un petit rongeur en fonction de son âge t (en années) est donnée par l'expression $y(t) = e^{2-2e^{-7/5\, t}}$.

a) Quelle est la taille du rongeur à sa naissance ?

b) Quelle est la taille du rongeur à maturité ?

c) Quel est le taux de croissance du rongeur ?

d) Esquissez la courbe décrite par la fonction $y(t)$ en respectant les sept étapes proposées.

15. La fonction $P(t) = \dfrac{A}{1 + Ce^{-rt}}$, où A, C et r sont des constantes positives, est appelée fonction logistique. Elle représente généralement bien l'évolution de la taille d'une population animale $P(t)$ en fonction du temps t exprimé en années.

a) Quel est le taux de croissance d'une population évoluant selon une fonction logistique ?

b) Le taux de croissance d'une population animale évoluant selon une fonction logistique atteint sa valeur maximale lorsque sa dérivée (celle du taux de croissance) est nulle. À quel moment (pour quelle valeur de t) le taux de croissance de la population animale est-il maximal, c'est-à-dire à quel moment la population croît-elle le plus rapidement ?

Soit une population animale dans un environnement donné dont la taille évolue selon une fonction logistique avec $A = 3\,000$, $C = 5$ et $r = 0{,}4$, c'est-à-dire que

$$P(t) = \frac{3\,000}{1 + 5e^{-0{,}4t}}$$

c) À long terme, quelle est la taille de cette population animale ?

d) À long terme, que devient le taux de croissance de cette population animale ?

e) Esquissez la courbe décrite par la fonction $P(t)$ en respectant les sept étapes proposées.

16. L'équation empirique de Morse met en relation l'énergie potentielle E de deux atomes formant une molécule en fonction de la distance r séparant les deux atomes :

$$E(r) = D\left[1 - e^{a(r_e - r)}\right]^2$$

où $r > 0$, r_e représente la distance d'équilibre entre les noyaux (aussi appelée la longueur de liaison), a est une constante positive et D est une constante positive appelée énergie de dissociation, soit l'énergie requise pour briser la liaison moléculaire.

a) Quelle est la valeur de l'énergie potentielle E lorsque les deux atomes sont très éloignés l'un de l'autre ?

b) Quelle est la distance séparant les deux atomes lorsque l'énergie potentielle atteint sa plus faible valeur ? Exprimez la valeur de r en fonction de r_e.

c) En vertu de l'équation de Morse, quelle est la valeur minimale de l'énergie potentielle ?

d) Considérez le cas particulier $E(r) = 6(1 - e^{4/5 - r})^2$. Esquissez la courbe décrite par cette fonction en respectant les sept étapes proposées.

17. La fonction $y(v) = 4\pi\left(\dfrac{m}{2k\pi T}\right)^{3/2} v^2 e^{-\frac{mv^2}{2kT}}$ porte le nom de distribution des vitesses moléculaires de Maxwell-Boltzmann. Cette fonction est une densité de probabilité dont le sommet correspond à la vitesse moléculaire la plus probable. Afin d'en simplifier l'expression, on peut l'écrire sous la forme $y(v) = k_1 v^2 e^{-k_2 v^2}$, où $k_1 = 4\pi \left(\frac{m}{2k\pi T}\right)^{3/2} > 0$, $k_2 = \frac{m}{2kT} > 0$ et $v > 0$.

a) En quelle vitesse v la fonction $y(v)$ atteint-elle sa valeur maximale? Exprimez la valeur de v en fonction du paramètre k_2.

b) Considérez le cas particulier $y(v) = v^2 e^{-\frac{1}{16}v^2}$. Esquissez la courbe décrite par cette fonction en respectant les sept étapes proposées.

18. L'équation de Lennard-Jones exprime l'énergie potentielle E de deux molécules en fonction de la distance r les séparant: $E(r) = \frac{4\varepsilon\sigma^6}{r^6}\left(\frac{\sigma^6}{r^6} - 1\right)$, où $r > 0$, σ est une constante positive appelée diamètre de collision et ε est une constante non nulle.

a) Dans le contexte, quelle est la variable indépendante et quelle est la variable dépendante?

b) Dans le contexte, à quelles valeurs de r doit-on limiter le domaine de la fonction $E(r)$?

c) Quelle est la valeur de l'énergie potentielle E lorsque les deux molécules sont très éloignées l'une de l'autre? Formulez votre réponse en utilisant la notation mathématique appropriée.

d) En ayant recours au vocabulaire relatif à la représentation graphique de la courbe décrite par la fonction $E(r)$, donnez une interprétation géométrique de l'énergie potentielle obtenue en c.

e) Si $\varepsilon > 0$, quelle est la valeur théorique de l'énergie potentielle lorsque les deux molécules sont extrêmement proches l'une de l'autre? Formulez votre réponse en utilisant la notation mathématique appropriée.

f) Vérifiez que $E'(r) = \frac{24\varepsilon\sigma^6(r^6 - 2\sigma^6)}{r^{13}}$.

g) Si $\varepsilon > 0$, quelle est la distance séparant les deux molécules lorsque l'énergie potentielle atteint sa plus faible valeur? (La valeur de r est exprimée en fonction de σ.)

h) Si $\varepsilon > 0$, vérifiez que $-\varepsilon$ représente la valeur minimale de l'énergie potentielle.

i) Considérez le cas particulier où $\varepsilon = \sigma = 1$. On obtient alors $E(r) = \frac{4}{r^{12}} - \frac{4}{r^6}$, $E'(r) = \frac{24(r^6 - 2)}{r^{13}}$ et $E''(r) = \frac{24(26 - 7r^6)}{r^{14}}$. Construisez le tableau des signes. Dans ce tableau, vous devez consigner les asymptotes verticales, les intervalles de croissance, les intervalles de décroissance, les intervalles de concavité vers le haut, les intervalles de concavité vers le bas, les extremums (maximum ou minimum) et leur nature (relatif ou absolu), ainsi que les points d'inflexion.

j) À partir des informations consignées dans le tableau construit en i et des réponses produites en c et en e, esquissez le graphique de la courbe décrite par la fonction $E(r) = \frac{4}{r^{12}} - \frac{4}{r^6}$.

EXERCICES de révision

1. Encerclez la lettre qui correspond à la bonne réponse.

a) Si a et b sont des constantes, et si $b \neq 2$, que vaut $\lim\limits_{x\to\infty} \frac{ax^2 - 2x + 4}{(b-2)x^2 - x + 3}$?

A. a C. $b - 2$ E. $\frac{a}{b-2}$

B. b D. $\frac{a}{b}$ F. Aucune de ces réponses.

b) Soit $f(x)$ et $g(x)$ deux fonctions dérivables qui décrivent des courbes passant par l'origine. Quelle est la pente, à l'origine, de la droite tangente à la courbe décrite par la fonction $u(x) = f(x)g(x)$, qui correspond au produit des deux fonctions $f(x)$ et $g(x)$?

A. $f'(0)g'(0)$

B. $f'(0)$

C. $g'(0)$

D. 0

E. 1

F. -1

G. Il n'y a pas suffisamment d'information pour répondre à cette question.

H. Aucune de ces réponses.

c) La courbe décrite par la fonction dérivée $f'(x)$ d'une fonction $f(x)$ dérivable partout est la suivante:

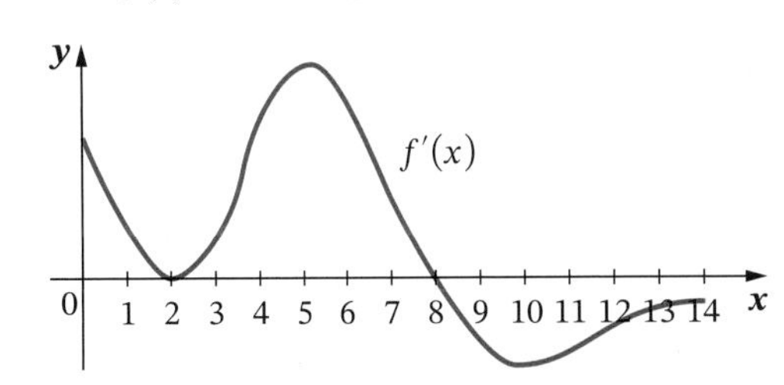

En quelle valeur de x la fonction $f(x)$ atteint-elle son maximum absolu sur l'intervalle $[0, 14]$?

A. $x = 0$ D. $x = 8$ G. $x = 14$

B. $x = 2$ E. $x = 10$ H. Aucune de ces réponses.

C. $x = 5$ F. $x = 12$

d) Comment peut-on qualifier la fonction

$$f(x) = \begin{cases} \frac{x^2 + 2x - 3}{x - 1} & \text{si } x < 1 \\ 4 & \text{si } x = 1 \\ x^2 + 3x + 1 & \text{si } x > 1 \end{cases}$$

en $x = 1$?

A. La fonction $f(x)$ est continue en $x = 1$.

B. La fonction $f(x)$ admet une discontinuité non essentielle par trou en $x = 1$.

C. La fonction $f(x)$ admet une discontinuité non essentielle par déplacement en $x = 1$.

D. La fonction $f(x)$ admet une discontinuité essentielle par saut en $x = 1$.

E. La fonction $f(x)$ admet une discontinuité essentielle infinie en $x = 1$.

F. Aucune de ces réponses.

e) Que vaut $\frac{d}{dx}\left[e^{5x}\sin^2(3x)\right]$?

A. $30e^{5x}\sin(3x)$

B. $6e^{5x}\sin(3x)\cos(3x) + 5e^{5x}\sin^2(3x)$

C. $e^{5x}\sin(3x)\cos(3x) + e^{5x}\sin^2(3x)$

D. $30e^{5x}\cos(3x)$

E. $3e^{5x}\sin(3x)\cos(3x) + 5e^{5x}\sin^2(3x)$

F. $3e^{5x}\sin(3x) + 5e^{5x}\sin^2(3x)$

G. Aucune de ces réponses.

f) Si $x^3y - y^3x = 30$, que vaut $\left.\frac{dy}{dx}\right|_{(2,-3)}$?

A. $-\frac{5}{8}$

B. $\frac{5}{8}$

C. $-\frac{8}{5}$

D. $\frac{8}{5}$

E. $\frac{9}{46}$

F. $-\frac{46}{9}$

G. $\frac{46}{9}$

H. $-\frac{9}{46}$

I. Aucune de ces réponses.

g) Si $y = \frac{\text{arctg}\, x}{x}$, que vaut $\left.\frac{dy}{dx}\right|_{x=1}$?

A. $-\frac{\pi}{4}$

B. $\frac{\pi}{4}$

C. $\frac{1}{2} - \frac{\pi}{4}$

D. $\frac{\pi}{4} - \frac{1}{2}$

E. $\frac{1}{2} + \frac{\pi}{4}$

F. $-\frac{1}{2} - \frac{\pi}{4}$

G. Aucune de ces réponses.

h) Dans un triangle rectangle, la mesure de l'angle θ est de $\frac{\pi}{3}$ rad et comporte une incertitude de 0,2 rad. Quelle est l'incertitude absolue sur la mesure de b si la valeur exacte de la mesure de l'hypoténuse est de 15 cm ?

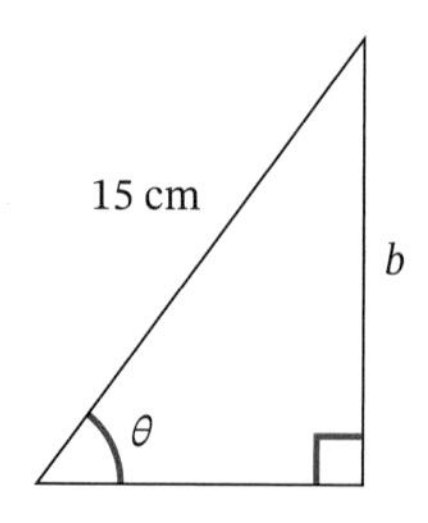

A. 0,5 cm

B. 1 cm

C. 1,5 cm

D. 2 cm

E. 2,5 cm

F. $1{,}5\sqrt{3}$ cm $\approx 2{,}60$ cm

G. Aucune de ces réponses.

i) Quelles droites sont des asymptotes verticales à la courbe décrite par la fonction $f(x) = \frac{x^2 + x}{x^2 - 2x - 3}$?

A. $x = 1$ seulement

B. $x = -3$ seulement

C. $x = -1$ seulement

D. $x = 3$ seulement

E. $x = -1$ et $x = 3$

F. $x = 1$ et $x = -3$

G. $x = 1$ et $x = 3$

H. La courbe n'admet aucune asymptote verticale.

I. Aucune de ces réponses.

j) Quelles droites sont des asymptotes horizontales à la courbe décrite par la fonction $f(x) = \frac{\sqrt{4x^2 + 6}}{x - 3}$?

A. $y = -2$ seulement

B. $y = 2$ seulement

C. $y = 3$ seulement

D. $y = -4$ seulement

E. $y = 4$ seulement

F. $y = -2$ et $y = 2$

G. $y = -4$ et $y = 4$

H. La courbe n'admet aucune asymptote horizontale.

I. Aucune de ces réponses.

2. En utilisant la définition de la dérivée, trouvez l'expression de $f'(x)$ si $f(x) = 3x^2 + 1$.

3. Si $y = \ln(1 + x^2)$, que vaut $\frac{d^2y}{dx^2}$?

4. Les longueurs des côtés a et b de l'angle droit d'un triangle rectangle varient. Ainsi, le plus petit des côtés (a) augmente à raison de 5 cm/s, alors que l'autre (b) diminue à raison de 2 cm/s.

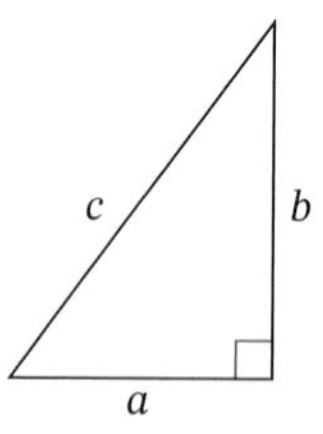

a) À quel rythme l'hypoténuse (c) du triangle varie-t-elle lorsque les côtés de l'angle droit mesurent respectivement 30 cm et 40 cm ?

b) À quel rythme l'aire du triangle varie-t-elle lorsque les côtés de l'angle droit mesurent respectivement 30 cm et 40 cm ?

5. Quelle est l'équation de la droite tangente à la courbe décrite par la fonction $f(x) = 3 + 2x\cos^2 x$ en $x = 0$?

6. Le rayon r d'un pamplemousse de forme sphérique est de 6 cm, et sa pelure a une épaisseur de 0,4 cm. Utilisez les différentielles pour estimer la perte *relative* du volume V occupé par le pamplemousse lorsqu'on enlève sa pelure.

7. Déterminez les extremums relatifs et les extremums absolus de la fonction $f(x) = x^3 + 3x^2 - 9x - 7$ sur l'intervalle $[-4, 2]$?

8. La rigidité R d'une poutre rectangulaire correspond au produit de sa base b par le cube de sa hauteur h. Déterminez les dimensions de la poutre rectangulaire la plus rigide que l'on peut tirer d'une bille de bois cylindrique dont le diamètre mesure 1 m.

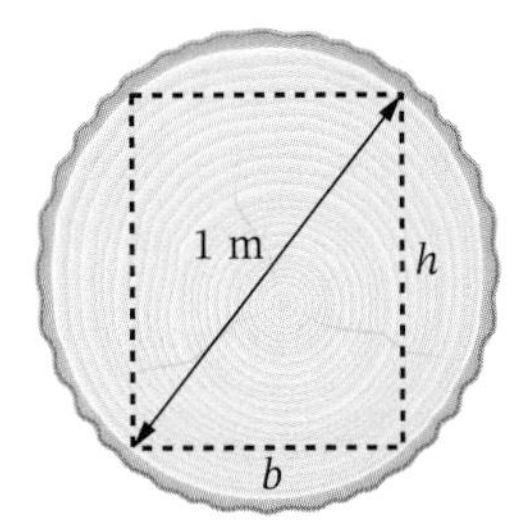

9. Soit $f(x) = \dfrac{(x+4)(4x+1)}{(x+1)^2}$.

a) Déterminez le domaine de la fonction $f(x)$.

b) Déterminez les équations des asymptotes verticales et horizontales à la courbe décrite par la fonction $f(x)$.

c) Déterminez l'ordonnée à l'origine et les zéros de la fonction $f(x)$.

d) Les dérivées première et seconde de

$$f(x) = \frac{(x+4)(4x+1)}{(x+1)^2}$$

sont respectivement

$$f'(x) = \frac{9(1-x)}{(x+1)^3}$$

et

$$f''(x) = \frac{18(x-2)}{(x+1)^4}$$

Construisez un tableau des signes en y consignant les asymptotes verticales, les intervalles de croissance et les intervalles de décroissance, les intervalles de concavité vers le haut et les intervalles de concavité vers le bas, les extremums (maximum ou minimum) et leur nature (relatif ou absolu), ainsi que les points d'inflexion.

e) À partir des informations recueillies en b, en c et celles consignées dans le tableau construit en d, esquissez la courbe décrite par la fonction $f(x) = \dfrac{(x+4)(4x+1)}{(x+1)^2}$.

ANNEXE

RAPPELS DE NOTIONS MATHÉMATIQUES

A.1 LES OPÉRATIONS SUR LES ENSEMBLES

Un **ensemble** est un regroupement d'éléments. Lorsqu'on énumère les éléments faisant partie d'un ensemble en les séparant par des virgules et en les plaçant entre accolades, on définit l'ensemble en **extension**. On peut également décrire les éléments d'un ensemble en indiquant les caractéristiques qu'ils doivent respecter. On parle alors de définition en **compréhension**.

EXEMPLE A.1

Soit A l'ensemble des nombres pairs supérieurs à 0 et inférieurs à 10. Alors, la représentation de A en extension est

$$A = \{2, 4, 6, 8\}$$

De plus, la représentation de A en compréhension est

$$A = \{x | x \text{ est pair et } 0 < x < 10\}$$

La relation d'**appartenance à un ensemble** établit si un élément fait partie ou non d'un ensemble. Pour indiquer qu'un élément appartient à un ensemble, on utilise le symbole $\in$. En revanche, pour indiquer qu'un élément n'appartient pas à un ensemble, on utilise le symbole $\notin$. Par exemple, $3 \in \{1, 3, 5, 7, 9\}$ et $8 \notin \{1, 3, 5, 7, 9\}$.

Lorsque tous les éléments d'un ensemble A appartiennent aussi à un ensemble B, on dit que l'ensemble A est inclus dans l'ensemble B ou que l'ensemble A est un **sous-ensemble** de l'ensemble B, ce qu'on note $A \subseteq B$. Par ailleurs, si un ensemble C possède un ou plusieurs éléments qui ne font pas partie de l'ensemble D, alors C n'est pas inclus dans D, c'est-à-dire que $C \nsubseteq D$. De plus, on dit que deux **ensembles** A et B sont **égaux**, et on note $A = B$, s'ils sont composés des mêmes éléments.

L'**ensemble vide**, c'est-à-dire l'ensemble qui ne contient aucun élément, est inclus dans tous les ensembles. On le note $\{\ \}$ ou $\varnothing$.

EXEMPLE A.2

Soit $A = \{x | x \text{ est pair et } 0 < x < 10\}$, $B = \{2, 4, 6, 8\}$ et $C = \{0, 2, 4, 6, 8, 10\}$.

Alors, $B \subseteq C$ puisque tous les éléments de l'ensemble B sont dans l'ensemble C. Cependant, $C \nsubseteq B$, car $10 \in C$, mais $10 \notin B$. Par ailleurs, $A = B$ puisque ces ensembles sont composés des mêmes éléments.

L'**union de deux ensembles** A et B est l'ensemble contenant tous les éléments de A et tous les éléments de B. On le note $A \cup B$ et

$$A \cup B = \{x | x \in A \text{ ou } x \in B\}$$

L'**intersection de deux ensembles** A et B est l'ensemble contenant tous les éléments communs à A et à B. On le note $A \cap B$ et

$$A \cap B = \{x | x \in A \text{ et } x \in B\}$$

La **différence de deux ensembles**, notée $A \backslash B$, est l'ensemble des éléments qui appartiennent à l'ensemble A, mais n'appartiennent pas à l'ensemble B. Alors,

$$A \backslash B = \{x \in A | x \notin B\}$$

EXEMPLE A.3

Soit $A = \{1, 2, 3, 4, 6, 8, 12, 16, 24, 48\}$ et $B = \{1, 3, 5, 7, 9\}$. Déterminons $A \cup B$, $A \cap B$, $A \backslash B$ et $B \backslash A$. On a

$$A \cup B = \{1, 2, 3, 4, 5, 6, 7, 8, 9, 12, 16, 24, 48\}$$

$$A \cap B = \{1, 3\}$$

$$A \backslash B = \{2, 4, 6, 8, 12, 16, 24, 48\}$$

$$B \backslash A = \{5, 7, 9\}$$

EXERCICES A.1

1. Soit $A = \{1, 2, 3, 4, 5, 6\}$ et $B = \{2, 3, 5, 7\}$. Dites si l'énoncé est vrai ou faux, et justifiez votre réponse.

a) $\varnothing \in A$

b) $B \subseteq A$

c) $5 \in A \cap B$

d) $\{2, 3\} \in B$

e) $\{1, 3, 5\} \subseteq A$

f) $4 \in A \backslash B$

2. Soit les ensembles

$$A = \{3, 6, 9, 12, 15, 18, 21, 24, 27\} \text{ et } B = \{1, 2, 3, 4, 6, 8, 12, 24\}$$

Déterminez $A \cup B$, $A \cap B$, $A \backslash B$ et $B \backslash A$.

A.2 LES ENSEMBLES DE NOMBRES

Les nombres sont regroupés en grandes catégories, chacune étant désignée par un nom et par un symbole qui lui sont propres (**TABLEAU A.1**).

TABLEAU A.1
Ensembles de nombres

Nom de l'ensemble	Notation	Description	Représentation
Entiers naturels	$\mathbb{N}$	Il contient les entiers positifs ou nuls.	$\mathbb{N} = \{0, 1, 2, 3, 4, ...\}$
Entiers naturels positifs	$\mathbb{N}^*$	Il contient les entiers positifs.	$\mathbb{N}^* = \{1, 2, 3, 4, ...\} = \mathbb{N} \backslash \{0\}$
Nombres entiers	$\mathbb{Z}$	Il contient les entiers positifs, négatifs ou nuls.	$\mathbb{Z} = \{..., -4, -3, -2, -1, 0, 1, 2, 3, 4, ...\}$
Nombres entiers non nuls	$\mathbb{Z}^*$	Il contient les entiers positifs ou négatifs.	$\mathbb{Z}^* = \{..., -4, -3, -2, -1, 1, 2, 3, 4, ...\}$
Nombres entiers positifs	$\mathbb{Z}^+$	Il contient les entiers positifs.	$\mathbb{Z}^+ = \{1, 2, 3, 4, ...\} = \mathbb{N}^*$
Nombres entiers négatifs	$\mathbb{Z}^-$	Il contient les entiers négatifs.	$\mathbb{Z}^- = \{..., -4, -3, -2, -1\}$
Nombres rationnels	$\mathbb{Q}$	Il contient les nombres dont la représentation décimale est finie ou périodique.	$\mathbb{Q} = \left\{ \frac{a}{b} \middle\vert a \in \mathbb{Z} \text{ et } b \in \mathbb{Z}^* \right\}$
Nombres irrationnels	$\mathbb{Q}'$	Il contient les nombres dont la représentation décimale est infinie et non périodique.	$\mathbb{Q}' = \mathbb{R} \backslash \mathbb{Q}$
Nombres réels	$\mathbb{R}$	Il contient les nombres rationnels et les nombres irrationnels.	$\mathbb{R} = \mathbb{Q} \cup \mathbb{Q}'$
Nombres réels non nuls	$\mathbb{R}^*$	Il contient les nombres réels non nuls.	$\mathbb{R}^* = \mathbb{R} \backslash \{0\}$
Nombres réels positifs	$\mathbb{R}^+$	Il contient les nombres réels positifs.	$\mathbb{R}^+ = \{x \in \mathbb{R} \| x > 0\}$
Nombres réels négatifs	$\mathbb{R}^-$	Il contient les nombres réels négatifs.	$\mathbb{R}^- = \{x \in \mathbb{R} \| x < 0\}$

EXERCICES A.2

1. Soit les nombres

$$-4\,;\,1{,}\overline{3}\,;\,{}^{105}\!/_{3}\,;\,{}^{\pi}\!/_{4}\,;\,2{,}48\,;\,\sqrt[3]{-512}\,;\,\sqrt{15}$$

a) Lesquels sont des nombres naturels ?
b) Lesquels sont des nombres entiers ?
c) Lesquels sont des nombres rationnels ?
d) Lesquels sont des nombres irrationnels ?
e) Lesquels sont des nombres réels ?

2. Dites si l'énoncé est vrai ou faux, et justifiez votre réponse.

a) $0 \in \mathbb{R}^+$	d) $\sqrt[3]{36} \in \mathbb{Q}$	g) $\mathbb{R}^+ \cup \mathbb{R}^- = \mathbb{R}$	j) $\mathbb{Q} \cap \mathbb{Q}' = \{0\}$
b) $\sqrt{196} \in \mathbb{N}^*$	e) $\sqrt{1/4} \in \mathbb{Q}$	h) $\mathbb{N} \cap \mathbb{Z} = \mathbb{N}$	
c) $-119/17 \in \mathbb{Z}^-$	f) $\sqrt[4]{625} \in \mathbb{Q}'$	i) $\mathbb{Z} \backslash \mathbb{N} = \mathbb{Z}^-$	

A.3 LES INTERVALLES

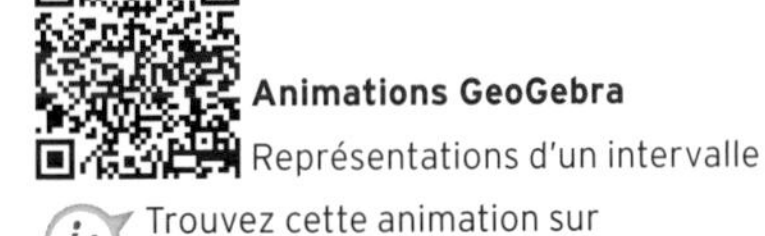

Trouvez cette animation sur la plateforme *i+ Interactif*.

Les **intervalles** sont des sous-ensembles particuliers de nombres réels. Parfois, ils représentent l'ensemble des nombres compris entre deux valeurs réelles a et b, les extrémités a et b pouvant être incluses ou non.

Un intervalle peut également représenter l'ensemble des nombres supérieurs (ou inférieurs, ou supérieurs ou égaux, ou inférieurs ou égaux) à une valeur réelle a. Dans ces cas, il faut introduire les symboles ∞ ou $-\infty$. Ces symboles signifient respectivement que les nombres deviennent de plus en plus grands (par exemple, 10, 100, 1 000, 10 000, etc.) ou de plus en plus petits (par exemple, -10, -100, $-1\,000$, $-10\,000$, etc.). Comme ∞ ou $-\infty$ ne sont pas des nombres, ils ne peuvent pas appartenir à l'intervalle. Par conséquent, le crochet juxtaposé à l'un ou à l'autre de ces symboles est toujours tourné vers l'extérieur. Le **TABLEAU A.2** regroupe les différents types d'intervalles.

TABLEAU A.2
Différents types d'intervalles

Notation	En compréhension	Interprétation	Représentation visuelle
$[a, b]$	$\{x \in \mathbb{R} \mid a \leq x \leq b\}$	Ensemble des nombres réels supérieurs ou égaux à a, mais inférieurs ou égaux à b. Il s'agit d'un intervalle fermé.	ℝ, a, b
$]a, b[$	$\{x \in \mathbb{R} \mid a < x < b\}$	Ensemble des nombres réels supérieurs à a, mais inférieurs à b. Il s'agit d'un intervalle ouvert.	ℝ, a, b
$[a, b[$	$\{x \in \mathbb{R} \mid a \leq x < b\}$	Ensemble des nombres réels supérieurs ou égaux à a, mais inférieurs à b.	ℝ, a, b
$]a, b]$	$\{x \in \mathbb{R} \mid a < x \leq b\}$	Ensemble des nombres réels supérieurs à a, mais inférieurs ou égaux à b.	ℝ, a, b
$[a, \infty[$	$\{x \in \mathbb{R} \mid x \geq a\}$	Ensemble des nombres réels supérieurs ou égaux à a.	ℝ, a
$]a, \infty[$	$\{x \in \mathbb{R} \mid x > a\}$	Ensemble des nombres réels supérieurs à a.	ℝ, a
$]-\infty, a]$	$\{x \in \mathbb{R} \mid x \leq a\}$	Ensemble des nombres réels inférieurs ou égaux à a.	ℝ, a
$]-\infty, a[$	$\{x \in \mathbb{R} \mid x < a\}$	Ensemble des nombres réels inférieurs à a.	ℝ, a

EXERCICES A.3

1. Décrivez l'intervalle en compréhension et donnez-en une représentation visuelle.

a) $[-1/4, 2]$ c) $]-\infty, 1[$ e) $]-8, -5/2[$

b) $[1,62\,;\infty[$ d) $]3, 16/3]$ f) $]-\infty, -2]$

2. Donnez l'intervalle correspondant à la représentation visuelle.

a) 

b) ℝ, 2,84

c) ℝ, $-\sqrt{2}$, 5

d) ℝ, π

e) ℝ, −0,76

f) ℝ, −4, −2/3

A.4 LES PROPRIÉTÉS DES EXPOSANTS

Si $b \in \mathbb{R}$ et $n \in \mathbb{N}^*$, on obtient la ***n*^ième^ puissance** de b, notée b^n, en multipliant le nombre b par lui-même à n reprises. On dit également b exposant n ou b puissance n.

$$b^n = \underbrace{b \times b \times b \times \cdots \times b}_{n \text{ fois}}$$

Notons que la 2e puissance de b est souvent appelée le carré de b. On dit aussi b au carré. La 3e puissance de b est, quant à elle, appelée le cube de b (ou b au cube).

Certaines propriétés permettent de simplifier des expressions contenant des exposants. Le TABLEAU A.3 présente ces propriétés.

Dans ce tableau, remarquons que si $a \neq 0$ et $b \neq 0$, alors les propriétés sont aussi valables pour $p = 0$ ou $q = 0$.

TABLEAU A.3
Propriétés des exposants

Si $a \in \mathbb{R}$, $b \in \mathbb{R}$, $p \in \mathbb{R}^*$, $q \in \mathbb{R}^*$ et si toutes les puissances sont définies, alors
1. $b^0 = 1$ si $b \neq 0$
2. $b^p b^q = b^{p+q}$
3. $\dfrac{b^p}{b^q} = b^{p-q}$ si $b \neq 0$
4. $(b^p)^q = b^{pq}$
5. $(ab)^p = a^p b^p$
6. $\left(\dfrac{a}{b}\right)^p = \dfrac{a^p}{b^p}$ si $b \neq 0$
7. $\dfrac{1}{b^p} = b^{-p}$ si $b \neq 0$

EXEMPLE A.4

Utilisons les propriétés des exposants pour simplifier $\dfrac{(x^3x^2)^4}{x^9}$, $\left(\dfrac{2x^2}{y}\right)^3$ et $\dfrac{x^4y^3}{xy^4}$.

On a

$$\begin{aligned}\frac{(x^3x^2)^4}{x^9} &= \frac{(x^5)^4}{x^9} && \text{propriété 2}\\ &= \frac{x^{20}}{x^9} && \text{propriété 4}\\ &= x^{11} && \text{propriété 3}\end{aligned}$$

Par ailleurs,

$$\begin{aligned}\left(\frac{2x^2}{y}\right)^3 &= \frac{(2x^2)^3}{y^3} && \text{propriété 6}\\ &= \frac{2^3(x^2)^3}{y^3} && \text{propriété 5}\\ &= \frac{2^3x^6}{y^3} && \text{propriété 4}\\ &= \frac{8x^6}{y^3}\end{aligned}$$

Enfin,

$$\frac{x^4y^3}{xy^4} = \frac{x^4}{x}\cdot\frac{y^3}{y^4} \quad \text{multiplication de fractions}$$

$$= x^3y^{-1} \quad \text{propriété 3}$$

$$= \frac{x^3}{y} \quad \text{propriété 7}$$

EXERCICE A.4

Utilisez les propriétés des exposants pour simplifier l'expression. Donnez la réponse en utilisant seulement des exposants positifs.

a) $\dfrac{5^{-3}\cdot 5^4}{5^{-5}}$

b) $(3/4)^{-4}$

c) $\left(\dfrac{3^3}{8^2}\right)^4\cdot 3^5$

d) $\left(\dfrac{4y}{5x}\right)^2$

e) $\dfrac{7x^8y^4}{7^3x^2y^6}$

f) $\dfrac{x^8(x^2)^3}{(x^3)^4(x^2)^{-7}}$

g) $\left(\dfrac{x^{-3}}{3y^{-1}}\right)^{-2}$

h) $\dfrac{x^{-1}y^{-2}z^3}{x^2yz^3}$

i) $\left(\dfrac{x^8y^2}{x^6y^{-4}}\right)^{-4}$

j) $(3x^2y^2)^{-3}(4xy^3)^2$

A.5 LA VALEUR ABSOLUE D'UN NOMBRE

La valeur absolue d'un nombre réel a, notée $|a|$, représente la distance qui sépare ce nombre de 0 sur la droite des nombres réels. Comme une distance ne peut pas être négative, la valeur absolue d'un nombre est toujours supérieure ou égale à 0.

Pour déterminer $|-5|$ et $|4|$, plaçons -5 et 4 sur la droite des nombres réels (FIGURE A.1).

FIGURE A.1
Droite des nombres réels

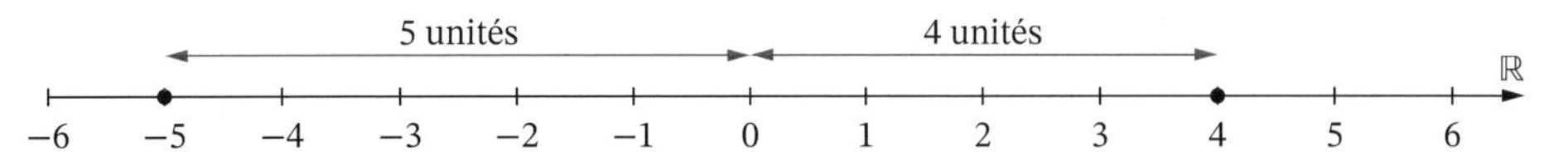

On voit bien que le nombre 4 est à 4 unités de distance du nombre 0, ce qui donne $|4| = 4$. Par ailleurs, le nombre -5 est à 5 unités de distance du nombre 0. Par conséquent, $|-5| = 5$.

Vous avez sans doute constaté, dans les exemples précédents, que lorsque $a \geq 0$, alors $|a| = a$, c'est-à-dire que la valeur absolue d'un nombre supérieur ou égal à 0 est le nombre lui-même. En revanche, lorsque $a < 0$, la valeur absolue de a est le nombre a sans son signe négatif. Pour changer le signe d'un nombre négatif, il suffit de le multiplier par -1. Alors, $|a| = -a$ si $a < 0$. On définit donc la valeur absolue d'un nombre réel a par

$$|a| = \begin{cases} a & \text{si} \quad a \geq 0 \\ -a & \text{si} \quad a < 0 \end{cases}$$

EXEMPLE A.5

Déterminons $|-45,2|$ et $|\pi|$. Comme $-45,2 < 0$, on a

$$|-45,2| = -(-45,2) = 45,2$$

Le nombre $-45,2$ est donc à 45,2 unités de distance du nombre 0. Par ailleurs, comme $\pi > 0$, alors

$$|\pi| = \pi$$

Par conséquent, la distance entre le nombre π et le nombre 0 est de π unités.

EXEMPLE A.6

Déterminons, si elles existent, toutes les valeurs réelles de x telles que $|x| = 2$. Nous cherchons les valeurs réelles qui sont à 2 unités de distance du nombre 0 (FIGURE A.2).

FIGURE A.2
Droite des nombres réels

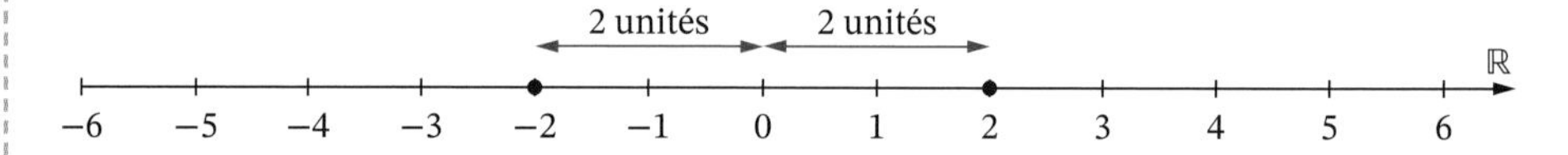

On voit bien que seuls les nombres -2 et 2 se trouvent à 2 unités de distance du nombre 0, c'est-à-dire

$$|x| = 2 \text{ si } x = 2 \text{ ou si } x = -2$$

EXERCICES A.5

1. Évaluez l'expression.

a) $|-8|$
b) $|3/4|$
c) $|2 - 3(4)|$
d) $|3 - 5(9/15)|$
e) $|2^5 - 3^2|$
f) $|1/12 - 4/5|$

2. Déterminez, si elles existent, toutes les valeurs réelles de x qui satisfont à l'égalité.

a) $|x| = 0$
b) $|x| = 9$
c) $|x| = 1/2$
d) $|x| = \sqrt{2}$
e) $|x| = -3$
f) $|x| = 4,8$

A.6 LES PROPRIÉTÉS DES RADICAUX

Si $a \in \mathbb{R}$ et si $a \geq 0$, alors la **racine carrée** de a, notée $\sqrt{a}$, est un nombre réel b tel que $b \geq 0$ et $b^2 = a$. On a alors

$$\sqrt{a} = b \text{ si } b^2 = a \text{ et } b \geq 0$$

Si $a < 0$, alors $\sqrt{a}$ n'existe pas dans l'ensemble des nombres réels. En effet, supposons, par exemple, que $\sqrt{-4} = b$. Alors, il faut que $b^2 = -4$, ce qui est impossible, car dans les nombres réels, $b^2 \geq 0$.

La racine carrée d'un nombre est toujours positive. Même si $3^2 = 9$ et $(-3)^2 = 9$, on a $\sqrt{9} = 3$. Il ne faut jamais écrire $\sqrt{9} = -3$.

EXEMPLE A.7

Déterminons, si possible, $\sqrt{0}$, $\sqrt{121}$ et $\sqrt{-36}$. Comme $0^2 = 0$, alors

$$\sqrt{0} = 0$$

De plus, comme $11^2 = 121$, alors

$$\sqrt{121} = 11$$

Finalement, $\sqrt{-36}$ n'existe pas dans l'ensemble des nombres réels (il est impossible de trouver un nombre réel qui, élevé au carré, donnerait -36).

La racine cubique d'un nombre se définit de façon similaire. Si $a \in \mathbb{R}$, alors la **racine cubique** de a, notée $\sqrt[3]{a}$, est un nombre réel b tel que $b^3 = a$. On a alors

$$\sqrt[3]{a} = b \text{ si } b^3 = a$$

Contrairement à la racine carrée, la racine cubique d'un nombre est toujours définie.

EXEMPLE A.8

Déterminons $\sqrt[3]{0}$, $\sqrt[3]{216}$ et $\sqrt[3]{-27}$. Comme $0^3 = 0$, $6^3 = 216$ et $(-3)^3 = -27$, alors

$$\sqrt[3]{0} = 0,\ \sqrt[3]{216} = 6 \text{ et } \sqrt[3]{-27} = -3$$

Pour $n \in \mathbb{N}^*$, on définit la **racine $n^{\text{ième}}$ d'un nombre** a, notée $\sqrt[n]{a}$, de la façon suivante :

- Lorsque n est impair, $\sqrt[n]{a} = b$ si $b^n = a$.
- Lorsque n est pair et lorsque $a \geq 0$, $\sqrt[n]{a} = b$ si $b^n = a$ et si $b \geq 0$. En revanche, si $a < 0$, alors $\sqrt[n]{a}$ n'existe pas dans l'ensemble des nombres réels.

EXEMPLE A.9

Déterminons, si possible, $\sqrt[4]{625}$, $\sqrt[4]{-16}$, $\sqrt[5]{243}$ et $\sqrt[5]{-1/32}$. Comme $5^4 = 625$, alors

$$\sqrt[4]{625} = 5$$

Cependant, $\sqrt[4]{-16}$ n'existe pas dans les nombres réels (il est impossible de trouver un nombre réel qui, élevé à la puissance 4, donnerait -16).

De plus, comme $3^5 = 243$ et $\left(\frac{-1}{2}\right)^5 = \frac{(-1)^5}{2^5} = -\frac{1}{32}$, alors

$$\sqrt[5]{243} = 3 \text{ et } \sqrt[5]{-1/32} = -1/2$$

Certaines propriétés permettent de simplifier des expressions contenant des radicaux. Le **TABLEAU A.4** présente ces propriétés.

TABLEAU A.4
Propriétés des radicaux

Si $a \in \mathbb{R}$, $b \in \mathbb{R}$, $m \in \mathbb{N}^*$, $n \in \mathbb{N}^*$, et si tous les radicaux sont définis, alors
1. $\sqrt[n]{b} = b^{1/n}$
2. $\sqrt[n]{b^m} = b^{m/n} = \left(\sqrt[n]{b}\right)^m$
3. $\sqrt[n]{b^n} = \begin{cases} b & \text{si } n \text{ est impair} \\ \lvert b \rvert & \text{si } n \text{ est pair} \end{cases}$
4. $\sqrt[n]{ab} = \sqrt[n]{a} \cdot \sqrt[n]{b}$
5. $\sqrt[n]{\frac{a}{b}} = \frac{\sqrt[n]{a}}{\sqrt[n]{b}}$ si $b \neq 0$
6. $\sqrt[m]{\sqrt[n]{b}} = \sqrt[mn]{b}$

EXEMPLE A.10

Évaluons $\sqrt{6^8}$, $\sqrt[4]{(1/2)^{12}}$, $32^{-4/5}$ et $(-8)^{2/3}$. En utilisant la propriété 2,

$$\sqrt{6^8} = 6^{8/2} = 6^4 = 1\ 296$$

$$\sqrt[4]{\left(\frac{1}{2}\right)^{12}} = \left(\frac{1}{2}\right)^{12/4} = \left(\frac{1}{2}\right)^3 = \frac{1^3}{2^3} = \frac{1}{8}$$

$$32^{-4/5} = \left(\sqrt[5]{32}\right)^{-4} = 2^{-4} = \frac{1}{2^4} = \frac{1}{16}$$

$$(-8)^{2/3} = \sqrt[3]{(-8)^2} = \sqrt[3]{64} = 4$$

En utilisant la calculatrice, vous pourriez obtenir les trois premiers résultats, mais pas le quatrième. En effet, la plupart des calculatrices ne sont pas programmées pour gérer les exposants fractionnaires appliqués sur des nombres négatifs.

EXEMPLE A.11

Utilisons les propriétés des radicaux pour simplifier les expressions $\sqrt{36a^2}$, $\sqrt[3]{\dfrac{a^3}{125}}$ et $\sqrt[3]{a\sqrt{a}}$. On a

$$\begin{aligned}\sqrt{36a^2} &= \sqrt{36} \times \sqrt{a^2} && \text{propriété 4}\\ &= 6|a| && \text{propriété 3}\end{aligned}$$

Par ailleurs,

$$\begin{aligned}\sqrt[3]{\frac{a^3}{125}} &= \frac{\sqrt[3]{a^3}}{\sqrt[3]{125}} && \text{propriété 5}\\ &= \frac{a}{5} && \text{propriété 3}\end{aligned}$$

Enfin,

$$\begin{aligned}\sqrt[3]{a\sqrt{a}} &= \sqrt[3]{a} \times \sqrt[3]{\sqrt{a}} && \text{propriété 4}\\ &= \sqrt[3]{a} \times \sqrt[6]{a} && \text{propriété 6}\\ &= a^{1/3} \times a^{1/6} && \text{propriété 1}\\ &= a^{1/3+1/6} && \text{propriété des exposants}\\ &= a^{1/2} && \text{car } 1/3 + 1/6 = 2/6 + 1/6 = 3/6 = 1/2\\ &= \sqrt{a} && \text{propriété 1}\end{aligned}$$

EXEMPLE A.12

Utilisons les propriétés des radicaux pour simplifier l'expression $\dfrac{4\sqrt{27} - 3\sqrt{12}}{\sqrt{3}}$.

On a

$$\begin{aligned}\frac{4\sqrt{27} - 3\sqrt{12}}{\sqrt{3}} &= \frac{4\sqrt{9 \times 3} - 3\sqrt{4 \times 3}}{\sqrt{3}} && \text{décomposition en facteurs}\\ &= \frac{4\sqrt{9}\sqrt{3} - 3\sqrt{4}\sqrt{3}}{\sqrt{3}} && \text{propriété 4}\\ &= \frac{12\sqrt{3} - 6\sqrt{3}}{\sqrt{3}} && \text{car } \sqrt{9} = 3 \text{ et } \sqrt{4} = 2\\ &= \frac{6\cancel{\sqrt{3}}}{\cancel{\sqrt{3}}}\\ &= 6\end{aligned}$$

EXERCICES A.6

1. Évaluez l'expression en utilisant les propriétés des radicaux.

a) $\sqrt{8^{10}}$	d) $\sqrt[5]{(-4)^{15}}$	g) $(-27)^{4/3}$	j) $\sqrt[5]{-1\,024/243}$
b) $\sqrt[3]{5^{21}}$	e) $125^{2/3}$	h) $(-32)^{3/5}$	k) $(9/4)^{3/2}$
c) $\sqrt[4]{(2/3)^{16}}$	f) $4^{-3/2}$	i) $\sqrt[4]{625/81}$	l) $(-27/8)^{2/3}$

2. Simplifiez l'expression en utilisant les propriétés des radicaux.

a) $\sqrt[4]{32}$

b) $\sqrt{54}$

c) $9\sqrt{300} - 4\sqrt{75}$

d) $5\sqrt[3]{128} - 8\sqrt[3]{54} + 2\sqrt[3]{250}$

e) $\dfrac{6\sqrt{45} + 3\sqrt{80}}{\sqrt{20}}$

f) $\sqrt[6]{a^2}$

g) $\sqrt[6]{\sqrt[4]{a^3}}$

h) $\sqrt[4]{256a^4}$

i) $\sqrt[5]{\dfrac{32a^5}{3\,125}}$

j) $\sqrt[3]{\dfrac{-27x^6}{y^{21}}}$

A.7 LA RATIONALISATION D'UN DÉNOMINATEUR

Lorsqu'une fraction contient une racine carrée au dénominateur, il arrive souvent qu'on la réécrive en une expression équivalente dans laquelle il n'y a plus de radical au dénominateur. On appelle cette opération la **rationalisation du dénominateur**.

Lorsque le dénominateur contient seulement une racine carrée, multipliée ou non par une constante, il suffit de multiplier le numérateur et le dénominateur par cette racine carrée pour rationaliser le dénominateur.

EXEMPLE A.13

Réécrivons l'expression $\dfrac{3 - \sqrt{12}}{\sqrt{3}}$ en rationalisant le dénominateur :

$$\frac{3 - \sqrt{12}}{\sqrt{3}} = \frac{(3 - \sqrt{12}) \times \sqrt{3}}{\sqrt{3} \times \sqrt{3}} \quad \text{multiplication du numérateur et du dénominateur par } \sqrt{3}$$

$$= \frac{3\sqrt{3} - \sqrt{12} \times \sqrt{3}}{3} \quad \text{distributivité : } (a - b)c = ac - bc$$

$$= \frac{3\sqrt{3} - \sqrt{36}}{3} \quad \text{propriété 4}$$

$$= \frac{3\sqrt{3} - 6}{3}$$

$$= \sqrt{3} - 2$$

Lorsque le dénominateur d'une fraction est la somme ou la différence de deux termes dont au moins un contient une racine carrée, alors pour rationaliser le dénominateur, il faut multiplier le numérateur et le dénominateur par le **conjugué** du dénominateur. Le conjugué de l'expression $a + b$ est l'expression $a - b$. Inversement, le conjugué de l'expression $a - b$ est l'expression $a + b$.

EXEMPLE A.14

Réécrivons l'expression $\frac{6}{\sqrt{a}+\sqrt{a+2}}$ (où $a \geq 0$) en rationalisant le dénominateur. Le conjugué de $\sqrt{a}+\sqrt{a+2}$ est $\sqrt{a}-\sqrt{a+2}$. On a alors

$$\frac{6}{\sqrt{a}+\sqrt{a+2}} = \frac{6\left(\sqrt{a}-\sqrt{a+2}\right)}{\left(\sqrt{a}+\sqrt{a+2}\right)\left(\sqrt{a}-\sqrt{a+2}\right)} \quad \text{multiplication par le conjugué}$$

$$= \frac{6\left(\sqrt{a}-\sqrt{a+2}\right)}{\sqrt{a}\sqrt{a}-\cancel{\sqrt{a}\sqrt{a+2}}+\cancel{\sqrt{a+2}\sqrt{a}}-\sqrt{a+2}\sqrt{a+2}} \quad \text{distributivité}$$

$$= \frac{6\left(\sqrt{a}-\sqrt{a+2}\right)}{a-(a+2)} \quad \text{car } \sqrt{a}\sqrt{a}=a \text{ et } \sqrt{a+2}\sqrt{a+2}=a+2$$

$$= \frac{6\left(\sqrt{a}-\sqrt{a+2}\right)}{-2} \quad \text{car } a-(a+2)=a-a-2=-2$$

$$= -3\left(\sqrt{a}-\sqrt{a+2}\right)$$

EXERCICE A.7

Réécrivez l'expression en rationalisant le dénominateur.

a) $\frac{4}{\sqrt{2}}$

b) $\frac{-6}{\sqrt{14}}$

c) $\frac{3-\sqrt{8}}{\sqrt{2}}$

d) $\frac{12\sqrt{2}}{\sqrt{6}}$

e) $\frac{10a}{3\sqrt{5a}}$

f) $\frac{6}{3+\sqrt{7}}$

g) $\frac{\sqrt{3}}{\sqrt{5}+\sqrt{3}}$

h) $\frac{1}{\sqrt{a}-3}$

i) $\frac{a-4}{\sqrt{a}-2}$

j) $\frac{20}{\sqrt{a+4}-\sqrt{a}}$

A.8 LES OPÉRATIONS SUR LES POLYNÔMES

Un **polynôme** en x de degré $n \geq 1$ est une expression de la forme

$$P(x) = a_n x^n + a_{n-1}x^{n-1} + \cdots + a_1 x + a_0$$

où $a_i \in \mathbb{R}$ (pour $i = 0, 1, ..., n$) et où $a_n \neq 0$. Le **degré d'un polynôme** $P(x)$ correspond donc à la plus grande puissance de x.

Pour **additionner** (ou **soustraire**) **deux polynômes**, il suffit d'additionner (ou de soustraire) les coefficients des termes semblables de ces polynômes.

EXEMPLE A.15

Effectuons la différence des polynômes

$$P(x) = \tfrac{1}{2}x^2 + 2x - 1 \text{ et } Q(x) = \tfrac{1}{3}x^2 - 2x + \tfrac{5}{2}$$

$$P(x) - Q(x) = \left(\tfrac{1}{2}x^2 + 2x - 1\right) - \left(\tfrac{1}{3}x^2 - 2x + \tfrac{5}{2}\right)$$

$$= \tfrac{1}{2}x^2 + 2x - 1 - \tfrac{1}{3}x^2 + 2x - \tfrac{5}{2} \quad \text{distributivité (multiplication par } -1\text{)}$$

$$= \tfrac{1}{6}x^2 + 4x - \tfrac{7}{2} \quad \text{regroupement des termes semblables}$$

Pour **multiplier deux polynômes**, on multiplie chaque terme du premier polynôme par chaque terme du deuxième polynôme. On regroupe ensuite, si possible, les termes semblables.

EXEMPLE A.16

Effectuons le produit des polynômes

$$P(x) = 2x^2 - 3x - 1 \text{ et } Q(x) = -x^2 - 2x + 3$$

$(2x^2 - 3x - 1)(-x^2 - 2x + 3)$

$= (2x^2)(-x^2 - 2x + 3) + (-3x)(-x^2 - 2x + 3) + (-1)(-x^2 - 2x + 3)$ distributivité

$= -2x^4 - 4x^3 + 6x^2 + 3x^3 + 6x^2 - 9x + x^2 + 2x - 3$ distributivité

$= -2x^4 - x^3 + 13x^2 - 7x - 3$ regroupement des termes semblables

Pour diviser un polynôme par un monôme, il suffit de diviser chaque terme du polynôme par le monôme, tel que l'illustre l'exemple suivant.

EXEMPLE A.17

Effectuons $\dfrac{6x^5 - 4x^4 + 3x - 9}{3x^2}$ si $x \neq 0$.

$\dfrac{6x^5 - 4x^4 + 3x - 9}{3x^2} = \dfrac{6x^5}{3x^2} - \dfrac{4x^4}{3x^2} + \dfrac{\cancel{3}x}{\cancel{3}x^2} - \dfrac{9}{3x^2}$ puisque $\dfrac{a \pm b}{c} = \dfrac{a}{c} \pm \dfrac{b}{c}$ si $c \neq 0$

$= 2x^3 - {}^4\!/_3 x^2 + x^{-1} - \dfrac{3}{x^2}$ propriété: $\dfrac{x^m}{x^n} = x^{m-n}$ si $x \neq 0$

$= 2x^3 - {}^4\!/_3 x^2 + \dfrac{1}{x} - \dfrac{3}{x^2}$ propriété: $x^{-n} = \dfrac{1}{x^n}$ si $x \neq 0$

Lorsqu'on divise un polynôme $P(x)$ (appelé dividende) par un polynôme $D(x)$ (appelé diviseur), on cherche un polynôme $Q(x)$ (appelé quotient) et un polynôme $R(x)$ (appelé reste) tels que

$$\frac{P(x)}{D(x)} = Q(x) + \frac{R(x)}{D(x)}$$

où soit $R = 0$, soit le degré du polynôme $R(x)$ est inférieur au degré du polynôme $D(x)$.

L'exemple suivant permettra de dégager les étapes de la **division de polynômes**.

EXEMPLE A.18

Divisons le polynôme $P(x) = 9x^3 + 6x^2 + 3x + 28$ par le polynôme $D(x) = 3x^2 + 4x - 1$.

$$\begin{array}{r|l} \boxed{9x^3} + 6x^2 + 3x + 28 & \boxed{3x^2} + 4x - 1 \\ \cline{2-2} -\underline{(9x^3 + 12x^2 - 3x)} & 3x - 2 \\ \boxed{-6x^2} + 6x + 28 & \\ -\underline{(-6x^2 - 8x + 2)} & \\ 14x + 26 & \end{array}$$

Le reste de la division est $R(x) = 14x + 26$ dont le degré est inférieur au degré du diviseur $D(x) = 3x^2 + 4x - 1$. On obtient

$$\frac{9x^3 + 6x^2 + 3x + 28}{3x^2 + 4x - 1} = 3x - 2 + \frac{14x + 26}{3x^2 + 4x - 1}$$

EXERCICE A.8

Effectuez l'opération.

a) $(2x + 6 - 4x^2) + (11x^3 + 2x - 7)$

b) $(4t^2 + 3t + 1) - (6t^2 + 3t - 2)$

c) $(3x^2 - 6x - 1) + (5x - 4) - (4x^2 + 3x - 2)$

d) $3x(x + 2) - x^2(4 - 2x) - (2x - 3)$

e) $(4x - 3)(5 - 2x)$

f) $(2x^2 - 3x + 4)(-x^2 + 2x - 3)$

g) $(5 - 2x)^2$

h) $(32x^2 - 22x + 36) \div (4x)$

i) $(45x^2 + 52x^3 - 65x^4) \div (-5x^2)$

j) $(9x^3 + 6x^2 + 4x + 16) \div (3x + 4)$

k) $(8x^3 - 12x^2 + 6x - 1) \div (2x - 1)$

l) $(64x^6 - 1) \div (2x^2 - 1)$

m) $(x^4 - x^2 + 1) \div (1 - x)$

n) $(x^5 + 2x^3 - 3x - 2) \div (x^2 - 3x + 1)$

A.9 LA FACTORISATION DE POLYNÔMES

Lorsque plusieurs expressions algébriques sont multipliées ensemble, chacune des expressions est appelée un **facteur** et le résultat de la multiplication est appelé le **produit**. Par exemple,

$$\underbrace{2}_{\text{facteur}} \times \underbrace{5}_{\text{facteur}} = \underbrace{10}_{\text{produit}}$$

$$\underbrace{(x + 2)}_{\text{facteur}}\underbrace{(2x - 1)}_{\text{facteur}} = \underbrace{2x^2 + 3x - 2}_{\text{produit}}$$

La **factorisation d'un polynôme** $P(x)$ est la décomposition de ce polynôme en un produit de **facteurs irréductibles**, c'est-à-dire des polynômes indécomposables dont les degrés sont inférieurs ou égaux au degré de $P(x)$.

Il existe plusieurs méthodes pour factoriser un polynôme. Nous présenterons les plus importantes.

La **mise en évidence simple** est une technique de factorisation qui repose sur la distributivité de la multiplication sur l'addition dans l'ensemble des nombres réels :

$$ab + ac = a(b + c)$$

EXEMPLE A.19

Factorisons $P(x) = 3x^5 + 12x^3$. Puisque $3x^3$ est un facteur commun à tous les termes du polynôme $P(x)$ [en effet, $3x^5 = 3x^3(x^2)$ et $12x^3 = 3x^3(4)$], on peut utiliser la mise en évidence simple pour factoriser le polynôme $P(x)$:

$$\begin{aligned} P(x) &= 3x^5 + 12x^3 \\ &= 3x^3(x^2) + 3x^3(4) \\ &= 3x^3(x^2 + 4) \quad \text{mise en évidence de } 3x^3 \end{aligned}$$

Remarquons qu'en effectuant le produit des deux facteurs, on obtient bien le polynôme $P(x)$:

$$3x^3(x^2 + 4) = 3x^3(x^2) + 3x^3(4) = 3x^5 + 12x^3 = P(x)$$

La **mise en évidence double** est une autre technique de factorisation qui repose sur la distributivité de la multiplication sur l'addition dans l'ensemble des nombres réels. Elle consiste à appliquer deux mises en évidence simples successives.

$$\begin{aligned} \underbrace{ac + bc}_{c \text{ est un facteur commun}} + \underbrace{ad + bd}_{d \text{ est un facteur commun}} &= c(a + b) + d(a + b) \quad \text{mise en évidence de } c \text{ et de } d \\ &= (a + b)(c + d) \quad \text{mise en évidence de } (a + b) \end{aligned}$$

EXEMPLE A.20

Factorisons $P(x) = 5x^3 + 10x^2 + 2x + 4$. Il n'y a pas de facteur commun à tous les termes de $P(x)$: on ne peut donc pas utiliser la mise en évidence simple pour factoriser le polynôme $P(x)$. Cependant, on peut utiliser la mise en évidence double.

$$\begin{aligned} P(x) &= \underbrace{5x^3 + 10x^2}_{\text{facteur commun : } 5x^2} + \underbrace{2x + 4}_{\text{facteur commun : } 2} \\ &= 5x^2(x + 2) + 2(x + 2) \quad \text{mise en évidence des facteurs communs} \\ &= (x + 2)(5x^2 + 2) \quad \text{mise en évidence de } (x + 2) \end{aligned}$$

Le produit des deux facteurs obtenus donne bien le polynôme $P(x)$.

On appelle **différence de carrés** une expression de la forme $a^2 - b^2$. La factorisation d'une telle expression est donnée par

$$a^2 - b^2 = (a - b)(a + b)$$

En effet, en multipliant les deux facteurs, on obtient

$$\begin{aligned} (a - b)(a + b) &= a(a + b) - b(a + b) \quad \text{distributivité} \\ &= a^2 + ab - ab - b^2 \quad \text{distributivité} \\ &= a^2 - b^2 \quad \text{regroupement des termes semblables} \end{aligned}$$

EXEMPLE A.21

Factorisons $P(x) = 9x^2 - 16$. $P(x)$ est une différence de carrés puisque $9x^2 = (3x)^2$ et que $16 = 4^2$. On obtient alors

$$\begin{aligned} P(x) &= 9x^2 - 16 \\ &= (3x)^2 - 4^2 \\ &= (3x - 4)(3x + 4) \quad \text{différence de carrés} \end{aligned}$$

Le produit des deux facteurs obtenus donne bien le polynôme $P(x)$.

THÉORÈME A.1 **Théorème de factorisation d'un polynôme de degré 2 à une variable**

Soit $P(x) = ax^2 + bx + c$, un polynôme en x de degré 2.

- Si $b^2 - 4ac < 0$, alors $P(x)$ est irréductible, c'est-à-dire qu'on ne peut pas le décomposer en un produit de deux polynômes à coefficients réels de degré 1.
- Si $b^2 - 4ac \geq 0$, alors $P(x) = a(x - r_1)(x - r_2)$, où r_1 et r_2 sont obtenues par la formule quadratique:

$$r_1 = \frac{-b - \sqrt{b^2 - 4ac}}{2a} \text{ et } r_2 = \frac{-b + \sqrt{b^2 - 4ac}}{2a}$$

L'avantage de cette méthode générale est qu'elle permet de déterminer les polynômes de degré 2 qui sont irréductibles et de factoriser les polynômes réductibles peu importe la nature de leurs zéros (rationnels ou irrationnels)*.

EXEMPLE A.22

Factorisons, si possible, le polynôme $P(x) = 8x^2 + 2x - 1$.

Comme $b^2 - 4ac = 2^2 - 4(8)(-1) = 4 + 32 = 36 > 0$, alors

$$P(x) = a(x - r_1)(x - r_2)$$

où

$$r_1 = \frac{-b - \sqrt{b^2 - 4ac}}{2a} = \frac{-2 - \sqrt{36}}{2(8)} = \frac{-2 - 6}{16} = \frac{-8}{16} = -\frac{1}{2}$$

et

$$r_2 = \frac{-b + \sqrt{b^2 - 4ac}}{2a} = \frac{-2 + \sqrt{36}}{2(8)} = \frac{-2 + 6}{16} = \frac{4}{16} = \frac{1}{4}$$

Par conséquent,

$$P(x) = a(x - r_1)(x - r_2) = 8[x - (-1/2)](x - 1/4) = 8(x + 1/2)(x - 1/4)$$

Le produit des facteurs obtenus donne bien le polynôme $P(x)$. On peut également écrire

$$P(x) = 8(x + 1/2)(x - 1/4) = 2(x + 1/2)\,4(x - 1/4) = (2x + 1)(4x - 1)$$

EXEMPLE A.23

Factorisons, si possible, le polynôme $P(x) = x^2 - 4x + 8$.

Comme

$$b^2 - 4ac = (-4)^2 - 4(1)(8) = 16 - 32 = -16 < 0$$

le polynôme $P(x) = x^2 - 4x + 8$ est irréductible, c'est-à-dire qu'il ne se décompose pas en un produit de polynômes à coefficients réels de degré 1.

* Les auteurs ont choisi de présenter cette méthode générale plutôt que de présenter un éventail de méthodes qui ne fonctionnent que dans certains cas très particuliers (méthode somme-produit, méthode pour factoriser un trinôme carré parfait, etc.).

EXEMPLE A.24

Factorisons, si possible, le polynôme $P(x) = x^2 + 3x + 1$.
Comme $b^2 - 4ac = 3^2 - 4(1)(1) = 9 - 4 = 5 > 0$, alors

$$P(x) = a(x - r_1)(x - r_2)$$

où

$$r_1 = \frac{-b - \sqrt{b^2 - 4ac}}{2a} = \frac{-3 - \sqrt{5}}{2(1)} = \frac{-3 - \sqrt{5}}{2} = -\frac{3 + \sqrt{5}}{2}$$

et

$$r_2 = \frac{-b + \sqrt{b^2 - 4ac}}{2a} = \frac{-3 + \sqrt{5}}{2(1)} = \frac{-3 + \sqrt{5}}{2} = -\frac{3 - \sqrt{5}}{2}$$

Par conséquent,

$$P(x) = a(x - r_1)(x - r_2) = 1\left[x - \left(-\frac{3 + \sqrt{5}}{2}\right)\right]\left[x - \left(-\frac{3 - \sqrt{5}}{2}\right)\right]$$

$$= \left(x + \frac{3 + \sqrt{5}}{2}\right)\left(x + \frac{3 - \sqrt{5}}{2}\right)$$

Le produit des facteurs obtenus donne bien le polynôme $P(x)$.

EXERCICE A.9

Factorisez le polynôme.

a) $3x^3 - 15x^2$

b) $x^3 + 2x^2 + 2x + 4$

c) $-12x^5 + 18x^4 - 4x^3 + 6x^2$

d) $x^2 - 9$

e) $4 - 25x^2$

f) $x^2 - 12x + 35$

g) $x^2 - 7x - 18$

h) $x^2 - 4x + 5$

i) $x^2 - 22x + 121$

j) $x^2 + 5x - 1$

k) $8 - 2x - x^2$

l) $8x^2 + 10x - 7$

m) $4x^2 + 4x + 1$

n) $2x^2 - 12x + 35$

o) $25x^2 - 50x + 16$

p) $4x^2 + 3x - 2$

A.10 LES FRACTIONS ALGÉBRIQUES

Une **fraction algébrique** est une expression de la forme $\frac{P(x)}{Q(x)}$, où $P(x)$ et $Q(x)$ sont des polynômes et où $Q(x) \neq 0$.

Le **domaine d'une fraction algébrique** $\frac{P(x)}{Q(x)}$ est l'ensemble des valeurs de $x \in \mathbb{R}$ pour lesquelles $Q(x) \neq 0$. C'est donc l'ensemble des valeurs de $x \in \mathbb{R}$ pour lesquelles la fraction algébrique existe.

EXEMPLE A.25

Déterminons le domaine de la fraction algébrique $\frac{4x^2 - 11x - 3}{3x^3 - 11x^2 + 6x}$.

Factorisons le dénominateur.

$$3x^3 - 11x^2 + 6x = x(3x^2 - 11x + 6) \quad \text{mise en évidence de } x$$
$$= 3x(x - 2/3)(x - 3) \quad \text{théorème A.1}$$

Puisqu'un produit de facteurs est nul si au moins un des facteurs est nul, alors

$$3x^3 - 11x^2 + 6x = 0 \Leftrightarrow 3x(x - 2/3)(x - 3) = 0$$
$$\Leftrightarrow 3x = 0 \text{ ou } x - 2/3 = 0 \text{ ou } x - 3 = 0$$
$$\Leftrightarrow x = 0 \text{ ou } x = 2/3 \text{ ou } x = 3$$

Par conséquent, le domaine de $\dfrac{4x^2 - 11x - 3}{3x^3 - 11x^2 + 6x}$ est $\mathbb{R}\backslash\{0, 2/3, 3\}$.

On peut simplifier (ou réduire) une fraction en divisant le numérateur et le dénominateur par un facteur commun. Par exemple

$$\frac{8}{10} = \frac{\cancel{2} \times 4}{\cancel{2} \times 5} = \frac{4}{5} \quad \text{simplification du facteur commun}$$

La **simplification d'une fraction algébrique** s'effectue de façon similaire. On factorise d'abord le numérateur et le dénominateur. On simplifie ensuite les facteurs communs.

EXEMPLE A.26

Simplifions, si possible, la fraction algébrique $\dfrac{5x^2 - 14x - 3}{2x^2 + x - 21}$. Factorisons le dénominateur.

$$2x^2 + x - 21 = 2(x + 7/2)(x - 3) \quad \text{théorème A.1}$$

Puisqu'un produit de facteurs est nul si au moins un des facteurs est nul, alors

$$2x^2 + x - 21 = 0 \Leftrightarrow 2(x + 7/2)(x - 3) = 0$$
$$\Leftrightarrow x + 7/2 = 0 \text{ ou } x - 3 = 0$$
$$\Leftrightarrow x = -7/2 \text{ ou } x = 3$$

Par conséquent, le domaine de $\dfrac{5x^2 - 14x - 3}{2x^2 + x - 21}$ est $\mathbb{R}\backslash\{-7/2, 3\}$ et, sur cet ensemble,

$$\frac{5x^2 - 14x - 3}{2x^2 + x - 21} = \frac{(5x + 1)\cancel{(x - 3)}}{2(x + 7/2)\cancel{(x - 3)}} \quad \text{factorisation des polynômes}$$
$$= \frac{5x + 1}{2x + 7} \quad \text{simplification du facteur commun}$$

On obtient $\dfrac{5x^2 - 14x - 3}{2x^2 + x - 21} = \dfrac{5x + 1}{2x + 7}$ si $x \neq -7/2$ et si $x \neq 3$.

Lorsqu'on fait le produit de deux fractions, on multiplie les numérateurs ensemble et les dénominateurs ensemble. On simplifie ensuite la fraction obtenue si possible. Par exemple,

$$\frac{2}{3} \times \frac{6}{7} = \frac{2 \times 6}{3 \times 7} = \frac{2 \times 2 \times \cancel{3}}{\cancel{3} \times 7} = \frac{4}{7}$$

Le **produit de deux fractions algébriques** est également une fraction algébrique. On l'obtient de façon similaire (il est toutefois recommandé de factoriser avant de multiplier pour simplifier les calculs), soit :

$$\frac{P(x)}{Q(x)} \times \frac{R(x)}{S(x)} = \frac{P(x)R(x)}{Q(x)S(x)}$$

pour toutes les valeurs de $x \in \mathbb{R}$ pour lesquelles $Q(x) \neq 0$ et $S(x) \neq 0$. La factorisation de polynômes est souvent très utile pour simplifier la fraction algébrique ainsi obtenue.

EXEMPLE A.27

Effectuons le produit $\frac{2x+1}{25-x^2} \times \frac{3x+15}{2x^2-3x-2}$ et simplifions le résultat obtenu.

Le domaine de $\frac{2x+1}{25-x^2}$ est $\mathbb{R}\backslash\{-5, 5\}$. En effet, la factorisation du dénominateur donne $25 - x^2 = (5 - x)(5 + x)$. Le dénominateur est nul lorsqu'un de ses facteurs est nul, c'est-à-dire lorsque $x = 5$ ou $x = -5$.

Le domaine de $\frac{3x+15}{2x^2-3x-2}$ est $\mathbb{R}\backslash\{-1/2, 2\}$. En effet, la factorisation du dénominateur donne $2x^2 - 3x - 2 = (2x + 1)(x - 2)$. Le dénominateur est nul lorsqu'un de ses facteurs est nul, c'est-à-dire lorsque $x = -1/2$ ou $x = 2$.

Par conséquent, si $x \notin \{-5, -1/2, 2, 5\}$ on a

$$\frac{2x+1}{25-x^2} \times \frac{3x+15}{2x^2-3x-2} = \frac{2x+1}{(5-x)(5+x)} \times \frac{3(x+5)}{(2x+1)(x-2)} \quad \text{factorisation des polynômes}$$

$$= \frac{3\cancel{(2x+1)}\cancel{(x+5)}}{(5-x)\cancel{(5+x)}\cancel{(2x+1)}(x-2)} \quad \text{multiplication des fractions}$$

$$= \frac{3}{(5-x)(x-2)} \quad \text{simplification des facteurs communs}$$

Lorsqu'on fait le quotient de deux fractions, on multiplie la première fraction par l'inverse de la seconde. On simplifie ensuite la fraction obtenue si possible. Par exemple,

$$\frac{2}{3} \div \frac{6}{7} = \frac{2}{3} \times \frac{7}{6} = \frac{2 \times 7}{3 \times 6} = \frac{\cancel{2} \times 7}{3 \times \cancel{2} \times 3} = \frac{7}{9}$$

Le **quotient de deux fractions algébriques** est également une fraction algébrique. On l'obtient de façon similaire, soit :

$$\frac{P(x)}{Q(x)} \div \frac{R(x)}{S(x)} = \frac{P(x)}{Q(x)} \times \frac{S(x)}{R(x)} = \frac{P(x)S(x)}{Q(x)R(x)}$$

pour toutes les valeurs de $x \in \mathbb{R}$ telles que $Q(x) \neq 0$, $S(x) \neq 0$ et $R(x) \neq 0$. La factorisation de polynômes est souvent très utile pour simplifier la fraction algébrique ainsi obtenue.

EXEMPLE A.28

Effectuons le quotient $\frac{4x^2-36}{10x+30} \div \frac{2x-6}{15x}$ et simplifions le résultat obtenu.

Le domaine de $\frac{4x^2-36}{10x+30}$ est $\mathbb{R}\backslash\{-3\}$ puisque $10x+30=0$ lorsque $10(x+3)=0$, c'est-à-dire lorsque $x=-3$.

Le domaine de $\frac{2x-6}{15x}$ est $\mathbb{R}\backslash\{0\}$ puisque $15x=0$ lorsque $x=0$.

Il faut également que $\frac{2x-6}{15x}\neq 0$ puisqu'on ne doit pas diviser par 0. Or $\frac{2x-6}{15x}=0$ lorsque $2x-6=0$, c'est-à-dire lorsque $x=3$. Pour que la division soit possible, il faut donc que $x\neq 3$.

Par conséquent, si $x\notin\{-3, 0, 3\}$, on a

$$\frac{4x^2-36}{10x+30}\div\frac{2x-6}{15x}=\frac{4x^2-36}{10x+30}\times\frac{15x}{2x-6} \quad \text{multiplication par la fraction inverse}$$

$$=\frac{4(x-3)(x+3)}{10(x+3)}\times\frac{15x}{2(x-3)} \quad \text{factorisation des polynômes}$$

$$=\frac{60x\cancel{(x-3)}\cancel{(x+3)}}{20\cancel{(x-3)}\cancel{(x+3)}} \quad \text{multiplication des fractions}$$

$$=3x \quad \text{simplification des facteurs communs}$$

Lorsqu'on fait la somme (ou la différence) de deux fractions, on doit d'abord mettre les deux fractions au même dénominateur. On additionne (ou on soustrait) ensuite les numérateurs. Le dénominateur du résultat est le dénominateur commun. On simplifie ensuite la fraction obtenue si possible. Par exemple,

$$\frac{2}{15}+\frac{4}{9}=\frac{2\times 3}{15\times 3}+\frac{4\times 5}{9\times 5}=\frac{6}{45}+\frac{20}{45}=\frac{26}{45}$$

$$\frac{17}{150}-\frac{3}{100}=\frac{17\times 2}{150\times 2}-\frac{3\times 3}{100\times 3}=\frac{34}{300}-\frac{9}{300}=\frac{25}{300}=\frac{\cancel{25}}{12\times\cancel{25}}=\frac{1}{12}$$

La **somme** (ou la **différence**) **de deux fractions algébriques** est également une fraction algébrique. On l'obtient de façon similaire, soit :

$$\frac{P(x)}{Q(x)}\pm\frac{R(x)}{S(x)}=\frac{P(x)S(x)}{Q(x)S(x)}\pm\frac{Q(x)R(x)}{Q(x)S(x)}=\frac{P(x)S(x)\pm Q(x)R(x)}{Q(x)S(x)}$$

pour toutes les valeurs de $x\in\mathbb{R}$ pour lesquelles $Q(x)\neq 0$ et $S(x)\neq 0$. La factorisation de polynômes est souvent très utile pour simplifier la fraction algébrique ainsi obtenue.

EXEMPLE A.29

Effectuons la différence $\frac{3x}{x^2-7x+10}-\frac{2x}{x^2-8x+15}$ et simplifions le résultat obtenu.

Le domaine de $\frac{3x}{x^2-7x+10}$ est $\mathbb{R}\backslash\{2, 5\}$. En effet, la factorisation du dénominateur donne $x^2-7x+10=(x-2)(x-5)$. Le dénominateur est nul lorsqu'un de ses facteurs est nul, c'est-à-dire lorsque $x=2$ ou $x=5$.

Le domaine de $\dfrac{2x}{x^2 - 8x + 15}$ est $\mathbb{R}\backslash\{3, 5\}$. En effet, la factorisation du dénominateur donne $x^2 - 8x + 15 = (x - 3)(x - 5)$. Le dénominateur est nul lorsqu'un de ses facteurs est nul, c'est-à-dire lorsque $x = 3$ ou $x = 5$.

Par conséquent, si $x \notin \{2, 3, 5\}$,

$$\frac{3x}{x^2 - 7x + 10} - \frac{2x}{x^2 - 8x + 15}$$

$$= \frac{3x}{(x-2)(x-5)} - \frac{2x}{(x-3)(x-5)} \quad \text{factorisation des dénominateurs}$$

$$= \frac{3x(x-3)}{(x-2)(x-3)(x-5)} - \frac{2x(x-2)}{(x-2)(x-3)(x-5)} \quad \text{mise au même dénominateur}$$

$$= \frac{3x(x-3) - 2x(x-2)}{(x-2)(x-3)(x-5)} \quad \text{soustraction des fractions}$$

$$= \frac{3x^2 - 9x - 2x^2 + 4x}{(x-2)(x-3)(x-5)} \quad \text{distributivité au numérateur}$$

$$= \frac{x^2 - 5x}{(x-2)(x-3)(x-5)} \quad \text{regroupement des termes semblables}$$

$$= \frac{x\cancel{(x-5)}}{(x-2)(x-3)\cancel{(x-5)}} \quad \text{factorisation au numérateur}$$

$$= \frac{x}{(x-2)(x-3)} \quad \text{simplification du facteur commun}$$

EXERCICES A.10

1. Déterminez le domaine de la fraction algébrique.

a) $\dfrac{x-5}{25-x^2}$

b) $\dfrac{x-3}{x^2+3x-18}$

c) $\dfrac{x^2-9x+18}{3x^2-5x-12}$

d) $\dfrac{4x^2+24x+36}{4x^2-36}$

e) $\dfrac{2x^3-x^2}{2x^2+9x-5}$

f) $\dfrac{6x^2+3x-3}{8x^3-16x^2+6x}$

2. Simplifiez les fractions algébriques du numéro 1.

3. Effectuez l'opération.

a) $\dfrac{x^2-2x+1}{x^3+x} \times \dfrac{4x^2+4}{x^2+x-2}$

b) $\dfrac{3x^2+15}{x^2+16x+15} \times \dfrac{x^2+2x+1}{x^2-1}$

c) $\dfrac{1-x^2}{5x^2-26x+5} \times \dfrac{5x^2+14x-3}{x^2+2x-3}$

d) $\dfrac{x^2-25}{x^2-5x-14} \div \dfrac{x+5}{2x^2-13x-7}$

e) $\dfrac{2x^2-x}{4x^2-4x+1} \div \dfrac{x^2}{8x-4}$

f) $\dfrac{49-x^2}{x^2-4x-21} \div \dfrac{2x^2-13x+15}{2x^2-15x+18}$

g) $\dfrac{5x}{x^2-9} - \dfrac{5}{2x-6}$

h) $\dfrac{1}{x-3} + \dfrac{2}{x^2+3x} + \dfrac{12}{x^3-9x}$

i) $\dfrac{x+3}{x^2-x-2} + \dfrac{2x-1}{x^2+2x-8}$

j) $\dfrac{6x}{2x^2+5x+2} - \dfrac{5}{2x^2-3x-2}$

A.11 LA RÉSOLUTION D'ÉQUATIONS

Une **équation** est une égalité entre deux expressions. Par exemple,

$$4x^2 + 2xy - 5 = 8 + x$$

est une équation, tout comme $2x - 6 = \frac{1}{2}(3 - x)$.

Résoudre une équation consiste à déterminer l'**ensemble solution de l'équation**, c'est-à-dire l'ensemble des valeurs de la variable (ou des variables) qui transforment l'équation en une égalité vraie. On note cet ensemble S.

Une **équation linéaire à une variable** est une équation dans laquelle la variable est affectée de l'exposant 1. Par exemple, $2x - 6 = \frac{1}{2}(3 - x)$ est une équation linéaire à une variable. Pour résoudre une équation linéaire à une variable, il suffit d'effectuer les mêmes opérations de chaque côté de l'égalité en vue d'isoler la variable.

On préserve donc l'égalité si on additionne la même quantité aux deux membres de l'équation ou si on soustrait la même quantité des deux membres de l'équation. L'égalité est également préservée si on multiplie les deux membres de l'équation par une même quantité, ou si on les divise par une même quantité non nulle.

EXEMPLE A.30

Résolvons l'équation $5 + 2(3x - 4) = 12 - (2x + 3)$.

$$\begin{aligned}
5 + 2(3x - 4) &= 12 - (2x + 3) \\
5 + 6x - 8 &= 12 - 2x - 3 \quad \text{distributivité} \\
6x - 3 &= 9 - 2x \quad \text{regroupement des termes semblables} \\
8x - 3 &= 9 \quad \text{addition de } 2x \text{ aux deux membres} \\
8x &= 12 \quad \text{addition de 3 aux deux membres} \\
x &= \tfrac{3}{2} \quad \text{division des deux membres par 8 et simplification}
\end{aligned}$$

La seule solution est donc $x = \frac{3}{2}$. On a alors $S = \{\frac{3}{2}\}$.

Animations GeoGebra
Équation quadratique

Trouvez cette animation sur la plateforme *i+ Interactif.*

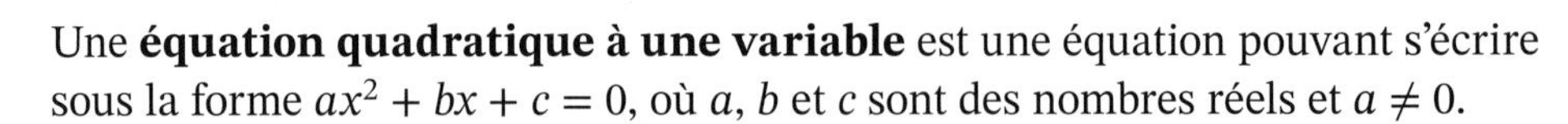

Une **équation quadratique à une variable** est une équation pouvant s'écrire sous la forme $ax^2 + bx + c = 0$, où a, b et c sont des nombres réels et $a \neq 0$.

Pour résoudre une équation quadratique de la forme $ax^2 + bx + c = 0$, où a, b et c sont des nombres réels et $a \neq 0$, on peut utiliser la **formule quadratique**.

- L'équation admet deux solutions si le discriminant $(b^2 - 4ac)$ est positif, c'est-à-dire si $b^2 - 4ac > 0$. Ces solutions sont données par

$$x_1 = \frac{-b - \sqrt{b^2 - 4ac}}{2a} \text{ et } x_2 = \frac{-b + \sqrt{b^2 - 4ac}}{2a}$$

- L'équation n'admet qu'une seule solution si le discriminant est nul, c'est-à-dire si $b^2 - 4ac = 0$. Cette solution est donnée par

$$x = -\frac{b}{2a}$$

- L'équation n'admet aucune solution si le discriminant est négatif, c'est-à-dire si $b^2 - 4ac < 0$.

La formule quadratique a l'avantage de nous indiquer le nombre de solutions et nous permet de les trouver assez facilement.

EXEMPLE A.31

Résolvons l'équation $2x^2 - 3x - 20 = 0$. On a $a = 2$, $b = -3$ et $c = -20$.

Comme $b^2 - 4ac = (-3)^2 - 4(2)(-20) = 9 + 160 = 169 > 0$, l'équation admet deux solutions :

$$x_1 = \frac{-b - \sqrt{b^2 - 4ac}}{2a} = \frac{-(-3) - \sqrt{169}}{2(2)} = \frac{3 - 13}{4} = \frac{-10}{4} = -\frac{5}{2}$$

et

$$x_2 = \frac{-b + \sqrt{b^2 - 4ac}}{2a} = \frac{-(-3) + \sqrt{169}}{2(2)} = \frac{3 + 13}{4} = \frac{16}{4} = 4$$

L'ensemble solution de l'équation $2x^2 - 3x - 20 = 0$ est donc $S = \{-5/2, 4\}$.

EXEMPLE A.32

Résolvons l'équation $16x^2 - 20x + 3 = 4x - 6$. Commençons par déplacer tous les termes du côté gauche de l'égalité.

$$16x^2 - 20x + 3 = 4x - 6$$

$$16x^2 - 24x + 3 = -6 \quad \text{soustraction de } 4x \text{ des deux membres}$$

$$16x^2 - 24x + 9 = 0 \quad \text{addition de 6 aux deux membres}$$

Résolvons donc l'équation $16x^2 - 24x + 9 = 0$. On a $a = 16$, $b = -24$ et $c = 9$. Comme $b^2 - 4ac = (-24)^2 - 4(16)(9) = 576 - 576 = 0$, l'équation admet une seule solution :

$$x = -\frac{b}{2a} = -\frac{(-24)}{2(16)} = \frac{24}{32} = \frac{3}{4}$$

L'ensemble solution de l'équation $16x^2 - 20x + 3 = 4x - 6$ est donc $S = \{3/4\}$.

EXEMPLE A.33

Résolvons l'équation $4x^2 - 7x - 2 = 3x^2 - 2x - 10$. Commençons par déplacer tous les termes du côté gauche de l'égalité.

$$4x^2 - 7x - 2 = 3x^2 - 2x - 10$$

$$x^2 - 7x - 2 = -2x - 10 \quad \text{soustraction de } 3x^2 \text{ des deux membres}$$

$$x^2 - 5x - 2 = -10 \quad \text{addition de } 2x \text{ aux deux membres}$$

$$x^2 - 5x + 8 = 0 \quad \text{addition de 10 aux deux membres}$$

Résolvons donc l'équation $x^2 - 5x + 8 = 0$. On a $a = 1$, $b = -5$ et $c = 8$.

Comme $b^2 - 4ac = (-5)^2 - 4(1)(8) = 25 - 32 = -7 < 0$, l'équation n'admet pas de solution. L'ensemble solution de l'équation $4x^2 - 7x - 2 = 3x^2 - 2x - 10$ est donc $S = \varnothing$.

Une **équation à une variable contenant des fractions algébriques** est une équation dans laquelle on retrouve au moins un quotient de polynômes. Par exemple, $\frac{5}{x-5} + 6 = \frac{x}{x-5}$ est une équation à une variable contenant des fractions algébriques.

Certaines de ces équations peuvent être ramenées sous la forme d'une équation linéaire ou d'une équation quadratique à une variable. Nous pouvons alors utiliser les techniques vues précédemment pour résoudre ces équations.

Il faut cependant être très prudent en manipulant des équations contenant des fractions algébriques. On doit d'abord déterminer le **domaine** de l'**équation contenant des fractions algébriques**, c'est-à-dire l'ensemble des valeurs de la variable pour lesquelles chacune des fractions algébriques est définie. On cherche ensuite une solution appartenant au domaine de l'équation.

EXEMPLE A.34

Résolvons l'équation $\frac{2}{x-3} = \frac{3}{x+1} + \frac{4}{x^2-2x-3}$. On a

$$x^2 - 2x - 3 = (x+1)(x-3)$$

La fraction algébrique $\frac{2}{x-3}$ est définie pour $x \neq 3$, $\frac{3}{x+1}$ est définie pour $x \neq -1$ et $\frac{4}{x^2-2x-3} = \frac{4}{(x+1)(x-3)}$ est définie pour $x \neq -1$ et $x \neq 3$. Le domaine de l'équation est donc $\mathbb{R}\backslash\{-1, 3\}$.

$$\frac{2}{x-3} = \frac{3}{x+1} + \frac{4}{(x+1)(x-3)}$$

$$\frac{2(x+1)}{(x-3)(x+1)} = \frac{3(x-3)}{(x+1)(x-3)} + \frac{4}{(x+1)(x-3)} \quad \text{mise au même dénominateur}$$

$$\frac{2(x+1)}{(x+1)(x-3)} = \frac{3(x-3)+4}{(x+1)(x-3)} \quad \text{addition de fractions}$$

$$\cancel{(x+1)(x-3)} \cdot \frac{2(x+1)}{\cancel{(x+1)(x-3)}} = \frac{3(x-3)+4}{\cancel{(x+1)(x-3)}} \cdot \cancel{(x+1)(x-3)} \quad \text{multiplication par } (x+1)(x-3)$$

$$2x + 2 = 3x - 9 + 4 \quad \text{distributivité}$$

$$2x + 2 = 3x - 5 \quad \text{regroupement des termes semblables}$$

$$-x + 2 = -5 \quad \text{soustraction de } 3x \text{ des deux membres}$$

$$-x = -7 \quad \text{soustraction de 2 des deux membres}$$

$$x = 7 \quad \text{multiplication des deux membres par } -1$$

Comme $x = 7$ appartient au domaine de l'équation

$$\frac{2}{x-3} = \frac{3}{x+1} + \frac{4}{x^2-2x-3}$$

on a $S = \{7\}$.

EXEMPLE A.35

Résolvons l'équation $\frac{12}{x} = 7 + \frac{12}{1-x}$. La fraction algébrique $\frac{12}{x}$ est définie pour $x \neq 0$ et $\frac{12}{1-x}$ est définie pour $x \neq 1$.

Le domaine de l'équation est donc $\mathbb{R}\backslash\{0, 1\}$.

$$\frac{12}{x} = 7 + \frac{12}{1-x}$$

$$\frac{12(1-x)}{x(1-x)} = \frac{7x(1-x)}{x(1-x)} + \frac{12x}{x(1-x)} \quad \text{mise au même dénominateur}$$

$$\frac{12(1-x)}{x(1-x)} = \frac{7x(1-x) + 12x}{x(1-x)} \quad \text{addition de fractions}$$

$$\cancel{x(1-x)} \cdot \frac{12(1-x)}{\cancel{x(1-x)}} = \frac{7x(1-x) + 12x}{\cancel{x(1-x)}} \cdot \cancel{x(1-x)} \quad \text{multiplication par } x(1-x)$$

$$12 - 12x = 7x - 7x^2 + 12x \quad \text{distributivité}$$

$$12 - 12x = 19x - 7x^2 \quad \text{regroupement des termes semblables}$$

$$7x^2 - 12x + 12 = 19x \quad \text{addition de } 7x^2 \text{ aux deux membres}$$

$$7x^2 - 31x + 12 = 0 \quad \text{soustraction de } 19x \text{ des deux membres}$$

Résolvons donc l'équation $7x^2 - 31x + 12 = 0$. On a $a = 7$, $b = -31$ et $c = 12$. Comme $b^2 - 4ac = (-31)^2 - 4(7)(12) = 625 > 0$, l'équation admet deux solutions:

$$x_1 = \frac{-b - \sqrt{b^2 - 4ac}}{2a} = \frac{-(-31) - \sqrt{625}}{2(7)} = \frac{31 - 25}{14} = \frac{6}{14} = \frac{3}{7}$$

et

$$x_2 = \frac{-b + \sqrt{b^2 - 4ac}}{2a} = \frac{-(-31) + \sqrt{625}}{2(7)} = \frac{31 + 25}{14} = \frac{56}{14} = 4$$

Comme $x_1 = 3/7$ et $x_2 = 4$ appartiennent au domaine de l'équation

$$\frac{12}{x} = 7 + \frac{12}{1-x}$$

on a $S = \{3/7, 4\}$.

EXERCICES A.11

1. Résolvez l'équation linéaire.

a) $7x + 11 = 9x + 25$

b) $7(2t + 5) - 6(t + 8) = 7$

c) $2n + 5(n - 4) = 6 + 3(2n + 3)$

d) $6(6x + 1) = 9(4x - 3) + 11$

e) $4(3y + 2) - 4y = 5(2 - 3y) - 7$

f) $6t - 2(t + 2) = 4(t - 1)$

2. Résolvez l'équation quadratique.

a) $3x^2 - 17x - 6 = 0$

b) $-2x^2 + 8x + 18 = -3x^2 + 2$

c) $4x^2 = 6x + 3$

d) $4y = 3y^2 + 5$

e) $10t^2 + 3 = 2t^2 + 14t$

f) $4y^2 - 5y + 32 = 7 - 25y$

3. Résolvez l'équation contenant des fractions algébriques.

a) $\dfrac{3x + 5}{2x - 3} = \dfrac{3x - 3}{2x - 1}$

b) $\dfrac{2x}{x^2 - 4} = \dfrac{4}{x^2 - 4} - \dfrac{3}{x + 2}$

c) $\dfrac{x}{x^2 - 1} - \dfrac{x + 3}{x^2 - x} = \dfrac{-3}{x^2 + x}$

d) $\dfrac{4(t - 2)}{t - 3} + \dfrac{3}{t} = \dfrac{-3}{t(t - 3)}$

e) $\dfrac{1}{x - 3} + \dfrac{x}{x + 3} = \dfrac{18}{x^2 - 9}$

f) $\dfrac{y - 4}{y + 1} - \dfrac{15}{4} = \dfrac{y + 1}{y - 4}$

A.12 LES FONCTIONS

Trouvez cette animation sur la plateforme *i+ Interactif*.

Une **fonction** est une règle de correspondance qui associe à une valeur x de la variable indépendante au plus une valeur y de la variable dépendante. On écrit alors $y = f(x)$.

Pour évaluer une fonction $y = f(x)$ en une valeur de x, il suffit de remplacer x dans l'équation par une valeur (numérique ou non) afin d'obtenir la valeur de $f(x)$ ou de y.

EXEMPLE A.36

Soit la fonction $f(x) = x^2 - 3$. Évaluons cette fonction en $x = -2$, en $x = 1/2$, en $x = 1$ et en $x + h$.

$$f(-2) = (-2)^2 - 3 = 1$$
$$f(1/2) = (1/2)^2 - 3 = -11/4$$
$$f(1) = (1)^2 - 3 = -2$$
$$f(x+h) = (x+h)^2 - 3 = x^2 + 2xh + h^2 - 3$$

La **représentation graphique** permet de visualiser le comportement **d'une fonction** $y = f(x)$, mais ne permet pas toujours de déterminer exactement la valeur de y correspondant à une valeur donnée de x. Par convention, on place la variable indépendante sur l'axe horizontal (axe des abscisses) et la variable dépendante sur l'axe vertical (axe des ordonnées). Chaque point (x, y) de la courbe satisfait à l'équation $y = f(x)$.

Pour déterminer si une courbe représente une fonction, il suffit de tracer des droites verticales. Si chaque droite verticale possède un seul point d'intersection avec la courbe ou ne coupe pas du tout la courbe, alors cette dernière représente une fonction (FIGURE A.3 *a*). Il suffit qu'une seule droite verticale possède plus d'un point d'intersection avec la courbe (FIGURE A.3 *b*) pour que cette dernière ne représente pas une fonction (puisqu'on a alors, pour une même valeur de x, plus d'une valeur de y).

FIGURE A.3
Représentations graphiques

a)

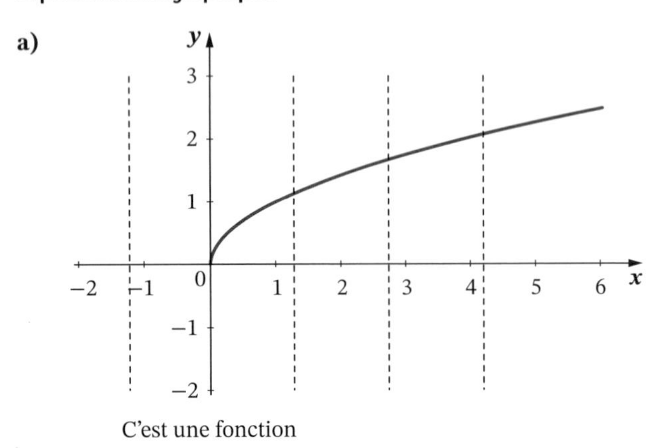

C'est une fonction

b)

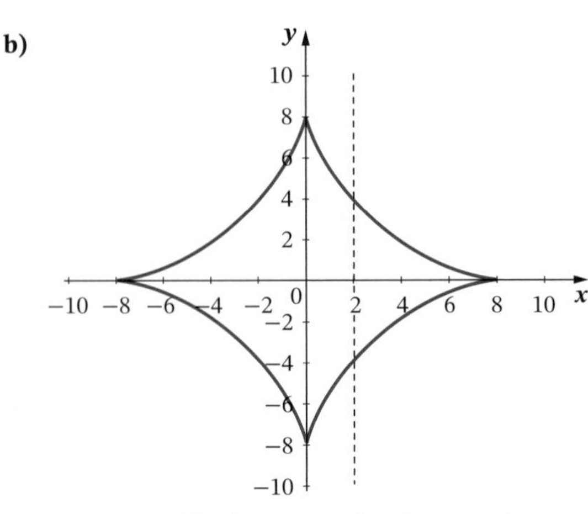

Ce n'est pas une fonction

Le **domaine d'une fonction** $f(x)$ est l'ensemble des valeurs réelles de x pour lesquelles $f(x)$ est définie. On note cet ensemble Dom_f.

Les valeurs de x pour lesquelles la fonction n'existe pas sont exclues du domaine de la fonction. Par exemple, si une valeur de x entraîne une division par 0 ou une valeur négative sous un radical $n^{\text{ième}}$ où n est pair, alors on exclura cette valeur de x du domaine de la fonction.

EXEMPLE A.37

Déterminons le domaine de la fonction $f(x) = \frac{x+1}{x-2}$.

Pour que la fonction $f(x)$ soit définie, il faut que le dénominateur soit différent de 0, c'est-à-dire qu'il faut que $x - 2 \neq 0$ et donc que $x \neq 2$. Par conséquent, $\text{Dom}_f = \mathbb{R}\backslash\{2\}$.

EXEMPLE A.38

Déterminons le domaine de la fonction $g(x) = \sqrt{x+4} - 3$.

Pour que la fonction $g(x)$ soit définie, il faut que la quantité sous le radical soit supérieure ou égale à 0, c'est-à-dire qu'il faut que $x + 4 \geq 0$ et donc que $x \geq -4$. Par conséquent, $\text{Dom}_g = [-4, \infty[$.

L'**image d'une fonction** $f(x)$, notée Ima_f, est l'ensemble de toutes les valeurs réelles de y pour lesquelles il existe une valeur $x \in \text{Dom}_f$ telle que $y = f(x)$. Il est souvent difficile de déterminer l'image d'une fonction de manière algébrique. Nous nous contenterons donc de la déterminer graphiquement.

Lorsque la représentation graphique d'une fonction $f(x)$ est donnée, le domaine de la fonction est l'ensemble des abscisses (premières coordonnées) des points de la courbe, et l'image de la fonction est l'ensemble des ordonnées (deuxièmes coordonnées) des points de la courbe.

EXEMPLE A.39

FIGURE A.4
Représentation graphique de la fonction $f(x)$

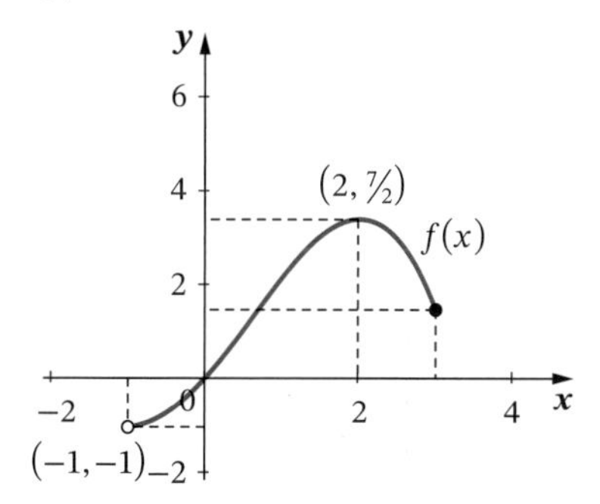

Déterminons le domaine et l'image de la fonction $f(x)$ représentée à la FIGURE A.4.

Notons que la fonction $f(x)$ n'est pas définie en $x = -1$ (cercle vide), mais qu'elle est définie pour tout $x \in]-1, 3]$. Par conséquent, $\text{Dom}_f =]-1, 3]$. De plus, on constate que la courbe ne descend pas plus bas que $y = -1$ et qu'elle ne monte pas plus haut que $f(2) = 7/2$. Cependant, comme il y a un cercle vide en $y = -1$, cette valeur ne fait pas partie de l'image de la fonction. Par conséquent, $\text{Ima}_f =]-1, 7/2]$.

L'**ordonnée à l'origine d'une fonction** $f(x)$ est la valeur de la fonction lorsque $x = 0$, c'est-à-dire $f(0)$. Graphiquement, l'ordonnée à l'origine est l'ordonnée du point d'intersection de la courbe décrite par la fonction $f(x)$ et de l'axe vertical. Une fonction ne peut admettre qu'une seule ordonnée à l'origine.

Un **zéro** (ou *abscisse à l'origine*) **d'une fonction** $f(x)$ est une valeur $x \in \text{Dom}_f$ pour laquelle $f(x) = 0$. Graphiquement, un zéro d'une fonction est l'abscisse d'un point d'intersection de la courbe décrite par la fonction $f(x)$ et de l'axe horizontal. Une fonction peut admettre plus d'un zéro.

EXEMPLE A.40

Trouvons l'ordonnée à l'origine et les zéros (s'il y a lieu) de la fonction $f(x)$ représentée à la FIGURE A.5 (p. 416).

FIGURE A.5

Représentation graphique de la fonction $f(x)$

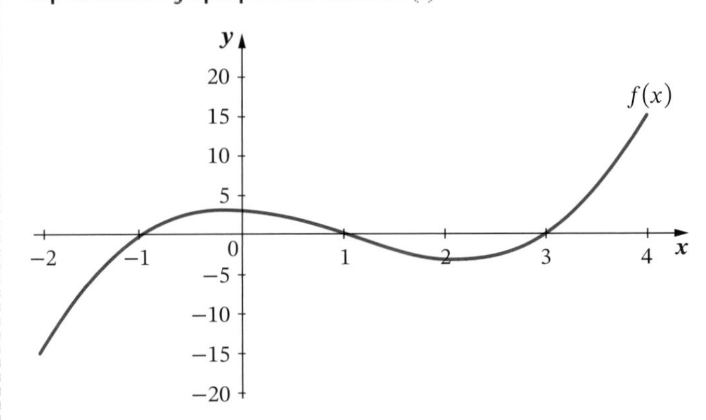

Le point d'intersection de la courbe décrite par la fonction $f(x)$ avec l'axe des ordonnées semble être $(0, 3)$. L'ordonnée à l'origine de la fonction $f(x)$ vaut alors 3. Cependant, pour obtenir l'ordonnée à l'origine avec plus d'exactitude, il faudrait connaître la règle de correspondance de la fonction $f(x)$.

Les points d'intersection de la courbe décrite par la fonction $f(x)$ avec l'axe des abscisses sont $(-1, 0)$, $(1, 0)$ et $(3, 0)$. Les zéros de la fonction $f(x)$ sont donc $x = -1$, $x = 1$ et $x = 3$.

EXERCICES A.12

1. Déterminez si la courbe représente une fonction. Justifiez votre réponse.

a)

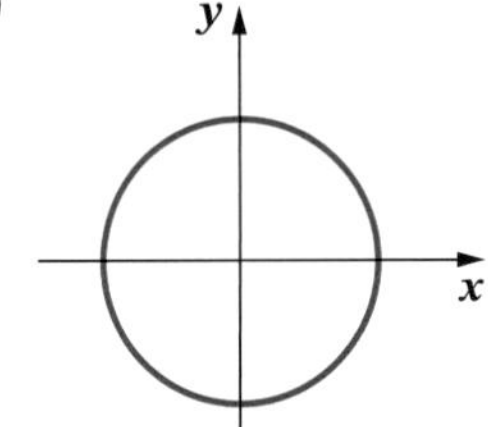

b)

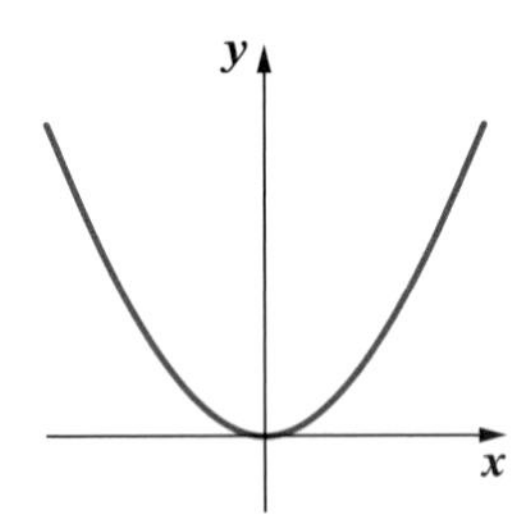

c)

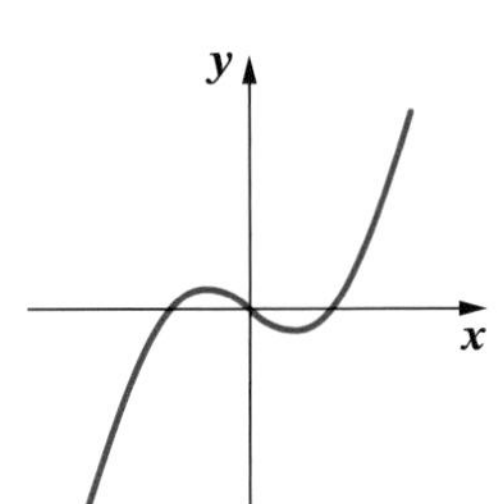

d)

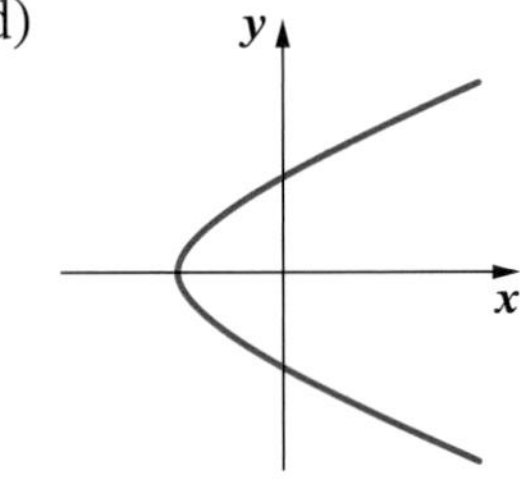

2. Évaluez la fonction en $x = -2$, en $x = 1/2$, en $x = 3$ et en $x + h$.

a) $f(x) = 6x + 2$

b) $f(x) = 2x^2 - 8$

c) $f(x) = \dfrac{3}{2x + 1}$

d) $f(x) = \sqrt{3x + 7} - 5$

3. Déterminez le domaine de la fonction.

a) $f(x) = 2x^2 - 8$

b) $h(x) = \dfrac{3}{2x + 1}$

c) $f(t) = \dfrac{t - 1}{2t^2 - 4t}$

d) $g(t) = \sqrt{3t + 7} - 5$

e) $h(t) = \sqrt[3]{4t^2 - 1}$

f) $g(x) = \dfrac{\sqrt{x - 1}}{x - 4}$

4. Déterminez le domaine, l'image, les zéros et l'ordonnée à l'origine de la fonction.

a)

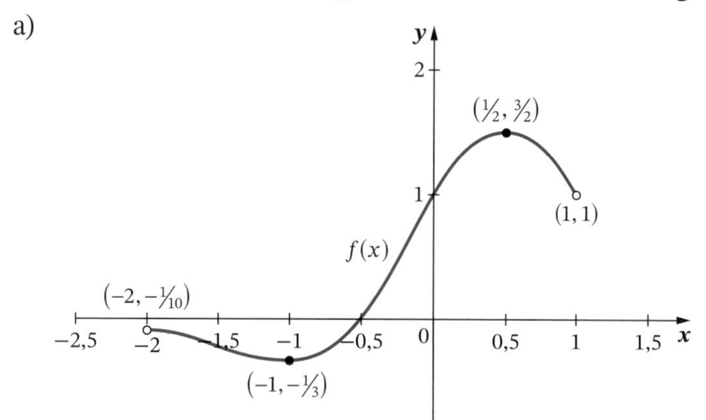

b)

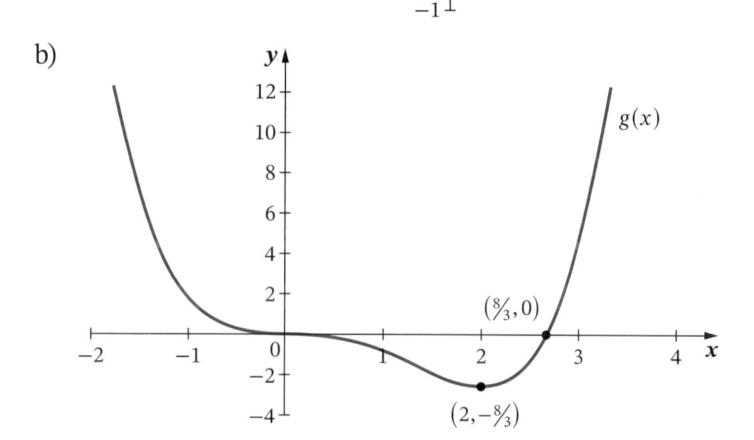

A.13 LA COMPOSITION DE FONCTIONS

La composition de fonctions est l'application successive de deux fonctions. Si f et g sont deux fonctions, la **fonction composée** de f et de g est la fonction $h(x) = f(g(x))$. On note aussi cette fonction $f \circ g$, qui se dit « f rond g ». On a alors $h(x) = (f \circ g)(x) = f(g(x))$. L'exemple suivant permet de constater qu'en général, $(f \circ g)(x) \neq (g \circ f)(x)$.

EXEMPLE A.41

Soit les fonctions $f(x) = \sqrt{x}$ et $g(x) = 6 - 4x$. Définissons $(f \circ g)(x)$ et $(g \circ f)(x)$ sur leur domaine respectif. On a

$$\begin{aligned}(f \circ g)(x) &= f(g(x)) && \text{par définition}\\ &= f(6-4x) && \text{car } g(x) = 6-4x\\ &= \sqrt{6-4x} && \text{car } f(6-4x) = \sqrt{6-4x}\end{aligned}$$

Pour que cette fonction soit définie, il faut que la quantité sous le radical ne soit pas négative. Or,

$$6 - 4x \geq 0 \Leftrightarrow 4x \leq 6 \Leftrightarrow x \leq 3/2$$

Par conséquent, $\text{Dom}_{f \circ g} = \left]-\infty, 3/2\right]$.

Déterminons la règle de correspondance de la fonction $(g \circ f)(x)$. On a

$$\begin{aligned}(g \circ f)(x) &= g(f(x)) && \text{par définition}\\ &= g(\sqrt{x}) && \text{car } f(x) = \sqrt{x}\\ &= 6 - 4\sqrt{x} && \text{car } g(\sqrt{x}) = 6 - 4(\sqrt{x})\end{aligned}$$

Pour que cette fonction soit définie, il faut que la quantité sous le radical ne soit pas négative, c'est-à-dire qu'il faut que $x \geq 0$. Par conséquent, $\text{Dom}_{g \circ f} = [0, \infty[$.

EXERCICE A.13

Déterminez $f \circ g$ et $g \circ f$ ainsi que leur domaine respectif.

a) $f(x) = -x$ et $g(x) = 2x - 4$

b) $f(x) = 3x + 1$ et $g(x) = x^2 + 3$

c) $f(x) = x^2 - 1$ et $g(x) = 2x^2 + 3$

d) $f(x) = \sqrt{x}$ et $g(x) = 2x + 3$

e) $f(x) = \sqrt{x + 3}$ et $g(x) = 3x - 2$

f) $f(x) = \sqrt{x - 2}$ et $g(x) = 1 - 2x$

A.14 LA FONCTION LINÉAIRE*

Une **fonction linéaire** est une fonction de la forme $f(x) = mx + b$, où m et b sont des nombres réels. On écrit aussi $y = mx + b$. La **droite** est le lieu géométrique décrit par une fonction linéaire. On appelle m la **pente** (ou *taux de variation*) de la droite et b son **ordonnée à l'origine** [en effet, $f(0) = m(0) + b = b$]. Voici les différentes représentations graphiques (FIGURE A.6) de $f(x)$ pour $b > 0$.

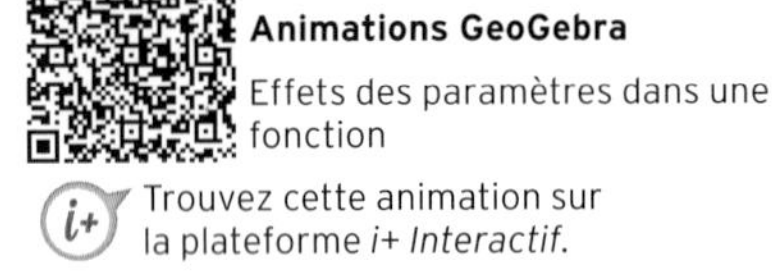

FIGURE A.6

Représentations graphiques de la fonction $f(x) = mx + b$ pour $b > 0$

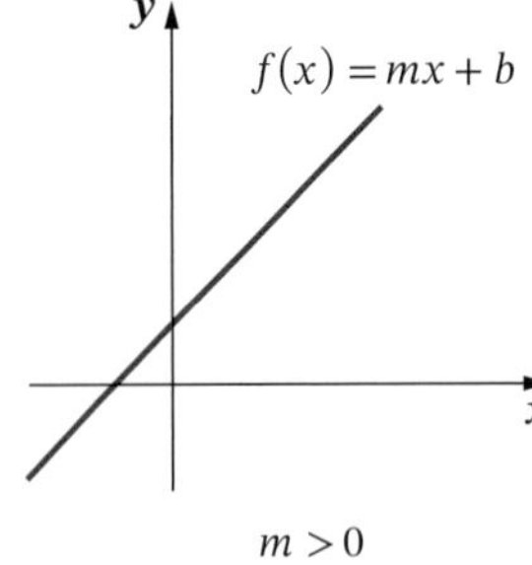

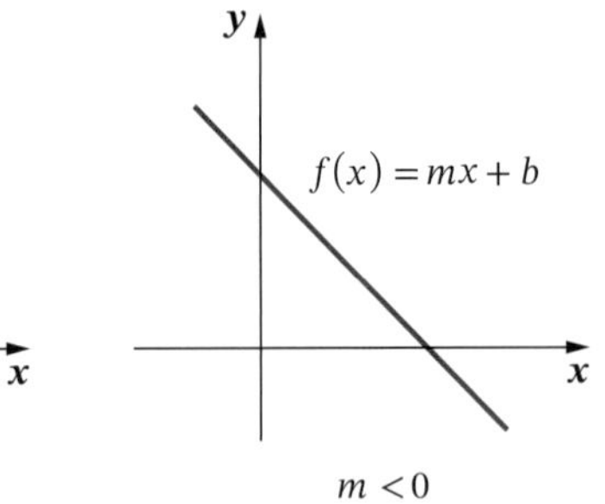

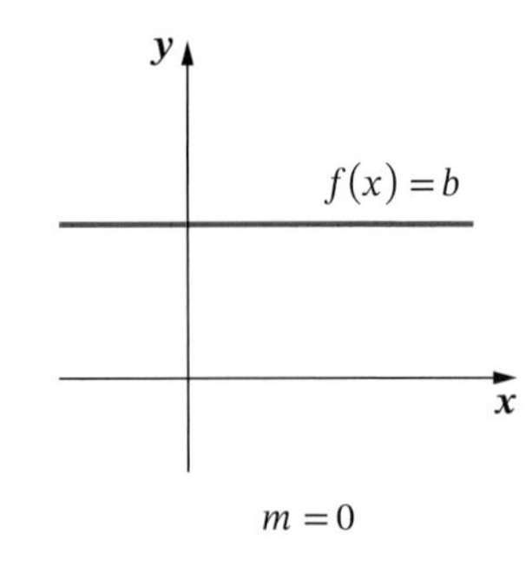

Le domaine de $f(x) = mx + b$ est $\text{Dom}_f = \mathbb{R}$; son image est $\text{Ima}_f = \mathbb{R}$ si $m \neq 0$ ou $\text{Ima}_f = \{b\}$ si $m = 0$. La figure A.6 montre que, si $m > 0$, la fonction $f(x) = mx + b$ est croissante ; que si $m < 0$, la fonction $f(x) = mx + b$ est décroissante ; et que si $m = 0$, la fonction $f(x) = mx + b = b$ est constante.

De plus, si $m \neq 0$, la fonction $f(x) = mx + b$ n'admet qu'un seul zéro qu'on obtient en résolvant l'équation linéaire $mx + b = 0$. Par ailleurs, si $m = 0$ et $b \neq 0$,

* Dans plusieurs ouvrages rédigés en langue française, on définit une fonction de la forme $f(x) = mx + b$, où m et b sont des nombres réels, comme une fonction affine (peu importe la valeur de b) et comme une fonction linéaire (lorsque $b = 0$). Dans les volumes de langue anglaise, on ne fait pas cette distinction : les fonctions de la forme $f(x) = mx + b$ sont appelées *linear functions*, et ce, peu importe la valeur de b. Comme toutes les fonctions de la forme $f(x) = mx + b$, où m et b sont des nombres réels, sont représentées par des droites, les auteurs ont choisi de les appeler fonctions linéaires (*linéaire* étant employé au sens mathématique défini dans *Le Petit Robert* : « Qui peut être représenté dans l'espace euclidien par une droite »).

la fonction $f(x) = mx + b = b$ n'admet aucun zéro. Enfin, si $m = 0$ et $b = 0$, la fonction $f(x) = mx + b = 0$ de sorte que toutes les valeurs réelles de x sont des zéros de $f(x)$.

EXEMPLE A.42

Trouvons l'ordonnée à l'origine et le zéro de la fonction $f(x) = -2x + 5$. Traçons la droite décrite par $f(x)$ et déterminons Dom_f et Ima_f.

Comme $f(0) = -2(0) + 5 = 5$, l'ordonnée à l'origine de la fonction $f(x) = -2x + 5$ est donc 5. La droite décrite par la fonction $f(x)$ passe par le point $(0, 5)$.

Pour obtenir le zéro de la fonction $f(x) = -2x + 5$, on détermine la valeur de x pour laquelle $f(x) = 0$:

$$f(x) = 0 \Leftrightarrow -2x + 5 = 0 \Leftrightarrow -2x = -5 \Leftrightarrow x = 5/2$$

Le zéro de la fonction $f(x) = -2x + 5$ est $x = 5/2$. La droite décrite par la fonction $f(x)$ passe par le point $(5/2, 0)$, comme l'illustre la FIGURE A.7.

FIGURE A.7

Droite décrite par la fonction $f(x) = -2x + 5$

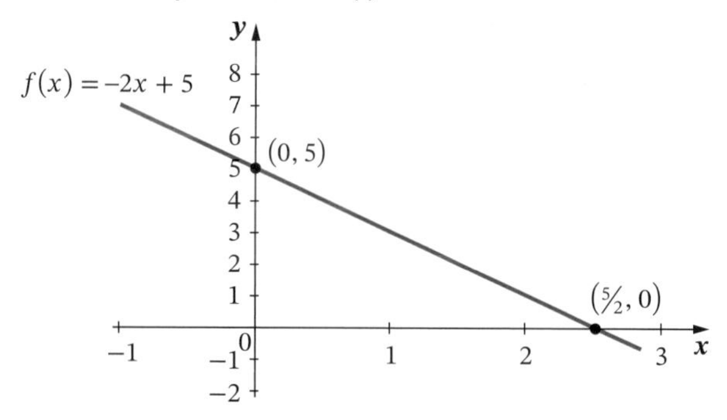

On a $\text{Dom}_f = \mathbb{R}$ et $\text{Ima}_f = \mathbb{R}$.

Pour déterminer l'équation d'une droite $(y = mx + b)$, on a besoin soit de deux points de cette droite, soit de la pente et d'un point de la droite.

On détermine la **pente** (ou *taux de variation*) d'une droite à l'aide de deux de ses points (FIGURE A.8). Soit (x_1, y_1) et (x_2, y_2), deux points d'une droite tels que $x_1 \neq x_2$. On définit la pente de la droite par le rapport suivant:

$$m = \frac{\text{Variation de } y}{\text{Variation de } x} = \frac{\Delta y}{\Delta x} = \frac{y_2 - y_1}{x_2 - x_1}$$

FIGURE A.8

Pente (ou taux de variation) d'une droite

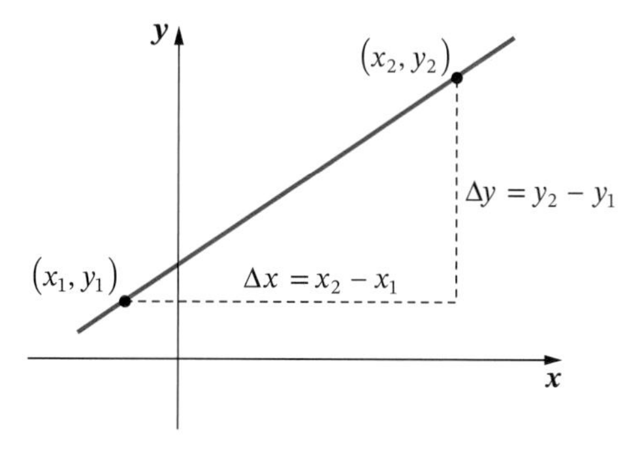

Pour déterminer la valeur de l'ordonnée à l'origine b lorsqu'on connaît la pente (ou taux de variation) de la droite, on remplace les coordonnées d'un point de la droite dans l'équation $y = mx + b$ et on isole b. On remplace ensuite b par la valeur ainsi obtenue dans l'équation de la droite.

EXEMPLE A.43

Trouvons l'équation de la droite passant par les points $(1, 8)$ et $(3, 2)$. Déterminons d'abord la pente (ou taux de variation) de la droite :

$$m = \frac{y_2 - y_1}{x_2 - x_1} = \frac{2 - 8}{3 - 1} = \frac{-6}{2} = -3$$

Puisque la pente de la droite est -3, alors $y = -3x + b$. En remplaçant x et y par les coordonnées du point $(1, 8)$ dans cette équation, on obtient

$$8 = -3(1) + b \Rightarrow b = 11$$

Par conséquent, l'équation de la droite est $y = -3x + 11$.

EXERCICES A.14

1. Représentez graphiquement la fonction et déterminez-en le domaine, l'image, l'ordonnée à l'origine et les zéros (s'il y a lieu).

a) $f(x) = 5x - 1$ c) $f(x) = \frac{3}{4}x + 2$ e) $f(x) = -\frac{1}{2}$

b) $f(x) = -2x - 3$ d) $f(x) = 4$ f) $f(x) = 0$

2. Déterminez l'équation de la droite passant par les points donnés.

a) $(1, -2)$ et $(3, 4)$ c) $(10, 9)$ et $(14, 12)$ e) $(-3, -1)$ et $(7, -1)$

b) $(-2, 1)$ et $(1, -11)$ d) $(-12, -2)$ et $(8, 6)$ f) $(4, 0)$ et $(7, 0)$

A.15 LA FONCTION QUADRATIQUE

Animations GeoGebra
Effets des paramètres dans une fonction

Trouvez cette animation sur la plateforme *i+ Interactif*.

Une **fonction quadratique** est une fonction de la forme $f(x) = ax^2 + bx + c$, où a, b et c sont des nombres réels et où $a \neq 0$. On écrit aussi $y = ax^2 + bx + c$.

La **parabole** est le lieu géométrique décrit par une fonction quadratique. La FIGURE A.9 présente l'allure générale de la parabole décrite par la fonction quadratique $f(x) = ax^2 + bx + c$ en fonction du signe de a.

FIGURE A.9
Allure de la parabole décrite par la fonction $f(x) = ax^2 + bx + c$

Si $a > 0$

Axe de symétrie

Sommet (h, k)

Parabole ouverte vers le haut

Si $a < 0$

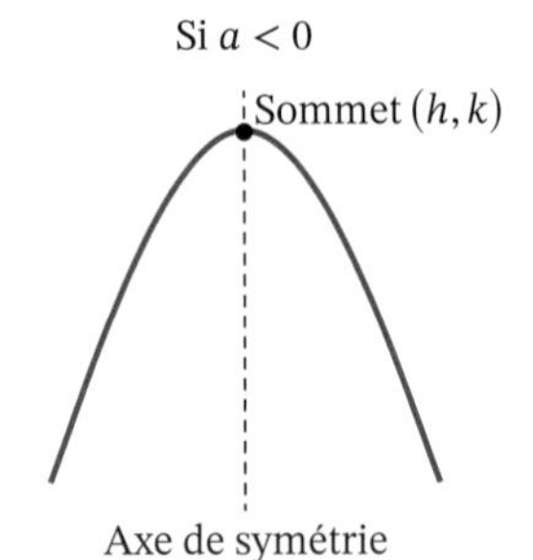

Parabole ouverte vers le bas

Si $a > 0$, la parabole décrite par la fonction $f(x) = ax^2 + bx + c$ est ouverte vers le haut et possède un axe de symétrie qui est une droite verticale passant par son point le plus bas ; on dit qu'elle est concave vers le haut. On a alors $\text{Dom}_f = \mathbb{R}$ et $\text{Ima}_f = [k, \infty[$.

Si $a < 0$, la parabole décrite par la fonction $f(x) = ax^2 + bx + c$ est ouverte vers le bas et possède un axe de symétrie qui est une droite verticale passant par son point le plus haut ; on dit qu'elle est concave vers le bas. On a alors $\text{Dom}_f = \mathbb{R}$ et $\text{Ima}_f =]-\infty, k]$.

Le **sommet de la parabole** décrite par la fonction $f(x) = ax^2 + bx + c$ est le point d'intersection (h, k) de la parabole avec son axe de symétrie. L'abscisse du sommet est donnée par

$$h = -\frac{b}{2a}$$

Pour déterminer l'ordonnée du sommet d'une parabole, il suffit d'évaluer $k = f(h)$.

L'ordonnée à l'origine d'une fonction quadratique $f(x) = ax^2 + bx + c$ (où a, b et c sont des nombres réels et où $a \neq 0$) est $f(0) = c$, et les zéros de la fonction sont obtenus à l'aide de la formule quadratique :

- La fonction $f(x)$ admet deux zéros si le discriminant est positif, c'est-à-dire si $b^2 - 4ac > 0$. Ces zéros sont donnés par

$$x_1 = \frac{-b - \sqrt{b^2 - 4ac}}{2a} \text{ et } x_2 = \frac{-b + \sqrt{b^2 - 4ac}}{2a}$$

- La fonction $f(x)$ n'admet qu'un seul zéro si le discriminant est nul, c'est-à-dire si $b^2 - 4ac = 0$. Ce zéro est donné par

$$x = -\frac{b}{2a}$$

- La fonction $f(x)$ n'admet aucun zéro si le discriminant est négatif, c'est-à-dire si $b^2 - 4ac < 0$.

Le **TABLEAU A.5** regroupe les différents cas qui peuvent se présenter.

TABLEAU A.5

Allure de la parabole décrite par la fonction $f(x) = ax^2 + bx + c$

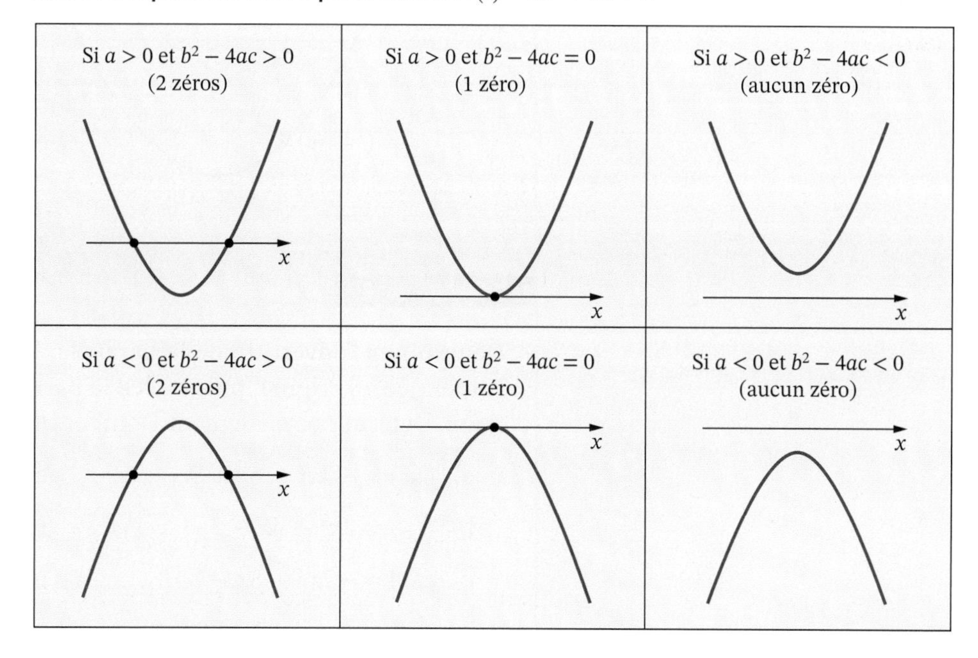

EXEMPLE A.44

Traçons la parabole décrite par la fonction quadratique $f(x) = 2x^2 + 12x + 10$, et déterminons Dom_f et Ima_f.

- Comme $a = 2 > 0$, la parabole est ouverte vers le haut.
- L'abscisse du sommet de la parabole est $h = -\dfrac{b}{2a} = -\dfrac{12}{2(2)} = -3$. On obtient l'ordonnée du sommet en évaluant $f(-3) = 2(-3)^2 + 12(-3) + 10 = -8$. Par conséquent, le sommet de la parabole est $(-3, -8)$.
- Comme $b^2 - 4ac = 12^2 - 4(2)(10) = 144 - 80 = 64 > 0$, la fonction admet deux zéros :

$$x_1 = \frac{-b - \sqrt{b^2 - 4ac}}{2a} = \frac{-12 - \sqrt{64}}{2(2)} = \frac{-20}{4} = -5$$

et

$$x_2 = \frac{-b + \sqrt{b^2 - 4ac}}{2a} = \frac{-12 + \sqrt{64}}{2(2)} = \frac{-4}{4} = -1$$

La parabole coupe donc l'axe des abscisses aux points $(-5, 0)$ et $(-1, 0)$.

- Comme $f(0) = 2(0)^2 + 12(0) + 10 = 10$, l'ordonnée à l'origine est 10. La parabole coupe donc l'axe vertical au point $(0, 10)$.

La représentation graphique de la fonction $f(x) = 2x^2 + 12x + 10$ est donnée à la FIGURE A.10. On constate que $\text{Dom}_f = \mathbb{R}$ et $\text{Ima}_f = [-8, \infty[$.

FIGURE A.10

Parabole décrite par la fonction $f(x) = 2x^2 + 12x + 10$

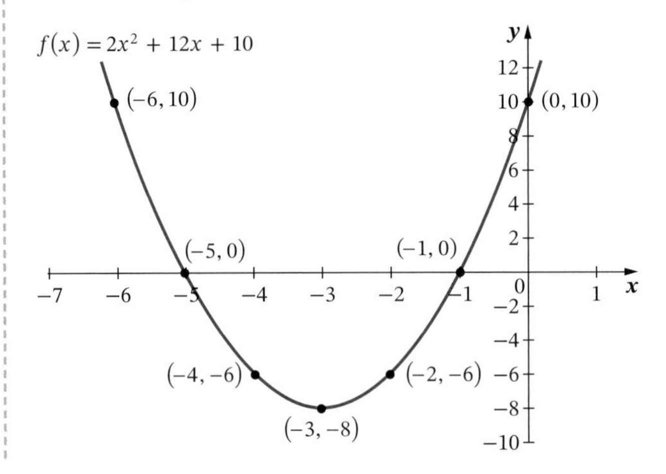

EXERCICE A.15

Déterminez l'ouverture de la parabole, le sommet, les zéros (s'il y a lieu) et l'ordonnée à l'origine, puis tracez la parabole décrite par la fonction quadratique. Déterminez également Dom_f et Ima_f.

a) $f(x) = -3x^2 + 6x + 9$

b) $f(x) = 4x^2 + 4x + 3$

c) $f(x) = -2x^2 + 8x - 8$

d) $f(x) = 4x^2 - 15x + 9$

e) $f(x) = 9x^2 + 24x + 16$

f) $f(x) = -5x^2 + 10x - 6$

g) $f(x) = 2x^2 + 6x + 3$

h) $f(x) = -\frac{3}{4}x^2 + \frac{21}{8}x - \frac{15}{8}$

A.16 LA FONCTION VALEUR ABSOLUE

Animations GeoGebra
Effets des paramètres dans une fonction

Trouvez cette animation sur la plateforme *i+ Interactif.*

La **fonction valeur absolue** est la fonction qui donne la distance entre un nombre réel x et l'origine. Elle est donnée par

$$f(x) = |x| = \begin{cases} -x & \text{si } x < 0 \\ x & \text{si } x \geq 0 \end{cases}$$

Pour représenter graphiquement la fonction $f(x) = |x|$, on trace la droite $y = x$ pour $x \geq 0$ et on trace la droite $y = -x$ pour $x < 0$. En joignant ces deux parties, on obtient la courbe décrite par la fonction $f(x) = |x|$ représentée à la FIGURE A.11.

FIGURE A.11

Représentation graphique de la fonction $f(x) = |x|$

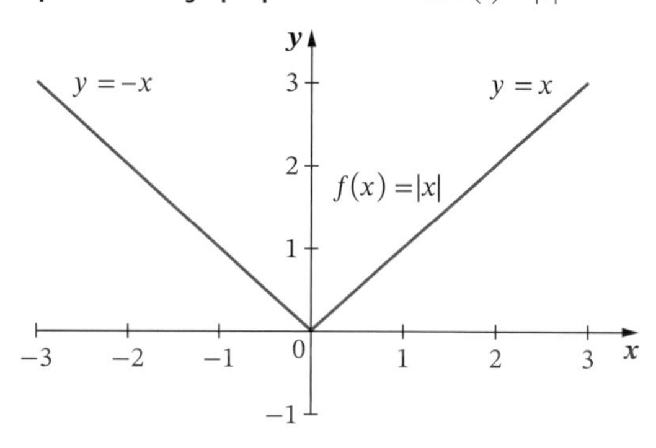

En observant la figure A.11, on constate que $\text{Dom}_f = \mathbb{R}$ et $\text{Ima}_f = [0, \infty[$. De plus, l'ordonnée à l'origine est $f(0) = |0| = 0$ et le zéro de la fonction $f(x) = |x|$ est $x = 0$.

Pour résoudre une équation contenant une valeur absolue, on utilise le résultat suivant :

- Si $c \geq 0$, alors $|g(x)| = c$ si $g(x) = c$ ou si $g(x) = -c$.
- Si $c < 0$, alors l'équation $|g(x)| = c$ n'admet aucune solution.

EXEMPLE A.45

Résolvons l'équation $3|2x + 4| - 5 = 1$. Commençons par isoler $|2x + 4|$.

$$3|2x + 4| - 5 = 1 \Leftrightarrow 3|2x + 4| = 6 \Leftrightarrow |2x + 4| = 2$$

On a $|2x + 4| = 2$ si $2x + 4 = 2$ ou si $2x + 4 = -2$. Résolvons donc ces deux équations linéaires :

$$\begin{aligned} 2x + 4 &= 2 \\ 2x &= -2 \\ x &= -1 \end{aligned} \qquad \text{ou} \qquad \begin{aligned} 2x + 4 &= -2 \\ 2x &= -6 \\ x &= -3 \end{aligned}$$

Par conséquent, l'ensemble solution de l'équation $3|2x + 4| - 5 = 1$ est $S = \{-3, -1\}$.

EXEMPLE A.46

Résolvons l'équation $\frac{1}{2}|4x - 5| + 3 = 0$. Commençons par isoler $|4x - 5|$.

$$\tfrac{1}{2}|4x - 5| + 3 = 0 \Leftrightarrow \tfrac{1}{2}|4x - 5| = -3 \Leftrightarrow |4x - 5| = -6$$

La dernière égalité est fausse, car $|4x - 5| \geq 0$ pour tout $x \in \mathbb{R}$. Par conséquent, l'équation $\frac{1}{2}|4x - 5| + 3 = 0$ n'admet aucune solution, de sorte que $S = \varnothing$.

EXERCICE A.16

Résolvez l'équation.

a) $|4 - x| = 6$
b) $|2x - 1| = 3$
c) $-2|x + 4| = 5$
d) $-\frac{1}{2}|5 - 2x| = -4$
e) $2|3 - x| + 1 = 1$
f) $3|3x + 4| - 5 = 10$

A.17 LA FONCTION RACINE CARRÉE

Animations GeoGebra
Effets des paramètres dans une fonction

Trouvez cette animation sur la plateforme *i+ Interactif*.

La **fonction racine carrée** est la fonction qui associe à chaque nombre réel $x \geq 0$ sa racine carrée. Elle est notée $f(x) = \sqrt{x}$. La FIGURE A.12 représente la courbe décrite par $f(x)$.

FIGURE A.12

Représentation graphique de la fonction $f(x) = \sqrt{x}$

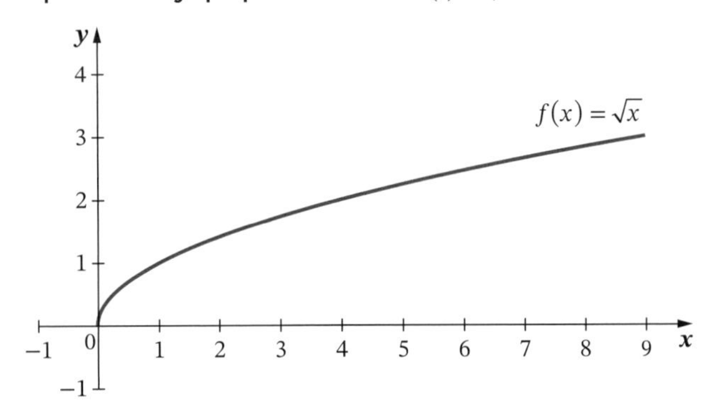

Le domaine de la fonction $f(x) = \sqrt{x}$ est $\text{Dom}_f = [0, \infty[$ puisque la racine carrée d'un nombre n'est définie que pour $x \geq 0$. De plus, on voit bien que $\text{Ima}_f = [0, \infty[$. L'ordonnée à l'origine de la fonction est $f(0) = \sqrt{0} = 0$ et le zéro de la fonction est $x = 0$.

La méthode pour résoudre une équation contenant une ou des racines carrées consiste à isoler une racine carrée d'un côté de l'équation et à élever ensuite les deux membres de l'équation au carré. S'il reste des racines carrées, on recommence le processus.

Il faut être très prudent lorsqu'on résout des équations contenant une ou des racines carrées. On peut parfois trouver des valeurs qui ne sont pas réellement des solutions de l'équation, d'où l'importance de vérifier chacune des solutions potentielles obtenues.

EXEMPLE A.47

Résolvons $\sqrt{x+5} + 5 = 2x$. Pour que la racine carrée soit définie, il faut que $x + 5 \geq 0$, c'est-à-dire $x \geq -5$. On cherche donc une solution de l'équation appartenant à l'intervalle $[-5, \infty[$. On a

$$\begin{aligned}\sqrt{x+5} &= 2x - 5\\ \left(\sqrt{x+5}\right)^2 &= (2x-5)^2\\ x + 5 &= 4x^2 - 20x + 25\\ 0 &= 4x^2 - 21x + 20\end{aligned}$$

Puisque $b^2 - 4ac = (-21)^2 - 4(4)(20) = 121 > 0$, l'équation

$$4x^2 - 21x + 20 = 0$$

admet deux solutions :

$$x_1 = \frac{-b - \sqrt{b^2 - 4ac}}{2a} = \frac{-(-21) - \sqrt{121}}{2(4)} = \frac{10}{8} = \frac{5}{4}$$

et

$$x_2 = \frac{-b + \sqrt{b^2 - 4ac}}{2a} = \frac{-(-21) + \sqrt{121}}{2(4)} = \frac{32}{8} = 4$$

Si $x = 5/4$, on a

$$\sqrt{x + 5} + 5 = \sqrt{5/4 + 20/4} + 5 = \sqrt{25/4} + 5 = 5/2 + 5 = 5/2 + 10/2 = 15/2$$

et

$$2x = 2(5/4) = 5/2$$

On a alors $\sqrt{x + 5} + 5 \neq 2x$ pour $x = 5/4$, ce qui nous permet de conclure que $x = 5/4$ n'est pas une solution de l'équation. Par ailleurs, si $x = 4$, on a

$$\sqrt{x + 5} + 5 = \sqrt{4 + 5} + 5 = 3 + 5 = 8 = 2(4) = 2x$$

Par conséquent, l'équation $\sqrt{x + 5} + 5 = 2x$ n'admet qu'une seule solution, soit $x = 4$, et alors $S = \{4\}$.

Une équation contenant une ou des racines carrées n'admet pas toujours de solution, comme l'illustre l'exemple suivant.

EXEMPLE A.48

Résolvons $4 + \sqrt{2x - 3} = 2$. Pour que la racine carrée soit définie, il faut que $2x - 3 \geq 0$, c'est-à-dire $2x \geq 3$ ou $x \geq 3/2$. On cherche donc une solution de l'équation appartenant à l'intervalle $[3/2, \infty[$. On a

$$4 + \sqrt{2x - 3} = 2 \Leftrightarrow \sqrt{2x - 3} = -2$$

La dernière égalité est toujours fausse, car pour tout $x \in [3/2, \infty[$, on a $\sqrt{2x - 3} \geq 0$ (la racine carrée d'un nombre ne peut pas être négative). L'équation $4 + \sqrt{2x - 3} = 2$ n'admet donc aucune solution dans l'ensemble des nombres réels, et alors $S = \varnothing$.

EXERCICE A.17

Résolvez l'équation.

a) $2\sqrt{x + 2} - 4 = 6$
b) $5 - \sqrt{6x} = 2$
c) $2\sqrt{x} + x = 3$
d) $x = 2\sqrt{-x - 1}$
e) $3\sqrt{x} - \sqrt{2 - 3x} = 0$
f) $\sqrt{3x + 31} - 2 = 2x - 3$

A.18 LA FONCTION EXPONENTIELLE ET LA FONCTION LOGARITHMIQUE

Animations GeoGebra

Effets des paramètres dans une fonction

Trouvez cette animation sur la plateforme *i+ Interactif*.

Une **fonction exponentielle** est une fonction de la forme $f(x) = b^x$, où $b > 0$ et $b \neq 1$. On appelle b la base de la fonction exponentielle. La représentation graphique de la fonction $f(x)$ dépend de la valeur de la base b (FIGURE A.13, p. 426).

FIGURE A.13

Représentation graphique de la fonction $f(x) = b^x$

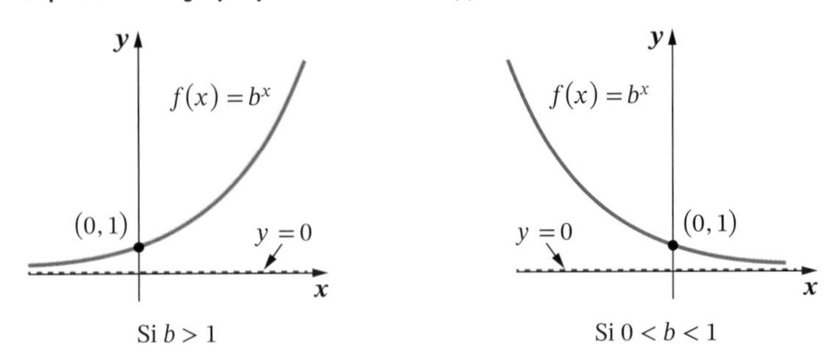

La fonction $f(x) = b^x$ (où $b > 0$ et $b \neq 1$) a pour domaine $\text{Dom}_f = \mathbb{R}$, pour image $\text{Ima}_f =]0, \infty[$, pour ordonnée à l'origine $f(0) = b^0 = 1$, et elle ne possède aucun zéro.

La fonction exponentielle $f(x) = e^x$, dont la base est la constante de Neper ($e \approx 2{,}718\ 28...$), apparaît dans de nombreuses applications. Sur la plupart des calculatrices scientifiques, la touche e^x permet d'évaluer la fonction exponentielle de base e en une valeur donnée de x, tandis que la touche y^x permet d'évaluer la fonction exponentielle de base y (au lieu de b) en une valeur donnée de x.

Une **fonction logarithmique** est une fonction de la forme $y = f(x) = \log_b x$, où $b > 0$ et $b \neq 1$. On appelle b la base de la fonction logarithmique et x l'argument du logarithme. On peut lire cette équation de la façon suivante : « y est l'exposant qu'on attribue à b pour obtenir x ».

La représentation graphique de $f(x) = \log_b x$ dépend de la valeur de la base b, comme l'illustre la FIGURE A.14.

FIGURE A.14

Représentation graphique de la fonction $f(x) = \log_b x$

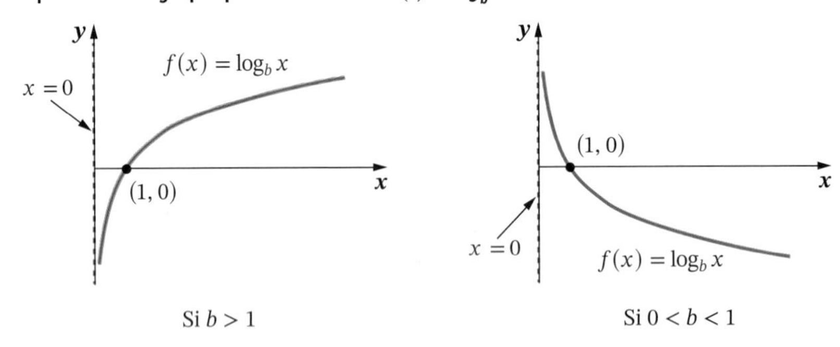

La fonction $y = f(x) = \log_b x$ (où $b > 0$ et $b \neq 1$) a pour domaine $\text{Dom}_f =]0, \infty[$ et pour image $\text{Ima}_f = \mathbb{R}$. Elle admet un zéro en $x = 1$ et ne possède pas d'ordonnée à l'origine.

Il existe une relation très étroite entre les fonctions logarithmiques et les fonctions exponentielles. En effet,

$$y = \log_b x \Leftrightarrow y \text{ est l'exposant qu'on attribue à } b \text{ pour obtenir } x$$
$$\Leftrightarrow b^y = x$$

Les fonctions $f(x) = \log_b x$ et $g(x) = b^x$ sont donc des fonctions réciproques. On obtient la courbe décrite par la fonction $f(x)$ en intervertissant les coordonnées des points de la courbe décrivant la fonction $g(x)$. Les courbes décrites par ces deux fonctions sont donc symétriques par rapport à la droite $y = x$, comme l'illustre la FIGURE A.15.

FIGURE A.15

Réciprocité des fonctions exponentielles et logarithmiques

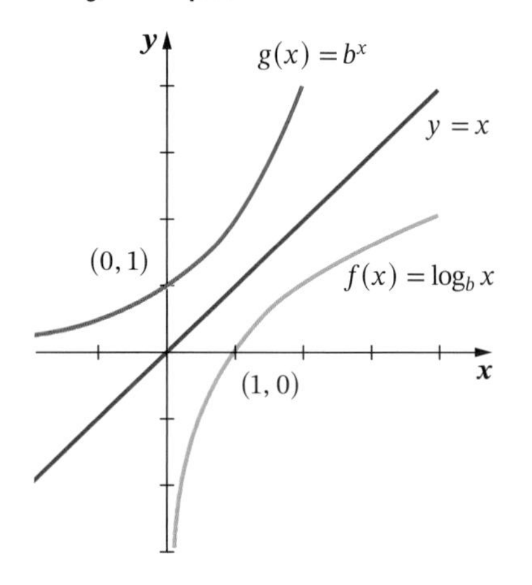

Animations GeoGebra
Réciproque d'une fonction

Trouvez cette animation sur la plateforme *i+ Interactif*.

Les bases e et 10 sont celles qui sont les plus couramment utilisées dans les fonctions logarithmiques. Par conséquent, on utilise une notation particulière pour ces fonctions. Ainsi, la fonction logarithmique de base e s'écrit $f(x) = \ln x$ [plutôt que $f(x) = \log_e x$], et on parle alors de **logarithme naturel** ou de *logarithme népérien*. La fonction logarithmique de base 10 s'écrit $f(x) = \log x$ [plutôt que $f(x) = \log_{10} x$], et on parle alors de **logarithme décimal** ou de *logarithme de Briggs*.

Le TABLEAU A.6 présente les propriétés des logarithmes qui sont très utiles pour résoudre les équations exponentielles ou les équations logarithmiques.

TABLEAU A.6

Propriétés des logarithmes

Si $M > 0$, $N > 0$, $p \in \mathbb{R}$, $b > 0$ et $b \neq 1$, alors
1. $\log_b 1 = 0$
2. $\log_b b = 1$
3. $\log_b(MN) = \log_b M + \log_b N$
4. $\log_b\left(\frac{M}{N}\right) = \log_b M - \log_b N$
5. $\log_b(M^p) = p\log_b M$
6. $\log_b(b^p) = p$ et $\ln(e^p) = p$
7. $b^{\log_b N} = N$ et $e^{\ln N} = N$
8. $\log_b N = \frac{\log_a N}{\log_a b}$, où $a > 0$ et $a \neq 1$

Pour résoudre une équation exponentielle, il suffit d'appliquer un logarithme de chaque côté de l'égalité et d'utiliser la propriété 5.

EXEMPLE A.49

Résolvons l'équation exponentielle $2^x = 21$:

$$2^x = 21$$

$$\ln(2^x) = \ln 21 \quad \text{application d'un logarithme à chaque membre}$$

$$x(\ln 2) = \ln 21 \quad \text{propriété 5: } \log_b(M^p) = p\log_b M$$

$$x = \frac{\ln 21}{\ln 2} \quad \text{division des deux membres par } \ln 2$$

$$x \approx 4{,}392$$

La solution de l'équation est donc $x = \frac{\ln 21}{\ln 2} \approx 4{,}392$.

EXEMPLE A.50

Résolvons l'équation exponentielle $7^{2x+1} = 3^{x-2}$:

$$7^{2x+1} = 3^{x-2}$$

$$\ln(7^{2x+1}) = \ln(3^{x-2}) \quad \text{application d'un logarithme à chaque membre}$$

$$(2x+1)\ln 7 = (x-2)\ln 3 \quad \text{propriété 5: } \log_b(M^p) = p\log_b M$$

$$2x\ln 7 + \ln 7 = x\ln 3 - 2\ln 3 \quad \text{distributivité}$$

$$2x\ln 7 + \ln 7 - x\ln 3 = -2\ln 3 \quad \text{soustraction de } (x\ln 3) \text{ des deux membres}$$

$$2x\ln 7 - x\ln 3 = -2\ln 3 - \ln 7 \quad \text{soustraction de } \ln 7 \text{ des deux membres}$$

$$x(2\ln 7 - \ln 3) = -2\ln 3 - \ln 7 \quad \text{mise en évidence de } x$$

$$x = \frac{-2\ln 3 - \ln 7}{2\ln 7 - \ln 3} \quad \text{division des deux membres par } (2\ln 7 - \ln 3)$$

$$x \approx -1{,}483$$

La solution de l'équation est donc $x = \frac{-2\ln 3 - \ln 7}{2\ln 7 - \ln 3} \approx -1{,}483$.

Pour résoudre une équation logarithmique, il faut utiliser les propriétés et la définition d'un logarithme :

$$v = \log_b u \Leftrightarrow b^v = u$$

EXEMPLE A.51

Résolvons l'équation logarithmique $\log_6(2x-5)=2$. Pour que l'expression $\log_6(2x-5)$ soit définie, il faut que $2x-5>0$, c'est-à-dire que $x>5/2$. On cherche donc les solutions de cette équation appartenant à l'intervalle $]5/2, \infty[$:

$$\begin{aligned}\log_6(2x-5)&=2\\2x-5&=6^2 \quad \text{définition d'un logarithme: } v=\log_b u \Leftrightarrow b^v=u\\2x&=41\\x&=41/2\end{aligned}$$

La solution de l'équation est donc $x=41/2$ qui appartient à l'intervalle $]5/2, \infty[$.

EXEMPLE A.52

Résolvons l'équation logarithmique $\log_3(2x+1)-2\log_3(x-3)=2$.

Pour que l'expression $\log_3(2x+1)$ soit définie, il faut que $2x+1>0$, c'est-à-dire que $x>-1/2$. De plus, pour que l'expression $\log_3(x-3)$ soit définie, il faut que $x-3>0$, c'est-à-dire que $x>3$. On cherche donc les solutions de cette équation appartenant à l'intervalle $]3, \infty[$.

$$\begin{aligned}\log_3(2x+1)-2\log_3(x-3)&=2\\\log_3(2x+1)-\log_3(x-3)^2&=2 \quad \text{propriété 5: } \log_b(M^p)=p\log_b M\\\log_3\left[\frac{2x+1}{(x-3)^2}\right]&=2 \quad \text{propriété 4: } \log_b\left(\tfrac{M}{N}\right)=\log_b M-\log_b N\\\frac{2x+1}{(x-3)^2}&=3^2 \quad \text{définition d'un logarithme: } \log_b u=v \Leftrightarrow b^v=u\\2x+1&=9(x-3)^2\\2x+1&=9(x^2-6x+9)\\2x+1&=9x^2-54x+81\\0&=9x^2-56x+80\end{aligned}$$

Puisque $b^2-4ac=(-56)^2-4(9)(80)=256>0$, l'équation

$$9x^2-56x+80=0$$

admet deux solutions :

$$x_1=\frac{-b-\sqrt{b^2-4ac}}{2a}=\frac{-(-56)-\sqrt{256}}{2(9)}=\frac{56-16}{18}=\frac{40}{18}=\frac{20}{9}$$

et

$$x_2=\frac{-b+\sqrt{b^2-4ac}}{2a}=\frac{-(-56)+\sqrt{256}}{2(9)}=\frac{56+16}{18}=\frac{72}{18}=4$$

Puisque $20/9 \notin]3, \infty[$, l'équation $\log_3(2x+1)-2\log_3(x-3)=2$ n'admet qu'une seule solution, soit $x=4$.

EXERCICES A.18

1. Résolvez l'équation exponentielle.

a) $3^{2x}=15$

b) $4(10^{2-3x})=0{,}01$

c) $40-40e^{-0{,}2t}=30$

d) $3\left(4^{2x^2-2x}\right)+1=25$

e) $5^{x-3}=3^{2x+3}$

f) $4^{2x+1}=6^x$

2. Résolvez l'équation logarithmique.

a) $\log_4(3x - 2) = 3$

b) $\log_{1/2}(4 - 5x) = -4$

c) $\log(2x + 3) - \log(4 - x) = 1$

d) $\log_2(3x - 1) + \log_2(2 - x) = 1$

e) $\log_3(9 - x^2) - \log_3(x + 1) = 2$

f) $\log_{25}(2x + 5) + \log_{25}(3 - x) = 1/2$

A.19 LES FONCTIONS TRIGONOMÉTRIQUES

FIGURE A.16

Angle

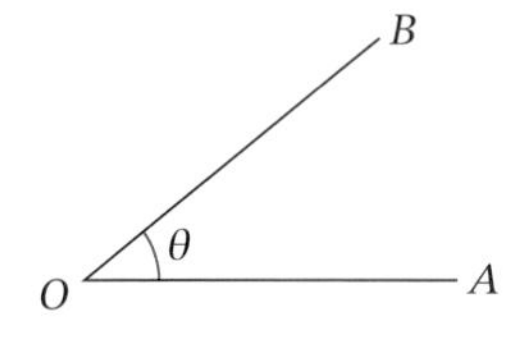

L'angle θ est la figure formée par deux segments de droite OA et OB issus d'un point fixe O appelé sommet (FIGURE A.16).

Mesurer un angle, c'est quantifier la rotation que le segment OA doit effectuer pour rejoindre le segment OB. La mesure de l'angle θ est positive si la rotation s'effectue dans le sens contraire des aiguilles d'une montre, et négative si elle s'effectue plutôt dans le sens des aiguilles d'une montre (FIGURE A.17).

FIGURE A.17

Mesure d'angle

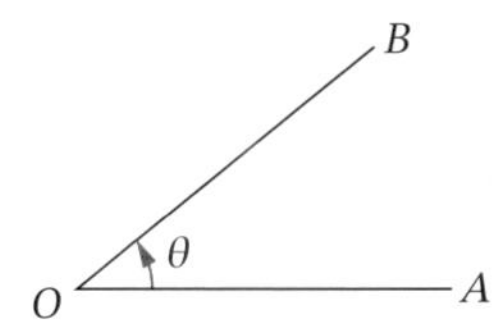

Mesure d'angle positive

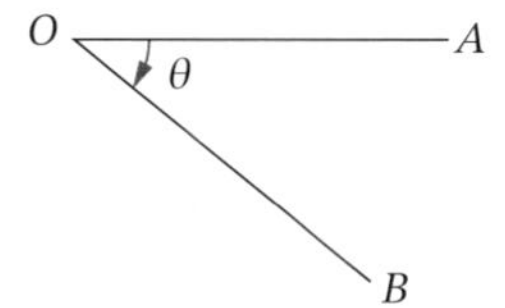

Mesure d'angle négative

FIGURE A.18

Angles particuliers

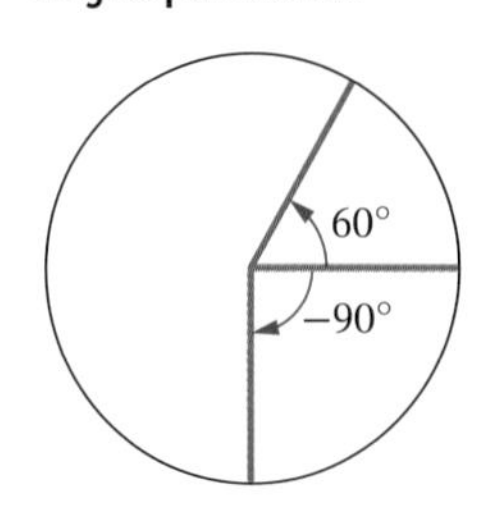

Lorsqu'on divise un cercle en 360 parties égales avec des rayons, l'angle au centre entre deux rayons consécutifs mesure un **degré** (1°). La FIGURE A.18 présente deux angles particuliers mesurés en degrés.

La mesure de l'angle au centre compris entre deux rayons (FIGURE A.19 *a*) qui interceptent sur le cercle un arc de longueur L égale au rayon r du cercle est un **radian** (1 rad). Un angle au centre interceptant un arc de longueur $L = 2,5r$ mesure donc 2,5 rad (figure A.19 *a*). De façon générale, un angle au centre interceptant un arc de longueur $L = \left(\frac{L}{r}\right)r$ mesure $\theta = \frac{L}{r}$ rad (FIGURE A.19 *b*).

FIGURE A.19

Lien entre un angle en radians et la longueur d'un arc de cercle

a)

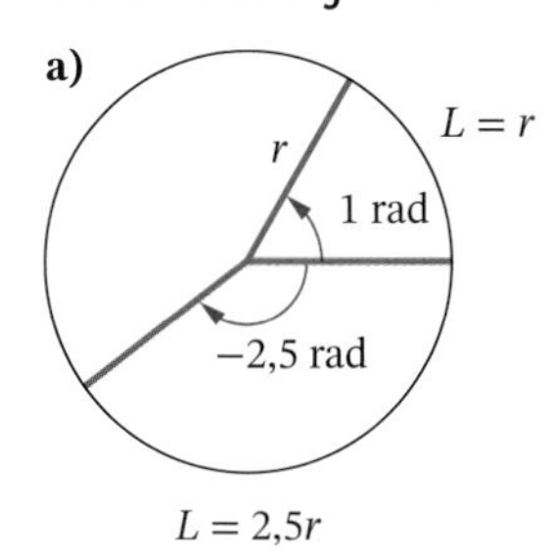

b)

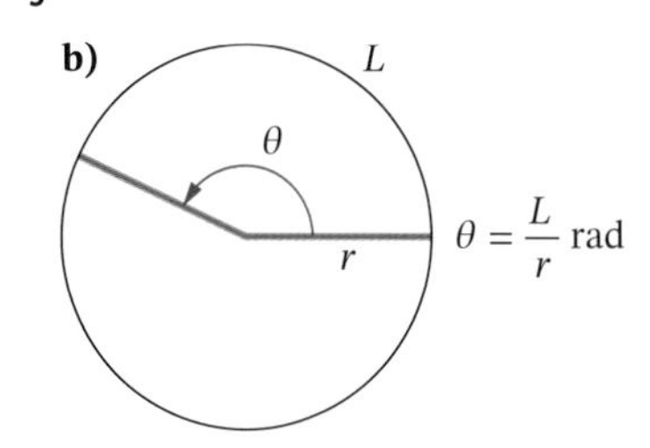

Lorsqu'on exprime un angle en radians, on omet souvent les unités (rad), alors que le symbole des degrés (°), lui, n'est jamais omis.

L'angle au centre correspondant à un tour complet du cercle est de 360° ou de $\theta = \frac{L}{r} = \frac{2\pi r}{r} = 2\pi$ rad. On peut donc facilement passer d'une unité de mesure à l'autre. En effet, puisque $360° = 2\pi$ rad, alors $1° = \pi/180$ rad et $1 \text{ rad} = (180/\pi)°$.

EXEMPLE A.53

Convertissons en degrés les angles $-3\pi/4$ rad et 7 rad.

Puisque 2π rad = 360°, alors 1 rad = $(180/\pi)^\circ$. Par conséquent,

$$-3\pi/4 \text{ rad} = -3\pi/4(1 \text{ rad}) = -3\pi/4(180/\pi)^\circ = -135^\circ$$

$$7 \text{ rad} = 7(1 \text{ rad}) = 7(180/\pi)^\circ \approx 401{,}07^\circ$$

EXEMPLE A.54

Convertissons en radians les angles 480° et −140°.

Puisque 2π rad = 360°, alors $1^\circ = \pi/180$ rad. Par conséquent,

$$480^\circ = 480(1^\circ) = 480(\pi/180) \text{ rad} = 8\pi/3 \text{ rad}$$

$$-140^\circ = -140(1^\circ) = -140(\pi/180) \text{ rad} = -7\pi/9 \text{ rad}$$

Le **cercle trigonométrique** (FIGURE A.20) est un cercle de rayon 1 centré à l'origine. Tout angle au centre θ détermine un point $P(\theta)$ sur le cercle.

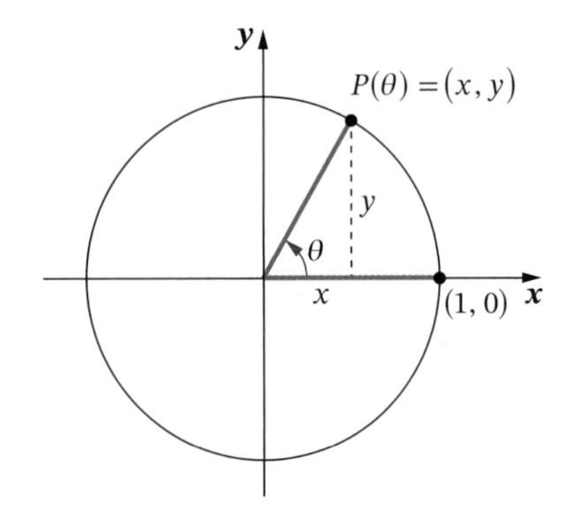

FIGURE A.20
Cercle trigonométrique

Certains points du cercle trigonométrique sont appelés des points trigonométriques remarquables (FIGURE A.21).

FIGURE A.21
Points trigonométriques remarquables

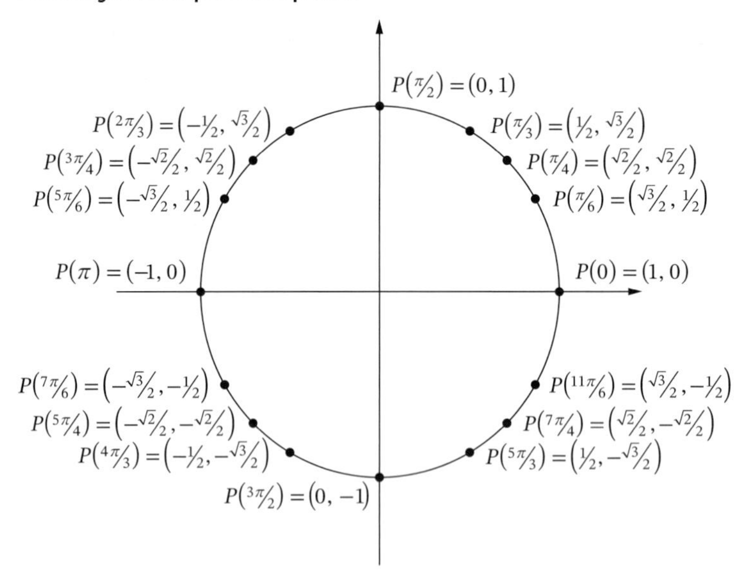

Soit $P(\theta)$ un point du cercle trigonométrique. Si on parcourt, à partir du point $P(\theta)$, un certain nombre de tours complets (dans le sens des aiguilles d'une montre ou dans le sens contraire), alors on revient au même point, c'est-à-dire

$$P(\theta) = P\left(\theta + \underbrace{2\pi}_{1 \text{ tour}}\right) = P\left(\theta + \underbrace{4\pi}_{2 \text{ tours}}\right) = \cdots \quad \text{sens contraire des aiguilles d'une montre}$$

ou

$$P(\theta) = P\left(\theta - \underbrace{2\pi}_{1 \text{ tour}}\right) = P\left(\theta - \underbrace{4\pi}_{2 \text{ tours}}\right) = \cdots \quad \text{sens des aiguilles d'une montre}$$

De façon générale, $P(\theta) = P(\theta + 2k\pi)$, où $k \in \mathbb{Z}$. Si on travaille plutôt en degrés, on obtient $P(\theta) = P(\theta + k360°)$, où $k \in \mathbb{Z}$.

EXEMPLE A.55

Déterminons les coordonnées des points trigonométriques $P(-2\pi/3)$, $P(7\pi/2)$ et $P(405°)$.

Puisque $-2\pi/3 + 2\pi = -2\pi/3 + 6\pi/3 = 4\pi/3$, alors

$$P(-2\pi/3) = P(4\pi/3) = (-1/2, -\sqrt{3}/2)$$

Par ailleurs, puisque $7\pi/2 - 2\pi = 7\pi/2 - 4\pi/2 = 3\pi/2$, alors

$$P(7\pi/2) = P(3\pi/2) = (0, -1)$$

De plus, $405° - 360° = 45°$ et

$$45° = 45(1°) = 45(\pi/180) \text{ rad} = \pi/4 \text{ rad}$$

Par conséquent, $P(405°) = P(\pi/4) = (\sqrt{2}/2, \sqrt{2}/2)$.

Le **cosinus de l'angle** θ, noté $\cos\theta$, est l'abscisse du point trigonométrique $P(\theta)$, et le **sinus de l'angle** θ, noté $\sin\theta$, est l'ordonnée du point trigonométrique $P(\theta)$, comme l'illustre la FIGURE A.22. Comme le cercle trigonométrique est de rayon 1, l'abscisse et l'ordonnée de tout point situé sur le cercle ont des valeurs comprises entre -1 et 1, c'est-à-dire que, pour tout angle θ, on a

$$-1 \leq \cos\theta \leq 1 \text{ et } -1 \leq \sin\theta \leq 1$$

FIGURE A.22
Cosinus et sinus d'un angle

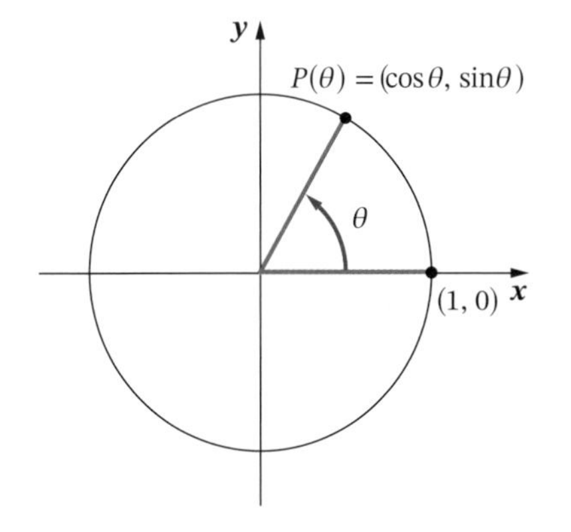

Les différents rapports entre l'abscisse et l'ordonnée du point $P(\theta)$ définissent quatre autres fonctions trigonométriques appelées **tangente**, **cotangente**, **sécante** et **cosécante**.

On a $\text{tg}\,\theta = \dfrac{\sin\theta}{\cos\theta}$, $\text{cotg}\,\theta = \dfrac{\cos\theta}{\sin\theta} = \dfrac{1}{\text{tg}\,\theta}$, $\sec\theta = \dfrac{1}{\cos\theta}$ et $\text{cosec}\,\theta = \dfrac{1}{\sin\theta}$. Remarquons que les fonctions sont définies si et seulement si le dénominateur est différent de 0.

EXEMPLE A.56

Évaluons, si possible, les six fonctions trigonométriques pour $\theta = 5\pi/6$. On a

$$\cos(5\pi/6) = -\sqrt{3}/2 \quad \text{première coordonnée du point } P(5\pi/6) = (-\sqrt{3}/2, 1/2)$$

$$\sin(5\pi/6) = 1/2 \quad \text{deuxième coordonnée du point } P(5\pi/6) = (-\sqrt{3}/2, 1/2)$$

$$\text{tg}(5\pi/6) = \frac{\sin(5\pi/6)}{\cos(5\pi/6)} = \frac{1/2}{-\sqrt{3}/2} = \frac{1}{2}\left(\frac{2}{-\sqrt{3}}\right) = -\frac{1}{\sqrt{3}} = -\frac{1}{\sqrt{3}}\left(\frac{\sqrt{3}}{\sqrt{3}}\right) = -\frac{\sqrt{3}}{3}$$

$$\text{cotg}(5\pi/6) = \frac{\cos(5\pi/6)}{\sin(5\pi/6)} = \frac{-\sqrt{3}/2}{1/2} = -\frac{\sqrt{3}}{2}\left(\frac{2}{1}\right) = -\sqrt{3}$$

$$\sec(5\pi/6) = \frac{1}{\cos(5\pi/6)} = \frac{1}{-\sqrt{3}/2} = 1\left(\frac{2}{-\sqrt{3}}\right) = -\frac{2}{\sqrt{3}} = -\frac{2}{\sqrt{3}}\left(\frac{\sqrt{3}}{\sqrt{3}}\right) = -\frac{2\sqrt{3}}{3}$$

$$\text{cosec}(5\pi/6) = \frac{1}{\sin(5\pi/6)} = \frac{1}{1/2} = 1\left(\frac{2}{1}\right) = 2$$

Vous trouverez dans l'aide-mémoire qui accompagne ce manuel les valeurs des six fonctions trigonométriques pour certains angles remarquables ainsi que les graphiques de ces six fonctions.

EXERCICES A.19

1. Convertissez l'angle en degrés.

a) $7\pi/3$ rad b) $11\pi/8$ rad c) $-17\pi/9$ rad d) -3 rad

2. Convertissez l'angle en radians.

a) $240°$ b) $-75°$ c) $510°$ d) $-315°$

3. Déterminez les coordonnées du point trigonométrique.

a) $P(11\pi/4)$ c) $P(-13\pi/6)$ e) $P(-210°)$

b) $P(450°)$ d) $P(-4\pi/3)$ f) $P(540°)$

4. Évaluez, si possible, les six fonctions trigonométriques pour la valeur de θ donnée en utilisant le cercle trigonométrique.

a) $\theta = -5\pi/4$ b) $\theta = 540°$ c) $\theta = 10\pi/3$

5. Évaluez les six fonctions trigonométriques pour la valeur de θ donnée en utilisant la calculatrice.

a) $\theta = 48°$ b) $\theta = 5\pi/9$

A.20 LES IDENTITÉS TRIGONOMÉTRIQUES

Les **identités trigonométriques** sont des égalités qui permettent de simplifier ou de transformer une expression trigonométrique en une expression équivalente.

Trois identités très importantes proviennent de la définition même des fonctions trigonométriques sur le cercle trigonométrique et du théorème de Pythagore.

Soit θ un angle au centre en radians et $P(\theta)$ le point qu'il détermine sur la circonférence du cercle trigonométrique (FIGURE A.23).

FIGURE A.23
Cercle trigonométrique

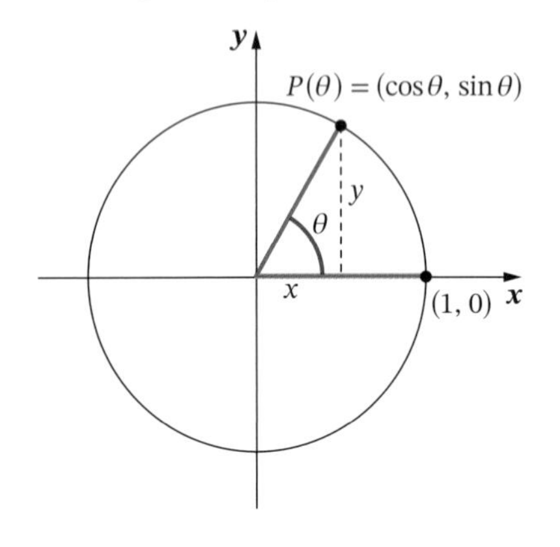

Par le théorème de Pythagore, $x^2 + y^2 = 1^2$. En remplaçant les coordonnées du point $P(\theta)$ dans cette équation, on obtient la première identité trigonométrique, soit

$$\cos^2\theta + \sin^2\theta = 1 \qquad (1)$$

En divisant tous les termes de l'identité (1) par $\cos^2\theta$ (pour les valeurs de θ telles que $\cos\theta \neq 0$), on obtient une deuxième identité trigonométrique, soit

$$\frac{\cos^2\theta}{\cos^2\theta} + \frac{\sin^2\theta}{\cos^2\theta} = \frac{1}{\cos^2\theta}$$

$$1 + \text{tg}^2\theta = \sec^2\theta \qquad (2)$$

En divisant tous les termes de l'identité (1) par $\sin^2\theta$ (pour les valeurs de θ telles que $\sin\theta \neq 0$), on obtient une troisième identité trigonométrique, soit

$$\frac{\cos^2\theta}{\sin^2\theta} + \frac{\sin^2\theta}{\sin^2\theta} = \frac{1}{\sin^2\theta}$$

$$\text{cotg}^2\theta + 1 = \text{cosec}^2\theta \qquad (3)$$

Le TABLEAU A.7 présente les trois identités obtenues à la page précédente ainsi que quelques autres identités importantes.

TABLEAU A.7

Identités trigonométriques

Si α, β et θ sont des nombres réels, alors	
1. $\cos^2\theta + \sin^2\theta = 1$	8. $\sin\alpha\cos\beta = 1/2[\sin(\alpha-\beta) + \sin(\alpha+\beta)]$
2. $1 + \text{tg}^2\theta = \sec^2\theta$ (si $\cos\theta \neq 0$)	9. $\cos(2\theta) = \cos^2\theta - \sin^2\theta$
3. $\text{cotg}^2\theta + 1 = \text{cosec}^2\theta$ (si $\sin\theta \neq 0$)	10. $\cos(2\theta) = 2\cos^2\theta - 1$
4. $\cos(\alpha \pm \beta) = \cos\alpha\cos\beta \mp \sin\alpha\sin\beta$	11. $\cos(2\theta) = 1 - 2\sin^2\theta$
5. $\sin(\alpha \pm \beta) = \sin\alpha\cos\beta \pm \cos\alpha\sin\beta$	12. $\sin(2\theta) = 2\sin\theta\cos\theta$
6. $\cos\alpha\cos\beta = 1/2[\cos(\alpha-\beta) + \cos(\alpha+\beta)]$	13. $\sin^2\theta = 1/2[1 - \cos(2\theta)]$
7. $\sin\alpha\sin\beta = 1/2[\cos(\alpha-\beta) - \cos(\alpha+\beta)]$	14. $\cos^2\theta = 1/2[1 + \cos(2\theta)]$

EXEMPLE A.57

Utilisons les identités trigonométriques pour démontrer l'égalité suivante:

$$1 + \frac{\text{tg}^2\theta}{1+\sec\theta} = \sec\theta, \text{ lorsque } 1 + \sec\theta \neq 0 \text{ et } \cos\theta \neq 0$$

On a

$$\begin{aligned} 1 + \frac{\text{tg}^2\theta}{1+\sec\theta} &= \frac{1+\sec\theta+\text{tg}^2\theta}{1+\sec\theta} && \text{mise au même dénominateur} \\ &= \frac{\sec\theta + \sec^2\theta}{1+\sec\theta} && \text{identité 2: } 1+\text{tg}^2\theta = \sec^2\theta \\ &= \frac{\sec\theta(1+\sec\theta)}{1+\sec\theta} && \text{mise en évidence de } \sec\theta \\ &= \sec\theta && \text{simplification du facteur commun} \end{aligned}$$

EXEMPLE A.58

Utilisons les identités trigonométriques pour démontrer l'égalité suivante:

$$4\sin\theta\cos\theta - 8\sin^3\theta\cos\theta = \sin(4\theta)$$

On a

$$\begin{aligned} 4\sin\theta\cos\theta - 8\sin^3\theta\cos\theta &= 4\sin\theta\cos\theta\left(1-2\sin^2\theta\right) && \text{mise en évidence de } 4\sin\theta\cos\theta \\ &= 2\left(2\sin\theta\cos\theta\right)\left(1-2\sin^2\theta\right) && \text{mise en évidence de 2} \\ &= 2\sin(2\theta)\left(1-2\sin^2\theta\right) && \text{identité 12: } 2\sin\theta\cos\theta = \sin(2\theta) \\ &= 2\sin(2\theta)\cos(2\theta) && \text{identité 11: } 1-2\sin^2\theta = \cos(2\theta) \\ &= \sin(4\theta) && \text{identité 12: } 2\sin(2\theta)\cos(2\theta) = \sin[2(2\theta)] \end{aligned}$$

Comme on peut le constater sur la FIGURE A.24 (p. 434), il y a une relation étroite entre les coordonnées du point $P(\theta)$ et celles du point $P(-\theta)$.

FIGURE A.24

$P(\theta)$ et $P(-\theta)$

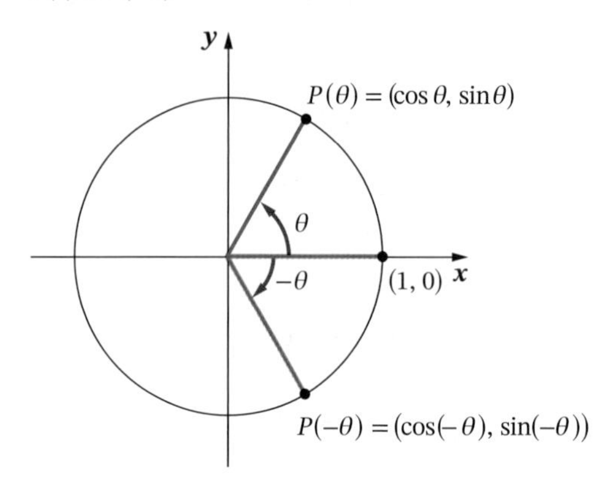

On remarque qu'on obtient le point $P(-\theta)$ en faisant une réflexion du point $P(\theta)$ par rapport à l'axe des abscisses. Par conséquent, leurs premières coordonnées sont identiques et leurs deuxièmes coordonnées sont opposées. Ainsi, $\cos(-\theta) = \cos(\theta)$ et $\sin(-\theta) = -\sin\theta$. Par conséquent,

$$\text{tg}(-\theta) = \frac{\sin(-\theta)}{\cos(-\theta)} = \frac{-\sin\theta}{\cos\theta} = -\text{tg}\,\theta$$

$$\text{cotg}(-\theta) = \frac{\cos(-\theta)}{\sin(-\theta)} = \frac{\cos\theta}{-\sin\theta} = -\text{cotg}\,\theta$$

$$\sec(-\theta) = \frac{1}{\cos(-\theta)} = \frac{1}{\cos\theta} = \sec\theta$$

$$\text{cosec}(-\theta) = \frac{1}{\sin(-\theta)} = \frac{1}{-\sin\theta} = -\text{cosec}\,\theta$$

TABLEAU A.8

Relations trigonométriques importantes

	$-\theta$	$\pi/2 \pm \theta$	$\pi \pm \theta$
sin	$-\sin\theta$	$\cos\theta$	$\mp\sin\theta$
cos	$\cos\theta$	$\mp\sin\theta$	$-\cos\theta$
tg	$-\text{tg}\,\theta$	$\mp\text{cotg}\,\theta$	$\pm\text{tg}\,\theta$
cosec	$-\text{cosec}\,\theta$	$\sec\theta$	$\mp\text{cosec}\,\theta$
sec	$\sec\theta$	$\mp\text{cosec}\,\theta$	$-\sec\theta$
cotg	$-\text{cotg}\,\theta$	$\mp\text{tg}\,\theta$	$\pm\text{cotg}\,\theta$

Le TABLEAU A.8 présente les relations que nous venons d'établir ainsi que d'autres relations trigonométriques importantes qui sont valables là où les fonctions sont définies.

Ainsi, $\cos(\pi/2 \pm \theta) = \mp\sin\theta$.

EXEMPLE A.59

Utilisons les identités trigonométriques pour démontrer la relation

$$\sin(\pi/2 \pm \theta) = \cos\theta$$

qui figure dans le tableau A.8. On a

$$\begin{aligned}\sin(\pi/2 + \theta) &= \sin\pi/2\cos\theta + \cos\pi/2\sin\theta \quad \text{identité 5: } \sin(\alpha+\beta) = \sin\alpha\cos\beta + \cos\alpha\sin\beta\\ &= (1)\cos\theta + (0)\sin\theta\\ &= \cos\theta\end{aligned}$$

De même,

$$\begin{aligned}\sin(\pi/2 - \theta) &= \sin\pi/2\cos\theta - \cos\pi/2\sin\theta \quad \text{identité 5: } \sin(\alpha-\beta) = \sin\alpha\cos\beta - \cos\alpha\sin\beta\\ &= (1)\cos\theta - (0)\sin\theta\\ &= \cos\theta\end{aligned}$$

Par conséquent, $\sin(\pi/2 \pm \theta) = \cos\theta$.

EXERCICES A.20

1. Démontrez l'identité trigonométrique.

a) $\left(\text{cotg}\,\theta + \dfrac{1}{\text{cotg}\,\theta}\right)\sin\theta\cos\theta = 1$

b) $\text{tg}\,t + \text{cotg}\,t = \sec t\,\text{cosec}\,t$

c) $\dfrac{1}{\sin x} - \dfrac{\cos x}{\text{tg}x} = \sin x$

d) $\sin\left(\pi/6 + \theta\right) + \cos\left(\pi/3 + \theta\right) = \cos\theta$

e) $\dfrac{1-\cos(2x)}{\sin(2x)} = \text{tg}\,x$

f) $\dfrac{\cos\theta + \sin\theta}{\cos\theta - \sin\theta} - \dfrac{\cos\theta - \sin\theta}{\cos\theta + \sin\theta} = 2\text{tg}(2\theta)$

g) $(\text{cosec}\,t + \text{cotg}\,t)(\text{cosec}\,t - \text{cotg}\,t) = 1$

h) $1 - \dfrac{\sin^2\theta}{1-\cos\theta} = -\cos\theta$

i) $\dfrac{1-\text{tg}^2\theta}{1+\text{tg}^2\theta} + 1 = 2\cos^2\theta$

j) $\dfrac{\text{cotg}\,x - \text{tg}\,x}{\text{cotg}\,x + \text{tg}\,x} = \cos(2x)$

k) $\dfrac{\sec^2\theta}{2-\sec^2\theta} = \sec(2\theta)$

l) $\sec^2(t/2) = \dfrac{2}{1+\cos t}$

2. Démontrez les relations de la dernière colonne du tableau A.8.

A.21 LES FONCTIONS TRIGONOMÉTRIQUES INVERSES (RÉCIPROQUES)

Si $-1 \leq x \leq 1$, alors l'expression $y = \arcsin x$ signifie «y est l'angle tel que $-\pi/2 \leq y \leq \pi/2$ et dont le sinus vaut x». On a donc

$$y = \arcsin x \text{ est équivalent à } \sin y = x$$
$$\text{si } -1 \leq x \leq 1 \text{ et } -\pi/2 \leq y \leq \pi/2$$

EXEMPLE A.60

Trouvons la valeur de $y = \arcsin\left(\sqrt{2}/2\right)$.

On cherche un angle y (où $-\pi/2 \leq y \leq \pi/2$) tel que $\sin y = \sqrt{2}/2$. Le seul angle dans cet intervalle qui satisfait à cette équation est $\pi/4$. Par conséquent, $y = \arcsin\left(\sqrt{2}/2\right) = \pi/4$.

Sur la plupart des calculatrices scientifiques, la touche $\sin^{-1}$ (notation anglaise de arcsin) permet d'obtenir la valeur de $y = \arcsin x$ pour $x \in [-1, 1]$. La notation anglaise prête cependant à confusion. Ainsi, contrairement à ce que cette notation suggère, $\sin^{-1}x \neq \dfrac{1}{\sin x}$, $\sin^{-1}x \neq \text{cosec}\,x$, mais $\sin^{-1}x = \arcsin x$.

Si $-1 \leq x \leq 1$, alors l'expression $y = \arccos x$ signifie « y est l'angle tel que $0 \leq y \leq \pi$ et dont le cosinus vaut x ». On a donc

$$y = \arccos x \text{ est équivalent à } \cos y = x$$
$$\text{si } -1 \leq x \leq 1 \text{ et } 0 \leq y \leq \pi$$

EXEMPLE A.61

Trouvons la valeur de $y = \arccos(-1/2)$.

On cherche un angle y (où $0 \leq y \leq \pi$) tel que $\cos y = -1/2$. Le seul angle dans cet intervalle qui satisfait à cette équation est $2\pi/3$. Par conséquent, $y = \arccos(-1/2) = 2\pi/3$.

Sur la plupart des calculatrices scientifiques, la touche $\cos^{-1}$ (notation anglaise de arccos) permet d'obtenir la valeur de $y = \arccos x$ pour $x \in [-1, 1]$.

Si $x \in \mathbb{R}$, alors l'expression $y = \operatorname{arctg} x$ signifie « y est l'angle tel que $-\pi/2 < y < \pi/2$ et dont la tangente vaut x ». On a donc

$$y = \operatorname{arctg} x \text{ est équivalent à } \operatorname{tg} y = x$$
$$\text{si } x \in \mathbb{R} \text{ et } -\pi/2 < y < \pi/2$$

EXEMPLE A.62

Trouvons la valeur de $y = \operatorname{arctg}(\sqrt{3}/3)$.

On cherche un angle y (où $-\pi/2 < y < \pi/2$) tel que $\operatorname{tg} y = \sqrt{3}/3$. Le seul angle dans cet intervalle qui satisfait à cette équation est $\pi/6$. Par conséquent, $y = \operatorname{arctg}(\sqrt{3}/3) = \pi/6$.

Sur la plupart des calculatrices scientifiques, la touche $\tan^{-1}$ (notation anglaise de arctg) permet d'obtenir la valeur de $y = \operatorname{arctg} x$ pour $x \in \mathbb{R}$.

Les autres fonctions trigonométriques inverses se définissent de façon similaire :

$$y = \operatorname{arccotg} x \text{ est équivalent à } \operatorname{cotg} y = x \text{ si } x \in \mathbb{R} \text{ et } 0 < y < \pi$$

$$y = \operatorname{arcsec} x \text{ est équivalent à } \sec y = x$$
$$\text{soit si } x \geq 1 \text{ et } 0 \leq y < \pi/2, \text{ soit si } x \leq -1 \text{ et } \pi/2 < y \leq \pi$$

$$y = \operatorname{arccosec} x \text{ est équivalent à } \operatorname{cosec} y = x$$
$$\text{soit si } x \geq 1 \text{ et } 0 < y \leq \pi/2, \text{ soit si } x \leq -1 \text{ et } -\pi/2 \leq y < 0$$

La plupart des calculatrices scientifiques ne possèdent pas de touches donnant directement la valeur de ces fonctions trigonométriques inverses en un point. Il faut donc utiliser les identités suivantes :

$$\operatorname{arccotg} x = \begin{cases} \operatorname{arctg}(1/x) + \pi & \text{si } x < 0 \\ \pi/2 & \text{si } x = 0 \\ \operatorname{arctg}(1/x) & \text{si } x > 0 \end{cases}$$

$$\operatorname{arcsec} x = \arccos(1/x), \text{ si } |x| \geq 1$$

$$\operatorname{arccosec} x = \arcsin(1/x), \text{ si } |x| \geq 1$$

Les graphiques des fonctions trigonométriques inverses se trouvent dans l'aide-mémoire.

EXERCICE A.21

Évaluez, si possible, la fonction en $x = -3$, en $x = -1/2$, en $x = 2/3$, en $x = 1$ et en $x = 2$.

a) $f(x) = \arcsin x$
b) $f(x) = \arccos x$
c) $f(x) = \text{arctg}\, x$
d) $f(x) = \text{arccotg}\, x$
e) $f(x) = \text{arcsec}\, x$
f) $f(x) = \text{arccosec}\, x$

A.22 LES RAPPORTS TRIGONOMÉTRIQUES DANS LES TRIANGLES

FIGURE A.25
Triangle rectangle

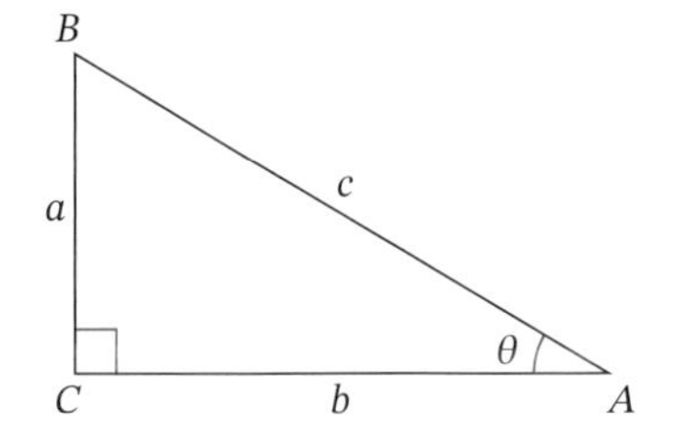

Dans un triangle rectangle (FIGURE A.25), on peut définir les fonctions trigonométriques comme des rapports entre les mesures de certains côtés de ce triangle.

On a

$$\sin\theta = \sin A = \frac{\text{Mesure du côté opposé à l'angle } \theta}{\text{Mesure de l'hypoténuse}} = \frac{a}{c}$$

$$\cos\theta = \cos A = \frac{\text{Mesure du côté adjacent à l'angle } \theta}{\text{Mesure de l'hypoténuse}} = \frac{b}{c}$$

$$\text{tg}\,\theta = \text{tg}\,A = \frac{\text{Mesure du côté opposé à l'angle } \theta}{\text{Mesure du côté adjacent à l'angle } \theta} = \frac{a}{b}$$

$$\text{cosec}\,\theta = \text{cosec}\,A = \frac{\text{Mesure de l'hypoténuse}}{\text{Mesure du côté opposé à l'angle } \theta} = \frac{c}{a}$$

$$\sec\theta = \sec A = \frac{\text{Mesure de l'hypoténuse}}{\text{Mesure du côté adjacent à l'angle } \theta} = \frac{c}{b}$$

$$\text{cotg}\,\theta = \text{cotg}\,A = \frac{\text{Mesure du côté adjacent à l'angle } \theta}{\text{Mesure du côté opposé à l'angle } \theta} = \frac{b}{a}$$

EXEMPLE A.63

Une personne fait voler un cerf-volant. Elle a laissé dérouler 35 m de corde et l'angle que fait la corde avec l'horizontale est de 24° (FIGURE A.26). Déterminons la hauteur du cerf-volant par rapport au sol si la main tenant la corde se situe à 1,5 m du sol.

FIGURE A.26
Hauteur d'un cerf-volant

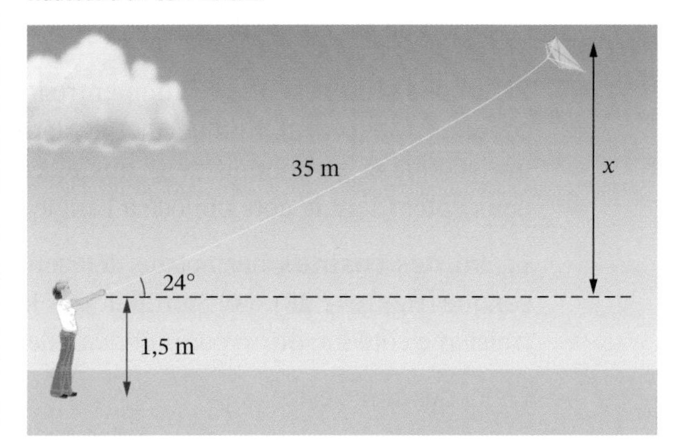

La hauteur du cerf-volant est donnée par $x + 1,5$. Déterminons x en utilisant un rapport trigonométrique. On a

$$\sin 24° = \frac{x}{35}$$
$$35 \sin 24° = x$$
$$14,24 \approx x$$

Par conséquent, la hauteur du cerf-volant par rapport au sol est d'environ 15,74 m ($14,24$ m $+ 1,5$ m $= 15,74$ m).

EXEMPLE A.64

La FIGURE A.27 représente la vue à vol d'oiseau d'un immeuble de bureaux. On installe une caméra fixe sur un des murs de cet édifice. Déterminons l'angle d'observation θ de la caméra.

FIGURE A.27
Angle d'observation d'une caméra

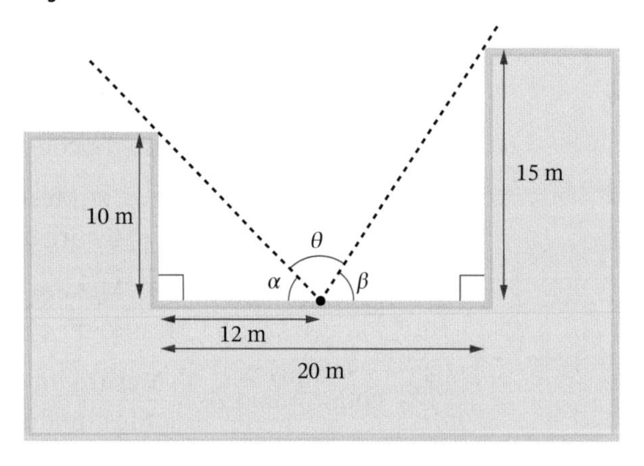

L'angle d'observation de la caméra est $\theta = 180° - \alpha - \beta$. Trouvons les angles α et β en utilisant les deux triangles rectangles. On a

$$\text{tg}\,\alpha = \frac{10}{12} \qquad \text{tg}\,\beta = \frac{15}{20-12}$$
$$\alpha = \text{arctg}(5/6) \qquad \beta = \text{arctg}(15/8)$$
$$\alpha \approx 39,81° \qquad \beta \approx 61,93°$$

Alors, $\theta \approx 180° - 39,81° - 61,93° = 78,26°$. Par conséquent, l'angle d'observation de la caméra est d'environ 78,26°.

La **loi des sinus** est une relation entre les angles et les côtés d'un triangle quelconque (FIGURE A.28). Elle permet de déterminer les mesures manquantes dans un triangle si on connaît deux angles et un côté ou si on connaît un angle et deux côtés (dont le côté opposé à l'angle connu).

FIGURE A.28
Triangle quelconque

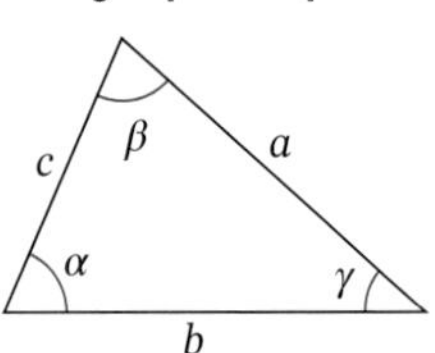

La **loi des cosinus** permet de déterminer les angles dans un triangle quelconque (figure A.28) si on connaît tous les côtés ou de déterminer la mesure du troisième côté lorsqu'on connaît deux des côtés et l'angle entre ces deux côtés.

La loi des sinus est:

$$\frac{\sin\alpha}{a} = \frac{\sin\beta}{b} = \frac{\sin\gamma}{c}$$

La loi des cosinus est:

$$c^2 = a^2 + b^2 - 2ab(\cos\gamma)$$

EXEMPLE A.65

Les garde-côtes ont deux stations situées en bord de mer à 240 km de distance, l'une directement au nord de l'autre. Un signal de détresse d'un bateau en haute mer parvient aux deux stations. Le schéma présenté à la FIGURE A.29 résume la situation. Déterminons la distance entre le bateau et chacune des stations.

FIGURE A.29
Bateau en détresse en haute mer

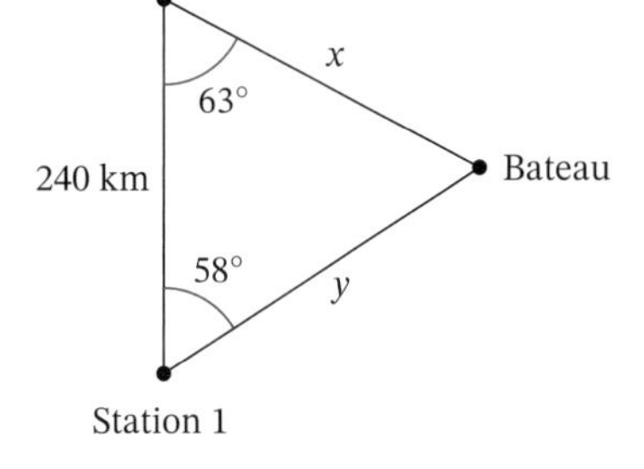

La mesure de l'angle du sommet correspondant à la position du bateau est égale à 180° − 58° − 63° = 59°. Appliquons la loi des sinus. On a

$$\frac{\sin 59°}{240} = \frac{\sin 63°}{y} \qquad \frac{\sin 59°}{240} = \frac{\sin 58°}{x}$$

$$y = \frac{240(\sin 63°)}{\sin 59°} \qquad x = \frac{240(\sin 58°)}{\sin 59°}$$

$$y \approx 249,47 \qquad x \approx 237,45$$

Par conséquent, la distance entre le bateau et la station 1 est d'environ 249,47 km, et la distance entre le bateau et la station 2 est d'environ 237,45 km.

EXEMPLE A.66

Deux résidences sont situées sur le bord d'un lac (FIGURE A.30). Pour se rendre de la résidence A à la résidence B par voie terrestre, on doit parcourir 2,48 km sur une route jusqu'au point C et ensuite parcourir 4,12 km sur une autre route faisant un angle de 128° avec la première pour arriver à la résidence B. Déterminons la distance entre les deux résidences par bateau.

FIGURE A.30
Résidences sur le bord d'un lac

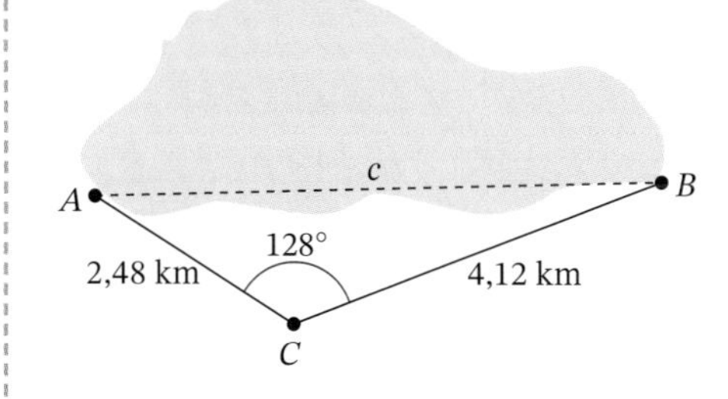

Appliquons la loi des cosinus.

$$c^2 = 4,12^2 + 2,48^2 - 2(4,12)(2,48)(\cos 128°)$$

$$\sqrt{c^2} = \sqrt{4,12^2 + 2,48^2 - 2(4,12)(2,48)(\cos 128°)}$$

$$c \approx 5,98$$

Par conséquent, il faudrait parcourir environ 5,98 km en bateau pour aller de la résidence A à la résidence B.

EXERCICES A.22

1. Évaluez les six rapports trigonométriques de l'angle θ du triangle rectangle.

a)

1 4 θ

b)

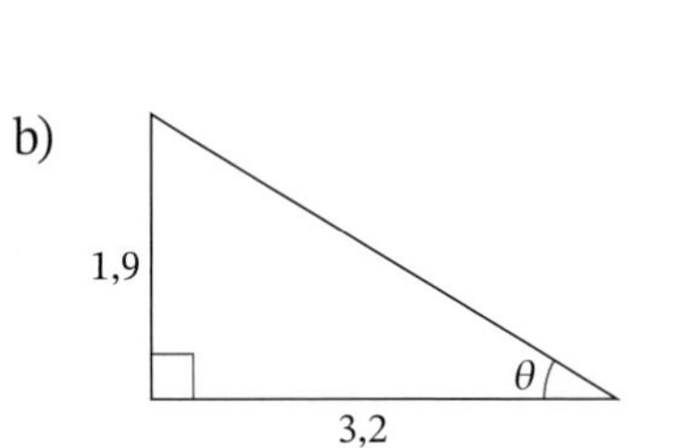

c)

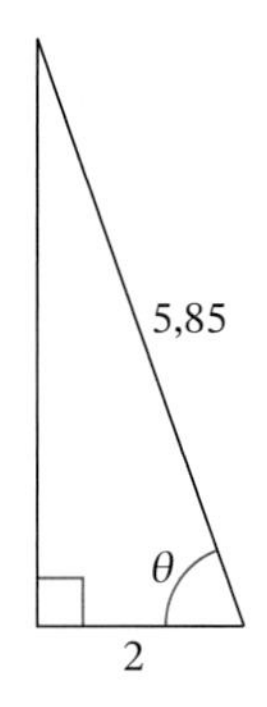

2. Déterminez la valeur de θ pour chacun des triangles rectangles du numéro 1.

3. Déterminez les mesures manquantes (angles, côtés) dans les triangles suivants.

a)

B 5 120° 20° A C

b)

E 3 95° D 5 F

c)

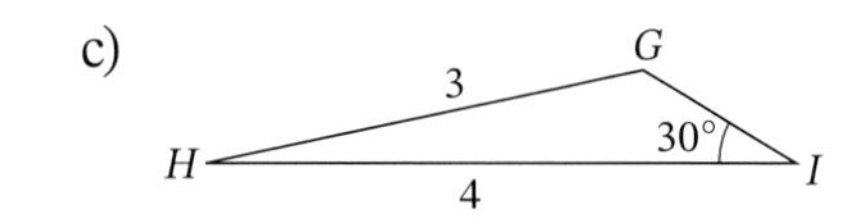

d)

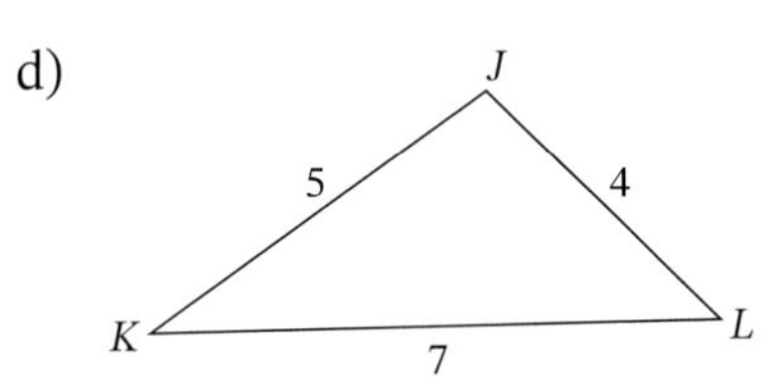

RÉPONSES AUX EXERCICES récapitulatifs

CHAPITRE 1

1. a) $f(2) = 4$

b) $\lim_{x\to 2^-} f(x) = 4$

c) $\lim_{x\to 2^+} f(x) = 4$

d) $\lim_{x\to 2} f(x) = 4$

e) $f(-2)$ n'existe pas.

f) $\lim_{x\to -2^-} f(x) = 1$

g) $\lim_{x\to -2^+} f(x) = 4$

h) $\lim_{x\to -2} f(x)$ n'existe pas.

i) $f(1)$ n'existe pas.

j) $\lim_{x\to 1^-} f(x) = 1$

k) $\lim_{x\to 1^+} f(x) = 1$

l) $\lim_{x\to 1} f(x) = 1$

m) $f(3) = 0$

n) $\lim_{x\to 3^-} f(x) = 2$

o) $\lim_{x\to 3^+} f(x) = 0$

p) $\lim_{x\to 3} f(x)$ n'existe pas.

2. a) $\text{Dom}_f = \mathbb{R}$

b) Quand x s'approche de 3 par la gauche ($x \to 3^-$), → ; Quand x s'approche de 3 par la droite ($x \to 3^+$), ←

x	2,9	2,99	2,999	2,999 9	3	3,000 1	3,001	3,01	3,1
$f(x)$	8,6	8,96	8,996	8,999 6	9	9,000 4	9,004	9,04	9,4

$f(x)$ s'approche de 9. → ; ← $f(x)$ s'approche de 9.

Par conséquent, $\lim_{x\to 3} f(x) = 9$.

c) Quand x s'approche de −3 par la gauche ($x \to -3^-$), → ; Quand x s'approche de −3 par la droite ($x \to -3^+$), ←

x	−3,1	−3,01	−3,001	−3,000 1	−3	−2,999 9	−2,999	−2,99	−2,9
$f(x)$	−15,4	−15,04	−15,004	−15,000 4	−15	−14,999 6	−14,996	−14,96	−14,6

$f(x)$ s'approche de −15. → ; ← $f(x)$ s'approche de −15.

Par conséquent, $\lim_{x\to -3} f(x) = -15$.

3. a) $\text{Dom}_f = \mathbb{R} \setminus \{-2, 2\}$

b) Quand x s'approche de 2 par la gauche ($x \to 2^-$), → ; Quand x s'approche de 2 par la droite ($x \to 2^+$), ←

x	1,9	1,99	1,999	1,999 9	2	2,000 1	2,001	2,01	2,1
$f(x)$	7,61	7,96	7,996	7,999 6	$\nexists$	8,000 4	8,004	8,04	8,41

$f(x)$ s'approche de 8. → ; ← $f(x)$ s'approche de 8.

Par conséquent, $\lim_{x\to 2} f(x) = 8$.

c) Quand x s'approche de −2 par la gauche ($x \to -2^-$), → ; Quand x s'approche de −2 par la droite ($x \to -2^+$), ←

x	−2,1	−2,01	−2,001	−2,000 1	−2	−1,999 9	−1,999	−1,99	−1,9
$f(x)$	8,41	8,04	8,004	8,000 4	$\nexists$	7,999 6	7,996	7,96	7,61

$f(x)$ s'approche de 8. → ; ← $f(x)$ s'approche de 8.

Par conséquent, $\lim_{x\to -2} f(x) = 8$.

4. a) Quand x s'approche de 1 par la gauche($x \to 1^-$), → ← Quand x s'approche de 1 par la droite($x \to 1^+$),

x	0,9	0,99	0,999	0,999 9	1	1,000 1	1,001	1,01	1,1
$f(x)$	0,536 7	0,653 4	0,665 3	0,666 5	$\frac{2}{3}$	0,666 8	0,668 0	0,680 0	0,803 3

$f(x)$ s'approche de $\frac{2}{3}$. $f(x)$ s'approche de $\frac{2}{3}$.

Par conséquent, $\lim\limits_{x\to 1} f(x) = \frac{2}{3}$.

b) Quand x s'approche de -1 par la gauche ($x \to -1^-$), → ← Quand x s'approche de -1 par la droite ($x \to -1^+$),

x	−1,1	−1,01	−1,001	−1,000 1	−1	−0,999 9	−0,999	−0,99	−0,9
$f(x)$	−0,663 3	−0,666 6	−0,666 7	−0,666 7	$\nexists$	−0,666 7	−0,666 7	−0,666 6	−0,663 3

$f(x)$ s'approche de $-\frac{2}{3}$. $f(x)$ s'approche de $-\frac{2}{3}$.

Par conséquent, $\lim\limits_{x\to -1} f(x) = -\frac{2}{3}$.

5. a) Quand x s'approche de 4 par la gauche ($x \to 4^-$), → ← Quand x s'approche de 4 par la droite ($x \to 4^+$),

x	3,9	3,99	3,999	3,999 9	4	4,000 1	4,001	4,01	4,1
$f(x)$	2,966 5	2,996 7	2,999 7	3,000 0	3	3,000 0	3,000 3	3,003 3	3,033 2

$f(x)$ s'approche de 3. $f(x)$ s'approche de 3.

Par conséquent, $\lim\limits_{x\to 4} f(x) = 3$.

b) Quand x s'approche de 0 par la gauche ($x \to 0^-$), → ← Quand x s'approche de 0 par la droite ($x \to 0^+$),

x	−0,1	−0,01	−0,001	−0,000 1	0	0,000 1	0,001	0,01	0,1
$f(x)$	0,9	0,99	0,999	0,999 9	1	1,000 1	1,001 0	1,010 0	1,095 4

$f(x)$ s'approche de 1. $f(x)$ s'approche de 1.

Par conséquent, $\lim\limits_{x\to 0} f(x) = 1$.

6. a) Quand x s'approche de 1 par la gauche ($x \to 1^-$), → ← Quand x s'approche de 1 par la droite ($x \to 1^+$),

x	0,9	0,99	0,999	0,999 9	1	1,000 1	1,001	1,01	1,1
$f(x)$	1,175	1,242 5	1,249 3	1,249 9	$\frac{5}{4}$	1,250 1	1,250 8	1,257 5	1,325

$f(x)$ s'approche de $\frac{5}{4}$. $f(x)$ s'approche de $\frac{5}{4}$.

Par conséquent, $\lim\limits_{x\to 1} f(x) = \frac{5}{4}$.

b) Quand x s'approche de 9 par la gauche ($x \to 9^-$), → ← Quand x s'approche de 9 par la droite ($x \to 9^+$),

x	8,9	8,99	8,999	8,999 9	9	9,000 1	9,001	9,01	9,1
$f(x)$	3,318 5	3,331 9	3,333 2	3,333 3	$\frac{10}{3}$	3,333 3	3,333 5	3,334 8	3,348 1

$f(x)$ s'approche de $\frac{10}{3}$. $f(x)$ s'approche de $\frac{10}{3}$.

Par conséquent, $\lim\limits_{x\to 9} f(x) = \frac{10}{3}$.

c) Quand x s'approche de 4 par la gauche ($x \to 4^-$), → ← Quand x s'approche de 4 par la droite ($x \to 4^+$),

x	3,9	3,99	3,999	3,999 9	4	4,000 1	4,001	4,01	4,1
$f(x)$	3,425	3,492 5	3,499 3	3,499 9	$\frac{7}{2}$	2,500 0	2,500 2	2,501 9	2,518 7

$f(x)$ s'approche de $\frac{7}{2}$. $f(x)$ s'approche de $\frac{5}{2}$.

Par conséquent, $\lim\limits_{x\to 4} f(x)$ n'existe pas.

7. a) $\lim_{x\to 0} f(x) = 0$

d) $\lim_{x\to -3} f(x)$ n'existe pas.

g) $\lim_{x\to 3} f(x) = \infty$

b) $\lim_{x\to -3^-} f(x) = \infty$

e) $\lim_{x\to 3^-} f(x) = \infty$

h) $\lim_{x\to -\infty} f(x) = -2$

c) $\lim_{x\to -3^+} f(x) = -\infty$

f) $\lim_{x\to 3^+} f(x) = \infty$

i) $\lim_{x\to \infty} f(x) = 1$

8. Asymptotes horizontales : $y = -2$ et $y = 1$.

Asymptotes verticales : $x = -3$ et $x = 3$.

9. a) $\lim_{x\to 2^-} f(x) = -\infty$ et $\lim_{x\to 2^+} f(x) = \infty$ de sorte que $\lim_{x\to 2} f(x)$ n'existe pas.

Quand x s'approche de 2 par la gauche ($x \to 2^-$), → ; Quand x s'approche de 2 par la droite ($x \to 2^+$), ←

x	1,9	1,99	1,999	1,999 9	2	2,000 1	2,001	2,01	2,1
$f(x)$	−7	−97	−997	−9 997	∄	10 003	1 003	103	13

$f(x)$ devient très petit $[f(x) \to -\infty]$; $f(x)$ devient très grand $[f(x) \to \infty]$.

b) $\lim_{x\to -\infty} f(x) = 3$

Quand x devient de plus en plus petit ($x \to -\infty$),

x	−10 000	−1 000	−100	−10	−1
$f(x)$	2,999 9	2,999 0	2,990 2	2,916 7	2,666 7

$f(x)$ se rapproche de 3 $[f(x) \to 3]$.

c) $\lim_{x\to \infty} f(x) = 3$

Quand x devient de plus en plus grand ($x \to \infty$),

x	10	100	1 000	10 000	100 000
$f(x)$	3,125	3,010 2	3,001 0	3,000 1	3,000 01

$f(x)$ se rapproche de 3 $[f(x) \to 3]$.

10. La réponse n'est pas unique. Voici un graphique qui respecte toutes les caractéristiques données.

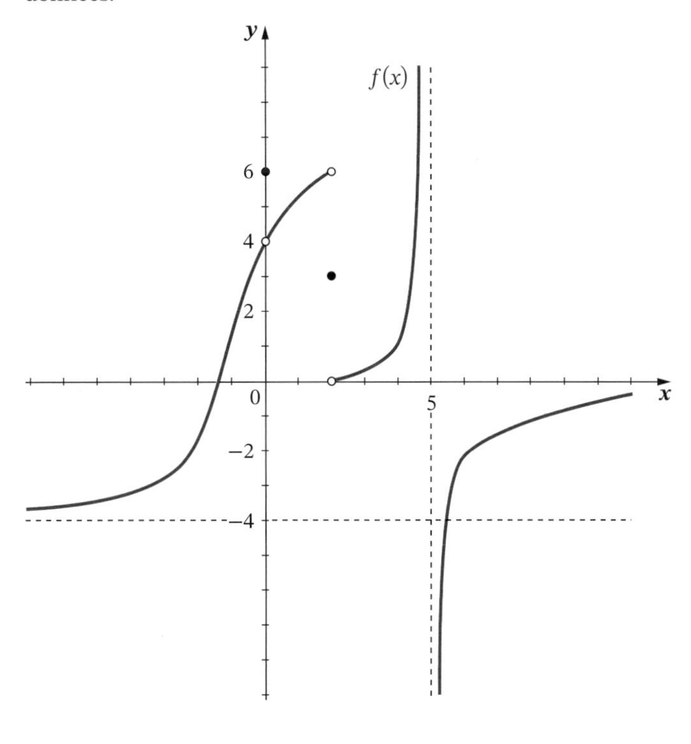

11. a) -2

b) 12

c) -1

d) 3

e) -32

f) 1

g) $\lim_{x\to -1}\left[(x^2+2)\sqrt{x+5}\right] = \left[(-1)^2+2\right]\sqrt{-1+5} = 6$

h) -9

i) -1

j) 0

k) $\lim_{x\to 3}\dfrac{\sqrt[4]{5x+1}}{(5-x)^3} = \dfrac{\sqrt[4]{5(3)+1}}{(5-3)^3} = \dfrac{2}{8} = \dfrac{1}{4}$

l) $-1/2$

12. a) $\lim_{x\to -5} f(x) = \lim_{x\to -5}(8-x^2) = 8-(-5)^2 = -17$

b) $\lim_{x\to 1} f(x) = \lim_{x\to 1}(x+2) = 1+2 = 3$

c) $\lim_{x\to -3^-} f(x) = \lim_{x\to -3^-}(8-x^2) = 8-(-3)^2 = -1$

$\lim_{x\to -3^+} f(x) = \lim_{x\to -3^+}(x+2) = -3+2 = -1$

Par conséquent, $\lim_{x\to -3} f(x) = -1$.

13. a) $\lim_{x\to -2} f(x) = \lim_{x\to -2}\dfrac{x+1}{\sqrt{x^2+1}} = \dfrac{-2+1}{\sqrt{(-2)^2+1}} = -\dfrac{1}{\sqrt{5}}$

b) $\lim_{x\to 3} f(x) = \lim_{x\to 3}\dfrac{x}{x+1} = \dfrac{3}{3+1} = \dfrac{3}{4}$

c) $\lim_{x\to 0^-} f(x) = \lim_{x\to 0^-}\dfrac{x+1}{\sqrt{x^2+1}} = \dfrac{0+1}{\sqrt{0^2+1}} = 1$

$\lim_{x\to 0^+} f(x) = \lim_{x\to 0^+}\dfrac{x}{x+1} = \dfrac{0}{0+1} = 0$

Comme la limite à gauche diffère de la limite à droite, $\lim_{x\to 0} f(x)$ n'existe pas.

14. a) $2/3$ b) $\sqrt{11}/3$ c) $\lim_{x\to 4} f(x)$ n'existe pas.

15. a) $-12/7$ b) 0 c) $-10/3$

16. a) $P(x) = \begin{cases} 2{,}20x & \text{si } 0 \leq x < 100 \\ 2x & \text{si } x \geq 100 \end{cases}$

b) 176 $

c) 240 $

d) 200 $

e) 200 $

f) 220 $

g) Comme $\lim_{x\to 100^+} P(x) \neq \lim_{x\to 100^-} P(x)$, $\lim_{x\to 100} P(x)$ n'existe pas.

17. a) $\nexists$

b) $\underbrace{\lim_{t\to 0^-}\dfrac{t^2+1}{|t|}}_{\text{forme } \frac{1}{0^+}} = \infty$

c) $\underbrace{\lim_{x\to 1^-} \frac{\sqrt{x^2+4x-3}}{1-x^2}}_{\text{forme } \frac{\sqrt{2}}{0^+}} = \infty$ et $\underbrace{\lim_{x\to 1^+} \frac{\sqrt{x^2+4x-3}}{1-x^2}}_{\text{forme } \frac{\sqrt{2}}{0^-}} = -\infty$, de sorte que $\lim_{x\to 1} \frac{\sqrt{x^2+4x-3}}{1-x^2}$ n'existe pas.

d) $\nexists$

e) $\lim_{x\to -3^-} \frac{3-x}{x^2+6x+9} = \underbrace{\lim_{x\to -3^-} \frac{3-x}{(x+3)^2}}_{\text{forme } \frac{6}{0^+}} = \infty$ et $\lim_{x\to -3^+} \frac{3-x}{x^2+6x+9} = \underbrace{\lim_{x\to -3^+} \frac{3-x}{(x+3)^2}}_{\text{forme } \frac{6}{0^+}} = \infty$,

de sorte que $\lim_{x\to -3} \frac{3-x}{x^2+6x+9} = \infty$.

f) $\nexists$

g) $\nexists$

h) On a

$$\lim_{t\to 1/3^-} \frac{27t^3+2}{9t^3-6t^2+t} = \lim_{t\to 1/3^-} \frac{27t^3+2}{t(9t^2-6t+1)} = \underbrace{\lim_{t\to 1/3^-} \frac{27t^3+2}{t(3t-1)^2}}_{\text{forme } \frac{3}{0^+}} = \infty$$

$$\lim_{t\to 1/3^+} \frac{27t^3+2}{9t^3-6t^2+t} = \lim_{t\to 1/3^+} \frac{27t^3+2}{t(9t^2-6t+1)} = \underbrace{\lim_{t\to 1/3^+} \frac{27t^3+2}{t(3t-1)^2}}_{\text{forme } \frac{3}{0^+}} = \infty$$

Par conséquent, $\lim_{t\to 1/3} \frac{27t^3+2}{9t^3-6t^2+t} = \infty$.

i) $\underbrace{\lim_{t\to 3^-} \frac{2}{|t-3|}}_{\text{forme } \frac{2}{0^+}} = \infty$ et $\underbrace{\lim_{t\to 3^+} \frac{2}{|t-3|}}_{\text{forme } \frac{2}{0^+}} = \infty$, de sorte que $\lim_{t\to 3} \frac{2}{|t-3|} = \infty$.

j) Comme $|x| = -x$ lorsque x est négatif, on a

$$\lim_{x\to 0^-} \frac{2}{|x|-x} = \lim_{x\to 0^-} \frac{2}{-x-x} = \lim_{x\to 0^-} \frac{2}{-2x} = \underbrace{\lim_{x\to 0^-} \frac{-1}{x}}_{\text{forme } \frac{-1}{0^-}} = \infty$$

18. a) $\lim_{x\to -\infty} (x^5+3x+1) = \underbrace{\lim_{x\to -\infty} \left[x^5\left(1+3/x^4+1/x^5\right)\right]}_{\text{forme } -\infty(1+0+0)} = -\infty$

b) ∞

c) $\lim_{x\to -\infty} \sqrt[3]{2x+3} = \lim_{x\to -\infty} \sqrt[3]{x(2+3/x)} = \underbrace{\lim_{x\to -\infty} \left(\sqrt[3]{x}\,\sqrt[3]{2+3/x}\right)}_{\text{forme } -\infty\sqrt[3]{2+0}} = -\infty$

d) 0

e) $\lim_{t\to\infty} \frac{1}{7t^3+3t+5\sqrt{t}} = \underbrace{\lim_{t\to\infty} \frac{1}{t^3\left(7+3/t^2+5/t^{5/2}\right)}}_{\text{forme } \frac{1}{\infty(7+0+0)}} = 0$

f) ∞

g) $\nexists$

h) ∞

i) 0

j) $\lim_{x\to -\infty} \frac{1}{\sqrt{2x^2-3x+1}} = \lim_{x\to -\infty} \frac{1}{\sqrt{x^2\left(2-3/x+1/x^2\right)}} = \lim_{x\to -\infty} \frac{1}{\sqrt{x^2}\,\sqrt{2-3/x+1/x^2}}$

$$= \underbrace{\lim_{x\to -\infty} \frac{1}{|x|\sqrt{2-3/x+1/x^2}}}_{\text{forme } \frac{1}{\infty\sqrt{2-0+0}}} = 0$$

19. a) ∞

b) La force d'attraction de deux charges de signes contraires très près l'une de l'autre est extrêmement grande, voire infinie.

c) Il faut évaluer la limite à droite puisque la distance séparant deux charges ne peut pas être négative.

d) 0

e) La force d'attraction de deux charges de signes contraires très éloignées l'une de l'autre est extrêmement faible, voire nulle.

20. a) $x \in [0, 100[$

b) 300 000 $

c) 0 $

d) Une réduction nulle de la pollution n'entraîne aucun coût.

e) On n'engage pas une firme pour effectuer une réduction négative de la pollution.

f) ∞ $

g) Pour ramener la pollution à zéro, c'est-à-dire pour effectuer une réduction de 100 % de la pollution, il faudrait effectuer une dépense infinie, de sorte qu'il est économiquement impraticable de tenter de dépolluer complètement le lac.

h) On ne peut pas réduire la pollution de plus de 100 %.

i) La ville pourra réduire la pollution du lac d'environ 47,4 %.

21. a) 362,5 millions $

b) 325 millions $

c) Sans campagne publicitaire, la compagnie tire un revenu de 325 millions $ de la vente de ses produits.

d) 400 millions $

e) Avec un très grand investissement, voire un investissement infini, en publicité, la compagnie tire un revenu de 400 millions $ de la vente de ses produits.

f) La compagnie ne choisira pas d'investir davantage d'argent en publicité si l'augmentation de ses revenus est inférieure à l'augmentation de ses dépenses publicitaires. Or, $R(8) = 362{,}5$ millions $ et $R(12) = 370$ millions $, de sorte qu'une augmentation de 4 millions $ des dépenses publicitaires apporte une augmentation de 7,5 millions $ en revenus. Il pourrait donc être rentable pour la compagnie de hausser le budget consacré à la publicité à 12 millions $.

g) On a $R(12) = 370$ millions $ et $R(24) = 381{,}25$ millions $, de sorte qu'une augmentation de 12 millions $ des dépenses publicitaires ne génère qu'une augmentation de 11,25 millions $ en revenus. Il n'est donc pas rentable de doubler le budget consacré à la publicité lorsque le montant investi est déjà de 12 millions $.

22. a) $$\underbrace{\lim_{x\to 4}\frac{x-4}{x^2-3x-4}}_{\text{forme } \frac{0}{0}} = \lim_{x\to 4}\frac{\cancel{x-4}}{\cancel{(x-4)}(x+1)} = \lim_{x\to 4}\frac{1}{x+1} = \frac{1}{5}$$

b) 0

c) $$\lim_{t\to 2}\frac{\overbrace{\frac{1}{t+2}-\frac{1}{4}}^{\text{forme } \frac{0}{0}}}{t^2-4} = \lim_{t\to 2}\frac{\frac{4(1)}{4(t+2)}-\frac{1(t+2)}{4(t+2)}}{t^2-4} = \lim_{t\to 2}\frac{\frac{4-(t+2)}{4(t+2)}}{t^2-4}$$

$$= \lim_{t\to 2}\left[\frac{4-(t+2)}{4(t+2)}\cdot\frac{1}{t^2-4}\right] = \lim_{t\to 2}\left[\frac{4-t-2}{4(t+2)}\cdot\frac{1}{(t-2)(t+2)}\right]$$

$$= \lim_{t\to 2}\frac{2-t}{4(t-2)(t+2)^2} \quad \text{forme } \frac{0}{0}$$

$$= \lim_{t\to 2}\frac{-\cancel{(t-2)}}{4\cancel{(t-2)}(t+2)^2} = \lim_{t\to 2}\frac{-1}{4(t+2)^2} = -\frac{1}{64}$$

d) $$\underbrace{\lim_{x\to 0}\frac{\sqrt{2-x}-\sqrt{2}}{x}}_{\text{forme } \frac{0}{0}} = \lim_{x\to 0}\frac{(\sqrt{2-x}-\sqrt{2})(\sqrt{2-x}+\sqrt{2})}{x(\sqrt{2-x}+\sqrt{2})}$$

$$= \lim_{x\to 0}\frac{(\sqrt{2-x})^2+\cancel{\sqrt{2-x}\sqrt{2}}-\cancel{\sqrt{2}\sqrt{2-x}}-(\sqrt{2})^2}{x(\sqrt{2-x}+\sqrt{2})}$$

$$= \lim_{x\to 0}\frac{(2-x)-2}{x(\sqrt{2-x}+\sqrt{2})} = \lim_{x\to 0}\frac{-\cancel{x}}{\cancel{x}(\sqrt{2-x}+\sqrt{2})}$$

$$= \lim_{x\to 0}\frac{-1}{\sqrt{2-x}+\sqrt{2}} = \frac{-1}{2\sqrt{2}} = -\frac{\sqrt{2}}{4}$$

e) -3

f) $$\underbrace{\lim_{x\to -6}\frac{x^3+6x^2+4x+24}{x^3+5x^2-8x-12}}_{\text{forme } \frac{0}{0}} = \lim_{x\to -6}\frac{\cancel{(x+6)}(x^2+4)}{\cancel{(x+6)}(x^2-x-2)} = \lim_{x\to -6}\frac{x^2+4}{x^2-x-2} = \frac{40}{40} = 1$$

g) $1/40$

h) $-1/32$

i) $1/8$

j) 2

k) $-2/3$

l) 12

m) $-9/2$

n) $$\underbrace{\lim_{x\to -2}\frac{3-\sqrt{x^2+5}}{3x+6}}_{\text{forme } \frac{0}{0}} = \lim_{x\to -2}\frac{(3-\sqrt{x^2+5})(3+\sqrt{x^2+5})}{(3x+6)(3+\sqrt{x^2+5})}$$

$$= \lim_{x\to -2}\frac{9+\cancel{3\sqrt{x^2+5}}-\cancel{3\sqrt{x^2+5}}-(\sqrt{x^2+5})^2}{(3x+6)(3+\sqrt{x^2+5})}$$

$$= \lim_{x\to -2}\frac{9-(x^2+5)}{(3x+6)(3+\sqrt{x^2+5})}$$

$$= \lim_{x\to -2}\frac{4-x^2}{(3x+6)(3+\sqrt{x^2+5})} \quad \text{forme } \frac{0}{0}$$

$$= \lim_{x\to -2}\frac{(2-x)\cancel{(2+x)}}{3\cancel{(x+2)}(3+\sqrt{x^2+5})}$$

$$= \lim_{x\to -2}\frac{2-x}{3(3+\sqrt{x^2+5})} = \frac{4}{18} = \frac{2}{9}$$

o) 1

p) $$\underbrace{\lim_{t\to 1}\frac{t^3-1}{1-\frac{1}{t}}}_{\text{forme } \frac{0}{0}} = \lim_{t\to 1}\frac{t^3-1}{\frac{t}{t}-\frac{1}{t}} = \lim_{t\to 1}\frac{t^3-1}{\frac{t-1}{t}} = \lim_{t\to 1}\left[(t^3-1)\cdot\frac{t}{t-1}\right]$$

$$= \lim_{t\to 1}\frac{t(t^3-1)}{t-1} \quad \text{forme } \frac{0}{0}$$

$$= \lim_{t\to 1}\frac{t\cancel{(t-1)}(t^2+t+1)}{\cancel{t-1}} = \lim_{t\to 1}[t(t^2+t+1)] = 3$$

23. a) $\overbrace{\lim\limits_{x\to -1}\frac{2x^2-3x-5}{x^2+2x+1}}^{\text{forme } \frac{0}{0}} = \lim\limits_{x\to -1}\frac{\cancel{(x+1)}(2x-5)}{\cancel{(x+1)}(x+1)} = \lim\limits_{x\to -1}\frac{2x-5}{x+1}$. Or, $\overbrace{\lim\limits_{x\to -1^-}\frac{2x-5}{x+1}}^{\text{forme } \frac{-7}{0^-}} = \infty$

et $\underbrace{\lim\limits_{x\to -1^+}\frac{2x-5}{x+1}}_{\text{forme } \frac{-7}{0^+}} = -\infty$, de sorte que $\lim\limits_{x\to -1}\frac{2x^2-3x-5}{x^2+2x+1}$ n'existe pas.

b) Comme $|x| = x$ si $x \geq 0$ et $|x| = -x$ si $x < 0$, utilisons la limite à droite et la limite à gauche pour évaluer $\lim\limits_{x\to 0}\frac{|x|}{x}$.

On a $\lim\limits_{x\to 0^+}\frac{|x|}{x} = \lim\limits_{x\to 0^+}\frac{\cancel{x}}{\cancel{x}} = \lim\limits_{x\to 0^+} 1 = 1$ et $\lim\limits_{x\to 0^-}\frac{|x|}{x} = \lim\limits_{x\to 0^-}\frac{-\cancel{x}}{\cancel{x}} = \lim\limits_{x\to 0^-}(-1) = -1$, de sorte que $\lim\limits_{x\to 0}\frac{|x|}{x}$ n'existe pas.

c) ∄

d) $-1/8$

e) -4

f) -4

g) $-1/a^2$

h) ∞

i) Lorsque $t > a$, on a $t - a > 0$ et $|t - a| = t - a$. De plus, lorsque $t < a$, on a $t - a < 0$ et $|t - a| = -(t - a)$. Alors, il faut utiliser la limite à gauche et la limite à droite pour évaluer $\lim\limits_{t\to a}\frac{|t-a|}{a^2-t^2}$. On a

$$\lim_{t\to a^-}\frac{|t-a|}{a^2-t^2} = \lim_{t\to a^-}\frac{-(t-a)}{(a-t)(a+t)} = \lim_{t\to a^-}\frac{\cancel{a-t}}{\cancel{(a-t)}(a+t)} = \lim_{t\to a^-}\frac{1}{a+t} = \frac{1}{2a}$$

$$\lim_{t\to a^+}\frac{|t-a|}{a^2-t^2} = \lim_{t\to a^+}\frac{t-a}{(a-t)(a+t)} = \lim_{t\to a^+}\frac{-\cancel{(a-t)}}{\cancel{(a-t)}(a+t)} = \lim_{t\to a^+}\frac{-1}{a+t} = -\frac{1}{2a}$$

Par conséquent, si $a \neq 0$, $\lim\limits_{t\to a}\frac{|t-a|}{a^2-t^2}$ n'existe pas.

j) $4/3$

24. Pour que la limite existe (et soit égale à $\sqrt{5}$), il faut que le numérateur tende vers 0 lorsque $x \to 0$, sinon la limite est du type $\frac{c}{0}$. Par conséquent,

$$\lim_{x\to 0}\left(\sqrt{ax+b}-\sqrt{5}\right) = 0 \Rightarrow \sqrt{0+b}-\sqrt{5} = 0 \Rightarrow \sqrt{b} = \sqrt{5} \Rightarrow \boxed{b = 5}$$

En remplaçant b par 5, on obtient

$$\overbrace{\lim_{x\to 0}\frac{\sqrt{ax+5}-\sqrt{5}}{x}}^{\text{forme } \frac{0}{0}} = \sqrt{5} \Rightarrow \lim_{x\to 0}\frac{\left(\sqrt{ax+5}-\sqrt{5}\right)\left(\sqrt{ax+5}+\sqrt{5}\right)}{x\left(\sqrt{ax+5}+\sqrt{5}\right)} = \sqrt{5}$$

$$\Rightarrow \lim_{x\to 0}\frac{\left(\sqrt{ax+5}\right)^2 + \cancel{\sqrt{ax+5}\sqrt{5}} - \cancel{\sqrt{5}\sqrt{ax+5}} - \left(\sqrt{5}\right)^2}{x\left(\sqrt{ax+5}+\sqrt{5}\right)} = \sqrt{5}$$

$$\Rightarrow \lim_{x\to 0}\frac{(ax+5)-5}{x\left(\sqrt{ax+5}+\sqrt{5}\right)} = \sqrt{5}$$

$$\Rightarrow \lim_{x\to 0}\frac{a\cancel{x}}{\cancel{x}\left(\sqrt{ax+5}+\sqrt{5}\right)} = \sqrt{5}$$

$$\Rightarrow \frac{a}{\sqrt{0+5}+\sqrt{5}} = \sqrt{5}$$

$$\Rightarrow \frac{a}{2\sqrt{5}} = \sqrt{5} \Rightarrow \boxed{a = 10}$$

Par conséquent, $\lim\limits_{x\to 0}\dfrac{\sqrt{ax+5}-\sqrt{5}}{x}=\sqrt{5} \Leftrightarrow a=10$ et $b=5$.

25. a) La seule valeur qui annule le dénominateur de $f(x)$ est $x=2$.

De plus, $\lim\limits_{x\to 2^-} f(x)=\underbrace{\lim\limits_{x\to 2^-}\dfrac{2x-3}{3x-6}}_{\text{forme } \frac{1}{0^-}}=-\infty$ et $\lim\limits_{x\to 2^+} f(x)=\underbrace{\lim\limits_{x\to 2^+}\dfrac{2x-3}{3x-6}}_{\text{forme } \frac{1}{0^+}}=\infty$.

La droite $x=2$ est l'asymptote verticale à la courbe décrite par $f(x)$.

b) La seule valeur qui annule le dénominateur de $f(x)$ est $x=1$. La droite $x=1$ est l'asymptote verticale à la courbe décrite par $f(x)$.

c) Aucune valeur n'annule le dénominateur de $f(x)$. La courbe décrite par la fonction $f(x)$ n'admet pas d'asymptote verticale.

d) La seule valeur qui annule le dénominateur de $f(x)$ est $x=-1/5$. De plus,

$$\lim_{x\to -1/5} f(x)=\underbrace{\lim_{x\to -1/5}\frac{5x^2+16x+3}{5x+1}}_{\text{forme } \frac{0}{0}}=\lim_{x\to -1/5}\frac{\cancel{(5x+1)}(x+3)}{\cancel{5x+1}}=\lim_{x\to -1/5}(x+3)=14/5$$

La droite $x=-1/5$ n'est pas une asymptote verticale à la courbe décrite par $f(x)$. Cette fonction n'admet donc aucune asymptote verticale.

e) Les seules valeurs qui annulent le dénominateur de $f(x)$ sont $x=-3$ et $x=3$.

De plus, $\lim\limits_{x\to 3} f(x)=\underbrace{\lim\limits_{x\to 3}\dfrac{x^2+x-12}{x^2-9}}_{\text{forme } \frac{0}{0}}=\lim\limits_{x\to 3}\dfrac{\cancel{(x-3)}(x+4)}{\cancel{(x-3)}(x+3)}=\lim\limits_{x\to 3}\dfrac{x+4}{x+3}=\dfrac{7}{6}$.

La droite $x=3$ n'est pas une asymptote verticale à la courbe décrite par la fonction $f(x)$.

Aussi, $\lim\limits_{x\to -3^-} f(x)=\underbrace{\lim\limits_{x\to -3^-}\dfrac{x^2+x-12}{x^2-9}}_{\text{forme } \frac{-6}{0^+}}=-\infty$ et $\lim\limits_{x\to -3^+} f(x)=\underbrace{\lim\limits_{x\to -3^+}\dfrac{x^2+x-12}{x^2-9}}_{\text{forme } \frac{-6}{0^-}}=\infty$.

Par conséquent, la droite $x=-3$ est la seule asymptote verticale à la courbe décrite par la fonction $f(x)$.

f) La seule valeur qui annule le dénominateur de $f(x)$ est $x=-4$. La droite $x=-4$ est l'asymptote verticale à la courbe décrite par $f(x)$.

g) La seule valeur qui annule le dénominateur de $f(x)$ est $x=3$. La droite $x=3$ est l'asymptote verticale à la courbe décrite par $f(x)$.

h) Les seules valeurs qui annulent le dénominateur de $f(x)$ sont $x=-1$ et $x=3/2$. Les droites $x=-1$ et $x=3/2$ sont toutes deux des asymptotes verticales à la courbe décrite par $f(x)$.

i) Les seules valeurs qui annulent le dénominateur de $f(x)$ sont $x=-3/4$ et $x=5$. La droite $x=-3/4$ est une asymptote verticale à la courbe décrite par la fonction $f(x)$. En revanche, la droite $x=5$ n'est pas une asymptote verticale à la courbe décrite par la fonction $f(x)$.

j) La seule valeur qui annule le dénominateur de $f(x)$ est $x=4$. De plus,

$$\lim_{x\to 4} f(x)=\overbrace{\lim_{x\to 4}\frac{\sqrt{2x^2+4}-6}{x-4}}^{\text{forme } \frac{0}{0}}=\lim_{x\to 4}\frac{\left(\sqrt{2x^2+4}-6\right)\left(\sqrt{2x^2+4}+6\right)}{(x-4)\left(\sqrt{2x^2+4}+6\right)}$$

$$=\lim_{x\to 4}\frac{\left(\sqrt{2x^2+4}\right)^2+\cancel{6\sqrt{2x^2+4}}-\cancel{6\sqrt{2x^2+4}}-36}{(x-4)\left(\sqrt{2x^2+4}+6\right)}$$

$$=\lim_{x\to 4}\frac{2x^2+4-36}{(x-4)\left(\sqrt{2x^2+4}+6\right)}=\lim_{x\to 4}\frac{2(x^2-16)}{(x-4)\left(\sqrt{2x^2+4}+6\right)} \quad \text{forme } \frac{0}{0}$$

$$=\lim_{x\to 4}\frac{2\cancel{(x-4)}(x+4)}{\cancel{(x-4)}\left(\sqrt{2x^2+4}+6\right)}=\lim_{x\to 4}\frac{2(x+4)}{\sqrt{2x^2+4}+6}=\frac{16}{12}=\frac{4}{3}$$

Par conséquent, la droite $x = 4$ n'est pas une asymptote verticale à la courbe décrite par la fonction $f(x)$. Cette fonction n'admet donc aucune asymptote verticale.

26. a) -2

b) $$\overbrace{\lim_{h\to 0}\frac{f(x+h)-f(x)}{h}}^{\text{forme } \frac{0}{0}} = \lim_{h\to 0}\frac{5+3(x+h)-(5+3x)}{h} = \lim_{h\to 0}\frac{\cancel{5}+\cancel{3x}+3h-\cancel{5}-\cancel{3x}}{h}$$
$$= \lim_{h\to 0}\frac{3\cancel{h}}{\cancel{h}} = 3$$

c) $2x$

d) $$\overbrace{\lim_{h\to 0}\frac{f(x+h)-f(x)}{h}}^{\text{forme } \frac{0}{0}} = \lim_{h\to 0}\frac{\left[(x+h)^2-(x+h)\right]-(x^2-x)}{h}$$
$$= \lim_{h\to 0}\frac{\cancel{x^2}+2xh+h^2-\cancel{x}-h-\cancel{x^2}+\cancel{x}}{h}$$
$$= \lim_{h\to 0}\frac{2xh+h^2-h}{h} \quad \text{forme } \frac{0}{0}$$
$$= \lim_{h\to 0}\frac{\cancel{h}(2x+h-1)}{\cancel{h}}$$
$$= \lim_{h\to 0}(2x+h-1) = 2x-1$$

e) $\dfrac{2}{(5-2x)^2}$

f) $$\overbrace{\lim_{h\to 0}\frac{f(x+h)-f(x)}{h}}^{\text{forme } \frac{0}{0}} = \lim_{h\to 0}\frac{\frac{1}{(x+h)^2}-\frac{1}{x^2}}{h} = \lim_{h\to 0}\frac{\frac{1x^2}{(x+h)^2x^2}-\frac{1(x+h)^2}{x^2(x+h)^2}}{h}$$
$$= \lim_{h\to 0}\left[\frac{x^2-(x+h)^2}{(x+h)^2x^2}\cdot\frac{1}{h}\right] = \lim_{h\to 0}\frac{x^2-(x^2+2xh+h^2)}{h(x+h)^2x^2}$$
$$= \lim_{h\to 0}\frac{\cancel{x^2}-\cancel{x^2}-2xh-h^2}{h(x+h)^2x^2} = \lim_{h\to 0}\frac{-2xh-h^2}{h(x+h)^2x^2} \quad \text{forme } \frac{0}{0}$$
$$= \lim_{h\to 0}\frac{-\cancel{h}(2x+h)}{\cancel{h}(x+h)^2x^2} = \lim_{h\to 0}\frac{-(2x+h)}{(x+h)^2x^2}$$
$$= -\frac{2x}{(x^2)x^2} = -\frac{2}{x^3}$$

g) $\dfrac{2}{(x+1)^2}$

h) $$\overbrace{\lim_{h\to 0}\frac{f(x+h)-f(x)}{h}}^{\text{forme } \frac{0}{0}} = \lim_{h\to 0}\frac{\sqrt{x+h}-\sqrt{x}}{h}$$
$$= \lim_{h\to 0}\frac{\left(\sqrt{x+h}-\sqrt{x}\right)\left(\sqrt{x+h}+\sqrt{x}\right)}{h\left(\sqrt{x+h}+\sqrt{x}\right)}$$
$$= \lim_{h\to 0}\frac{\left(\sqrt{x+h}\right)^2+\cancel{\sqrt{x+h}\sqrt{x}}-\cancel{\sqrt{x}\sqrt{x+h}}-\left(\sqrt{x}\right)^2}{h\left(\sqrt{x+h}+\sqrt{x}\right)}$$
$$= \lim_{h\to 0}\frac{\cancel{x}+h-\cancel{x}}{h\left(\sqrt{x+h}+\sqrt{x}\right)} = \lim_{h\to 0}\frac{\cancel{h}}{\cancel{h}\left(\sqrt{x+h}+\sqrt{x}\right)}$$
$$= \lim_{h\to 0}\frac{1}{\sqrt{x+h}+\sqrt{x}} = \frac{1}{2\sqrt{x}}$$

i) $\dfrac{1}{\sqrt{2x-1}}$

j) $-\dfrac{1}{2\sqrt{3}\,x^{3/2}}$

27. a) $t = \sqrt{80} \approx 8{,}9\,\text{s}$

b) Intervalle de temps $[10; 11]$: vitesse moyenne de 26,25 m/s.
Intervalle de temps $[10; 10{,}5]$: vitesse moyenne de 25,625 m/s.
Intervalle de temps $[10; 10{,}1]$: vitesse moyenne de 25,125 m/s.
Intervalle de temps $[10; 10{,}01]$: vitesse moyenne de 25,0125 m/s.
Intervalle de temps $[10; 10{,}001]$: vitesse moyenne de 25,001 25 m/s.

c) 25 m/s

d) Si $\Delta t \neq 0$, la vitesse moyenne de l'automobile sur un intervalle de temps de longueur Δt autour de $t = 10$ est donnée par

$$\begin{aligned}\frac{s(10+\Delta t)-s(10)}{(10+\Delta t)-10} &= \frac{1{,}25(10+\Delta t)^2 - 1{,}25(10)^2}{\Delta t}\\ &= \frac{1{,}25\left[100 + 20\Delta t + (\Delta t)^2\right] - 1{,}25(100)}{\Delta t}\\ &= \frac{25\Delta t + 1{,}25(\Delta t)^2}{\Delta t}\\ &= \frac{\cancel{\Delta t}(25 + 1{,}25\Delta t)}{\cancel{\Delta t}}\\ &= (25 + 1{,}25\Delta t)\ \text{m/s}\end{aligned}$$

e) $\underbrace{\lim_{\Delta t\to 0}\frac{s(10+\Delta t)-s(10)}{(10+\Delta t)-10}}_{\text{forme } \frac{0}{0}} = \lim_{\Delta t\to 0}(25 + 1{,}25\Delta t) = 25\ \text{m/s}$

28. La vitesse instantanée de l'objet 3 s après le début de son déplacement est donnée par

$$\begin{aligned}\overbrace{\lim_{\Delta t\to 0}\frac{s(3+\Delta t)-s(3)}{(3+\Delta t)-3}}^{\text{forme } \frac{0}{0}} &= \lim_{\Delta t\to 0}\frac{(3+\Delta t)^2 - 3^2}{\Delta t} = \lim_{\Delta t\to 0}\frac{\left[9 + 6\Delta t + (\Delta t)^2\right] - 9}{\Delta t}\\ &= \lim_{\Delta t\to 0}\frac{6\Delta t + (\Delta t)^2}{\Delta t} = \lim_{\Delta t\to 0}\frac{\cancel{\Delta t}(6+\Delta t)}{\cancel{\Delta t}} = \lim_{\Delta t\to 0}(6+\Delta t)\\ &= 6\ \text{m/s}\end{aligned}$$

29. a) $2/3$

b) $\underbrace{\lim_{x\to -\infty}\frac{x^2 - 6x - 1}{x^3 + 2}}_{\text{forme } \frac{\infty}{-\infty}} = \lim_{x\to -\infty}\frac{x^2(1 - 6/x - 1/x^2)}{x^3(1 + 2/x^3)} = \underbrace{\lim_{x\to -\infty}\frac{1 - 6/x - 1/x^2}{x(1 + 2/x^3)}}_{\text{forme } \frac{1-0-0}{-\infty\,(1+0)}} = 0$

c) ∞

d) $-1/2$

e) ∞

f) $$\begin{aligned}\overbrace{\lim_{t\to\infty}\frac{(t^2+3t+4)(5t-2)}{3t^3+\sqrt{t}}}^{\text{forme } \frac{\infty}{\infty}} &= \lim_{t\to\infty}\frac{t^2(1 + 3/t + 4/t^2)t(5 - 2/t)}{t^3(3 + 1/t^{5/2})}\\ &= \lim_{t\to\infty}\frac{\cancel{t^3}(1 + 3/t + 4/t^2)(5 - 2/t)}{\cancel{t^3}(3 + 1/t^{5/2})}\\ &= \frac{(1+0+0)(5-0)}{3+0} = \frac{5}{3}\end{aligned}$$

g) $\overbrace{\lim_{x\to-\infty}\frac{2x-1}{\sqrt{x^2+3}}}^{\text{forme } \frac{-\infty}{\infty}} = \lim_{x\to-\infty}\frac{x(2-1/x)}{\sqrt{x^2(1+3/x^2)}} = \lim_{x\to-\infty}\frac{x(2-1/x)}{\sqrt{x^2}\sqrt{1+3/x^2}} = \lim_{x\to-\infty}\frac{x(2-1/x)}{|x|\sqrt{1+3/x^2}}$

$= \lim_{x\to-\infty}\frac{\cancel{x}(2-1/x)}{-\cancel{x}\sqrt{1+3/x^2}} = \lim_{x\to-\infty}\frac{2-1/x}{-\sqrt{1+3/x^2}} = \frac{2-0}{-\sqrt{1+0}} = -2$

h) $2/5$

i) -1

j) 2

30. a) $\underbrace{\lim_{x\to\infty}(2x^2-x+1)}_{\text{forme } \infty-\infty} = \underbrace{\lim_{x\to\infty}\left[x^2(2-1/x+1/x^2)\right]}_{\text{forme } \infty(2-0+0)} = \infty$

b) ∞

c) $\underbrace{\lim_{x\to-\infty}\frac{2-3x+x^3}{4x^2+1}}_{\text{forme } \frac{\infty-\infty}{\infty}} = \lim_{x\to-\infty}\frac{x^3(2/x^3-3/x^2+1)}{x^2(4+1/x^2)} = \underbrace{\lim_{x\to-\infty}\frac{x(2/x^3-3/x^2+1)}{4+1/x^2}}_{\text{forme } \frac{-\infty(0-0+1)}{4+0}} = -\infty$

d) 0

e) $3/5$

f) $\underbrace{\lim_{x\to0^-}\left(\frac{1}{x^3}-\frac{1}{x}\right)}_{\text{forme } -\infty+\infty} = \lim_{x\to0^-}\left[\frac{1}{x^3}-\frac{1(x^2)}{x(x^2)}\right] = \underbrace{\lim_{x\to0^-}\left(\frac{1-x^2}{x^3}\right)}_{\text{forme } \frac{1}{0^-}} = -\infty$

g) ∞

h) -1

i) $\overbrace{\lim_{x\to1^+}\left(\frac{2}{x^2-1}-\frac{1}{x-1}\right)}^{\text{forme } \infty-\infty} = \lim_{x\to1^+}\left[\frac{2}{(x-1)(x+1)}-\frac{1}{x-1}\right]$

$= \lim_{x\to1^+}\left[\frac{2}{(x-1)(x+1)}-\frac{1(x+1)}{(x-1)(x+1)}\right]$

$= \lim_{x\to1^+}\frac{2-(x+1)}{(x-1)(x+1)} = \lim_{x\to1^+}\frac{1-x}{(x-1)(x+1)}$ forme $\frac{0}{0}$

$= \lim_{x\to1^+}\frac{-\cancel{(x-1)}}{\cancel{(x-1)}(x+1)} = \lim_{x\to1^+}\frac{-1}{x+1} = -\frac{1}{2}$

j) -2

31. a) $\overbrace{\lim_{t\to\infty}\left(\sqrt{9t^2+5}-3t\right)}^{\text{forme } \infty-\infty} = \lim_{t\to\infty}\frac{\left(\sqrt{9t^2+5}-3t\right)\left(\sqrt{9t^2+5}+3t\right)}{\sqrt{9t^2+5}+3t}$

$= \lim_{t\to\infty}\frac{\left(\sqrt{9t^2+5}\right)^2+\cancel{3t\sqrt{9t^2+5}}-\cancel{3t\sqrt{9t^2+5}}-(3t)^2}{\sqrt{9t^2+5}+3t}$

$= \lim_{t\to\infty}\frac{(\cancel{9t^2}+5)-\cancel{9t^2}}{\sqrt{9t^2+5}+3t} = \underbrace{\lim_{t\to\infty}\frac{5}{\sqrt{9t^2+5}+3t}}_{\text{forme } \frac{5}{\infty}} = 0$

b) 0

c) 0

d) $\overbrace{\lim_{t\to-\infty}\left(\sqrt{t^2+8t}+t\right)}^{\text{forme } \infty-\infty} = \lim_{t\to-\infty}\frac{\left(\sqrt{t^2+8t}+t\right)\left(\sqrt{t^2+8t}-t\right)}{\sqrt{t^2+8t}-t}$

$$= \lim_{t\to-\infty}\frac{\left(\sqrt{t^2+8t}\right)^2 - t\sqrt{t^2+8t} + t\sqrt{t^2+8t} - t^2}{\sqrt{t^2+8t}-t}$$

$$= \lim_{t\to-\infty}\frac{(t^2+8t)-t^2}{\sqrt{t^2+8t}-t} = \lim_{t\to-\infty}\frac{8t}{\sqrt{t^2+8t}-t} \quad \text{forme } \tfrac{-\infty}{\infty}$$

$$= \lim_{t\to-\infty}\frac{8t}{\sqrt{t^2(1+8/t)}-t} = \lim_{t\to-\infty}\frac{8t}{\sqrt{t^2}\sqrt{1+8/t}-t}$$

$$= \lim_{t\to-\infty}\frac{8t}{|t|\sqrt{1+8/t}-t} = \lim_{t\to-\infty}\frac{8t}{-t\sqrt{1+8/t}-t}$$

$$= \lim_{t\to-\infty}\frac{8t}{-t\left(\sqrt{1+8/t}+1\right)} = \lim_{t\to-\infty}\frac{8}{-\left(\sqrt{1+8/t}+1\right)}$$

$$= \frac{8}{-\left(\sqrt{1+0}+1\right)} = -4$$

e) $-5/4$

f) 1

g) $3/2$

h) 0

32. a) La droite $y = 5$ est l'asymptote horizontale à la courbe décrite par $f(x)$.

b) La droite $y = -2$ est l'asymptote horizontale à la courbe décrite par $f(x)$.

c) On a

$$\lim_{x\to-\infty} f(x) = \underbrace{\lim_{x\to-\infty}\frac{2x^3+x-1}{x^2+4}}_{\text{forme } \frac{-\infty}{\infty}} = \lim_{x\to-\infty}\frac{x^3(2+1/x^2-1/x^3)}{x^2(1+4/x^2)}$$

$$= \underbrace{\lim_{x\to-\infty}\frac{x(2+1/x^2-1/x^3)}{1+4/x^2}}_{\text{forme } \frac{-\infty(2+0-0)}{1+0}} = -\infty$$

et

$$\lim_{x\to\infty} f(x) = \underbrace{\lim_{x\to\infty}\frac{2x^3+x-1}{x^2+4}}_{\text{forme } \frac{\infty}{\infty}} = \lim_{x\to\infty}\frac{x^3(2+1/x^2-1/x^3)}{x^2(1+4/x^2)}$$

$$= \underbrace{\lim_{x\to\infty}\frac{x(2+1/x^2-1/x^3)}{1+4/x^2}}_{\text{forme } \frac{\infty(2+0-0)}{1+0}} = \infty$$

Alors, la courbe décrite par la fonction $f(x)$ n'admet aucune asymptote horizontale.

d) On a

$$\lim_{x\to-\infty} f(x) = \overbrace{\lim_{x\to-\infty}\frac{4x}{\sqrt{x^2-3}}}^{\text{forme } \frac{-\infty}{\infty}} = \lim_{x\to-\infty}\frac{4x}{\sqrt{x^2(1-3/x^2)}} = \lim_{x\to-\infty}\frac{4x}{\sqrt{x^2}\sqrt{1-3/x^2}}$$

$$= \lim_{x\to-\infty}\frac{4x}{|x|\sqrt{1-3/x^2}} = \lim_{x\to-\infty}\frac{4x}{-x\sqrt{1-3/x^2}}$$

$$= \lim_{x\to-\infty}\frac{4}{-\sqrt{1-3/x^2}} = \frac{4}{-\sqrt{1-0}} = -4$$

et

$$\lim_{x\to\infty} f(x) = \overbrace{\lim_{x\to\infty} \frac{4x}{\sqrt{x^2-3}}}^{\text{forme } \frac{\infty}{\infty}} = \lim_{x\to\infty} \frac{4x}{\sqrt{x^2(1-3/x^2)}} = \lim_{x\to\infty} \frac{4x}{\sqrt{x^2}\sqrt{1-3/x^2}}$$

$$= \lim_{x\to\infty} \frac{4x}{|x|\sqrt{1-3/x^2}} = \lim_{x\to\infty} \frac{4\cancel{x}}{\cancel{x}\sqrt{1-3/x^2}}$$

$$= \lim_{x\to\infty} \frac{4}{\sqrt{1-3/x^2}} = \frac{4}{\sqrt{1-0}} = 4$$

Alors, les droites $y = -4$ et $y = 4$ sont les asymptotes horizontales à la courbe décrite par la fonction $f(x)$.

e) La courbe décrite par la fonction $f(x)$ n'admet aucune asymptote horizontale.

f) La droite $y = 0$ est l'asymptote horizontale à la courbe décrite par $f(x)$.

g) La droite $y = 0$ est l'asymptote horizontale à la courbe décrite par $f(x)$.

h) La droite $y = 4/5$ est l'asymptote horizontale à la courbe décrite par $f(x)$.

i) Les droites $y = -1/2$ et $y = 1/2$ sont les asymptotes horizontales à la courbe décrite par la fonction $f(x)$.

j) Les droites $y = -6$ et $y = 6$ sont les asymptotes horizontales à la courbe décrite par la fonction $f(x)$.

33. a) $15/26$ g/L, soit environ 0,58 g/L.

b) 125 min

c) 15 g/L

d) À long terme, la concentration en sel dans la citerne sera de 15 g/L.

34. a) 0 Ω   b) 2,5 Ω   c) $3,\overline{3}$ Ω   d) 5 Ω

35. On a $\lim_{t\to\infty} C(t) = \underbrace{\lim_{t\to\infty} \frac{0,2t}{t^2+2}}_{\text{forme } \frac{\infty}{\infty}} = \lim_{t\to\infty} \frac{0,2t}{t^2(1+2/t^2)} = \underbrace{\lim_{t\to\infty} \frac{0,2}{t(1+2/t^2)}}_{\text{forme } \frac{0,2}{\infty\,(1+0)}} = 0$. À long terme, il ne reste plus de traces du médicament dans le corps du patient.

36. a) 500 ppm

b) $\lim_{t\to\infty} C(t) = \frac{1}{2}$ ppm. À long terme, la concentration résiduelle du contaminant dans le corps de la personne exposée tombe à $1/2$ ppm.

37. a) 1

b) ∞

c) 42 837 025

d) $\overbrace{\lim_{x\to 4} \frac{2x^3 - x^2 - 32x + 16}{x^2 - 7x + 12}}^{\text{forme } \frac{0}{0}} = \lim_{x\to 4} \frac{\cancel{(x-4)}(2x^2+7x-4)}{\cancel{(x-4)}(x-3)}$

$$= \lim_{x\to 4} \frac{2x^2+7x-4}{x-3} = \frac{2(4)^2+7(4)-4}{4-3} = 56$$

e) $\underbrace{\lim_{x\to 3^-} \frac{\sqrt{x^2+x+4}}{6-2x}}_{\text{forme } \frac{4}{0^+}} = \infty$ et $\underbrace{\lim_{x\to 3^+} \frac{\sqrt{x^2+x+4}}{6-2x}}_{\text{forme } \frac{4}{0^-}} = -\infty$, de sorte que $\lim_{x\to 3} \frac{\sqrt{x^2+x+4}}{6-2x}$ n'existe pas.

f) -8

g) $-1/12$

h) $\overbrace{\lim_{x\to -1^+}\left[\frac{-4}{(x+1)(x-2)}-\frac{2}{x+1}\right]}^{\text{forme } \infty-\infty} = \lim_{x\to -1^+}\left[\frac{-4}{(x+1)(x-2)}-\frac{2(x-2)}{(x+1)(x-2)}\right]$

$= \lim_{x\to -1^+}\frac{-4-2(x-2)}{(x+1)(x-2)}$

$= \underbrace{\lim_{x\to -1^+}\frac{-2x}{(x+1)(x-2)}}_{\text{forme } \frac{2}{0^-}} = -\infty$

i) -2

j) $\overbrace{\lim_{x\to -\infty}\frac{\sqrt{2x^2-4x+1}}{3x-4}}^{\text{forme } \frac{\infty}{-\infty}} = \lim_{x\to -\infty}\frac{\sqrt{x^2(2-4/x+1/x^2)}}{x(3-4/x)} = \lim_{x\to -\infty}\frac{\sqrt{x^2}\sqrt{2-4/x+1/x^2}}{x(3-4/x)}$

$= \lim_{x\to -\infty}\frac{|x|\sqrt{2-4/x+1/x^2}}{x(3-4/x)} = \lim_{x\to -\infty}\frac{-\cancel{x}\sqrt{2-4/x+1/x^2}}{\cancel{x}(3-4/x)}$

$= \lim_{x\to -\infty}\frac{-\sqrt{2-4/x+1/x^2}}{3-4/x} = \frac{-\sqrt{2-0+0}}{3-0} = -\frac{\sqrt{2}}{3}$

k) $\overbrace{\lim_{x\to 3}\frac{\sqrt{12-x}-3}{x^2-9}}^{\text{forme } \frac{0}{0}} = \lim_{x\to 3}\frac{\left(\sqrt{12-x}-3\right)\left(\sqrt{12-x}+3\right)}{(x^2-9)\left(\sqrt{12-x}+3\right)}$

$= \lim_{x\to 3}\frac{\left(\sqrt{12-x}\right)^2+\cancel{3\sqrt{12-x}}-\cancel{3\sqrt{12-x}}-9}{(x^2-9)\left(\sqrt{12-x}+3\right)}$

$= \lim_{x\to 3}\frac{(12-x)-9}{(x^2-9)\left(\sqrt{12-x}+3\right)}$

$= \lim_{x\to 3}\frac{3-x}{(x^2-9)\left(\sqrt{12-x}+3\right)}$ forme $\frac{0}{0}$

$= \lim_{x\to 3}\frac{-\cancel{(x-3)}}{\cancel{(x-3)}(x+3)\left(\sqrt{12-x}+3\right)}$

$= \lim_{x\to 3}\frac{-1}{(x+3)\left(\sqrt{12-x}+3\right)} = -\frac{1}{36}$

l) 13

m) $1/3$

n) 0

o) 0

p) $-5/7$

q) 42

r) $\underbrace{\lim_{x\to\infty}\frac{\sqrt{x+4}}{2x-1}}_{\text{forme } \frac{\infty}{\infty}} = \lim_{x\to\infty}\frac{\sqrt{x(1+4/x)}}{x(2-1/x)} = \lim_{x\to\infty}\frac{\sqrt{x}\sqrt{1+4/x}}{x(2-1/x)} = \underbrace{\lim_{x\to\infty}\frac{\sqrt{1+4/x}}{\sqrt{x}(2-1/x)}}_{\text{forme } \frac{\sqrt{1+0}}{\infty(2-0)}} = 0$

s) 2

t) $1/4$

u) $25/14$

v) $1/18$

38. a) La fonction $f(x)$ décrite au numéro 1 (p. 58) admet une discontinuité essentielle par saut en $x = -2$, une discontinuité non essentielle par trou en $x = 1$ et une discontinuité essentielle par saut en $x = 3$.

b) La fonction $f(x)$ décrite au numéro 7 (p. 59) admet des discontinuités essentielles infinies en $x = -3$ et en $x = 3$.

39. On observe des discontinuités aux temps t_1 et t_2. La discontinuité en t_1 peut s'expliquer par une augmentation salariale, l'obtention d'un emploi plus rémunérateur, des heures supplémentaires, un double emploi, etc. La discontinuité en t_2 peut s'expliquer par une perte d'emploi, un accident de travail ou une maladie (l'employé perçoit alors un revenu d'assurance plutôt qu'un revenu de travail), une prise de retraite, etc.

40. Le pneu a subi une crevaison importante, de sorte que l'air qu'il contient normalement s'est échappé très rapidement, quasi instantanément.

41. a)

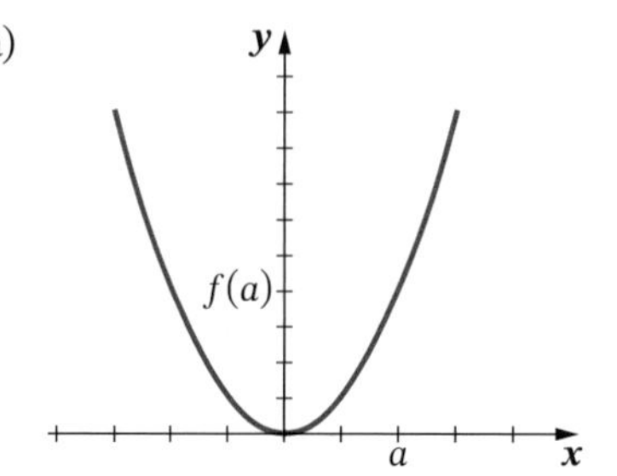

d)

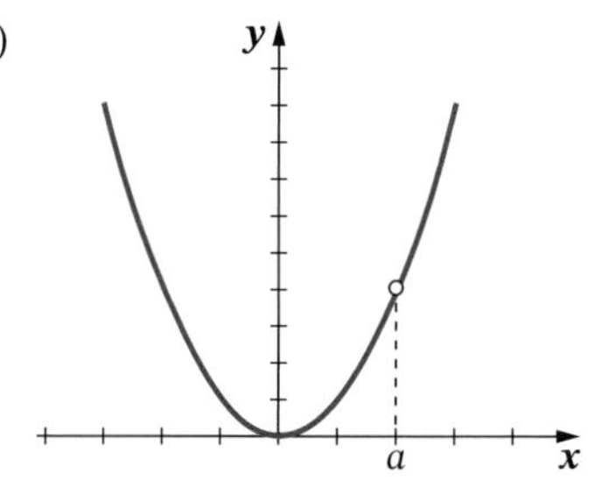

b)

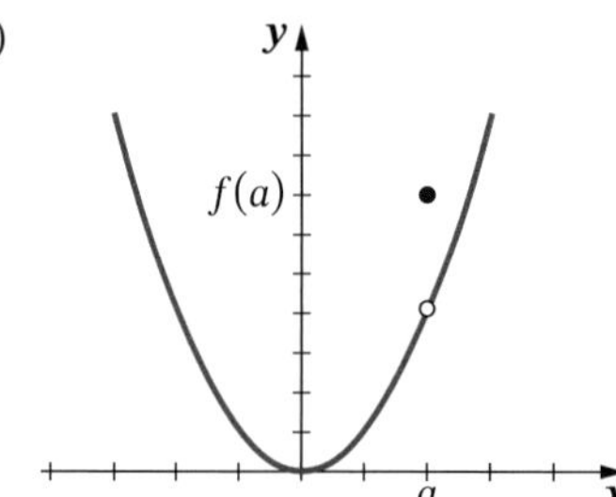

e)

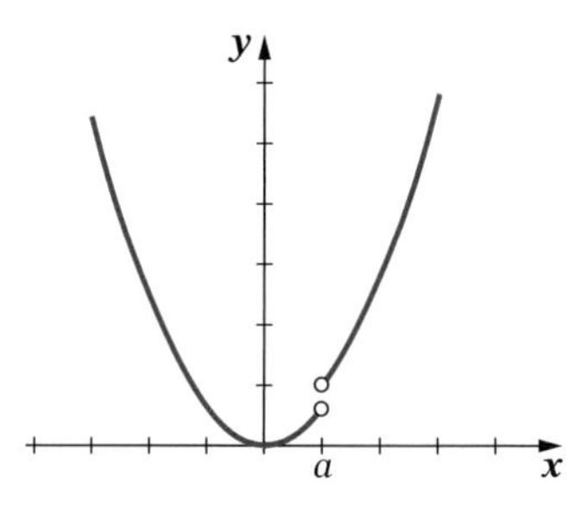

c)

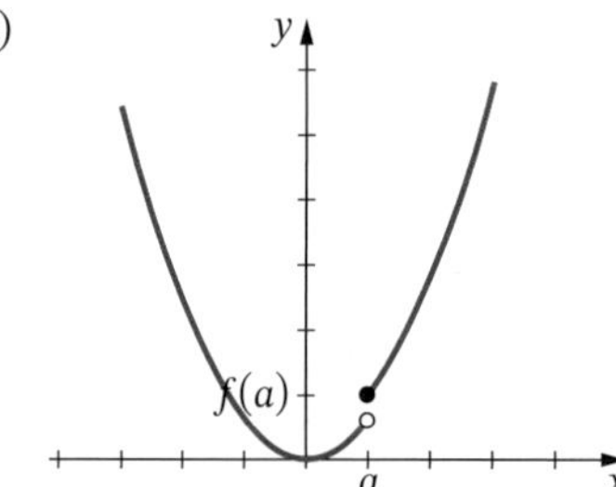

42. a) La fonction $f(x) = \dfrac{x-8}{x-5}$ n'est pas définie en $x = 5$, c'est-à-dire que $f(5)$ n'existe pas.

De plus, $\lim\limits_{x\to 5^-} f(x) = \underbrace{\lim\limits_{x\to 5^-} \dfrac{x-8}{x-5}}_{\text{forme } \frac{-3}{0^-}} = \infty$ et $\lim\limits_{x\to 5^+} f(x) = \underbrace{\lim\limits_{x\to 5^+} \dfrac{x-8}{x-5}}_{\text{forme } \frac{-3}{0^+}} = -\infty$.

La fonction admet donc une discontinuité essentielle infinie en $x = 5$.

b) On a $f(-2) = \dfrac{2(-2)^2 - 8}{(-2)^2 + 4} = \dfrac{0}{8} = 0$, de sorte que la fonction $f(x)$ est définie en $x = -2$.

De plus, $\lim\limits_{x\to -2} f(x) = \lim\limits_{x\to -2} \dfrac{2x^2 - 8}{x^2 + 4} = \dfrac{2(-2)^2 - 8}{(-2)^2 + 4} = \dfrac{0}{8} = 0$.

La fonction est donc continue en $x = -2$ puisque $\underbrace{\lim\limits_{x\to -2} f(x)}_{0} = \underbrace{f(-2)}_{0}$.

c) La fonction admet une discontinuité non essentielle par trou en $x = 7$.

d) La fonction admet une discontinuité essentielle par saut en $x = 3$.

e) On a $f(2) = 11$, de sorte que la fonction $f(x)$ est définie en $x = 2$.

De plus,

$$\lim_{x\to 2} f(x) = \overbrace{\lim_{x\to 2}\frac{2x^3-16}{x-2}}^{\text{forme } \frac{0}{0}} = \lim_{x\to 2}\frac{\cancel{(x-2)}(2x^2+4x+8)}{\cancel{x-2}}$$

$$= \lim_{x\to 2}(2x^2+4x+8) = 2(2^2)+4(2)+8 = 24$$

Alors, $\underbrace{\lim_{x\to 2} f(x)}_{24} \neq \underbrace{f(2)}_{11}$.

La fonction admet donc une discontinuité non essentielle par déplacement en $x = 2$.

f) La fonction est continue en $x = 2$.

g) La fonction admet une discontinuité essentielle infinie en $x = -6$.

h) La fonction admet une discontinuité non essentielle par trou en $x = 3$.

i) La fonction est continue en $x = -1$.

j) La fonction admet une discontinuité essentielle par saut en $x = 1$.

43. $\lim_{x\to r^-} F(x) = \lim_{x\to r^-}\frac{Qx}{4\pi\varepsilon_0 r^3} = \frac{Qr}{4\pi\varepsilon_0 r^3} = \frac{Q}{4\pi\varepsilon_0 r^2}$ et $\lim_{x\to r^+} F(x) = \lim_{x\to r^+}\frac{Q}{4\pi\varepsilon_0 x^2} = \frac{Q}{4\pi\varepsilon_0 r^2}$, de sorte que $\lim_{x\to r} F(x) = \frac{Q}{4\pi\varepsilon_0 r^2}$. De plus, $F(r) = \frac{Q}{4\pi\varepsilon_0 r^2}$. Par conséquent, $\lim_{x\to r} F(x) = F(r)$.

La fonction $F(x)$ est donc continue en $x = r$.

44. a) $C(x) = \begin{cases} 10 & \text{si } 0 < x < 1 \\ 13 & \text{si } 1 \leq x < 2 \\ 16 & \text{si } 2 \leq x < 3 \\ 19 & \text{si } 3 \leq x < 4 \\ 22 & \text{si } 4 \leq x < 5 \\ 25 & \text{si } 5 \leq x < 6 \end{cases}$

b)

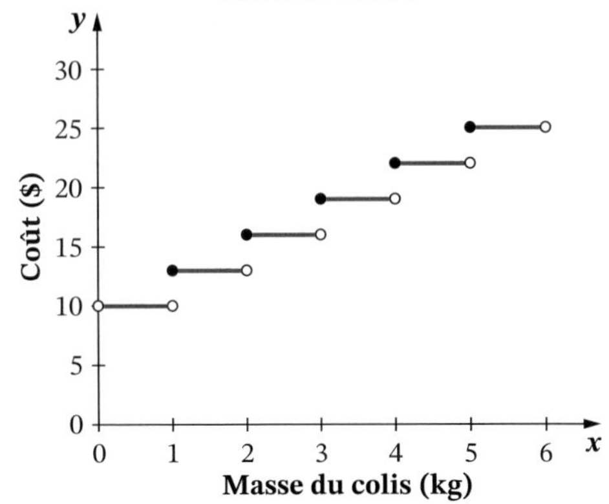

c) $\lim_{x\to a} C(x)$ existe pour tout $0 < a < 6$, sauf pour $a = 1$, $a = 2$, $a = 3$, $a = 4$ et $a = 5$.

d) Sur $]0, 6[$, la fonction $C(x)$ est continue partout, sauf en $x = 1$, $x = 2$, $x = 3$ $x = 4$, et $x = 5$, où elle admet des discontinuités essentielles par saut.

45. a) $V(0) = 15\,000$ \$, soit la valeur du placement de Julie.

b) $V(12) = \underbrace{15\,000}_{\text{capital investi}} + \underbrace{0{,}08\left(\frac{12}{12}\right)(15\,000)}_{\text{intérêts}} = 16\,200$ \$, soit la valeur du placement de Julie à son échéance.

c) $V(t) = \begin{cases} 15\,000 & \text{si } t = 0 \\ 14\,400 + 100t & \text{si } 0 < t < 3 \\ 14\,700 + 100t & \text{si } 3 \leq t < 12 \\ 16\,200 & \text{si } t = 12 \end{cases}$

d) 14 700 $

e) 15 000 $

f) La fonction $V(t)$ est discontinue en $t = 3$ puisque $\lim_{t\to3^-} V(t) \neq \lim_{t\to3^+} V(t)$: la fonction $V(t)$ admet une discontinuité essentielle par saut en $t = 3$.

g) 15 900 $

h) La fonction $V(t)$ est discontinue en $t = 12$ puisque $\lim_{t\to12^-} V(t) \neq V(12)$: la fonction $V(t)$ admet une discontinuité non essentielle par déplacement en $t = 12$.

46. a) La fonction $f(x)$ est continue sur $\mathbb{R}\backslash\{-1, -1/2, 5/3\}$.

b) La fonction $f(x)$ est continue sur $\mathbb{R}\backslash\{-1, 0, 2\}$.

c) La fonction $f(x)$ est continue sur $\mathbb{R}\backslash\{-15/2\}$.

d) La fonction $f(x)$ est continue sur $\mathbb{R}\backslash\{-6, 6\}$.

e) La fonction $f(x)$ est continue sur $\mathbb{R}$.

f) La fonction $f(x)$ est continue sur $\mathbb{R}\backslash\{1\}$.

g) La fonction $f(x)$ est continue sur $\mathbb{R}\backslash\{-4, -3\}$.

h) La fonction $f(x)$ est continue sur $\mathbb{R}\backslash\{0\}$.

i) La fonction $f(x)$ est continue sur $\mathbb{R}\backslash\{-2, 1\}$.

j) La fonction $f(x)$ est continue sur $\mathbb{R}\backslash\{3, 4\}$.

47. a) La fonction $f(x)$ est continue sur $]-\infty, 4/3]$.

b) La fonction $f(x)$ est continue sur $[-5/2, \infty[$.

c) La fonction $f(x)$ est continue sur $[-4, 4]$.

d) La fonction $f(x)$ est continue sur $[-5, 3]$.

e) La fonction $f(x)$ n'est pas continue sur l'intervalle $]-3, 1[$, car elle ne l'est pas en $x = -2$ qui appartient à cet intervalle.

f) La fonction $f(x)$ est continue sur $[-1, \infty[$.

g) La fonction $f(x)$ est continue sur $[-10, 2]$.

h) La fonction $f(x)$ n'est pas continue sur l'intervalle $[0, 5]$, car elle ne l'est pas en $x = 1$ qui appartient à cet intervalle.

48. a) $k = -2$

b) $k = 7/5$

c) $k = -5$

d) Il n'existe aucune valeur de k pour laquelle la fonction $f(x)$ est continue sur $\mathbb{R}$.

e) $k = -2$ ou $k = 2$.

f) $k = -1$ ou $k = 1/2$.

49. a) $[0, 60]$, soit entre 0 et 60 h.

b) 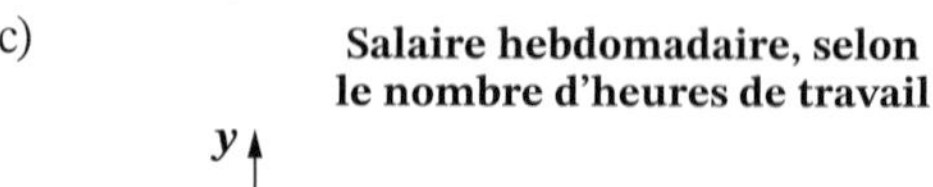

$$S(x) = \begin{cases} 18x & \text{si } 0 \leq x \leq 40 \\ 27x - 360 & \text{si } 40 < x \leq 60 \end{cases}$$

c) 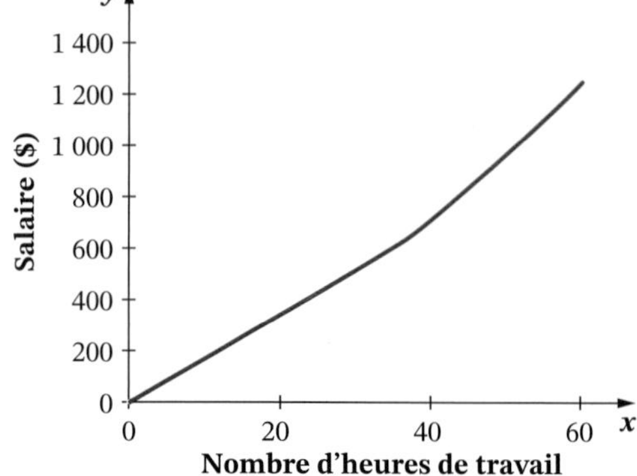

d) 540 $

e) 855 $

f) Comme on peut en tracer le graphique sans lever la pointe du crayon, la fonction $S(x)$ est continue.

On peut obtenir le même résultat en recourant aux propriétés et à la définition d'une fonction continue.

Comme la fonction $S(x)$ est définie par morceaux, examinons d'abord la continuité de ses différentes composantes avant d'analyser l'endroit où elle change d'expression.

- Si $0 < x < 40$, la fonction $18x$ est continue, car c'est un polynôme.
- Si $40 < x < 60$, la fonction $27x - 360$ est continue, car c'est aussi un polynôme.
- Il faut s'assurer que la fonction est continue au point où elle change d'expression, soit en $x = 40$. On a

$$S(40) = 18(40) = 720$$

$$\left.\begin{array}{l} \lim\limits_{x \to 40^-} S(x) = \lim\limits_{x \to 40^-} 18x = 18(40) = 720 \\ \lim\limits_{x \to 40^+} S(x) = \lim\limits_{x \to 40^+} (27x - 360) = 27(40) - 360 = 720 \end{array}\right\} \Rightarrow \lim_{x \to 40} S(x) = 720$$

Alors, la fonction $S(x)$ est continue en $x = 40$, car $\lim\limits_{x \to 40} S(x) = S(40)$.

La fonction $S(x)$ est donc continue sur $]0, 60[$.

De plus, on a $\lim\limits_{x \to 0^+} S(x) = \lim\limits_{x \to 0^+} 18x = 0$ et $S(0) = 18(0) = 0$, de sorte que $\lim\limits_{x \to 0^+} S(x) = S(0)$.

Par ailleurs, on a $\lim\limits_{x \to 60^-} S(x) = \lim\limits_{x \to 60^-} (27x - 360) = 27(60) - 360 = 1\,260$ et $S(60) = 27(60) - 360 = 1\,260$, de sorte que $\lim\limits_{x \to 60^-} S(x) = S(60)$.

Par conséquent, la fonction $S(x)$ est continue sur $[0, 60]$.

50. a) $C(x) = \begin{cases} 6\,000 + 5x & \text{si } 0 < x \leq 10\,000 \\ 12\,000 + 5x & \text{si } 10\,000 < x \leq 20\,000 \\ 18\,000 + 5x & \text{si } 20\,000 < x \leq 30\,000 \end{cases}$

b) $C(8\,000) = 46\,000$ \$, $C(15\,000) = 87\,000$ \$ et $C(23\,000) = 133\,000$ \$.

c) Comme la fonction $C(x)$ est définie par morceaux, examinons d'abord la continuité de ses différentes composantes avant d'analyser les endroits où elle change d'expression.

- Si $0 < x < 10\,000$, la fonction $6\,000 + 5x$ est continue, car c'est un polynôme.
- Si $10\,000 < x < 20\,000$, la fonction $12\,000 + 5x$ est continue, car c'est aussi un polynôme.
- Si $20\,000 < x < 30\,000$, la fonction $18\,000 + 5x$ est continue, car c'est encore une fois un polynôme.
- Vérifions la continuité de la fonction $C(x)$ en $x = 10\,000$. On a

$$C(10\,000) = 6\,000 + 5(10\,000) = 56\,000$$

$$\left.\begin{array}{l} \lim\limits_{x \to 10\,000^-} C(x) = \lim\limits_{x \to 10\,000^-} (6\,000 + 5x) = 56\,000 \\ \lim\limits_{x \to 10\,000^+} C(x) = \lim\limits_{x \to 10\,000^+} (12\,000 + 5x) = 62\,000 \end{array}\right\} \Rightarrow \lim_{x \to 10\,000} C(x) \nexists$$

Alors, la fonction $C(x)$ *n'est pas continue* en $x = 10\,000$.

- Vérifions la continuité de la fonction $C(x)$ en $x = 20\,000$. On a

$$C(20\,000) = 12\,000 + 5(20\,000) = 112\,000$$

$$\left.\begin{array}{l} \lim\limits_{x \to 20\,000^-} C(x) = \lim\limits_{x \to 20\,000^-} (12\,000 + 5x) = 112\,000 \\ \lim\limits_{x \to 20\,000^+} C(x) = \lim\limits_{x \to 20\,000^+} (18\,000 + 5x) = 118\,000 \end{array}\right\} \Rightarrow \lim_{x \to 20\,000} C(x) \nexists$$

Alors, la fonction $C(x)$ *n'est pas continue* en $x = 20\,000$.

De plus, on a $\lim_{x \to 30\,000^-} C(x) = \lim_{x \to 30\,000^-} (18\,000 + 5x) = 168\,000$ et $C(30\,000) = 18\,000 + 5(30\,000) = 168\,000$, de sorte que $\lim_{x \to 30\,000^-} C(x) = C(30\,000)$.

Ainsi, sur l'intervalle $]0, 30\,000]$, la fonction $C(x)$ admet des discontinuités en $x = 10\,000$ et en $x = 20\,000$.

d)

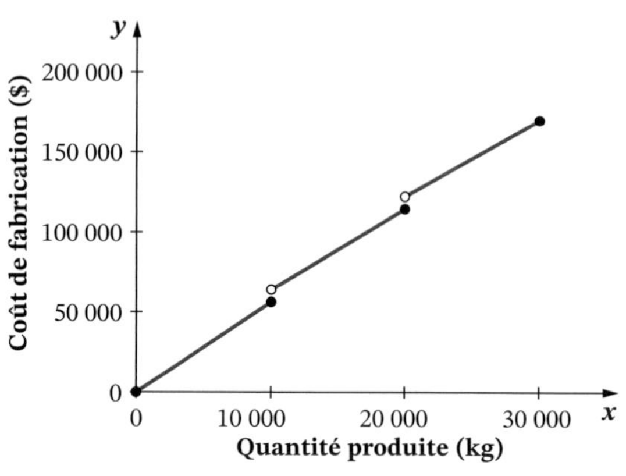

CHAPITRE 2

CHAPITRE 2

1. a) Positif. c) Nul. e) La fonction $f(x)$.
b) Négatif. d) Positif. f) La fonction $g(x)$.

2. a) $\dfrac{\Delta f}{\Delta x} = \dfrac{f(4) - f(-3)}{4 - (-3)} = \dfrac{[4^2 - 2(4) + 1] - [(-3)^2 - 2[-3] + 1]}{7} = \dfrac{-7}{7} = -1$

b) $$\begin{aligned}\lim_{\Delta x \to 0} \frac{f(-3 + \Delta x) - f(-3)}{\Delta x} &= \lim_{\Delta x \to 0} \frac{[(-3 + \Delta x)^2 - 2(-3 + \Delta x) + 1] - [(-3)^2 - 2(-3) + 1]}{\Delta x} \\ &= \lim_{\Delta x \to 0} \frac{9 - 6\Delta x + (\Delta x)^2 + 6 - 2\Delta x + 1 - 16}{\Delta x} \\ &= \lim_{\Delta x \to 0} \frac{-8\Delta x + (\Delta x)^2}{\Delta x} \\ &= \lim_{\Delta x \to 0} \frac{\cancel{\Delta x}(-8 + \Delta x)}{\cancel{\Delta x}} \\ &= \lim_{\Delta x \to 0} (-8 + \Delta x) \\ &= -8\end{aligned}$$

c) La pente de la droite tangente correspond au taux de variation instantané en $x = -3$. Elle est donc égale à -8 (voir *b*).

Comme $f(-3) = 16$, la droite tangente passe par le point $(-3, 16)$.

Alors, l'équation de la droite tangente est

$$y = -8[x - (-3)] + 16 = -8(x + 3) + 16 \text{ ou } y = -8x - 8$$

3. a) $12\pi \text{ cm}^2 \approx 37{,}7 \text{ cm}^2$

b) $6\pi \text{ cm}^2/\text{cm} \approx 18{,}8 \text{ cm}^2/\text{cm}$

c) Lorsque le rayon du cercle passe de 2 à 4 cm, l'aire du cercle augmente, en moyenne, d'environ 18,8 cm² par centimètre d'augmentation du rayon.

d) $$\begin{aligned}\lim_{\Delta r \to 0} \frac{A(4 + \Delta r) - A(4)}{\Delta r} &= \lim_{\Delta r \to 0} \frac{\pi(4 + \Delta r)^2 - 16\pi}{\Delta r} \\ &= \lim_{\Delta r \to 0} \frac{\pi[16 + 8\Delta r + (\Delta r)^2] - 16\pi}{\Delta r} \\ &= \lim_{\Delta r \to 0} \frac{8\pi\Delta r + \pi(\Delta r)^2}{\Delta r} = \lim_{\Delta r \to 0} \frac{\pi\cancel{\Delta r}(8 + \Delta r)}{\cancel{\Delta r}} \\ &= \lim_{\Delta r \to 0} [\pi(8 + \Delta r)] = 8\pi \text{ cm}^2/\text{cm} \approx 25{,}1 \text{ cm}^2/\text{cm}\end{aligned}$$

e) Lorsque le rayon du cercle est de 4 cm et qu'il subit une augmentation (ou une diminution), l'aire du cercle augmente (ou diminue) à raison d'environ 25,1 cm^2 par centimètre d'augmentation (ou de diminution) du rayon.

4. a) 50 milliers d'unités ou 50 000 unités.

b) $V(1) = 52{,}5$ milliers d'unités, de sorte que 1 mois après le début de la campagne publicitaire, l'entreprise prévoit d'avoir vendu 52 500 unités.

$V(3) = 60{,}5$ milliers d'unités, de sorte que 3 mois après le début de la campagne publicitaire, l'entreprise prévoit d'avoir vendu 60 500 unités.

c) 2 mois

d) 8 milliers d'unités ou 8 000 unités.

e) Entre les premier et troisième mois suivant le début de la campagne publicitaire, le volume des ventes devrait augmenter de 8 000 unités.

f) 4 milliers d'unités/mois ou 4 000 unités/mois.

g) Entre les premier et troisième mois suivant le début de la campagne publicitaire, le volume des ventes devrait augmenter, en moyenne, de 4 000 unités/mois.

h) La pente de la droite sécante passant par les points $(1; 52{,}5)$ et $(3; 60{,}5)$ est égale à 4.

i) $$\begin{aligned}\lim_{\Delta t \to 0} \frac{V(1+\Delta t) - V(1)}{\Delta t} &= \lim_{\Delta t \to 0} \frac{\left[\tfrac{1}{2}(1+\Delta t)^2 + 2(1+\Delta t) + 50\right] - 52{,}5}{\Delta t} \\ &= \lim_{\Delta t \to 0} \frac{\tfrac{1}{2}\left[1 + 2\Delta t + (\Delta t)^2\right] + 2 + 2\Delta t - 2{,}5}{\Delta t} \\ &= \lim_{\Delta t \to 0} \frac{\tfrac{1}{2} + \Delta t + \tfrac{1}{2}(\Delta t)^2 + 2 + 2\Delta t - 2{,}5}{\Delta t} \\ &= \lim_{\Delta t \to 0} \frac{3\Delta t + \tfrac{1}{2}(\Delta t)^2}{\Delta t} = \lim_{\Delta t \to 0} \frac{\cancel{\Delta t}(3 + \tfrac{1}{2}\Delta t)}{\cancel{\Delta t}} \\ &= \lim_{\Delta t \to 0} (3 + \tfrac{1}{2}\Delta t) = 3 \text{ milliers d'unités/mois}\end{aligned}$$

j) Un mois après le début de la campagne publicitaire, le volume des ventes devrait augmenter à raison de 3 000 unités/mois.

k) La pente de la droite tangente à la courbe décrite par $V(t) = \tfrac{1}{2}t^2 + 2t + 50$ en $t = 1$ est égale à 3.

5. a) 2 273 personnes

b) 5 769 personnes

c) 25 000 personnes

d) 2 jours

e) 3 496 personnes

f) 1 748 personnes/jour

g) Le nombre de personnes ayant contracté le virus entre le premier et le troisième jour suivant son introduction a augmenté en moyenne de 1 748 personnes/jour.

h) La pente de la droite sécante passant par les points $(1, 2\,273)$ et $(3, 5\,769)$ est égale à 1 748.

i) Il semble que la fonction $N(t)$ soit croissante puisque le nombre de personnes ayant contracté le virus augmente: $N(1) = 2\,273$ personnes, $N(3) = 5\,769$ personnes, $\lim_{t \to \infty} N(t) = 25\,000$ personnes.

On peut confirmer ce résultat de la façon suivante: en effectuant une division de polynômes, on a

$$N(t) = \frac{25\,000t}{t+10} = 25\,000 - \frac{250\,000}{t+10} = 25\,000\left(1 - \frac{10}{t+10}\right)$$

CHAPITRE 2

C'est une expression dans laquelle $\frac{10}{t+10}$ diminue lorsque t augmente, de sorte qu'on soustrait de 1 une quantité de plus en plus faible. Alors, $\left(1 - \frac{10}{t+10}\right)$ augmente lorsque t augmente. La fonction $N(t)$ est donc croissante.

j) $$\lim_{\Delta t \to 0} \frac{N(2+\Delta t) - N(2)}{\Delta t} = \lim_{\Delta t \to 0} \frac{\frac{25\,000(2+\Delta t)}{(2+\Delta t)+10} - \frac{25\,000(2)}{2+10}}{\Delta t}$$

$$= \lim_{\Delta t \to 0} \frac{\frac{25\,000(2+\Delta t)}{12+\Delta t} - \frac{50\,000}{12}}{\Delta t}$$

$$= \lim_{\Delta t \to 0} \frac{\frac{25\,000(2+\Delta t)(12)}{(12+\Delta t)(12)} - \frac{50\,000(12+\Delta t)}{12(12+\Delta t)}}{\Delta t}$$

$$= \lim_{\Delta t \to 0} \left[\frac{300\,000(2+\Delta t) - 50\,000(12+\Delta t)}{12(12+\Delta t)} \cdot \frac{1}{\Delta t}\right]$$

$$= \lim_{\Delta t \to 0} \frac{\cancel{600\,000} + 300\,000\Delta t - \cancel{600\,000} - 50\,000\Delta t}{12\Delta t(12+\Delta t)}$$

$$= \lim_{\Delta t \to 0} \frac{250\,000\cancel{\Delta t}}{12\cancel{\Delta t}(12+\Delta t)}$$

$$= \lim_{\Delta t \to 0} \frac{250\,000}{12(12+\Delta t)}$$

$$= \frac{250\,000}{144} = \frac{15\,625}{9}$$

$\approx 1\,736$ personnes/jour

k) Deux jours après l'introduction du virus, le nombre de personnes l'ayant contracté augmente à raison d'environ 1 736 personnes/jour.

l) La pente de la droite tangente à la courbe décrite par la fonction $N(t)$ en $t = 2$ est de 1 736.

m) $$\lim_{\Delta t \to 0} \frac{N(t+\Delta t) - N(t)}{\Delta t} = \lim_{\Delta t \to 0} \frac{\frac{25\,000(t+\Delta t)}{(t+\Delta t)+10} - \frac{25\,000t}{t+10}}{\Delta t}$$

$$= \lim_{\Delta t \to 0} \frac{\frac{25\,000(t+\Delta t)(t+10)}{(t+\Delta t+10)(t+10)} - \frac{25\,000t(t+\Delta t+10)}{(t+10)(t+\Delta t+10)}}{\Delta t}$$

$$= \lim_{\Delta t \to 0} \left[\frac{25\,000(t+\Delta t)(t+10) - 25\,000t(t+\Delta t+10)}{(t+\Delta t+10)(t+10)} \cdot \frac{1}{\Delta t}\right]$$

$$= \lim_{\Delta t \to 0} \frac{25\,000[(t+\Delta t)(t+10) - t(t+\Delta t+10)]}{\Delta t(t+\Delta t+10)(t+10)}$$

$$= 25\,000 \lim_{\Delta t \to 0} \frac{(t+\Delta t)(t+10) - t(t+\Delta t+10)}{\Delta t(t+\Delta t+10)(t+10)}$$

$$= 25\,000 \lim_{\Delta t \to 0} \frac{\cancel{t^2} + \cancel{10t} + \cancel{t(\Delta t)} + 10\Delta t - \cancel{t^2} - \cancel{t(\Delta t)} - \cancel{10t}}{\Delta t(t+\Delta t+10)(t+10)}$$

$$= 25\,000 \lim_{\Delta t \to 0} \frac{10\cancel{\Delta t}}{\cancel{\Delta t}(t+\Delta t+10)(t+10)}$$

$$= 25\,000 \lim_{\Delta t \to 0} \frac{10}{(t+\Delta t+10)(t+10)}$$

$$= \frac{250\,000}{(t+10)^2} \text{ personnes/jour}$$

n) On a $\lim_{t\to\infty}\left[\lim_{\Delta t\to 0}\frac{N(t+\Delta t)-N(t)}{\Delta t}\right]=\underbrace{\lim_{t\to\infty}\frac{250\,000}{(t+10)^2}}_{\text{forme }\frac{250\,000}{\infty}}=0$. À long terme, le taux de propagation du virus sera nul.

6. a) On a $f(1/2)=\frac{1}{1/2}=2$ et $f(1)=\frac{1}{1}=1$. Alors, la pente de la droite sécante est de $\frac{f(1)-f(1/2)}{1-1/2}=\frac{1-2}{1/2}=-2$. Comme la droite sécante passe par le point $(1, 1)$, son équation est $y=-2(x-1)+1$ ou $y=-2x+3$.

On aurait également pu déterminer l'ordonnée à l'origine de la droite. Comme la droite est de pente -2, son équation est de la forme $y=-2x+b$. Puisqu'elle passe par le point $(1, 1)$, on a $1=-2(1)+b \Rightarrow 1=-2+b \Rightarrow 3=b$. Par conséquent, l'équation de la droite sécante passant par les points $(1/2, 2)$ et $(1, 1)$ est $y=-2x+3$.

b) La pente de la droite tangente en $x=1/2$ est donnée par

$$\lim_{\Delta x\to 0}\frac{f(1/2+\Delta x)-f(1/2)}{\Delta x}=\lim_{\Delta x\to 0}\frac{\frac{1}{1/2+\Delta x}-\frac{1}{1/2}}{\Delta x}=\lim_{\Delta x\to 0}\frac{\frac{1}{1/2+\Delta x}-2}{\Delta x}$$

$$=\lim_{\Delta x\to 0}\frac{\frac{1}{1/2+\Delta x}-\frac{2(1/2+\Delta x)}{1/2+\Delta x}}{\Delta x}=\lim_{\Delta x\to 0}\left[\frac{1-2(1/2+\Delta x)}{1/2+\Delta x}\cdot\frac{1}{\Delta x}\right]$$

$$=\lim_{\Delta x\to 0}\frac{1-2(1/2+\Delta x)}{\Delta x(1/2+\Delta x)}=\lim_{\Delta x\to 0}\frac{-2\cancel{\Delta x}}{\cancel{\Delta x}(1/2+\Delta x)}$$

$$=\lim_{\Delta x\to 0}\frac{-2}{1/2+\Delta x}=\frac{-2}{1/2}=-4$$

Comme la droite tangente passe par le point $(1/2, 2)$, son équation est $y=-4(x-1/2)+2$ ou $y=-4x+4$.

On aurait également pu déterminer l'ordonnée à l'origine de la droite tangente. Comme la droite est de pente -4, son équation est de la forme $y=-4x+b$. Puisqu'elle passe par le point $(1/2, 2)$, on a

$$2=-4(1/2)+b \Rightarrow 2=-2+b \Rightarrow 4=b$$

Par conséquent, l'équation de la droite tangente passant par le point $(1/2, 2)$ est $y=-4x+4$.

c) La pente de la droite normale est de $-\left(\frac{1}{-4}\right)=\frac{1}{4}$ puisque la droite tangente et la droite normale sont perpendiculaires. Comme la droite normale passe par le point $(1/2, 2)$, son équation est $y=1/4(x-1/2)+2$ ou $y=1/4x+15/8$.

On aurait également pu déterminer l'ordonnée à l'origine de la droite normale. Comme la droite est de pente $1/4$, son équation est de la forme $y=1/4x+b$. Puisqu'elle passe par le point $(1/2, 2)$, on a

$$2=1/4(1/2)+b \Rightarrow 2=1/8+b \Rightarrow 15/8=b$$

Par conséquent, l'équation de la droite normale passant par le point $(1/2, 2)$ est $y=1/4x+15/8$.

7. a) $y=7x-6$

b) $y=3x-2$

c) $y=-1/3x+4/3$

8. a) La fonction $f(x)$ passe par le point $B(4, 2)$. Alors, $f(4)=2$.

b) L'expression $f'(4)$ correspond à la pente de la droite tangente (en bleu) à la courbe décrite par la fonction $f(x)$ en $x=4$.

Cette droite passe par les points $A(1/2, 1)$ et $B(4, 2)$, de sorte que sa pente est de $\frac{2-1}{4-1/2} = \frac{1}{7/2} = \frac{2}{7}$.

Par conséquent, $f'(4) = 2/7$.

9. a) $f(2) < f(8)$

b) $f(4) - f(2) > f(8) - f(6)$

c) $\frac{f(6)-f(4)}{6-4} < \frac{f(2)-f(0)}{2-0}$

d) $f'(2) > f'(8)$

10. a) $f(4) > f(6)$

b) $f(5) - f(3) > f(8) - f(6)$

c) $\frac{f(6)-f(4)}{6-4} < \frac{f(3)-f(1)}{3-1}$

d) $f'(2) > f'(7)$

11. La dérivée correspond à la pente de la droite tangente au point. Or, la droite tangente passant par le point $A(-1, -4)$ passe également par le point $(0, 5)$, de sorte que la pente de la droite tangente passant par le point A est de $\frac{5-(-4)}{0-(-1)} = 9$. La dérivée de la fonction $f(x)$ au point A vaut donc 9. De manière similaire, la dérivée de la fonction $f(x)$ en B vaut $\frac{-2-1}{1-0} = -3$. La droite tangente au point C étant horizontale, sa pente est nulle, de sorte que la dérivée de la fonction $f(x)$ en C vaut 0.

12. a) $$f'(3) = \lim_{\Delta x\to 0} \frac{f(3+\Delta x)-f(3)}{\Delta x} = \lim_{\Delta x\to 0} \frac{\left[1/2(3+\Delta x)^2 - (3+\Delta x)\right] - \left[1/2(3^2) - 3\right]}{\Delta x}$$

$$= \lim_{\Delta x\to 0} \frac{1/2\left[9 + 6\Delta x + (\Delta x)^2\right] - 3 - \Delta x - 3/2}{\Delta x}$$

$$= \lim_{\Delta x\to 0} \frac{\cancel{9/2} + 3\Delta x + 1/2(\Delta x)^2 - \cancel{9/2} - \Delta x}{\Delta x} = \lim_{\Delta x\to 0} \frac{2\Delta x + 1/2(\Delta x)^2}{\Delta x}$$

$$= \lim_{\Delta x\to 0} \frac{\cancel{\Delta x}(2 + 1/2\Delta x)}{\cancel{\Delta x}} = \lim_{\Delta x\to 0}(2 + 1/2\Delta x) = 2$$

b) $f'(-1) = -1$

c) $$f'(2) = \lim_{\Delta x\to 0} \frac{f(2+\Delta x)-f(2)}{\Delta x} = \lim_{\Delta x\to 0} \frac{\frac{1}{2+\Delta x+3} - \frac{1}{2+3}}{\Delta x}$$

$$= \lim_{\Delta x\to 0} \frac{\frac{5(1)}{5(5+\Delta x)} - \frac{1(5+\Delta x)}{5(5+\Delta x)}}{\Delta x} = \lim_{\Delta x\to 0}\left[\frac{5-(5+\Delta x)}{5(5+\Delta x)}\cdot\frac{1}{\Delta x}\right]$$

$$= \lim_{\Delta x\to 0} \frac{\cancel{5} - \cancel{5} - \Delta x}{5\Delta x(5+\Delta x)} = \lim_{\Delta x\to 0} \frac{-\cancel{\Delta x}}{5\cancel{\Delta x}(5+\Delta x)} = \lim_{\Delta x\to 0} \frac{-1}{5(5+\Delta x)} = -\frac{1}{25}$$

d) $f'(-4) = 1/7$

e) $$f'(9) = \lim_{\Delta x\to 0} \frac{f(9+\Delta x)-f(9)}{\Delta x} = \lim_{\Delta x\to 0} \frac{\sqrt{9+\Delta x+16} - \sqrt{9+16}}{\Delta x}$$

$$= \lim_{\Delta x\to 0} \frac{\sqrt{25+\Delta x} - 5}{\Delta x} = \lim_{\Delta x\to 0} \frac{\left(\sqrt{25+\Delta x} - 5\right)\left(\sqrt{25+\Delta x} + 5\right)}{\Delta x\left(\sqrt{25+\Delta x} + 5\right)}$$

$$= \lim_{\Delta x\to 0} \frac{\left(\sqrt{25+\Delta x}\right)^2 + \cancel{5\sqrt{25+\Delta x}} - \cancel{5\sqrt{25+\Delta x}} - 25}{\Delta x\left(\sqrt{25+\Delta x} + 5\right)}$$

$$= \lim_{\Delta x\to 0} \frac{\cancel{25} + \Delta x - \cancel{25}}{\Delta x\left(\sqrt{25+\Delta x} + 5\right)} = \lim_{\Delta x\to 0} \frac{\cancel{\Delta x}}{\cancel{\Delta x}\left(\sqrt{25+\Delta x} + 5\right)}$$

$$= \lim_{\Delta x\to 0} \frac{1}{\sqrt{25+\Delta x} + 5} = \frac{1}{\sqrt{25} + 5} = \frac{1}{10}$$

f) $f'(-3) = -1/3$

13. a) $\frac{df}{dx} = 0$

b) $\frac{df}{dx} = -3$

c) $\frac{df}{dx} = 5$

d) $$\frac{df}{dx} = \lim_{\Delta x \to 0} \frac{f(x+\Delta x) - f(x)}{\Delta x}$$
$$= \lim_{\Delta x \to 0} \frac{\left[(x+\Delta x)^2 - 2(x+\Delta x) + 3\right] - (x^2 - 2x + 3)}{\Delta x}$$
$$= \lim_{\Delta x \to 0} \frac{\cancel{x^2} + 2x(\Delta x) + (\Delta x)^2 - \cancel{2x} - 2\Delta x + \cancel{3} - \cancel{x^2} + \cancel{2x} - \cancel{3}}{\Delta x}$$
$$= \lim_{\Delta x \to 0} \frac{2x(\Delta x) + (\Delta x)^2 - 2\Delta x}{\Delta x} = \lim_{\Delta x \to 0} \frac{\cancel{\Delta x}(2x + \Delta x - 2)}{\cancel{\Delta x}}$$
$$= \lim_{\Delta x \to 0} (2x + \Delta x - 2) = 2x - 2$$

e) $\frac{df}{dx} = 6x - 4$

f) $$\frac{df}{dx} = \lim_{\Delta x \to 0} \frac{f(x+\Delta x) - f(x)}{\Delta x} = \lim_{\Delta x \to 0} \frac{\frac{1}{x+\Delta x+1} - \frac{1}{x+1}}{\Delta x}$$
$$= \lim_{\Delta x \to 0} \frac{\frac{1(x+1)}{(x+\Delta x+1)(x+1)} - \frac{1(x+\Delta x+1)}{(x+1)(x+\Delta x+1)}}{\Delta x}$$
$$= \lim_{\Delta x \to 0} \left[\frac{(x+1) - (x+\Delta x+1)}{(x+\Delta x+1)(x+1)} \cdot \frac{1}{\Delta x}\right] = \lim_{\Delta x \to 0} \frac{\cancel{x} + \cancel{1} - \cancel{x} - \Delta x - \cancel{1}}{\Delta x(x+\Delta x+1)(x+1)}$$
$$= \lim_{\Delta x \to 0} \frac{-\cancel{\Delta x}}{\cancel{\Delta x}(x+\Delta x+1)(x+1)} = \lim_{\Delta x \to 0} \frac{-1}{(x+\Delta x+1)(x+1)} = -\frac{1}{(x+1)^2}$$

g) $\frac{df}{dx} = \frac{4}{(1-2x)^2}$

h) $\frac{df}{dx} = \frac{2}{(x+1)^2}$

i) $$\frac{df}{dx} = \lim_{\Delta x \to 0} \frac{f(x+\Delta x) - f(x)}{\Delta x} = \lim_{\Delta x \to 0} \frac{\sqrt{2(x+\Delta x)+1} - \sqrt{2x+1}}{\Delta x}$$
$$= \lim_{\Delta x \to 0} \frac{\left(\sqrt{2x+2\Delta x+1} - \sqrt{2x+1}\right)\left(\sqrt{2x+2\Delta x+1} + \sqrt{2x+1}\right)}{\Delta x\left(\sqrt{2x+2\Delta x+1} + \sqrt{2x+1}\right)}$$
$$= \lim_{\Delta x \to 0} \frac{\left(\sqrt{2x+2\Delta x+1}\right)^2 - \left(\sqrt{2x+1}\right)^2}{\Delta x\left(\sqrt{2x+2\Delta x+1} + \sqrt{2x+1}\right)}$$
$$= \lim_{\Delta x \to 0} \frac{(2x+2\Delta x+1) - (2x+1)}{\Delta x\left(\sqrt{2x+2\Delta x+1} + \sqrt{2x+1}\right)}$$
$$= \lim_{\Delta x \to 0} \frac{\cancel{2x} + 2\Delta x + \cancel{1} - \cancel{2x} - \cancel{1}}{\Delta x\left(\sqrt{2x+2\Delta x+1} + \sqrt{2x+1}\right)} = \lim_{\Delta x \to 0} \frac{2\cancel{\Delta x}}{\cancel{\Delta x}\left(\sqrt{2x+2\Delta x+1} + \sqrt{2x+1}\right)}$$
$$= \lim_{\Delta x \to 0} \frac{2}{\sqrt{2x+2\Delta x+1} + \sqrt{2x+1}} = \frac{\cancel{2}}{\cancel{2}\sqrt{2x+1}} = \frac{1}{\sqrt{2x+1}}$$

j) $\frac{df}{dx} = \frac{3x}{\sqrt{3x^2+2}}$

k) $\frac{df}{dx} = 5 + \frac{3}{x^2}$

l) $\frac{df}{dx} = 4x + \frac{1}{2\sqrt{x}}$

14. Comme $f(1) = 3$, la droite tangente passe par le point $(1, 3)$. De plus, sa pente est de $f'(1) = 6$. Alors, l'équation de la droite tangente à la courbe décrite par la fonction $f(x)$ au point $(1, 3)$ est $y = 6(x - 1) + 3$ ou $y = 6x - 3$. La pente de la droite normale en $x = 1$ est de $-1/6$ puisque la droite tangente et la droite normale sont perpendiculaires. L'équation de la droite normale à la courbe décrite par la fonction $f(x)$ au point $(1, 3)$ est $y = -1/6(x - 1) + 3$ ou $y = -1/6 x + 19/6$.

15. a) 200 s

b) $\dfrac{V(100) - V(75)}{25} = -0{,}1125$ L/s. Le volume d'eau dans le récipient fuit, en moyenne, à raison de 0,1125 L/s, au cours de l'intervalle de temps compris entre la 75e seconde et la 100e seconde après le début de la fuite.

c) La pente de la droite sécante passant par les points $(75; 7{,}8125)$ et $(100; 5)$ est égale à $-0{,}1125$.

d) $\displaystyle\lim_{\Delta t \to 0} \frac{V(100 + \Delta t) - V(100)}{\Delta t} = -0{,}1$ L/s. Cent secondes après le début de la fuite, le volume d'eau dans le récipient diminue à raison de 0,1 L/s.

e) La pente de la droite tangente à la courbe décrite par la fonction $V(t) = 20 - 0{,}2t + 0{,}0005t^2$ au point $(100, 5)$ est égale à $-0{,}1$.

f)
$$\begin{aligned} V'(t) &= \lim_{\Delta t \to 0} \frac{V(t + \Delta t) - V(t)}{\Delta t} \\ &= \lim_{\Delta t \to 0} \frac{\left[20 - 0{,}2(t + \Delta t) + 0{,}0005(t + \Delta t)^2\right] - (20 - 0{,}2t + 0{,}0005t^2)}{\Delta t} \\ &= \lim_{\Delta t \to 0} \frac{-0{,}2\Delta t + 0{,}001t(\Delta t) + 0{,}0005(\Delta t)^2}{\Delta t} \\ &= \lim_{\Delta t \to 0} (-0{,}2 + 0{,}001t + 0{,}0005\Delta t) \\ &= (-0{,}2 + 0{,}001t) \text{ L/s} \end{aligned}$$

g) $-0{,}15$ L/s

16. a) Environ 3,46 kg.

b) $\dfrac{m(8) - m(5)}{3} \approx 0{,}46$ kg/mois. Entre le 5e et le 8e mois de vie, l'augmentation moyenne de la masse du bébé a été d'environ 0,46 kg/mois.

c) La pente de la droite sécante passant par les points $(5, \sqrt{47})$ et $(8, \sqrt{68})$ est d'environ 0,46.

d)
$$\begin{aligned} m'(t) &= \lim_{\Delta t \to 0} \frac{m(t + \Delta t) - m(t)}{\Delta t} \\ &= \lim_{\Delta t \to 0} \frac{\sqrt{12 + 7(t + \Delta t)} - \sqrt{12 + 7t}}{\Delta t} \\ &= \frac{7}{2\sqrt{12 + 7t}} \text{ kg/mois} \end{aligned}$$

e) $m'(9) \approx 0{,}4$ kg/mois. À l'âge de 9 mois, la masse du bébé augmente à raison d'environ 0,4 kg/mois.

f) La pente de la droite tangente à la courbe décrite par la fonction $m(t) = \sqrt{12 + 7t}$ en $t = 9$ est d'environ 0,4.

g) La masse du bébé augmente le plus rapidement lorsque son taux de croissance est le plus grand, c'est-à-dire lorsque $\dfrac{7}{2\sqrt{12 + 7t}}$ prend sa valeur maximale. Or, la valeur du dénominateur augmente lorsque t augmente, de sorte que la fraction $\dfrac{7}{2\sqrt{12 + 7t}}$ est maximale à la plus petite valeur de t, soit lorsque

CHAPITRE 2

$t = 0$. Par conséquent, la masse du bébé augmente le plus rapidement au moment de sa naissance. Le taux de croissance est alors d'environ 1,0 kg/mois, soit de $\frac{7}{2\sqrt{12}} = \frac{7}{4\sqrt{3}}$ kg/mois.

17. a) La fonction n'est pas dérivable en $x = 0$, parce qu'en cette valeur, la droite tangente à la courbe décrite par la fonction est verticale, de sorte que sa pente (qui correspond à la dérivée de la fonction en cette valeur) n'est pas définie.

b) La fonction n'est pas dérivable en $x = -2$ ni en $x = 2$ puisque la courbe décrite par la fonction y présente des points anguleux.

c) La fonction n'est pas dérivable en $x = 1$ puisqu'elle n'y est pas continue.

18.

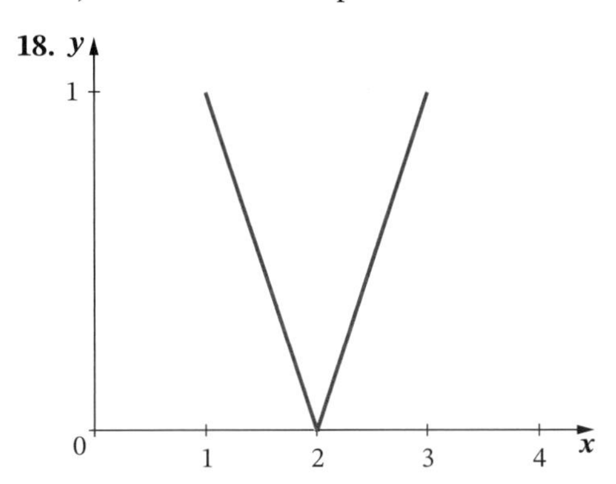

19. a) On a

$$\begin{aligned}
f'(x) &= \lim_{\Delta x \to 0} \frac{f(x+\Delta x) - f(x)}{\Delta x} \\
&= \lim_{\Delta x \to 0} \frac{\sqrt{(x+\Delta x)+2} - \sqrt{x+2}}{\Delta x} \\
&= \lim_{\Delta x \to 0} \frac{\left(\sqrt{x+\Delta x+2} - \sqrt{x+2}\right)\left(\sqrt{x+\Delta x+2} + \sqrt{x+2}\right)}{\Delta x\left(\sqrt{x+\Delta x+2} + \sqrt{x+2}\right)} \\
&= \lim_{\Delta x \to 0} \frac{(x+\Delta x+2) - (x+2)}{\Delta x\left(\sqrt{x+\Delta x+2} + \sqrt{x+2}\right)} \\
&= \lim_{\Delta x \to 0} \frac{\cancel{\Delta x}}{\cancel{\Delta x}\left(\sqrt{x+\Delta x+2} + \sqrt{x+2}\right)} \\
&= \lim_{\Delta x \to 0} \frac{1}{\sqrt{x+\Delta x+2} + \sqrt{x+2}} \\
&= \frac{1}{2\sqrt{x+2}}
\end{aligned}$$

Comme l'expression $\frac{1}{2\sqrt{x+2}}$ n'est pas définie en $x = -2$, on conclut que $f'(-2)$ n'existe pas.

b) Lorsque $x > -2$, on a $2x + 4 > 0$ et $|2x+4| = 2x+4$. De plus, lorsque $x < -2$, on a $2x + 4 < 0$ et $|2x+4| = -(2x+4)$. Alors, il faut utiliser la limite à gauche et la limite à droite pour déterminer si $f'(-2)$ est définie. On a

$$\begin{aligned}
\lim_{x \to -2^-} \frac{f(x) - f(-2)}{x - (-2)} &= \lim_{x \to -2^-} \frac{|2x+4| - |2(-2)+4|}{x+2} \\
&= \lim_{x \to -2^-} \frac{-(2x+4) - 0}{x+2} = \lim_{x \to -2^-} \frac{-2\cancel{(x+2)}}{\cancel{x+2}} = -2
\end{aligned}$$

$$\begin{aligned}
\lim_{x \to -2^+} \frac{f(x) - f(-2)}{x - (-2)} &= \lim_{x \to -2^+} \frac{|2x+4| - |2(-2)+4|}{x+2} \\
&= \lim_{x \to -2^+} \frac{(2x+4) - 0}{x+2} = \lim_{x \to -2^+} \frac{2\cancel{(x+2)}}{\cancel{x+2}} = 2
\end{aligned}$$

Puisque $\lim\limits_{x\to -2^-} \dfrac{f(x)-f(-2)}{x-(-2)} \neq \lim\limits_{x\to -2^+} \dfrac{f(x)-f(-2)}{x-(-2)}$, on a que $\lim\limits_{x\to -2} \dfrac{f(x)-f(-2)}{x-(-2)}$ n'existe pas. La fonction $f(x)$ n'est donc pas dérivable en $x = -2$.

20. Vérifions d'abord la continuité de la fonction $f(x)$ en $x = 1$. On a $f(1) = 2 - 2(1) = 0$. De plus,

$$\left.\begin{aligned} \lim_{x\to 1^-} f(x) &= \lim_{x\to 1^-}(x^3 - x) = 1^3 - 1 = 0 \\ \lim_{x\to 1^+} f(x) &= \lim_{x\to 1^+}(2 - 2x) = 2 - 2(1) = 0 \end{aligned}\right\} \Rightarrow \lim_{x\to 1} f(x) = 0$$

Comme $\lim\limits_{x\to 1} f(x) = 0 = f(1)$, la fonction $f(x)$ est continue en $x = 1$.

Vérifions maintenant si la fonction $f(x)$ est dérivable en $x = 1$. Comme la fonction $f(x)$ change de définition en $x = 1$, il faut utiliser la limite à gauche et la limite à droite pour déterminer si $f'(1)$ est définie. On a

$$\lim_{x\to 1^-} \frac{f(x)-f(1)}{x-1} = \underbrace{\lim_{x\to 1^-} \frac{x^3 - x - 0}{x-1}}_{\text{forme } \frac{0}{0}} = \lim_{x\to 1^-} \frac{\cancel{(x-1)}(x^2+x)}{\cancel{x-1}} = \lim_{x\to 1^-}(x^2 + x) = 2$$

$$\lim_{x\to 1^+} \frac{f(x)-f(1)}{x-1} = \underbrace{\lim_{x\to 1^+} \frac{2 - 2x - 0}{x-1}}_{\text{forme } \frac{0}{0}} = \lim_{x\to 1^+} \frac{-2\cancel{(x-1)}}{\cancel{x-1}} = \lim_{x\to 1^+}(-2) = -2$$

Puisque $\lim\limits_{x\to 1^-} \dfrac{f(x)-f(1)}{x-1} \neq \lim\limits_{x\to 1^+} \dfrac{f(x)-f(1)}{x-1}$, alors $\lim\limits_{x\to 1} \dfrac{f(x)-f(1)}{x-1}$ n'existe pas, c'est-à-dire que $f'(1)$ n'existe pas.

21. $a = 4$ et $b = -8$.

22. a) $\dfrac{df}{dx} = 0$

b) $\dfrac{dg}{dt} = -2$

c) $\dfrac{dy}{dx} = 0$

d) $\dfrac{dh}{dx} = 4x^3 - 6x^2 + 12x - 4$

e) $\dfrac{ds}{dt} = 24t^7 + 15t^2 + 2$

f) $\dfrac{dg}{dx} = 28x^3 + 6x^2 + \dfrac{1}{x^2}$

g) $\dfrac{df}{dt} = \dfrac{d}{dt}\left(\dfrac{4}{t} - \dfrac{2}{t^2} + \dfrac{1}{t^4}\right) = \dfrac{d}{dt}(4t^{-1} - 2t^{-2} + t^{-4})$

$= -4t^{-2} + 4t^{-3} - 4t^{-5} = -\dfrac{4}{t^2} + \dfrac{4}{t^3} - \dfrac{4}{t^5}$

h) $\dfrac{dy}{dt} = \dfrac{d}{dt}(5t^5 + 2t^2 - t^{3/4} + 25t^{-1/3}) = 25t^4 + 4t - \dfrac{3}{4}t^{-1/4} - \dfrac{25}{3}t^{-4/3}$

$= 25t^4 + 4t - \dfrac{3}{4t^{1/4}} - \dfrac{25}{3t^{4/3}} = 25t^4 + 4t - \dfrac{3}{4\sqrt[4]{t}} - \dfrac{25}{3\sqrt[3]{t^4}}$

23. a) $\dfrac{dy}{dt} = \dfrac{d}{dt}\left(t^2\sqrt[3]{t}\right) = \dfrac{d}{dt}(t^2 \cdot t^{1/3}) = \dfrac{d}{dt}(t^{7/3}) = \dfrac{7}{3}t^{4/3} = \dfrac{7}{3}\sqrt[3]{t^4}$

b) $\dfrac{dh}{dt} = \dfrac{d}{dt}\left[(t^2 - 3t + \pi)\sqrt{t}\right] = \dfrac{d}{dt}\left[(t^2 - 3t + \pi)\,t^{1/2}\right]$

$= \dfrac{d}{dt}(t^{5/2} - 3t^{3/2} + \pi t^{1/2}) = \dfrac{5}{2}t^{3/2} - \dfrac{9}{2}t^{1/2} + \dfrac{\pi}{2}t^{-1/2} = \dfrac{5}{2}\sqrt{t^3} - \dfrac{9}{2}\sqrt{t} + \dfrac{\pi}{2\sqrt{t}}$

c) $\dfrac{ds}{dx} = \dfrac{d}{dx}\left[(x^3+4)^2\right] = \dfrac{d}{dx}(x^6 + 8x^3 + 16) = 6x^5 + 24x^2 = 6x^2(x^3+4)$

d) $\dfrac{dy}{dx} = \dfrac{d}{dx}\left[(x^2-3x)(x^2+3x-18)\right]$

$$= (x^2-3x)\frac{d}{dx}(x^2+3x-18) + (x^2+3x-18)\frac{d}{dx}(x^2-3x)$$

$$= (x^2-3x)(2x+3) + (x^2+3x-18)(2x-3)$$

$$= 2x^3 + \cancel{3x^2} - \cancel{6x^2} - 9x + 2x^3 - \cancel{3x^2} + \cancel{6x^2} - 9x - 36x + 54$$

$$= 4x^3 - 54x + 54$$

$$= 2(2x^3 - 27x + 27)$$

On aurait également pu multiplier l'expression avant d'effectuer la dérivée et ainsi obtenir la même réponse.

$$\frac{dy}{dx} = \frac{d}{dx}\left[(x^2-3x)(x^2+3x-18)\right]$$

$$= \frac{d}{dx}(x^4 + \cancel{3x^3} - 18x^2 - \cancel{3x^3} - 9x^2 + 54x)$$

$$= \frac{d}{dx}(x^4 - 27x^2 + 54x)$$

$$= 4x^3 - 54x + 54$$

$$= 2(2x^3 - 27x + 27)$$

e) $\dfrac{dg}{dx} = \dfrac{d}{dx}\left[x(2x+1)(3x-1)\right] = \dfrac{d}{dx}\left[(2x^2+x)(3x-1)\right]$

$$= (2x^2+x)(3) + (3x-1)(4x+1) = 18x^2 + 2x - 1$$

f) $\dfrac{dg}{dx} = (x^4-3x)(3x^2+8x) + (x^3+4x^2-2)(4x^3-3)$

$$= 7x^6 + 24x^5 - 20x^3 - 36x^2 + 6$$

g) $\dfrac{df}{dt} = \dfrac{d}{dt}\left(\dfrac{2t^3+t^2}{\sqrt{t}}\right) = \dfrac{d}{dt}\left(\dfrac{2t^3}{t^{1/2}} + \dfrac{t^2}{t^{1/2}}\right) = \dfrac{d}{dt}(2t^{5/2} + t^{3/2}) = 5t^{3/2} + {}^{3}/_{2}\,t^{1/2} = 5\sqrt{t^3} + {}^{3}/_{2}\sqrt{t}$

h) $\dfrac{dg}{dt} = \dfrac{d}{dt}\left(\dfrac{3t+1}{t^2+2}\right) = \dfrac{(t^2+2)\dfrac{d}{dt}(3t+1) - (3t+1)\dfrac{d}{dt}(t^2+2)}{(t^2+2)^2}$

$$= \frac{(t^2+2)(3) - (3t+1)(2t)}{(t^2+2)^2} = \frac{3t^2+6-6t^2-2t}{(t^2+2)^2} = \frac{-3t^2-2t+6}{(t^2+2)^2}$$

i) $\dfrac{dy}{dx} = \dfrac{2x^4 + 8x^3 + 9x^2 + 4x + 4}{(1-x^3)^2}$

j) $\dfrac{dg}{dx} = \dfrac{2x^6 + 12x^3 - 2}{(2x^3+1)^2} = \dfrac{2(x^6+6x^3-1)}{(2x^3+1)^2}$

24. a) $\dfrac{ds}{dx} = (2x^3-4x^2+1)\dfrac{d}{dx}(x^{-3}+2x^{-2}) + (x^{-3}+2x^{-2})\dfrac{d}{dx}(2x^3-4x^2+1)$

$$= (2x^3-4x^2+1)(-3x^{-4}-4x^{-3}) + (x^{-3}+2x^{-2})(6x^2-8x)$$

$$= 4 + \frac{4}{x^2} - \frac{4}{x^3} - \frac{3}{x^4}$$

b) $\dfrac{ds}{dt} = \dfrac{d}{dt}\left(\dfrac{t^2 - 3t}{t^2 + 3t - 18}\right) = \dfrac{d}{dt}\left[\dfrac{t(\cancel{t-3})}{(\cancel{t-3})(t+6)}\right] = \dfrac{d}{dt}\left(\dfrac{t}{t+6}\right)$

$$= \frac{(t+6)\frac{d}{dt}(t) - t\frac{d}{dt}(t+6)}{(t+6)^2} = \frac{(t+6)(1) - t(1)}{(t+6)^2} = \frac{\cancel{t} + 6 - \cancel{t}}{(t+6)^2} = \frac{6}{(t+6)^2}$$

c) $\dfrac{dh}{dt} = \dfrac{16t^{1/5}(t-21)}{5(2t-7)^2}$

d) $\dfrac{dy}{dt} = -\dfrac{t + 4\sqrt{t} + 3}{2\sqrt{t}\left(\sqrt{t}+2\right)^2}$

e) $\dfrac{df}{dx} = -\dfrac{6x}{(x^2-1)^2}$

f) $\dfrac{dg}{dt} = \dfrac{4(2t-1)}{(t^2-t-2)^2}$

g) $\dfrac{dy}{dx} = \dfrac{2(3x^2+4x+24)}{(3x+2)^2}$

h) $\dfrac{dh}{dx} = \dfrac{-4x^3+5x^2+8x-17}{(2x+1)^2}$

25. a) 3

b) $\dfrac{ds}{dt} = \dfrac{d}{dt}(-t^3 + 2t^2 + 3t - 2) = -3t^2 + 4t + 3$

$$\Rightarrow \left.\frac{ds}{dt}\right|_{(-1,\,-2)} = -3(-1)^2 + 4(-1) + 3 = -4$$

c) -383

d) $14/15$

e) $1/3$

f) $133/12$

g) $\dfrac{dg}{dt} = \dfrac{d}{dt}\left(\dfrac{-t^2+6t+2}{2-3t}\right) = \dfrac{(2-3t)\frac{d}{dt}(-t^2+6t+2) - (-t^2+6t+2)\frac{d}{dt}(2-3t)}{(2-3t)^2}$

$$= \frac{(2-3t)(-2t+6) - (-t^2+6t+2)(-3)}{(2-3t)^2}$$

$$= \frac{-4t + 12 + 6t^2 - \cancel{18t} - 3t^2 + \cancel{18t} + 6}{(2-3t)^2} = \frac{3t^2 - 4t + 18}{(2-3t)^2}$$

$$\Rightarrow \left.\frac{dg}{dt}\right|_{(0,\,1)} = \frac{3(0)^2 - 4(0) + 18}{[2-3(0)]^2} = \frac{18}{4} = \frac{9}{2}$$

h) -60

i) -8

j) -13

26. a) $\dfrac{df}{dx} = 2kx - 2$

b) $\dfrac{ds}{dt} = \dfrac{k^2+1}{2\sqrt{t}}$

c) $\dfrac{dy}{dx} = \dfrac{-3\sqrt{2k}}{5x^4}$

d) $\frac{dg}{dt} = \frac{d}{dt}\left[\frac{kt+1}{3-(k-1)^3t}\right]$

$$= \frac{\left[3-(k-1)^3t\right]\frac{d}{dt}(kt+1) - (kt+1)\frac{d}{dt}\left[3-(k-1)^3t\right]}{\left[3-(k-1)^3t\right]^2}$$

$$= \frac{\left[3-(k-1)^3t\right](k) - (kt+1)\left[-(k-1)^3\right]}{\left[3-(k-1)^3t\right]^2}$$

$$= \frac{3k - k(k-1)^3t + k(k-1)^3t + (k-1)^3}{\left[3-(k-1)^3t\right]^2}$$

$$= \frac{3k + (k-1)^3}{\left[3-(k-1)^3t\right]^2}$$

e) $\frac{dh}{dx} = \frac{x^2-2}{k^3x^2}$

27. a) $\frac{d}{dx}(u-v) = \frac{du}{dx} - \frac{dv}{dx}$

Preuve

$$\frac{d}{dx}(u-v) = \frac{d}{dx}\left[u+(-1v)\right] = \frac{du}{dx} + \frac{d}{dx}(-1v) = \frac{du}{dx} + (-1)\frac{dv}{dx} = \frac{du}{dx} - \frac{dv}{dx} \quad \blacksquare$$

b) $\frac{d}{dx}(uvw) = uv\frac{dw}{dx} + uw\frac{dv}{dx} + vw\frac{du}{dx}$

Preuve

$$\begin{aligned}\frac{d}{dx}(uvw) &= \frac{d}{dx}\left[u(vw)\right]\\ &= u\frac{d}{dx}(vw) + vw\frac{du}{dx}\\ &= u\left(v\frac{dw}{dx} + w\frac{dv}{dx}\right) + vw\frac{du}{dx}\\ &= uv\frac{dw}{dx} + uw\frac{dv}{dx} + vw\frac{du}{dx} \quad \blacksquare\end{aligned}$$

28. On a une droite tangente horizontale lorsque sa pente est nulle, c'est-à-dire lorsque la dérivée de la fonction vaut zéro.

a) $x = 2/3$

b) $x = -2$ ou $x = 1$.

c) $\frac{df}{dx} = 1 - \frac{1}{x^2}$, de sorte que $\frac{df}{dx} = 0 \Leftrightarrow 1 = \frac{1}{x^2} \Leftrightarrow x^2 = 1 \Leftrightarrow x = 1$ ou $x = -1$.

d) $x = 0$ ou $x = 4$.

e) $\frac{df}{dx} = \frac{9-x^2}{(x^2+9)^2} = \frac{(3-x)(3+x)}{(x^2+9)^2}$, de sorte que $\frac{df}{dx} = 0 \Leftrightarrow x = 3$ ou $x = -3$.

f) $x = -1$ ou $x = 4$.

29. a) $\frac{df}{dx} = \frac{d}{dx}(2x^2 - 5x + 1) = 4x - 5$

La pente de la droite tangente à la courbe décrite par $f(x)$ en $x = 0$ est de $f'(0) = 4(0) - 5 = -5$. Comme $f(0) = 2(0^2) - 5(0) + 1 = 1$, la droite tangente passe par le point $(0, 1)$ et son équation est $y = -5(x-0) + 1$ ou $y = -5x + 1$.

La pente de la droite normale à la courbe décrite par $f(x)$ en $x = 0$ est de $1/5$ puisque la droite tangente et la droite normale sont perpendiculaires. L'équation de la droite normale à la courbe décrite par la fonction $f(x)$ au point $(0, 1)$ est $y = 1/5(x - 0) + 1$ ou $y = 1/5x + 1$.

b) L'équation de la droite tangente à la courbe décrite par la fonction $f(x)$ au point $(1, -2)$ est $y = -3x + 1$, et celle de la droite normale est $y = 1/3x - 7/3$.

c) L'équation de la droite tangente à la courbe décrite par la fonction $f(x)$ au point $(-1, -1)$ est $y = 3x + 2$, et celle de la droite normale est $y = -1/3x - 4/3$.

d) L'équation de la droite tangente à la courbe décrite par la fonction $f(x)$ au point $(4, 1/2)$ est $y = -1/16x + 3/4$, et celle de la droite normale est $y = 16x - 127/2$.

e) L'équation de la droite tangente à la courbe décrite par la fonction $f(x)$ au point $(-2, -1)$ est $y = -2x - 5$, et celle de la droite normale est $y = 1/2x$.

f) L'équation de la droite tangente à la courbe décrite par la fonction $f(x)$ au point $(0, -1)$ est $y = -3x - 1$, et celle de la droite normale est $y = 1/3x - 1$.

g) L'équation de la droite tangente à la courbe décrite par la fonction $f(x)$ au point $(1, 0)$ est $y = -1/5x + 1/5$ et celle de la droite normale est $y = 5x - 5$.

30. On a $\frac{df}{dx} = -\frac{1}{x^2}$, de sorte que $\frac{df}{dx} = -\frac{1}{4} \Leftrightarrow -\frac{1}{x^2} = -\frac{1}{4} \Leftrightarrow x = -2$ ou $x = 2$.

Les points de tangence sont donc $(-2, -1/2)$ et $(2, 1/2)$. Les équations des droites dont la pente est $-1/4$ et qui sont tangentes à la courbe décrite par la fonction $f(x) = \frac{1}{x}$ sont $y = -1/4x - 1$ et $y = -1/4x + 1$.

31. On a $\frac{df}{dx} = -\frac{2}{x^3}$. Deux droites non verticales sont parallèles si elles ont la même pente. On cherche donc la valeur de x pour laquelle $\frac{df}{dx} = \frac{1}{4}$. Or,

$$\frac{df}{dx} = \frac{1}{4} \Leftrightarrow -\frac{2}{x^3} = \frac{1}{4} \Leftrightarrow x^3 = -8 \Leftrightarrow x = -2$$

Par conséquent, la fonction $f(x) = \frac{1}{x^2}$ admet une droite tangente parallèle à la droite $y = 1/4x - 1$ au point $(-2, 1/4)$.

32. On a $\frac{df}{dx} = 3x^2 - 3$. Deux droites non verticales sont perpendiculaires si le produit de leurs pentes est égal à -1. On cherche donc les deux valeurs de x pour lesquelles $\frac{df}{dx} = -\frac{5}{3}$. Or, $\frac{df}{dx} = -\frac{5}{3} \Leftrightarrow 3x^2 - 3 = -\frac{5}{3} \Leftrightarrow x^2 = \frac{4}{9} \Leftrightarrow x = \pm\frac{2}{3}$.
Par conséquent, la fonction $f(x) = x^3 - 3x$ admet une droite tangente perpendiculaire à la droite $y = 3/5x + 8/5$ aux points $(-2/3, 46/27)$ et $(2/3, -46/27)$.

33. On a $\frac{df}{dx} = \frac{x^2 - 2x}{(x-1)^2}$. Or, $\frac{df}{dx} \neq 1$ puisque

$$\frac{df}{dx} = 1 \Rightarrow \frac{x^2 - 2x}{(x-1)^2} = 1 \Rightarrow x^2 - 2x = (x-1)^2$$
$$\Rightarrow x^2 - 2x = x^2 - 2x + 1 \Rightarrow 0 = 1$$

ce qui serait une contradiction. Par conséquent, aucune droite de pente 1 n'est tangente à la courbe décrite par la fonction $f(x) = \frac{x^2}{x-1}$.

34. La pente de la droite tangente est donnée par la dérivée: $\frac{df}{dx} = \frac{d}{dx}(8x - x^2) = 8 - 2x$. Si le point de tangence est $(a, f(a))$, alors la pente de la droite tangente est $m = 8 - 2a$.

Comme la droite tangente passe par les points $(4, 20)$ et $(a, f(a))$, on a

$$m = \frac{f(a) - 20}{a - 4} \Rightarrow 8 - 2a = \frac{8a - a^2 - 20}{a - 4}$$
$$\Rightarrow (8 - 2a)(a - 4) = -a^2 + 8a - 20$$
$$\Rightarrow 8a - 32 - 2a^2 + 8a = -a^2 + 8a - 20$$
$$\Rightarrow 0 = a^2 - 8a + 12$$
$$\Rightarrow 0 = (a - 2)(a - 6)$$
$$\Rightarrow a = 2 \text{ ou } a = 6$$

Par conséquent, la pente de la tangente au point $(2, f(2))$, soit au point $(2, 12)$, est $8 - 2(a) = 8 - 2(2) = 4$. L'équation de la droite tangente à la courbe décrite par la fonction $f(x) = 8x - x^2$ au point $(2, 12)$ est $y = 4(x - 2) + 12$, soit $y = 4x + 4$. De manière similaire, on obtient que l'équation de la droite tangente à la courbe décrite par la fonction $f(x) = 8x - x^2$ au point $(6, 12)$ est $y = -4(x - 6) + 12$, soit $y = -4x + 36$. Les deux droites cherchées sont donc $y = 4x + 4$ et $y = -4x + 36$.

35. $V(r) = \frac{4\pi r^3}{3}$ unités^3 $\Rightarrow \frac{dV}{dr} = \frac{d}{dr}\left(\frac{4\pi}{3}r^3\right) = \frac{4\pi}{\cancel{3}}(\cancel{3}r^2) = 4\pi r^2$ unités^3/unité

36. a) 50 m

b) L'objet atteint une hauteur de 60 m lorsque $h(t) = 50 + 15t - 4{,}9t^2 = 60$, c'est-à-dire à $t = \frac{15 - \sqrt{29}}{9{,}8}$ s lors de sa montée, et à $t = \frac{15 + \sqrt{29}}{9{,}8}$ s lors de sa descente. De plus, $v(t) = \frac{dh}{dt} = 15 - 9{,}8t$, de sorte que la vitesse de l'objet à $t = \frac{15 - \sqrt{29}}{9{,}8}$ s est d'environ 5,39 m/s.

c) La hauteur maximale d'environ 61,48 m est atteinte après environ 1,53 s.

d) Il faut environ 5,07 s avant que l'objet ne touche le sol à la vitesse d'environ −34,7 m/s.

37. a) $C'(t) = \frac{dC}{dt} = -\frac{49\,950}{(50t + 2)^2}$ ppm/jour

b) $C'(2) = -\frac{49\,950}{(102)^2} \approx -4{,}8$ ppm/jour

c) Deux jours après l'exposition, la concentration du contaminant dans le corps de l'individu diminue à raison d'environ 4,8 ppm/jour.

38. a) 3 centaines de milliers de dollars ou 300 000 $

b) 72 %

c) $C'(p) = \frac{dC}{dp} = \frac{360}{(120 - p)^2}$ centaines de milliers de dollars/point de pourcentage

Notons que la variation d'un pourcentage s'exprime en points de pourcentage. Par exemple, une variation d'un pourcentage de 1 % à 3 % constitue une augmentation de 2 points de pourcentage (et non de 2 %).

d) $C'(60) = 0{,}1$ centaine de milliers de dollars/point de pourcentage

e) Lorsque 60 % des polluants ont été retirés du site, le coût de décontamination augmente à raison de 10 000 $ par point de pourcentage.

f) $C'(40) = 0{,}056\,25$ centaine de milliers de dollars/point de pourcentage

Comme $C'(60) > C'(40)$, les coûts de décontamination augmentent plus rapidement lorsque $p = 60$ % que lorsque $p = 40$ %.

39. a) 0 mg/L

b) À long terme, la concentration de l'antibiotique dans le sang est nulle.

c) $C'(t) = \frac{dC}{dt} = \frac{-4t^4 - 8t^3 + 100t + 50}{(4t^3 + 50)^2}$ (mg/L)/h

d) $C'(10) \approx -0{,}003$ (mg/L)/h

e) Dix heures après l'injection, la concentration de l'antibiotique dans le sang diminue à raison d'environ 0,003 mg/L par heure.

40. a) 1,5 million d'individus

b) 12,5 millions d'individus

c) À long terme, la taille de cette population de poissons sera de 12,5 millions d'individus.

d) $P'(t) = \dfrac{dP}{dt} = \dfrac{17{,}6t}{(0{,}4t^2 + 2)^2}$ millions d'individus/année

e) $P'(10) \approx 0{,}0998$ million d'individus/année

f) En 2030, la taille de cette population de poissons augmentera à raison d'environ 0,0998 million d'individus par année, soit d'environ 99 800 individus par année.

g) 0 million d'individus/année

h) À long terme, le taux de croissance de cette population de poissons sera nul.

41. a) 40 mm^2

b) 6 mm^2

c) $S(x) = -\dfrac{544x^3}{(1 + 4x^4)^2}$ mm^2/unité lumineuse

d) $S(4) = -\dfrac{544(4)^3}{\left[1 + 4(4)^4\right]^2} \approx -0{,}033$ mm^2/unité lumineuse

42. La pente du tracé de la bretelle au point $(-1, 0)$ doit être la même que celle de l'autoroute, à savoir -1. L'équation du tracé de la bretelle est $f(x) = ax^2 + bx + c$, de sorte que $f'(x) = 2ax + b$ et que

$$f'(-1) = -1 \Rightarrow 2a(-1) + b = -1 \Rightarrow -2a = -1 - b \Rightarrow a = \tfrac{1}{2}(1 + b) \text{ ①}$$

De plus, $f(-1) = 0 \Rightarrow a(-1)^2 + b(-1) + c = 0 \Rightarrow a - b + c = 0$. Alors,

$$b = a + c \text{ ②}$$

De même, on doit avoir

$$f(1) = 0 \Rightarrow a(1)^2 + b(1) + c = 0 \Rightarrow a + b + c = 0 \text{ ③}$$

Si, dans cette dernière équation, on remplace $a + c$ par b (voir équation ②), on obtient

$$a + b + c = 0 \Rightarrow \underbrace{a + c}_{b} + b = 0 \Rightarrow 2b = 0 \Rightarrow \boxed{b = 0}$$

Remplaçons b par 0 dans l'équation ①. On obtient

$$a = \tfrac{1}{2}(b + 1) \Rightarrow a = \tfrac{1}{2}(0 + 1) \Rightarrow \boxed{a = \tfrac{1}{2}}$$

Enfin, remplaçons a par $\tfrac{1}{2}$ et b par 0 dans l'équation ②. On obtient

$$a + c = b \Rightarrow \tfrac{1}{2} + c = 0 \Rightarrow \boxed{c = -\tfrac{1}{2}}$$

Par conséquent, l'équation de la bretelle est $f(x) = \tfrac{1}{2}x^2 - \tfrac{1}{2}$.

43. Représentons graphiquement la position de l'araignée (immobile) et la position initiale de la mouche.

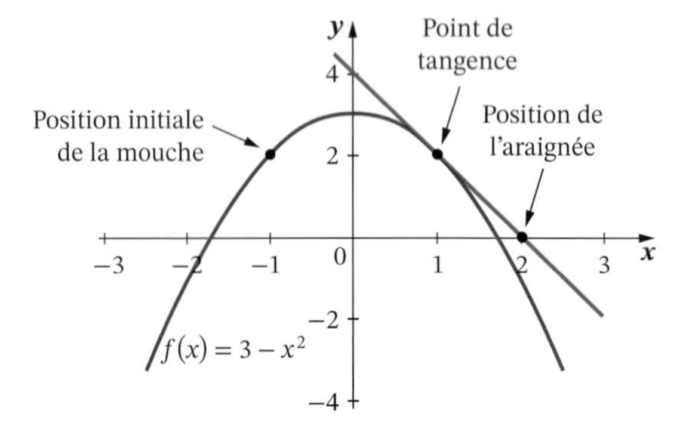

L'araignée va voir apparaître la mouche au point de tangence de la droite tangente à la parabole qui passe par le point $(2, 0)$.

La pente de la droite tangente est donnée par la dérivée : $\dfrac{df}{dx} = \dfrac{d}{dx}(3 - x^2) = -2x$.

Par conséquent, si le point de tangence est $(a, f(a))$, la pente sera de $m = -2a$.

Comme la droite tangente passe par les points $(2, 0)$ et $(a, f(a))$, on obtient

$$m = -2a \Rightarrow \frac{f(a) - 0}{a - 2} = -2a \Rightarrow \frac{3 - a^2}{a - 2} = -2a \Rightarrow 3 - a^2 = -2a(a - 2)$$

$$\Rightarrow 3 - a^2 = -2a^2 + 4a \Rightarrow a^2 - 4a + 3 = 0$$

$$\Rightarrow (a - 1)(a - 3) = 0 \Rightarrow a = 1 \text{ ou } a = 3$$

On ne retient que la valeur $a = 1$ puisqu'il s'agit de la première fois où les insectes se voient. La mouche sera alors au point $(1, 2)$, et la distance séparant les deux insectes sera de $\sqrt{(2-1)^2 + (0-2)^2} = \sqrt{5}$ unités.

44.

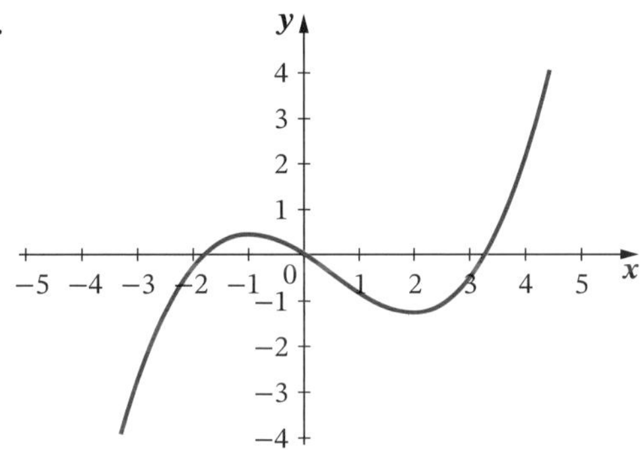

45.

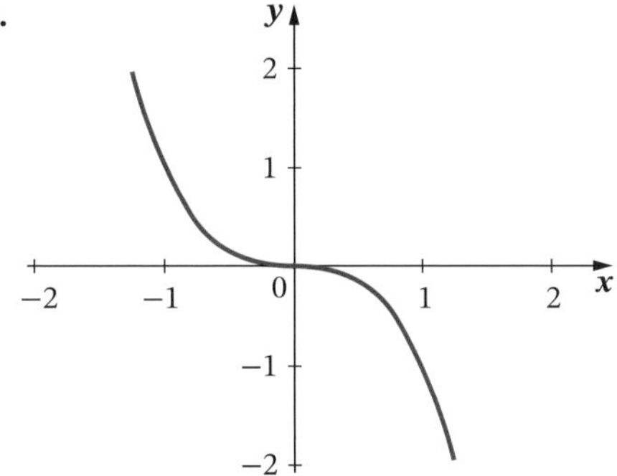

46. La pente de la droite tangente à la courbe décrite par la fonction $f(x)$ est nulle en $x = -3$, $x = -1$, $x = 1$ et $x = 3$, de sorte que la courbe décrite par la dérivée $f'(x)$ de $f(x)$ doit couper l'axe des abscisses en ces valeurs. Par conséquent, les graphiques *c* et *d* ne peuvent pas être ceux de $f'(x)$.

Par ailleurs, la pente de la droite tangente à la courbe décrite par $f(x)$ est positive lorsque $x < -3$, de sorte que la courbe décrite par $f'(x)$ doit être au-dessus de l'axe des abscisses lorsque $x < -3$. Il s'ensuit que le graphique *b* ne peut pas être celui de $f'(x)$.

Par conséquent, c'est le graphique *a* qui correspond à $f'(x)$. Pour confirmer votre réponse, vous devriez vérifier que le signe de la fonction $f'(x)$ correspond effectivement au signe de la pente de la droite tangente à la courbe décrite par $f(x)$.

47. a) $Q'(5) = 22{,}5$ g/min

b) $t = 20$ min

c) Si $t > 20$, alors $1{,}5t > 30$, de sorte que $Q'(t) = 30 - 1{,}5t < 0$.

d) On suppose évidemment que l'individu absorbe des aliments plutôt que de les régurgiter, de sorte qu'il faut que la quantité augmente avec le temps.

Or, si $t > 20$, on a $Q'(t) < 0$, de sorte que la quantité de nourriture ingérée diminue. Le modèle proposé par les chercheurs n'est donc pas approprié pour décrire l'alimentation chez l'être humain lorsque $t > 20$.

48. a) 20 °C

b) Environ 2 heures et demie.

c) 3,5 °C

d) $R'(t) = \dfrac{dR}{dt} = \dfrac{-99t^2}{(2t^3+1)^2}$ °C/h

e) Si $t > 0$, le numérateur de $R'(t)$ est négatif et le dénominateur est positif. Alors $R'(t) < 0$, de sorte que la fonction $R(t)$ est décroissante.

f) $R'(1) = -11$ °C/h

g) Une heure après que l'aliment a été mis au réfrigérateur, sa température diminue à raison de 11 °C par heure.

h) $\lim\limits_{t\to\infty} R'(t) = 0$ °C/h

i) À long terme, le taux de variation de la température de l'aliment devient nul, de sorte que sa température ne change plus : elle correspond alors à la température du réfrigérateur.

49. a) $F = \dfrac{GM_1M_2}{r^2}$

b) N/m

c) $\dfrac{dF}{dr} = \dfrac{-2GM_1M_2}{r^3}$ N/m

d) Comme $G > 0$, $M_1 > 0$, $M_2 > 0$ et $r > 0$, alors $\dfrac{dF}{dr} = \dfrac{-2GM_1M_2}{r^3} < 0$. La force F est donc décroissante : plus les masses sont éloignées l'une de l'autre, plus la force qui s'exerce entre elles est faible.

50. a) On a $f(x) = x^4 - 25x^2 = x^2(x^2 - 25) = x^2(x-5)(x+5)$. Les valeurs de x qui annulent les facteurs de $f(x)$ sont $x = 0$, $x = 5$ et $x = -5$. Construisons le tableau des signes en plaçant ces valeurs en ordre croissant et en prévoyant une colonne pour chaque sous-intervalle qu'elles délimitent.

	$]-\infty, -5[$		$]-5, 0[$		$]0, 5[$		$]5, \infty[$
x		-5		0		5	
$f(x)$	$+$	0	$-$	0	$-$	0	$+$

La fonction $f(x)$ est donc positive si $x \in\,]-\infty, -5[$ ou si $x \in\,]5, \infty[$. Elle est négative si $x \in\,]-5, 0[$ ou si $x \in\,]0, 5[$. Elle est nulle en $x = -5$, en $x = 0$ et en $x = 5$.

b) $f(x) = 6x^3 - 4x^2 - 2x = 2x(3x^2 - 2x - 1) = 6x(x + 1/3)(x - 1)$. Les valeurs de x qui annulent les facteurs de $f(x)$ sont $x = 0$, $x = -1/3$ et $x = 1$.

La fonction $f(x)$ est positive si $x \in\,]-1/3, 0[$ ou si $x \in\,]1, \infty[$. Elle est négative si $x \in\,]-\infty, -1/3[$ ou si $x \in\,]0, 1[$. Elle est nulle en $x = -1/3$, en $x = 0$ et en $x = 1$.

c) $f(x) = \dfrac{-8x^2 - 14x + 4}{x^2 - 16} = \dfrac{-8(x - 1/4)(x+2)}{(x-4)(x+4)}$. Les valeurs de x qui annulent les facteurs du numérateur et du dénominateur de $f(x)$ sont $x = 1/4$, $x = -2$, $x = 4$ et $x = -4$.

La fonction $f(x)$ est positive si $x \in\,]-4, -2[$ ou si $x \in\,]1/4, 4[$. Elle est négative si $x \in\,]-\infty, -4[$, si $x \in\,]-2, 1/4[$ ou si $x \in\,]4, \infty[$. Elle est nulle en $x = -2$ et en $x = 1/4$. Elle n'est pas définie en $x = -4$ et en $x = 4$.

d) $f(x) = \dfrac{4x^2 + 2x - 20}{5x^2 + 2x - 3} = \dfrac{4(x + 5/2)(x-2)}{5(x+1)(x - 3/5)}$. Les valeurs de x qui annulent les facteurs du numérateur et du dénominateur de $f(x)$ sont $x = -5/2$, $x = 2$, $x = -1$ et $x = 3/5$.

La fonction $f(x)$ est donc positive si $x \in\,]-\infty, -5/2[$, si $x \in\,]-1, 3/5[$ ou si $x \in\,]2, \infty[$. Elle est négative si $x \in\,]-5/2, -1[$ ou si $x \in\,]3/5, 2[$. Elle est nulle en $x = -5/2$ et en $x = 2$. Elle n'est pas définie en $x = -1$ et en $x = 3/5$.

51. a) 4 000 bactéries

b) 4 320 bactéries

c) $N'(t) = \dfrac{dN}{dt} = \dfrac{8\,000(100 - t^2)}{(100 + t^2)^2}$ bactéries/h

d) $N'(t) = 0 \Leftrightarrow \dfrac{8\,000(10 - t)(10 + t)}{(100 + t^2)^2} = 0 \Leftrightarrow \underbrace{t = -10}_{\substack{\text{à rejeter, car} \\ t \geq 0}}$ ou $t = 10$

Construisons le tableau des signes de $N'(t)$ sur l'intervalle $[0, \infty[$.

	$[0, 10[$		$]10, \infty[$
t		**10**	
$N'(t)$	+	0	−

Si 0 h $\leq t <$ 10 h, on a $N'(t) > 0$ de sorte que la taille de la colonie de bactéries augmente.

En revanche, si $t >$ 10 h, on a $N'(t) < 0$ de sorte que la taille de la colonie de bactéries diminue.

Par conséquent, $t = 10$ h est le moment où la taille de la colonie de bactéries cesse d'augmenter pour ensuite diminuer. La colonie de bactéries atteint donc sa taille maximale après 10 h.

e) 4 400 bactéries

52. a) 7 500 $

b) 11 460 $

c) $V'(t) = \dfrac{dV}{dt} = (t^2 - 8t - 48)$ $/jour

d) $V'(t) = 0 \Leftrightarrow t^2 - 8t - 48 = 0 \Leftrightarrow \underbrace{t = -4}_{\substack{\text{à rejeter, car} \\ t \in [0,\ 30]}}$ ou $t = 12$

Construisons le tableau des signes de $V'(t)$ sur l'intervalle $[0, 30]$.

	$[0, 12[$		$]12, 30]$
t		**12**	
$V'(t)$	−	0	+

Si 0 jour $\leq t <$ 12 jours, on a $V'(t) < 0$ de sorte que la valeur du portefeuille d'actions diminue.

En revanche, si 12 jours $< t \leq$ 30 jours, on a $V'(t) > 0$ de sorte que la valeur du portefeuille d'actions augmente.

Par conséquent, $t = 12$ jours est le moment où la valeur du portefeuille d'actions cesse de diminuer pour ensuite augmenter. Au cours du mois d'avril dernier, le portefeuille d'actions a donc atteint sa valeur minimale au 12e jour, soit le 12 avril.

e) 6 924 $

53. a) 49 m

b) $s(t) = 0$ lorsque $-4{,}9t^2 + 14{,}7t + 49 = 0$, c'est-à-dire lorsque $t = 5$ s (puisque $t \geq 0$).

c) $v(t) = (-9{,}8t + 14{,}7)$ m/s

d) 1,5 s

e) Construisons un tableau des signes de $v(t) = -9{,}8t + 14{,}7$ sur l'intervalle $[0, 5]$.

	$[0; 1{,}5[$		$]1{,}5; 5]$
t		**1,5**	
$v(t)$	+	0	−

La balle se dirige vers le haut lorsque $v(t) > 0$, soit sur l'intervalle $[0; 1{,}5[$.

f) La balle se dirige vers le bas lorsque $v(t) < 0$, et ce, jusqu'à ce qu'elle touche le sol, soit sur l'intervalle $]1,5; 5]$.

g) $s(1,5) = 60,025$ m

h) La balle parcourt une distance de 11,025 m lors de sa montée, et une distance de 60,025 m lors de sa descente. Par conséquent, elle a franchi une distance totale de 71,05 m.

54. a) Puisque $s_1(t)$ et $s_2(t)$ sont croissantes, la distance parcourue par le mobile m_1 au temps t est donnée par $s_1(t) - s_1(0) = s_1(t) - 0 = s_1(t)$ et celle parcourue par le mobile m_2 est donnée par $s_2(t) - s_2(0) = s_2(t) - 0 = s_2(t)$.

Les 2 mobiles auront donc parcouru la même distance lorsque $s_1(t) = s_2(t)$, soit lorsque $t = 0$ min (où les 2 mobiles ont parcouru 0 m) et lorsque $t = 4$ min (où les 2 mobiles ont parcouru environ 16 m).

b) Environ 4 m.

c) Au cours des 3 premières minutes, m_1 a parcouru la plus grande distance.

d) La vitesse est le taux de variation instantané de la position, soit $v = \dfrac{ds}{dt}$.

Géométriquement, la dérivée correspond à la pente de la droite tangente à la courbe décrite par la fonction. Par conséquent, les 2 mobiles se déplacent à la même vitesse lorsque les pentes des droites tangentes aux courbes décrites par les fonctions $s_1(t)$ et $s_2(t)$ sont identiques, soit lorsque les droites tangentes à ces courbes sont parallèles.

e) Les 2 mobiles se déplacent à la même vitesse 2 min après leur mise en mouvement.

f) Après 4 min, m_2 se déplace plus rapidement que m_1.

55. a) $v(t) = (t^3 - 11t^2 + 24t)$ m/s

b) L'objet est au repos lorsque $t = 0$ s, $t = 3$ s et $t = 8$ s.

c) L'objet se déplace vers la droite lorsque $t \in]0, 3[$ et lorsque $t \in]8, \infty[$.

d) L'objet se déplace vers la gauche lorsque $t \in]3, 8[$.

e) Il faut additionner la distance parcourue lors du déplacement vers la droite, soit dans les 3 premières secondes, à la distance parcourue lors du déplacement vers la gauche, soit dans les 2 secondes qui suivent. Calculons la position de l'objet en $t = 0$ s, $t = 3$ s et $t = 5$ s:

$$s(0) = \tfrac{1}{4}(0)^4 - \tfrac{11}{3}(0)^3 + 12(0)^2 + 4 = 4 \text{ m}$$
$$s(3) = \tfrac{1}{4}(3)^4 - \tfrac{11}{3}(3)^3 + 12(3)^2 + 4 = \tfrac{133}{4} \text{ m}$$
$$s(5) = \tfrac{1}{4}(5)^4 - \tfrac{11}{3}(5)^3 + 12(5)^2 + 4 = \tfrac{23}{12} \text{ m}$$

La distance totale D parcourue durant les 5 premières secondes est

$$\begin{aligned} D &= \underbrace{[s(3) - s(0)]}_{\substack{\text{distance parcourue} \\ \text{sur } [0,\,3]}} + \underbrace{[s(3) - s(5)]}_{\substack{\text{distance parcourue} \\ \text{sur } [3,\,5]}} \\ &= \left(\tfrac{133}{4} - 4\right) + \left(\tfrac{133}{4} - \tfrac{23}{12}\right) \\ &= \tfrac{727}{12} \text{ m} = 60,58\overline{3} \text{ m} \end{aligned}$$

56. a) $\dfrac{d^3 f}{dx^3} = 24x - 6$

b) $\dfrac{dg}{dt} = -\tfrac{1}{2}t^{-3/2} = -\dfrac{1}{2t^{3/2}} = -\dfrac{1}{2\sqrt{t^3}}$

$\dfrac{d^2 g}{dt^2} = \tfrac{3}{4}t^{-5/2} = \dfrac{3}{4t^{5/2}} = \dfrac{3}{4\sqrt{t^5}}$

$\dfrac{d^3 g}{dt^3} = -\tfrac{15}{8}t^{-7/2} = -\dfrac{15}{8t^{7/2}} = -\dfrac{15}{8\sqrt{t^7}}$

c) $\dfrac{d^3 y}{dx^3} = -24x^{-5} = -\dfrac{24}{x^5}$

57. a) La courbe B n'admet qu'une seule tangente horizontale, de pente nulle, de sorte qu'elle ne peut pas décrire graphiquement la fonction $f(x)$ puisque sa dérivée $f'(x)$ ne traverserait l'axe des abscisses qu'à un seul endroit, alors que les courbes A et C le traversent à plus d'un endroit.

De même, la courbe C ne peut pas décrire graphiquement la fonction $f(x)$. Si elle le faisait, la courbe représentant la dérivée de la fonction devrait traverser l'axe des abscisses en deux endroits puisque la courbe C admet deux tangentes horizontales, de pente nulle, ce qui nous conduirait au résultat selon lequel la courbe B décrirait graphiquement $f'(x)$, et la courbe A la fonction $f''(x)$. Or, ce résultat est impossible puisque la courbe B, censée représenter $f'(x)$, ne présente qu'une seule tangente horizontale, de sorte que sa dérivée $f''(x)$ ne traverserait l'axe des abscisses qu'à un seul endroit et la courbe A le traverse en plus d'un endroit.

Par conséquent, la courbe A décrit graphiquement $f(x)$, la courbe C décrit graphiquement $f'(x)$ et la courbe B décrit graphiquement $f''(x)$.

b) La courbe C décrit graphiquement la fonction $f(x)$, la courbe B décrit graphiquement la fonction $f'(x)$ et la courbe A décrit graphiquement la fonction $f''(x)$.

58. Soit u et v des fonctions de x qui admettent des dérivées d'ordre 1 et d'ordre 2. On veut montrer que $(uv)'' = uv'' + 2u'v' + u''v$.

Preuve

On a $(uv)' = uv' + vu'$. Alors,

$$\begin{aligned}(uv)'' &= \left[(uv)'\right]' \\ &= (uv' + vu')' \\ &= (uv')' + (vu')' \\ &= uv'' + v'u' + vu'' + u'v' \\ &= uv'' + 2u'v' + u''v\end{aligned}$$

▣

59. a) $v(0) = 0$ m/s

b) $v(1) = 0{,}1$ m/s

c) $v(4) = 0{,}2$ m/s

d) $\dfrac{\Delta v}{\Delta t} = 0{,}0\overline{3}$ m/s^2

e) m/s^2

f) $\dfrac{dv}{dt}$ ou $v'(t)$.

g) $\dfrac{dv}{dt} = \dfrac{0{,}05}{\sqrt{t}}$ m/s^2

h) Il s'agit de l'accélération de l'objet.

i) $v'(4) = 0{,}025$ m/s^2

60. a) Comme le temps t est une variable positive, on a

$$v(t) = \frac{ds}{dt} = \frac{d}{dt}(4t + \tfrac{1}{2}t^2) = 4 + t > 0$$

La vitesse étant positive, l'objet se déplace toujours vers la droite. De plus, $s(0) = 4(0) + \tfrac{1}{2}(0)^2 = 0$, de sorte que sa position correspond à la distance parcourue depuis son point de départ.

Par conséquent, sa position après 2 s est de $s(2) = 4(2) + \tfrac{1}{2}(2)^2 = 10$: le véhicule a franchi 10 m et il se situe donc à 80 m du mur (soit 90 − 10).

b) $v(2) = 6$ m/s $= 21{,}6$ km/h

c) $v(t) = 30$ km/h $= 8{,}\overline{3}$ m/s lorsque $t = 4{,}\overline{3}$ s. À ce moment, la voiture est située à $s(4{,}\overline{3}) = 26{,}7\overline{2}$ m de son point de départ, de sorte qu'elle se trouve à $63{,}2\overline{7}$ m du mur.

d) $t = 10$ s

e) $v(10) = 14$ m/s $= 50{,}4$ km/h

f) $a(t) = \dfrac{dv}{dt} = 1$ m/s$^2 \Rightarrow a(10) = 1$ m/s^2

61. La vitesse moyenne $\overline{v}$ sur l'intervalle $[t_0 - h, t_0 + h]$ est donnée par l'expression:

$$\begin{aligned}
\overline{v} &= \frac{s(t_0+h)-s(t_0-h)}{(t_0+h)-(t_0-h)} \\
&= \frac{½a(t_0+h)^2+b-\left[½a(t_0-h)^2+b\right]}{\cancel{t_0}+h-\cancel{t_0}+h} \\
&= \frac{½a(t_0^2+2t_0h+h^2)+\cancel{b}-½a(t_0^2-2t_0h+h^2)-\cancel{b}}{2h} \\
&= \frac{\cancel{½at_0^2}+at_0h+\cancel{½ah^2}-\cancel{½at_0^2}+at_0h-\cancel{½ah^2}}{2h} \\
&= \frac{\cancel{2}at_0\cancel{h}}{\cancel{2h}} \\
&= at_0
\end{aligned}$$

La vitesse instantanée correspond à la dérivée:

$$v(t) = \frac{ds}{dt} = \frac{d}{dt}(½at^2 + b) = at$$

de sorte que $v(t_0) = at_0$. Par conséquent, la vitesse moyenne de l'objet sur l'intervalle $[t_0 - h, t_0 + h]$ correspond à la vitesse instantanée en $t = t_0$.

62. a) Le concept de dérivée.

b) $S = \dfrac{dR}{dq}$ ou $S = R'(q)$.

c) $S = \dfrac{dR}{dq} = \dfrac{d}{dq}[q^2(a - bq)] = \dfrac{d}{dq}(aq^2 - bq^3) = 2aq - 3bq^2 = q(2a - 3bq)$

d) Ordre 2: $\dfrac{dS}{dq} = \dfrac{d^2R}{dq^2}$

e) $\dfrac{dS}{dq} = \dfrac{d}{dq}\left(\dfrac{dR}{dq}\right) = \dfrac{d}{dq}(2aq - 3bq^2) = 2a - 6bq = 2(a - 3bq)$

63. a) $V(10) = 40\ \text{cm}^3$

b) $\left.\dfrac{dV}{dt}\right|_{t=10} = V'(10) = 1\ \text{cm}^3/\text{min}$

c) $\left.\dfrac{d^2V}{dt^2}\right|_{t=30} = V''(30) = -0{,}1\ \text{cm}^3/\text{min}^2$

d) $\dfrac{dV}{dt} = V'(t) > 0\ \text{cm}^3/\text{min}$ si $0\ \text{min} \leq t < 60\ \text{min}$, $\left.\dfrac{dV}{dt}\right|_{t=60} = V'(60) = 0\ \text{cm}^3/\text{min}$

et $\dfrac{dV}{dt} = V'(t) < 0\ \text{cm}^3/\text{min}$ si $t > 60$ min.

64. a) Le taux (ou rythme) de croissance d'une fonction correspond à sa dérivée, de sorte que $P_A(t_0) = 2P_B(t_0)$ et $P_A'(t_0) = ⅓P_B'(t_0)$.

b) $P_A(t_0) = P_B(t_0)$ et $P_A'(t_0) > P_B'(t_0)$.

c) $P_A'(t) = kP_A(t)$, où k est une constante de proportionnalité positive.

d) Quand une fonction est croissante, sa dérivée est positive, de sorte que la dérivée du rythme de croissance doit être positive, c'est-à-dire $\dfrac{d}{dt}[P_A'(t)] > 0 \Rightarrow P_A''(t) > 0$.

65. a) Comme le mobile se déplace vers la droite, sa vitesse est positive: $v = \dfrac{ds}{dt} > 0$. Comme le mobile se déplace de plus en plus vite, sa vitesse augmente, de sorte que la dérivée de la vitesse doit être positive: $\dfrac{dv}{dt} = \dfrac{d^2s}{dt^2} > 0$.

b) $\dfrac{ds}{dt} > 0$ et $\dfrac{dv}{dt} = \dfrac{d^2s}{dt^2} < 0$.

c) $v = \dfrac{ds}{dt} = k > 0$, où k est une constante, et $\dfrac{dv}{dt} = \dfrac{d^2s}{dt^2} = 0$.

d) Rappelons que, lorsque le mobile ne se déplace pas, sa vitesse est nulle. La situation est la suivante : le mobile se déplace vers la droite, s'immobilise en $t = t_0$, puis repart vers la gauche ; par conséquent, sa vitesse est positive, puis nulle et enfin négative. La vitesse est donc décroissante en $t = t_0$, et la dérivée de la vitesse est donc négative en $t = t_0$. Par conséquent, $v = \left.\dfrac{ds}{dt}\right|_{t=t_0} = 0$ et $\left.\dfrac{dv}{dt}\right|_{t=t_0} = \left.\dfrac{d^2s}{dt^2}\right|_{t=t_0} < 0$.

66. a) Il s'agit de la dérivée, soit $P'(t)$ ou $\dfrac{dP}{dt}$.

b) Comme la fonction est croissante (la population augmente), la dérivée de la fonction est positive. Par conséquent, la réponse est B.

c) $P''(t) < 0$ ou $\dfrac{d^2P}{dt^2} < 0$.

d) Comme la population augmente avec le temps, la fonction $P(t)$ est croissante. Les graphiques B, C, D et F ne peuvent donc pas représenter la fonction $P(t)$. Comme le taux de croissance est décroissant, $P(t)$ croît à un rythme de plus en plus lent. Il faut donc rejeter le graphique A puisqu'il décrit une fonction qui croît à un rythme de plus en plus rapide à partir de $t = c$. Le graphique E décrit donc le mieux la fonction $P(t)$.

67. $y' = 6x^2 - 12x + 4$, $y'' = 12x - 12$ et $y''' = 12$, de sorte que

$$\begin{aligned} y''' + y'' + y' &= \cancel{12} + (\cancel{12x} - \cancel{12}) + (6x^2 - \cancel{12x} + 4) \\ &= 6x^2 + 4 \end{aligned}$$

68. $A = -2$, $B = -3$ et $C = 4$.

69. a) $\dfrac{df}{dx} = 5(x^4 - 3x^3 + 2x - 5)^4(4x^3 - 9x^2 + 2)$

b) $\dfrac{dg}{dt} = -\dfrac{2}{3(3-2t)^{2/3}} = -\dfrac{2}{3\sqrt[3]{(3-2t)^2}}$

c) $\dfrac{dh}{dt} = \dfrac{2(t-3)}{4(t^2-6t)^{3/4}} = \dfrac{t-3}{2[t(t-6)]^{3/4}} = \dfrac{t-3}{2\sqrt[4]{[t(t-6)]^3}}$

d) $\dfrac{dy}{dt} = -\dfrac{12(t+2)}{(t^2+4t+2)^{5/2}} = -\dfrac{12(t+2)}{\sqrt{(t^2+4t+2)^5}}$

e) $\dfrac{dh}{dx} = -\dfrac{85(3-2x)^4}{(3x+4)^6}$

f) $\dfrac{dy}{dx} = -\dfrac{126x(2x^2+3)^6}{(x^2-3)^8}$

g) $\dfrac{dh}{dt} = \dfrac{24t^2(t^3-1)^3}{(t^3+1)^5}$

h) $\dfrac{dy}{dx} = -2(3-2x)(2x^3-5)^2(22x^3 - 27x^2 - 10)$

i) $\dfrac{df}{dt} = 4(2t^2+3)^3(4t-5)^2(22t^2 - 20t + 9)$

j) $\dfrac{dg}{dx} = (x^2-2)(x^4-3x)^2(16x^5 - 24x^3 - 21x^2 + 18)$

$= (x^2-2)x^2(x^3-3)^2(16x^5 - 24x^3 - 21x^2 + 18)$

70. a) $\dfrac{ds}{dx}=\dfrac{10x^4}{3(x^5+1)^{4/3}}+\dfrac{2(x+1)}{5(x^2+2x)^{4/5}}=\dfrac{10x^4}{3\sqrt[3]{(x^5+1)^4}}+\dfrac{2(x+1)}{5\sqrt[5]{[x(x+2)]^4}}$

b) $\dfrac{df}{dt}=\left(3t-\dfrac{1}{t^{2/3}}\right)^2\left(9+\dfrac{2}{t^{5/3}}\right)=\dfrac{\left(3\sqrt[3]{t^5}-1\right)^2\left(9\sqrt[3]{t^5}+2\right)}{t^3}$

c) $\dfrac{ds}{dt}=\dfrac{243t^8(6t-1)}{(9t-1)^4}$

d) $\dfrac{dg}{dx}=\dfrac{14(x^2-6x+2)^6(3x^2-5x+9)}{(x^2-3)^8}$

e) $\dfrac{df}{dt}=\dfrac{-2t^2-3t+2}{\sqrt{(4t+3)(t^2+1)^3}}$

f) $\dfrac{ds}{dt}=\dfrac{4t\sqrt{1+t^3}+3t^2}{4\sqrt{1+t^3}\sqrt{t^2+\sqrt{1+t^3}}}$

g) $\dfrac{dg}{dt}=\dfrac{3\left(\sqrt{1+2t^3}+t^2\right)}{2\sqrt{1+2t^3}\sqrt{3t+\sqrt{1+2t^3}}}$

h) $\dfrac{dh}{dx}=\dfrac{2x\sqrt{5+2x}+1}{3\sqrt{5+2x}\sqrt[3]{\left(x^2+\sqrt{5+2x}\right)^2}}$

i) $\dfrac{dy}{dx}=\dfrac{(x^2+x+3)^3(x^4+5x^3+27x^2+8x+4)}{(1-x^3)^4}$

j) $\dfrac{dy}{dt}=\dfrac{10}{\sqrt{(3t^2+5)^3}}$

71. a) $\dfrac{df}{dx}=\dfrac{d}{dx}\left[(x^2-2x+3)^3\right]=3(x^2-2x+3)^2\dfrac{d}{dx}(x^2-2x+3)$

$=3(x^2-2x+3)^2(2x-2)=6(x^2-2x+3)^2(x-1)$

La pente de la droite tangente à la courbe décrite par la fonction $f(x)$ en $x=2$ est de $f'(2)=6\left[2^2-2(2)+3\right]^2(2-1)=54$.

Comme $f(2)=\left[2^2-2(2)+3\right]^3=27$, la droite tangente passe par le point $(2, 27)$ et son équation est $y=54(x-2)+27$ ou $y=54x-81$.

La pente de la droite normale à la courbe décrite par la fonction $f(x)$ en $x=2$ est de $-1/54$ puisque la droite tangente et la droite normale sont perpendiculaires. L'équation de la droite normale à la courbe décrite par la fonction $f(x)$ au point $(2, 27)$ est $y=-1/54(x-2)+27$ ou $y=-1/54\,x+730/27$.

b) L'équation de la droite tangente à la courbe décrite par la fonction $f(x)$ au point $(16, 2)$ est $y=1/40\,x+8/5$, et celle de la droite normale est $y=-40x+642$.

c) L'équation de la droite tangente à la courbe décrite par la fonction $f(x)$ au point $(3, 2)$ est $y=1/2\,x+1/2$, et celle de la droite normale est $y=-2x+8$.

d) L'équation de la droite tangente à la courbe décrite par la fonction $f(x)$ au point$(-3, 1/3)$ est $y=1/27\,x+4/9$, et celle de la droite normale est $y=-27x-242/3$.

e) L'équation de la droite tangente à la courbe décrite par la fonction $f(x)$ au point $(4, 2)$ est $y=-3/16\,x+11/4$, et celle de la droite normale est $y=16/3\,x-58/3$.

f) L'équation de la droite tangente à la courbe décrite par la fonction $f(x)$ au point $(2, 6)$ est $y=13/3\,x-8/3$, et celle de la droite normale est $y=-3/13\,x+84/13$.

g) L'équation de la droite tangente à la courbe décrite par la fonction $f(x)$ au point $(5, 5)$ est $y=-3/2\,x+25/2$, et celle de la droite normale est $y=2/3\,x+5/3$.

72. La courbe décrite par une fonction $f(x)$ admet une droite tangente horizontale là où $\dfrac{df}{dx} = 0$.

a) $\dfrac{df}{dx} = 16x(x^2 - 4)^7$, de sorte que $\dfrac{df}{dx} = 0 \Leftrightarrow x = -2, x = 0$ ou $x = 2$.

b) $\dfrac{df}{dx} = x(3x + 2)^2(15x + 4)$, de sorte que $\dfrac{df}{dx} = 0 \Leftrightarrow x = -2/3, x = -4/15$ ou $x = 0$.

c) $\dfrac{df}{dx} = \dfrac{2(100 - x^2)}{\sqrt{200 - x^2}}$, de sorte que $\dfrac{df}{dx} = 0 \Leftrightarrow x = -10$ ou $x = 10$.

d) $\dfrac{df}{dx} = \dfrac{-8(2x - 1)^3(x^2 - x - 2)}{(x^2 + 2)^5}$, de sorte que

$$\frac{df}{dx} = 0 \Leftrightarrow x = -1, x = 1/2 \text{ ou } x = 2$$

73. a) $f'(x) = \dfrac{3}{(2 - 3x)^2}$, $f''(x) = \dfrac{18}{(2 - 3x)^3}$ et $f'''(x) = \dfrac{162}{(2 - 3x)^4}$.

b) $f'(x) = \dfrac{b}{(a - bx)^2}$, $f''(x) = \dfrac{2b^2}{(a - bx)^3}$ et $f'''(x) = \dfrac{6b^3}{(a - bx)^4}$.

c) $f'(x) = \dfrac{2}{\sqrt{1 + 4x}}$, $f''(x) = -\dfrac{4}{(1 + 4x)^{3/2}}$ et $f'''(x) = \dfrac{24}{(1 + 4x)^{5/2}}$.

d) $f'(x) = \dfrac{b}{2\sqrt{a + bx}}$, $f''(x) = -\dfrac{b^2}{4(a + bx)^{3/2}}$ et $f'''(x) = \dfrac{3b^3}{8(a + bx)^{5/2}}$.

74. a) $C(24) = 38{,}1$ °C

b) $C'(t) = \dfrac{dC}{dt} = -\dfrac{3}{2\sqrt{(1/2\,t + 4)^3}}$ °C/h

c) Comme $t \geq 0$, on a $C'(t) = -\dfrac{3}{2\sqrt{(1/2\,t + 4)^3}} < 0$. La dérivée $C'(t)$ est toujours négative, de sorte que la fonction $C(t)$ est décroissante. Le médicament est donc efficace puisqu'il provoque une baisse de la température du patient.

d) $C'(24) \approx -0{,}023$ °C/h

e) On observe que, 24 h après l'administration du médicament, la température du patient chute à raison d'environ 0,023 °C par heure.

75. a) $p(0) = 1\,013{,}25$ hPa

b) $p(600) \approx 943{,}23$ hPa, de sorte que la pression atmosphérique à une altitude de 600 m est d'environ 943,23 hPa.

c) $p'(h) = \dfrac{dp}{dh} \approx -0{,}1201\left(1 - \dfrac{0{,}0065}{288{,}15}h\right)^{4{,}255}$ hPa/m

d) $p'(0) \approx -0{,}1201$ hPa/m

e) Au niveau de la mer, la pression atmosphérique diminue d'environ 0,1201 hPa par mètre d'augmentation de l'altitude.

f) $p'(600) \approx -0{,}1133$ hPa/m

g) À une altitude de 600 m, la pression atmosphérique diminue d'environ 0,1133 hPa par mètre d'augmentation de l'altitude.

76. a) $C(6) \approx 6\,352{,}45$ \$

b) $C(12) \approx 8\,061{,}13$ \$

c) $C'(r) = \dfrac{dC}{dr} = 200\left(1 + \dfrac{r}{1\,200}\right)^{47}$ \$/point de pourcentage

Notons qu'un passage du taux d'intérêt de 6 % à 7 % (par exemple) constitue une augmentation de 1 point de pourcentage (et non de 1 %).

d) Comme $r > 0$, on a $C'(r) = 200\left(1 + \frac{r}{1\,200}\right)^{47} > 0$. La dérivée $C'(r)$ est toujours positive, de sorte que la fonction $C(r)$ est croissante.

e) $C'(6) \approx 252{,}83$ \$/point de pourcentage

f) Après 4 ans, lorsque le taux d'intérêt est de 6 % capitalisé mensuellement, l'investissement subit une hausse d'environ 252,83 \$ par point de pourcentage d'augmentation du taux d'intérêt, c'est-à-dire que si le taux d'intérêt passe de 6 % à 7 %, on s'attend à ce que le capital augmente d'environ 252,83 \$.

77. Si y est une fonction dérivable de v, si v est une fonction dérivable de u et si u est une fonction dérivable de x, alors $\frac{dy}{dx} = \frac{dy}{dv}\frac{dv}{du}\frac{du}{dx}$.

Preuve

En vertu du théorème 2.10, $\frac{dv}{dx} = \frac{dv}{du}\frac{du}{dx}$ et $\frac{dy}{dx} = \frac{dy}{dv}\frac{dv}{dx}$, de sorte que $\frac{dy}{dx} = \frac{dy}{dv}\frac{dv}{du}\frac{du}{dx}$. ▪

78. a) $\frac{dy}{dx} = \left(\frac{dy}{du}\right)\left(\frac{du}{dx}\right) = (4 + 2u)(4x^3 + 3x^2 - 2x + 4) = 2(2 + u)(4x^3 + 3x^2 - 2x + 4)$

$= 2(2 + x^4 + x^3 - x^2 + 4x - 1)(4x^3 + 3x^2 - 2x + 4)$

$= 2(x^4 + x^3 - x^2 + 4x + 1)(4x^3 + 3x^2 - 2x + 4)$

b) $\frac{dy}{dx} = \left(\frac{dy}{dv}\right)\left(\frac{dv}{dx}\right) = (10v + 7)(6x^2 - 8x - 7)$

$= [10(2x^3 - 4x^2 - 7x + 3) + 7](6x^2 - 8x - 7)$

$= (20x^3 - 40x^2 - 70x + 37)(6x^2 - 8x - 7)$

c) $\frac{dy}{dx} = \left(\frac{dy}{dt}\right)\left(\frac{dt}{dx}\right) = (2t + 1)\left(\frac{3x^4 + 1}{x^2}\right) = \left[2\left(x^3 + 1 - \frac{1}{x}\right) + 1\right]\left(\frac{3x^4 + 1}{x^2}\right)$

$= \frac{(2x^4 + 3x - 2)(3x^4 + 1)}{x^3}$

d) $\frac{dy}{dx} = \left(\frac{dy}{du}\right)\left(\frac{du}{dx}\right) = \left(2u - \frac{1}{\sqrt{u}}\right)(2x - 3) = \left(\frac{2u^{3/2} - 1}{\sqrt{u}}\right)(2x - 3)$

$= \frac{[2(x^2 - 3x)^{3/2} - 1](2x - 3)}{\sqrt{x^2 - 3x}} = \frac{\left[2\sqrt{[x(x-3)]^3} - 1\right](2x - 3)}{\sqrt{x(x-3)}}$

e) $\frac{dy}{dx} = \left(\frac{dy}{dv}\right)\left(\frac{dv}{dx}\right) = -\frac{1}{(v+1)^2} \cdot \left[-\frac{1}{(x+1)^2}\right]$

$= \frac{1}{\left(\frac{1}{x+1} + 1\right)^2} \cdot \frac{1}{(x+1)^2} = \frac{1}{(x+2)^2}$

f) $\frac{dy}{dx} = \left(\frac{dy}{du}\right)\left(\frac{du}{dx}\right) = \left(1 + \frac{1}{u^2}\right)\left[-\frac{2}{(1+x)^2}\right]$

$= \left[1 + \frac{1}{\left(\frac{1-x}{1+x}\right)^2}\right]\left[-\frac{2}{(1+x)^2}\right] = -\frac{4(1 + x^2)}{(1-x)^2(1+x)^2}$

g) $\frac{dy}{dx} = \left(\frac{dy}{du}\right)\left(\frac{du}{dv}\right)\left(\frac{dv}{dx}\right) = (6u)(4)(-6x + 6) = (6u)(4)[-6(x - 1)] = -144(x - 1)u$

$= -144(x - 1)(4v - 1)$

$= -144(x - 1)[4(-3x^2 + 6x - 16) - 1]$

$= 144(x - 1)(12x^2 - 24x + 65)$

h) $\frac{dy}{dx} = \left(\frac{dy}{dv}\right)\left(\frac{dv}{du}\right)\left(\frac{du}{dx}\right) = \left[-\frac{2}{(1+v)^2}\right]\left(\frac{u^2-1}{u^2}\right)\left(\frac{1}{3x^{2/3}}\right)$

$$= \left[-\frac{2}{\left(1+u+\frac{1}{u}\right)^2}\right]\left(\frac{u^2-1}{u^2}\right)\left(\frac{1}{3x^{2/3}}\right) = \left[-\frac{2}{\left(1+x^{1/3}+\frac{1}{x^{1/3}}\right)^2}\right]\left(\frac{x^{2/3}-1}{x^{2/3}}\right)\left(\frac{1}{3x^{2/3}}\right)$$

$$= -\frac{2(x^{2/3}-1)}{3x^{2/3}(x^{1/3}+x^{2/3}+1)^2}$$

79. a) $\frac{dy}{dx} = \left(\frac{dy}{du}\right)\left(\frac{du}{dx}\right) = \left(-\frac{1}{3u^2} - \frac{4}{u^3}\right)\left(\frac{1}{\sqrt{2x+2}}\right)$

Si $x = 1$, alors $u = \sqrt{2(1)+2} = 2$, de sorte que $\left.\frac{dy}{dx}\right|_{x=1} = -\frac{7}{24}$.

b) $9/4$

80. a) $\frac{dm}{dt} = \frac{dm}{dL} \cdot \frac{dL}{dt} = 8L(0{,}3 - 0{,}2L)$ kg/année

b) $\left.\frac{dm}{dt}\right|_{m=4} = 0{,}8$ kg/année. Lorsqu'un poisson de cette espèce pèse 4 kg, sa masse augmente à raison de 0,8 kg/année.

81. Soit V le volume d'eau (en centimètres cubes) dans le cylindre, h la hauteur du niveau d'eau (en centimètres) dans le cylindre et r le rayon (en centimètres) du cylindre.

On a $V = \pi r^2 h = \pi(6)^2 h = 36\pi h$ et $\frac{dh}{dt} = 1$ cm/s, de sorte que

$$\frac{dV}{dt} = \left(\frac{dV}{dh}\right)\left(\frac{dh}{dt}\right) = \left[\frac{d}{dh}(36\pi h)\right]\frac{dh}{dt} = 36\pi(1) = 36\pi \text{ cm}^3/\text{s} \approx 113{,}1 \text{ cm}^3/\text{s}$$

82. a) Vrai. Le graphique de la fonction $f(x) = |x|$ admet un point anguleux en $x = 0$, de sorte que la fonction n'est pas dérivable en ce point.

b) Faux. $v = \frac{ds}{dt} = 3t^2 - 24t + 36 = 3(t-2)(t-6)$. La vitesse est nulle lorsque $t = 2$ ou $t = 6$. Lorsque $t \in]2, 6[$, $v = 3\underbrace{(t-2)}_{\text{positif}}\underbrace{(t-6)}_{\text{négatif}} < 0$, de sorte que l'objet se déplace vers la gauche sur cet intervalle de temps.

c) Faux. En général, $\frac{d}{dt}(u^n) = nu^{n-1}\frac{du}{dt}$. Ainsi, si $u^n = (3t+2)^2$, alors

$$\frac{d}{dt}(u^n) = \frac{d}{dt}\left[(3t+2)^2\right] = 2(3t+2)\frac{d}{dt}(3t+2) = 2(3t+2)(3) = 6(3t+2)$$

et $nu^{n-1} = 2(3t+2)$, de sorte que $\frac{d}{dt}(u^n) \neq nu^{n-1}$.

d) Vrai. Si $p(x) = a_n x^n + a_{n-1}x^{n-1} + \cdots + a_1 x + a_0$ est un polynôme, alors la dérivée de $p(x)$ est aussi un polynôme : $p'(x) = na_n x^{n-1} + (n-1)a_{n-1}x^{n-2} + \cdots + a_1$.

e) Vrai : $h'(a) = f(a)g'(a) + g(a)f'(a) = [f(a)](0) + [g(a)](0) = 0$.

f) Vrai.

g) Faux. La dérivée s'interprète plutôt comme la pente de la droite tangente au point P de la courbe décrite par une fonction.

h) Faux. En général, $\frac{d}{dx}\left(\frac{u}{v}\right) = \frac{v\frac{du}{dx} - u\frac{dv}{dx}}{v^2} \neq \frac{du}{dx}\Big/\frac{dv}{dx}$.

i) Vrai. Comme $f'(a) > 0$, la fonction $f(x)$ est croissante en $x = a$. Une petite augmentation de x provoquera donc une augmentation de $f(x)$.

j) Faux. Comme $f'(a) < 0$, la fonction $f(x)$ est décroissante en $x = a$. Une petite augmentation de x provoquera donc une diminution (et non une augmentation) de $f(x)$.

83. a) Dérivons chaque membre de l'égalité par rapport à x en considérant y comme une fonction dérivable de x, puis isolons $\frac{dy}{dx}$.

$$y^3 + 2xy = 5x^2$$

$$\frac{d}{dx}(y^3) + \frac{d}{dx}(2x \cdot y) = \frac{d}{dx}(5x^2)$$

$$3y^2\frac{dy}{dx} + 2x\frac{d}{dx}(y) + y\frac{d}{dx}(2x) = 10x$$

$$3y^2\frac{dy}{dx} + 2x\frac{dy}{dx} + y(2) = 10x$$

$$3y^2\frac{dy}{dx} + 2x\frac{dy}{dx} = 10x - 2y$$

$$(3y^2 + 2x)\frac{dy}{dx} = 10x - 2y$$

$$\frac{dy}{dx} = \frac{10x - 2y}{3y^2 + 2x}$$

$$\frac{dy}{dx} = \frac{2(5x - y)}{3y^2 + 2x}$$

b) $\frac{dy}{dx} = \frac{2x - y - 1}{x - 2y + 1}$

c) Dérivons chaque membre de l'égalité par rapport à x en considérant y comme une fonction dérivable de x, puis isolons $\frac{dy}{dx}$.

$$x^2 + y^2 = 100 - x^2y^2$$

$$\frac{d}{dx}(x^2) + \frac{d}{dx}(y^2) = \frac{d}{dx}(100) - \frac{d}{dx}(x^2y^2)$$

$$2x + 2y\frac{dy}{dx} = 0 - \left[x^2\frac{d}{dx}(y^2) + y^2\frac{d}{dx}(x^2)\right]$$

$$2x + 2y\frac{dy}{dx} = -\left[x^2\left(2y\frac{dy}{dx}\right) + y^2(2x)\right]$$

$$2x + 2y\frac{dy}{dx} = -2x^2y\frac{dy}{dx} - 2xy^2$$

$$2y\frac{dy}{dx} + 2x^2y\frac{dy}{dx} = -2xy^2 - 2x$$

$$(2y + 2x^2y)\frac{dy}{dx} = -2x(y^2 + 1)$$

$$\frac{dy}{dx} = \frac{-2x(y^2 + 1)}{2y + 2x^2y}$$

$$\frac{dy}{dx} = \frac{-\cancel{2}x(y^2 + 1)}{\cancel{2}y(1 + x^2)}$$

$$\frac{dy}{dx} = -\frac{x(y^2 + 1)}{y(1 + x^2)}$$

d) $\frac{dy}{dx} = \frac{-3y - 3x^2}{6y^2 + 3x} = -\frac{y + x^2}{2y^2 + x}$

e) $\frac{dy}{dx} = \frac{4xy^2 - 3x^2}{4y^3 - 4x^2y} = \frac{x(4y^2 - 3x)}{4y(y^2 - x^2)}$

f) $\dfrac{dy}{dx} = \dfrac{6 - 2xy^2 - 3x^2y}{2x^2y + x^3} = \dfrac{6 - 2xy^2 - 3x^2y}{x^2(2y + x)}$

g) $\dfrac{dy}{dx} = \dfrac{2y + 3x^3y^2}{x - 6x^4y} = \dfrac{y(2 + 3x^3y)}{x(1 - 6x^3y)}$ ou $\dfrac{dy}{dx} = \dfrac{16x + 9x^2y^2}{1 - 6x^3y} = \dfrac{x(16 + 9xy^2)}{1 - 6x^3y}$

h) $\dfrac{dy}{dx} = \dfrac{y^2 + 3x^2y}{2xy - 3x^3} = \dfrac{y(y + 3x^2)}{x(2y - 3x^2)}$ ou $\dfrac{dy}{dx} = \dfrac{6 + 6xy}{2y - 3x^2} = \dfrac{6(1 + xy)}{2y - 3x^2}$

i) $\dfrac{dy}{dx} = \dfrac{8xy - 4x(x^2 + y^2)}{4y(x^2 + y^2) - 4x^2} = \dfrac{x(2y - x^2 - y^2)}{x^2y + y^3 - x^2}$

j) Dérivons chaque membre de l'égalité par rapport à x en considérant y comme une fonction dérivable de x, puis isolons $\dfrac{dy}{dx}$.

$$\sqrt{x + y} + xy = 6x - y$$

$$\frac{d}{dx}\left[(x + y)^{1/2}\right] + \frac{d}{dx}(x \cdot y) = \frac{d}{dx}(6x) - \frac{d}{dx}(y)$$

$$1/2\,(x + y)^{-1/2}\frac{d}{dx}(x + y) + x\frac{d}{dx}(y) + y\frac{d}{dx}(x) = 6 - \frac{dy}{dx}$$

$$1/2\,(x + y)^{-1/2}\left[\frac{d}{dx}(x) + \frac{d}{dx}(y)\right] + x\frac{dy}{dx} + y = 6 - \frac{dy}{dx}$$

$$1/2\,(x + y)^{-1/2}\left(1 + \frac{dy}{dx}\right) + x\frac{dy}{dx} + y = 6 - \frac{dy}{dx}$$

$$1/2\,(x + y)^{-1/2} + 1/2\,(x + y)^{-1/2}\frac{dy}{dx} + x\frac{dy}{dx} + y = 6 - \frac{dy}{dx}$$

$$1/2\,(x + y)^{-1/2}\frac{dy}{dx} + x\frac{dy}{dx} + \frac{dy}{dx} = 6 - y - 1/2\,(x + y)^{-1/2}$$

$$\left[1/2\,(x + y)^{-1/2} + x + 1\right]\frac{dy}{dx} = 6 - y - 1/2\,(x + y)^{-1/2}$$

$$\left(\frac{1}{2\sqrt{x + y}} + x + 1\right)\frac{dy}{dx} = 6 - y - \frac{1}{2\sqrt{x + y}}$$

$$\left[\frac{1}{2\sqrt{x + y}} + \frac{2\sqrt{x + y}(x + 1)}{2\sqrt{x + y}}\right]\frac{dy}{dx} = \frac{2\sqrt{x + y}(6 - y)}{2\sqrt{x + y}} - \frac{1}{2\sqrt{x + y}}$$

$$\left[\frac{1 + 2(x + 1)\sqrt{x + y}}{2\sqrt{x + y}}\right]\frac{dy}{dx} = \frac{2(6 - y)\sqrt{x + y} - 1}{2\sqrt{x + y}}$$

$$\frac{dy}{dx} = \frac{2(6 - y)\sqrt{x + y} - 1}{\cancel{2\sqrt{x + y}}} \cdot \frac{\cancel{2\sqrt{x + y}}}{1 + 2(x + 1)\sqrt{x + y}}$$

$$\frac{dy}{dx} = \frac{2(6 - y)\sqrt{x + y} - 1}{1 + 2(x + 1)\sqrt{x + y}}$$

k) $\dfrac{dx}{dy} = \dfrac{d}{dy}\left(y^2\sqrt{y} - 3y + 1\right) = \dfrac{d}{dy}\left(y^{5/2} - 3y + 1\right) = 5/2\,y^{3/2} - 3 = \dfrac{5y^{3/2} - 6}{2}$, de sorte que $\dfrac{dy}{dx} = \dfrac{1}{\left(dx/dy\right)} = \dfrac{2}{5y^{3/2} - 6}$.

l) $\dfrac{dy}{dx} = \dfrac{(2y + 3)^2}{-2y^2 - 6y + 9}$

84. $\dfrac{dy}{dx} = \dfrac{2y - 3x^2}{3y^2 - 2x}$, de sorte que $\left.\dfrac{dy}{dx}\right|_{(1,\,1)} = \dfrac{2-3}{3-2} = -1$. L'équation de la droite tangente à la courbe décrite par l'équation implicite $x^3 + y^3 = 2xy$ au point $(1, 1)$ est $y = -x + 2$, et celle de la droite normale est $y = x$.

85. $\dfrac{dy}{dx} = -\dfrac{x^{-1/3}}{y^{-1/3}} = -\left(\dfrac{y}{x}\right)^{1/3}$, de sorte que $\left.\dfrac{dy}{dx}\right|_{(1/8,\,1/8)} = -\left(\dfrac{1/8}{1/8}\right)^{1/3} = -(1)^{1/3} = -1$. L'équation de la droite tangente à la courbe décrite par l'équation implicite $x^{2/3} + y^{2/3} = 1/2$ au point $(1/8, 1/8)$ est $y = -x + 1/4$.

86. a) $\dfrac{dy}{dx} = -\dfrac{x}{y}$, de sorte que $\left.\dfrac{dy}{dx}\right|_{(2,\,2\sqrt{3})} = -\dfrac{\not{2}}{\not{2}\sqrt{3}} = -\dfrac{1}{\sqrt{3}} = -\dfrac{\sqrt{3}}{3}$.

b) La pente de la droite tangente au point $(2, 2\sqrt{3})$ du cercle $x^2 + y^2 = 16$ est égale à $-\sqrt{3}/3$.

c) $y = -\dfrac{\sqrt{3}}{3}x + \dfrac{8\sqrt{3}}{3}$

87. $\dfrac{dy}{dx} = \dfrac{1 + 2xy}{2y - x^2}$

On a une droite tangente horizontale lorsque $\dfrac{dy}{dx} = 0$, de sorte que

$$\frac{1 + 2xy}{2y - x^2} = 0 \Leftrightarrow 1 + 2xy = 0 \Leftrightarrow y = -\frac{1}{2x} \text{ si } x \neq 0$$

De plus, la droite tangente passe par le point de tangence, de sorte que l'équation implicite $y(y - x^2) - x = 0$ doit aussi être satisfaite au point de tangence :

$$\left(-\frac{1}{2x}\right)\left(-\frac{1}{2x} - x^2\right) - x = 0 \Leftrightarrow \frac{1}{4x^2} + \frac{x}{2} - x = 0 \Leftrightarrow \frac{1}{4x^2} - \frac{x}{2} = 0$$

$$\Leftrightarrow \frac{1}{4x^2} = \frac{x}{2} \Leftrightarrow 1 = \frac{4x^3}{2}$$

$$\Leftrightarrow 1 = 2x^3 \Leftrightarrow x^3 = \frac{1}{2}$$

$$\Leftrightarrow x = \frac{1}{\sqrt[3]{2}}$$

La courbe décrite par l'équation implicite $y(y - x^2) - x = 0$ admet donc une droite tangente horizontale en $x = \dfrac{1}{\sqrt[3]{2}}$.

88. $y = -4/3x + 5/3$ et $y = 4/3x - 5/3$.

89. L'équation de la droite tangente à l'ellipse d'équation $\dfrac{x^2}{a^2} + \dfrac{y^2}{b^2} = 1$ au point (x_0, y_0) peut s'écrire sous la forme $\dfrac{x_0}{a^2}x + \dfrac{y_0}{b^2}y = 1$.

Preuve

On a

$$\frac{d}{dx}\left(\frac{x^2}{a^2} + \frac{y^2}{b^2}\right) = \frac{d}{dx}(1)$$

$$\frac{2x}{a^2} + \frac{2y}{b^2}\frac{dy}{dx} = 0$$

$$\frac{2y}{b^2}\frac{dy}{dx} = -\frac{2x}{a^2}$$

$$\frac{dy}{dx} = -\frac{\not{2}x}{a^2} \cdot \frac{b^2}{\not{2}y}$$

$$\frac{dy}{dx} = -\frac{b^2x}{a^2y}$$

La pente de la droite tangente à l'ellipse au point (x_0, y_0) est $\left.\frac{dy}{dx}\right|_{(x_0, y_0)} = -\frac{b^2x_0}{a^2y_0}$. Par conséquent, l'équation de la droite tangente au point (x_0, y_0) est

$$\begin{aligned} y &= -\frac{b^2x_0}{a^2y_0}(x - x_0) + y_0 \\ &= -\frac{b^2x_0}{a^2y_0}x + \frac{b^2x_0^2}{a^2y_0} + \frac{y_0a^2y_0}{a^2y_0} \\ &= -\frac{b^2x_0}{a^2y_0}x + \frac{b^2x_0^2 + a^2y_0^2}{a^2y_0} \end{aligned}$$

Or, comme (x_0, y_0) est un point de l'ellipse, on a

$$\begin{aligned} \frac{x_0^2}{a^2} + \frac{y_0^2}{b^2} &= 1 \\ \frac{x_0^2b^2}{a^2b^2} + \frac{a^2y_0^2}{a^2b^2} &= 1 \\ \frac{b^2x_0^2 + a^2y_0^2}{a^2b^2} &= 1 \\ b^2x_0^2 + a^2y_0^2 &= a^2b^2 \end{aligned}$$

Si on utilise cette expression dans l'équation de la droite tangente, on a

$$\begin{aligned} y &= -\frac{b^2x_0}{a^2y_0}x + \frac{b^2x_0^2 + a^2y_0^2}{a^2y_0} \\ y &= -\frac{b^2x_0}{a^2y_0}x + \frac{a^2b^2}{a^2y_0} \\ a^2y_0y &= -b^2x_0x + a^2b^2 \\ \frac{a^2y_0y}{a^2b^2} + \frac{b^2x_0x}{a^2b^2} &= \frac{a^2b^2}{a^2b^2} \\ \frac{y_0}{b^2}y + \frac{x_0}{a^2}x &= 1 \end{aligned}$$

■

90. Toute droite passant par l'origine, soit le centre du cercle d'équation $x^2 + y^2 = r^2$, est perpendiculaire à la droite tangente au point d'intersection $P(x_0, y_0)$ de la droite et du cercle.

Preuve

$$\frac{d}{dx}(x^2 + y^2) = \frac{d}{dx}(r^2) \Rightarrow 2x + 2y\frac{dy}{dx} = 0 \Rightarrow \frac{dy}{dx} = -\frac{x}{y} \Rightarrow \left.\frac{dy}{dx}\right|_{(x_0, y_0)} = -\frac{x_0}{y_0}$$

de sorte que la pente de la tangente au point $P(x_0, y_0)$ du cercle d'équation $x^2 + y^2 = r^2$ est $-\frac{x_0}{y_0}$. Par ailleurs, la pente de la droite passant par le point P et le centre du cercle $O(0, 0)$ est $\frac{y_0 - 0}{x_0 - 0} = \frac{y_0}{x_0}$. Comme le produit de ces deux pentes vaut -1, la droite tangente au cercle au point P et la droite passant par l'origine (le centre du cercle) et le point P sont perpendiculaires. ■

91. a) $\frac{dy}{dx} = \frac{3x^2}{4} - \frac{12}{x^4} + \frac{12}{x^5}$

b) $\frac{dy}{dx} = \frac{6\pi^3}{(1 - 2x)^2}$

c) $\frac{dy}{dx} = \frac{7x^2 + 2x}{(3x + 1)^{2/3}} = \frac{x(7x + 2)}{(3x + 1)^{2/3}}$

d) $\dfrac{dy}{dx} = \dfrac{8x^4 - 12x^3 - 8x + 3}{(1 + 2x^3)^2}$

e) $\dfrac{dy}{dx} = 4\left(x^2 + \dfrac{1}{x}\right)^3\left(2x - \dfrac{1}{x^2}\right)$

f) $\dfrac{dy}{dx} = 6x^3(3x^2 + 4)^2(3 - 2x^2)^3(-18x^4 - x^2 + 8)$

g) $\dfrac{dy}{dx} = -\dfrac{3x^4 + 8x^3 + 3}{\sqrt{(3 - x^4)(2x + 4)^3}}$

h) $\dfrac{dy}{dx} = \dfrac{2(x^2 + 2x - 1)^4(x^4 + 7x^3 - 15x^2 + 17x + 14)}{(4 - 3x - x^3)^5}$

i) $\dfrac{dy}{dx} = -\dfrac{1 + 3x^2y}{x^3 + 3y^2}$

j) $\dfrac{dy}{dx} = \dfrac{-6\sqrt{2xy} + y - y^3\sqrt{2xy}}{-x + 3xy^2\sqrt{2xy} - 2y\sqrt{2xy}}$

92. a) $f'(2) = 10$

b) $\left.\dfrac{dy}{dx}\right|_{x=4} = -\dfrac{43}{4}$

c) $\left.\dfrac{dy}{dx}\right|_{x=1} = \dfrac{15}{2}$

d) $f'(-1) = 13$

e) $\left.\dfrac{d^2y}{dx^2}\right|_{x=1} = 4$

f) $\left.\dfrac{d^3y}{dx^3}\right|_{x=4} = \dfrac{1}{81}$

g) $f'''(0) = 1\ 296$

h) $f^{(4)}(1) = 360$

i) $\left.\dfrac{dy}{dx}\right|_{(-2,\ 1)} = \dfrac{5}{11}$

j) $\left.\dfrac{dy}{dx}\right|_{(2,\ 1)} = \dfrac{1}{2}$

k) $\left.\dfrac{dy}{dx}\right|_{(1,\ 3)} = -3$

l) $\left.\dfrac{dy}{dx}\right|_{(1,\ -2)} = \dfrac{2}{3}$

m) $\left.\dfrac{dy}{dx}\right|_{(1,\ 1)} = -6$

CHAPITRE 3

1. a) La fonction $f(x)$ est continue sur $\mathbb{R}$.

b) En vertu du théorème 1.4, $u(x) = 2$ et $v(x) = 4$ sont continues sur $\mathbb{R}$, car ce sont des polynômes.

Par ailleurs, par le théorème 3.1, $g(x) = e^x$ est continue sur $\mathbb{R}$, car c'est une fonction exponentielle de base e.

Alors, en vertu du théorème 1.5, la fonction $h(x) = e^x - 2$ est continue sur $\mathbb{R}$, car c'est la différence de deux fonctions continues sur $\mathbb{R}$.

De plus, $h(x) = e^x - 2 = 0$ lorsque $e^x = 2$, soit lorsque $x = \ln 2$.

La fonction $f(x) = \dfrac{4}{e^x - 2}$ est donc un quotient de deux fonctions continues sur $\mathbb{R}$ dont le dénominateur s'annule seulement lorsque $x = \ln 2$. Par conséquent, en vertu du théorème 1.5, $f(x) = \dfrac{4}{e^x - 2}$ est continue sur $\mathbb{R}\backslash\{\ln 2\}$.

c) En vertu du théorème 1.4, $u(x) = 1 - 4x$ est continue sur $\mathbb{R}$, car c'est un polynôme. De plus, par le théorème 3.2, $v(x) = \ln x$ est continue si $x > 0$. En vertu du théorème 1.7, la fonction $g(x) = \ln(1 - 4x)$ est continue si $1 - 4x > 0$, c'est-à-dire si $x < 1/4$ ou si $x \in\ ]-\infty\ ,\ 1/4[$.

Par ailleurs, $h(x) = x^2$ est continue sur $\mathbb{R}$, car c'est un polynôme (théorème 1.4).

Par conséquent, en vertu du théorème 1.5, $f(x) = x^2\ln(1 - 4x)$ est continue sur $]-\infty\ ,\ 1/4[$, car c'est le produit de deux fonctions continues sur cet intervalle.

d) La fonction $f(x)$ est continue sur $]0,\ \infty[\backslash\{1\ 000\}$.

2. a) $1/2$

b) -1

c) 0

d) −32

e) $\sqrt{2}$

f) 0

g) $-\infty$

h) $\underbrace{\lim_{x\to 4^-} \frac{e^{x^2}}{\sqrt{x}-2}}_{\text{forme } \frac{e^{16}}{0^-}} = -\infty$ et $\underbrace{\lim_{x\to 4^+} \frac{e^{x^2}}{\sqrt{x}-2}}_{\text{forme } \frac{e^{16}}{0^+}} = \infty$, de sorte que $\lim_{x\to 4} \frac{e^{x^2}}{\sqrt{x}-2}$ n'existe pas.

i) Puisque $\log_2 8 = \frac{\ln 8}{\ln 2} = 3$, on a $\underbrace{\lim_{x\to 8^-} \frac{\log_2 x}{8-x}}_{\text{forme } \frac{3}{0^+}} = \infty$ et $\underbrace{\lim_{x\to 8^+} \frac{\log_2 x}{8-x}}_{\text{forme } \frac{3}{0^-}} = -\infty$, de sorte que $\lim_{x\to 8} \frac{\log_2 x}{8-x}$ n'existe pas.

j) $\underbrace{\lim_{x\to 0} \frac{e^{-x}-1}{1-e^x}}_{\text{forme } \frac{0}{0}} = \lim_{x\to 0} \frac{\frac{1}{e^x}-1}{1-e^x} = \lim_{x\to 0} \frac{\frac{1-e^x}{e^x}}{1-e^x} = \lim_{x\to 0} \left(\frac{\cancel{1-e^x}}{e^x} \cdot \frac{1}{\cancel{1-e^x}} \right) = \lim_{x\to 0} \frac{1}{e^x} = \frac{1}{e^0} = 1$

3. a) ∞

b) $-\infty$

c) ∞

d) $-\infty$

e) 1⁄3

f) 0

g) 0

h) $\underbrace{\lim_{x\to 2^-} \log\left(\frac{8-x^3}{2-\sqrt{x}}\right)}_{\text{forme } \log_b(0^+) \text{ avec } b = 10 > 1} = -\infty$

i) On a $\lim_{x\to 0^-} \frac{1}{x} = -\infty$ et $\lim_{x\to 0^+} \frac{1}{x} = \infty$. Par conséquent, $\underbrace{\lim_{x\to 0^-} 5^{1/x}}_{\text{forme } b^{-\infty} \text{ avec } b = 5 > 1} = 0$ et $\underbrace{\lim_{x\to 0^+} 5^{1/x}}_{\text{forme } b^{\infty} \text{ avec } b = 5 > 1} = \infty$, de sorte que $\lim_{x\to 0} 5^{1/x}$ n'existe pas.

j) On a $\underbrace{\lim_{x\to\infty} e^x}_{\text{forme } b^\infty \text{ avec } b = e > 1} = \infty$, $\underbrace{\lim_{x\to\infty} e^{2x}}_{\text{forme } b^\infty \text{ avec } b = e > 1} = \infty$ et $\underbrace{\lim_{x\to\infty} e^{-x}}_{\text{forme } b^{-\infty} \text{ avec } b = e > 1} = 0$, de sorte que

$$\underbrace{\lim_{x\to\infty} \frac{e^x - e^{2x}}{e^{2x}+e^x}}_{\text{forme } \frac{\infty-\infty}{\infty+\infty}} = \lim_{x\to\infty} \frac{\cancel{e^{2x}}(e^{-x}-1)}{\cancel{e^{2x}}(1+e^{-x})} = \lim_{x\to\infty} \frac{e^{-x}-1}{1+e^{-x}} = \frac{0-1}{1+0} = -1$$

4. a) 0 C (ou 0 coulomb)

b) Environ 1,7 C.

c) 2 C

5. a) Environ 40 °C.

b) $T(t) = 75\ °\text{C} \Rightarrow 22 + 73e^{-0{,}046\,67t} = 75 \Rightarrow 73e^{-0{,}046\,67t} = 53$

$$\Rightarrow e^{-0{,}046\,67t} = \frac{53}{73} \Rightarrow \ln\left(e^{-0{,}046\,67t}\right) = \ln(53/73)$$

$$\Rightarrow -0{,}046\,67t = \ln(53/73) \quad \text{propriété: } \ln(e^p) = p$$

$$\Rightarrow t = \frac{\ln(53/73)}{-0{,}046\,67} \approx 6{,}9 \text{ min}$$

c) 22 °C

d) À long terme, le café se refroidira jusqu'à atteindre la température ambiante, soit 22 °C.

CHAPITRE 3

6. a) 2 351,29 $

b) On cherche la valeur de t pour laquelle $C(t) = 2(2\,000) = 4\,000$. Or,

$$\begin{aligned} C(t) = 4\,000 &\Rightarrow 2\,000(1{,}002\,25)^t = 4\,000 \\ &\Rightarrow (1{,}002\,25)^t = 2 \\ &\Rightarrow \ln(1{,}002\,25)^t = \ln 2 \\ &\Rightarrow t\ln(1{,}002\,25) = \ln 2 \quad \text{propriété : } \ln(M^p) = p\ln M \\ &\Rightarrow t = \frac{\ln 2}{\ln(1{,}002\,25)} \approx 308{,}4 \text{ mois} \end{aligned}$$

Par conséquent, il faut 309 mois pour que la valeur du capital soit le double de sa valeur initiale. En effet, après 308 mois, on a accumulé 3 996,30 $, et après 309 mois, on a accumulé 4 005,29 $.

c) $\lim\limits_{t\to\infty} C(t) = \lim\limits_{t\to\infty}\left[2\,000(1{,}002\,25)^t\right] = 2\,000 \underbrace{\lim\limits_{t\to\infty}(1{,}002\,25)^t}_{\substack{\text{forme } b^{\infty} \\ \text{avec } b\,=\,1{,}002\,25>1}} = \infty$

d) Le capital augmente sans fin, de sorte que l'investissement prend une valeur aussi grande que l'on veut, pourvu que le capital soit investi suffisamment longtemps.

7. a) 4 millions d'habitants

b) Environ 4,5 millions d'habitants.

c) 10 millions d'habitants

8. a) $Q(0) = 4$ mg : il s'agit de la quantité initiale de médicament injectée dans le corps du patient.

b) Environ 0,54 mg.

c) 0 mg

d) Déterminons dans combien de temps il ne restera plus que 1 mg de médicament dans le corps du patient.

$$\begin{aligned} Q(t) = 1 \Rightarrow 4e^{-0{,}2t} = 1 \Rightarrow e^{-0{,}2t} = 1/4 &\Rightarrow \ln(e^{-0{,}2t}) = \ln(1/4) \\ &\Rightarrow -0{,}2t = \ln(1/4) \quad \text{propriété: } \ln(e^p) = p \\ &\Rightarrow t = \frac{\ln(1/4)}{-0{,}2} = -5\ln(1/4) \approx 6{,}9 \text{ h} \end{aligned}$$

Par conséquent, il faudra faire une injection de 3 mg (soit 4 mg − 1 mg) à peu près toutes les 6,9 h.

9. L'épaisseur de la couche sédimentaire au 1er juillet 2000 était de

$$E(0) = 10\left[1{,}2 - e^{-0{,}01(0)}\right] = 10(1{,}2 - 1) = 2 \text{ cm}$$

Comme $\underbrace{\lim\limits_{t\to\infty} e^{-0{,}01t}}_{\substack{\text{forme } b^{-\infty} \\ \text{avec } b\,=\,e\,>\,1}} = 0$, à long terme, la couche de sédiments sera de

$$\lim_{t\to\infty} E(t) = \lim_{t\to\infty}\left[10(1{,}2 - e^{-0{,}01t})\right] = 10(1{,}2 - 0) = 12 \text{ cm}$$

de sorte qu'elle aura augmenté de 10 cm (soit 12 cm − 2 cm).

10. a) $S(t) = \begin{cases} 50\,000 & \text{si } 0 \le t < 1 \\ 51\,000 & \text{si } 1 \le t < 2 \\ 52\,020 & \text{si } 2 \le t < 3 \\ 53\,060{,}40 & \text{si } 3 \le t < 4 \\ 54\,121{,}61 & \text{si } t = 4 \end{cases}$

b) 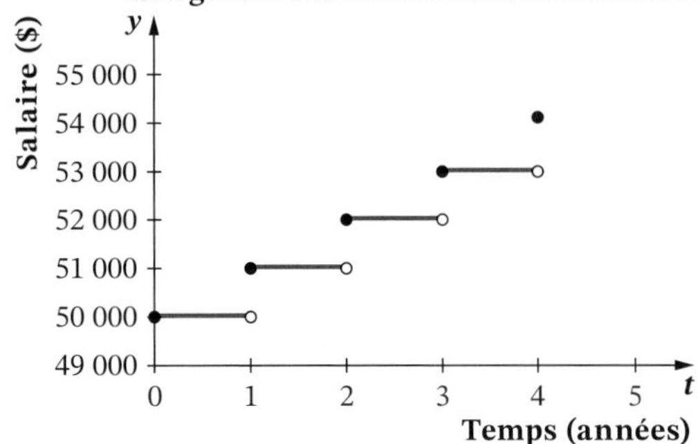

c) La fonction $S(t)$ admet des discontinuités essentielles par saut à $t = 1$, $t = 2$, $t = 3$, et une discontinuité non essentielle par déplacement en $t = 4$.

11. a) Comme la vitesse de saisie d'un texto plafonne à 40 mots/min, alors

$$\lim_{t\to\infty} M(t) = 40 \text{ mots/min}$$

b) Comme $k > 0$, on a $\underbrace{\lim_{t\to\infty} e^{-kt}}_{\substack{\text{forme } b^{-\infty} \\ \text{avec } b = e > 1}} = 0$. Alors,

$$\lim_{t\to\infty} M(t) = 40 \Rightarrow \lim_{t\to\infty}\left(A - Ce^{-kt}\right) = 40 \Rightarrow A - C(0) = 40 \Rightarrow A = 40$$

c) Dans le contexte, $M(0)$ représente la vitesse de saisie d'un débutant, de sorte que $M(0) = 10$ mots/min.

d) Si on remplace A par la valeur trouvée en b, on obtient $M(t) = 40 - Ce^{-kt}$. Alors, $M(0) = 10 \Rightarrow 40 - Ce^{-k(0)} = 10 \Rightarrow 40 - C(1) = 10 \Rightarrow -C = -30 \Rightarrow C = 30$

e) Si on remplace A et C par leurs valeurs respectives (trouvées en b et en d), on obtient $M(t) = 40 - 30e^{-kt}$. Alors,

$$\begin{aligned} M(10) = 18 &\Rightarrow 40 - 30e^{-k(10)} = 18 \Rightarrow -30e^{-10k} = -22 \\ &\Rightarrow e^{-10k} = {}^{11}\!/_{15} \Rightarrow \ln\left(e^{-10k}\right) = \ln\left({}^{11}\!/_{15}\right) \\ &\Rightarrow -10k = \ln\left({}^{11}\!/_{15}\right) \quad \text{propriété: } \ln\left(e^p\right) = p \\ &\Rightarrow k = -0{,}1 \ln\left({}^{11}\!/_{15}\right) \end{aligned}$$

Par conséquent,

$$\begin{aligned} M(t) &= 40 - 30e^{-[-0{,}1\ln({}^{11}\!/_{15})]t} \\ &= 40 - 30e^{0{,}1t\ln({}^{11}\!/_{15})} \\ &= 40 - 30e^{\ln[({}^{11}\!/_{15})^{0{,}1t}]} \quad \text{propriété: } \ln\left(M^p\right) = p\ln M \\ &= 40 - 30\left[\left({}^{11}\!/_{15}\right)^{0{,}1t}\right] \quad \text{propriété: } e^{\ln N} = N \end{aligned}$$

12. a) $\dfrac{df}{dx} = 2x\left[3^{x^2}(\ln 3) - e^{x^2}\right]$

b) $\dfrac{dg}{dt} = \dfrac{d}{dt}\left[\left(2t^3 + 3t - 1\right)e^{-2t}\right] = \left(2t^3 + 3t - 1\right)\dfrac{d}{dt}\left(e^{-2t}\right) + e^{-2t}\dfrac{d}{dt}\left(2t^3 + 3t - 1\right)$

$$\begin{aligned} &= \left(2t^3 + 3t - 1\right)e^{-2t}\frac{d}{dt}(-2t) + e^{-2t}\left(6t^2 + 3\right) \\ &= -2e^{-2t}\left(2t^3 + 3t - 1\right) + e^{-2t}\left(6t^2 + 3\right) \\ &= e^{-2t}\left[-2\left(2t^3 + 3t - 1\right) + 6t^2 + 3\right] \\ &= e^{-2t}\left(-4t^3 - 6t + 2 + 6t^2 + 3\right) \\ &= e^{-2t}\left(-4t^3 + 6t^2 - 6t + 5\right) \end{aligned}$$

c) $\dfrac{dy}{dx} = 5e^{5x} + 12e^{3x} = e^{3x}(5e^{2x} + 12)$

d) $\dfrac{ds}{dt} = 5^t \ln 5 + 3^{2t}(2 \ln 3) + 4^t\,(6t^2 + 1) + t(2t^2 + 1)\,4^t \ln 4$

e) $\dfrac{dh}{dx} = \dfrac{-2x^3 + 3x^2 - 2}{e^{2x}}$

f) $\dfrac{dg}{dx} = \dfrac{2e^{2x}(1 - e^{x^2} + xe^{x^2})}{(1 - e^{x^2})^2}$

g) $\dfrac{df}{dt} = \dfrac{3(t-1)(5^{3t})\ln 5 - 5^{3t} - 1}{(t-1)^2}$

h) $\dfrac{dy}{dx} = \dfrac{-(2 \ln 2)x^3 + 6x^2 - (3 \ln 2)x + 3}{2^x}$

13. a) $\dfrac{dh}{dx} = \dfrac{4^{\sqrt{x}}\left[(\ln 4)\sqrt{x} + 1\right]}{2\sqrt{x}}$

b) $\dfrac{dy}{dt} = \dfrac{(3^t - e^{3t})(3 - 3e^{-3t}) - (3t + e^{-3t})(3^t \ln 3 - 3e^{3t})}{(3^t - e^{3t})^2}$

c) $\dfrac{ds}{dt} = \dfrac{(e^t + t^2)\left[2^{3t}(3 \ln 2) + 5\right] - (2^{3t} + 5t)(e^t + 2t)}{(e^t + t^2)^2}$

d) $\dfrac{dg}{dx} = \dfrac{12x\sqrt{x} - 3x^2 - 5}{2\sqrt{x}\,e^{\sqrt{x}}}$

e) $\dfrac{dh}{dt} = \dfrac{d}{dt}\left(t^2\sqrt{1 + e^{3t}}\right) = t^2\dfrac{d}{dt}\left[(1 + e^{3t})^{1/2}\right] + \sqrt{1 + e^{3t}}\,\dfrac{d}{dt}(t^2)$

$= t^2\left(\dfrac{1}{2}\right)(1 + e^{3t})^{-1/2}\dfrac{d}{dt}(1 + e^{3t}) + \sqrt{1 + e^{3t}}(2t)$

$= \dfrac{t^2}{2\sqrt{1 + e^{3t}}} \cdot e^{3t}\dfrac{d}{dt}(3t) + 2t\sqrt{1 + e^{3t}} = \dfrac{t^2(3e^{3t})}{2\sqrt{1 + e^{3t}}} + 2t\sqrt{1 + e^{3t}}$

$= \dfrac{3t^2e^{3t}}{2\sqrt{1 + e^{3t}}} + \dfrac{2t\sqrt{1 + e^{3t}}\left(2\sqrt{1 + e^{3t}}\right)}{2\sqrt{1 + e^{3t}}} = \dfrac{3t^2e^{3t} + 4t(1 + e^{3t})}{2\sqrt{1 + e^{3t}}}$

$= \dfrac{3t^2e^{3t} + 4t + 4te^{3t}}{2\sqrt{1 + e^{3t}}} = \dfrac{t(3te^{3t} + 4e^{3t} + 4)}{2\sqrt{1 + e^{3t}}}$

f) $\dfrac{df}{dt} = \dfrac{d}{dt}\left(\dfrac{4}{1 + e^{-0,5/t}}\right) = \dfrac{d}{dt}\left[4(1 + e^{-0,5/t})^{-1}\right] = -4(1 + e^{-0,5/t})^{-2}\dfrac{d}{dt}(1 + e^{-0,5/t})$

$= -\dfrac{4}{(1 + e^{-0,5/t})^2} \cdot e^{-0,5/t}\dfrac{d}{dt}\left(\dfrac{-0,5}{t}\right) = -\dfrac{4e^{-0,5/t}}{(1 + e^{-0,5/t})^2}\dfrac{d}{dt}(-0,5t^{-1})$

$= -\dfrac{4e^{-0,5/t}}{(1 + e^{-0,5/t})^2}(0,5t^{-2}) = -\dfrac{4e^{-0,5/t}}{(1 + e^{-0,5/t})^2}\left(\dfrac{0,5}{t^2}\right) = -\dfrac{2e^{-0,5/t}}{t^2(1 + e^{-0,5/t})^2}$

g) $\dfrac{ds}{dx} = \dfrac{d}{dx}\left(\dfrac{e^x - e^{-x}}{e^x + e^{-x}}\right) = \dfrac{(e^x + e^{-x})\dfrac{d}{dx}(e^x - e^{-x}) - (e^x - e^{-x})\dfrac{d}{dx}(e^x + e^{-x})}{(e^x + e^{-x})^2}$

$= \dfrac{(e^x + e^{-x})\left[e^x\dfrac{d}{dx}(x) - e^{-x}\dfrac{d}{dx}(-x)\right] - (e^x - e^{-x})\left[e^x\dfrac{d}{dx}(x) + e^{-x}\dfrac{d}{dx}(-x)\right]}{(e^x + e^{-x})^2}$

CHAPITRE 3

$$= \frac{(e^x + e^{-x})(e^x + e^{-x}) - (e^x - e^{-x})(e^x - e^{-x})}{(e^x + e^{-x})^2}$$

$$= \frac{(e^{2x} + e^0 + e^0 + e^{-2x}) - (e^{2x} - e^0 - e^0 + e^{-2x})}{(e^x + e^{-x})^2}$$

$$= \frac{\cancel{e^{2x}} + 2 + \cancel{e^{-2x}} - \cancel{e^{2x}} + 2 - \cancel{e^{-2x}}}{(e^x + e^{-x})^2} = \frac{4}{(e^x + e^{-x})^2}$$

h) $\dfrac{df}{dx} = \dfrac{x(4 + 4e^{3x} - 3xe^{3x})}{2(1 + e^{3x})^{3/2}}$

14. a) $\dfrac{dy}{dx} = \dfrac{1 - e^{x+2y}}{2e^{x+2y}}$

b) Dérivons chaque membre de l'égalité par rapport à x en considérant y comme une fonction dérivable de x, puis isolons $\dfrac{dy}{dx}$.

$$\frac{d}{dx}\left(3^{x^2+y^2}\right) = \frac{d}{dx}(2y)$$

$$\left(3^{x^2+y^2}\right)(\ln 3)\frac{d}{dx}(x^2 + y^2) = 2\frac{dy}{dx}$$

$$\left(3^{x^2+y^2}\right)(\ln 3)\left(2x + 2y\frac{dy}{dx}\right) = 2\frac{dy}{dx}$$

$$2x\left(3^{x^2+y^2}\right)\ln 3 + 2y\left(3^{x^2+y^2}\right)(\ln 3)\frac{dy}{dx} = 2\frac{dy}{dx}$$

$$2y\left(3^{x^2+y^2}\right)(\ln 3)\frac{dy}{dx} - 2\frac{dy}{dx} = -2x\left(3^{x^2+y^2}\right)\ln 3$$

$$2\left[y\left(3^{x^2+y^2}\right)\ln 3 - 1\right]\frac{dy}{dx} = -2x\left(3^{x^2+y^2}\right)\ln 3$$

$$\frac{dy}{dx} = -\frac{\cancel{2}x\left(3^{x^2+y^2}\right)\ln 3}{\cancel{2}\left[y\left(3^{x^2+y^2}\right)\ln 3 - 1\right]}$$

$$\frac{dy}{dx} = -\frac{x\left(3^{x^2+y^2}\right)\ln 3}{y\left(3^{x^2+y^2}\right)\ln 3 - 1}$$

c) $\dfrac{dy}{dx} = \dfrac{1 - 4^{2y}}{2x(4^{2y})\ln 4 - 3}$

d) $\dfrac{dy}{dx} = -\dfrac{(y2^x + 2^{2x+1})(\ln 2)}{2y + 2^x} = -\dfrac{2^x(y + 2^{x+1})(\ln 2)}{2y + 2^x}$

e) $\dfrac{dy}{dx} = -\dfrac{2x + ye^{xy}}{xe^{xy} - 2y}$

f) $\dfrac{dy}{dx} = -\dfrac{2x - 2x^2e^{x^2-y^2} - e^{x^2-y^2}}{2y\left(xe^{x^2-y^2} + 1\right)}$

15. a) Une fonction admet une tangente horizontale là où sa dérivée est nulle. Or,

$$f'(x) = \frac{d}{dx}\left(xe^{-x^2}\right) = x\frac{d}{dx}\left(e^{-x^2}\right) + e^{-x^2}\frac{d}{dx}(x) = xe^{-x^2}\frac{d}{dx}(-x^2) + e^{-x^2}$$

$$= xe^{-x^2}(-2x) + e^{-x^2} = -2x^2e^{-x^2} + e^{-x^2} = -e^{-x^2}(2x^2 - 1)$$

Comme $-e^{-x^2} \neq 0$ pour toutes les valeurs de x, on a

$$f'(x) = 0 \Leftrightarrow 2x^2 - 1 = 0 \Leftrightarrow 2x^2 = 1 \Leftrightarrow x^2 = \frac{1}{2}$$
$$\Leftrightarrow x = \sqrt{\frac{1}{2}} = \frac{1}{\sqrt{2}} = \frac{\sqrt{2}}{2} \text{ ou } x = -\sqrt{\frac{1}{2}} = -\frac{1}{\sqrt{2}} = -\frac{\sqrt{2}}{2}$$

b) $f'(x) = e^x x(x+2)$, de sorte que la fonction admet une tangente horizontale lorsque $f'(x) = 0$, c'est-à-dire lorsque $x = 0$ ou $x = -2$.

16. a) L'équation de la droite tangente à la courbe décrite par la fonction $f(x)$ en $x = 0$ est $y = 6x + 1$ et celle de la droite normale est $y = -\frac{1}{6}x + 1$.

b) On a $f'(x) = \frac{d}{dx}(xe^{-x}) = x\frac{d}{dx}(e^{-x}) + e^{-x}\frac{d}{dx}(x) = -xe^{-x} + e^{-x} = e^{-x}(1-x)$.

Alors, la pente de la droite tangente à la courbe décrite par $f(x)$ en $x = 1$ est $f'(1) = e^{-1}(1-1) = 0$.

De plus, $f(1) = 1(e^{-1}) = e^{-1}$, de sorte que la droite tangente passe par le point $(1, e^{-1})$.

L'équation de la droite tangente à la courbe décrite par la fonction $f(x)$ en $x = 1$ est donc $y = f'(1)(x-1) + f(1) = 0(x-1) + e^{-1}$, soit $y = e^{-1}$.

Puisque la droite tangente est horizontale, la droite normale est verticale et est de la forme $x = k$. Comme la droite normale passe par le point $(1, e^{-1})$, son équation est $x = 1$.

17. a) $f'(x) = 12e^{4x}$

b) $f''(x) = 48e^{4x}$

c) $f'''(x) = 192e^{4x}$

d) On a

$$f'(x) = 12e^{4x} = 3(4)e^{4x} = 3(4^1)e^{4x}$$
$$f''(x) = 48e^{4x} = 3(16)e^{4x} = 3(4^2)e^{4x}$$
$$f'''(x) = 192e^{4x} = 3(64)e^{4x} = 3(4^3)e^{4x}$$

On peut en déduire que, si n est un entier positif, alors $f^{(n)}(x) = 3(4^n)\,e^{4x}$.

18. a) $\frac{dy}{dx} = e^{-x}(1-x)$. De plus, $-y\left(1 - \frac{1}{x}\right) = -xe^{-x}\left(1 - \frac{1}{x}\right) = e^{-x}(-x+1) = e^{-x}(1-x)$.

Par conséquent, $\frac{dy}{dx} = -y\left(1 - \frac{1}{x}\right)$.

b) On a $\frac{dy}{dx} = xe^x + e^x + 2x$, $\frac{d^2y}{dx^2} = xe^x + 2e^x + 2$ et $\frac{d^3y}{dx^3} = xe^x + 3e^x$, de sorte que

$$\frac{d^3y}{dx^3} - \frac{d^2y}{dx^2} = xe^x + 3e^x - (xe^x + 2e^x + 2) = \cancel{xe^x} + 3e^x - \cancel{xe^x} - 2e^x - 2 = e^x - 2$$

19. $y' = 2ke^{kx}$ et $y'' = 2k^2e^{kx}$, de sorte que

$$y'' + 3y' - 4y = 0 \Leftrightarrow 2k^2e^{kx} + 6ke^{kx} - 8e^{kx} = 0$$
$$\Leftrightarrow 2e^{kx}(k^2 + 3k - 4) = 0$$
$$\Leftrightarrow k^2 + 3k - 4 = 0 \quad \text{car } 2e^{kx} \neq 0 \text{ pour tout } x$$
$$\Leftrightarrow k = \frac{-3 \pm \sqrt{3^2 - 4(1)(-4)}}{2(1)} = \frac{-3 \pm \sqrt{25}}{2}$$
$$\Leftrightarrow k = -4 \text{ ou } k = 1$$

20. $f'(t) = \frac{d}{dt}(t^A - A^t) = At^{A-1} - A^t\ln A$. Puisque $A > 0$,

$$f'(1) = 0 \Leftrightarrow A(1)^{A-1} - A^1\ln A = 0 \Leftrightarrow A(1 - \ln A) = 0 \Leftrightarrow \ln A = 1 \Leftrightarrow A = e$$

21. a) 1 000 bactéries

b) Environ 1 480 bactéries.

c) $\frac{dP}{dt} = 1\,000(1{,}04)^t \ln(1{,}04)$ bactéries/h $\Rightarrow \left.\frac{dP}{dt}\right|_{t=10} \approx 58$ bactéries/h

22. a) $P_A(0) = 10\,000$ habitants et $P_B(0) = 20\,000$ habitants.

b) Environ 14 ans.

c) $P_A'(t) = 10\,000(1{,}03^t)\ln(1{,}03)$ habitants/année $\Rightarrow P_A'(10) \approx 397$ habitants/année

d) Dans 10 ans, la population de la ville A augmentera d'environ 397 habitants par année, si le modèle prévisionnel se confirme.

e) $P_B'(t) = 20\,000(0{,}98^t)\ln(0{,}98)$ habitants/année $\Rightarrow P_B'(10) \approx -330$ habitants/année

f) Dans 10 ans, la population de la ville B diminuera d'environ 330 habitants par année, si le modèle prévisionnel se confirme.

23. a) 40 000 $

b) Environ 4,82 ans (ou environ 4 ans et 10 mois).

c) $V'(t) = 40\,000(0{,}75^t)\ln(0{,}75)$ \$/année $\Rightarrow V'(3) \approx -4\,854{,}63$ \$/année

d) Trois ans après son acquisition, la valeur de l'automobile diminue à raison d'environ 4 854,63 $ par année.

24. $\frac{dQ}{dx} = (300e^{0{,}025x} - 240e^{0{,}02x})$ mg/cm. Par conséquent, $Q'(2) \approx 65{,}6$ mg/cm.

25. a) Environ 0,90 cm.

b) 150 cm

c) $\frac{dL}{dt} = 45e^{-0{,}3(t+0{,}02)}$ cm/année $\Rightarrow \left.\frac{dL}{dt}\right|_{t=2} \approx 24{,}5$ cm/année

26. a) $p(0) = 1\,013{,}25$ hPa

b) $p(600) \approx 942{,}86$ hPa, de sorte que la pression atmosphérique à une altitude de 600 m est d'environ 942,86 hPa.

c) $p'(h) = \frac{dp}{dh} = -0{,}121\,59e^{-0{,}000\,12h}$ hPa/m

d) $p'(0) = -0{,}121\,59$ hPa/m

e) Au niveau de la mer, la pression atmosphérique diminue d'environ 0,1216 hPa par mètre d'augmentation de l'altitude.

f) $p'(600) \approx -0{,}1131$ hPa/m

g) À une altitude de 600 m, la pression atmosphérique diminue d'environ 0,1131 hPa par mètre d'augmentation de l'altitude.

27. a) 3 cm

b) $\frac{dr}{dt} = -e^{-t}$ cm/min

c) Comme $\frac{dr}{dt} = -e^{-t} < 0$ pour toutes les valeurs de t, la longueur du rayon du cercle diminue avec le temps.

d) $\lim_{t\to\infty} r(t) = 2$ cm, de sorte qu'à long terme, la longueur du rayon du cercle tend vers 2 cm.

e) $\frac{dA}{dt} = -2\pi e^{-t}(2 + e^{-t})$ cm²/min

28. a) 0,5 millier de personnes ou 500 personnes.

b) Environ 2,1 milliers de personnes ou 2 100 personnes.

c) $t = \frac{\ln\left(\frac{2{,}4}{10{,}4}\right)}{-0{,}75} \approx 2$ semaines

d) $\lim_{t\to\infty} N(t) = 2{,}5$ milliers de personnes $= 2\,500$ personnes

CHAPITRE 3

e) On a $\dfrac{dN}{dt} = \dfrac{30e^{-0,75t}}{(2 + 8e^{-0,75t})^2}$ milliers de personnes/semaine. Alors,

$$\left.\frac{dN}{dt}\right|_{t=2} \approx 0,467 \text{ millier de personnes/semaine}$$

soit environ 467 personnes par semaine.

f) $\lim\limits_{t\to\infty} N'(t) = 0$ millier de personnes/semaine, de sorte qu'à long terme, le virus ne se propage plus.

29. a) $h(0) = 0,\overline{2}$ m ou environ 22 cm.

b) $t = 6 \ln 2 \approx 4,2$ mois

c) $\lim\limits_{t\to\infty} h(t) = 2$ m

d) Le concept de dérivée.

e) $h'(t)$ ou $\dfrac{dh}{dt}$.

f) $h'(t) = \dfrac{2e^{-0,5t}}{(0,5 + 4e^{-0,5t})^2}$ m/mois $\Rightarrow h'(2) = \dfrac{2e^{-0,5(2)}}{\left[0,5 + 4e^{-0,5(2)}\right]^2} \approx 0,19$ m/mois, soit environ 19 cm/mois.

g) $\lim\limits_{t\to\infty} h'(t) = 0$ m/mois, de sorte qu'à long terme, la plante ne croît plus.

30. a) 7,85 milliards d'habitants

b) 9,72 milliards d'habitants

c) $\dfrac{\Delta P}{\Delta t} = \dfrac{P(20) - P(0)}{20 - 0} = 0,0935$ milliard d'habitants/année

d) $P'(t) = \dfrac{dP}{dt} = \dfrac{0,2754e^{-0,09t}}{(1 + 0,3e^{-0,09t})^2}$ milliards d'habitants/année

e) $P'(0) \approx 0,163$ milliard d'habitants/année

f) Selon ce modèle démographique, la population sur la Terre augmentait de 163 000 000 habitants par année en 2020.

g) $P'(20) \approx 0,041$ milliard d'habitants/année

h) Selon ce modèle démographique, la population sur la Terre augmenterait de 41 000 000 habitants par année en 2040.

31. a) $C'(x) = 0,1e^{0,002x}(0,002x + 1)$

b) $D'(x) = \dfrac{x(10 + 0,1x)}{(10 + 0,2x)^2}$

c) $G'(x) = C'(x) - D'(x) = 0,1e^{0,002x}(0,002x + 1) - \dfrac{x(10 + 0,1x)}{(10 + 0,2x)^2}$

d) $G'(200) \approx -2,2$. Comme le taux de variation du gain énergétique est négatif, le prédateur a intérêt à chasser une proie moins lourde.

32. a) 360 versements

b) $S(n) = \dfrac{200\left[(1,003)^n - 1\right]}{0,003}$

c) Environ 28 837,14 $.

d) $S'(n) = \dfrac{dS}{dn} = \dfrac{200(1,003)^n \ln(1,003)}{0,003}$ $/mois

e) $S'(360) \approx 587,10$ $/mois

f) En faisant des versements à la fin de chaque mois à partir de son 25e anniversaire, Mariska aurait fait $n = 12(35) = 420$ versements dans son compte lors de son 60e anniversaire. Alors, $S'(420) \approx 702,70$ $/mois.

g) Plus on commence tôt à économiser, plus le rythme de croissance de l'investissement augmente à l'échéance. C'est l'effet exponentiel de l'intérêt composé.

33. a) 0

b) A

c) On a $\dfrac{dy}{dx} = \dfrac{d}{dx}\left[A\left(1 - e^{-kx}\right)\right] = \dfrac{d}{dx}\left(A - Ae^{-kx}\right) = 0 - Ae^{-kx}\dfrac{d}{dx}(-kx) = kAe^{-kx}$.

De plus, $k(A - y) = k\left[A - A\left(1 - e^{-kx}\right)\right] = k\left(A - A + Ae^{-kx}\right) = kAe^{-kx}$.

Par conséquent, $\dfrac{dy}{dx} = k(A - y)$.

34. a) $C(0) = Ae^{-k(0)} = A$, de sorte que le paramètre A représente la concentration du traceur au moment de l'injection.

b) $\dfrac{dC}{dt} = \dfrac{d}{dt}\left(Ae^{-kt}\right) = Ae^{-kt}\dfrac{d}{dt}(-kt) = -k\left(Ae^{-kt}\right) = -kC$

35. a) $\dfrac{P'(t)}{P(t)} = \dfrac{k\cancel{P(0)e^{kt}}}{\cancel{P(0)e^{kt}}} = k$, de sorte que le taux de variation relatif de cette population est constant.

b) $\dfrac{P'(t)}{P(t)} = \dfrac{\cancel{a}bc\cancel{e^{-be^{-ct}}}e^{-ct}}{\cancel{a}\cancel{e^{-be^{-ct}}}} = bce^{-ct}$

36. a) $L(0) = Ae^{-1{,}4(0)} = A$, de sorte que le paramètre A représente l'intensité lumineuse à la surface de l'eau.

b) $x = -\dfrac{\ln(0{,}05)}{1{,}4} \approx 2{,}1$ m

c) On a $\dfrac{dL}{dx} = -1{,}4Ae^{-1{,}4x}$. Par conséquent, $L'(1) \approx -0{,}35A$.

d) $\dfrac{L'(x)}{L(x)} = \dfrac{-1{,}4\cancel{Ae^{-1{,}4x}}}{\cancel{Ae^{-1{,}4x}}} = -1{,}4$, soit un taux de variation relatif constant.

37. a) $H(0) = 0$, de sorte que la persistance d'une habitude qui n'est pas encore acquise $(t = 0)$ est nulle.

b) $\lim\limits_{t\to\infty} H(t) = 1$

c) On a $H'(t) = 0{,}01e^{-0{,}01t}$. Comme $e^{-0{,}01t} > 0$ pour toutes les valeurs de t, on a $H'(t) = 0{,}01e^{-0{,}01t} > 0$, de sorte que la fonction $H(t)$ est croissante.

d) $H'(100) \approx 0{,}0037$ point d'indice/mois

e) $\lim\limits_{t\to\infty} H'(t) = \lim\limits_{t\to\infty}\left(0{,}01e^{-0{,}01t}\right) = 0{,}01 \underbrace{\lim\limits_{t\to\infty} e^{-0{,}01t}}_{\substack{\text{forme } b^{-\infty} \\ \text{avec } b = e > 1}} = 0{,}01(0) = 0$ point d'indice/mois

38. a) $M(0) = 20$, de sorte qu'au début de la formation, le niveau de maîtrise de la technique est de 20 %.

b) $\lim\limits_{t\to\infty} M(t) = 100$, de sorte qu'à long terme, la formation permet d'acquérir un niveau de maîtrise de la technique de 100 %.

c) Environ 2 mois et demi (2,48 mois) après la formation.

d) $M'(t) = \dfrac{dM}{dt} = \dfrac{d}{dt}\left(\dfrac{100}{1 + 4e^{-t}}\right) = \dfrac{d}{dt}\left[100\left(1 + 4e^{-t}\right)^{-1}\right]$

$$= -100\left(1 + 4e^{-t}\right)^{-2}\frac{d}{dt}\left(1 + 4e^{-t}\right) = \frac{-100}{\left(1 + 4e^{-t}\right)^2}\left[4e^{-t}\frac{d}{dt}(-t)\right]$$

$$= \frac{-400e^{-t}}{\left(1 + 4e^{-t}\right)^2}(-1) = \frac{400e^{-t}}{\left(1 + 4e^{-t}\right)^2} = \frac{400e^{-t}}{\left(1 + \frac{4}{e^t}\right)^2} = \frac{400e^{-t}}{\left(\frac{e^t + 4}{e^t}\right)^2}$$

$$= \frac{400e^{-t}}{\frac{\left(e^t + 4\right)^2}{\left(e^t\right)^2}} = 400e^{-t} \cdot \frac{e^{2t}}{\left(e^t + 4\right)^2} = \frac{400e^t}{\left(e^t + 4\right)^2}$$

e) Comme t est le temps écoulé depuis une formation, on a $t \in [0, \infty[$. De plus, $e^t > 0$ pour toutes les valeurs de t. Alors, $M'(t) = \dfrac{400e^t}{(e^t + 4)^2} > 0$, de sorte que la fonction $M(t) = \dfrac{100}{1 + 4e^{-t}}$ est croissante sur $[0, \infty[$.

f) Après une durée d'environ 1,39 mois.

39. a) $r(0) = 24$ répétitions/min, de sorte qu'au début de l'apprentissage de la tâche, la personne peut la répéter 24 fois par minute.

b) $r'(t) = 18(\ln 3)(3^{-0,5t})$ répétitions/min/semaine

c) Le nombre de répétitions de la tâche par minute augmente avec le temps.

d) $r''(t) = -9(\ln 3)^2(3^{-0,5t})$ répétitions/min/semaine²

e) Le rythme d'augmentation du nombre de répétitions de la tâche diminue avec le temps : il tend à s'amenuiser.

40. a) $P'(t) = Cke^{-kt}$

b) Comme $C > 0$, $k > 0$ et $e^{-kt} > 0$ pour toutes les valeurs de t, on a $P'(t) = Cke^{-kt} > 0$, de sorte que la fonction $P(t) = N - Ce^{-kt}$ est croissante.

c) $P''(t) = \dfrac{d}{dt}[P'(t)] = -Ck^2e^{-kt}$

d) Comme $C > 0$, $k > 0$ et $e^{-kt} > 0$ pour toutes les valeurs de t, on a $P''(t) = -Ck^2e^{-kt} < 0$, de sorte que $P''(t)$ n'est jamais positif.

41. a) On a $N(0) = K$. Le paramètre K représente la taille initiale de la population.

b) Comme $a > 0$, on a $\underbrace{\lim_{t\to\infty} e^{-at}}_{\substack{\text{forme } b^{-\infty} \\ \text{avec } b = e > 1}} = 0$, de sorte que

$$\lim_{t\to\infty} N(t) = \lim_{t\to\infty} \frac{aK}{bK + (a - bK)e^{-at}} = \frac{aK}{bK + 0} = \frac{a}{b}$$

À long terme, la taille de la population est indépendante de sa taille initiale et elle se stabilise à $\dfrac{a}{b}$.

c) $N'(t) = \dfrac{a^2K(a - bK)e^{-at}}{[bK + (a - bK)e^{-at}]^2}$

d) La fonction $N(t)$ est croissante lorsque $N'(t) = \dfrac{a^2K(a - bK)e^{-at}}{[bK + (a - bK)e^{-at}]^2} > 0$ et

décroissante lorsque $N'(t) = \dfrac{a^2K(a - bK)e^{-at}}{[bK + (a - bK)e^{-at}]^2} < 0$.

Or, comme les paramètres K, a et b sont positifs et que $e^{-at} > 0$ et $[bK + (a - bK)e^{-at}]^2 > 0$ pour toutes les valeurs de t, on a

$$\frac{a^2K(a - bK)e^{-at}}{[bK + (a - bK)e^{-at}]^2} > 0 \Leftrightarrow a^2K(a - bK)e^{-at} > 0 \Leftrightarrow a - bK > 0$$

$$\Leftrightarrow -bK > -a \Leftrightarrow bK < a \Leftrightarrow K < \frac{a}{b}$$

La taille de la population est donc croissante lorsque la taille de la population initiale $[K = N(0)]$ est inférieure à celle de la population à long terme $\left[\lim_{t\to\infty} N(t) = \dfrac{a}{b}\right]$.

De manière similaire, on peut vérifier que la taille de la population est décroissante lorsque la taille de la population initiale est supérieure à celle de la population à long terme.

e) On a $\lim_{t\to\infty} N'(t) = \lim_{t\to\infty} \frac{a^2K(a-bK)e^{-at}}{\left[bK+(a-bK)e^{-at}\right]^2} = \frac{a^2K(a-bK)(0)}{\left[bK+(a-bK)(0)\right]^2} = 0$. À long terme, le taux de croissance de la population est nul, de sorte que la taille de la population se stabilise. Cela confirme le résultat obtenu en *b*.

f) On a

$$\begin{aligned} bN\left(\frac{a}{b}-N\right) &= \frac{abK}{bK+(a-bK)e^{-at}}\left[\frac{a}{b}-\frac{aK}{bK+(a-bK)e^{-at}}\right] \\ &= \frac{a\cancel{b}K}{bK+(a-bK)e^{-at}} \cdot \frac{a\left[bK+(a-bK)e^{-at}\right]-abK}{\cancel{b}\left[bK+(a-bK)e^{-at}\right]} \\ &= \frac{aK\left[\cancel{abK}+a(a-bK)e^{-at}-\cancel{abK}\right]}{\left[bK+(a-bK)e^{-at}\right]^2} \\ &= \frac{a^2K(a-bK)e^{-at}}{\left[bK+(a-bK)e^{-at}\right]^2} \\ &= N'(t) \end{aligned}$$

Le taux de croissance de la population est donc proportionnel au produit de la taille de cette dernière et de la différence entre cette taille et celle de la population à long terme puisque $N'(t) = bN\left(\frac{a}{b}-N\right)$.

42. a) $\frac{dy}{dx} = \frac{8x^3-3x^2+3}{(2x^4-x^3+3x-5)\ln 7}$

b) $\frac{dh}{dx} = \frac{1}{x\ln x}$

c) $\frac{df}{dx} = \frac{(2x\ln 3)\,3^{\ln(x^2+1)}}{x^2+1}$

d) $\frac{dy}{dx} = \frac{1}{(2\ln 10)x\sqrt{\log x}}$

e) $\frac{ds}{dt} = -2t^3e^{-2t}+3t^2e^{-2t}+\frac{4(\ln t)^3}{t} = \frac{-2t^4e^{-2t}+3t^3e^{-2t}+4(\ln t)^3}{t}$

f)
$$\begin{aligned} \frac{dg}{dt} &= \frac{d}{dt}\left[\log_8(3t+1)+2\ln(3t+1)\right] \\ &= \frac{1}{(3t+1)\ln 8}\cdot\frac{d}{dt}(3t+1)+2\cdot\frac{1}{3t+1}\cdot\frac{d}{dt}(3t+1) \\ &= \frac{1}{(3t+1)\ln 8}(3)+\frac{2}{3t+1}(3) = \frac{3}{(3t+1)\ln 8}+\frac{6}{3t+1} \\ &= \frac{3}{(3t+1)\ln 8}+\frac{6\ln 8}{(3t+1)\ln 8} = \frac{3+6\ln 8}{(3t+1)\ln 8} \\ &= \frac{3+6\ln(2^3)}{(3t+1)\ln(2^3)} = \frac{3+6(3\ln 2)}{(3t+1)(3\ln 2)} \quad \text{propriété : } \ln(M^p) = p\ln M \\ &= \frac{\cancel{3}(1+6\ln 2)}{\cancel{3}(3t+1)\ln 2} = \frac{1+6\ln 2}{(3t+1)\ln 2} \end{aligned}$$

g)
$$\begin{aligned} \frac{dg}{dx} &= \frac{d}{dx}\left[\log_3\left(x-\sqrt{x^2-1}\right)\right] = \frac{1}{\left(x-\sqrt{x^2-1}\right)\ln 3}\cdot\frac{d}{dx}\left(x-\sqrt{x^2-1}\right) \\ &= \frac{1}{\left(x-\sqrt{x^2-1}\right)\ln 3}\cdot\left[1-\frac{1}{2}(x^2-1)^{-1/2}\frac{d}{dx}(x^2-1)\right] \end{aligned}$$

CHAPITRE 3

$$= \frac{1}{\left(x - \sqrt{x^2 - 1}\right)\ln 3} \cdot \left[1 - \frac{1}{\not{2}\sqrt{x^2 - 1}}(\not{2}x)\right]$$

$$= \frac{1}{\left(x - \sqrt{x^2 - 1}\right)\ln 3} \cdot \left(\frac{\sqrt{x^2 - 1}}{\sqrt{x^2 - 1}} - \frac{x}{\sqrt{x^2 - 1}}\right)$$

$$= \frac{1}{\left(x - \sqrt{x^2 - 1}\right)\ln 3} \cdot \frac{\sqrt{x^2 - 1} - x}{\sqrt{x^2 - 1}}$$

$$= \frac{1}{\left(x - \sqrt{x^2 - 1}\right)\ln 3} \cdot \frac{-\left(x - \sqrt{x^2 - 1}\right)}{\sqrt{x^2 - 1}}$$

$$= \frac{-1}{(\ln 3)\sqrt{x^2 - 1}}$$

h) $\frac{df}{dt} = 3^t \ln 3 - 3t^2 + \frac{2t}{t^2 + 1} + \frac{e^{t^2}}{3t^{4/3}} - 2t^{2/3}e^{t^2}$

43. a) $\frac{dg}{dx} = \frac{d}{dx}\left[\ln\left(\frac{3x - 4}{2x^2 + 1}\right)\right] = \frac{1}{\frac{3x - 4}{2x^2 + 1}} \frac{d}{dx}\left(\frac{3x - 4}{2x^2 + 1}\right)$

$$= \frac{2x^2 + 1}{3x - 4}\left[\frac{2x^2 + 1\frac{d}{dx}(3x - 4) - (3x - 4)\frac{d}{dx}(2x^2 + 1)}{(2x^2 + 1)^2}\right]$$

$$= \frac{2x^2 + 1}{3x - 4} \cdot \frac{(2x^2 + 1)(3) - (3x - 4)(4x)}{(2x^2 + 1)^2}$$

$$= \frac{2x^2 + 1}{3x - 4} \cdot \frac{6x^2 + 3 - 12x^2 + 16x}{(2x^2 + 1)^2}$$

$$= \frac{-6x^2 + 16x + 3}{(3x - 4)(2x^2 + 1)}$$

On peut également utiliser la propriété $\ln\left(\frac{M}{N}\right) = \ln M - \ln N$ pour faciliter la dérivation :

$$\frac{dg}{dx} = \frac{d}{dx}\left[\ln\left(\frac{3x - 4}{2x^2 + 1}\right)\right] = \frac{d}{dx}\left[\ln(3x - 4) - \ln(2x^2 + 1)\right]$$

$$= \frac{1}{3x - 4} \cdot \frac{d}{dx}(3x - 4) - \frac{1}{2x^2 + 1} \cdot \frac{d}{dx}(2x^2 + 1)$$

$$= \frac{3}{3x - 4} - \frac{4x}{2x^2 + 1} = \frac{3(2x^2 + 1)}{(3x - 4)(2x^2 + 1)} - \frac{4x(3x - 4)}{(2x^2 + 1)(3x - 4)}$$

$$= \frac{6x^2 + 3 - 12x^2 + 16x}{(3x - 4)(2x^2 + 1)} = \frac{-6x^2 + 16x + 3}{(3x - 4)(2x^2 + 1)}$$

b) $\frac{dy}{dt} = \frac{-2}{t(t^2 - 1)}$

c) $\frac{dh}{dt} = \frac{-2t(4^{2t+1})}{(16 - t^2)\ln 4} + 4^{2t+1}(2\ln 4)\left[\log_4(16 - t^2)\right]$ ou

$\frac{dh}{dt} = \frac{4^{2t+1}\left[-t + 4(\ln 2)^2(16 - t^2)\log_4(16 - t^2)\right]}{(16 - t^2)\ln 2}.$

d) $\frac{df}{dt} = \frac{18t^5}{(3t^2 + 1)\ln 5} + 12t^3\log_5(3t^2 + 1)$ ou

$\frac{df}{dt} = \frac{6t^3\left[3t^2 + 2(\ln 5)(3t^2 + 1)\log_5(3t^2 + 1)\right]}{(3t^2 + 1)\ln 5}.$

e) $\dfrac{dh}{dx} = \dfrac{2^x(2x+2)}{x^2+2x+1} + (2^x \ln 2)\ln(x^2+2x+1)$ ou

$\dfrac{dh}{dx} = \dfrac{2^x\left[2x+2+(\ln 2)(x^2+2x+1)\ln(x^2+2x+1)\right]}{x^2+2x+1}.$

f) $\dfrac{ds}{dx} = \dfrac{2\left[x^2-(x^2+1)\ln(x^2+1)\right]}{x^3(x^2+1)}$

44. a) $\dfrac{dy}{dx} = \dfrac{y}{x}$

b) $\dfrac{dy}{dx} = -\dfrac{2y(xy+1)}{x(2xy+1)}$

c) $\dfrac{dy}{dx} = \dfrac{y\left[(x\ln 10)e^{x+y}-1\right]}{x\left[1-(y\ln 10)e^{x+y}\right]}$

d) Dérivons chaque membre de l'égalité par rapport à x en considérant y comme une fonction dérivable de x, puis isolons $\dfrac{dy}{dx}$.

$$3y + \log_4(x^2+2y) = x^2+1$$

$$\frac{d}{dx}\left[3y+\log_4(x^2+2y)\right] = \frac{d}{dx}(x^2+1)$$

$$3\frac{dy}{dx} + \frac{1}{(x^2+2y)\ln 4}\cdot\frac{d}{dx}(x^2+2y) = 2x$$

$$3\frac{dy}{dx} + \frac{1}{(x^2+2y)\ln 4}\left(2x+2\frac{dy}{dx}\right) = 2x$$

$$3\frac{dy}{dx} + \frac{2x}{(x^2+2y)\ln 4} + \frac{2}{(x^2+2y)\ln 4}\frac{dy}{dx} = 2x$$

$$\left[3+\frac{2}{(x^2+2y)\ln 4}\right]\frac{dy}{dx} = 2x - \frac{2x}{(x^2+2y)\ln 4}$$

$$\frac{2+3(x^2+2y)\ln 4}{(x^2+2y)\ln 4}\frac{dy}{dx} = \frac{2x(x^2+2y)\ln 4 - 2x}{(x^2+2y)\ln 4}$$

$$\left[2+3(x^2+2y)\ln 4\right]\frac{dy}{dx} = 2x(x^2+2y)\ln 4 - 2x$$

$$\frac{dy}{dx} = \frac{2x\left[(x^2+2y)\ln 4 - 1\right]}{2+3(x^2+2y)\ln 4}$$

e) $\dfrac{dy}{dx} = -\dfrac{2(5^{2x})(\ln 5)^2(x+2y)+1}{2}$

f) $\dfrac{dy}{dx} = -\dfrac{y(x3^x\ln 3+1)}{x(3-5y)}$

45. a) Comme $x < 4$, on a $8-2x > 0$ et $y > 0$, de sorte que $\ln(8-2x)$ et $\ln y$ sont définis. Appliquons le logarithme naturel à chaque membre de l'équation :

$$y = (8-2x)^{x^2}$$

$$\ln y = \ln\left[(8-2x)^{x^2}\right]$$

$$\ln y = x^2\ln(8-2x) \quad \text{car } \ln(M^p) = p\ln M$$

Dérivons implicitement par rapport à x:

$$\frac{d}{dx}(\ln y) = \frac{d}{dx}[x^2 \ln(8-2x)]$$

$$\frac{1}{y}\frac{dy}{dx} = x^2 \frac{d}{dx}[\ln(8-2x)] + [\ln(8-2x)]\frac{d}{dx}(x^2)$$

$$\frac{1}{y}\frac{dy}{dx} = x^2 \cdot \frac{1}{8-2x} \cdot \frac{d}{dx}(8-2x) + 2x\ln(8-2x)$$

$$\frac{1}{y}\frac{dy}{dx} = \frac{x^2}{8-2x}(-2) + 2x\ln(8-2x)$$

$$\frac{dy}{dx} = y\left[\frac{-2x^2}{8-2x} + 2x\ln(8-2x)\right]$$

$$\frac{dy}{dx} = (8-2x)^{x^2}\left[\frac{-2x^2}{8-2x} + 2x\ln(8-2x)\right]$$

En utilisant la mise au même dénominateur, on obtient:

$$\begin{aligned}\frac{dy}{dx} &= (8-2x)^{x^2}\left[\frac{-2x^2}{8-2x} + \frac{2x(8-2x)\ln(8-2x)}{8-2x}\right] \\ &= (8-2x)^{x^2}\left[\frac{-2x^2 + 2x(8-2x)\ln(8-2x)}{8-2x}\right] \\ &= (8-2x)^{x^2-1}[-2x^2 + 2x(8-2x)\ln(8-2x)] \\ &= 2x(8-2x)^{x^2-1}[-x + (8-2x)\ln(8-2x)]\end{aligned}$$

b) $\frac{dy}{dx} = (\ln x)^x\left[\frac{1}{\ln x} + \ln(\ln x)\right]$ ou $\frac{dy}{dx} = (\ln x)^{x-1}[1 + (\ln x)\ln(\ln x)]$.

c) $\frac{dy}{dx} = x^{2e^x}\left[\frac{2e^x}{x} + 2e^x(\ln x)\right]$ ou $\frac{dy}{dx} = 2e^x x^{2e^x - 1}(1 + x\ln x)$.

d) $\frac{dy}{dx} = (x^2 + e^{3x})^{4x}\left[\frac{4x(2x + 3e^{3x})}{x^2 + e^{3x}} + 4\ln(x^2 + e^{3x})\right]$ ou

$\frac{dy}{dx} = 4(x^2 + e^{3x})^{4x-1}[x(2x + 3e^{3x}) + (x^2 + e^{3x})\ln(x^2 + e^{3x})]$.

e) $\frac{dy}{dx} = 1 + \ln x - \frac{e^x}{e^x + 1}$ ou $\frac{dy}{dx} = \frac{1 + e^x \ln x + \ln x}{e^x + 1}$.

f) Comme $x > 0$, $x^2 + 3 > 0$ et $e^{x^\pi + 2x} > 0$, on a $y > 0$, de sorte que $\ln x$, $\ln(x^2+3)$, $\ln(e^{x^\pi+2x})$ et $\ln y$ sont définis. Appliquons le logarithme naturel à chaque membre de l'équation:

$$y = x^{4/3}(x^2+3)^3 e^{x^\pi + 2x}$$

$$\ln y = \ln\left[x^{4/3}(x^2+3)^3 e^{x^\pi+2x}\right]$$

$$\ln y = \ln(x^{4/3}) + \ln\left[(x^2+3)^3\right] + \ln(e^{x^\pi+2x}) \quad \text{car } \ln(MN) = \ln M + \ln N$$

$$\ln y = \ln(x^{4/3}) + \ln\left[(x^2+3)^3\right] + x^\pi + 2x \quad \text{car } \ln(e^p) = p$$

$$\ln y = 4/3 \ln x + 3\ln(x^2+3) + x^\pi + 2x \quad \text{car } \ln(M^p) = p\ln M$$

Dérivons implicitement par rapport à x:

$$\frac{d}{dx}(\ln y) = \frac{d}{dx}\left[4/3 \ln x + 3\ln(x^2+3) + x^\pi + 2x\right]$$

$$\frac{1}{y}\frac{dy}{dx} = \frac{4}{3}\cdot\frac{1}{x}\cdot\frac{d}{dx}(x) + 3\cdot\frac{1}{x^2+3}\cdot\frac{d}{dx}(x^2+3) + \pi x^{\pi-1} + 2$$

$$\frac{1}{y}\frac{dy}{dx} = \frac{4}{3x} + \frac{3}{x^2+3}(2x) + \pi x^{\pi-1} + 2$$

$$\frac{dy}{dx} = y\left(\frac{4}{3x} + \frac{6x}{x^2+3} + \pi x^{\pi-1} + 2\right)$$

$$\frac{dy}{dx} = x^{4/3}\left(x^2+3\right)^3 e^{x^\pi+2x}\left(\frac{4}{3x} + \frac{6x}{x^2+3} + \pi x^{\pi-1} + 2\right)$$

Nous omettrons la mise au même dénominateur.

g) $\dfrac{dy}{dx} = \dfrac{3x^7(x+1)^4}{(2x-1)^6}\left(\dfrac{7}{x} + \dfrac{4}{x+1} - \dfrac{12}{2x-1}\right)$

h) $\dfrac{dy}{dx} = \dfrac{(3x^2+1)^3(2x-1)^2}{x(4x+5)}\left(\dfrac{18x}{3x^2+1} + \dfrac{4}{2x-1} - \dfrac{1}{x} - \dfrac{4}{4x+5}\right)$

i) $\dfrac{dy}{dx} = \dfrac{(x^3-5)^4\sqrt[7]{x^2+6}}{(x^4+2)^5}\left[\dfrac{12x^2}{x^3-5} + \dfrac{2x}{7(x^2+6)} - \dfrac{20x^3}{x^4+2}\right]$

j) $\dfrac{dy}{dx} = \dfrac{x^6\sqrt{3x^4+2}}{(2x^3+1)^4\sqrt[5]{2+x^2}}\left(\dfrac{6}{x} + \dfrac{6x^3}{3x^4+2} - \dfrac{24x^2}{2x^3+1} - \dfrac{2x}{10+5x^2}\right)$

46. $f'(x) = \dfrac{5}{(5x+1)\ln 4}$, de sorte que la pente de la droite tangente à la courbe décrite par $f(x)$ en $x = 3$ est $f'(3) = \dfrac{5}{16\ln 4}$. L'équation de la droite tangente à la courbe décrite par la fonction $f(x)$ au point $P(3, 2)$ est donc $y = \dfrac{5}{16\ln 4}x + 2 - \dfrac{15}{16\ln 4}$ et celle de la droite normale est $y = -\dfrac{16\ln 4}{5}x + \dfrac{48\ln 4}{5} + 2$.

47. Deux droites non verticales sont parallèles si elles ont la même pente. Or, la droite $y - 2x = 4$ (ou $y = 2x + 4$) a une pente de 2. On cherche donc une valeur positive de x pour laquelle $\dfrac{df}{dx} = 2$. Or,

$$\frac{df}{dx} = 2 \Leftrightarrow \frac{d}{dx}(x\ln x - x) = 2 \Leftrightarrow x\frac{d}{dx}(\ln x) + \ln x\frac{d}{dx}(x) - 1 = 2$$

$$\Leftrightarrow \cancel{x}\cdot\frac{1}{\cancel{x}}\cdot\frac{d}{dx}(x) + \ln x = 3 \Leftrightarrow 1 + \ln x = 3$$

$$\Leftrightarrow \ln x = 2 \Leftrightarrow e^{\ln x} = e^2 \Leftrightarrow x = e^2 \quad \text{propriété: } e^{\ln N} = N$$

48. On a $y' = 1 + \dfrac{1}{x}$ et $y'' = -\dfrac{1}{x^2}$. Alors,

$$x^3y'' + xy' = x^3\left(-\frac{1}{x^2}\right) + x\left(1 + \frac{1}{x}\right) = -x + x + 1 = 1$$

49. $\dfrac{dp}{dt} = -\dfrac{15}{t+1}$ points/s $\Rightarrow p'(4) = -3$ points/s. Après 4 s, le pourcentage des personnes qui se souviennent encore du nombre diminue à raison de 3 points par seconde. (Remarque : Lorsqu'un pourcentage passe de 30 % à 30,1 %, on dit qu'il augmente de 0,1 point de pourcentage ou simplement de 0,1 point.)

50. a) $p(0) \approx 68{,}1\ \%$: environ 68,1 % des étudiantes et des étudiants sont en mesure d'écrire une formule de dérivation vue au début d'un cours immédiatement après la fin du cours.

b) $\dfrac{dp}{dt} = -\dfrac{20}{t + 2/3}$ points/h

51. a) $R(S_0) = k\ln\left(\dfrac{S_0}{S_0}\right) = k\ln 1 = 0$

b) Si $S > S_0 > 0$, alors $\ln S > \ln S_0$ puisque la fonction $y = \ln x$ est croissante sur $]0, \infty[$.
Comme $k > 0$, on a $R(S) = k\ln\left(\dfrac{S}{S_0}\right) = \underbrace{k}_{\text{positif}}\underbrace{[\ln(S) - \ln(S_0)]}_{\text{positif}} > 0.$

c) On a vu en a que $R(S_0) = 0$, et en b que $R(S) > 0$ lorsque $S > S_0$. Par conséquent, S_0 est un seuil de réponse (de réaction) : il faut un stimulus dont l'intensité est supérieure à S_0 pour obtenir une réponse (une réaction).

d) $\dfrac{dR}{dS} = \dfrac{k}{S}$, de sorte que $R'(S_0) = \dfrac{k}{S_0}$ et $R'(2S_0) = \dfrac{k}{2S_0}$.

e) Comme $\dfrac{dR}{dS} = \dfrac{k}{S}$, la sensibilité est inversement proportionnelle à l'intensité du stimulus (S).

52. a) Vrai.

b) Faux, car $\dfrac{d}{dx}(\ln\pi) = 0$.

c) Faux, car la fonction n'est pas définie en $x = 0$.

d) Faux, car $\dfrac{d}{dx}(2^x) = 2^x\ln 2$.

e) Faux, car $\dfrac{d}{dx}(x^x) = x^x(1 + \ln x)$.

f) Vrai. $\dfrac{d}{dx}(b^x) = b^x\ln b$, de sorte que si $\dfrac{d}{dx}(b^x) = b^x$, alors $\ln b = 1$, d'où $b = e$.

g) Vrai. La pente de la droite tangente à la courbe décrite par la fonction $f(x)$ en $x = -1/3$ est donnée par $f'(-1/3)$. Or, $f'(x) = 3e^{3x}$, de sorte que $f'(-1/3) = 3e^{-1} = \dfrac{3}{e}$.

53. a) La fonction $f(x)$ est continue sur $\mathbb{R}\backslash\{k\pi | k \in \mathbb{Z}\}$, c'est-à-dire pour l'ensemble des réels à l'exception des valeurs qui sont des multiples entiers de π.

b) En vertu du théorème 1.4, $u(x) = 2 - 7x$ est continue sur $\mathbb{R}$, car c'est un polynôme. De plus, par le théorème 3.2, $v(x) = \ln x$ est continue si $x > 0$. En vertu du théorème 1.7, la fonction $g(x) = \ln(2 - 7x)$ est continue si $2 - 7x > 0$, c'est-à-dire si $x < 2/7$ ou si $x \in\ ]-\infty, 2/7[$.
De plus, $g(x) = \ln(2 - 7x) = 0$ lorsque $2 - 7x = 1$, soit lorsque $x = 1/7$.
Enfin, $h(x) = \sin x$ est une fonction continue sur $\mathbb{R}$ (théorème 3.6).
Alors, $f(x) = \dfrac{\sin x}{\ln(2 - 7x)}$ est un quotient de fonctions continues sur $]-\infty, 2/7[$ dont le dénominateur s'annule seulement lorsque $x = 1/7$.
Par conséquent, en vertu du théorème 1.5, la fonction $f(x)$ est continue sur $]-\infty, 2/7[\ \backslash\ \{1/7\}$.

c) La fonction $f(x)$ est continue sur $\mathbb{R}\backslash\{3\pi/2 + 2k\pi | k \in \mathbb{Z}\}$.

d) La fonction $u(x) = 2x$ est continue sur $\mathbb{R}$, car c'est un polynôme (théorème 1.4). De plus, $v(x) = \cos x$ est aussi continue sur $\mathbb{R}$ (théorème 3.6). En vertu du théorème 1.7, $g(x) = \cos(2x)$ est continue sur $\mathbb{R}$, car c'est la composition de deux fonctions continues.

Comme $h(x) = e^{-x} = (e^{-1})^x$ est continue sur $\mathbb{R}$, car c'est une fonction exponentielle de base e^{-1} (théorème 3.1), alors $f(x) = \dfrac{e^{-x}}{\cos(2x)}$ est un quotient de deux fonctions continues sur $\mathbb{R}$.

En vertu du théorème 1.5, la fonction $f(x)$ admet des discontinuités seulement là où le dénominateur est nul, c'est-à-dire lorsque $\cos(2x) = 0$.

Ainsi, $f(x)$ est une fonction discontinue lorsque $2x$ est un multiple impair de $\dfrac{\pi}{2}$, soit lorsque $2x = (2k+1)\dfrac{\pi}{2}$, c'est-à-dire pour $x = \dfrac{(2k+1)\pi}{4}$, où $k \in \mathbb{Z}$. Par conséquent, la fonction $f(x)$ est continue sur $\mathbb{R}\backslash\left\{\dfrac{(2k+1)\pi}{4}\,\middle|\, k \in \mathbb{Z}\right\}$.

54. a) -1

b) $1/3$

c) 2

d) 4

e) 8

f) $-4/5$

g) ∞

h) $-\infty$

i) On a $\displaystyle\lim_{x\to\left(\frac{3\pi}{4}\right)^-} \frac{\sec(2x)}{x^2} = \underbrace{\lim_{x\to\left(\frac{3\pi}{4}\right)^-} \frac{1}{x^2\cos(2x)}}_{\text{forme } \frac{1}{\left(\frac{3\pi}{4}\right)^2(0^-)}} = -\infty.$

De plus, $\displaystyle\lim_{x\to\left(\frac{3\pi}{4}\right)^+} \frac{\sec(2x)}{x^2} = \underbrace{\lim_{x\to\left(\frac{3\pi}{4}\right)^+} \frac{1}{x^2\cos(2x)}}_{\text{forme } \frac{1}{\left(\frac{3\pi}{4}\right)^2(0^+)}} = \infty.$

Par conséquent, $\displaystyle\lim_{x\to\frac{3\pi}{4}} \frac{\sec(2x)}{x^2}$ n'existe pas.

j) ∞

55. a) $$\underbrace{\lim_{x\to\frac{\pi}{4}} \frac{\cos x - \sin x}{1 - \operatorname{tg} x}}_{\text{forme } \frac{0}{0}} = \lim_{x\to\frac{\pi}{4}} \frac{\cos x - \sin x}{1 - \dfrac{\sin x}{\cos x}} = \lim_{x\to\frac{\pi}{4}} \frac{\cos x - \sin x}{\dfrac{\cos x - \sin x}{\cos x}}$$

$$= \lim_{x\to\frac{\pi}{4}} \left[\cancel{(\cos x - \sin x)} \cdot \frac{\cos x}{\cancel{\cos x - \sin x}} \right]$$

$$= \lim_{x\to\frac{\pi}{4}} \cos x = \cos\left(\frac{\pi}{4}\right) = \frac{\sqrt{2}}{2}$$

b) $1/4$

c) $$\underbrace{\lim_{x\to\frac{\pi}{2}} \frac{\sin^2 x - \sin x}{1 - \sin x}}_{\text{forme } \frac{0}{0}} = \lim_{x\to\frac{\pi}{2}} \frac{\sin x\cancel{(\sin x - 1)}}{-1\cancel{(\sin x - 1)}} = \lim_{x\to\frac{\pi}{2}}(-\sin x) = -\sin\left(\frac{\pi}{2}\right) = -1$$

d) $$\overbrace{\lim_{x\to\frac{3\pi}{2}} \frac{\sin(2x)}{\cos x}}^{\text{forme } \frac{0}{0}} = \lim_{x\to\frac{3\pi}{2}} \frac{2\sin x\cancel{\cos x}}{\cancel{\cos x}}$$ identité 12 : $\sin(2x) = 2\sin x \cos x$

$$= \lim_{x\to\frac{3\pi}{2}} (2\sin x) = 2\sin\left(\frac{3\pi}{2}\right) = 2(-1) = -2$$

e) 0

f) -1

CHAPITRE 3

g) Comme $\cos(\infty)$ n'est pas défini, utilisons le théorème du sandwich.

Si $x \neq 0$, alors $\frac{1}{x^2} > 0$. On a donc

$$\begin{array}{ccccccl} -1 & \leq & \cos(2x) & \leq & 1 & & \text{pour tout } x \in \mathbb{R} \\ -\frac{1}{x^2} & \leq & \frac{\cos(2x)}{x^2} & \leq & \frac{1}{x^2} & & \text{si } x \neq 0 \\ \underbrace{\lim_{x\to\infty}\left(-\frac{1}{x^2}\right)}_{\text{forme } -\frac{1}{\infty}} & \leq & \lim_{x\to\infty}\frac{\cos(2x)}{x^2} & \leq & \underbrace{\lim_{x\to\infty}\frac{1}{x^2}}_{\text{forme } \frac{1}{\infty}} & & \\ 0 & \leq & \lim_{x\to\infty}\frac{\cos(2x)}{x^2} & \leq & 0 & & \end{array}$$

Par conséquent, en vertu du théorème du sandwich, $\lim_{x\to\infty}\frac{\cos(2x)}{x^2} = 0$.

h) 0

i) 0

j) -2

k) Comme $\lim_{x\to 0^+} \sin\left(\frac{\pi}{x}\right)$ est de forme $\sin(\infty)$ qui n'est pas défini, utilisons le théorème du sandwich.

Si $x > 0$, alors $\sin\left(\frac{\pi}{x}\right)$ est défini et $\sqrt{x} > 0$. De plus, la fonction $f(x) = e^x$ est croissante, de sorte que $a \leq b \Rightarrow e^a \leq e^b$.

Alors,

$$\begin{array}{ccccccl} -1 & \leq & \sin\left(\frac{\pi}{x}\right) & \leq & 1 & & \text{si } x \neq 0 \\ e^{-1} & \leq & e^{\sin\left(\frac{\pi}{x}\right)} & \leq & e^{1} & & \text{si } x \neq 0 \\ e^{-1}\sqrt{x} & \leq & \sqrt{x}e^{\sin\left(\frac{\pi}{x}\right)} & \leq & e\sqrt{x} & & \text{si } x > 0 \\ \underbrace{\lim_{x\to 0^+}(e^{-1}\sqrt{x})}_{\text{forme } e^{-1}\sqrt{0^+}} & \leq & \lim_{x\to 0^+}\left[\sqrt{x}e^{\sin\left(\frac{\pi}{x}\right)}\right] & \leq & \underbrace{\lim_{x\to 0^+}(e\sqrt{x})}_{\text{forme } e\sqrt{0^+}} & & \\ e^{-1}(0) & \leq & \lim_{x\to 0^+}\left[\sqrt{x}e^{\sin\left(\frac{\pi}{x}\right)}\right] & \leq & e(0) & & \\ 0 & \leq & \lim_{x\to 0^+}\left[\sqrt{x}e^{\sin\left(\frac{\pi}{x}\right)}\right] & \leq & 0 & & \end{array}$$

Par conséquent, en vertu du théorème du sandwich, $\lim_{x\to 0^+}\left[\sqrt{x}e^{\sin\left(\frac{\pi}{x}\right)}\right] = 0$.

l) Comme $\sin(\infty)$ et $\cos(\infty)$ ne sont pas définis, utilisons le théorème du sandwich.

Si $x \in \mathbb{R}$, alors $-1 \leq \sin x \leq 1$ et $-1 \leq \cos x \leq 1$, de sorte que

$$\begin{array}{ccccccl} -1+(-1) & \leq & \sin x + \cos x & \leq & 1+1 & & \text{pour tout } x \in \mathbb{R} \\ -2 & \leq & \sin x + \cos x & \leq & 2 & & \text{pour tout } x \in \mathbb{R} \end{array}$$

Alors, puisque $e^{x^2} > 0$ pour tout $x \in \mathbb{R}$, on a

$$\begin{array}{ccccccl} -2 & \leq & \sin x + \cos x & \leq & 2 & & \text{pour tout } x \in \mathbb{R} \\ -\frac{2}{e^{x^2}} & \leq & \frac{\sin x + \cos x}{e^{x^2}} & \leq & \frac{2}{e^{x^2}} & & \text{pour tout } x \in \mathbb{R} \\ -\frac{2}{e^{x^2}}+4 & \leq & \frac{\sin x + \cos x}{e^{x^2}}+4 & \leq & \frac{2}{e^{x^2}}+4 & & \text{pour tout } x \in \mathbb{R} \\ \underbrace{\lim_{x\to\infty}\left(-\frac{2}{e^{x^2}}+4\right)}_{\text{forme } -\frac{2}{\infty}+4} & \leq & \lim_{x\to\infty}\left(\frac{\sin x + \cos x}{e^{x^2}}+4\right) & \leq & \underbrace{\lim_{x\to\infty}\left(\frac{2}{e^{x^2}}+4\right)}_{\text{forme } \frac{2}{\infty}+4} & & \\ 0+4 & \leq & \lim_{x\to\infty}\left(\frac{\sin x + \cos x}{e^{x^2}}+4\right) & \leq & 0+4 & & \end{array}$$

Par conséquent, en vertu du théorème du sandwich, $\lim_{x\to\infty}\left(\frac{\sin x + \cos x}{e^{x^2}}+4\right) = 4$.

56. a) $\frac{df}{dx} = e^x \cos(e^x)$

b) $\frac{dg}{dt} = e^{\sin t} \cos t$

c) $\frac{dh}{dx} = \cos x \left[3\sin^2 x + 3^{\sin x}(\ln 3)\right]$

d) $\frac{ds}{dt} = -2t\sin(t^2) - 2\sin t\cos t = -2t\sin(t^2) - \sin(2t)$

e) $\frac{dy}{dx} = -e^{-x}\left[2\sin(2x) + \cos(2x)\right]$

f) $\frac{df}{dt} = \sec t$

g) $\frac{dg}{dx} = 20\sec^2(10x)\operatorname{tg}(10x)$

h) $\frac{dh}{dt} = -3\operatorname{cosec}(3t)\left[\operatorname{cotg}^2(3t) + \operatorname{cosec}^2(3t)\right]$

i) $\frac{ds}{dx} = \frac{d}{dx}\left[\operatorname{tg}^2(x^3)\right] = \frac{d}{dx}\left[\operatorname{tg}(x^3)\right]^2 = 2\operatorname{tg}(x^3)\frac{d}{dx}\left[\operatorname{tg}(x^3)\right]$

$= 2\operatorname{tg}(x^3)\left[\sec^2(x^3)\frac{d}{dx}(x^3)\right] = 6x^2\operatorname{tg}(x^3)\sec^2(x^3)$

j) $\frac{dy}{dt} = \frac{-2t\sin\left(3\sqrt[3]{t^2+1}\right)}{(t^2+1)^{2/3}} = \frac{-2t\sin\left(3\sqrt[3]{t^2+1}\right)}{\sqrt[3]{(t^2+1)^2}}$

k) $\frac{dh}{dx} = 5(x^3+1)\cos(5x) + 3x^2\sin(5x)$

l) $\frac{ds}{dt} = 2^{\cos t}\left[1 - (\ln 2)t\sin t\right]$

m) $\frac{dy}{dx} = e^{\operatorname{tg} x}\sec^2 x - e^x\sin(e^x)$

n) $\frac{dg}{dt} = -\frac{\sin(\ln t)}{t} - \operatorname{cotg} t = -\frac{\sin(\ln t) + t\operatorname{cotg} t}{t}$

o) $\frac{df}{dx} = -12x\operatorname{cotg}(3x^2+2)\operatorname{cosec}^2(3x^2+2) + 8\operatorname{cosec}(8x+5)\operatorname{cotg}(8x+5)$

p) $\frac{dg}{dt} = 2t\left[6t + \frac{5}{3(t^2+1)^{4/3}} - 9\sec^3(3t^2+1)\operatorname{tg}(3t^2+1)\right]$

57. a) $\frac{ds}{dx} = -2(4x + 2e^{2x})\sin(2x^2 + e^{2x})\cos(2x^2 + e^{2x})$

$= -2(2x + e^{2x})\sin\left[2(2x^2 + e^{2x})\right]$

b) $\frac{df}{dx} = 2\cos x - \frac{\sin x\cos x}{\sqrt{4+\cos^2 x}} = \frac{\cos x\left(2\sqrt{4+\cos^2 x} - \sin x\right)}{\sqrt{4+\cos^2 x}}$

c) $\frac{df}{dt} = \frac{d}{dt}\left[e^{3t}\cos\left(\sqrt{t^2+t}\right)\right] = e^{3t}\frac{d}{dt}\left[\cos\left(\sqrt{t^2+t}\right)\right] + \cos\left(\sqrt{t^2+t}\right)\frac{d}{dt}(e^{3t})$

$= e^{3t}\left[-\sin\left(\sqrt{t^2+t}\right)\right]\frac{d}{dt}\left[(t^2+t)^{1/2}\right] + \left[\cos\left(\sqrt{t^2+t}\right)\right]e^{3t}\frac{d}{dt}(3t)$

$= e^{3t}\left[-\sin\left(\sqrt{t^2+t}\right)\right]\left(\frac{1}{2}\right)(t^2+t)^{-1/2}\frac{d}{dt}(t^2+t) + 3e^{3t}\cos\left(\sqrt{t^2+t}\right)$

$= -e^{3t}\sin\left(\sqrt{t^2+t}\right)\cdot\frac{1}{2(t^2+t)^{1/2}}(2t+1) + 3e^{3t}\cos\left(\sqrt{t^2+t}\right)$

$$= \frac{-(2t+1)e^{3t}\sin\left(\sqrt{t^2+t}\right)}{2\sqrt{t^2+t}} + \frac{3\left(2\sqrt{t^2+t}\right)e^{3t}\cos\left(\sqrt{t^2+t}\right)}{2\sqrt{t^2+t}}$$

$$= \frac{-(2t+1)e^{3t}\sin\left(\sqrt{t^2+t}\right) + 6e^{3t}\sqrt{t^2+t}\cos\left(\sqrt{t^2+t}\right)}{2\sqrt{t^2+t}}$$

$$= \frac{e^{3t}\left[-(2t+1)\sin\left(\sqrt{t(t+1)}\right) + 6\sqrt{t(t+1)}\cos\left(\sqrt{t(t+1)}\right)\right]}{2\sqrt{t(t+1)}}$$

d) $$\frac{dg}{dx} = \frac{d}{dx}\left[\text{tg}^2\left(\frac{x-1}{2x+3}\right)\right] = \frac{d}{dx}\left[\text{tg}\left(\frac{x-1}{2x+3}\right)\right]^2$$

$$= 2\text{tg}\left(\frac{x-1}{2x+3}\right)\frac{d}{dx}\left[\text{tg}\left(\frac{x-1}{2x+3}\right)\right]$$

$$= 2\text{tg}\left(\frac{x-1}{2x+3}\right)\sec^2\left(\frac{x-1}{2x+3}\right)\frac{d}{dx}\left(\frac{x-1}{2x+3}\right)$$

$$= 2\text{tg}\left(\frac{x-1}{2x+3}\right)\sec^2\left(\frac{x-1}{2x+3}\right)\left[\frac{(2x+3)(1)-(x-1)(2)}{(2x+3)^2}\right]$$

$$= 2\text{tg}\left(\frac{x-1}{2x+3}\right)\sec^2\left(\frac{x-1}{2x+3}\right)\left[\frac{\cancel{2x}+3-\cancel{2x}+2}{(2x+3)^2}\right]$$

$$= 2\text{tg}\left(\frac{x-1}{2x+3}\right)\sec^2\left(\frac{x-1}{2x+3}\right)\left[\frac{5}{(2x+3)^2}\right]$$

$$= \frac{10\text{tg}\left(\frac{x-1}{2x+3}\right)\sec^2\left(\frac{x-1}{2x+3}\right)}{(2x+3)^2}$$

e) $$\frac{dh}{dt} = \frac{d}{dt}\left(\frac{e^{-\sqrt{t}}}{\sin t}\right) = \frac{\sin t\frac{d}{dt}\left(e^{-\sqrt{t}}\right) - e^{-\sqrt{t}}\frac{d}{dt}(\sin t)}{(\sin t)^2}$$

$$= \frac{(\sin t)\left(e^{-\sqrt{t}}\right)\frac{d}{dt}\left(-t^{1/2}\right) - e^{-\sqrt{t}}\cos t\frac{d}{dt}(t)}{\sin^2 t} = \frac{e^{-\sqrt{t}}\sin t\left(-\frac{1}{2}t^{-1/2}\right) - e^{-\sqrt{t}}\cos t}{\sin^2 t}$$

$$= \frac{-\frac{e^{-\sqrt{t}}\sin t}{2\sqrt{t}} - e^{-\sqrt{t}}\cos t}{\sin^2 t} = \frac{-e^{-\sqrt{t}}\left(\frac{\sin t}{2\sqrt{t}} + \cos t\right)}{\sin^2 t} = \frac{-\left(\frac{\sin t}{2\sqrt{t}} + \frac{2\sqrt{t}\cos t}{2\sqrt{t}}\right)}{e^{\sqrt{t}}\sin^2 t}$$

$$= -\frac{\sin t + 2\sqrt{t}\cos t}{2\sqrt{t}} \cdot \frac{1}{e^{\sqrt{t}}\sin^2 t} = -\frac{\sin t + 2\sqrt{t}\cos t}{2\sqrt{t}e^{\sqrt{t}}\sin^2 t}$$

f) $$\frac{dy}{dt} = \frac{\sqrt{\sec\left(\frac{t-1}{t+1}\right)}\text{tg}\left(\frac{t-1}{t+1}\right)}{(t+1)^2}$$

g) $$\frac{dh}{dx} = \frac{2\left[(6x^2+e^{2x})\sin(x^2) - 3x(4x^3+e^{2x})\cos(x^2)\right]}{\sin^4(x^2)}$$

h) $$\frac{dy}{dt} = \frac{-2t\,\text{cosec}(t^2)\left[\text{cotg}(t^2) - \text{cotg}^2(t^2) + \text{cosec}(t^2) + \text{cosec}^2(t^2)\right]}{\left[1-\text{cotg}(t^2)\right]^2}$$

$$= \frac{-2t\,\text{cosec}(t^2)\left[\text{cotg}(t^2) + \text{cosec}(t^2) + 1\right]}{\left[1-\text{cotg}(t^2)\right]^2}$$

58. a) $$\frac{dy}{dx} = \frac{\cos y + y\sin x}{x\sin y + \cos x}$$

b) $\dfrac{dy}{dx} = \dfrac{\cos(x-y) - e^x(x+1)}{\cos(x-y)}$

c) Dérivons chaque membre de l'égalité par rapport à x en considérant y comme une fonction dérivable de x, puis isolons $\dfrac{dy}{dx}$.

$$e^x \operatorname{tg}(xy^2) = x + 3y$$

$$\frac{d}{dx}[e^x \operatorname{tg}(xy^2)] = \frac{d}{dx}(x+3y)$$

$$e^x \frac{d}{dx}[\operatorname{tg}(xy^2)] + \operatorname{tg}(xy^2)\frac{d}{dx}(e^x) = 1 + 3\frac{dy}{dx}$$

$$e^x \sec^2(xy^2)\frac{d}{dx}(xy^2) + e^x \operatorname{tg}(xy^2) = 1 + 3\frac{dy}{dx}$$

$$e^x \sec^2(xy^2)\left[x\frac{d}{dx}(y^2) + y^2\frac{d}{dx}(x)\right] + e^x \operatorname{tg}(xy^2) = 1 + 3\frac{dy}{dx}$$

$$e^x \sec^2(xy^2)\left[x\left(2y\frac{dy}{dx}\right) + y^2\right] + e^x \operatorname{tg}(xy^2) = 1 + 3\frac{dy}{dx}$$

$$2xye^x \sec^2(xy^2)\frac{dy}{dx} + y^2e^x \sec^2(xy^2) + e^x \operatorname{tg}(xy^2) = 1 + 3\frac{dy}{dx}$$

$$2xye^x \sec^2(xy^2)\frac{dy}{dx} - 3\frac{dy}{dx} = 1 - e^x \operatorname{tg}(xy^2) - y^2e^x \sec^2(xy^2)$$

$$\left[2xye^x \sec^2(xy^2) - 3\right]\frac{dy}{dx} = 1 - e^x \operatorname{tg}(xy^2) - y^2e^x \sec^2(xy^2)$$

$$\frac{dy}{dx} = \frac{1 - e^x \operatorname{tg}(xy^2) - y^2e^x \sec^2(xy^2)}{2xye^x \sec^2(xy^2) - 3}$$

d) $\dfrac{dy}{dx} = \dfrac{\operatorname{tg} x \sec^2 x}{\sec^2 y \operatorname{tg} y}$

e) $\dfrac{dy}{dx} = -\dfrac{y}{x}$

f) $\dfrac{dy}{dx} = \dfrac{y\sec^2\left(\dfrac{x}{y}\right)}{x\sec^2\left(\dfrac{x}{y}\right) + y^2}$

59. $\dfrac{dy}{dx} = \dfrac{2\sin(2x)}{\cos y}$, de sorte que $\dfrac{dy}{dx}\bigg|_{\left(\frac{3\pi}{8}, \frac{\pi}{4}\right)} = \dfrac{2\sin\left[2\left(\frac{3\pi}{8}\right)\right]}{\cos\left(\frac{\pi}{4}\right)} = \dfrac{2\sin\left(\frac{3\pi}{4}\right)}{\cos\left(\frac{\pi}{4}\right)} = \dfrac{2\left(\cancel{\sqrt{2}/2}\right)}{\cancel{\sqrt{2}/2}} = 2.$

60. $\dfrac{dy}{dx} = \dfrac{d}{dx}\left[\sqrt[3]{\cos(ax)}\right] = \dfrac{d}{dx}[\cos(ax)]^{1/3} = \dfrac{1}{3}[\cos(ax)]^{-2/3}\dfrac{d}{dx}[\cos(ax)]$

$= \dfrac{1}{3[\cos(ax)]^{2/3}}[-\sin(ax)]\dfrac{d}{dx}(ax) = -\dfrac{a\sin(ax)}{3\sqrt[3]{\cos^2(ax)}}$

61. a) $\dfrac{dy}{dx} = 3\cos(3x) - 5\sin(5x)$

$\dfrac{d^2y}{dx^2} = -9\sin(3x) - 25\cos(5x)$

$\dfrac{d^3y}{dx^3} = -27\cos(3x) + 125\sin(5x)$

b) $\frac{dy}{dx} = \frac{2x}{1+x^2}$

$\frac{d^2y}{dx^2} = \frac{2-2x^2}{(1+x^2)^2}$

$\frac{d^3y}{dx^3} = \frac{4x(x^2-3)}{(1+x^2)^3}$

c) $\frac{dy}{dx} = 6\sin(3x)\cos(3x) = 3\sin(6x)$

$\frac{d^2y}{dx^2} = 18\cos(6x)$

$\frac{d^3y}{dx^3} = -108\sin(6x)$

d) $\frac{dy}{dx} = e^x(x+1)$

$\frac{d^2y}{dx^2} = e^x(x+2)$

$\frac{d^3y}{dx^3} = e^x(x+3)$

e) $\frac{dy}{dx} = e^{-x}(1-x) = \frac{1-x}{e^x}$

$\frac{d^2y}{dx^2} = e^{-x}(x-2) = \frac{x-2}{e^x}$

$\frac{d^3y}{dx^3} = e^{-x}(3-x) = \frac{3-x}{e^x}$

f) $\frac{dy}{dx} = \sec x$

$\frac{d^2y}{dx^2} = \sec x \operatorname{tg} x$

$\frac{d^3y}{dx^3} = \sec x(\sec^2 x + \operatorname{tg}^2 x)$

62. a) $f'(x) = 2e^{2x}$

$f''(x) = 4e^{2x} = 2^2 e^{2x}$

$f'''(x) = 8e^{2x} = 2^3 e^{2x}$

$f^{(4)}(x) = 16e^{2x} = 2^4 e^{2x}$

Nous pouvons donc en déduire que $f^{(n)}(x) = 2^n e^{2x}$, pour $n \in \mathbb{N}^*$.

b) $f'(x) = \frac{1}{x} = x^{-1}$

$f''(x) = \frac{d}{dx}(x^{-1}) = -x^{-2} = -(1)x^{-2}$

$f'''(x) = \frac{d}{dx}(-x^{-2}) = 2x^{-3} = 2(1)x^{-3}$

$f^{(4)}(x) = -6x^{-4} = -(3)(2)(1)x^{-4}$

$f^{(5)}(x) = 24x^{-5} = (4)(3)(2)(1)x^{-5}$

$f^{(6)}(x) = -120x^{-6} = -(5)(4)(3)(2)(1)x^{-6}$

Nous pouvons donc en déduire que $f'(x) = 1/x$ et que
$f^{(n)}(x) = (-1)^{n+1}(n-1)(n-2)\cdots(2)(1)x^{-n}$, pour $n \in \mathbb{N}$ et $n > 1$.

CHAPITRE 3

c) $f'(x) = -\sin x$

$f''(x) = -\cos x$

$f'''(x) = \sin x$

$f^{(4)}(x) = \cos x$

$f^{(5)}(x) = -\sin x$

$f^{(6)}(x) = -\cos x$

Nous pouvons donc en déduire que, pour $n \in \mathbb{N}^*$,

$$f^{(n)}(x) = \begin{cases} (-1)^{(n+1)/2} \sin x & \text{si } n \text{ est impair} \\ (-1)^{n/2} \cos x & \text{si } n \text{ est pair} \end{cases}$$

d) $f'(x) = 2\cos(2x)$

$f''(x) = -4\sin(2x) = -2^2 \sin(2x)$

$f'''(x) = -8\cos(2x) = -2^3 \cos(2x)$

$f^{(4)}(x) = 16\sin(2x) = 2^4 \sin(2x)$

$f^{(5)}(x) = 32\cos(2x) = 2^5 \cos(2x)$

$f^{(6)}(x) = -64\sin(2x) = -2^6 \sin(2x)$

Nous pouvons donc en déduire que, pour $n \in \mathbb{N}^*$,

$$f^{(n)}(x) = \begin{cases} (-1)^{(n+3)/2} 2^n \cos(2x) & \text{si } n \text{ est impair} \\ (-1)^{n/2} 2^n \sin(2x) & \text{si } n \text{ est pair} \end{cases}$$

e) $f'(x) = -2\cos x \sin x = -\sin(2x)$

$f''(x) = -2\cos(2x)$

$f'''(x) = 4\sin(2x) = 2^2 \sin(2x)$

$f^{(4)}(x) = 8\cos(2x) = 2^3 \cos(2x)$

$f^{(5)}(x) = -16\sin(2x) = -2^4 \sin(2x)$

$f^{(6)}(x) = -32\cos(2x) = -2^5 \cos(2x)$

Nous pouvons donc en déduire que, pour $n \in \mathbb{N}^*$,

$$f^{(n)}(x) = \begin{cases} (-1)^{(n+1)/2} 2^{n-1} \sin(2x) & \text{si } n \text{ est impair} \\ (-1)^{n/2} 2^{n-1} \cos(2x) & \text{si } n \text{ est pair} \end{cases}$$

63. a) $f'(x) = \dfrac{d}{dx}[\sin(4x)] = 4\cos(4x)$, de sorte que

$$f'(x) = 0 \Leftrightarrow \cos(4x) = 0 \Leftrightarrow 4x = (2k+1)\frac{\pi}{2} \Leftrightarrow x = (2k+1)\frac{\pi}{8} \text{ (où } k \in \mathbb{Z}\text{)}$$

Les valeurs de $x \in [0, 2\pi]$ pour lesquelles la droite tangente est horizontale (soit de pente nulle) sont donc $x = \pi/8$, $x = 3\pi/8$, $x = 5\pi/8$, $x = 7\pi/8$, $x = 9\pi/8$, $x = 11\pi/8$, $x = 13\pi/8$ et $x = 15\pi/8$.

b) $x = 0$, $x = \pi$ et $x = 2\pi$.

c) $f'(x) = \dfrac{d}{dx}\left(\dfrac{\sin x}{2 + \cos x}\right) = \dfrac{2\cos x + 1}{(2 + \cos x)^2}$, de sorte que

$$f'(x) = 0 \Leftrightarrow 2\cos x + 1 = 0 \Leftrightarrow \cos x = -1/2$$
$$\Leftrightarrow x = 2\pi/3 + 2k\pi \text{ ou } x = 4\pi/3 + 2k\pi \text{ (où } k \in \mathbb{Z}\text{)}$$

Les valeurs de $x \in [0, 2\pi]$ pour lesquelles la droite tangente est horizontale (soit de pente nulle) sont donc $x = 2\pi/3$ et $x = 4\pi/3$.

64. a) L'équation de la droite tangente est donnée par $y = 2x + \pi/2 - 1$ et celle de la droite normale est donnée par $y = -x/2 - \pi/8 - 1$.

CHAPITRE 3

b) L'équation de la droite tangente est donnée par $y = \frac{\sqrt{6}}{4}x - \frac{\pi\sqrt{6}}{24} + \frac{\sqrt{2}}{2}$ et celle de la droite normale est donnée par $y = -\frac{2\sqrt{6}}{3}x + \frac{\pi\sqrt{6}}{9} + \frac{\sqrt{2}}{2}$.

c) L'équation de la droite tangente est donnée par $y = -\frac{\sqrt{3}}{2}x + \frac{\pi\sqrt{3}}{12} + 1$ et celle de la droite normale est donnée par $y = \frac{2\sqrt{3}}{3}x - \frac{\pi\sqrt{3}}{9} + 1$.

d) L'équation de la droite tangente est donnée par $y = 3/4$ et celle de la droite normale est donnée par $x = \pi/4$.

65. a) Si $u(x)$ est une fonction dérivable de x, alors $\frac{d}{dx}(\operatorname{cotg} u) = -\operatorname{cosec}^2 u \frac{du}{dx}$.

Preuve

Soit $u(x)$ une fonction dérivable de x. On a

$$\begin{aligned}
\frac{d}{dx}(\operatorname{cotg} u) &= \frac{d}{dx}\left(\frac{\cos u}{\sin u}\right) \\
&= \frac{\sin u \frac{d}{dx}(\cos u) - \cos u \frac{d}{dx}(\sin u)}{\sin^2 u} \\
&= \frac{\sin u(-\sin u)\frac{du}{dx} - \cos u(\cos u)\frac{du}{dx}}{\sin^2 u} \\
&= \frac{-(\sin^2 u + \cos^2 u)\frac{du}{dx}}{\sin^2 u} \\
&= -\frac{1}{\sin^2 u}\frac{du}{dx} \qquad \text{identité 1: } \sin^2 u + \cos^2 u = 1 \\
&= -\operatorname{cosec}^2 u \frac{du}{dx}
\end{aligned}$$

■

b) Si $u(x)$ est une fonction dérivable de x, alors

$$\frac{d}{dx}(\operatorname{cosec} u) = -\operatorname{cosec} u \operatorname{cotg} u \frac{du}{dx}$$

Preuve

Soit $u(x)$ une fonction dérivable de x. On a

$$\begin{aligned}
\frac{d}{dx}(\operatorname{cosec} u) &= \frac{d}{dx}\left(\frac{1}{\sin u}\right) \\
&= \frac{d}{dx}[(\sin u)^{-1}] \\
&= -(\sin u)^{-2}\frac{d}{dx}(\sin u) \\
&= -\frac{1}{\sin^2 u}(\cos u)\frac{du}{dx} \\
&= -\frac{1}{\sin u}\cdot\frac{\cos u}{\sin u}\frac{du}{dx} \\
&= -\operatorname{cosec} u \operatorname{cotg} u \frac{du}{dx}
\end{aligned}$$

■

66. Si $y = \ln|\sec x|$, alors $\dfrac{dy}{dx} = \operatorname{tg} x$.

Preuve

Si $\sec x > 0$, alors $|\sec x| = \sec x$ et

$$\begin{aligned}\frac{d}{dx}(\ln|\sec x|) &= \frac{1}{|\sec x|}\frac{d}{dx}|\sec x| \\ &= \frac{1}{\sec x}\frac{d}{dx}(\sec x) \\ &= \frac{\cancel{\sec x}\operatorname{tg} x}{\cancel{\sec x}} \\ &= \operatorname{tg} x\end{aligned}$$

Par ailleurs, si $\sec x < 0$, alors $|\sec x| = -\sec x$ et

$$\begin{aligned}\frac{d}{dx}(\ln|\sec x|) &= \frac{1}{|\sec x|}\frac{d}{dx}|\sec x| \\ &= \frac{1}{-\sec x}\frac{d}{dx}(-\sec x) \\ &= \frac{\cancel{-\sec x}\operatorname{tg} x}{\cancel{-\sec x}} \\ &= \operatorname{tg} x\end{aligned}$$

Par conséquent, $\dfrac{d}{dx}(\ln|\sec x|) = \operatorname{tg} x$. ▪

67. Si $y = \ln|\sec x + \operatorname{tg} x|$, alors $\dfrac{dy}{dx} = \sec x$.

Preuve

Si $\sec x + \operatorname{tg} x > 0$, alors $|\sec x + \operatorname{tg} x| = \sec x + \operatorname{tg} x$ et

$$\begin{aligned}\frac{d}{dx}(\ln|\sec x + \operatorname{tg} x|) &= \frac{1}{|\sec x + \operatorname{tg} x|}\frac{d}{dx}|\sec x + \operatorname{tg} x| \\ &= \frac{1}{\sec x + \operatorname{tg} x}\frac{d}{dx}(\sec x + \operatorname{tg} x) \\ &= \frac{1}{\sec x + \operatorname{tg} x}(\sec x \operatorname{tg} x + \sec^2 x) \\ &= \frac{\sec x\cancel{(\operatorname{tg} x + \sec x)}}{\cancel{\sec x + \operatorname{tg} x}} \\ &= \sec x\end{aligned}$$

Par ailleurs, si $\sec x + \operatorname{tg} x < 0$, alors $|\sec x + \operatorname{tg} x| = -(\sec x + \operatorname{tg} x)$ et

$$\begin{aligned}\frac{d}{dx}(\ln|\sec x + \operatorname{tg} x|) &= \frac{1}{|\sec x + \operatorname{tg} x|}\frac{d}{dx}|\sec x + \operatorname{tg} x| \\ &= \frac{1}{-(\sec x + \operatorname{tg} x)}\frac{d}{dx}[-(\sec x + \operatorname{tg} x)] \\ &= \frac{1}{-(\sec x + \operatorname{tg} x)}[-(\sec x \operatorname{tg} x + \sec^2 x)] \\ &= \frac{\sec x\cancel{(\operatorname{tg} x + \sec x)}}{\cancel{\sec x + \operatorname{tg} x}} \\ &= \sec x\end{aligned}$$

Par conséquent, $\dfrac{d}{dx}(\ln|\sec x + \operatorname{tg} x|) = \sec x$. ▪

68. $\frac{d\theta}{dt} = -\omega \sin(\omega t + \varphi)$ et $\frac{d^2\theta}{dt^2} = -\omega^2 \cos(\omega t + \varphi)$. Par conséquent,

$$\frac{d^2\theta}{dt^2} + \omega^2\theta = -\omega^2\cos(\omega t + \varphi) + \omega^2[\cos(\omega t + \varphi)] = 0$$

69. $y' = -12 \sin(4x)$ et $y'' = -48 \cos(4x)$, de sorte que

$$\begin{aligned} y'' + ky = 0 &\Rightarrow -48 \cos(4x) + 3k \cos(4x) = 0 \\ &\Rightarrow (-48 + 3k)\cos(4x) = 0 \\ &\Rightarrow -48 + 3k = 0 \quad \text{car } \cos(4x) \text{ n'est pas la fonction nulle} \\ &\Rightarrow 3k = 48 \\ &\Rightarrow k = 16 \end{aligned}$$

70. $\frac{dy}{dx} = 2k \cos(2x)$ et $\frac{d^2y}{dx^2} = -4k \sin(2x)$, de sorte que

$$\begin{aligned} \frac{d^2y}{dx^2} - 4y = 6 \sin(2x) &\Rightarrow -4k \sin(2x) - 4k \sin(2x) = 6 \sin(2x) \\ &\Rightarrow -8k \sin(2x) = 6 \sin(2x) \\ &\Rightarrow -8k = 6 \Rightarrow k = -3/4 \end{aligned}$$

71.
$$\begin{aligned} \frac{dy}{dt} &= \frac{d}{dt}\left(A \sin\left[\left(\sqrt{k/m}\right)t\right] + B \cos\left[\left(\sqrt{k/m}\right)t\right]\right) \\ &= A \cos\left[\left(\sqrt{k/m}\right)t\right]\frac{d}{dt}\left[\left(\sqrt{k/m}\right)t\right] - B \sin\left[\left(\sqrt{k/m}\right)t\right]\frac{d}{dt}\left[\left(\sqrt{k/m}\right)t\right] \\ &= A\left(\sqrt{k/m}\right)\cos\left[\left(\sqrt{k/m}\right)t\right] - B\left(\sqrt{k/m}\right)\sin\left[\left(\sqrt{k/m}\right)t\right] \end{aligned}$$

$$\begin{aligned} \frac{d^2y}{dt^2} &= \frac{d}{dt}\left(A\left(\sqrt{k/m}\right)\cos\left[\left(\sqrt{k/m}\right)t\right] - B\left(\sqrt{k/m}\right)\sin\left[\left(\sqrt{k/m}\right)t\right]\right) \\ &= -A\left(\sqrt{k/m}\right)\sin\left[\left(\sqrt{k/m}\right)t\right]\frac{d}{dt}\left[\left(\sqrt{k/m}\right)t\right] - B\left(\sqrt{k/m}\right)\cos\left[\left(\sqrt{k/m}\right)t\right]\frac{d}{dt}\left[\left(\sqrt{k/m}\right)t\right] \\ &= -A(k/m)\sin\left[\left(\sqrt{k/m}\right)t\right] - B(k/m)\cos\left[\left(\sqrt{k/m}\right)t\right] \end{aligned}$$

Alors,

$$\begin{aligned} m\frac{d^2y}{dt^2} + ky &= m\left(-A(k/m)\sin\left[\left(\sqrt{k/m}\right)t\right] - B(k/m)\cos\left[\left(\sqrt{k/m}\right)t\right]\right) \\ &\quad + k\left(A \sin\left[\left(\sqrt{k/m}\right)t\right] + B \cos\left[\left(\sqrt{k/m}\right)t\right]\right) \\ &= -Ak \sin\left[\left(\sqrt{k/m}\right)t\right] - Bk \cos\left[\left(\sqrt{k/m}\right)t\right] + Ak \sin\left[\left(\sqrt{k/m}\right)t\right] \\ &\quad + Bk \cos\left[\left(\sqrt{k/m}\right)t\right] \\ &= 0 \end{aligned}$$

72. $\left.\frac{dN}{dt}\right|_{t=3} = \frac{125\pi\sqrt{2}}{3} \approx 185$ prédateurs/mois

73. a) $125\sqrt{3}/2$ m $\approx 108{,}3$ m

b) $\frac{dp}{d\theta} = 250 \cos(2\theta)$ m/rad

c) 125 m/rad

d) Lorsque l'angle initial de la trajectoire de la balle est de $\frac{\pi}{6}$ rad, la portée de la balle augmente à raison de 125 m par radian d'augmentation de l'angle.

74. a) -1 m

b) $v(t) = \frac{ds}{dt} = (\cos t + \sin t)$ m/s

c) 1 m/s

d) $(1/2 + \sqrt{3}/2)$ m/s ≈ 1,37 m/s

e) $a(t) = \dfrac{dv}{dt} = (-\sin t + \cos t)$ m/s²

f) $(-\sqrt{3}/2 + 1/2)$ m/s² ≈ −0,37 m/s²

75. a) $25\sqrt{3}/3$ cm² ≈ 14,4 cm²

b) $\dfrac{dA}{d\theta} = 25\sec^2\theta$ cm²/rad

c) 50 cm²/rad

d) Lorsque l'angle θ à la base du triangle est de $\dfrac{\pi}{4}$ rad, l'aire de la surface triangulaire augmente à raison de 50 cm² par radian d'augmentation de l'angle.

76. a) $x(\theta) = 3\cos\theta$

b) $3\sqrt{3}/2$ m ≈ 2,6 m

c) 1,5 m

d) $\dfrac{dx}{d\theta} = -3\sin\theta$ m/rad

e) −1,5 m/rad

f) Lorsque l'angle θ que fait l'échelle avec le sol est de $\dfrac{\pi}{6}$ rad, la distance du pied de l'échelle au mur diminue à raison de 1,5 m par radian d'augmentation de l'angle.

77. a) À 8 h 00, $t = 2$, de sorte que $T(2) = 24$ °C. De même, à 12 h 00, on observe une température de $T(6) = 28$ °C, à 20 h 00 une température de $T(14) = 16$ °C, et à 3 h 00 une température de $T(21) \approx 14{,}3$ °C.

b) $T'(t) = \dfrac{2\pi}{3}\cos\left(\dfrac{\pi}{12}t\right)$ °C/h, de sorte que

$$T'(2) = \frac{\sqrt{3}\pi}{3} \text{ °C/h} \approx 1{,}81 \text{ °C/h}$$
$$T'(6) = 0 \text{ °C/h}$$
$$T'(14) = -\frac{\sqrt{3}\pi}{3} \text{ °C/h} \approx -1{,}81 \text{ °C/h}$$
$$T'(21) = \frac{\sqrt{2}\pi}{3} \text{ °C/h} \approx 1{,}48 \text{ °C/h}$$

c) À 8 h 00, la température augmente à raison d'environ 1,81 °C/h ; à 12 h 00, la température n'augmente pas et ne diminue pas : elle est à son maximum ; à 20 h 00, la température diminue à raison d'environ 1,81 °C/h ; à 3 h 00, la température augmente à raison d'environ 1,48 °C/h.

78. a) 25 milliers de dollars ou 25 000 $.

b) Environ 27,483 milliers de dollars ou 27 483 $.

c) $V'(t) = \dfrac{dV}{dt} = \left[\dfrac{25}{12}(1{,}065)^{t/12}\ln(1{,}065) + \dfrac{1}{3}\cos\left(\dfrac{t}{6}\right)\right]$ milliers de dollars/mois.

Alors, $V'(6) \approx 0{,}315$ millier de dollars/mois. Au 15 avril 2022, la valeur du portefeuille de Marc-Antoine augmente à raison d'environ 315 $/mois.

d) Environ 26,842 milliers de dollars ou 26 842 $.

e) $V'(24) \approx -0{,}069$ millier de dollars/mois. Au 15 octobre 2023, la valeur du portefeuille de Marc-Antoine diminue à raison d'environ 69 $/mois.

79. a) 0,5 m

b) $v(t) = \dfrac{ds}{dt} = e^{-t/10}(\sin t + \frac{1}{10}\cos t)$ m/s, de sorte que $v(0) = 1/10$ m/s. Comme la vitesse initiale est positive, la masse se déplace initialement vers le haut.

c) Environ 0,71 m/s.

d) La masse change de direction lorsque sa vitesse est nulle.

Puisque $e^{-t/10} \neq 0$ pour toutes les valeurs de t, on a

$$\begin{aligned} v(t) = 0 &\Leftrightarrow e^{-t/10}(\sin t + 1/10\cos t) = 0 \Leftrightarrow \sin t + 1/10\cos t = 0 \\ &\Leftrightarrow \sin t = -1/10\cos t \Leftrightarrow \operatorname{tg} t = -1/10 \\ &\Leftrightarrow t = \operatorname{arctg}(-1/10) + k\pi, \text{ où } k \in \mathbb{Z} \\ &\Leftrightarrow t \approx -0{,}0997 + k\pi, \text{ où } k \in \mathbb{Z} \end{aligned}$$

Comme le temps est une variable non négative, la masse change de direction pour la première fois lorsque $k = 1$, c'est-à-dire lorsque

$$t = \operatorname{arctg}(-1/10) + \pi \approx 3{,}04 \text{ s}$$

e) On veut évaluer $\lim\limits_{t\to\infty}(1{,}5 - e^{-t/10}\cos t)$. Comme $\cos(\infty)$ n'est pas défini, utilisons le théorème du sandwich.

Puisque $-e^{-t/10} < 0$ pour tout $t \in \mathbb{R}$, on a

$$\begin{array}{ccccccl} -1 & \leq & \cos t & \leq & 1 & & \text{pour tout } t \in \mathbb{R} \\ e^{-t/10} & \geq & -e^{-t/10}\cos t & \geq & -e^{-t/10} & & \text{pour tout } t \in \mathbb{R} \\ 1{,}5 + e^{-t/10} & \geq & 1{,}5 - e^{-t/10}\cos t & \geq & 1{,}5 - e^{-t/10} & & \text{pour tout } t \in \mathbb{R} \\ \underbrace{\lim\limits_{t\to\infty}(1{,}5 + e^{-t/10})}_{\text{forme } 1{,}5+e^{-\infty}} & \geq & \lim\limits_{t\to\infty}(1{,}5 - e^{-t/10}\cos t) & \geq & \underbrace{\lim\limits_{t\to\infty}(1{,}5 - e^{-t/10})}_{1{,}5-e^{-\infty}} & & \\ 1{,}5 + 0 & \geq & \lim\limits_{t\to\infty}(1{,}5 - e^{-t/10}\cos t) & \geq & 1{,}5 - 0 & & \end{array}$$

Par conséquent, en vertu du théorème du sandwich, on a
$\lim\limits_{t\to\infty}(1{,}5 - e^{-t/10}\cos t) = 1{,}5$ m.

À long terme, l'oscillation de la masse est amortie, et la position de la masse se stabilise à 1,5 m au-dessus du sol.

80. a) $F\left(\frac{\pi}{4}\right) = 20\sqrt{2}$ N $\approx 28{,}3$ N

b) $\frac{dF}{d\theta} = -\frac{15\cos\theta - 30\sin\theta}{(0{,}5\sin\theta + \cos\theta)^2}$ N/rad

c) $F'\left(\frac{\pi}{4}\right) = \frac{20\sqrt{2}}{3}$ N/rad $\approx 9{,}4$ N/rad

d) Lorsque l'angle que fait la corde avec l'horizontale est de $\pi/4$ rad, l'intensité de la force augmente à raison d'environ 9,4 N par radian d'augmentation de l'angle.

81. a) 50 m

b) 30 m

c) $v(t) = -20/3\, e^{-t/3}[6\sin(2t) + \cos(2t)]$ m/s $\Rightarrow v(1) \approx -24{,}1$ m/s

d) Après 1 s, la hauteur de Yvan par rapport au sol diminue à un rythme d'environ 24,1 m par seconde.

e) Après environ 1,49 s.

f) Environ 18 m.

g) Yvan commence à remonter immédiatement après avoir atteint sa hauteur minimale, soit à partir d'environ 1,49 s.

h) Environ 37,12 m.

i) $\frac{\pi}{2}$ s ou environ 1,57 s.

82. a) $\frac{dV}{dh} = \pi h(4 - h)$ m³/m $\Rightarrow \left.\frac{dV}{dh}\right|_{h=0{,}8} = 2{,}56\pi$ m³/m $\approx 8{,}04$ m³/m

b) $\frac{dh}{dt} = \frac{\pi\cos(\pi t)}{2}$ m/h $\Rightarrow \left.\frac{dh}{dt}\right|_{t=\frac{1}{3}} = \frac{\pi}{4}$ m/h $\approx 0{,}79$ m/h

c) $\left.\frac{dh}{dt}\right|_{t=\frac{3}{2}} = 0$ m/h

d) $\frac{dV}{dt} = \left(\frac{dV}{dh}\right)\left(\frac{dh}{dt}\right) = \frac{\pi^2 h(4-h)\cos(\pi t)}{2}$ m³/h $\Rightarrow \left.\frac{dV}{dt}\right|_{t=\frac{3}{4}} \approx -11{,}15$ m³/h

e) Les hauteurs minimale et maximale du niveau d'eau dans le réservoir sont respectivement de 0,25 m et de 1,25 m.

83. a) Faux. Comme $\cos(\infty)$ n'est pas défini, utilisons le théorème du sandwich.

Si $x > 0$, alors $\frac{1}{x} > 0$. On a donc

$$\begin{array}{ccccl} -1 & \leq & \cos x & \leq & 1 \quad \text{pour tout } x \in \mathbb{R} \\ -\frac{1}{x} & \leq & \frac{\cos x}{x} & \leq & \frac{1}{x} \quad \text{si } x > 0 \\ \underbrace{\lim_{x\to\infty}\left(-\frac{1}{x}\right)}_{\text{forme } -\frac{1}{\infty}} & \leq & \lim_{x\to\infty}\frac{\cos x}{x} & \leq & \underbrace{\lim_{x\to\infty}\frac{1}{x}}_{\text{forme } \frac{1}{\infty}} \\ 0 & \leq & \lim_{x\to\infty}\frac{\cos x}{x} & \leq & 0 \end{array}$$

Par conséquent, en vertu du théorème du sandwich, $\lim_{x\to\infty}\frac{\cos x}{x} = 0$.

b) Vrai. $\underbrace{\lim_{x\to 0^-}\frac{2-x^2}{\sin x}}_{\text{forme } \frac{2}{0^-}} = -\infty$

c) Faux. $f'(\theta) = \frac{d}{d\theta}(\sin^2\theta) = \frac{d}{d\theta}\left[(\sin\theta)^2\right] = 2\sin\theta\frac{d}{d\theta}(\sin\theta)$

$= 2\sin\theta\cos\theta = \sin(2\theta)$

d) Faux. $f'(t) = \frac{d}{dt}[\ln(\cos t)] = \frac{1}{\cos t}\cdot\frac{d}{dt}(\cos t) = \frac{1}{\cos t}(-\sin t) = -\text{tg}\, t$

e) Vrai. $f'(x) = \frac{d}{dx}(\sec^3 x) = \frac{d}{dx}\left[(\sec x)^3\right] = 3\sec^2 x\frac{d}{dx}(\sec x)$

$= 3\sec^2 x(\sec x\,\text{tg}\, x) = 3\sec^3 x\,\text{tg}\, x$

84. a) $\frac{dy}{dx} = \frac{1}{4\sqrt[4]{x^3}\sqrt{1-\sqrt{x}}}$

b) $\frac{dy}{dx} = \frac{3e^{3x}}{1+e^{6x}}$

c) $\frac{dy}{dx} = \frac{2x}{(x^2+1)\sqrt{x^4+2x^2}} = \frac{2x}{(x^2+1)|x|\sqrt{x^2+2}}$

d) $\frac{dy}{dx} = \frac{1}{x^2+1}$

e) $\frac{dy}{dx} = \frac{d}{dx}\left[\arccos\left(\frac{3}{x}\right)\right] = -\frac{1}{\sqrt{1-\left(\frac{3}{x}\right)^2}}\frac{d}{dx}(3x^{-1})$

$= -\frac{1}{\sqrt{1-\frac{9}{x^2}}}(-3x^{-2}) = -\frac{1}{\sqrt{\frac{x^2-9}{x^2}}}\left(-\frac{3}{x^2}\right)$

$= \frac{1}{\frac{\sqrt{x^2-9}}{\sqrt{x^2}}}\left(\frac{3}{x^2}\right) = \frac{\sqrt{x^2}}{\sqrt{x^2-9}}\left(\frac{3}{x^2}\right) = \frac{3|x|}{x^2\sqrt{x^2-9}}$

CHAPITRE 3

f) $\dfrac{dy}{dx} = \dfrac{d}{dx}\left[\text{arccotg}\left(\dfrac{x+4}{x-1}\right)\right] = -\dfrac{1}{1+\left(\dfrac{x+4}{x-1}\right)^2}\dfrac{d}{dx}\left(\dfrac{x+4}{x-1}\right)$

$$= -\frac{1}{1+\dfrac{(x+4)^2}{(x-1)^2}} \cdot \frac{(x-1)(1)-(x+4)(1)}{(x-1)^2}$$

$$= -\frac{1}{\dfrac{(x-1)^2+(x+4)^2}{(x-1)^2}} \cdot \frac{\cancel{x}-1-\cancel{x}-4}{(x-1)^2}$$

$$= -\frac{\cancel{(x-1)^2}}{(x-1)^2+(x+4)^2} \cdot \frac{-5}{\cancel{(x-1)^2}} = \frac{5}{(x-1)^2+(x+4)^2}$$

$$= \frac{5}{x^2-2x+1+x^2+8x+16} = \frac{5}{2x^2+6x+17}$$

g) $\dfrac{dy}{dx} = \dfrac{4x}{(4x^2+1)\sqrt{4x^2}} = \dfrac{2x}{(4x^2+1)|x|}$

h) $\dfrac{dy}{dx} = -\dfrac{4\text{arccosec}(x^2)}{x\sqrt{x^4-1}}$

i) $\dfrac{dy}{dx} = 2x\arccos(2x) - \dfrac{2x^2}{\sqrt{1-4x^2}} = \dfrac{2x\left[\sqrt{1-4x^2}\arccos(2x)-x\right]}{\sqrt{1-4x^2}}$

j) $\dfrac{dy}{dx} = \dfrac{x^2+1}{2\sqrt{x}\sqrt{1-x}} + 2x\arcsin\left(\sqrt{x}\right) = \dfrac{x^2+1+4x\sqrt{x}\sqrt{1-x}\arcsin\left(\sqrt{x}\right)}{2\sqrt{x}\sqrt{1-x}}$

k) $\dfrac{dy}{dx} = \dfrac{d}{dx}\left[\dfrac{\text{arctg}(3x^2)}{x^3+1}\right] = \dfrac{(x^3+1)\dfrac{d}{dx}\left[\text{arctg}(3x^2)\right] - \left[\text{arctg}(3x^2)\right]\dfrac{d}{dx}(x^3+1)}{(x^3+1)^2}$

$$= \frac{(x^3+1)\dfrac{1}{1+(3x^2)^2}\dfrac{d}{dx}(3x^2) - \left[\text{arctg}(3x^2)\right](3x^2)}{(x^3+1)^2}$$

$$= \frac{\dfrac{6x(x^3+1)}{1+9x^4} - 3x^2\text{arctg}(3x^2)}{(x^3+1)^2} = \frac{\dfrac{6x(x^3+1)-3x^2(1+9x^4)\text{arctg}(3x^2)}{1+9x^4}}{(x^3+1)^2}$$

$$= \frac{6x(x^3+1)-3x^2(1+9x^4)\text{arctg}(3x^2)}{1+9x^4} \cdot \frac{1}{(x^3+1)^2}$$

$$= \frac{3x\left[2(x^3+1)-x(1+9x^4)\text{arctg}(3x^2)\right]}{(x^3+1)^2(1+9x^4)}$$

l) $\dfrac{dy}{dx} = \dfrac{2\left[\sin(x^2)-2x\sqrt{1-4x^2}\cos(x^2)\arcsin(2x)\right]}{\sqrt{1-4x^2}\sin^3(x^2)}$

m) Dérivons chaque membre de l'égalité par rapport à x en considérant y comme une fonction dérivable de x, puis isolons $\dfrac{dy}{dx}$.

$$y = y\arcsin x + x\,\text{arctg}\,y$$

$$\frac{dy}{dx} = \frac{d}{dx}(y\arcsin x + x\,\text{arctg}\,y)$$

CHAPITRE 3

$$\frac{dy}{dx} = y\frac{d}{dx}(\arcsin x) + (\arcsin x)\frac{d}{dx}(y) + x\frac{d}{dx}(\operatorname{arctg} y) + (\operatorname{arctg} y)\frac{d}{dx}(x)$$

$$\frac{dy}{dx} = y \cdot \frac{1}{\sqrt{1-x^2}} + (\arcsin x)\frac{dy}{dx} + x \cdot \frac{1}{1+y^2}\frac{dy}{dx} + \operatorname{arctg} y$$

$$\frac{dy}{dx} - (\arcsin x)\frac{dy}{dx} - \frac{x}{1+y^2}\frac{dy}{dx} = \frac{y}{\sqrt{1-x^2}} + \operatorname{arctg} y$$

$$\left(1 - \arcsin x - \frac{x}{1+y^2}\right)\frac{dy}{dx} = \frac{y}{\sqrt{1-x^2}} + \operatorname{arctg} y$$

$$\frac{dy}{dx} = \frac{\dfrac{y}{\sqrt{1-x^2}} + \operatorname{arctg} y}{1 - \arcsin x - \dfrac{x}{1+y^2}}$$

Si on utilise la mise au même dénominateur, on obtient

$$\frac{dy}{dx} = \frac{\dfrac{y}{\sqrt{1-x^2}} + \operatorname{arctg} y}{1 - \arcsin x - \dfrac{x}{1+y^2}} = \frac{\dfrac{y + \sqrt{1-x^2}\operatorname{arctg} y}{\sqrt{1-x^2}}}{\dfrac{1 + y^2 - (1+y^2)\arcsin x - x}{1+y^2}}$$

$$= \frac{y + \sqrt{1-x^2}\operatorname{arctg} y}{\sqrt{1-x^2}} \cdot \frac{1+y^2}{1 + y^2 - (1+y^2)\arcsin x - x}$$

$$= \frac{(1+y^2)\left(y + \sqrt{1-x^2}\operatorname{arctg} y\right)}{\sqrt{1-x^2}\left[1 + y^2 - (1+y^2)\arcsin x - x\right]}$$

n) $\dfrac{dy}{dx} = -\dfrac{\sqrt{1-(xy)^2} + y\sqrt{1-(x+y)^2}}{x\sqrt{1-(x+y)^2} + \sqrt{1-(xy)^2}}$

85. a) L'équation de la droite tangente à la courbe décrite par la fonction $f(x)$ au point P est $y = -2\sqrt{3}x + 4 + 3\pi/4$, et celle de la droite normale est $y = \sqrt{3}/6\, x - 1/3 + 3\pi/4$.

b) L'équation de la droite tangente à la courbe décrite par la fonction $f(x)$ au point P est $y = \sqrt{3}/6\, x - \sqrt{3}/6 + \pi/3$, et l'équation de la droite normale est $y = -2\sqrt{3}x + 2\sqrt{3} + \pi/3$.

86. a) Si $u(x)$ est une fonction dérivable de x, alors $\dfrac{d}{dx}(\arccos u) = \dfrac{-1}{\sqrt{1-u^2}}\dfrac{du}{dx}$ lorsque $|u(x)| < 1$.

Preuve

Si $y = \arccos u$ avec $|u| < 1$, alors $\cos y = u$ et $0 < y < \pi$. Dérivons par rapport à x de chaque côté de l'égalité. On obtient

$$\frac{d}{dx}(\cos y) = \frac{d}{dx}(u)$$

$$-\sin y\frac{dy}{dx} = \frac{du}{dx}$$

$$\frac{dy}{dx} = \frac{-1}{\sin y}\frac{du}{dx}$$

En utilisant l'identité trigonométrique $\sin^2 y + \cos^2 y = 1$ et le fait que $\sin y > 0$ lorsque $0 < y < \pi$, on obtient $\sin y = \sqrt{1 - \cos^2 y} = \sqrt{1-u^2}$. Par conséquent,

$$\frac{dy}{dx} = \frac{-1}{\sin y}\frac{du}{dx}$$

$$\frac{d}{dx}(\arccos u) = \frac{-1}{\sqrt{1-u^2}}\frac{du}{dx}$$

■

b) Si $u(x)$ est une fonction dérivable de x, $\frac{d}{dx}(\text{arccotg}\,u) = \frac{-1}{1+u^2}\frac{du}{dx}$.

Preuve

Si $y = \text{arccotg}\,u$, alors $\text{cotg}\,y = u$. Dérivons par rapport à x de chaque côté de l'égalité. On obtient

$$\begin{aligned}\frac{d}{dx}(\text{cotg}\,y) &= \frac{d}{dx}(u)\\ -\text{cosec}^2 y\frac{dy}{dx} &= \frac{du}{dx}\\ \frac{dy}{dx} &= \frac{-1}{\text{cosec}^2 y}\frac{du}{dx}\end{aligned}$$

Or, $\text{cosec}^2 y = 1 + \text{cotg}^2 y = 1 + u^2$ et, par conséquent,

$$\begin{aligned}\frac{dy}{dx} &= \frac{-1}{\text{cosec}^2 y}\frac{du}{dx}\\ \frac{d}{dx}(\text{arccotg}\,u) &= \frac{-1}{1+u^2}\frac{du}{dx}\end{aligned}$$

■

c) Si $u(x)$ est une fonction dérivable de x, alors $\frac{d}{dx}(\text{arccosec}\,u) = \frac{-1}{|u|\sqrt{u^2-1}}\frac{du}{dx}$

lorsque $|u(x)| > 1$.

Preuve

Si $y = \text{arccosec}\,u$ avec $u > 1$, alors $\text{cosec}\,y = u$ et $0 < y < \frac{\pi}{2}$. Dérivons par rapport à x de chaque côté de l'égalité. On obtient

$$\begin{aligned}\frac{d}{dx}(\text{cosec}\,y) &= \frac{d}{dx}(u)\\ -\text{cosec}\,y\,\text{cotg}\,y\frac{dy}{dx} &= \frac{du}{dx}\\ \frac{dy}{dx} &= \frac{-1}{\text{cosec}\,y\,\text{cotg}\,y}\frac{du}{dx}\end{aligned}$$

En utilisant l'identité trigonométrique $\text{cotg}^2 y + 1 = \text{cosec}^2 y$ et le fait que $\text{cotg}\,y > 0$ lorsque $0 < y < \frac{\pi}{2}$, on obtient $\text{cotg}\,y = \sqrt{\text{cosec}^2 y - 1} = \sqrt{u^2-1}$. Par conséquent,

$$\begin{aligned}\frac{dy}{dx} &= \frac{-1}{\text{cosec}\,y\,\text{cotg}\,y}\frac{du}{dx}\\ \frac{d}{dx}(\text{arccosec}\,u) &= \frac{-1}{u\sqrt{u^2-1}}\frac{du}{dx}\\ \frac{d}{dx}(\text{arccosec}\,u) &= \frac{-1}{|u|\sqrt{u^2-1}}\frac{du}{dx}\end{aligned}$$

Par ailleurs, si $y = \text{arccosec}\,u$ avec $u < -1$, alors $\text{cosec}\,y = u$ et $-\frac{\pi}{2} < y < 0$. On a alors que $\text{cotg}\,y < 0$ et donc que $\text{cotg}\,y = -\sqrt{\text{cosec}^2 y - 1} = -\sqrt{u^2-1}$. Par conséquent,

$$\begin{aligned}\frac{dy}{dx} &= \frac{-1}{\text{cosec}\,y\,\text{cotg}\,y}\frac{du}{dx}\\ \frac{d}{dx}(\text{arccosec}\,u) &= \frac{-1}{-u\sqrt{u^2-1}}\frac{du}{dx}\\ \frac{d}{dx}(\text{arccosec}\,u) &= \frac{-1}{|u|\sqrt{u^2-1}}\frac{du}{dx}\end{aligned}$$

On peut donc conclure que $\frac{d}{dx}(\text{arccosec}\,u) = \frac{-1}{|u|\sqrt{u^2-1}}\frac{du}{dx}$ lorsque $|u| > 1$. ■

87. a) $\operatorname{tg}(\theta + \varphi) = \dfrac{\text{côté opposé}}{\text{côté adjacent}} = \dfrac{1{,}5 + (2 - 1{,}6)}{x} = \dfrac{1{,}9}{x} \Rightarrow \theta + \varphi = \operatorname{arctg}\left(\dfrac{1{,}9}{x}\right)$

$\operatorname{tg}\varphi = \dfrac{\text{côté opposé}}{\text{côté adjacent}} = \dfrac{2 - 1{,}6}{x} = \dfrac{0{,}4}{x} \Rightarrow \varphi = \operatorname{arctg}\left(\dfrac{0{,}4}{x}\right)$

Par conséquent, $\theta = (\theta + \varphi) - \varphi = \operatorname{arctg}\left(\dfrac{1{,}9}{x}\right) - \operatorname{arctg}\left(\dfrac{0{,}4}{x}\right)$.

b) $\theta(3) = \operatorname{arctg}\left(\dfrac{1{,}9}{3}\right) - \operatorname{arctg}\left(\dfrac{0{,}4}{3}\right) \approx 0{,}43$ rad

c) $$\begin{aligned}\frac{d\theta}{dx} &= \frac{d}{dx}\left[\operatorname{arctg}\left(\frac{1{,}9}{x}\right) - \operatorname{arctg}\left(\frac{0{,}4}{x}\right)\right]\\
&= \frac{1}{1 + \left(\frac{1{,}9}{x}\right)^2}\frac{d}{dx}\left(\frac{1{,}9}{x}\right) - \frac{1}{1 + \left(\frac{0{,}4}{x}\right)^2}\frac{d}{dx}\left(\frac{0{,}4}{x}\right)\\
&= \frac{1}{1 + \frac{3{,}61}{x^2}}\frac{d}{dx}(1{,}9x^{-1}) - \frac{1}{1 + \frac{0{,}16}{x^2}}\frac{d}{dx}(0{,}4x^{-1})\\
&= \frac{1}{1 + \frac{3{,}61}{x^2}}(-1{,}9x^{-2}) - \frac{1}{1 + \frac{0{,}16}{x^2}}(-0{,}4x^{-2})\\
&= \frac{-1{,}9}{x^2\left(1 + \frac{3{,}61}{x^2}\right)} - \frac{-0{,}4}{x^2\left(1 + \frac{0{,}16}{x^2}\right)}\\
&= -\frac{1{,}9}{x^2 + 3{,}61} + \frac{0{,}4}{x^2 + 0{,}16}\\
&= \left(\frac{0{,}4}{x^2 + 0{,}16} - \frac{1{,}9}{x^2 + 3{,}61}\right)\text{ rad/m}\end{aligned}$$

d) $\theta'(2) = \left(\dfrac{0{,}4}{2^2 + 0{,}16} - \dfrac{1{,}9}{2^2 + 3{,}61}\right)$ rad/m $\approx -0{,}154$ rad/m

e) Lorsque la distance qui sépare l'observatrice du mur où la toile est accrochée est de 2 m, l'angle d'observation diminue à raison d'environ 0,154 rad par mètre d'augmentation de la distance au mur.

88. a) $\operatorname{tg}\beta = \dfrac{\text{côté opposé}}{\text{côté adjacent}} = \dfrac{15}{20 - x} \Rightarrow \beta = \operatorname{arctg}\left(\dfrac{15}{20 - x}\right)$

$\operatorname{tg}\varphi = \dfrac{\text{côté opposé}}{\text{côté adjacent}} = \dfrac{10}{x} \Rightarrow \varphi = \operatorname{arctg}\left(\dfrac{10}{x}\right)$

Par conséquent, $\theta = \pi - \beta - \varphi = \pi - \operatorname{arctg}\left(\dfrac{15}{20 - x}\right) - \operatorname{arctg}\left(\dfrac{10}{x}\right)$.

b) $\theta(12) = \pi - \operatorname{arctg}(15/8) - \operatorname{arctg}(10/12) \approx 1{,}37$ rad

c) $\dfrac{d\theta}{dx} = \left[-\dfrac{15}{(20 - x)^2 + 225} + \dfrac{10}{x^2 + 100}\right]$ rad/m

d) $\theta'(15) = \left(-\dfrac{15}{5^2 + 225} + \dfrac{10}{15^2 + 100}\right)$ rad/m $= -\dfrac{19}{650}$ rad/m $\approx -0{,}029$ rad/m

e) Lorsque la distance entre la caméra et le mur de gauche est de 15 m, l'angle d'observation de la caméra diminue à raison d'environ 0,029 rad par mètre d'augmentation de la distance séparant la caméra du mur de gauche.

89. a) $\underbrace{\lim_{x\to 2}\dfrac{\sin(x - 2)}{x^2 - 4}}_{\text{forme } \frac{0}{0}} \overset{\text{H}}{=} \lim_{x\to 2}\dfrac{\cos(x - 2)}{2x} = \dfrac{\cos 0}{4} = \dfrac{1}{4}$

b) -1

c) $5/2$

d) -3

e) 0

f) $-1/3$

g) -2

h) $-1/2$

i) $$\overbrace{\lim_{x\to\left(\frac{\pi}{2}\right)^-}\frac{\ln(\cos x)}{\sec x}}^{\text{forme }\frac{-\infty}{\infty}} \overset{\text{H}}{=} \lim_{x\to\left(\frac{\pi}{2}\right)^-}\frac{\frac{1}{\cos x}(-\sin x)}{\sec x\,\text{tg}\,x} = \lim_{x\to\left(\frac{\pi}{2}\right)^-}\frac{-\cancel{\text{tg}\,x}}{\sec x\,\cancel{\text{tg}\,x}} = \lim_{x\to\left(\frac{\pi}{2}\right)^-}\frac{-1}{\sec x}$$

$$= \lim_{x\to\left(\frac{\pi}{2}\right)^-}(-\cos x) = -\cos\left(\frac{\pi}{2}\right) = 0$$

j) $$\underbrace{\lim_{x\to\frac{\pi}{4}}\frac{2x(\text{tg}\,x-1)}{\sin x-\cos x}}_{\text{forme }\frac{0}{0}} \overset{\text{H}}{=} \lim_{x\to\frac{\pi}{4}}\frac{2x(\sec^2 x)+(\text{tg}\,x-1)(2)}{\cos x-(-\sin x)} = \lim_{x\to\frac{\pi}{4}}\frac{2x\sec^2 x+2\,\text{tg}\,x-2}{\cos x+\sin x}$$

$$= \frac{2\left(\frac{\pi}{4}\right)\left[\sec\left(\frac{\pi}{4}\right)\right]^2+2\,\text{tg}\left(\frac{\pi}{4}\right)-2}{\cos\left(\frac{\pi}{4}\right)+\sin\left(\frac{\pi}{4}\right)} = \frac{\left(\frac{\pi}{2}\right)\left(\sqrt{2}\right)^2+2(1)-2}{\frac{\sqrt{2}}{2}+\frac{\sqrt{2}}{2}}$$

$$= \frac{\pi}{\sqrt{2}} = \frac{\sqrt{2}}{2}\pi$$

k) $1/2$

l) $$\underbrace{\lim_{x\to 0}\frac{7x\cos(5x)}{\sin(3x)}}_{\text{forme }\frac{0}{0}} \overset{\text{H}}{=} \lim_{x\to 0}\frac{7x[-5\sin(5x)]+[\cos(5x)](7)}{3\cos(3x)}$$

$$= \lim_{x\to 0}\frac{-35x\sin(5x)+7\cos(5x)}{3\cos(3x)}$$

$$= \frac{-35(0)\sin 0+7\cos 0}{3\cos 0} = \frac{0+7(1)}{3(1)} = \frac{7}{3}$$

m) $$\underbrace{\lim_{x\to e}\frac{1-\ln x}{(\ln x)^2+2\ln x-3}}_{\text{forme }\frac{0}{0}} \overset{\text{H}}{=} \lim_{x\to e}\frac{-1/x}{2(\ln x)(1/x)+2(1/x)} = \lim_{x\to e}\frac{-\cancel{1/x}}{\cancel{1/x}(2\ln x+2)}$$

$$= \lim_{x\to e}\frac{-1}{2\ln x+2} = \frac{-1}{2\ln e+2} = \frac{-1}{2(1)+2} = -\frac{1}{4}$$

n) -5

90. a) $\sqrt{2}/2$

b) $$\underbrace{\lim_{x\to\frac{\pi}{6}}\frac{\sin x-1/2}{2-\text{cosec}\,x}}_{\text{forme }\frac{0}{0}} \overset{\text{H}}{=} \lim_{x\to\frac{\pi}{6}}\frac{\cos x}{\text{cosec}\,x\,\text{cotg}\,x} = \frac{\cos\left(\frac{\pi}{6}\right)}{\text{cosec}\left(\frac{\pi}{6}\right)\text{cotg}\left(\frac{\pi}{6}\right)} = \frac{\frac{\sqrt{3}}{2}}{2\sqrt{3}} = \frac{1}{4}$$

c) -1

d) -2

e) 0

f) $$\lim_{x\to\pi}\left(1+\frac{\text{tg}^2 x}{\sec x+1}\right) = 1+\overbrace{\lim_{x\to\pi}\frac{\text{tg}^2 x}{\sec x+1}}^{\text{forme }\frac{0}{0}} \overset{\text{H}}{=} 1+\lim_{x\to\pi}\frac{2\,\cancel{\text{tg}\,x}(\sec^2 x)}{\sec x\,\cancel{\text{tg}\,x}}$$

$$= 1+\lim_{x\to\pi}(2\sec x) = 1+2\sec\pi = 1+2(-1) = -1$$

91. a) $\underbrace{\lim_{x\to 2}\frac{x^4-9x^2+4x+12}{x^3+x^2-16x+20}}_{\text{forme }\frac{0}{0}} \overset{H}{=} \underbrace{\lim_{x\to 2}\frac{4x^3-18x+4}{3x^2+2x-16}}_{\text{forme }\frac{0}{0}} \overset{H}{=} \lim_{x\to 2}\frac{12x^2-18}{6x+2}=\frac{30}{14}=\frac{15}{7}$

Notons que nous aurions pu utiliser la factorisation de polynômes au lieu de la règle de L'Hospital pour évaluer cette limite. En effet,

$$\overbrace{\lim_{x\to 2}\frac{x^4-9x^2+4x+12}{x^3+x^2-16x+20}}^{\text{forme }\frac{0}{0}}=\lim_{x\to 2}\frac{\cancel{(x-2)}(x^3+2x^2-5x-6)}{\cancel{(x-2)}(x^2+3x-10)}=\overbrace{\lim_{x\to 2}\frac{x^3+2x^2-5x-6}{x^2+3x-10}}^{\text{forme }\frac{0}{0}}$$

$$=\lim_{x\to 2}\frac{\cancel{(x-2)}(x^2+4x+3)}{\cancel{(x-2)}(x+5)}=\lim_{x\to 2}\frac{x^2+4x+3}{x+5}=\frac{15}{7}$$

b) $\underbrace{\lim_{x\to\infty}\frac{4x^3+x^2+5x-2}{3x^3+8x+1}}_{\text{forme }\frac{\infty}{\infty}} \overset{H}{=} \underbrace{\lim_{x\to\infty}\frac{12x^2+2x+5}{9x^2+8}}_{\text{forme }\frac{\infty}{\infty}} \overset{H}{=} \underbrace{\lim_{x\to\infty}\frac{24x+2}{18x}}_{\text{forme }\frac{\infty}{\infty}} \overset{H}{=} \underbrace{\lim_{x\to\infty}\frac{24}{18}}_{\text{forme }\frac{\infty}{\infty}}=\frac{24}{18}=\frac{4}{3}$

Notons que nous aurions pu utiliser la mise en évidence de la plus haute puissance de x au lieu de la règle de L'Hospital pour évaluer cette limite. En effet,

$$\overbrace{\lim_{x\to\infty}\frac{4x^3+x^2+5x-2}{3x^3+8x+1}}^{\text{forme }\frac{\infty}{\infty}}=\lim_{x\to\infty}\frac{\cancel{x^3}(4+1/x+5/x^2-2/x^3)}{\cancel{x^3}(3+8/x^2+1/x^3)}=\lim_{x\to\infty}\frac{4+1/x+5/x^2-2/x^3}{3+8/x^2+1/x^3}$$

$$=\frac{4+0+0-0}{3+0+0}=\frac{4}{3}$$

c) 3

d) 0

e) ∞

f) -8

g) $1/2$

h) $\overbrace{\lim_{x\to\pi}\frac{1-\cos^2 x}{x+x\cos x}}^{\text{forme }\frac{0}{0}} \overset{H}{=} \lim_{x\to\pi}\frac{-2(\cos x)(-\sin x)}{1+x(-\sin x)+(\cos x)(1)}=\overbrace{\lim_{x\to\pi}\frac{\sin(2x)}{1-x\sin x+\cos x}}^{\text{forme }\frac{0}{0}}$

$$\overset{H}{=}\lim_{x\to\pi}\frac{2\cos(2x)}{-(x\cos x+\sin x)+(-\sin x)}=\lim_{x\to\pi}\frac{2\cos(2x)}{-x\cos x-2\sin x}$$

$$=\frac{2\cos(2\pi)}{-\pi\cos\pi-2\sin\pi}=\frac{2(1)}{-\pi(-1)-2(0)}=\frac{2}{\pi}$$

i) $\overbrace{\lim_{x\to-\infty}\frac{9x}{\sqrt{x^2+5}}}^{\text{forme }\frac{-\infty}{\infty}} \overset{H}{=} \lim_{x\to-\infty}\frac{9}{\cancel{1/2}(x^2+5)^{-1/2}(\cancel{2}x)}=\overbrace{\lim_{x\to-\infty}\frac{9(x^2+5)^{1/2}}{x}}^{\text{forme }\frac{\infty}{-\infty}}$

$$\overset{H}{=}\lim_{x\to-\infty}\frac{9(\cancel{1/2})(x^2+5)^{-1/2}(\cancel{2}x)}{1}=\lim_{x\to-\infty}\frac{9x}{\sqrt{x^2+5}}$$

Après deux applications de la règle de L'Hospital, on retrouve la limite qu'on voulait évaluer au départ. La règle de L'Hospital n'est donc pas utile pour évaluer cette limite. Utilisons la mise en évidence de la plus haute puissance de x.

$$\overbrace{\lim_{x\to-\infty}\frac{9x}{\sqrt{x^2+5}}}^{\text{forme }\frac{-\infty}{\infty}}=\lim_{x\to-\infty}\frac{9x}{\sqrt{x^2(1+5/x^2)}}=\lim_{x\to-\infty}\frac{9x}{\sqrt{x^2}\sqrt{1+5/x^2}}=\lim_{x\to-\infty}\frac{9x}{|x|\sqrt{1+5/x^2}}$$

$$=\lim_{x\to-\infty}\frac{9\cancel{x}}{-\cancel{x}\sqrt{1+5/x^2}}=\frac{9}{-\sqrt{1+0}}=-9$$

j) $3/2$

CHAPITRE 3

92. a) $\theta = \dfrac{2\pi}{n}$

b) $A(n) = \dfrac{r^2 n}{2}\sin\left(\dfrac{2\pi}{n}\right)$

c) Lorsque $n \to \infty$, alors $x = 1/n \to 0$. Par conséquent,

$$\lim_{n\to\infty} A(n) = \lim_{n\to\infty}\left[\frac{r^2 n}{2}\sin\left(\frac{2\pi}{n}\right)\right] = \lim_{n\to\infty}\left[\frac{r^2}{2(1/n)}\sin\left(2\pi\cdot\frac{1}{n}\right)\right] = \lim_{x\to 0}\left[\frac{r^2}{2x}\sin(2\pi x)\right]$$

$$= \underbrace{\lim_{x\to 0}\frac{r^2\sin(2\pi x)}{2x}}_{\text{forme } \frac{0}{0}} \overset{\text{H}}{=} \lim_{x\to 0}\frac{r^2[\cos(2\pi x)](\cancel{2}\pi)}{\cancel{2}} = r^2\underbrace{(\cos 0)}_{1}\pi = \pi r^2$$

d) Il s'agit de la formule de l'aire d'un disque (cercle). À mesure que le nombre de côtés du polygone augmente, l'aire de la surface que celui-ci délimite s'approche de plus en plus de celle du cercle dans lequel il est inscrit. À la limite, le cercle et le polygone se confondent, de sorte que les aires sont alors identiques.

CHAPITRE 4

1. Soit V le volume de la tumeur (en millimètres cubes), r son rayon (en millimètres) et t le temps (en semaines). On a $\dfrac{dr}{dt} = 0{,}04$ mm/semaine lorsque $r = 1$ cm $= 10$ mm, et on cherche $\left.\dfrac{dV}{dt}\right|_{r=10\text{ mm}}$.

On sait que $V = 4/3\,\pi r^3$. Dérivons implicitement cette équation par rapport à t :

$$\frac{dV}{dt} = \frac{d}{dt}\left(\frac{4}{3}\pi r^3\right) = \frac{4}{\cancel{3}}\pi\left(\cancel{3}r^2\frac{dr}{dt}\right) = 4\pi r^2\frac{dr}{dt}$$

Lorsque $r = 1$ cm $= 10$ mm, on a $\left.\dfrac{dr}{dt}\right|_{r=10} = 0{,}04$ mm/semaine et

$$\left.\frac{dV}{dt}\right|_{r=10} = \left.\left(4\pi r^2\frac{dr}{dt}\right)\right|_{r=10} = 4\pi(10)^2(0{,}04) = 16\pi \approx 50{,}3 \text{ mm}^3/\text{semaine}$$

Le volume de la tumeur augmente à un rythme de 16π mm³/semaine, soit d'environ 50,3 mm³/semaine, à l'instant précis où le rayon atteint 1 cm et qu'il augmente à raison de 0,04 mm/semaine.

2. La circonférence augmente à un rythme de 4π cm/s, soit d'environ 12,6 cm/s, à l'instant précis où le rayon atteint 1 m et qu'il augmente à raison de 2 cm/s.

3. La masse du cerveau du fœtus augmente à un rythme d'environ 0,038 g/jour à l'instant où sa masse totale atteint 30 g et qu'elle augmente à raison de 0,3 g/jour.

4. Soit π le profit (en dollars) tiré de la vente de Q unités d'un bien et t le temps (en jours). On a $\dfrac{dQ}{dt} = 20$ unités/jour et on cherche $\left.\dfrac{d\pi}{dt}\right|_{Q=400}$.

On sait que $\pi(Q) = 2\,000Q - 1/2\,Q^2$. Dérivons implicitement cette équation par rapport à t :

$$\frac{d\pi}{dt} = \frac{d}{dt}(2\,000Q - 1/2\,Q^2) = 2\,000\frac{dQ}{dt} - 1/2\left(2Q\frac{dQ}{dt}\right) = (2\,000 - Q)\frac{dQ}{dt}$$

Lorsque $Q = 400$ unités et $\dfrac{dQ}{dt} = 20$ unités/jour, on a

$$\left.\frac{d\pi}{dt}\right|_{Q=400} = \left.\left[(2\,000 - Q)\frac{dQ}{dt}\right]\right|_{Q=400} = (2\,000 - 400)(20) = 32\,000 \text{ \$/jour}$$

Le profit augmente à un rythme de 32 000 \$/jour lorsque le volume de vente atteint 400 unités et qu'il augmente à raison de 20 unités/jour.

5. À l'instant où il est de 200π cm^3, le volume de la chambre cylindrique diminue à raison de 450π cm^3/s, soit à raison d'environ 1 413,7 cm^3/s.

6. Le volume de la tige cylindrique augmente à un rythme de $2{,}625\pi$ cm^3/min, soit d'environ 8,25 cm^3/min, à l'instant précis où la longueur de la tige atteint 50 cm et qu'elle augmente à raison de 0,02 cm/min, et que son rayon atteint 2,5 cm et qu'il augmente à raison de 0,01 cm/min.

7. Le nombre d'accidents de la circulation augmente à un rythme de 90 accidents par année lorsque le nombre quotidien moyen de voitures qui circule dans la ville est de 22 500 et qu'il augmente à raison de 200 par année.

8. Le revenu tiré de la vente des billets augmente à un rythme de 900 \$/jour lorsque la demande de billets augmente à raison de 50 billets/jour.

9. L'aire de l'anneau compris entre les deux cercles augmente à un rythme de $2{,}2\pi$ m^2/s, soit d'environ 6,91 m^2/s, à l'instant précis où le rayon du cercle intérieur est de 2 m et qu'il augmente à raison de 20 cm/s, et que le rayon du cercle extérieur est de 5 m et qu'il augmente à raison de 30 cm/s.

10. Le volume de l'ellipsoïde augmente à un rythme de $\frac{2\,440\pi}{3}$ cm^3/min, soit d'environ 2 555,16 cm^3/min, à l'instant précis où $a = 15$ cm et qu'il diminue à raison de 1 cm/min, où $b = 10$ cm et qu'il augmente à raison de 2 cm/min et où $c = 8$ cm et qu'il augmente à raison de 3 cm/min.

11. Soit A l'aire du parallélogramme (en centimètres carrés), h sa hauteur (en centimètres), θ l'angle (en radians) illustré dans le schéma, et t le temps (en minutes).

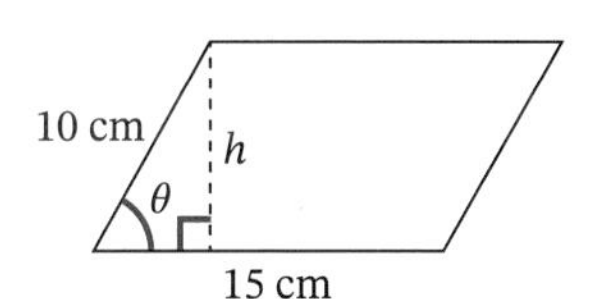

On a $\dfrac{d\theta}{dt} = 1°/\text{min} = \dfrac{\pi}{180}$ rad/min lorsque $\theta = 60° = \dfrac{\pi}{3}$ rad,

et on cherche $\left.\dfrac{dA}{dt}\right|_{\theta=\frac{\pi}{3}}$. Il ne faut pas oublier de transformer les mesures d'angles en radians puisque les formules de dérivation des fonctions trigonométriques ne sont valables que pour cette unité de mesure.

On sait que $A = bh = 15h$. Ce lien contient la variable h qui ne se retrouve pas dans le taux connu ni dans le taux cherché.

Or, $\sin\theta = \dfrac{h}{10} \Rightarrow h = 10\sin\theta$. En remplaçant h par $10\sin\theta$ dans l'équation de l'aire, on obtient $A = 15h = 15(10\sin\theta) = 150\sin\theta$.

Dérivons implicitement cette équation par rapport à t:

$$\frac{dA}{dt} = \frac{d}{dt}(150\sin\theta) = 150\cos\theta\frac{d\theta}{dt}$$

Lorsque $\theta = 60° = \dfrac{\pi}{3}$ rad, on a $\left.\dfrac{d\theta}{dt}\right|_{\theta=\frac{\pi}{3}} = 1°/\text{min} = \dfrac{\pi}{180}$ rad/min et

$$\left.\frac{dA}{dt}\right|_{\theta=\pi/3} = \left.\left(150\cos\theta\frac{d\theta}{dt}\right)\right|_{\theta=\pi/3} = 150\left(\frac{1}{2}\right)\left(\frac{\pi}{180}\right) = \frac{5\pi}{12}\ \text{cm}^2/\text{min} \approx 1{,}31\ \text{cm}^2/\text{min}$$

L'aire du parallélogramme augmente à un rythme de $\frac{5\pi}{12}$ cm^2/min, soit d'environ 1,31 cm^2/min, à l'instant précis où l'angle θ atteint 60° et qu'il augmente à raison de 1°/min.

12. a) Soit a et b les mesures (en centimètres) des côtés formant l'angle droit du triangle, et t le temps (en minutes).

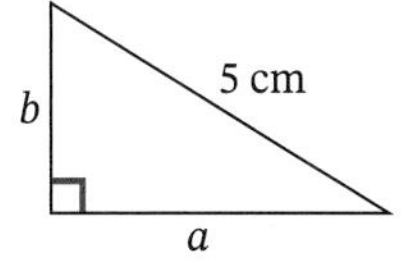

On a $\left.\dfrac{da}{dt}\right|_{a=3} = -1$ cm/min (puisque la mesure du côté a diminue) et on cherche $\left.\dfrac{db}{dt}\right|_{a=3}$.

CHAPITRE 4

On sait que $a^2 + b^2 = 5^2$. Dérivons implicitement cette équation par rapport à t et isolons $\frac{db}{dt}$:

$$\frac{d}{dt}(a^2 + b^2) = \frac{d}{dt}(25) \Rightarrow 2a\frac{da}{dt} + 2b\frac{db}{dt} = 0$$
$$\Rightarrow 2b\frac{db}{dt} = -2a\frac{da}{dt}$$
$$\Rightarrow \frac{db}{dt} = -\frac{a}{b}\frac{da}{dt}$$

Lorsque $a = 3$ cm, on a $3^2 + b^2 = 5^2 \Rightarrow b^2 = 16 \Rightarrow b = 4$, car $b > 0$.

Comme $\left.\frac{da}{dt}\right|_{a=3} = -1$ cm/min, on a

$$\left.\frac{db}{dt}\right|_{a=3} = \left.\left(-\frac{a}{b}\frac{da}{dt}\right)\right|_{a=3} = \left(-\frac{3}{4}\right)(-1) = \frac{3}{4} \text{ cm/min}$$

La longueur du côté b augmente à un rythme de ¾ cm/min, soit à un rythme de 0,75 cm/min, à l'instant précis où la longueur du côté a est de 3 cm et qu'elle diminue à raison de 1 cm/min (l'hypoténuse du triangle demeurant de 5 cm).

b) Le périmètre du triangle diminue à un rythme de ¼ cm/min, soit à un rythme de 0,25 cm/min, à l'instant précis où la longueur du côté a est de 3 cm et qu'elle diminue à raison de 1 cm/min (l'hypoténuse du triangle demeurant de 5 cm).

c) L'aire du triangle diminue à un rythme de ⅞ cm^2/min, soit à un rythme de 0,875 cm^2/min, à l'instant précis où la longueur du côté a est de 3 cm et qu'elle diminue à raison de 1 cm/min (l'hypoténuse du triangle demeurant de 5 cm).

13. Soit A l'aire du triangle équilatéral (en centimètres carrés), h sa hauteur (en centimètres), b sa base (en centimètres) et t le temps (en minutes). Le schéma présente les différentes variables du problème.

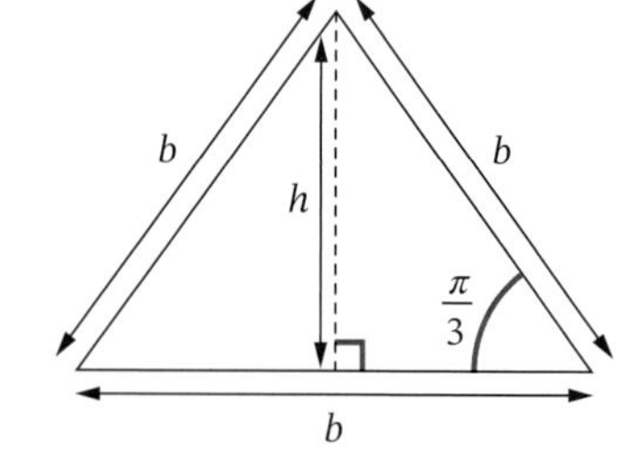

On a $\frac{dA}{dt} = 5$ cm^2/min et on cherche $\left.\frac{dh}{dt}\right|_{A=100}$.

On sait que $A = \frac{bh}{2}$. Ce lien contient la variable b qui ne se retrouve pas dans le taux connu ni dans le taux cherché. Dans un triangle équilatéral, on a

$$\sin\left(\frac{\pi}{3}\right) = \frac{h}{b} \Rightarrow \frac{\sqrt{3}}{2} = \frac{h}{b} \Rightarrow b\left(\frac{\sqrt{3}}{2}\right) = h \Rightarrow b = \frac{2}{\sqrt{3}}h = \frac{2\sqrt{3}}{3}h$$

En remplaçant b par $\frac{2\sqrt{3}}{3}h$ dans l'équation de l'aire, on obtient

$$A = \frac{1}{2}bh = \frac{1}{\not{2}}\left(\frac{\not{2}\sqrt{3}}{3}h\right)h = \frac{\sqrt{3}}{3}h^2$$

Dérivons implicitement cette équation par rapport à t et isolons $\frac{dh}{dt}$:

$$\frac{dA}{dt} = \frac{d}{dt}\left(\frac{\sqrt{3}}{3}h^2\right) = \frac{\sqrt{3}}{3}\left(2h\frac{dh}{dt}\right) = \frac{2\sqrt{3}\,h}{3}\frac{dh}{dt} \Rightarrow \frac{dh}{dt} = \frac{3}{2\sqrt{3}\,h}\frac{dA}{dt} = \frac{\sqrt{3}}{2h}\frac{dA}{dt}$$

Lorsque $A = 100$ cm^2, on a

$$\frac{\sqrt{3}}{3}h^2 = 100 \Rightarrow h^2 = 100\left(\frac{3}{\sqrt{3}}\right) = 100\sqrt{3} \Rightarrow \underbrace{h = \sqrt{100\sqrt{3}}}_{\text{car } h \geq 0} = 10(3^{1/4}) \text{ cm}$$

Par conséquent, comme $\frac{dA}{dt} = 5$ cm^2/min, on a

$$\left.\frac{dh}{dt}\right|_{A=100} = \left.\left(\frac{\sqrt{3}}{2h}\frac{dA}{dt}\right)\right|_{A=100} = \frac{\sqrt{3}}{2[10(3^{1/4})]}(5) = \frac{3^{1/4}}{4} \approx 0{,}33 \text{ cm/min}$$

La hauteur du triangle équilatéral augmente à un rythme de $\frac{\sqrt[4]{3}}{4}$ cm/min, soit d'environ 0,33 cm/min, à l'instant précis où son aire atteint 100 cm^2 et qu'elle augmente à raison de 5 cm^2/min.

14. a) Le périmètre du triangle isocèle augmente à un rythme d'environ 0,19 m/s (soit environ 19 cm/s), à l'instant précis où l'angle $\theta = \pi/6$ et qu'il augmente à raison de 0,1 rad/s.

b) L'aire du triangle isocèle augmente à un rythme de 0,2 m^2/s, à l'instant précis où l'angle $\theta = \pi/3$ et qu'il augmente à raison de 0,2 rad/s.

c) L'angle θ diminue à un rythme de 0,1 rad/s (ou à un rythme d'environ 5,7°/s), à l'instant précis où le côté opposé à l'angle θ mesure $2\sqrt{3}$ m et qu'il diminue à raison de 0,1 m/s.

15. Le volume du tas de sel augmente à un rythme de 2 250π cm^3/min, soit d'environ 7 068,6 cm^3/min, à l'instant précis où la hauteur du tas de sel atteint 15 cm et qu'elle augmente à raison de 10 cm/min.

16. À l'instant où la caisse a parcouru 2,5 m, sa hauteur augmente à raison de 0,2 m/s.

17. Représentons les données du problème dans un schéma.

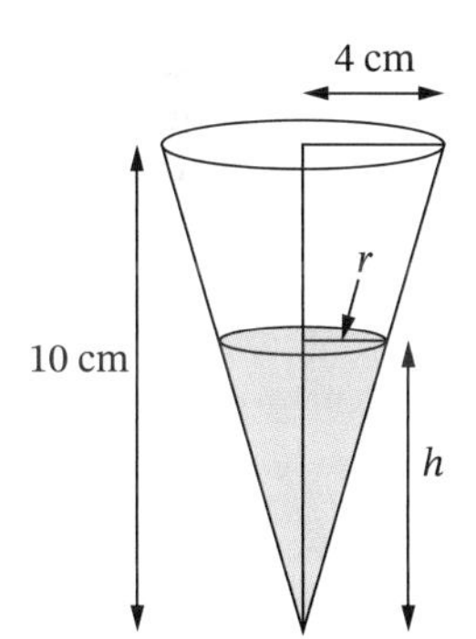

On a $\frac{dV}{dt} = -1$ cm^3/s (puisque le volume d'eau diminue) et on cherche $\left.\frac{dh}{dt}\right|_{h=5}$.

On sait que $V = \frac{1}{3}\pi r^2 h$. Ce lien contient la variable r qui ne se retrouve pas dans le taux connu ni dans le taux cherché.

Utilisons les triangles semblables pour exprimer r en fonction de h.

On a $\frac{r}{h} = \frac{4}{10}$, de sorte que $r = \frac{2}{5}h$.

En remplaçant r par $\frac{2}{5}h$ dans l'équation du volume, on obtient

$$V = \frac{1}{3}\pi r^2 h = \frac{1}{3}\pi\left(\frac{2}{5}h\right)^2 h = \frac{1}{3}\pi\left(\frac{4}{25}h^2\right)h = \frac{4}{75}\pi h^3$$

Dérivons implicitement cette équation par rapport à t et isolons $\frac{dh}{dt}$:

$$\frac{dV}{dt} = \frac{d}{dt}\left(\frac{4}{75}\pi h^3\right) = \frac{4}{75}\pi\left(3h^2\frac{dh}{dt}\right) = \frac{4\pi h^2}{25}\frac{dh}{dt} \quad\Rightarrow\quad \frac{dh}{dt} = \frac{25}{4\pi h^2}\frac{dV}{dt}$$

Lorsque $h = 5$ cm et $\frac{dV}{dt} = -1$ cm^3/s, on a

$$\left.\frac{dh}{dt}\right|_{h=5} = \left.\left(\frac{25}{4\pi h^2}\frac{dV}{dt}\right)\right|_{h=5} = \frac{25}{4\pi(5)^2}(-1) = -\frac{1}{4\pi} \approx -0{,}08 \text{ cm/s}$$

Le niveau de l'eau diminue à un rythme de $\frac{1}{4\pi}$ cm/s, soit d'environ 0,08 cm/s, à l'instant précis où il atteint 5 cm et que le volume d'eau diminue à raison de 1 cm^3/s.

18. Le niveau de l'eau augmente à un rythme de 0,75 m/min à l'instant précis où il atteint 2 m et que le volume d'eau augmente à raison de $\frac{1}{3}$ m^3/min.

19. Soit c la mesure du côté variable du triangle (en mètres) et θ l'angle (en radians) illustrés dans le schéma, et t le temps (en minutes).

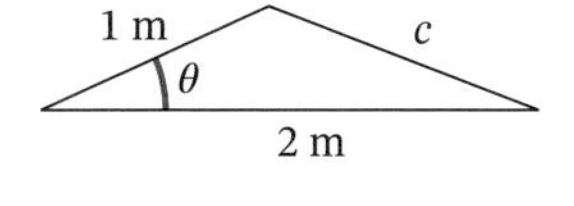

On a $\frac{d\theta}{dt} = 1°/\text{min} = \frac{\pi}{180}$ rad/min lorsque $\theta = 60° = \frac{\pi}{3}$ rad, et on cherche $\left.\frac{dc}{dt}\right|_{\theta=\frac{\pi}{3}}$.

Il ne faut pas oublier de transformer les mesures d'angles en radians puisque les

CHAPITRE 4

formules de dérivation des fonctions trigonométriques ne sont valables que pour cette unité de mesure.

En vertu de la loi des cosinus, on a $c^2 = 1^2 + 2^2 - 2(1)(2)\cos\theta$, c'est-à-dire $c = \sqrt{5 - 4\cos\theta}$, car $c > 0$. Dérivons implicitement cette équation par rapport à t:

$$\frac{dc}{dt} = \frac{d}{dt}(5 - 4\cos\theta)^{1/2} = \frac{1}{2}(5 - 4\cos\theta)^{-1/2}\frac{d}{dt}(5 - 4\cos\theta)$$
$$= \frac{1}{2\sqrt{5 - 4\cos\theta}}\left[-4(-\sin\theta)\right]\frac{d\theta}{dt} = \frac{2\sin\theta}{\sqrt{5 - 4\cos\theta}}\frac{d\theta}{dt}$$

Lorsque $\theta = 60° = \frac{\pi}{3}$ rad, on a $\left.\frac{d\theta}{dt}\right|_{\theta=\frac{\pi}{3}} = 1°/\text{min} = \frac{\pi}{180}$ rad/min et

$$\left.\frac{dc}{dt}\right|_{\theta=\frac{\pi}{3}} = \left.\left(\frac{2\sin\theta}{\sqrt{5 - 4\cos\theta}}\frac{d\theta}{dt}\right)\right|_{\theta=\frac{\pi}{3}} = \frac{2\sin\left(\frac{\pi}{3}\right)}{\sqrt{5 - 4\cos\left(\frac{\pi}{3}\right)}}\left(\frac{\pi}{180}\right)$$
$$= \frac{\cancel{2}\left(\frac{\sqrt{3}}{\cancel{2}}\right)}{\sqrt{5 - 4\left(\frac{1}{2}\right)}}\left(\frac{\pi}{180}\right) = \frac{\pi}{180} \approx 0{,}017 \text{ m/min}$$

La longueur du côté c augmente à un rythme de $\frac{\pi}{180}$ m/min, soit d'environ 0,017 m/min, à l'instant précis où l'angle θ mesure 60° et qu'il augmente à raison de 1°/min.

20. a) $\text{IMC} = \frac{M}{T^2}$

b) Environ 24,2 kg/m^2.

c) Puisque la masse de cet individu diminue à raison de 0,5 kg/semaine, son indice de masse corporelle diminue à un rythme de $\frac{0{,}5}{(1{,}7)^2}$ kg/m^2/semaine, soit d'environ 0,17 kg/m^2/semaine.

21. Soit R_1 et R_2 deux résistances (en ohms) branchées en parallèle, R_e la résistance équivalente (en ohms) et t le temps (en minutes).

On a $\frac{dR_1}{dt} = 2\ \Omega/\text{min}$ et $\frac{dR_2}{dt} = -1\ \Omega/\text{min}$ (puisque R_2 diminue), et on cherche $\left.\frac{dR_e}{dt}\right|_{R_1=30;\ R_2=90}$.

On sait que $\frac{1}{R_e} = \frac{1}{R_1} + \frac{1}{R_2}$. Dérivons implicitement cette équation par rapport à t et isolons $\frac{dR_e}{dt}$:

$$\frac{d}{dt}(R_e)^{-1} = \frac{d}{dt}(R_1)^{-1} + \frac{d}{dt}(R_2)^{-1}$$
$$-1(R_e)^{-2}\frac{dR_e}{dt} = -1(R_1)^{-2}\frac{dR_1}{dt} - 1(R_2)^{-2}\frac{dR_2}{dt}$$
$$\frac{-1}{R_e^2}\frac{dR_e}{dt} = \frac{-1}{R_1^2}\frac{dR_1}{dt} - \frac{1}{R_2^2}\frac{dR_2}{dt}$$
$$\frac{dR_e}{dt} = \frac{R_e^2}{R_1^2}\frac{dR_1}{dt} + \frac{R_e^2}{R_2^2}\frac{dR_2}{dt}$$

Lorsque $R_1 = 30\ \Omega$, $R_2 = 90\ \Omega$, $\frac{dR_1}{dt} = 2\ \Omega/\text{min}$ et $\frac{dR_2}{dt} = -1\ \Omega/\text{min}$, on a $\frac{1}{R_e} = \frac{1}{30} + \frac{1}{90} = \frac{2}{45} \Rightarrow R_e = \frac{45}{2}\ \Omega$ et

$$\left.\frac{dR_e}{dt}\right|_{R_1=30;\ R_2=90} = \left.\left(\frac{R_e^2}{R_1^2}\frac{dR_1}{dt} + \frac{R_e^2}{R_2^2}\frac{dR_2}{dt}\right)\right|_{R_1=30;\ R_2=90} = \frac{(45/2)^2}{30^2}(2) + \frac{(45/2)^2}{90^2}(-1)$$
$$= \frac{9}{8} - \frac{1}{16} = \frac{17}{16} = 1{,}0625\ \Omega/\text{min}$$

À l'instant où $R_1 = 30\ \Omega$ et $R_2 = 90\ \Omega$, la résistance équivalente R_e augmente à raison de $^{17}\!/_{16}\ \Omega$/min, soit de 1,0625 Ω/min.

22. La pression exercée par le gaz sur les parois du contenant augmente donc à raison de $(3k)$ Pa/min.

23. À l'instant où un objet de 50 kg subit une accélération de 4 m/s² lorsqu'il se déplace à une vitesse de 20 m/s, l'énergie cinétique augmente à raison de 4 000 J/s.

24. À l'instant où le rayon intérieur du vaisseau atteint 1 mm, la vitesse du sang à une distance r (donnée et fixe) du centre du vaisseau augmente à raison de 0,04k mm/min/min.

25. a) Soit r le rayon (en mètres) du tronc de la souche d'un arbre, x le diamètre (en mètres) du tronc de la souche de l'arbre, h la hauteur (en mètres) de l'arbre et t le temps (en années). On cherche $\left.\frac{dx}{dt}\right|_{t=5}$.

On a $x = 2r = 2(0{,}002h^{3/2}) = 0{,}004\,h^{3/2}$. Dérivons implicitement cette équation par rapport à t:

$$\frac{dx}{dt} = \frac{d}{dt}(0{,}004h^{3/2}) = 0{,}004\left(\frac{3}{2}h^{1/2}\frac{dh}{dt}\right) = 0{,}006\sqrt{h}\frac{dh}{dt}$$

Or,

$$\frac{dh}{dt} = \frac{d}{dt}\left(\frac{10t^2}{100+t^2}\right) = \frac{(100+t^2)\frac{d}{dt}(10t^2) - 10t^2\frac{d}{dt}(100+t^2)}{(100+t^2)^2}$$

$$= \frac{20t(100+t^2) - 10t^2(2t)}{(100+t^2)^2} = \frac{2\,000t + \cancel{20t^3} - \cancel{20t^3}}{(100+t^2)^2}$$

$$= \frac{2\,000t}{(100+t^2)^2}$$

de sorte que

$$\frac{dx}{dt} = 0{,}006\sqrt{h}\,\frac{dh}{dt} = 0{,}006\sqrt{\frac{10t^2}{100+t^2}}\cdot\frac{2\,000t}{(100+t^2)^2} = \frac{12t}{(100+t^2)^2}\sqrt{\frac{10t^2}{100+t^2}}$$

Alors, lorsque $t = 5$ ans, on a

$$\left.\frac{dx}{dt}\right|_{t=5} = \frac{12(5)}{(100+5^2)^2}\sqrt{\frac{10(5^2)}{100+5^2}} = \frac{60}{15\,625}\sqrt{2} = \frac{12\sqrt{2}}{3\,125} \approx 0{,}0054 \text{ m/année}$$

Le diamètre d'un arbre de 5 ans augmente donc à un rythme d'environ 0,0054 m/année, soit d'environ 5,4 mm/année.

b) La circonférence d'un arbre de 10 ans augmente à un rythme d'environ 0,021 m/année, soit environ 2,1 cm/année.

26. a) Il reprend sa course au moment où la Tortue est à 2 m du fil, de sorte que la distance entre le Lièvre et le fil d'arrivée est de $50{,}1 - {}^{25}\!/_2(2-2)^2 = 50{,}1$ m.

b) Soit x la distance (en mètres) entre la Tortue et le fil d'arrivée, y la distance (en mètres) entre le Lièvre et le fil d'arrivée, et t le temps (en secondes).

On a $\frac{dx}{dt} = -0{,}5$ m/s (le signe négatif indique que la distance diminue) et on cherche $\left.\frac{dy}{dt}\right|_{x=1}$.

On a $y = 50{,}1 - {}^{25}\!/_2(2-x)^2$. Dérivons implicitement cette équation par rapport à t:

$$\frac{dy}{dt} = \frac{d}{dt}\left[50{,}1 - {}^{25}\!/_2(2-x)^2\right] = -{}^{25}\!/_2\left[2(2-x)\frac{d}{dt}(2-x)\right]$$

$$= -25(2-x)(-1)\frac{dx}{dt} = (50-25x)\frac{dx}{dt}$$

CHAPITRE 4

Lorsque $x = 1$ m et $\frac{dx}{dt} = -0{,}5$ m/s, on a

$$\left.\frac{dy}{dt}\right|_{x=1} = \left.\left[(50 - 25x)\frac{dx}{dt}\right]\right|_{x=1} = [50 - 25(1)](-0{,}5) = -12{,}5 \text{ m/s}$$

Au moment où la Tortue est à 1 m du fil d'arrivée et qu'elle se déplace à un rythme de 0,5 m/s, le Lièvre se déplace à un rythme de 12,5 m/s (en se rapprochant, bien sûr, du fil d'arrivée).

c) Si $x = 0$ m, alors $y = 50{,}1 - {}^{25}/_{2}\,(2 - 0)^2 = 0{,}1$ m, de sorte que lorsque la Tortue franchit le fil d'arrivée, le Lièvre est encore à 0,1 m du fil d'arrivée. Par conséquent, c'est la Tortue qui gagne la course, comme dans la fable.

d) Le Lièvre est à 0,1 m derrière la Tortue lorsqu'elle franchit le fil d'arrivée.

e) Lorsque $x = 0$ m et $\frac{dx}{dt} = -0{,}5$ m/s, alors

$$\left.\frac{dy}{dt}\right|_{x=0} = \left.\left[(50 - 25x)\frac{dx}{dt}\right]\right|_{x=0} = [50 - 25(0)](-0{,}5) = -25 \text{ m/s}$$

Au moment où la Tortue franchit le fil d'arrivée, le Lièvre se déplace à une vitesse de 25 m/s. C'est à croire que le Lièvre a emprunté les bottes de sept lieues du Chat botté !

27. a) Soit y la distance verticale (en mètres) entre l'extrémité supérieure de la planche appuyée contre le mur et le sol, x la distance horizontale (en mètres) entre l'extrémité inférieure de la planche et le mur, comme l'illustre le schéma, et t le temps (en secondes).

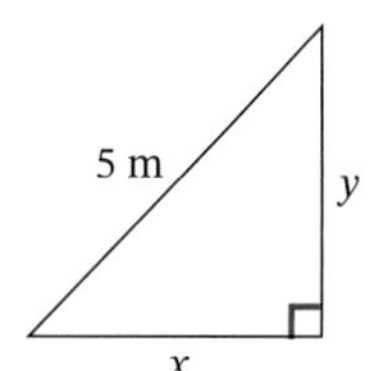

On a $\frac{dx}{dt} = 0{,}5$ m/s et on cherche $\left.\frac{dy}{dt}\right|_{x=1}$.

En vertu du théorème de Pythagore, on a $x^2 + y^2 = 5^2$. Dérivons implicitement cette équation par rapport à t :

$$\frac{d}{dt}(x^2 + y^2) = \frac{d}{dt}(25) \Rightarrow 2x\frac{dx}{dt} + 2y\frac{dy}{dt} = 0$$
$$\Rightarrow 2y\frac{dy}{dt} = -2x\frac{dx}{dt}$$
$$\Rightarrow \frac{dy}{dt} = -\frac{x}{y}\frac{dx}{dt}$$

Lorsque $x = 1$ m, on a $1^2 + y^2 = 5^2 \Rightarrow y^2 = 24 \Rightarrow y = \sqrt{24} = 2\sqrt{6}$ m, car $y > 0$. Par conséquent, comme $\frac{dx}{dt} = 0{,}5$ m/s, on a

$$\left.\frac{dy}{dt}\right|_{x=1} = \left.\left(-\frac{x}{y}\frac{dx}{dt}\right)\right|_{x=1} = -\frac{1}{2\sqrt{6}}(0{,}5) = -\frac{1}{4\sqrt{6}} = -\frac{\sqrt{6}}{24} \approx -0{,}1 \text{ m/s}$$

L'extrémité supérieure de la planche descend le long du mur à un rythme de $\sqrt{6}/24$ m/s, soit d'environ 0,1 m/s, à l'instant précis où la distance horizontale entre l'extrémité inférieure de la planche et le mur atteint 1 m et qu'elle augmente à raison de 0,5 m/s.

b) Soit x la distance horizontale (en mètres) entre l'extrémité inférieure de la planche et le mur, θ l'angle (en radians) déterminé par la planche et le sol, comme l'illustre le schéma, et t le temps (en secondes).

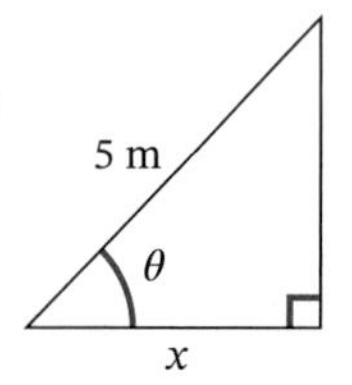

On a $\frac{dx}{dt} = 0{,}5$ m/s et on cherche $\left.\frac{d\theta}{dt}\right|_{x=1}$.

CHAPITRE 4

On a $\cos\theta = \frac{x}{5} \Rightarrow \theta = \arccos\left(\frac{x}{5}\right)$. Dérivons implicitement cette équation par rapport à t :

$$\frac{d\theta}{dt} = \frac{d}{dt}\left[\arccos\left(\frac{x}{5}\right)\right] = -\frac{1}{\sqrt{1-\left(\frac{x}{5}\right)^2}}\frac{d}{dt}\left(\frac{x}{5}\right) = -\frac{1}{\sqrt{1-\frac{x^2}{25}}}\left(\frac{1}{5}\frac{dx}{dt}\right)$$

$$= -\frac{1}{5\sqrt{\frac{25-x^2}{25}}}\frac{dx}{dt} = -\frac{1}{\cancel{5}\frac{\sqrt{25-x^2}}{\cancel{\sqrt{25}}}}\frac{dx}{dt} = -\frac{1}{\sqrt{25-x^2}}\frac{dx}{dt}$$

Lorsque $x = 1$ m et $\frac{dx}{dt} = 0{,}5$ m/s, on a

$$\left.\frac{d\theta}{dt}\right|_{x=1} = \left.\left(-\frac{1}{\sqrt{25-x^2}}\frac{dx}{dt}\right)\right|_{x=1} = -\frac{1}{\sqrt{25-1^2}}(0{,}5) = -\frac{1}{2\sqrt{24}}$$

$$= -\frac{\sqrt{24}}{48} = -\frac{2\sqrt{6}}{48} = -\frac{\sqrt{6}}{24} \approx -0{,}1 \text{ rad/s}$$

L'angle déterminé par la planche et le sol diminue à un rythme de $\sqrt{6}/24$ rad/s, soit d'environ 0,1 rad/s (ou d'environ 5,8°/s), à l'instant précis où la distance horizontale entre l'extrémité inférieure de la planche et le mur atteint 1 m et qu'elle augmente à raison de 0,5 m/s.

28. a) La distance entre l'observatrice et la montgolfière diminue à un rythme de $5\sqrt{15}$ m/s, soit d'environ 19,36 m/s, à l'instant précis où la montgolfière se situe à 400 m de l'observatrice et qu'elle se déplace à une altitude constante vers l'observatrice à raison de 20 m/s.

b) L'angle d'observation, mesuré par rapport à la verticale, diminue à un rythme de 0,0125 rad/s (ou à un rythme d'environ 0,72°/s) à l'instant précis où la montgolfière se situe à 400 m de l'observatrice et qu'elle se déplace à une altitude constante vers l'observatrice à raison de 20 m/s.

29. Après 10 s, la distance séparant la personne de la nacelle de la montgolfière augmente à un rythme de 3,2 m/s si la montgolfière s'élève verticalement dans le ciel à raison de 4 m/s.

30. Soit y la longueur (en mètres) de l'ombre projetée sur le mur, x la distance (en mètres) entre la femme et la source lumineuse et t le temps (en secondes). Le schéma suivant illustre la situation décrite dans l'énoncé.

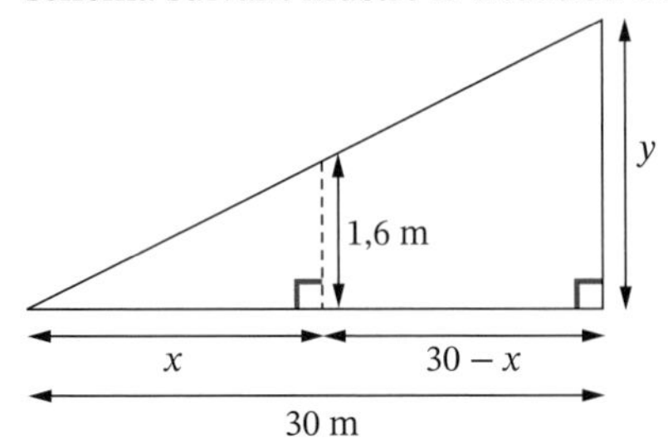

On a $\frac{dx}{dt} = 3$ m/s et on cherche $\left.\frac{dy}{dt}\right|_{t=5}$.

Par comparaison des triangles semblables, on a $\frac{y}{30} = \frac{1{,}6}{x} \Rightarrow y = \frac{48}{x}$. Dérivons implicitement cette équation par rapport à t :

$$\frac{dy}{dt} = \frac{d}{dt}\left(\frac{48}{x}\right) = \frac{d}{dt}(48x^{-1}) = -48x^{-2}\frac{dx}{dt} = -\frac{48}{x^2}\frac{dx}{dt}$$

Lorsque $t = 5$ s, on a $x = (3 \text{ m/s})(5 \text{ s}) = 15$ m. Par conséquent, comme $\frac{dx}{dt} = 3$ m/s, on a

$$\left.\frac{dy}{dt}\right|_{t=5} = \left.\left(-\frac{48}{x^2}\frac{dx}{dt}\right)\right|_{t=5} = -\frac{48}{15^2}(3) = -\frac{16}{25} = -0{,}64 \text{ m/s}$$

Après 5 s, la longueur de l'ombre projetée sur le mur diminue à un rythme de 0,64 m/s si la femme s'éloigne de la source lumineuse à un rythme de 3 m/s.

31. La personne doit laisser défiler le fil à un rythme de 4 m/s si elle souhaite que le cerf-volant demeure à la même altitude même si le vent le déplace vers l'est à raison de 5 m/s.

32. a) Le bateau s'approche du quai à un rythme de $\frac{\sqrt{109}}{20}$ m/s, soit d'environ 0,52 m/s, à l'instant précis où le bateau est à 5 m du quai et que l'homme tire sur la corde à raison de 0,5 m/s.

b) L'homme tire sur la corde à un rythme de $\frac{2\sqrt{5}}{5}$ m/s, soit d'environ 0,89 m/s, à l'instant précis où le bateau est à 3 m du quai et qu'il s'en approche à un rythme de 1 m/s.

33. a) La distance entre l'extrémité de l'ombre de l'homme et le pied du lampadaire augmente à un rythme de 6,25 m/s à l'instant où l'homme est à 5 m du lampadaire et qu'il s'en éloigne à raison de 4 m/s.

b) À l'instant où l'homme est à 5 m du lampadaire et qu'il s'en éloigne à un rythme de 4 m/s, son ombre s'allonge à un rythme de 2,25 m/s.

34. a) Soit z la distance (en mètres) entre le cerf et la voiture, x la distance horizontale (en mètres) et θ l'angle (en radians) illustrés dans le schéma, et t le temps (en secondes).

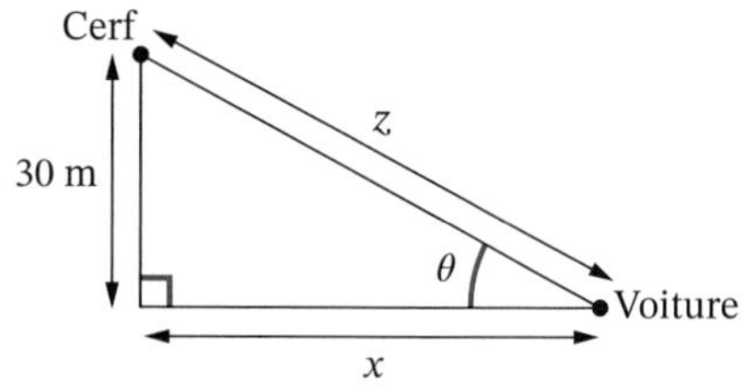

Cerf
30 m
z
θ
Voiture
x

On a $\frac{dx}{dt} = -20$ m/s (car la distance x diminue) et on cherche $\left.\frac{d\theta}{dt}\right|_{z=50}$.

On a $\operatorname{tg}\theta = \frac{30}{x} \Rightarrow \theta = \operatorname{arctg}\left(\frac{30}{x}\right)$.

Dérivons implicitement cette équation par rapport à t:

$$\frac{d\theta}{dt} = \frac{d}{dt}\left[\operatorname{arctg}\left(\frac{30}{x}\right)\right] = \frac{1}{1+\left(\frac{30}{x}\right)^2}\frac{d}{dt}(30x^{-1}) = \frac{1}{1+\frac{30^2}{x^2}}\left(-30x^{-2}\frac{dx}{dt}\right)$$

$$= \frac{1}{1+\frac{30^2}{x^2}}\left(-\frac{30}{x^2}\right)\frac{dx}{dt} = \frac{-30}{x^2\left(1+\frac{30^2}{x^2}\right)}\frac{dx}{dt} = -\frac{30}{x^2+30^2}\frac{dx}{dt}$$

En vertu du théorème de Pythagore, lorsque $z = 50$ m, on a $x = \sqrt{z^2 - 30^2} = \sqrt{50^2 - 30^2} = 40$ m. Par conséquent, comme $\frac{dx}{dt} = -20$ m/s, on a

$$\left.\frac{d\theta}{dt}\right|_{z=50} = \left.\left(-\frac{30}{x^2+30^2}\frac{dx}{dt}\right)\right|_{z=50} = -\frac{30}{40^2+30^2}(-20) = \frac{6}{25} = 0{,}24 \text{ rad/s}$$

À l'instant précis où le passager voit le cerf, l'angle θ augmente à un rythme de 0,24 rad/s (ou à un rythme d'environ 13,75°/s).

b) À l'instant précis où elle est de 50 m, la distance entre la voiture et le cerf diminue à raison de 16 m/s.

35. L'angle θ diminue à un rythme de $1/145$ rad/s, soit d'environ 0,007 rad/s (ou environ 0,4°/s), à l'instant précis où le bateau est situé à 250 m du pied de la falaise et qu'il s'en approche à raison de 5 m/s.

36. La voiture roule à une vitesse d'environ 98,6 km/h, soit à une vitesse inférieure à la vitesse permise.

37. Lorsque Jo-Annie emprunte l'escalier roulant qui la déplace vers le 2e étage à un rythme de 2 m/s, la distance entre Jo-Annie et le 1er étage augmente à un rythme de 1,2 m/s.

38. a) À l'instant où Audrey-Maude est à 20 m du sol lors de son saut en bungee, le rayon de la corde diminue à raison de 0,625 cm/s.

b) À l'instant où Audrey-Maude est à 20 m du sol lors de son saut en bungee, l'angle d'observation de Francis diminue à raison de 0,6 rad/s (ou à raison d'environ 34,4°/s).

39. Lorsque l'arête d'un cube mesure 50 cm et que son volume augmente à raison de $9 \text{ cm}^3/\text{min}$, l'aire totale du cube augmente à un rythme de $0{,}72 \text{ cm}^2/\text{min}$.

40. Soit c la mesure du côté du carré (en centimètres), x la mesure de ses diagonales (en centimètres), A son aire (en centimètres carrés) et t le temps. Le schéma présente les différentes variables du problème.

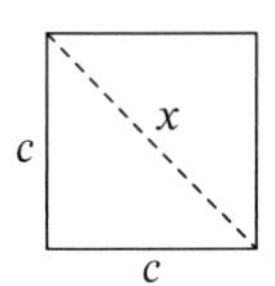

L'aire du carré est donnée par $A = c^2$. Alors, le taux de croissance de l'aire est

$$\frac{dA}{dt} = \frac{d}{dt}(c^2) = 2c\frac{dc}{dt}$$

Par le théorème de Pythagore, comme $c > 0$ et $x > 0$, on a

$$c^2 + c^2 = x^2 \Rightarrow 2c^2 = x^2 \Rightarrow \sqrt{2c^2} = x \Rightarrow \sqrt{2}\,c = x$$

Alors, le taux de croissance de la diagonale est

$$\frac{dx}{dt} = \frac{d}{dt}\left(\sqrt{2}\,c\right) = \sqrt{2}\frac{dc}{dt}$$

Comme l'aire du carré augmente 8 fois plus rapidement que sa diagonale, on a

$$\begin{aligned}\frac{dA}{dt} = 8\frac{dx}{dt} &\Rightarrow 2c\frac{dc}{dt} = 8\left(\sqrt{2}\frac{dc}{dt}\right)\\ &\Rightarrow 2c\frac{dc}{dt} - 8\sqrt{2}\frac{dc}{dt} = 0\\ &\Rightarrow \left(2c - 8\sqrt{2}\right)\frac{dc}{dt} = 0\\ &\Rightarrow 2c - 8\sqrt{2} = 0 \quad \text{car } \frac{dc}{dt} \neq 0\\ &\Rightarrow 2c = 8\sqrt{2}\\ &\Rightarrow c = 4\sqrt{2} \text{ cm}\end{aligned}$$

La mesure du côté de ce carré est donc de $4\sqrt{2}$ cm, soit environ 5,66 cm.

41. Le volume du cône est de $\frac{8}{\sqrt{\pi}}$ m^3, soit environ 4,51 m^3.

42. a) $\dfrac{dx}{dt} = 2$ m/s

b) 6 m

c) Trois secondes après que Martine a quitté le point A, elle s'éloigne du lampadaire à un rythme de 1,2 m/s.

d) Trois secondes après que Martine a quitté le point A, son ombre s'allonge à un rythme d'environ 0,28 m/s (ou environ 28 cm/s).

43. a) Comme le volume du ballon sphérique diminue à un rythme constant, on a $\dfrac{dV}{dt} = \dfrac{900 - 1000}{10} = -10 \text{ cm}^3/\text{min}$, où V représente le volume du ballon sphérique.

b) À l'instant où le volume atteint 800 cm^3, l'aire de la surface sphérique du ballon diminue à raison de $20\sqrt[3]{\frac{\pi}{600}}$ cm^2/min, soit d'environ 3,47 cm^2/min.

44. Si le volume d'une balle de neige sphérique diminue à un rythme proportionnel à l'aire de sa surface latérale, montrez que le rayon de la balle diminue à un rythme constant.

Preuve

Soit r le rayon de la balle de neige, V son volume et A l'aire de sa surface latérale, alors $V = \dfrac{4\pi}{3}r^3$ et $A = 4\pi r^2$, de sorte que

$$\frac{dV}{dt} = \frac{d}{dt}\left(\frac{4\pi}{3}r^3\right) = \frac{4\pi}{\cancel{3}}\left(\cancel{3}r^2\frac{dr}{dt}\right) = 4\pi r^2\frac{dr}{dt} = A\frac{dr}{dt}$$

CHAPITRE 4

Or, comme le volume diminue à un rythme proportionnel à la surface latérale, on a $\frac{dV}{dt} = kA$, où k est une constante négative. Par conséquent,

$$\frac{dV}{dt} = A\frac{dr}{dt} \Rightarrow kA = A\frac{dr}{dt} \Rightarrow \frac{dr}{dt} = k \quad \text{car } A \neq 0$$

Le rayon diminue donc à un rythme constant. ■

45. À l'instant où le volume atteint 100 cm^3, la pression sur la paroi de la chambre du piston diminue à raison de 2 $N/cm^2/s$.

46. a) 8π rad/min

b) À l'instant où il est à 100 m du point A, le point de la rive éclairé par le faisceau lumineux se déplace à une vitesse de $8{,}08\pi$ km/min, soit environ 25,4 km/min.

47. Soit $P(x, y)$ le point du cercle où se trouve la particule.

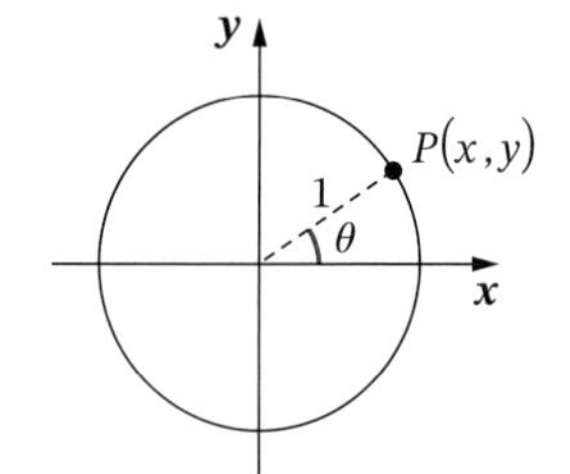

On a $\frac{d\theta}{dt} = k$, où k est une constante. On cherche les points (x, y) du cercle pour lesquels $\frac{dx}{dt} = \frac{dy}{dt}$.

Or, $x = \cos\theta$, de sorte que

$$\frac{dx}{dt} = \frac{d}{dt}(\cos\theta) = -\sin\theta\frac{d\theta}{dt} = -k\sin\theta$$

Par ailleurs, $y = \sin\theta$, de sorte que $\frac{dy}{dt} = \frac{d}{dt}(\sin\theta) = \cos\theta\frac{d\theta}{dt} = k\cos\theta$. Alors,

$$\frac{dx}{dt} = \frac{dy}{dt} \Rightarrow -k\sin\theta = k\cos\theta \Rightarrow \frac{\sin\theta}{\cos\theta} = \frac{k}{-k}$$

$$\Rightarrow \text{tg}\theta = -1 \Rightarrow \theta = \frac{3\pi}{4} \text{ ou } \theta = \frac{7\pi}{4}$$

Les coordonnées des points cherchés sont

$$\left(\cos\frac{3\pi}{4}, \sin\frac{3\pi}{4}\right) = \left(-\frac{\sqrt{2}}{2}, \frac{\sqrt{2}}{2}\right) \text{ et } \left(\cos\frac{7\pi}{4}, \sin\frac{7\pi}{4}\right) = \left(\frac{\sqrt{2}}{2}, -\frac{\sqrt{2}}{2}\right)$$

48. À l'instant où $x = 6$ cm et $y = 8$ cm, la valeur de l'abscisse diminue à raison de 320π cm/min, soit d'environ 1 005,3 cm/min, et la valeur de l'ordonnée augmente à raison de 240π cm/min, soit d'environ 754,0 cm/min.

49. a) Après 10 s, la distance séparant Cindy et François est de $10\sqrt{293}$ m, soit d'environ 171,2 m.

b) Après 10 s, Cindy et François se rapprochent à raison de $\frac{47\sqrt{293}}{293}$ m/s, soit d'environ 2,75 m/s.

50. La deuxième voiture se déplace à une vitesse de 56,25 km/h à l'instant précis où la première voiture se situe à 3 km de l'intersection et se déplace à une vitesse de 50 km/h, que la deuxième voiture se situe à 4 km de l'intersection et que la distance entre les deux voitures augmente à raison de 75 km/h.

51. a) Soit x la distance (en pieds) qui sépare Pedro du troisième but, y la distance (en pieds) qui sépare Pedro du marbre et t le temps (en secondes).

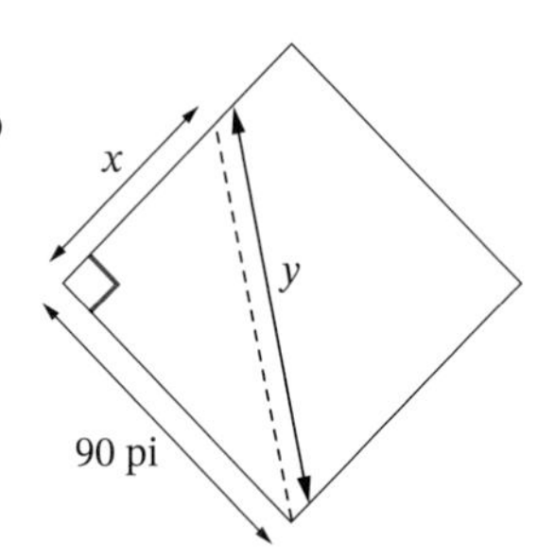

Lorsque Pedro est à 30 pi du deuxième but, il est donc à 60 pi du troisième but et, par conséquent, $x = 60$ pi. On a $\left.\frac{dx}{dt}\right|_{x=60} = -25$ pi/s (puisque la distance de Pedro au troisième but diminue) et on cherche $\left.\frac{dy}{dt}\right|_{x=60}$.

CHAPITRE 4

En vertu du théorème de Pythagore, on a $y^2 = x^2 + 90^2$. Dérivons implicitement cette équation par rapport à t:

$$\frac{d}{dt}(y^2) = \frac{d}{dt}(x^2 + 90^2) \Rightarrow 2y\frac{dy}{dt} = 2x\frac{dx}{dt}$$
$$\Rightarrow \frac{dy}{dt} = \frac{x}{y}\frac{dx}{dt}$$

Lorsque $x = 60$ pi, on a

$$y = \sqrt{x^2 + 90^2} = \sqrt{60^2 + 90^2} = \sqrt{11\,700} = \sqrt{900(13)} = 30\sqrt{13} \text{ pi}$$

Par conséquent, comme $\left.\frac{dx}{dt}\right|_{x=60} = -25$ pi/s, on a

$$\left.\frac{dy}{dt}\right|_{x=60} = \left.\left(\frac{x}{y}\frac{dx}{dt}\right)\right|_{x=60} = \frac{60}{30\sqrt{13}}(-25) = -\frac{50}{\sqrt{13}} = -\frac{50\sqrt{13}}{13} \approx -13{,}9 \text{ pi/s}$$

À l'instant où il est à 60 pi du troisième but, la distance qui sépare Pedro du marbre diminue à raison de $\frac{50\sqrt{13}}{13}$ pi/s, soit d'environ 13,9 pi/s.

b) Soit x la distance (en pieds) qui sépare Pedro du troisième but, θ l'angle d'observation (en radians) de l'arbitre et t le temps (en secondes).

On a $\left.\frac{dx}{dt}\right|_{x=60} = -25$ pi/s et on cherche $\left.\frac{d\theta}{dt}\right|_{x=60}$.

Or, $\operatorname{tg}\theta = \frac{x}{90}$, d'où $\theta = \operatorname{arctg}\left(\frac{x}{90}\right)$. Dérivons implicitement cette équation par rapport à t:

$$\frac{d\theta}{dt} = \frac{d}{dt}\left[\operatorname{arctg}\left(\frac{x}{90}\right)\right] = \frac{1}{1 + \left(\frac{x}{90}\right)^2}\frac{d}{dt}\left(\frac{x}{90}\right) = \frac{1}{1 + \frac{x^2}{90^2}}\left(\frac{1}{90}\frac{dx}{dt}\right)$$
$$= \frac{1}{90\left(\frac{90^2 + x^2}{90^2}\right)}\frac{dx}{dt} = \frac{1}{\frac{90^2 + x^2}{90}}\frac{dx}{dt} = \frac{90}{90^2 + x^2}\frac{dx}{dt}$$

Lorsque $x = 60$ pi et $\left.\frac{dx}{dt}\right|_{x=60} = -25$ pi/s, on a

$$\left.\frac{d\theta}{dt}\right|_{x=60} = \left.\left(\frac{90}{90^2 + x^2}\frac{dx}{dt}\right)\right|_{x=60} = \frac{90}{90^2 + 60^2}(-25) = -\frac{5}{26} \approx -0{,}19 \text{ rad/s}$$

À l'instant où Pedro est à 60 pi du troisième but, l'angle d'observation θ diminue à raison de $5/26$ rad/s, soit d'environ 0,19 rad/s (ou environ 11,02°/s).

c) À l'instant où Pedro est à 30 pi du troisième but et que la balle en est distante de 70 pi, la distance séparant la balle de Pedro diminue à raison de $\frac{775\sqrt{58}}{58}$ pi/s, soit d'environ 101,8 pi/s.

d) À l'instant où Pedro est à 72 pi du marbre (et s'en approche) et où Mathieu est à 10 pi du marbre (et s'en éloigne), la distance séparant Mathieu et Pedro diminue à raison de $\frac{440\sqrt{1\,321}}{1\,321}$ pi/s, soit d'environ 12,1 pi/s.

52. Le schéma qui suit présente la situation décrite dans le problème.

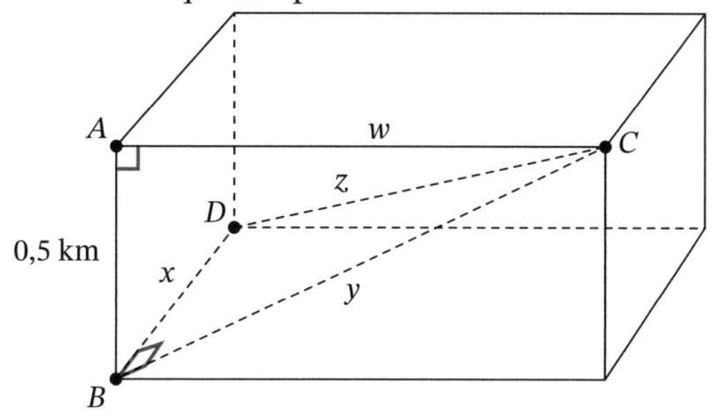

Soit A la position initiale du bateau et soit B la position initiale du sous-marin. Soit C la position du bateau après t h, c'est-à-dire après qu'il a franchi une distance de w km. Soit D la position du sous-marin après t h, c'est-à-dire après qu'il a franchi une distance de x km.

On a $\frac{dx}{dt} = 20$ km/h et $\frac{dw}{dt} = 10$ km/h. On veut évaluer $\frac{dz}{dt}$ lorsque $t = 30$ min $= 0{,}5$ h, soit le rythme (en kilomètres par heure) auquel la distance entre C et D s'accroît.

Or, l'angle CBD est l'angle droit du triangle rectangle dont l'hypoténuse est de longueur z, de sorte qu'en vertu du théorème de Pythagore, on a $z^2 = x^2 + y^2$. De même, l'angle BAC est l'angle droit du triangle rectangle dont l'hypoténuse est de longueur y, de sorte qu'en vertu du théorème de Pythagore, on a $y^2 = 0{,}5^2 + w^2$. Par conséquent, $z^2 = x^2 + 0{,}5^2 + w^2$.

Dérivons implicitement cette équation par rapport à t:

$$\frac{d}{dt}(z^2) = \frac{d}{dt}(x^2 + 0{,}5^2 + w^2) \Rightarrow 2z\frac{dz}{dt} = 2x\frac{dx}{dt} + 2w\frac{dw}{dt}$$

$$\Rightarrow \frac{dz}{dt} = \frac{\cancel{2}\left(x\frac{dx}{dt} + w\frac{dw}{dt}\right)}{\cancel{2}z} = \frac{x\frac{dx}{dt} + w\frac{dw}{dt}}{z}$$

Or, à $t = 30$ min $= 0{,}5$ h, on a

$$x = (20 \text{ km/h})(0{,}5 \text{ h}) = 10 \text{ km et } w = (10 \text{ km/h})(0{,}5 \text{ h}) = 5 \text{ km}$$

Alors,

$$z = \sqrt{x^2 + 0{,}5^2 + w^2} = \sqrt{10^2 + 0{,}5^2 + 5^2} = \sqrt{125{,}25} \text{ km}$$

Par conséquent, comme $\frac{dx}{dt} = 20$ km/h et $\frac{dw}{dt} = 10$ km/h, on a

$$\left.\frac{dz}{dt}\right|_{t=0,5} = \left.\frac{x\frac{dx}{dt} + w\frac{dw}{dt}}{z}\right|_{t=0,5} = \frac{10(20) + 5(10)}{\sqrt{125{,}25}} = \frac{250}{\sqrt{125{,}25}} \approx 22{,}3 \text{ km/h}$$

Après 30 min, les deux embarcations s'éloignent l'une de l'autre à raison d'environ 22,3 km/h.

53. À l'instant où il atteint 3 m, le niveau de l'eau dans le réservoir augmente à raison de $\frac{6}{5\pi}$ m/min, soit d'environ 0,38 m/min.

54. a) Soit V le volume (en mètres cubes) de liquide dans le contenant, h le niveau (en mètres) du liquide dans le contenant, comme l'illustre le schéma, et t le temps (en secondes).

On a $\frac{dV}{dt} = 4$ m³/s et on cherche $\left.\frac{dh}{dt}\right|_{h=2}$.

On sait que $V = \frac{1}{3}\pi h^2(3R - h)$, où R est le rayon de la demi-sphère. Alors, $V = \frac{1}{3}\pi h^2(15 - h) = 5\pi h^2 - \frac{1}{3}\pi h^3$. Dérivons implicitement cette équation par rapport à t:

$$\frac{dV}{dt} = \frac{d}{dt}(5\pi h^2 - \tfrac{1}{3}\pi h^3) = 10\pi h\frac{dh}{dt} - \pi h^2\frac{dh}{dt} = \pi h(10 - h)\frac{dh}{dt}$$

$$\Rightarrow \frac{dh}{dt} = \frac{1}{\pi h(10 - h)}\frac{dV}{dt}$$

Lorsque $h = 2$ m et $\frac{dV}{dt} = 4$ m³/s, on a

$$\left.\frac{dh}{dt}\right|_{h=2} = \left.\left[\frac{1}{\pi h(10 - h)}\frac{dV}{dt}\right]\right|_{h=2} = \frac{1}{\pi(2)(10 - 2)}(4) = \frac{1}{4\pi} \approx 0{,}08 \text{ m/s}$$

À l'instant où il est de 2 m, le niveau du liquide dans le contenant augmente à raison de $\frac{1}{4\pi}$ m/s, soit d'environ 0,08 m/s.

b) Soit A l'aire (en mètres carrés) de la surface du liquide, h le niveau (en mètres) du liquide dans le contenant, comme l'illustre le schéma, r le rayon (en mètres) de la surface du liquide et t le temps (en secondes).

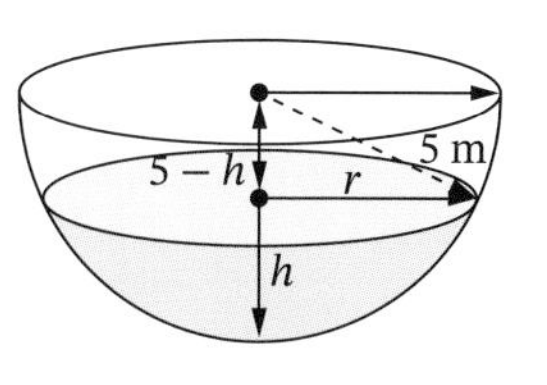

On a $\left.\dfrac{dh}{dt}\right|_{h=2} = \dfrac{1}{4\pi}$ m/s (voir a) et on cherche $\left.\dfrac{dA}{dt}\right|_{h=2}$.

On a $A = \pi r^2$. Ce lien contient la variable r qui ne se retrouve pas dans le taux connu, ni dans le taux cherché.

En vertu du théorème de Pythagore, on a

$$r^2 + (5-h)^2 = 5^2 \Rightarrow r^2 + 25 - 10h + h^2 = 25$$
$$\Rightarrow r^2 = 10h - h^2$$

En remplaçant r^2 par $10h - h^2$ dans l'équation de l'aire, on obtient $A = \pi r^2 = \pi(10h - h^2)$. Dérivons implicitement cette équation par rapport à t:

$$\frac{dA}{dt} = \frac{d}{dt}[\pi(10h - h^2)] = \pi\left(10\frac{dh}{dt} - 2h\frac{dh}{dt}\right) = \pi(10 - 2h)\frac{dh}{dt}$$

Lorsque $h = 2$ m et $\left.\dfrac{dh}{dt}\right|_{h=2} = \dfrac{1}{4\pi}$ m/s, on a

$$\left.\frac{dA}{dt}\right|_{h=2} = \left.\left[\pi(10 - 2h)\frac{dh}{dt}\right]\right|_{h=2} = \cancel{\pi}[10 - 2(2)]\left(\frac{1}{4\cancel{\pi}}\right) = \frac{3}{2} = 1{,}5 \text{ m}^2\text{/s}$$

À l'instant où le niveau de liquide dans le contenant atteint 2 m, l'aire de la surface du liquide augmente à raison de 1,5 m²/s.

55. La situation exposée dans le problème est représentée par le schéma ci-contre:

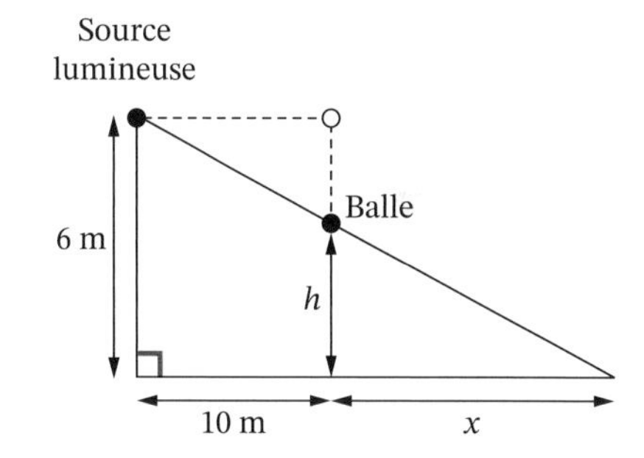

Soit h la hauteur de la balle (en mètres), x la distance (en mètres) illustrée dans le schéma, et t le temps (en secondes).

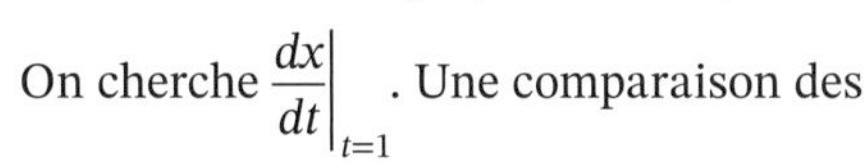

On cherche $\left.\dfrac{dx}{dt}\right|_{t=1}$. Une comparaison des triangles semblables donne $\dfrac{10+x}{6} = \dfrac{x}{h}$.

Si on isole la variable x, on obtient

$$\frac{10+x}{6} = \frac{x}{h} \Rightarrow 10h + xh = 6x \Rightarrow 10h = (6-h)x \Rightarrow x = \frac{10h}{6-h}$$

Dérivons implicitement cette équation par rapport à t:

$$\frac{dx}{dt} = \frac{d}{dt}\left(\frac{10h}{6-h}\right) = \frac{(6-h)\frac{d}{dt}(10h) - 10h\frac{d}{dt}(6-h)}{(6-h)^2}$$
$$= \frac{(6-h)\left(10\frac{dh}{dt}\right) - 10h\left(-\frac{dh}{dt}\right)}{(6-h)^2} = \frac{10(6-h) + 10h}{(6-h)^2}\frac{dh}{dt}$$
$$= \frac{60}{(6-h)^2}\frac{dh}{dt}$$

Or, $\dfrac{dh}{dt} = \dfrac{d}{dt}(6 - 4{,}9t^2) = -9{,}8t$. Lorsque $t = 1$ s, on a $h(1) = 6 - 4{,}9\,(1)^2 = 1{,}1$ m

et $\left.\dfrac{dh}{dt}\right|_{t=1} = (-9{,}8t)|_{t=1} = -9{,}8$ m/s, de sorte que

$$\left.\frac{dx}{dt}\right|_{t=1} = \left.\left[\frac{60}{(6-h)^2}\frac{dh}{dt}\right]\right|_{t=1} = \frac{60}{(6-1{,}1)^2}(-9{,}8) = \frac{60}{(4{,}9)^2}(-9{,}8) = -\frac{120}{4{,}9} \approx -24{,}5 \text{ m/s}$$

Une seconde après qu'on a laissé tomber la balle, l'extrémité de l'ombre se déplace vers le point d'impact de la balle avec le sol à raison d'environ 24,5 m/s.

56. Soit x la distance (en mètres) séparant l'extrémité de la poutre du mur, y la distance (en mètres) entre l'extrémité de la poutre et le sol, c la longueur (en mètres) du câble, θ l'angle (en radians) formé par la poutre et le mur, et t le temps (en secondes). Le schéma qui suit représente la situation.

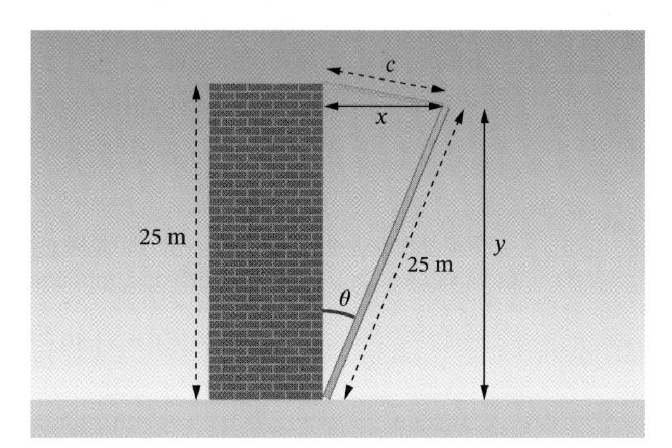

a) On a $\frac{dc}{dt} = -0{,}2$ m/s (puisque la longueur du câble diminue) et on cherche $\left.\frac{dy}{dt}\right|_{y=20}$.

En vertu du théorème de Pythagore, on a $(25-y)^2 + x^2 = c^2$ et $x^2 + y^2 = 25^2$ (ou bien $x^2 = 25^2 - y^2$), de sorte que

$$\begin{aligned}(25-y)^2 + x^2 &= c^2\\ (25-y)^2 + 25^2 - y^2 &= c^2\\ 25^2 - 50y + \cancel{y^2} + 25^2 - \cancel{y^2} &= c^2\\ 1\,250 - 50y &= c^2\end{aligned}$$

Dérivons implicitement cette équation par rapport à t:

$$\frac{d}{dt}(1\,250 - 50y) = \frac{d}{dt}(c^2) \Rightarrow -50\frac{dy}{dt} = 2c\frac{dc}{dt}$$
$$\Rightarrow \frac{dy}{dt} = -\frac{c}{25}\frac{dc}{dt}$$

Lorsque $y = 20$ m, on a $c^2 = 1\,250 - 50(20) = 250 \Rightarrow c = \sqrt{250} = 5\sqrt{10}$ m, car $c > 0$.

Par conséquent, comme $\frac{dc}{dt} = -0{,}2$ m/s, on a

$$\left.\frac{dy}{dt}\right|_{y=20} = \left.\left(-\frac{c}{25}\frac{dc}{dt}\right)\right|_{y=20} = -\frac{5\sqrt{10}}{25}(-0{,}2) = \frac{\sqrt{10}}{25} \approx 0{,}13 \text{ m/s}$$

À l'instant où elle est à 20 m au-dessus du sol, l'extrémité de la poutre se déplace verticalement (vers le haut) à raison de $\frac{\sqrt{10}}{25}$ m/s, soit d'environ 0,13 m/s.

b) On a $\left.\frac{dy}{dt}\right|_{y=20} = \frac{\sqrt{10}}{25}$ m/s (voir a) et on cherche $\left.\frac{dx}{dt}\right|_{y=20}$. En vertu du théorème de Pythagore, on a $x^2 + y^2 = 25^2$. Dérivons implicitement cette équation par rapport à t:

$$\frac{d}{dt}(x^2 + y^2) = \frac{d}{dt}(25^2) \Rightarrow 2x\frac{dx}{dt} + 2y\frac{dy}{dt} = 0$$
$$\Rightarrow 2x\frac{dx}{dt} = -2y\frac{dy}{dt}$$
$$\Rightarrow \frac{dx}{dt} = -\frac{y}{x}\frac{dy}{dt}$$

Lorsque $y = 20$ m, on a $x^2 + 20^2 = 25^2 \Rightarrow x^2 = 225 \Rightarrow x = 15$ m, car $x > 0$.

Par conséquent, comme $\left.\frac{dy}{dt}\right|_{y=20} = \frac{\sqrt{10}}{25}$ m/s, on a

$$\left.\frac{dx}{dt}\right|_{y=20} = \left.\left(-\frac{y}{x}\frac{dy}{dt}\right)\right|_{y=20} = -\frac{20}{15}\left(\frac{\sqrt{10}}{25}\right) = -\frac{4\sqrt{10}}{75} \approx -0{,}17 \text{ m/s}$$

À l'instant où elle est à 20 m au-dessus du sol, l'extrémité de la poutre se déplace horizontalement (vers le mur) à raison de $\frac{4\sqrt{10}}{75}$ m/s, soit d'environ 0,17 m/s.

c) On a $\left.\frac{dy}{dt}\right|_{y=20} = \frac{\sqrt{10}}{25}$ m/s (voir a) et on cherche $\left.\frac{d\theta}{dt}\right|_{y=20}$.

On a $\cos\theta = \frac{y}{25} \Rightarrow \theta = \arccos\left(\frac{y}{25}\right)$.

Dérivons implicitement cette équation par rapport à t:

$$\frac{d\theta}{dt} = \frac{d}{dt}\left[\arccos\left(\frac{y}{25}\right)\right] = -\frac{1}{\sqrt{1-\left(\frac{y}{25}\right)^2}}\frac{d}{dt}\left(\frac{y}{25}\right) = -\frac{1}{\sqrt{1-\frac{y^2}{625}}}\left(\frac{1}{25}\frac{dy}{dt}\right)$$

$$= -\frac{1}{25\sqrt{\frac{625-y^2}{625}}}\frac{dy}{dt} = -\frac{1}{\cancel{25}\frac{\sqrt{625-y^2}}{\cancel{25}}}\frac{dy}{dt} = -\frac{1}{\sqrt{625-y^2}}\frac{dy}{dt}$$

Lorsque $y = 20$ m, on a $\left.\frac{dy}{dt}\right|_{y=20} = \frac{\sqrt{10}}{25}$ m/s et

$$\left.\frac{d\theta}{dt}\right|_{y=20} = \left.\left(-\frac{1}{\sqrt{625-y^2}}\frac{dy}{dt}\right)\right|_{y=20} = -\frac{1}{\sqrt{625-20^2}}\left(\frac{\sqrt{10}}{25}\right) = -\frac{\sqrt{10}}{375} \approx -0{,}008 \text{ rad/s}$$

À l'instant où l'extrémité de la poutre est à 20 m au-dessus du sol, l'angle θ diminue à raison de $\frac{\sqrt{10}}{375}$ rad/s, soit d'environ 0,008 rad/s (ou environ 0,48°/s).

57. Soit c la concentration d'alcool t min après qu'on a commencé à verser de l'eau dans le réservoir et V le volume de liquide (en litres) dans le réservoir après t min. On a $\frac{dV}{dt} = 2{,}5$ L/min et on cherche $\left.\frac{dc}{dt}\right|_{c=0{,}6}$. On sait que

$$c = \frac{\text{Quantité d'alcool dans le mélange}}{\text{Volume de liquide dans le mélange}} = \frac{15}{V}$$

Dérivons implicitement cette équation par rapport à t:

$$\frac{dc}{dt} = \frac{d}{dt}\left(\frac{15}{V}\right) = \frac{d}{dt}(15V^{-1})$$

$$= -15V^{-2}\frac{dV}{dt} = -\frac{15}{V^2}\frac{dV}{dt}$$

Lorsque $c = 0{,}6$, on a $0{,}6 = \frac{15}{V} \Rightarrow V = \frac{15}{0{,}6} = 25$ L. Par conséquent, comme $\frac{dV}{dt} = 2{,}5$ L/min, on a

$$\left.\frac{dc}{dt}\right|_{c=0{,}6} = \left.\left(-\frac{15}{V^2}\frac{dV}{dt}\right)\right|_{c=0{,}6} = -\frac{15}{25^2}(2{,}5) = -0{,}06$$

Au moment où la concentration en alcool dans le mélange est de 0,6, soit de 60 %, elle diminue à raison de 0,06/min, soit de 6 points de pourcentage par minute.

58. Le niveau d'eau dans le réservoir baisse à raison de $\sqrt{5}$ m/min, soit à raison d'environ 2,2 m/min.

59. a) On a $\cos\theta = \frac{x}{20} \Rightarrow x = 20\cos\theta$ et $\sin\theta = \frac{y}{20} \Rightarrow y = 20\sin\theta$. Par conséquent, $P(20\cos\theta, 20\sin\theta)$.

b) Comme $\omega = \frac{d\theta}{dt} = 2$ rad/s, alors, après 3 s, on a $\theta = (2 \text{ rad/s})(3 \text{ s}) = 6$ rad.

c) Comme $\omega = \frac{d\theta}{dt} = 2$ rad/s, alors, après t s, on a $\theta = (2 \text{ rad/s})(t \text{ s}) = 2t$ rad.

d) Trois secondes après avoir été mis en mouvement, le point P se déplace verticalement à raison de $40(\cos 6)$ cm/s, soit à environ 38,4 cm/s.

e) Le point P se déplace vers le haut puisque la vitesse $\left.\frac{dy}{dt}\right|_{t=3}$ est positive.

f) Trois secondes après avoir été mis en mouvement, le point P se déplace horizontalement à raison de $-40(\sin 6)$ cm/s, soit à environ 11,2 cm/s.

g) Le point P se déplace vers la droite puisque la vitesse $\left.\frac{dx}{dt}\right|_{t=3}$ est positive.

h) En vertu de la loi des cosinus, on a

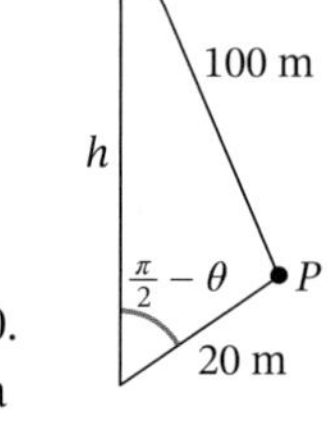

$$100^2 = 20^2 + h^2 - 2(20)h\cos\left(\tfrac{\pi}{2} - \theta\right)$$

$$0 = h^2 - 40h\cos\left(\tfrac{\pi}{2} - \theta\right) - 9\,600$$

Or, $\cos\left(\frac{\pi}{2} - \theta\right) = \sin\theta$, de sorte que $h^2 - 40h\sin\theta - 9\,600 = 0$.

i) Lorsque $t = 3$ s, on a $\theta = 6$ rad et alors $h^2 - 40h(\sin 6) - 9\,600 = 0$. En utilisant la formule quadratique et en conservant seulement la valeur positive de h, on obtient

$$h = 20(\sin 6) + 20\sqrt{(\sin^2 6) + 24} \approx 92{,}6 \text{ cm}.$$

Par conséquent, 3 s après que le point Q a été mis en mouvement, ses coordonnées sont $(0; 92{,}6)$.

j) Trois secondes après avoir été mis en mouvement, le point Q se déplace verticalement à raison d'environ 36,22 cm/s.

k) Le point Q se déplace vers le haut puisque la vitesse $\left.\frac{dh}{dt}\right|_{t=3}$ est positive.

l) $$\frac{d^2h}{dt^2} = 40\left[\frac{(h - 20\sin\theta)\left(-2h\sin\theta + \cos\theta\frac{dh}{dt}\right) - (h\cos\theta)\left(\frac{dh}{dt} - 40\cos\theta\right)}{(h - 20\sin\theta)^2}\right]$$

$$= 40\left[\frac{-2h^2\sin\theta + 40h - 10\sin(2\theta)\frac{dh}{dt}}{(h - 20\sin\theta)^2}\right]\text{cm}^2/\text{s}$$

60. La figure ci-dessous donne une coupe transversale du réservoir.

Soit θ l'angle (en radians) illustré dans le schéma, h le niveau (en mètres) de l'eau dans le réservoir, b la longueur (en mètres) du segment correspondant à la base du triangle illustré dans le schéma et t le temps (en minutes).

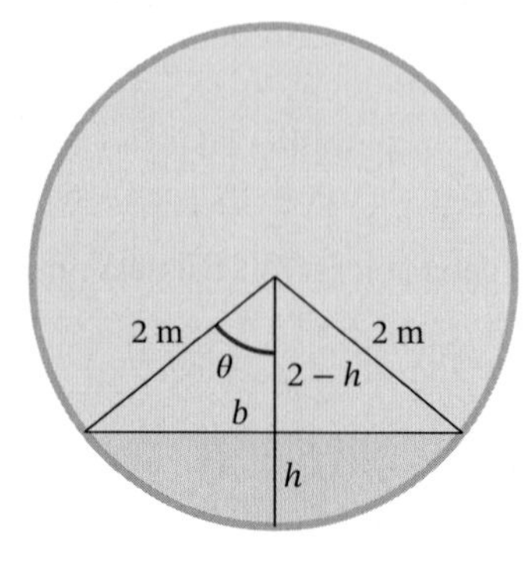

a) En vertu du théorème de Pythagore, on a

$$\begin{aligned}(2-h)^2+\left(\tfrac{b}{2}\right)^2&=2^2\\ \left(\tfrac{b}{2}\right)^2&=2^2-(2-h)^2\\ \tfrac{b^2}{4}&=4-(4-4h+h^2)\\ \tfrac{b^2}{4}&=4h-h^2=h(4-h)\\ b^2&=4h(4-h)\\ b&=2\sqrt{h(4-h)} \qquad \text{car } b>0\end{aligned}$$

b) $A_t=\dfrac{\text{Base}\cdot\text{Hauteur}}{2}=\dfrac{\cancel{2}\sqrt{h(4-h)}(2-h)}{\cancel{2}}=(2-h)\sqrt{h(4-h)}$

c) En vertu des définitions des fonctions trigonométriques, on a

$$\cos\theta=\frac{2-h}{2}=1-h/2\ \Rightarrow\ \theta=\arccos(1-h/2)$$

d) L'aire d'un secteur circulaire délimité par deux rayons de longueur r formant un angle de x rad est donné par $A_s=1/2\,xr^2$. Comme $r=2$ m et que l'angle du secteur circulaire est 2θ rad, on a

$$A_s=1/2(2\theta)\,2^2=4\theta=4\arccos(1-h/2)$$

e) $A_o=A_s-A_t=4\arccos(1-h/2)-(2-h)\sqrt{h(4-h)}$

f) À l'instant où il atteint 1 m, le niveau de liquide dans le réservoir augmente à raison de $\frac{\sqrt{3}}{20}$ m/min, soit d'environ 0,06 m/min.

61. a) $dy=(20x^3+6x-1)dx$

b) $dy=\dfrac{1-x^2}{(x^2+1)^2}dx$

c) $dy=(2x+3)^4(3-x)^2(21-16x)dx$

d) $dy=(15x^4+2xe^{2x}+e^{2x}-\operatorname{cotg}x)dx$

e) $dy=2\operatorname{tg}x\left[\sin(1-x^2)\sec^2x-x\operatorname{tg}x\cos(1-x^2)\right]dx$

f) $dy=k(1+x)^{k-1}dx$

62. a) $1/300=0{,}00\overline{3}$ b) $-0{,}2$ c) 1,6 d) $-0{,}15$ e) $-0{,}003$ f) $\sqrt{3}$ g) 0,08 h) $-0{,}96$

63. Lorsque le rayon passe de 10 cm à 9,9 cm, l'aire du cercle diminue d'environ 2π cm², soit d'environ 6,28 cm², ce qui correspond à une diminution d'environ 2 %.

64. Le volume occupé par la balle de golf a augmenté d'environ 575,5 mm³, soit d'environ 1,4 % après l'ajout de la couche de bronze.

65. La résistance augmente d'environ 0,0017 Ω lorsque le temps passe de 9 s à 9,01 s.

66. Si le rayon d'une bille sphérique passe de 2 cm à 1,98 cm, son volume diminue d'environ $-0{,}32\pi$ cm³ (soit environ 1,005 cm³), ce qui correspond à une diminution d'environ 3 %.

67. a) Le volume de la coquille cylindrique correspond à la différence entre le volume du cylindre de rayon r et celui du cylindre de rayon $r+dr$, ce qu'on peut approximer par dV, où V représente le volume d'un cylindre de rayon r et de hauteur h.

Or, la hauteur h ne varie pas et peut donc être considérée comme une constante.

Alors, $V=\pi r^2h\ \Rightarrow\ \dfrac{dV}{dr}=2\pi rh\ \Rightarrow\ dV=2\pi rhdr.$

Par conséquent, le volume de la coquille cylindrique de rayon r, d'épaisseur dr et de hauteur h est d'environ $\Delta V\approx dV=2\pi rh\,dr$.

b) Par un raisonnement semblable à celui effectué en a, on veut évaluer $\Delta V \approx dV$, lorsque $V = \frac{4}{3}\pi r^3$. Or, $\frac{dV}{dr} = \frac{d}{dr}\left(\frac{4}{3}\pi r^3\right) = 4\pi r^2 \Rightarrow dV = 4\pi r^2\,dr$.

Par conséquent, le volume de la coquille sphérique de rayon r et d'épaisseur dr est d'environ $\Delta V \approx dV = 4\pi r^2\,dr$.

68. Lorsqu'il est de 4 m, une augmentation du rayon d'environ 0,004 m provoquerait une augmentation du volume du tas de sable d'environ 0,1 m^3.

69. a) Environ 35,35 m.

b) La portée augmentera d'environ 0,71 m si la vitesse initiale passe de 20 m/s à 20,2 m/s et si l'angle d'inclinaison demeure de 30°.

c) La portée augmentera d'environ 0,26 m si l'angle d'inclinaison passe de 30° à 30,36° et si la vitesse initiale demeure de 20 m/s.

70. $(P+a)(v+b) = c \Rightarrow v + b = \frac{c}{P+a} \Rightarrow v = c(P+a)^{-1} - b$

$$\Rightarrow \frac{dv}{dP} = \frac{d}{dP}\left[c(P+a)^{-1} - b\right] = -c(P+a)^{-2}\frac{d}{dP}(P+a)$$
$$= -\frac{c}{(P+a)^2}$$

Alors, $\Delta v \approx dv = -\frac{c}{(P+a)^2}dP$.

La vitesse de contraction diminue donc d'environ $\frac{c}{(P+a)^2}dP$ unités lorsque qu'on augmente la charge d'une petite quantité $dP > 0$.

71. Soit D le diamètre (en centimètres) du baril cylindrique, r son rayon (en centimètres), h sa hauteur (en centimètres) et V son volume (en centimètres cubes). On a $V = \pi r^2 h$. Dérivons implicitement cette équation par rapport à h:

$$\frac{dV}{dh} = \frac{d}{dh}(\pi r^2 h) = \pi r^2 \frac{d}{dh}(h) + h\frac{d}{dh}(\pi r^2)$$
$$= \pi r^2 + h\left(2\pi r\frac{dr}{dh}\right) = \pi r^2 + 2\pi r h\frac{dr}{dh}$$

Alors, $dV = \left(\pi r^2 + 2\pi r h\frac{dr}{dh}\right)dh = \pi r^2\,dh + 2\pi r h\,dr$.

(Vous pouvez vérifier qu'on obtiendrait le même résultat en dérivant implicitement $V = \pi r^2 h$ par rapport à r.)

Comme l'ajout de la couche de zinc diminue la hauteur intérieure du baril de 0,01 mm en haut et de 0,01 mm en bas, on a $dh = -0{,}02$ mm. De plus, comme l'ajout de la couche de zinc diminue le rayon intérieur du baril de 0,01 mm, on a $dr = -0{,}01$ mm.

Si $r = \frac{D}{2} = \frac{1\text{ m}}{2} = 0{,}5$ m $= 50$ cm, $h = 1{,}5$ m $= 150$ cm, $dh = -0{,}02$ mm $= -0{,}002$ cm et $dr = -0{,}01$ mm $= -0{,}001$ cm, on a

$$\Delta V \approx dV = \pi(50)^2(-0{,}002) + 2\pi(50)(150)(-0{,}001) = -20\pi\text{ cm}^3$$

Il faut donc utiliser 20π cm^3 de zinc pour recouvrir l'intérieur du baril. Puisque 1 kg (ou 140 cm^3) de zinc coûte 70 \$, on a

$$\left.\begin{array}{l}140\text{ cm}^3\text{: } 70\ \$\\ 20\pi\text{ cm}^3\text{: } x\end{array}\right\} \Rightarrow x = \frac{(20\pi\ \cancel{\text{cm}^3})(70\ \$)}{140\ \cancel{\text{cm}^3}} = 10\pi\ \$ \approx 31{,}42\ \$$$

Il en coûte donc environ 31,42 $ pour enduire l'intérieur du baril d'une mince couche de zinc.

72. La contribution de l'employeur subira une augmentation d'environ 9 $ si le nombre d'employés passe de 400 à 403.

73. On a

$$\frac{dt}{dn} = \frac{d}{dn}\left(5n\sqrt{n-3}\right) = 5n\frac{d}{dn}\left(\sqrt{n-3}\right) + \sqrt{n-3}\,\frac{d}{dn}(5n)$$

$$= 5n \cdot \frac{1}{2}(n-3)^{-1/2}\frac{d}{dn}(n-3) + 5\sqrt{n-3} = \frac{5n}{2\sqrt{n-3}} + 5\sqrt{n-3}$$

$$= \frac{5n + 10(n-3)}{2\sqrt{n-3}} = \frac{15n-30}{2\sqrt{n-3}}$$

Alors, $dt = \dfrac{15n-30}{2\sqrt{n-3}}\,dn.$

Si $n = 19$ mots et $dn = 2$ mots, alors

$$\Delta t \approx dt = \frac{15(19)-30}{2\sqrt{19-3}}(2) = 63{,}75 \text{ s}$$

Par ailleurs, si $n = 84$ mots et $dn = 2$ mots, alors

$$\Delta t \approx dt = \frac{15(84)-30}{2\sqrt{84-3}}(2) = 136{,}\overline{6} \text{ s}$$

Par conséquent, il faut plus de temps pour apprendre deux mots additionnels lorsqu'on en a déjà appris 84 que lorsqu'on en a appris 19.

74. a) $\dfrac{dP}{dQ} = \dfrac{d}{dQ}\left(\dfrac{250}{Q^2+1}\right) = \dfrac{d}{dQ}\left[250\left(Q^2+1\right)^{-1}\right]$

$$= -250\left(Q^2+1\right)^{-2}\frac{d}{dQ}\left(Q^2+1\right) = -\frac{500Q}{\left(Q^2+1\right)^2}$$

Alors, $dP = \left[-\dfrac{500Q}{\left(Q^2+1\right)^2}\right]dQ.$

Si $Q = 7$ millions de kilogrammes et $dQ = 0{,}1$ million de kilogrammes, on a $P = \dfrac{250}{Q^2+1} = \dfrac{250}{7^2+1} = 5$ \$/kg et

$$\Delta P \approx dP = \left[-\frac{500(7)}{\left(7^2+1\right)^2}\right]0{,}1 = -\frac{7}{50} = -0{,}14 \text{ \$/kg}$$

$$\frac{\Delta P}{P} \approx \frac{dP}{P} = \frac{-0{,}14}{5} = -0{,}028 = -2{,}8\ \%$$

Lorsque Q passe de 7 à 7,1 millions de kilogrammes, le prix par kilogramme du produit alimentaire diminue d'environ 0,14 $, soit d'environ 2,8 %.

b) Lorsque la quantité Q passe de 7 à 6,98 millions de kilogrammes, le prix par kilogramme du produit alimentaire augmente d'environ 0,028 $, soit d'environ 0,56 %.

75. La population de ce pays augmentera d'environ 120 000 habitants lors de cette période de trois mois si le modèle mathématique proposé par le démographe s'avère exact.

76. a) 48 versements

b) $V(i) = \dfrac{40\,000i}{1-(1+i)^{-48}}$

c) Environ 917,55 $.

d) Si Robert effectue 48 versements de 917,55 $ pour rembourser son prêt de 40 000 $, la valeur des intérêts payés sera de

$$48(917{,}55) - 40\,000 = 4\,042{,}40 \text{ \$}$$

e) Si le taux d'intérêt passe de 0,4 % par mois à 0,38 % par mois, les versements mensuels diminueront d'environ 4,34 $.

77. a) $S(V) = \dfrac{V\left[(1{,}003)^{300} - 1\right]}{0{,}003}$

b) 72 814,58 $

c) Environ 4 854,31 $.

d) $S(i) = \dfrac{200\left[(1 + i)^{240} - 1\right]}{i}$

e) 75 026,99 $

f) Environ 3 052,15 $.

78. Il y a une incertitude d'environ 120 cm^2, soit d'environ 5 %, sur la mesure de l'aire de la surface totale du cube si la mesure de l'arête du cube est de 20 cm et comporte une incertitude de 0,5 cm. De plus, il y a une incertitude d'environ 600 cm^3, soit d'environ 7,5 %, sur la mesure du volume de ce cube.

79. L'incertitude sur la mesure de la hauteur de l'édifice est d'environ 0,25 m si la mesure de l'angle d'élévation est de 60° et qu'elle est précise à 0,36°.

80. L'incertitude relative sur la mesure du côté du carré doit être inférieure à 0,5 % si on souhaite que l'incertitude relative sur l'aire du carré soit inférieure à 1 %.

81. L'aire A d'un cercle dont le diamètre est x est $A = \pi\left(\dfrac{x}{2}\right)^2 = \pi\left(\dfrac{x^2}{4}\right) = \dfrac{\pi}{4}x^2$,

d'où $\dfrac{dA}{dx} = \dfrac{d}{dx}\left(\dfrac{\pi}{4}x^2\right) = \dfrac{\pi}{4}(2x) = \dfrac{\pi x}{2}$, de sorte que

$$dA = \frac{\pi x}{2}dx$$

$$\frac{1}{A}dA = \frac{1}{\frac{\pi}{4}x^2}\left(\frac{\pi x}{2}dx\right)$$

$$\frac{dA}{A} = \frac{4}{\not\pi x^2}\left(\frac{\not\pi x}{2}dx\right)$$

$$\frac{dA}{A} = 2\frac{dx}{x}$$

Or,

$$\frac{dA}{A} < 0{,}5\ \% \Leftrightarrow 2\frac{dx}{x} < 0{,}5\ \% \Leftrightarrow \frac{dx}{x} < 0{,}25\ \%$$

Par conséquent, l'incertitude relative sur la mesure du diamètre doit être inférieure à 0,25 % si on souhaite que l'incertitude relative sur l'aire du cercle soit inférieure à 0,5 %.

82. L'incertitude relative sur la période du pendule est de 2 % si l'incertitude relative sur la longueur du pendule est de 4 %.

83. L'erreur commise dans l'évaluation de l'aire de la surface de la peau du cheval est d'au plus $0{,}016\overline{3}$ m^2, soit d'au plus $0{,}\overline{3}$ % si la masse du cheval est de 343 kg et que la pesée est précise à 0,5 %.

84. L'incertitude relative de la balance doit être d'au plus 4 % si le vétérinaire souhaite donner une dose qui ne diffère pas de plus de 3 % de celle qui est recommandée.

85. a) Lorsque le rayon du réservoir est de 4 m, et que cette mesure présente une incertitude de 0,5 cm, l'incertitude absolue sur la mesure du volume du réservoir est d'environ 0,5 m^3 et l'incertitude relative est d'environ 0,375 %.

b) Soit ρ la masse volumique de l'eau. Alors $m = \rho V$, d'où $dm = \rho\, dV$. On a établi en a que $dV = 0{,}16\pi$ m^3, de sorte que

$$\Delta m \approx dm = \rho\, dV = 1\ 000(0{,}16\pi) \approx 502{,}65 \text{ kg}$$

Lorsque la température de l'eau est de 4 °C, l'incertitude sur la masse d'eau dans le réservoir sera d'environ 502,65 kg lorsque le rayon du réservoir est de 4 m, et que cette mesure présente une incertitude de 0,5 cm.

86. Il y a une incertitude d'environ 0,101 m^3, soit d'environ 23,1 %, sur le volume de liquide dans le contenant sphérique si la hauteur du niveau du liquide est de 0,4 m et comporte une incertitude de 0,05 m.

87. Considérons la figure suivante.

On a $\frac{h}{0{,}5} = \operatorname{cotg}\left(\frac{\theta}{2}\right) \Rightarrow h = 0{,}5\operatorname{cotg}\left(\frac{\theta}{2}\right)$. Alors,

$$\frac{dh}{d\theta} = \frac{d}{d\theta}\left[0{,}5\operatorname{cotg}\left(\frac{\theta}{2}\right)\right] = 0{,}5\left[-\operatorname{cosec}^2\left(\frac{\theta}{2}\right)\right]\left(\frac{1}{2}\right)$$
$$\Rightarrow dh = -0{,}25\operatorname{cosec}^2\left(\frac{\theta}{2}\right)d\theta$$

Par conséquent,

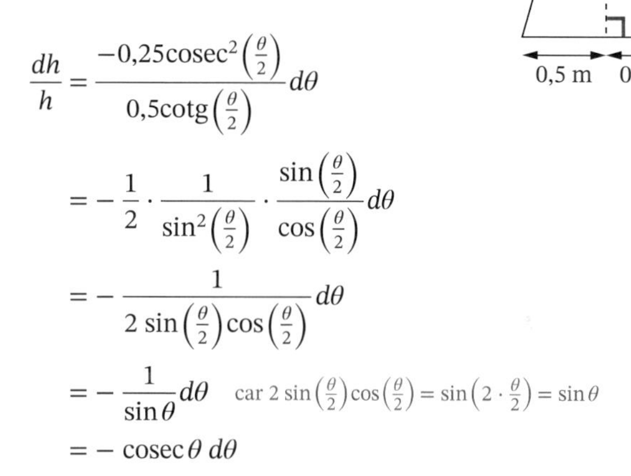

$$\frac{dh}{h} = \frac{-0{,}25\operatorname{cosec}^2\left(\frac{\theta}{2}\right)}{0{,}5\operatorname{cotg}\left(\frac{\theta}{2}\right)}d\theta$$
$$= -\frac{1}{2}\cdot\frac{1}{\sin^2\left(\frac{\theta}{2}\right)}\cdot\frac{\sin\left(\frac{\theta}{2}\right)}{\cos\left(\frac{\theta}{2}\right)}d\theta$$
$$= -\frac{1}{2\sin\left(\frac{\theta}{2}\right)\cos\left(\frac{\theta}{2}\right)}d\theta$$
$$= -\frac{1}{\sin\theta}d\theta \quad \text{car } 2\sin\left(\frac{\theta}{2}\right)\cos\left(\frac{\theta}{2}\right) = \sin\left(2\cdot\frac{\theta}{2}\right) = \sin\theta$$
$$= -\operatorname{cosec}\theta\, d\theta$$

88. a) On a $V = \pi r^2 h$. Dérivons implicitement cette équation par rapport à h:

$$\frac{dV}{dh} = \frac{d}{dh}(\pi r^2 h) = \pi r^2\frac{d}{dh}(h) + h\frac{d}{dh}(\pi r^2)$$
$$= \pi r^2 + h\left(2\pi r\frac{dr}{dh}\right) = \pi r^2 + 2\pi rh\frac{dr}{dh}$$

Alors, $dV = \left(\pi r^2 + 2\pi rh\frac{dr}{dh}\right)dh = \pi r^2 dh + 2\pi rhdr.$

(Vous pouvez vérifier qu'on obtiendrait le même résultat en dérivant implicitement $V = \pi r^2 h$ par rapport à r.)

Or, $dh = 0$ puisque h est mesurée de manière précise, de sorte que

$$dV = \pi r^2(0) + 2\pi rhdr = 2\pi rhdr \Rightarrow \frac{dV}{V} = \frac{2\cancel{\pi} r\cancel{h}}{\cancel{\pi} r^2\cancel{h}}dr = 2\frac{dr}{r}$$

L'incertitude relative de la mesure du volume du cylindre correspond au double de celle du rayon.

b) On a $dV = \pi r^2 dh + 2\pi rhdr$ (voir a). Or, $dr = 0$ puisque r est mesuré de manière précise, de sorte que

$$dV = \pi r^2 dh + 2\pi rh(0) = \pi r^2 dh \Rightarrow \frac{dV}{V} = \frac{\cancel{\pi r^2}}{\cancel{\pi r^2}h}dh = \frac{dh}{h}$$

L'incertitude relative de la mesure du volume du cylindre est identique à celle de la hauteur.

c) On a $dV = \pi r^2 dh + 2\pi rh\, dr$ (voir a), de sorte que

$$\frac{dV}{V} = \frac{\cancel{\pi r^2}}{\cancel{\pi r^2}h}dh + \frac{2\cancel{\pi} r\cancel{h}}{\cancel{\pi} r^2\cancel{h}}dr = \frac{dh}{h} + 2\frac{dr}{r}$$

L'incertitude relative de la mesure du volume du cylindre est de $\frac{dh}{h} + 2\frac{dr}{r}$.

89. La hauteur de la falaise est de 21 m. L'incertitude absolue sur cette mesure est d'environ 0,2 m (ou 20 cm), ce qui correspond à une incertitude relative d'environ 0,95 %.

CHAPITRE 4

90. En général, lorsque dx est de faible amplitude, on a $f(x+dx) \approx f(x) + f'(x)\,dx$.

a) $(1{,}0002)^{100} \approx 1{,}02$

b) $e^{-0{,}02} \approx 0{,}98$

c) $(1{,}001)^{-4} \approx 0{,}996$

d) $\sqrt[4]{255} \approx 3{,}996$

e) On a $58{,}2° = 60° - 1{,}8° = \left(\frac{\pi}{3} - \frac{\pi}{100}\right)$ rad. De plus, $f(x) = \cos x$ et $f'(x) = -\sin x$, de sorte que

$$\begin{aligned} \cos(58{,}2°) &= f(58{,}2°) \\ &= f\left(\tfrac{\pi}{3} - \tfrac{\pi}{100}\right) \\ &\approx f\left(\tfrac{\pi}{3}\right) + f'\left(\tfrac{\pi}{3}\right)\left(-\tfrac{\pi}{100}\right) \\ &\approx \cos\left(\tfrac{\pi}{3}\right) + \left[-\sin\left(\tfrac{\pi}{3}\right)\right]\left(-\tfrac{\pi}{100}\right) \\ &\approx \tfrac{1}{2} + \left(\tfrac{\sqrt{3}}{2}\right)\left(\tfrac{\pi}{100}\right) \\ &\approx 0{,}5 + 0{,}03 = 0{,}53 \end{aligned}$$

f) $\operatorname{arctg}(1{,}1) \approx 0{,}835$

g) $1{,}01 + (1{,}01)^2 + (1{,}01)^4 + (1{,}01)^8 \approx 4{,}15$

h) $f(x) = \left(2+\sqrt{x}\right)^4 \;\Rightarrow\; f'(x) = \dfrac{2\left(2+\sqrt{x}\right)^3}{\sqrt{x}}$, de sorte que

$$\begin{aligned} \left(2+\sqrt{9{,}1}\right)^4 &= f(9{,}1) = f(9+0{,}1) \\ &\approx f(9) + f'(9)(0{,}1) \\ &\approx \left(2+\sqrt{9}\right)^4 + \frac{2\left(2+\sqrt{9}\right)^3}{\sqrt{9}}(0{,}1) \\ &\approx 625 + \frac{25}{3} = \frac{1\,900}{3} = 633{,}\overline{3} \end{aligned}$$

91. En général, lorsque dx est de faible amplitude, on a $f(x+dx) \approx f(x) + f'(x)\,dx$. Alors,

$$\begin{aligned} f(9{,}8) &= f(10 - 0{,}2) \\ &\approx f(10) + f'(10)(-0{,}2) \\ &\approx 25 + (-3)(-0{,}2) \\ &\approx 25{,}6 \end{aligned}$$

92. a) Cinq minutes après avoir déposé la tasse sur le comptoir, la température du thé diminue à raison de 0,5 °C/min.

b) Lorsque dt est de faible amplitude, on a $T(t+dt) \approx T(t) + T'(t)\,dt$. Alors,

$$\begin{aligned} T(5{,}4) &= T(5+0{,}4) \\ &\approx T(5) + T'(5)(0{,}4) \\ &\approx 85 + (-0{,}5)(0{,}4) \\ &\approx 84{,}8 \end{aligned}$$

Après 5,4 min, la température du thé est d'environ 84,8 °C.

1. a) $f'(x) = 6x^2 - 12x - 18 = 6(x^2 - 2x - 3)$. Déterminons les valeurs critiques:

- $f'(x)$ existe toujours.
- $f'(x) = 0 \Leftrightarrow 6(x^2 - 2x - 3) = 0 \Leftrightarrow x^2 - 2x - 3 = 0$

$$\Leftrightarrow x = \frac{-(-2) \pm \sqrt{(-2)^2 - 4(1)(-3)}}{2(1)} = \frac{2 \pm \sqrt{16}}{2}$$

$$\Leftrightarrow x = -1 \text{ ou } x = 3$$

Remarque: on a donc $f'(x) = 6x^2 - 12x - 18 = 6(x + 1)(x - 3)$.

Construisons le tableau des signes de $f'(x)$:

	$]-\infty, -1[$		$]-1, 3[$		$]3, \infty[$
x		-1		3	
$f'(x)$	+	0	−	0	+
$f(x)$	↗	0 max. rel.	↘	−64 min. rel.	↗

La fonction $f(x) = 2x^3 - 6x^2 - 18x - 10$ est croissante sur $]-\infty, -1]$ et sur $[3, \infty[$, et elle est décroissante sur $[-1, 3]$. Elle atteint un minimum relatif de -64 en $x = 3$ et un maximum relatif de 0 en $x = -1$.

b) La fonction $f(x) = -3x^5 + 5x^3 + 4$ est décroissante sur $]-\infty, -1]$ et sur $[1, \infty[$, et elle est croissante sur $[-1, 1]$. Elle atteint un minimum relatif de 2 en $x = -1$ et un maximum relatif de 6 en $x = 1$.

c) $$f'(x) = \frac{d}{dx}\left(\frac{4x}{x^2 + 2}\right) = \frac{(x^2 + 2)\frac{d}{dx}(4x) - 4x\frac{d}{dx}(x^2 + 2)}{(x^2 + 2)^2}$$

$$= \frac{4(x^2 + 2) - 4x(2x)}{(x^2 + 2)^2} = \frac{4x^2 + 8 - 8x^2}{(x^2 + 2)^2} = \frac{8 - 4x^2}{(x^2 + 2)^2}$$

Déterminons les valeurs critiques:

- $f'(x)$ existe toujours, car $(x^2 + 2)^2 \neq 0$ pour tout $x \in \mathbb{R}$.
- $f'(x) = 0 \Leftrightarrow \frac{8 - 4x^2}{(x^2 + 2)^2} = 0 \Leftrightarrow 8 - 4x^2 = 0 \Leftrightarrow -4x^2 = -8$

$$\Leftrightarrow x^2 = 2 \Leftrightarrow x = -\sqrt{2} \text{ ou } x = \sqrt{2}$$

Construisons le tableau des signes de $f'(x)$:

	$]-\infty, -\sqrt{2}[$		$]-\sqrt{2}, \sqrt{2}[$		$]\sqrt{2}, \infty[$
x		$-\sqrt{2}$		$\sqrt{2}$	
$f'(x)$	−	0	+	0	−
$f(x)$	↘	$-\sqrt{2}$ min. rel.	↗	$\sqrt{2}$ max. rel.	↘

La fonction $f(x) = \frac{4x}{x^2 + 2}$ est décroissante sur $]-\infty, -\sqrt{2}]$ et sur $[\sqrt{2}, \infty[$, et elle est croissante sur $[-\sqrt{2}, \sqrt{2}]$. Elle atteint un minimum relatif de $-\sqrt{2}$ en $x = -\sqrt{2}$ et un maximum relatif de $\sqrt{2}$ en $x = \sqrt{2}$.

d) La fonction $f(x) = 3 - \sqrt{4x^2 + 1}$ est croissante sur $]-\infty, 0]$ et elle est décroissante sur $[0, \infty[$. Elle atteint un maximum relatif de 2 en $x = 0$ et ne possède aucun minimum relatif.

e) $$f'(x) = \frac{d}{dx}[x^{2/3}(2 - x)] = \frac{d}{dx}(2x^{2/3} - x^{5/3}) = \frac{4}{3}x^{-1/3} - \frac{5}{3}x^{2/3} = \frac{4}{3x^{1/3}} - \frac{5x^{2/3}}{3} = \frac{4 - 5x}{3x^{1/3}}$$

Déterminons les valeurs critiques:

- $f'(x) \nexists \Leftrightarrow 3x^{1/3} = 0 \Leftrightarrow x^{1/3} = 0 \Leftrightarrow x = 0.$
- $f'(x) = 0 \Leftrightarrow \dfrac{4-5x}{3x^{1/3}} = 0 \Leftrightarrow 4 - 5x = 0 \Leftrightarrow -5x = -4 \Leftrightarrow x = \frac{4}{5}.$

Construisons le tableau des signes de $f'(x)$:

x	$]-\infty, 0[$	0	$]0, 4/5[$	$4/5$	$]4/5, \infty[$
$f'(x)$	$-$	$\nexists$	$+$	0	$-$
$f(x)$	↘	0 min. rel.	↗	$\frac{3(2^{7/3})}{5^{5/3}}$ max. rel.	↘

La fonction $f(x) = x^{2/3}(2-x)$ est décroissante sur $]-\infty, 0]$ et sur $\left[\frac{4}{5}, \infty\right[$, et elle est croissante sur $\left[0, \frac{4}{5}\right]$. Elle atteint un minimum relatif de 0 en $x = 0$ et un maximum relatif de $\dfrac{3(2^{7/3})}{5^{5/3}} \approx 1{,}03$ en $x = \frac{4}{5}$.

f) La fonction $f(x) = (x^2 - 64)^{2/3}$ est décroissante sur $]-\infty, -8]$ et sur $[0, 8]$, et elle est croissante sur $[-8, 0]$ et sur $[8, \infty[$. Elle atteint un minimum relatif de 0 en $x = -8$ et en $x = 8$, et un maximum relatif de 16 en $x = 0$.

g) La fonction $f(x) = \ln(1 + x^2)$ est décroissante sur $]-\infty, 0]$ et elle est croissante sur $[0, \infty[$. Elle atteint un minimum relatif de 0 en $x = 0$ et ne possède aucun maximum relatif.

h) $f'(x) = \dfrac{d}{dx}(x^2e^{-x^2}) = x^2\dfrac{d}{dx}(e^{-x^2}) + e^{-x^2}\dfrac{d}{dx}(x^2) = x^2e^{-x^2}\dfrac{d}{dx}(-x^2) + 2xe^{-x^2}$

$= -2x^3e^{-x^2} + 2xe^{-x^2} = -2xe^{-x^2}(x^2 - 1) = -2xe^{-x^2}(x-1)(x+1)$

Déterminons les valeurs critiques:

- $f'(x)$ existe toujours.
- Puisque $e^{-x^2} > 0$ pour tout $x \in \mathbb{R}$, on a

$$f'(x) = 0 \Leftrightarrow -2x\underbrace{e^{-x^2}}_{>0}(x-1)(x+1) = 0$$
$$\Leftrightarrow -2x = 0, x - 1 = 0 \text{ ou } x + 1 = 0$$
$$\Leftrightarrow x = 0, x = 1 \text{ ou } x = -1$$

Construisons le tableau des signes de $f'(x)$:

x	$]-\infty, -1[$	-1	$]-1, 0[$	0	$]0, 1[$	1	$]1, \infty[$
$f'(x)$	$+$	0	$-$	0	$+$	0	$-$
$f(x)$	↗	e^{-1} max. rel.	↘	0 min. rel.	↗	e^{-1} max. rel.	↘

La fonction $f(x) = x^2e^{-x^2}$ est décroissante sur $[-1, 0]$ et sur $[1, \infty[$, et elle est croissante sur $]-\infty, -1]$ et sur $[0, 1]$. Elle atteint un minimum relatif de 0 en $x = 0$ et un maximum relatif de $e^{-1} \approx 0{,}37$ en $x = -1$ et en $x = 1$.

i) La fonction $f(x) = \dfrac{6}{e^{2x+3} + 1}$ est décroissante sur $\mathbb{R}$ (elle n'est donc jamais croissante). Elle n'admet aucun minimum relatif et aucun maximum relatif puisqu'elle ne possède pas de valeur critique.

j) La fonction $f(x) = x(3^{-x})$ est croissante sur $\left]-\infty, \frac{1}{\ln 3}\right]$ et elle est décroissante sur $\left[\frac{1}{\ln 3}, \infty\right[$. Elle atteint un maximum relatif de $\dfrac{3^{-\frac{1}{\ln 3}}}{\ln 3} \approx 0{,}33$ en $x = \frac{1}{\ln 3} \approx 0{,}91$ et ne possède aucun minimum relatif.

2. a) Sur l'intervalle $[-2, 4]$, la fonction $f(x) = 6x^2 - x^4$ atteint un minimum relatif de 8 en $x = -2$, un maximum relatif de 9 en $x = -\sqrt{3}$, un minimum relatif de 0 en $x = 0$, un maximum relatif de 9 en $x = \sqrt{3}$ et un minimum relatif de -160 en $x = 4$.

b) Sur l'intervalle $[-8, 1]$, la fonction $f(x) = 5 + \sqrt[3]{x}$ atteint un minimum relatif de 3 en $x = -8$ et un maximum relatif de 6 en $x = 1$.

c) $f'(x) = \frac{d}{dx}(x\sqrt{2-x}) = x\frac{d}{dx}(\sqrt{2-x}) + \sqrt{2-x}\frac{d}{dx}(x)$

$= \frac{1}{2}x(2-x)^{-1/2}\frac{d}{dx}(2-x) + \sqrt{2-x} = \frac{x}{2\sqrt{2-x}}(-1) + \sqrt{2-x}$

$= \frac{-x}{2\sqrt{2-x}} + \frac{2\sqrt{2-x}\sqrt{2-x}}{2\sqrt{2-x}} = \frac{-x + 2(2-x)}{2\sqrt{2-x}} = \frac{4-3x}{2\sqrt{2-x}}$

Déterminons les valeurs critiques appartenant à $]0, 2[$:

- $f'(x)$ existe toujours, car $2 - x > 0$ pour tout $x \in\,]0, 2[$.
- $f'(x) = 0 \Leftrightarrow \frac{4-3x}{2\sqrt{2-x}} = 0 \Leftrightarrow 4 - 3x = 0 \Leftrightarrow -3x = -4 \Leftrightarrow x = \frac{4}{3}$.

Construisons le tableau des signes de $f'(x)$ sur $[0, 2]$:

		$]0, 4/3[$		$]4/3, 2[$	
x	0		$4/3$		2
$f'(x)$		+	0	−	
$f(x)$	0 min. rel.	↗	$\frac{4\sqrt{6}}{9}$ max. rel.	↘	0 min. rel.

Par conséquent, sur l'intervalle $[0, 2]$, la fonction $f(x) = x\sqrt{2-x}$ atteint un minimum relatif de 0 en $x = 0$ et en $x = 2$, et un maximum relatif de $\frac{4\sqrt{6}}{9} \approx 1{,}09$ en $x = \frac{4}{3}$.

d) Sur l'intervalle $[-4, 3]$, la fonction $f(x) = \frac{2x^2 - 1}{x^2 + 4}$ atteint un maximum relatif de $\frac{31}{20}$ en $x = -4$, un minimum relatif de $-\frac{1}{4}$ en $x = 0$ et un maximum relatif de $\frac{17}{13}$ en $x = 3$.

e) Sur l'intervalle $[-3, 7]$, la fonction $f(x) = -\frac{8x}{x^2 + 1}$ atteint un minimum relatif de $\frac{12}{5}$ en $x = -3$, un maximum relatif de 4 en $x = -1$, un minimum relatif de -4 en $x = 1$ et un maximum relatif de $-\frac{28}{25}$ en $x = 7$.

f) Sur l'intervalle $]0, \infty[$, la fonction $f(x) = \frac{\ln x}{\sqrt{x}}$ atteint un maximum relatif de $\frac{2}{e} \approx 0{,}74$ en $x = e^2$ et ne possède aucun minimum relatif.

g) Sur l'intervalle $[0, 2\pi]$, la fonction $f(x) = \sin^2 x + \sin x$ atteint un minimum relatif de 0 en $x = 0$, un maximum relatif de 2 en $x = \frac{\pi}{2}$, un minimum relatif de $-\frac{1}{4}$ en $x = \frac{7\pi}{6}$ et en $x = \frac{11\pi}{6}$, et un maximum relatif de 0 en $x = \frac{3\pi}{2}$ et en $x = 2\pi$.

h) $f'(x) = \frac{d}{dx}(2x - \operatorname{tg} x) = 2 - \sec^2 x = 2 - \frac{1}{\cos^2 x} = \frac{2\cos^2 x - 1}{\cos^2 x}$

Déterminons les valeurs critiques appartenant à $\left]-\frac{\pi}{2}, \frac{\pi}{2}\right[$:

- $f'(x)$ existe toujours, car $\cos^2 x \neq 0$ pour tout $x \in \left]-\frac{\pi}{2}, \frac{\pi}{2}\right[$.
- $f'(x) = 0 \Leftrightarrow \frac{2\cos^2 x - 1}{\cos^2 x} = 0 \Leftrightarrow 2\cos^2 x - 1 = 0 \Leftrightarrow \cos^2 x = \frac{1}{2}$

$\Leftrightarrow \underbrace{\cos x = -\sqrt{\tfrac{1}{2}} = -\tfrac{\sqrt{2}}{2}}_{\text{à rejeter, car } \cos x > 0 \text{ lorsque } x \in \left]-\frac{\pi}{2}, \frac{\pi}{2}\right[}$ ou $\cos x = \sqrt{\frac{1}{2}} = \frac{\sqrt{2}}{2}$

$\Leftrightarrow x = \frac{\pi}{4} + 2k\pi$ ou $x = \frac{7\pi}{4} + 2k\pi$ (où $k \in \mathbb{Z}$)

Sur l'intervalle $\left]-\frac{\pi}{2}, \frac{\pi}{2}\right[$, on ne retient que $x = -\frac{\pi}{4}$ et $x = \frac{\pi}{4}$ comme valeurs critiques.

Construisons le tableau des signes de $f'(x)$ sur $\left]-\frac{\pi}{2}, \frac{\pi}{2}\right[$:

	$]-\pi/2, -\pi/4[$		$]-\pi/4, \pi/4[$		$]\pi/4, \pi/2[$
x		$-\pi/4$		$\pi/4$	
$f'(x)$	$-$	**0**	$+$	**0**	$-$
$f(x)$	↘	$1 - \pi/2$ min. rel.	↗	$\pi/2 - 1$ max. rel.	↘

Par conséquent, sur l'intervalle $\left]-\frac{\pi}{2}, \frac{\pi}{2}\right[$, la fonction $f(x) = 2x - \operatorname{tg}x$ atteint un minimum relatif de $1 - \frac{\pi}{2} \approx -0{,}57$ en $x = -\frac{\pi}{4}$ et un maximum relatif de $\frac{\pi}{2} - 1 \approx 0{,}57$ en $x = \frac{\pi}{4}$.

i) Sur l'intervalle $\left[-\sqrt{3}, \sqrt{3}\right]$, la fonction $f(x) = x - 2\operatorname{arctg}x$ atteint un minimum relatif de $-\sqrt{3} + \frac{2\pi}{3} \approx 0{,}36$ en $x = -\sqrt{3}$, un maximum relatif de $-1 + \frac{\pi}{2} \approx 0{,}57$ en $x = -1$, un minimum relatif de $1 - \frac{\pi}{2} \approx -0{,}57$ en $x = 1$ et un maximum relatif de $\sqrt{3} - \frac{2\pi}{3} \approx -0{,}36$ en $x = \sqrt{3}$.

j) Sur l'intervalle $[-1, 1]$, la fonction $f(x) = 2x + \arccos x$ atteint un maximum relatif de $-2 + \pi \approx 1{,}14$ en $x = -1$, un minimum relatif de $\frac{5\pi}{6} - \sqrt{3} \approx 0{,}89$ en $x = -\frac{\sqrt{3}}{2}$, un maximum relatif de $\sqrt{3} + \frac{\pi}{6} \approx 2{,}26$ en $x = \frac{\sqrt{3}}{2}$ et un minimum relatif de 2 en $x = 1$.

3. a) $f'(x) = \dfrac{d}{dx}\left(2x + \dfrac{x^2}{2} - \dfrac{x^3}{3}\right) = 2 + x - x^2$

Déterminons les valeurs critiques :

- $f'(x)$ existe toujours.
- $f'(x) = 0 \Leftrightarrow -x^2 + x + 2 = 0$

$$\Leftrightarrow x = \frac{-1 \pm \sqrt{1^2 - 4(-1)(2)}}{2(-1)} = \frac{-1 \pm \sqrt{9}}{-2}$$

$$\Leftrightarrow x = -1 \text{ ou } x = 2$$

De plus, $f''(x) = \dfrac{d}{dx}(2 + x - x^2) = 1 - 2x$. Évaluons la dérivée seconde en chacune des valeurs critiques :

$$f''(-1) = 3 > 0 \text{ et } f''(2) = -3 < 0$$

Par conséquent, la fonction $f(x) = 2x + \dfrac{x^2}{2} - \dfrac{x^3}{3}$ atteint un minimum relatif de $f(-1) = -\frac{7}{6}$ en $x = -1$ et un maximum relatif de $f(2) = \frac{10}{3}$ en $x = 2$.

b) La fonction $f(x) = -2x^4 + 4x^2 + 3$ atteint un maximum relatif de $f(-1) = 5$ en $x = -1$, un minimum relatif de $f(0) = 3$ en $x = 0$ et un maximum relatif de $f(1) = 5$ en $x = 1$.

c) Le test de la dérivée seconde ne s'applique pas. À l'aide du test de la dérivée première, on obtient que la fonction $f(x) = x^6$ est décroissante sur $]-\infty, 0]$ et croissante sur $[0, \infty[$. Par conséquent, elle atteint un minimum relatif de 0 en $x = 0$ et ne possède aucun maximum relatif.

d) La fonction $f(x) = \ln(3x^2 + 2)$ atteint un minimum relatif de $f(0) = \ln 2 \approx 0{,}69$ en $x = 0$ et ne possède aucun maximum relatif.

e) La fonction $f(x) = \dfrac{x}{e^x}$ atteint un maximum relatif de $f(1) = \frac{1}{e} \approx 0{,}37$ en $x = 1$ et ne possède aucun minimum relatif.

f) La fonction $f(x) = \dfrac{x^2 - 1}{x^2 + 1}$ atteint un minimum relatif de $f(0) = -1$ en $x = 0$ et ne possède aucun maximum relatif.

g) $f'(x)=\dfrac{d}{dx}[x^{4/5}(3-2x)]=\dfrac{d}{dx}(3x^{4/5}-2x^{9/5})=\dfrac{12}{5}x^{-1/5}-\dfrac{18}{5}x^{4/5}$

$$=\frac{12}{5x^{1/5}}-\frac{18x^{4/5}}{5}=\frac{12-18x}{5x^{1/5}}=\frac{-6(3x-2)}{5x^{1/5}}$$

Déterminons les valeurs critiques:

- $f'(x)\nexists \Leftrightarrow 5x^{1/5}=0 \Leftrightarrow x^{1/5}=0 \Leftrightarrow x=0.$
- $f'(x)=0 \Leftrightarrow \dfrac{-6(3x-2)}{5x^{1/5}}=0 \Leftrightarrow -6(3x-2)=0$

 $\Leftrightarrow 3x-2=0 \Leftrightarrow 3x=2 \Leftrightarrow x=\frac{2}{3}$

Le test de la dérivée seconde ne s'applique pas en $x=0$, mais il s'appliquerait en $x=\frac{2}{3}$. Toutefois, il est plus simple d'obtenir le résultat souhaité à partir du tableau des signes de $f'(x)$, d'autant plus que le calcul de la dérivée seconde de la fonction est relativement long.

	$]-\infty, 0[$		$]0, 2/3[$		$]2/3, \infty[$
x		**0**		$2/3$	
$f'(x)$	$-$	$\nexists$	$+$	0	$-$
$f(x)$	$\searrow$	0 min. rel.	$\nearrow$	$\dfrac{5(2^{4/5})}{3^{9/5}}$ max. rel.	$\searrow$

Par conséquent, la fonction $f(x)=x^{4/5}(3-2x)$ atteint un minimum relatif de 0 en $x=0$ et un maximum relatif de $\dfrac{5(2^{4/5})}{3^{9/5}}\approx 1{,}20$ en $x=\frac{2}{3}$.

h) La fonction $f(x)=\sin^2 x$ atteint des minimums relatifs de 0 en $x=\frac{k\pi}{2}$ (où k est pair), et elle atteint des maximums relatifs de 1 en $x=\frac{k\pi}{2}$ (où k est impair).

4. a) Sur l'intervalle $[-3, 1]$, la fonction $f(x)=x^3+3x^2$ admet un minimum absolu de 0 en $x=-3$ et en $x=0$, et un maximum absolu de 4 en $x=-2$ et en $x=1$.

b) Sur l'intervalle $[-4, 0]$, la fonction $f(x)=x^3+2x^2-4x+1$ admet un minimum absolu de -15 en $x=-4$ et un maximum absolu de 9 en $x=-2$.

c) La fonction $f(x)=\dfrac{x^2}{x^2+3}$ est continue sur $\mathbb{R}$ (car c'est une fonction rationnelle et que le dénominateur est différent de 0). Par conséquent, elle est continue sur l'intervalle fermé $[-1, 2]$. Ses extremums absolus sont donc atteints aux extrémités de l'intervalle ou en une valeur critique de $f(x)$ appartenant à $]-1, 2[$. On a

$$f'(x)=\frac{d}{dx}\left(\frac{x^2}{x^2+3}\right)=\frac{(x^2+3)\frac{d}{dx}(x^2)-x^2\frac{d}{dx}(x^2+3)}{(x^2+3)^2}$$

$$=\frac{2x(x^2+3)-x^2(2x)}{(x^2+3)^2}=\frac{\cancel{2x^3}+6x-\cancel{2x^3}}{(x^2+3)^2}=\frac{6x}{(x^2+3)^2}$$

Déterminons les valeurs critiques appartenant à $]-1, 2[$:

- $f'(x)$ existe toujours, car $(x^2+3)^2\neq 0$ pour tout $x\in\,]-1, 2[$.
- $f'(x)=0 \Leftrightarrow \dfrac{6x}{(x^2+3)^2}=0 \Leftrightarrow 6x=0 \Leftrightarrow x=0.$

Évaluons la fonction $f(x)=\dfrac{x^2}{x^2+3}$ aux extrémités de l'intervalle ainsi qu'à la valeur critique:

$$f(-1)=\frac{(-1)^2}{(-1)^2+3}=\frac{1}{4}, f(0)=\frac{(0)^2}{(0)^2+3}=0 \text{ et } f(2)=\frac{(2)^2}{(2)^2+3}=\frac{4}{7}$$

CHAPITRE 5

Par conséquent, sur l'intervalle $[-1, 2]$, la fonction $f(x) = \dfrac{x^2}{x^2 + 3}$ admet un minimum absolu de 0 en $x = 0$ et un maximum absolu de $\frac{4}{7}$ en $x = 2$.

d) Sur l'intervalle $[-1, 8]$, la fonction $f(x) = 2 + x^{2/3}$ admet un minimum absolu de 2 en $x = 0$ et un maximum absolu de 6 en $x = 8$.

e) Sur l'intervalle $[2, 9]$, la fonction $f(x) = x(x - 12)^{2/3}$ admet un minimum absolu de $2\sqrt[3]{100} \approx 9{,}28$ en $x = 2$ et un maximum absolu de $\frac{36}{5}\sqrt[3]{\frac{576}{25}} \approx 20{,}49$ en $x = 36/5$.

f) Sur l'intervalle $[0, 2]$, la fonction $f(x) = e^{3x-x^3}$ admet un minimum absolu de $e^{-2} \approx 0{,}14$ en $x = 2$ et un maximum absolu de $e^2 \approx 7{,}39$ en $x = 1$.

g) La fonction $f(x) = xe^{-x^2}$ est continue sur $\mathbb{R}$ (car c'est le produit de deux fonctions continues). Par conséquent, elle est continue sur l'intervalle fermé $[-3, 4]$. Ses extremums absolus sont donc atteints aux extrémités de l'intervalle ou en une valeur critique de $f(x)$ appartenant à $]-3, 4[$. On a

$$\begin{aligned} f'(x) &= \frac{d}{dx}(xe^{-x^2}) = x\frac{d}{dx}(e^{-x^2}) + e^{-x^2}\frac{d}{dx}(x) = xe^{-x^2}\frac{d}{dx}(-x^2) + e^{-x^2} \\ &= -2x^2e^{-x^2} + e^{-x^2} = e^{-x^2}(1 - 2x^2) \end{aligned}$$

Déterminons les valeurs critiques appartenant à $]-3, 4[$:

- $f'(x)$ existe toujours.
- Puisque $e^{-x^2} > 0$ pour tout $x \in \mathbb{R}$, on a

$$f'(x) = 0 \Leftrightarrow \underbrace{e^{-x^2}}_{>0}(1 - 2x^2) = 0 \Leftrightarrow 1 - 2x^2 = 0 \Leftrightarrow -2x^2 = -1$$

$$\Leftrightarrow x^2 = \tfrac{1}{2} \Leftrightarrow x = -\sqrt{\tfrac{1}{2}} = -\tfrac{\sqrt{2}}{2} \text{ ou } x = \sqrt{\tfrac{1}{2}} = \tfrac{\sqrt{2}}{2}$$

Évaluons la fonction $f(x) = xe^{-x^2}$ aux extrémités de l'intervalle ainsi qu'aux valeurs critiques :

$$f(-3) = (-3)e^{-(-3)^2} = -3e^{-9} \approx -0{,}0004$$

$$f\left(-\tfrac{\sqrt{2}}{2}\right) = \left(-\tfrac{\sqrt{2}}{2}\right)e^{-\left(-\frac{\sqrt{2}}{2}\right)^2} = -\tfrac{\sqrt{2}}{2}e^{-1/2} \approx -0{,}4289$$

$$f\left(\tfrac{\sqrt{2}}{2}\right) = \tfrac{\sqrt{2}}{2}e^{-\left(\frac{\sqrt{2}}{2}\right)^2} = \tfrac{\sqrt{2}}{2}e^{-1/2} \approx 0{,}4289$$

$$f(4) = 4e^{-(4)^2} = 4e^{-16} \approx 4{,}5 \times 10^{-7}$$

Par conséquent, sur l'intervalle $[-3, 4]$, la fonction $f(x) = xe^{-x^2}$ admet un minimum absolu de $-\frac{\sqrt{2}}{2}e^{-1/2} \approx -0{,}4289$ en $x = -\frac{\sqrt{2}}{2}$ et un maximum absolu de $\frac{\sqrt{2}}{2}e^{-1/2} \approx 0{,}4289$ en $x = \frac{\sqrt{2}}{2}$.

h) Sur l'intervalle $[0, 12]$, la fonction $f(x) = 100e^{\sin x}$ admet un minimum absolu de $100e^{-1} \approx 36{,}79$ en $x = \frac{3\pi}{2}$ et en $x = \frac{7\pi}{2}$, et un maximum absolu de $100e \approx 271{,}83$ en $x = \frac{\pi}{2}$ et en $x = \frac{5\pi}{2}$.

i) Sur l'intervalle $\left[0, \frac{5\pi}{3}\right]$, la fonction $f(x) = \sin x + \cos x$ admet un minimum absolu de $-\sqrt{2} \approx -1{,}41$ en $x = \frac{5\pi}{4}$ et un maximum absolu de $\sqrt{2} \approx 1{,}41$ en $x = \frac{\pi}{4}$.

j) La fonction $f(x) = \operatorname{tg} x - \sec x = \dfrac{\sin x}{\cos x} - \dfrac{1}{\cos x} = \dfrac{\sin x - 1}{\cos x}$ est continue sur l'intervalle fermé $\left[-\frac{\pi}{3}, \frac{\pi}{3}\right]$, car c'est le quotient de deux fonctions continues sur $\left[-\frac{\pi}{3}, \frac{\pi}{3}\right]$ et que $\cos x \neq 0$ pour tout $x \in \left[-\frac{\pi}{3}, \frac{\pi}{3}\right]$. Ses extremums absolus sont donc atteints aux extrémités de l'intervalle ou en une valeur critique de $f(x)$ appartenant à $\left]-\frac{\pi}{3}, \frac{\pi}{3}\right[$. On a

$$f'(x) = \frac{d}{dx}(\operatorname{tg} x - \sec x) = \sec^2 x - \sec x \operatorname{tg} x = \sec x(\sec x - \operatorname{tg} x)$$

Déterminons les valeurs critiques appartenant à $\left]-\frac{\pi}{3}, \frac{\pi}{3}\right[$:

- On a $\sec x = \dfrac{1}{\cos x}$ et $\operatorname{tg} x = \dfrac{\sin x}{\cos x}$. Alors $f'(x)$ existe toujours si $x \in \left]-\frac{\pi}{3}, \frac{\pi}{3}\right[$, car $\cos x \neq 0$ pour tout $x \in \left]-\frac{\pi}{3}, \frac{\pi}{3}\right[$.
- $f'(x) = 0 \Leftrightarrow \sec x = 0$ ou $\sec x = \operatorname{tg} x$

$$\Leftrightarrow \underbrace{\frac{1}{\cos x} = 0}_{\text{impossible}} \text{ ou } \frac{1}{\cos x} = \frac{\sin x}{\cos x}$$

$$\Leftrightarrow \sin x = 1 \Leftrightarrow x = \frac{\pi}{2} + 2k\pi \text{ (où } k \in \mathbb{Z}\text{)}$$

Sur l'intervalle $\left]-\frac{\pi}{3}, \frac{\pi}{3}\right[$, il n'y a donc aucune valeur critique.

Évaluons la fonction $f(x) = \operatorname{tg} x - \sec x$ aux extrémités de l'intervalle :

$$f\left(-\frac{\pi}{3}\right) = \operatorname{tg}\left(-\frac{\pi}{3}\right) - \sec\left(-\frac{\pi}{3}\right) = -\sqrt{3} - 2 \approx -3{,}73$$

$$f\left(\frac{\pi}{3}\right) = \operatorname{tg}\left(\frac{\pi}{3}\right) - \sec\left(\frac{\pi}{3}\right) = \sqrt{3} - 2 \approx -0{,}27$$

Par conséquent, sur l'intervalle $\left[-\frac{\pi}{3}, \frac{\pi}{3}\right]$, la fonction $f(x) = \operatorname{tg} x - \sec x$ admet un minimum absolu de $-\sqrt{3} - 2 \approx -3{,}73$ en $x = -\frac{\pi}{3}$ et un maximum absolu de $\sqrt{3} - 2 \approx -0{,}27$ en $x = \frac{\pi}{3}$.

5. a) La fonction $f(x) = x^3 - 27x$ est continue sur $\mathbb{R}$ (car c'est un polynôme). Par conséquent, elle est continue sur l'intervalle fermé $[-10, 5]$. Ses extremums absolus et relatifs sont donc atteints aux extrémités de l'intervalle ou en une valeur critique de $f(x)$ appartenant à $]-10, 5[$. On a

$$f'(x) = \frac{d}{dx}(x^3 - 27x) = 3x^2 - 27 = 3(x^2 - 9) = 3(x-3)(x+3)$$

Déterminons les valeurs critiques appartenant à $]-10, 5[$:

- $f'(x)$ existe toujours.
- $f'(x) = 0 \Leftrightarrow 3(x-3)(x+3) = 0 \Leftrightarrow x - 3 = 0$ ou $x + 3 = 0$
  $\Leftrightarrow x = 3$ ou $x = -3$

Construisons le tableau des signes de $f'(x)$ sur $[-10, 5]$:

		$]-10, -3[$		$]-3, 3[$		$]3, 5[$	
x	-10		-3		3		5
$f'(x)$		$+$	0	$-$	0	$+$	
$f(x)$	-730 min. rel. et abs.	↗	54 max. rel. et abs.	↘	-54 min. rel.	↗	-10 max. rel.

Sur l'intervalle $[-10, 5]$, la fonction $f(x) = x^3 - 27x$ atteint un minimum absolu (et relatif) de -730 en $x = -10$, un maximum absolu (et relatif) de 54 en $x = -3$, un minimum relatif de -54 en $x = 3$ et un maximum relatif de -10 en $x = 5$.

b) Sur l'intervalle $[-3, 3]$, la fonction $f(x) = x^3 - x^2 - x - 1$ atteint un minimum absolu (et relatif) de -34 en $x = -3$, un maximum relatif de $-\frac{22}{27}$ en $x = -\frac{1}{3}$, un minimum relatif de -2 en $x = 1$ et un maximum absolu (et relatif) de 14 en $x = 3$.

c) Sur l'intervalle $[-6, 2]$, la fonction $f(x) = 3x^5 + 15x^4 - 25x^3$ atteint un minimum relatif de 1 512 en $x = -6$, un maximum absolu (et relatif) de 3 125 en $x = -5$, un minimum absolu (et relatif) de -7 en $x = 1$ et un maximum relatif de 136 en $x = 2$.

d) Sur l'intervalle $[-2, 2]$, la fonction $f(x) = x^{1/3} - \frac{1}{3}x$ atteint un maximum relatif de $\sqrt[3]{-2} + \frac{2}{3} \approx -0{,}59$ en $x = -2$, un minimum absolu (et relatif) de $-\frac{2}{3}$ en $x = -1$, un maximum absolu (et relatif) de $\frac{2}{3}$ en $x = 1$ et un minimum relatif de $\sqrt[3]{2} - \frac{2}{3} \approx 0{,}59$ en $x = 2$.

e) Sur l'intervalle $[-1, 3]$, la fonction $f(x) = 1 - (x-1)^{2/3}$ atteint un maximum absolu (et relatif) de 1 en $x = 1$, et un minimum absolu (et relatif) de $1 - \sqrt[3]{4} \approx -0{,}59$ en $x = -1$ et en $x = 3$.

f) Sur l'intervalle $[-5, 5]$, la fonction $f(x) = e^{2x}(x^2 - 2)$ atteint un minimum relatif de $23e^{-10} \approx 0{,}001$ en $x = -5$, un maximum relatif de $2e^{-4} \approx 0{,}037$ en $x = -2$, un minimum absolu (et relatif) de $-e^2 \approx -7{,}389$ en $x = 1$ et un maximum absolu (et relatif) de $23e^{10} \approx 506\,608{,}7$ en $x = 5$.

g) Sur l'intervalle $\left[0, \frac{5}{2}\right]$, la fonction $f(x) = x\sqrt{27 - 3x^2}$ atteint un minimum absolu (et relatif) de 0 en $x = 0$, un maximum absolu (et relatif) de $\frac{9\sqrt{3}}{2} \approx 7{,}79$ en $x = \frac{3\sqrt{2}}{2} \approx 2{,}12$ et un minimum relatif de $\frac{5\sqrt{33}}{4} \approx 7{,}18$ en $x = \frac{5}{2}$.

h) Sur l'intervalle $[1, 5]$, la fonction $f(x) = \dfrac{\ln x}{x^2}$ atteint un minimum absolu (et relatif) de 0 en $x = 1$, un maximum absolu (et relatif) de $\frac{1}{2e} \approx 0{,}184$ en $x = e^{1/2} \approx 1{,}649$ et un minimum relatif de $\frac{\ln 5}{25} \approx 0{,}064$ en $x = 5$.

i) Sur l'intervalle $[2, 5]$, la fonction $f(x) = \dfrac{\sqrt[3]{x-3}}{x-1}$ atteint un minimum absolu (et relatif) de -1 en $x = 2$, un maximum absolu (et relatif) de $\frac{1}{3}$ en $x = 4$ et un minimum relatif de $\frac{\sqrt[3]{2}}{4} \approx 0{,}31$ en $x = 5$.

j) Sur l'intervalle $\left[-\frac{\pi}{2}, \frac{\pi}{2}\right]$, la fonction $f(x) = \dfrac{4}{4 + \cos x}$ atteint un maximum absolu (et relatif) de 1 en $x = -\frac{\pi}{2}$ et en $x = \frac{\pi}{2}$, et un minimum absolu (et relatif) de $\frac{4}{5}$ en $x = 0$.

6. a) Puisque $\lim\limits_{x\to-\infty}(3x^5 - 20x^3) = \underbrace{\lim\limits_{x\to-\infty} x^5(3 - 20/x^2)}_{\text{forme } -\infty(3-0)} = -\infty$ et que

$$\lim_{x\to\infty}(3x^5 - 20x^3) = \underbrace{\lim_{x\to\infty} x^5(3 - 20/x^2)}_{\text{forme } \infty(3-0)} = \infty$$

la fonction $f(x) = 3x^5 - 20x^3$ n'admet pas d'extremum absolu sur $\mathbb{R}$.

b) La fonction $f(x) = e^{-x^2}$ admet un maximum absolu de 1 en $x = 0$ puisqu'elle est croissante sur $]-\infty, 0]$ et décroissante sur $[0, \infty[$. De plus, la fonction n'admet aucun minimum absolu puisqu'elle n'admet aucun minimum relatif.

c) La fonction $f(x) = 2 + x^{2/5}$ admet un minimum absolu de 2 en $x = 0$ puisqu'elle est décroissante sur $]-\infty, 0]$ et croissante sur $[0, \infty[$. De plus, la fonction n'admet aucun maximum absolu puisqu'elle n'admet aucun maximum relatif.

d) On a $\lim\limits_{x\to-\infty}(-3x^4 - 2x^3 + 9x^2) = \underbrace{\lim\limits_{x\to-\infty}\left[x^4(-3 - 2/x + 9/x^2)\right]}_{\text{forme } \infty(-3-0+0)} = -\infty$ et

$$\lim_{x\to\infty}(-3x^4 - 2x^3 + 9x^2) = \underbrace{\lim_{x\to\infty}\left[x^4(-3 - 2/x + 9/x^2)\right]}_{\text{forme } \infty(-3-0+0)} = -\infty$$

De plus, $f'(x) = \dfrac{d}{dx}(-3x^4 - 2x^3 + 9x^2) = -12x^3 - 6x^2 + 18x = -6x(2x^2 + x - 3)$.

Déterminons les valeurs critiques :

- $f'(x)$ existe toujours.
- $f'(x) = 0 \Leftrightarrow -6x(2x^2 + x - 3) = 0 \Leftrightarrow -6x = 0$ ou $2x^2 + x - 3 = 0$

$$\Leftrightarrow x = 0 \text{ ou } x = \frac{-1 \pm \sqrt{1^2 - 4(2)(-3)}}{2(2)} = \frac{-1 \pm \sqrt{25}}{4}$$

$$\Leftrightarrow x = 0, x = -\tfrac{3}{2} \text{ ou } x = 1$$

Remarque : on a donc $f'(x) = -6x(2x^2 + x - 3) = -12x\left(x + \frac{3}{2}\right)(x - 1)$.

Construisons le tableau des signes de $f'(x)$:

x	$]-\infty, -3/2[$	$-3/2$	$]-3/2, 0[$	0	$]0, 1[$	1	$]1, \infty[$
$f'(x)$	+	0	−	0	+	0	−
$f(x)$	↗	$189/16$ max. rel.	↘	0 min. rel.	↗	4 max. rel.	↘

Comme $\lim_{x\to-\infty}(-3x^4 - 2x^3 + 9x^2) = -\infty$, la fonction $f(x) = -3x^4 - 2x^3 + 9x^2$ n'admet pas de minimum absolu sur $\mathbb{R}$.
Par ailleurs, la fonction $f(x) = -3x^4 - 2x^3 + 9x^2$ admet un maximum relatif de $\frac{189}{16}$ en $x = -\frac{3}{2}$ et un maximum relatif de 4 en $x = 1$. Le plus grand maximum relatif est de $\frac{189}{16}$. Vérifions si ce maximum est également le maximum absolu.

On a

$$\tfrac{189}{16} > \lim_{x\to-\infty}(-3x^4 - 2x^3 + 9x^2) = -\infty \text{ et } \tfrac{189}{16} > \lim_{x\to\infty}(-3x^4 - 2x^3 + 9x^2) = -\infty$$

Par conséquent, la fonction $f(x) = -3x^4 - 2x^3 + 9x^2$ admet un maximum absolu de $\frac{189}{16}$ en $x = -\frac{3}{2}$.

e) Sur l'intervalle $]0, \infty[$, la fonction $f(x) = \sqrt{x} + \dfrac{1}{\sqrt{x}}$ admet un minimum absolu de 2 en $x = 1$ puisqu'elle est décroissante sur $]0, 1]$ et croissante sur $[1, \infty[$. Elle n'admet cependant pas de maximum absolu puisqu'elle n'admet aucun maximum relatif.

f) On a $\underbrace{\lim_{x\to-\infty}\dfrac{2-x}{5+x^2}}_{\text{forme } \frac{\infty}{\infty}} \overset{\text{H}}{=} \underbrace{\lim_{x\to-\infty}\dfrac{-1}{2x}}_{\text{forme } \frac{-1}{-\infty}} = 0$ et $\underbrace{\lim_{x\to\infty}\dfrac{2-x}{5+x^2}}_{\text{forme } \frac{-\infty}{\infty}} \overset{\text{H}}{=} \underbrace{\lim_{x\to\infty}\dfrac{-1}{2x}}_{\text{forme } \frac{-1}{\infty}} = 0.$

De plus,

$$f'(x) = \frac{d}{dx}\left(\frac{2-x}{5+x^2}\right) = \frac{(5+x^2)\frac{d}{dx}(2-x) - (2-x)\frac{d}{dx}(5+x^2)}{(5+x^2)^2}$$

$$= \frac{(5+x^2)(-1) - (2-x)(2x)}{(5+x^2)^2} = \frac{-5 - x^2 - 4x + 2x^2}{(5+x^2)^2} = \frac{x^2 - 4x - 5}{(5+x^2)^2}$$

Déterminons les valeurs critiques:

- $f'(x)$ existe toujours, car $(5+x^2)^2 \neq 0$ pour tout $x \in \mathbb{R}$.
- $f'(x) = 0 \Leftrightarrow \dfrac{x^2 - 4x - 5}{(5+x^2)^2} = 0 \Leftrightarrow x^2 - 4x - 5 = 0$

$$\Leftrightarrow x = \frac{-(-4) \pm \sqrt{(-4)^2 - 4(1)(-5)}}{2(1)} = \frac{4 \pm \sqrt{36}}{2}$$

$$\Leftrightarrow x = -1 \text{ ou } x = 5$$

Construisons le tableau des signes de $f'(x)$:

x	$]-\infty, -1[$	-1	$]-1, 5[$	5	$]5, \infty[$
$f'(x)$	+	0	−	0	+
$f(x)$	↗	$1/2$ max. rel.	↘	$-1/10$ min. rel.	↗

Alors, la fonction $f(x) = \dfrac{2-x}{5+x^2}$ atteint un maximum relatif de $\frac{1}{2}$ en $x = -1$.
Vérifions si ce maximum est également le maximum absolu de la fonction $f(x)$.

Or, $\frac{1}{2}$ est le plus grand maximum relatif de la fonction $f(x)$ puisque c'est le seul maximum relatif. De plus,

$$\tfrac{1}{2} > \lim_{x \to -\infty} f(x) = 0 \text{ et } \tfrac{1}{2} > \lim_{x \to \infty} f(x) = 0$$

Par conséquent, la fonction $f(x) = \dfrac{2-x}{5+x^2}$ atteint un maximum absolu de $\frac{1}{2}$ en $x = -1$.

Par ailleurs, la fonction $f(x)$ atteint un minimum relatif de $-\frac{1}{10}$ en $x = 5$. Vérifions si ce minimum est également le minimum absolu de la fonction $f(x)$.

Or, $-\frac{1}{10}$ est le plus petit minimum relatif de la fonction $f(x)$ puisque c'est le seul minimum relatif. De plus,

$$-\tfrac{1}{10} < \lim_{x \to -\infty} f(x) = 0 \text{ et } -\tfrac{1}{10} < \lim_{x \to \infty} f(x) = 0$$

Par conséquent, la fonction $f(x) = \dfrac{2-x}{5+x^2}$ atteint un minimum absolu de $-\frac{1}{10}$ en $x = 5$.

g) Sur l'intervalle $]0, 2\pi[$, la fonction $f(x) = 2\cos x - x$ atteint un minimum absolu de $-\sqrt{3} - \frac{7\pi}{6} \approx -5{,}4$ en $x = \frac{7\pi}{6}$, et elle n'admet pas de maximum absolu.

h) Sur l'intervalle $]0, 2\pi[$, la fonction $f(x) = \sin x - \cos x$ atteint un maximum absolu de $\sqrt{2} \approx 1{,}41$ en $x = \frac{3\pi}{4}$ et un minimum absolu de $-\sqrt{2} \approx -1{,}41$ en $x = \frac{7\pi}{4}$.

7. a) Sur l'intervalle $[-8, 8]$, on peut tracer la courbe décrite par la fonction $f(x)$ sans lever la pointe du crayon. Par conséquent, la fonction $f(x)$ est continue sur l'intervalle $[-8, 8]$.

b) La fonction $f(x)$ est croissante sur les intervalles $[-5, -3]$, $[-2, 2]$ et $[3, 4]$.

c) La fonction $f(x)$ est décroissante sur les intervalles $[-8, -5]$, $[-3, -2]$, $[2, 3]$ et $[4, 8]$.

d) La fonction $f(x)$ comporte 7 valeurs critiques puisque la pente de la droite tangente est nulle en 3 endroits ($x = -3$, $x = 0$ et $x = 3$) et n'est pas définie en 4 endroits ($x = -5$, $x = -2$, $x = 2$ et $x = 4$).

e) La fonction $f(x)$ admet un maximum relatif d'environ -14 en $x = -8$, un minimum absolu (et relatif) d'environ -26 en $x = -5$, un maximum relatif d'environ -2 en $x = -3$, un minimum relatif d'environ -8 en $x = -2$, un maximum absolu (et relatif) d'environ 8 en $x = 2$, un minimum relatif d'environ -6 en $x = 3$, un maximum absolu (et relatif) d'environ 8 en $x = 4$ et un minimum relatif d'environ -12 en $x = 8$.

8. $a = 1$ et $b = 3$.

9. Sur l'intervalle $]-\pi, \pi]$, la fonction $f(x)$ atteint un maximum relatif en $x = 1$.

10. a) Vrai. Si $x > 1$, on a

$$f'(x) = \frac{d}{dx}(6x^2 - 3x^4) = 12x - 12x^3 = 12x(1 - x^2) = \underbrace{12x}_{>0}\underbrace{(1-x)}_{<0}\underbrace{(1+x)}_{>0} < 0$$

Alors, la fonction $f(x) = 6x^2 - 3x^4$ est décroissante sur l'intervalle $]1, \infty[$.

b) Faux. En effet, $f'(x) = \dfrac{d}{dx}(-x^4 + 18x^2 + 50) = -4x^3 + 36x \Rightarrow f'(0) = 0$, de sorte que $x = 0$ est une valeur critique de $f(x)$.

De plus, $f''(x) = \dfrac{d}{dx}(-4x^3 + 36x) = -12x^2 + 36 \Rightarrow f''(0) = 36 > 0$, de sorte que, en vertu du test de la dérivée seconde, $f(x) = -x^4 + 18x^2 + 50$ admet un minimum relatif en $x = 0$ et non un maximum relatif.

c) Vrai. La fonction $f(x)$ passe de croissante à décroissante en $x = 0$ qui est une valeur critique de la fonction.

d) Faux. La fonction $f(x) = |x|$ est continue sur $[-2, 3]$ et elle atteint sa valeur minimale de 0 en $x = 0 \in [-2, 3]$. Pourtant, la fonction $f(x)$ n'est pas dérivable en $x = 0$ (présence d'un point anguleux), de sorte que $f'(0) \neq 0$.

e) Faux. La fonction $f(x) = x^2$ n'atteint pas de maximum sur $]-2, 2[$.

11. L'aire maximale de l'enclos est de 25 312,5 m^2 lorsque sa largeur est de 112,5 m et sa longueur (parallèle à la rivière) est de 225 m.

12. Soit x la largeur (en mètres) de l'enclos, y sa longueur (en mètres) et A son aire (en mètres carrés).

Comme la clôture plus ornée coûte plus cher, le côté correspondant devrait être un des plus petits côtés (largeur du rectangle).

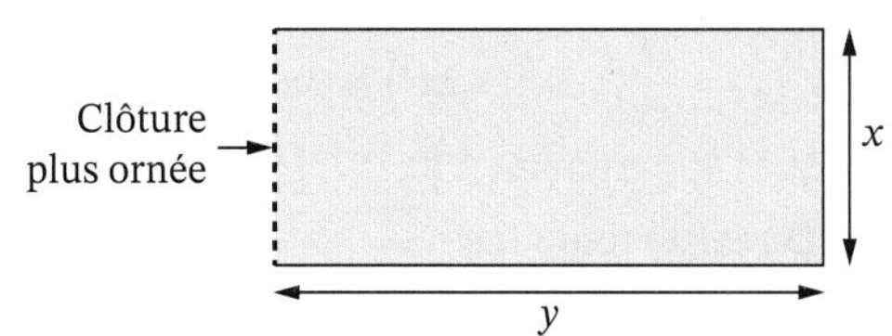

On veut maximiser $A = xy$. Exprimons A en fonction d'une seule variable.

Comme on dispose d'un budget de 2 400 \$, on a

$$60x + 40(x + 2y) = 2\,400 \Leftrightarrow 100x + 80y = 2\,400 \Leftrightarrow 80y = 2\,400 - 100x$$

$$\Leftrightarrow y = 30 - 1{,}25x$$

Par conséquent, $A = xy = x(30 - 1{,}25x) = 30x - 1{,}25x^2$.

Comme x et y sont respectivement la largeur et la longueur de l'enclos, ces valeurs ne peuvent être négatives. Il faut donc que $x \geq 0$ et

$$y = 30 - 1{,}25x \geq 0 \Leftrightarrow -1{,}25x \geq -30 \Leftrightarrow x \leq 24$$

On veut donc maximiser $A(x) = 30x - 1{,}25x^2$, où $x \in [0, 24]$.

Or, $A'(x) = \dfrac{d}{dx}(30x - 1{,}25x^2) = 30 - 2{,}5x$.

Déterminons les valeurs critiques appartenant à $]0, 24[$:

- $A'(x)$ existe toujours.
- $A'(x) = 0 \Leftrightarrow 30 - 2{,}5x = 0 \Leftrightarrow -2{,}5x = -30 \Leftrightarrow x = 12$.

La fonction $A(x) = 30x - 1{,}25x^2$ est continue sur $[0, 24]$, car c'est un polynôme. Le maximum absolu est donc atteint à une extrémité de l'intervalle ou en la valeur critique.

$$A(0) = 30(0) - 1{,}25(0)^2 = 0\,\text{m}^2$$

$$A(12) = 30(12) - 1{,}25(12)^2 = 180\,\text{m}^2$$

$$A(24) = 30(24) - 1{,}25(24)^2 = 0\,\text{m}^2$$

Par conséquent, les dimensions de l'enclos d'aire maximale sont

Largeur : $x = 12$ m (côté où la clôture est plus ornée)

Longueur : $y = 30 - 1{,}25x = 30 - 1{,}25(12) = 15$ m

L'aire maximale de l'enclos est alors de 180 m^2.

13. L'aire maximale de l'enclos est de 136 m^2 lorsque sa largeur est de 8 m et sa longueur est de 17 m.

14. L'aire maximale de l'enclos est de 24 025 m^2 lorsque sa largeur et sa longueur sont toutes deux de 155 m. L'enclos est donc carré.

15. Soit x la mesure (en mètres) du côté du carré constituant la base de la boîte, y la hauteur (en mètres) de la boîte et V son volume (en mètres cubes).

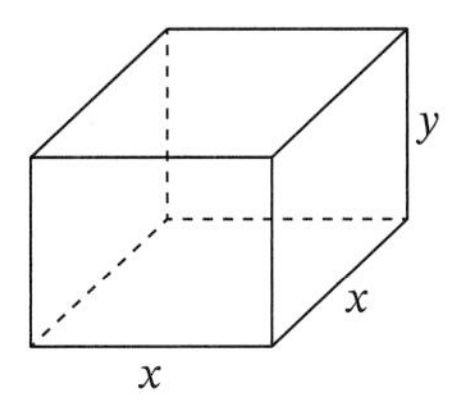

On veut maximiser $V = x^2y$. Exprimons V en fonction d'une seule variable.

On a $x + x + y = 1{,}5 \Rightarrow y = 1{,}5 - 2x$. Par conséquent,

$$V = x^2y = x^2(1{,}5 - 2x) = 1{,}5x^2 - 2x^3$$

Comme x et y sont les dimensions de la boîte, ces valeurs ne peuvent être négatives. Il faut donc que $x \geq 0$ et

$$y = 1{,}5 - 2x \geq 0 \Leftrightarrow -2x \geq -1{,}5 \Leftrightarrow x \leq 0{,}75$$

On veut donc maximiser $V(x) = 1{,}5x^2 - 2x^3$, où $x \in [0; 0{,}75]$.

Or, $V'(x) = \dfrac{d}{dx}(1{,}5x^2 - 2x^3) = 3x - 6x^2 = 3x(1 - 2x)$. Déterminons les valeurs critiques appartenant à $]0; 0{,}75[$:

- $V'(x)$ existe toujours.
- $V'(x) = 0 \Leftrightarrow 3x(1 - 2x) = 0 \Leftrightarrow 3x = 0$ ou $1 - 2x = 0$

$$\Leftrightarrow x = 0 \text{ ou } -2x = -1 \Leftrightarrow \underbrace{x = 0}_{\substack{\text{à rejeter, car} \\ 0 \notin]0;\, 0{,}75[}} \text{ ou } x = 0{,}5$$

La fonction $V(x) = 1{,}5x^2 - 2x^3$ est continue sur $[0; 0{,}75]$, car c'est polynôme. Le maximum absolu est donc atteint à une extrémité de l'intervalle ou en la valeur critique.

$$V(0) = 1{,}5\,(0)^2 - 2\,(0)^3 = 0 \text{ m}^3$$
$$V(0{,}5) = 1{,}5\,(0{,}5)^2 - 2\,(0{,}5)^3 = 0{,}125 \text{ m}^3$$
$$V(0{,}75) = 1{,}5\,(0{,}75)^2 - 2\,(0{,}75)^3 = 0 \text{ m}^3$$

Par conséquent, les dimensions de la boîte de volume maximal sont

Longueur et largeur : $x = 0{,}5$ m

Hauteur : $y = 1{,}5 - 2x = 1{,}5 - 2(0{,}5) = 0{,}5$ m

La boîte est donc cubique et le volume maximal est de $0{,}125$ m^3.

16. Le volume maximal de la boîte est de 2 250 cm^3 lorsque sa largeur est de 15 cm, sa longueur est de 30 cm et sa hauteur est de 5 cm.

17. Soit L la longueur (en centimètres) de la boîte, ℓ sa largeur (en centimètres), h sa hauteur (en centimètres) et V son volume (en centimètres cubes).

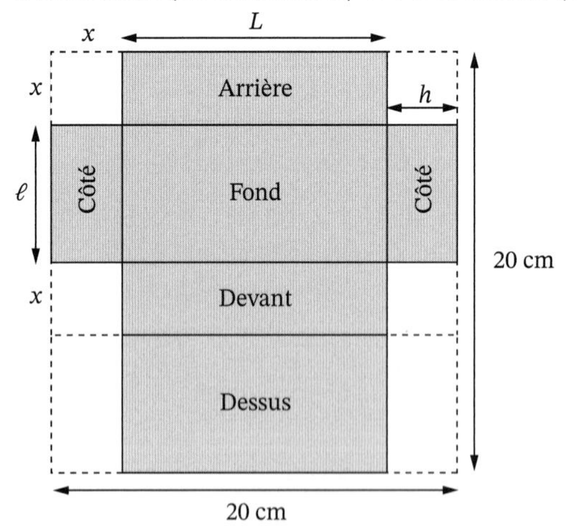

On veut maximiser $V = L\ell h$. Exprimons V en fonction d'une seule variable.

On a $2x + L = 20 \Rightarrow L = 20 - 2x$,

$$2x + 2\ell = 20 \Rightarrow 2\ell = 20 - 2x \Rightarrow \ell = 10 - x \text{ et } h = x$$

Alors, le volume de la boîte est

$$V = L\ell h = (20 - 2x)(10 - x)x = 2x^3 - 40x^2 + 200x$$

Comme L, ℓ et h sont les dimensions de la boîte, ces valeurs ne peuvent être négatives. Il faut donc que

$$L = 20 - 2x \geq 0 \Leftrightarrow -2x \geq -20 \Leftrightarrow x \leq 10$$
$$\ell = 10 - x \geq 0 \Leftrightarrow -x \geq -10 \Leftrightarrow x \leq 10$$
$$h = x \geq 0$$

On veut donc maximiser $V(x) = 2x^3 - 40x^2 + 200x$, où $x \in [0, 10]$.

Or, $V'(x) = \dfrac{d}{dx}(2x^3 - 40x^2 + 200x) = 6x^2 - 80x + 200 = 2(3x^2 - 40x + 100)$.

Déterminons les valeurs critiques appartenant à $]0, 10[$:

- $V'(x)$ existe toujours.
- $V'(x) = 0 \Leftrightarrow 2(3x^2 - 40x + 100) = 0 \Leftrightarrow 3x^2 - 40x + 100 = 0$

$$\Leftrightarrow x = \frac{-(-40) \pm \sqrt{(-40)^2 - 4(3)(100)}}{2(3)} = \frac{40 \pm \sqrt{400}}{6}$$

$$\Leftrightarrow x = \tfrac{10}{3} \text{ ou } \underbrace{x = 10}_{\substack{\text{à rejeter, car} \\ 10 \notin]0,\, 10[}}$$

La fonction $V(x) = 2x^3 - 40x^2 + 200x$ est continue sur $[0, 10]$, car c'est un polynôme. Le maximum absolu est donc atteint à une extrémité de l'intervalle ou en la valeur critique.

$$V(0) = 2(0)^3 - 40(0)^2 + 200(0) = 0 \text{ cm}^3$$

$$V\left(\tfrac{10}{3}\right) = 2\left(\tfrac{10}{3}\right)^3 - 40\left(\tfrac{10}{3}\right)^2 + 200\left(\tfrac{10}{3}\right) = \tfrac{8\,000}{27} \approx 296{,}3 \text{ cm}^3$$

$$V(10) = 2(10)^3 - 40(10)^2 + 200(10) = 0 \text{ cm}^3$$

Par conséquent, les dimensions de la boîte de volume maximal sont

Longueur : $L = 20 - 2x = 20 - 2\left(\tfrac{10}{3}\right) = \tfrac{40}{3} \approx 13{,}3$ cm

Largeur : $\ell = 10 - x = 10 - \tfrac{10}{3} = \tfrac{20}{3} \approx 6{,}7$ cm

Hauteur : $h = x = \tfrac{10}{3} \approx 3{,}3$ cm

Le volume maximal de la boîte est de $\tfrac{8\,000}{27} \approx 296{,}3$ cm^3.

18. L'aire maximale du triangle rectangle est de 2 m^2 lorsque les côtés de l'angle droit mesurent 2 m. Le triangle est donc un triangle rectangle isocèle.

19. L'aire maximale du triangle rectangle dont l'hypoténuse mesure 10 cm est de 25 cm^2 lorsque les côtés de l'angle droit mesurent chacun $\sqrt{50} = 5\sqrt{2}$ cm. Le triangle rectangle est donc également isocèle.

20. a) Soit x la longueur (en centimètres) de l'arête du premier cube, y celle (en centimètres) du second cube et A la somme des aires totales (en centimètres carrés) des deux cubes. On veut maximiser $A = 6x^2 + 6y^2$. Exprimons A en fonction d'une seule variable. Comme la somme des volumes des cubes est de 2 000 cm^3, on a

$$x^3 + y^3 = 2\,000 \Leftrightarrow y^3 = 2\,000 - x^3 \Leftrightarrow y = (2\,000 - x^3)^{1/3}$$

Par conséquent,

$$A = 6x^2 + 6y^2 = 6x^2 + 6(2\,000 - x^3)^{2/3}$$

Comme x et y sont les mesures des arêtes des cubes, ces valeurs ne peuvent être négatives. Il faut donc que $x \geq 0$ et

$$y \geq 0 \Leftrightarrow (2\,000 - x^3)^{1/3} \geq 0 \Leftrightarrow 2\,000 - x^3 \geq 0 \Leftrightarrow -x^3 \geq -2\,000$$

$$\Leftrightarrow x^3 \leq 2\,000 \Leftrightarrow x \leq \sqrt[3]{2\,000} \Leftrightarrow x \leq 10\sqrt[3]{2}$$

On veut donc maximiser $A(x) = 6x^2 + 6(2\,000 - x^3)^{2/3}$, où $x \in [0, 10\sqrt[3]{2}]$. On a

$$A'(x) = \frac{d}{dx}\left[6x^2 + 6(2\,000 - x^3)^{2/3}\right]$$

$$= 12x + 6\left(\frac{2}{3}\right)(2\,000 - x^3)^{-1/3}\frac{d}{dx}(2\,000 - x^3)$$

$$= 12x + \frac{4}{(2\,000 - x^3)^{1/3}}(-3x^2) = \frac{12x(2\,000 - x^3)^{1/3}}{(2\,000 - x^3)^{1/3}} - \frac{12x^2}{(2\,000 - x^3)^{1/3}}$$

$$= \frac{12x\sqrt[3]{2\,000 - x^3} - 12x^2}{\sqrt[3]{2\,000 - x^3}} = \frac{12x\left(\sqrt[3]{2\,000 - x^3} - x\right)}{\sqrt[3]{2\,000 - x^3}}$$

Déterminons les valeurs critiques appartenant à $\left]0, 10\sqrt[3]{2}\right[$:

- $A'(x)$ existe toujours, car $\sqrt[3]{2\,000 - x^3} \neq 0$ pour tout $x \in \left]0, 10\sqrt[3]{2}\right[$.
- $A'(x) = 0 \Leftrightarrow 12x\left(\sqrt[3]{2\,000 - x^3} - x\right) = 0$

$$\Leftrightarrow 12x = 0 \text{ ou } \sqrt[3]{2\,000 - x^3} - x = 0$$

$$\Leftrightarrow \underbrace{x = 0}_{\substack{\text{à rejeter, car} \\ 0 \notin \left]0,\, 10\sqrt[3]{2}\right[}} \text{ ou } \sqrt[3]{2\,000 - x^3} = x$$

$$\Leftrightarrow 2\,000 - x^3 = x^3 \Leftrightarrow 2\,000 = 2x^3$$

$$\Leftrightarrow 1\,000 = x^3 \Leftrightarrow 10 = x$$

La fonction $A(x) = 6x^2 + 6(2\,000 - x^3)^{2/3}$ est continue sur $\left[0, 10\sqrt[3]{2}\right]$, car c'est la somme de deux fonctions continues sur cet intervalle. Le maximum absolu est donc atteint à une extrémité de l'intervalle ou en la valeur critique.

$$A(0) = 6(0)^2 + 6(2\,000 - 0^3)^{2/3} = 6(2\,000)^{2/3} = 600\sqrt[3]{4} \approx 952{,}44 \text{ cm}^2$$

$$A(10) = 6(10)^2 + 6(2\,000 - 10^3)^{2/3} = 1\,200 \text{ cm}^2$$

$$A\left(10\sqrt[3]{2}\right) = 6\left(10\sqrt[3]{2}\right)^2 + 6\left[2\,000 - \left(10\sqrt[3]{2}\right)^3\right]^{2/3}$$

$$= 6\left(100\sqrt[3]{4}\right) + 6(0) = 600\sqrt[3]{4} \approx 952{,}44 \text{ cm}^2$$

Par conséquent, la valeur maximale de la somme des aires totales des cubes est 1 200 cm² et elle est atteinte lorsque les longueurs des arêtes des cubes sont

$$x = 10 \text{ cm}$$

$$y = (2\,000 - x^3)^{1/3} = (2\,000 - 10^3)^{1/3} = 10 \text{ cm}$$

b) En vertu du résultat obtenu en a, la valeur minimale de la somme des aires totales des cubes est de $600\sqrt[3]{4} \approx 952{,}44$ cm² et elle est atteinte lorsque l'arête d'un des cubes mesure 0 cm, c'est-à-dire lorsqu'il n'y a qu'un seul cube dont l'arête mesure $10\sqrt[3]{2}$ cm, soit environ 12,6 cm.

21. L'aire du triangle isocèle atteint sa valeur maximale de $\frac{100\sqrt{3}}{9}$ cm², soit d'environ 19,25 cm², lorsque les côtés du triangle mesurent tous $\frac{20}{3}$ cm. Le triangle est donc équilatéral.

22. Le volume maximal du cône est de $\frac{16\,000\sqrt{3}\,\pi}{27} \approx 3\,224{,}53$ cm³ lorsque la hauteur du cône (soit la longueur du côté autour duquel on fait tourner le triangle) est de $\frac{20\sqrt{3}}{3} \approx 11{,}55$ cm et que le rayon du cône (soit l'autre côté de l'angle droit) est de $\frac{20\sqrt{6}}{3} \approx 16{,}33$ cm.

23. L'aire maximale de la partie rectangulaire de la piste est de $\frac{20\,000}{\pi} \approx 6\,366{,}2$ m² lorsque les côtés du rectangle mesurent respectivement 100 m et $\frac{200}{\pi} \approx 63{,}7$ m.

24. L'aire maximale du vitrail est de $\frac{32}{4+\pi} \approx 4{,}48$ m² lorsque le diamètre du demi-cercle (et longueur du rectangle) est de $\frac{16}{4+\pi} \approx 2{,}24$ m et la largeur du rectangle est de $\frac{8}{4+\pi} \approx 1{,}12$ m.

25. L'aire maximale de l'œuvre d'art est de 3 025 cm² lorsque sa largeur et sa longueur sont toutes deux de 55 cm. L'œuvre d'art est donc carrée.

26. Soit x la largeur (en mètres) de la feuille de papier, y la longueur (en mètres) de la feuille de papier et A l'aire (en mètres carrés) de la surface d'impression.

On veut maximiser $A = (x - 0{,}16)(y - 0{,}2)$ puisqu'on a des marges de 8 cm = 0,08 m et de 10 cm = 0,1 m. Exprimons A en fonction d'une seule variable.

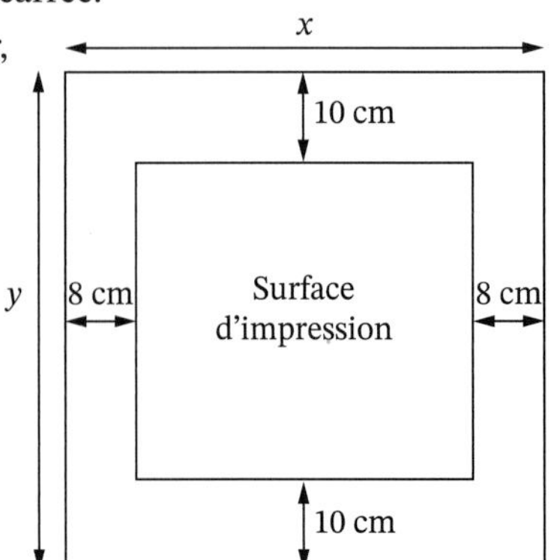

L'aire de la feuille de papier est 2 m^2, alors $xy = 2 \Rightarrow y = \frac{2}{x}$. Par conséquent,

$$A = (x - 0{,}16)(y - 0{,}2) = (x - 0{,}16)\left(\frac{2}{x} - 0{,}2\right)$$
$$= 2 - 0{,}2x - \frac{0{,}32}{x} + 0{,}032 = 2{,}032 - 0{,}2x - \frac{0{,}32}{x}$$

Les dimensions de la surface imprimée ne peuvent être négatives. Il faut donc que

$$x - 0{,}16 \geq 0 \Leftrightarrow x \geq 0{,}16$$
$$y - 0{,}2 = \frac{2}{x} - 0{,}2 \geq 0 \Leftrightarrow \frac{2}{x} \geq 0{,}2 \Leftrightarrow 2 \geq 0{,}2x \Leftrightarrow 10 \geq x$$

Par conséquent, on veut maximiser $A(x) = 2{,}032 - 0{,}2x - \frac{0{,}32}{x}$, où $x \in [0{,}16;\ 10]$. Or,

$$A'(x) = \frac{d}{dx}(2{,}032 - 0{,}2x - 0{,}32x^{-1}) = -0{,}2 + 0{,}32x^{-2}$$
$$= -0{,}2 + \frac{0{,}32}{x^2} = \frac{-0{,}2x^2 + 0{,}32}{x^2}$$

Déterminons les valeurs critiques appartenant à $]0{,}16;\ 10[$:

- $A'(x)$ existe toujours, car $x^2 \neq 0$ pour tout $x \in\ ]0{,}16;\ 10[$.
- $A'(x) = 0 \Leftrightarrow -0{,}2x^2 + 0{,}32 = 0 \Leftrightarrow -0{,}2x^2 = -0{,}32 \Leftrightarrow x^2 = 1{,}6$

$$\Leftrightarrow \underbrace{x = -\sqrt{1{,}6}}_{\substack{\text{à rejeter, car} \\ -\sqrt{1{,}6}\ \notin]0{,}16\,;\,10[}} \text{ ou } x = \sqrt{1{,}6}$$

La fonction $A(x) = 2{,}032 - 0{,}2x - \frac{0{,}32}{x}$ est continue sur $[0{,}16;\ 10]$, car c'est une différence de fonctions continues sur cet intervalle. Le maximum absolu est donc atteint à une extrémité de l'intervalle ou en la valeur critique.

$$A(0{,}16) = 2{,}032 - 0{,}2(0{,}16) - \tfrac{0{,}32}{0{,}16} = 0 \text{ m}^2$$
$$A(\sqrt{1{,}6}) = 2{,}032 - 0{,}2\sqrt{1{,}6} - \tfrac{0{,}32}{\sqrt{1{,}6}} \approx 1{,}53 \text{ m}^2$$
$$A(10) = 2{,}032 - 0{,}2(10) - \tfrac{0{,}32}{10} = 0 \text{ m}^2$$

Par conséquent, les dimensions de la feuille de papier qui maximisent l'aire de la surface imprimée sont

Largeur : $x = \sqrt{1{,}6} \approx 1{,}26$ m

Longueur : $y = \frac{2}{x} = \frac{2}{\sqrt{1{,}6}} \approx 1{,}58$ m

L'aire maximale de la surface imprimée est alors d'environ 1,53 m^2.

27. Les deux câbles doivent se rejoindre à une distance de $x = \frac{\sqrt{3}}{3} \approx 0{,}58$ m du plafond pour que la quantité totale de câble utilisée pour suspendre le lustre soit minimale et égale à $6 + \sqrt{3} \approx 7{,}73$ m.

28. C'est à 10 ans qu'on peut apprendre le plus grand nombre de nouveaux mots d'une langue étrangère par jour (environ 7,4 mots/jour).

29. a) $t \in [0,\ 36]$

b) On a $p(0) = 0{,}25$, de sorte qu'au début de la campagne électorale, la popularité du candidat est de 25 %.

c) On a $p(36) \approx 0{,}381$, de sorte qu'à la fin de la campagne électorale, la popularité du candidat est de 38,1 %.

d) La popularité du candidat atteint un pic d'environ 38,3 % trente jours après le début de la campagne électorale, soit peu de temps avant la fin de la campagne électorale.

30. Soit Q la production moyenne (en kg) de fruits par arbre, P le prix de vente (en dollars par kilogramme) des fruits, R le revenu (en dollars) tiré de la vente des fruits d'un arbre et t le temps (en semaines) que le producteur doit attendre avant d'effectuer la récolte.

On veut maximiser $R = QP$. Exprimons R en fonction d'une seule variable. On a

Temps d'attente (semaines)	Quantité de fruits par arbre (kg)	Prix de vente ($/kg)
0	$50 + 2(0)$	$4 - 0{,}1(0)$
1	$50 + 2(1)$	$4 - 0{,}1(1)$
2	$50 + 2(2)$	$4 - 0{,}1(2)$
t	$50 + 2t$	$4 - 0{,}1t$

On veut donc maximiser $R(t) = QP = (50 + 2t)(4 - 0{,}1t) = 200 + 3t - 0{,}2t^2$, où $t \in [0, 4]$ puisqu'on veut effectuer la récolte au cours des 4 prochaines semaines. On a

$$R'(t) = \frac{d}{dt}(200 + 3t - 0{,}2t^2) = 3 - 0{,}4t$$

Déterminons les valeurs critiques appartenant à $]0, 4[$:

- $R'(t)$ existe toujours.
- $R'(t) = 0 \Leftrightarrow 3 - 0{,}4t = 0 \Leftrightarrow -0{,}4t = -3 \Leftrightarrow \underbrace{t = 7{,}5}_{\text{à rejeter, car } 7{,}5 \notin]0,\,4[}$.

La fonction $R(t) = 200 + 3t - 0{,}2t^2$ est continue sur $[0, 4]$, car c'est un polynôme. Le maximum absolu est donc atteint à une extrémité de l'intervalle (puisqu'il n'y a pas de valeur critique à l'intérieur de l'intervalle).

$$R(0) = 200 + 3(0) - 0{,}2\,(0)^2 = 200\ \$$$
$$R(4) = 200 + 3(4) - 0{,}2\,(4)^2 = 208{,}80\ \$$$

Par conséquent, le propriétaire devrait attendre 4 semaines avant d'effectuer sa récolte afin d'obtenir un revenu maximal de 208,80 $ de la vente des fruits produits par un arbre.

31. La production maximale est de 22 500 pommes/hectare lorsqu'on dénombre 75 pommiers/hectare.

32. L'agent de voyage récoltera un revenu maximal de 64 000 $ si 80 personnes participent au voyage. Chaque personne paiera alors un montant de 800 $ pour son voyage.

33. L'administratrice obtiendra un revenu de location maximal de 121 500 $ si le prix des loyés est fixé à 1 350 $ par mois. Il y aura alors 90 logements loués.

34. Si le niveau de production du produit A est compris entre 1 et 4 milliers de kilogrammes, l'entreprise doit fabriquer $6 - 2\sqrt{2} \approx 3{,}172$ milliers de kilogrammes du produit A, soit environ 3 172 kg du produit A, pour maximiser son profit, qui sera alors d'environ 17 373 $.

35. a) Soit (x, y) le point sur la courbe décrite par $f(x) = \sqrt{4 - x^2}$ correspondant au coin supérieur droit du rectangle ci-contre.

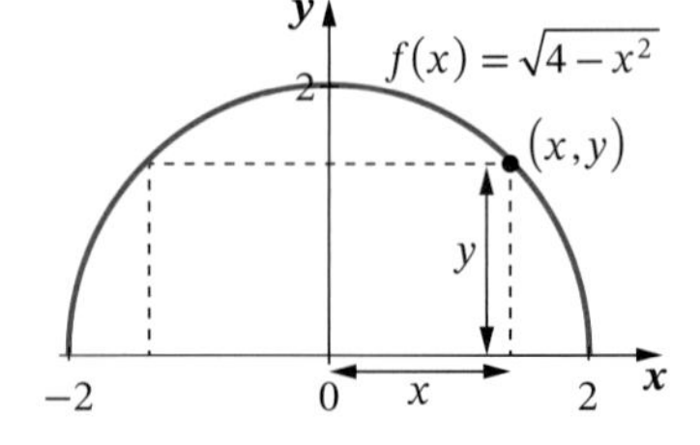

On veut maximiser l'aire A du rectangle, soit $A = \underbrace{(2x)}_{\text{base}}\ \underbrace{y}_{\text{hauteur}}$.

Exprimons A en fonction d'une seule variable. Comme (x, y) est un point de la courbe, on a $y = f(x) = \sqrt{4 - x^2}$. Par conséquent, $A = (2x)y = 2x\sqrt{4 - x^2}$.

Comme le point (x, y) est dans le premier quadrant, les valeurs de x et de y ne peuvent être négatives. Il faut donc que $x \geq 0$ et

$$y = \sqrt{4 - x^2} \geq 0 \Leftrightarrow 4 - x^2 \geq 0 \Leftrightarrow -x^2 \geq -4 \Leftrightarrow x^2 \leq 4$$
$$\Leftrightarrow |x| \leq 2 \Leftrightarrow -2 \leq x \leq 2$$

On veut donc maximiser $A(x) = 2x\sqrt{4 - x^2}$, où $x \in [0, 2]$.

Remarquons qu'on pourrait déduire que $x \in [0, 2]$ en regardant le graphique. En effet, l'abscisse d'un point sur la courbe dans le premier quadrant se situe dans cet intervalle.

On a

$$A'(x) = \frac{d}{dx}\left(2x\sqrt{4-x^2}\right) = 2x\frac{d}{dx}\left(\sqrt{4-x^2}\right) + \sqrt{4-x^2}\,\frac{d}{dx}(2x)$$

$$= \not{2}x \cdot \frac{1}{\not{2}}(4-x^2)^{-1/2}\frac{d}{dx}(4-x^2) + 2\sqrt{4-x^2}$$

$$= \frac{x}{\sqrt{4-x^2}}(-2x) + 2\sqrt{4-x^2} = \frac{-2x^2}{\sqrt{4-x^2}} + \frac{2\sqrt{4-x^2}\sqrt{4-x^2}}{\sqrt{4-x^2}}$$

$$= \frac{-2x^2 + 2(4-x^2)}{\sqrt{4-x^2}} = \frac{-2x^2 + 8 - 2x^2}{\sqrt{4-x^2}} = \frac{8-4x^2}{\sqrt{4-x^2}}$$

Déterminons les valeurs critiques appartenant à $]0, 2[$:

- $A'(x)$ existe toujours, car $4 - x^2 > 0$ pour tout $x \in\,]0, 2[$.
- $A'(x) = 0 \Leftrightarrow \dfrac{8-4x^2}{\sqrt{4-x^2}} = 0 \Leftrightarrow 8 - 4x^2 = 0 \Leftrightarrow -4x^2 = -8$

$$\Leftrightarrow x^2 = 2 \Leftrightarrow \underbrace{x = -\sqrt{2}}_{\text{à rejeter, car } -\sqrt{2} \notin]0,\, 2[} \text{ ou } x = \sqrt{2}$$

La fonction $A(x) = 2x\sqrt{4-x^2}$ est continue sur $[0, 2]$, car c'est un produit de fonctions continues sur cet intervalle. Le maximum absolu est donc atteint à une extrémité de l'intervalle ou en la valeur critique.

$$A(0) = 2(0)\sqrt{4-0^2} = 0 \text{ unité}^2$$

$$A(\sqrt{2}) = 2(\sqrt{2})\sqrt{4-(\sqrt{2})^2} = 4 \text{ unités}^2$$

$$A(2) = 2(2)\sqrt{4-2^2} = 0 \text{ unité}^2$$

Par conséquent, les dimensions du rectangle d'aire maximale sont

Base : $2x = 2\sqrt{2} \approx 2{,}83$ unités

Hauteur : $y = \sqrt{4-x^2} = \sqrt{4-(\sqrt{2})^2} = \sqrt{2} \approx 1{,}41$ unité

L'aire maximale du rectangle est de 4 unités².

b) L'aire maximale du rectangle est de $\frac{256\sqrt{3}}{9} \approx 49{,}27$ unités² lorsque sa base est de $\frac{8\sqrt{3}}{3} \approx 4{,}62$ unités et sa hauteur est de $\frac{32}{3} \approx 10{,}67$ unités.

c) L'aire maximale du rectangle est de $\frac{1}{2}$ unité² lorsque sa base est de $\sqrt{2} \approx 1{,}41$ unité et sa hauteur est de $\frac{\sqrt{2}}{4} \approx 0{,}35$ unité.

36. a) On a

$$f(x) = g(x) \Leftrightarrow -x^2 + 4x = -2x + 5 \Leftrightarrow x^2 - 6x + 5 = 0$$

$$\Leftrightarrow x = \frac{-(-6) \pm \sqrt{(-6)^2 - 4(1)(5)}}{2(1)} = \frac{6 \pm \sqrt{16}}{2}$$

$$\Leftrightarrow x = 1 \text{ ou } x = 5$$

Les abscisses des points d'intersection sont donc $x = 1$ et $x = 5$.

b)

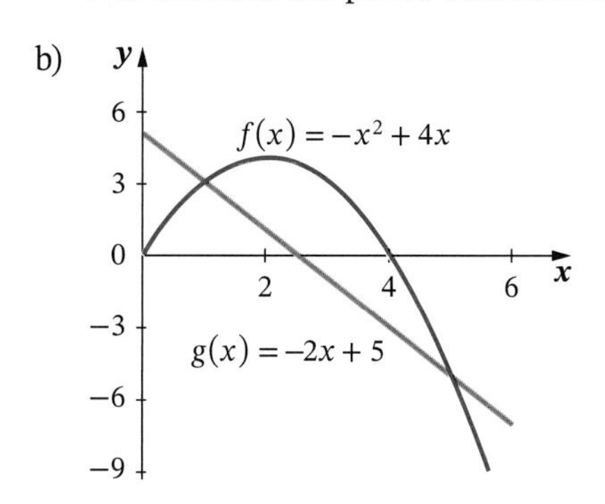

CHAPITRE 5

c) On veut maximiser la distance verticale entre les deux courbes

$$D(x) = f(x) - g(x) = (-x^2 + 4x) - (-2x + 5) = -x^2 + 6x - 5$$

pour $x \in [1, 5]$. Or,

$$D'(x) = \frac{d}{dx}(-x^2 + 6x - 5) = -2x + 6$$

Déterminons les valeurs critiques appartenant à $]1, 5[$:

- $D'(x)$ existe toujours.
- $D'(x) = 0 \Leftrightarrow -2x + 6 = 0 \Leftrightarrow -2x = -6 \Leftrightarrow x = 3.$

La fonction $D(x) = -x^2 + 6x - 5$ est continue sur $[1, 5]$, car c'est un polynôme. Le maximum absolu est donc atteint à une extrémité de l'intervalle ou en la valeur critique.

$$D(1) = 0, D(3) = 4 \text{ et } D(5) = 0$$

Par conséquent, pour $x \in [1, 5]$, la distance verticale maximale entre les deux courbes est de 4 unités et est atteinte en $x = 3$.

37. a) $x = -3$ et $x = 3$.

b)

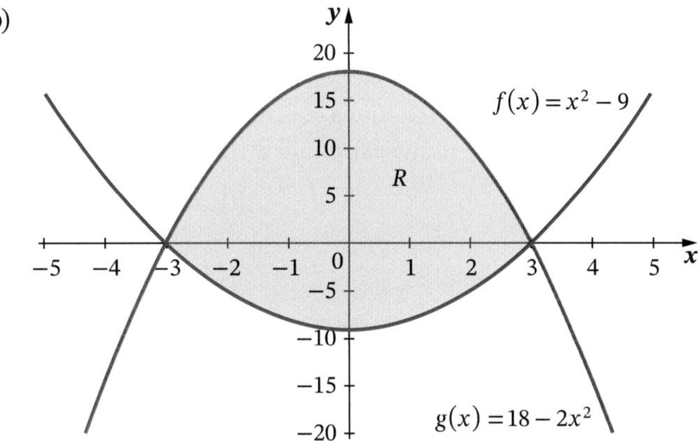

c) L'aire maximale du rectangle dont les côtés sont parallèles aux axes de coordonnées et qui est inscrit dans la région R est de $36\sqrt{3}$ unités², soit d'environ 62,4 unités².

38. Soit r le rayon (en centimètres) du cylindre circulaire droit, h sa hauteur (en centimètres) et V son volume (en centimètres cubes). On a le schéma suivant.

On veut maximiser $V = \pi r^2 h$. Exprimons V en fonction d'une seule variable.

Par le théorème de Pythagore, comme le rayon de la sphère mesure 6 cm, on a

$$r^2 + \left(\tfrac{h}{2}\right)^2 = 6^2 \Leftrightarrow r^2 = 36 - \tfrac{h^2}{4}$$

Par conséquent, $V = \pi r^2 h = \pi\left(36 - \frac{h^2}{4}\right)h = \pi\left(36h - \frac{h^3}{4}\right)$.

Comme h et r sont respectivement la hauteur et le rayon du cylindre, ces valeurs ne peuvent être négatives. Il faut donc que $h \geq 0$ et

$$r = \sqrt{36 - \tfrac{h^2}{4}} \geq 0 \Leftrightarrow 36 - \tfrac{h^2}{4} \geq 0 \Leftrightarrow -\tfrac{h^2}{4} \geq -36 \Leftrightarrow h^2 \leq 144$$

$$\Leftrightarrow |h| \leq 12 \Leftrightarrow -12 \leq h \leq 12$$

On veut donc maximiser $V(h) = \pi\left(36h - \frac{h^3}{4}\right)$, où $h \in [0, 12]$.

Remarquons qu'on pourrait déduire que $h \in [0, 12]$ en regardant le schéma. En effet, la valeur de h ne peut pas être négative et ne peut pas excéder le diamètre de la sphère qui est le double du rayon, soit $2(6 \text{ cm}) = 12$ cm.

On a $V'(h) = \frac{d}{dh}\left[\pi\left(36h - \frac{1}{4}h^3\right)\right] = \pi\left(36 - \frac{3}{4}h^2\right)$.

Déterminons les valeurs critiques appartenant à $]0, 12[$:

- $V'(h)$ existe toujours.
- $V'(h) = 0 \Leftrightarrow 36 - \frac{3}{4}h^2 = 0 \Leftrightarrow -\frac{3}{4}h^2 = -36 \Leftrightarrow h^2 = 48$

$$\Leftrightarrow \underbrace{h = -\sqrt{48}}_{\substack{\text{à rejeter, car} \\ -\sqrt{48} \notin]0,\, 12[}} \text{ ou } h = \sqrt{48} = 4\sqrt{3}$$

La fonction $V(h) = \pi\left(36h - \frac{h^3}{4}\right)$ est continue sur $[0, 12]$, car c'est un polynôme. Le maximum absolu est donc atteint à une extrémité de l'intervalle ou en la valeur critique.

$$V(0) = \pi\left[36(0) - \frac{0^3}{4}\right] = 0 \text{ cm}^3$$

$$V(4\sqrt{3}) = \pi\left[36(4\sqrt{3}) - \frac{(4\sqrt{3})^3}{4}\right] = \pi(144\sqrt{3} - 48\sqrt{3}) = 96\pi\sqrt{3} \approx 522{,}37 \text{ cm}^3$$

$$V(12) = \pi\left[36(12) - \frac{12^3}{4}\right] = 0 \text{ cm}^3$$

Par conséquent, les dimensions du cylindre circulaire droit de volume maximal, cylindre qui est inscrit dans une sphère de 6 cm de rayon, sont

Hauteur : $h = 4\sqrt{3} \approx 6{,}93$ cm

Rayon : $r = \sqrt{36 - \frac{h^2}{4}} = \sqrt{36 - \frac{(4\sqrt{3})^2}{4}} = \sqrt{24} = 2\sqrt{6} \approx 4{,}90$ cm

Le volume maximal du cylindre est alors de $96\pi\sqrt{3} \approx 522{,}37$ cm³.

39. Les dimensions du cylindre circulaire droit de volume maximal, cylindre qu'on peut inscrire dans un cône de 4 cm de rayon et de 16 cm de hauteur, sont $r = \frac{8}{3} \approx 2{,}67$ cm et $h = \frac{16}{3} \approx 5{,}33$ cm. Le volume maximal du cylindre est alors de $\frac{1\,024\pi}{27} \approx 119{,}15$ cm³.

40. Les dimensions du cône circulaire droit de volume maximal, cône qu'on peut inscrire dans une sphère de 6 cm de rayon, sont $h = 8$ cm et $r = 4\sqrt{2} \approx 5{,}66$ cm. Le volume maximal du cône est alors de $\frac{256\pi}{3} \approx 268{,}08$ cm³.

41. La poutre la plus résistante qu'on peut tirer d'une bille de bois de 30 cm de diamètre est celle dont la base est de $b = 10\sqrt{3} \approx 17{,}32$ cm et dont la hauteur est de $h = \sqrt{900 - b^2} = \sqrt{600} = 10\sqrt{6} \approx 24{,}49$ cm.

42. a) Si $\frac{1}{2}r_0 \leq r \leq r_0$, la vitesse maximale d'expulsion de l'air est obtenue lorsqu'au moment de la toux, le rayon de la trachée correspond aux deux tiers de son rayon normal : $r = \frac{2}{3}r_0$.

b) Si $\frac{1}{2}r_0 \leq r \leq r_0$, l'écoulement de l'air maximal est obtenu lorsqu'au moment de la toux, le rayon de la trachée correspond aux quatre cinquièmes de son rayon normal : $r = \frac{4}{5}r_0$.

43. La portée maximale de $\frac{v_0^2}{9{,}8}$ est atteinte lorsque l'angle de lancement est de $\frac{\pi}{4}$ rad.

44. Le volume maximal du prisme est de 1,5 m³ et est obtenu lorsque l'angle θ mesure $\frac{\pi}{2}$ rad.

45. L'aire maximale du triangle isocèle ainsi formé est de 32 cm² lorsque l'angle au centre mesure $\frac{\pi}{2}$ rad. Le triangle est donc rectangle isocèle.

46. Soit x la distance (en kilomètres) entre le point D et le point C (station de pompage), L_1 la longueur (en kilomètres) de la conduite reliant la ville A à la station de pompage, L_2 la longueur (en kilomètres) de la conduite reliant la ville B à la station de pompage et L la longueur totale (en kilomètres) des conduites. On a le schéma suivant.

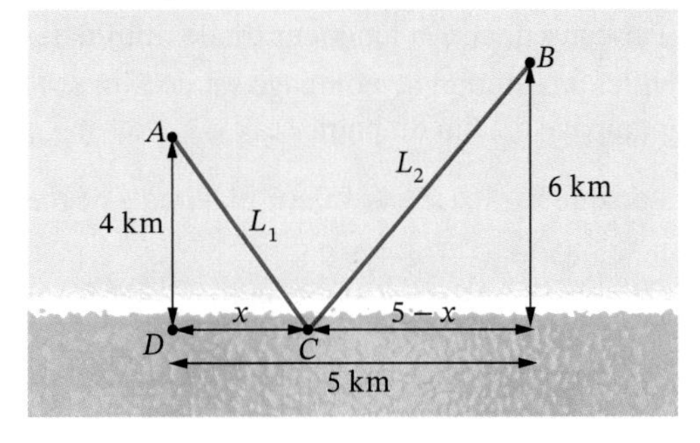

CHAPITRE 5

On veut minimiser $L = L_1 + L_2$. Exprimons L en fonction d'une seule variable.
À l'aide du théorème de Pythagore, on obtient

$$(L_1)^2 = x^2 + 4^2 \Rightarrow L_1 = \sqrt{x^2 + 16} \quad (\text{car } L_1 \geq 0)$$

$$(L_2)^2 = (5 - x)^2 + 6^2 \Rightarrow L_2 = \sqrt{(5 - x)^2 + 36} \quad (\text{car } L_2 \geq 0)$$

Par conséquent, $L = L_1 + L_2 = \sqrt{x^2 + 16} + \sqrt{(5 - x)^2 + 36}$.
Comme x est une distance, elle ne peut être négative. De plus, comme la station de pompage doit être située le long de la rivière entre les villes A et B, on a $x \leq 5$.

On veut donc minimiser $L(x) = \sqrt{x^2 + 16} + \sqrt{(5 - x)^2 + 36}$, où $x \in [0, 5]$. Or,

$$\begin{aligned} L'(x) &= \frac{d}{dx}\left[\sqrt{x^2 + 16} + \sqrt{(5 - x)^2 + 36}\right] \\ &= \frac{1}{2}(x^2 + 16)^{-1/2}\frac{d}{dx}(x^2 + 16) + \frac{1}{2}\left[(5 - x)^2 + 36\right]^{-1/2}\frac{d}{dx}\left[(5 - x)^2 + 36\right] \\ &= \frac{1}{\cancel{2}\sqrt{x^2 + 16}}(\cancel{2}x) + \frac{1}{\cancel{2}\sqrt{(5 - x)^2 + 36}}\left[\cancel{2}(5 - x)\frac{d}{dx}(5 - x)\right] \\ &= \frac{x}{\sqrt{x^2 + 16}} + \frac{5 - x}{\sqrt{(5 - x)^2 + 36}}(-1) \\ &= \frac{x}{\sqrt{x^2 + 16}} - \frac{5 - x}{\sqrt{(5 - x)^2 + 36}} \\ &= \frac{x\sqrt{(5 - x)^2 + 36} - (5 - x)\sqrt{x^2 + 16}}{\sqrt{x^2 + 16}\sqrt{(5 - x)^2 + 36}} \end{aligned}$$

Déterminons les valeurs critiques appartenant à $]0, 5[$:

- $L'(x)$ existe toujours, car $x^2 + 16 > 0$ et que $(5 - x)^2 + 36 > 0$ pour tout $x \in]0, 5[$.
- $L'(x) = 0 \Leftrightarrow x\sqrt{(5 - x)^2 + 36} - (5 - x)\sqrt{x^2 + 16} = 0$

$$\begin{aligned} &\Leftrightarrow x\sqrt{(5 - x)^2 + 36} = (5 - x)\sqrt{x^2 + 16} \\ &\Leftrightarrow x^2\left[(5 - x)^2 + 36\right] = (5 - x)^2(x^2 + 16) \quad (\text{car } 0 < x < 5) \\ &\Leftrightarrow (5 - x)^2x^2 + 36x^2 = (5 - x)^2x^2 + 16(5 - x)^2 \\ &\Leftrightarrow 36x^2 = 16(5 - x)^2 \Leftrightarrow 6x = 4(5 - x) \quad (\text{car } 0 < x < 5) \\ &\Leftrightarrow 6x = 20 - 4x \Leftrightarrow 10x = 20 \Leftrightarrow x = 2 \end{aligned}$$

La fonction $L(x) = \sqrt{x^2 + 16} + \sqrt{(5 - x)^2 + 36}$ est continue sur $[0, 5]$, car elle est continue sur $\mathbb{R}$. Le minimum absolu est donc atteint à une extrémité de l'intervalle ou en la valeur critique.

$$L(0) = \sqrt{0^2 + 16} + \sqrt{(5 - 0)^2 + 36} = 4 + \sqrt{61} \approx 11{,}81 \text{ km}$$

$$L(2) = \sqrt{2^2 + 16} + \sqrt{(5 - 2)^2 + 36} = \sqrt{20} + \sqrt{45} = 2\sqrt{5} + 3\sqrt{5} = 5\sqrt{5} \approx 11{,}18 \text{ km}$$

$$L(5) = \sqrt{5^2 + 16} + \sqrt{(5 - 5)^2 + 36} = \sqrt{41} + 6 \approx 12{,}40 \text{ km}$$

Par conséquent, la longueur totale minimale des conduites reliant chacune des villes à la station de pompage est de $5\sqrt{5} \approx 11{,}18$ km si on construit la station de pompage à 2 km du point D.

47. Lorsque $x \in [0, 15]$, la valeur maximale de θ est d'environ 1,06 rad (ou environ 60,7°) lorsque $x = \frac{-75 + 51\sqrt{5}}{4} \approx 9{,}8$.

48. Les deux nombres cherchés sont 80 et 40.

49. Les deux nombres cherchés sont 20 et 20.

50. L'aire maximale d'un rectangle dont l'hypoténuse mesure 36 cm est de 648 cm^2 et est obtenue lorsque les côtés du rectangle mesurent chacun $18\sqrt{2}$ cm. Le rectangle est donc un carré dont les côtés mesurent $18\sqrt{2}$ cm, soit environ 25,46 cm.

51. Soit x la largeur (en mètres) du terrain rectangulaire, y sa longueur (en mètres) et C le coût (en dollars) pour clôturer le terrain. On a le schéma suivant.

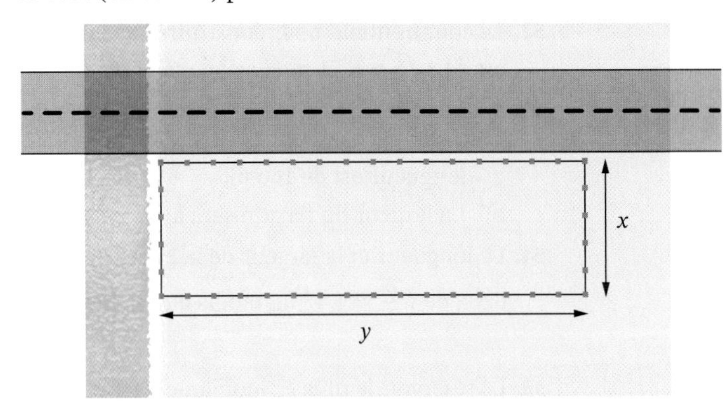

On veut minimiser $C = 30x + 15y + 10(x + y) = 40x + 25y$. Exprimons C en fonction d'une seule variable.

Comme la superficie du terrain est de 4 000 m^2, on a $xy = 4\,000$, d'où $y = \dfrac{4\,000}{x}$.

Par conséquent,

$$C = 40x + 25y = 40x + 25\left(\frac{4\,000}{x}\right) = 40x + \frac{100\,000}{x}$$

Comme x et y sont respectivement la largeur et la longueur du terrain, ces valeurs ne peuvent être négatives. Il faut donc que $x \geq 0$ et

$$y = \frac{4\,000}{x} \geq 0 \Leftrightarrow x > 0$$

On veut donc minimiser $C(x) = 40x + \dfrac{100\,000}{x}$, où $x \in \left]0, \infty\right[$. Or,

$$\begin{aligned} C'(x) &= \frac{d}{dx}(40x + 100\,000x^{-1}) = 40 - 100\,000x^{-2} \\ &= 40 - \frac{100\,000}{x^2} = \frac{40x^2 - 100\,000}{x^2} \\ &= \frac{40(x^2 - 2\,500)}{x^2} = \frac{40(x - 50)(x + 50)}{x^2} \end{aligned}$$

Déterminons les valeurs critiques appartenant à $\left]0, \infty\right[$:

- $C'(x)$ existe toujours, car $x^2 \neq 0$ pour tout $x \in \left]0, \infty\right[$.
- $C'(x) = 0 \Leftrightarrow 40(x - 50)(x + 50) = 0 \Leftrightarrow x - 50 = 0$ ou $x + 50 = 0$

  $\Leftrightarrow x = 50$ ou $\underbrace{x = -50}_{\text{à rejeter, car } -50 \notin]0,\, \infty[}$

Construisons le tableau des signes de $C'(x)$ sur $\left]0, \infty\right[$:

	]0, 50[		]50, ∞[
x		**50**	
$C'(x)$	−	0	+
$C(x)$	↘	4 000 min. rel.	↗

Alors, sur l'intervalle $\left]0, \infty\right[$, la fonction $C(x) = 40x + \dfrac{100\,000}{x}$ atteint un minimum relatif de 4 000 en $x = 50$. Vérifions si ce minimum est également le minimum absolu de la fonction $C(x)$.

Comme la fonction $C(x)$ est décroissante sur $\left]0, 50\right]$ et croissante sur $\left[50, \infty\right[$, elle atteint sa plus petite valeur en $x = 50$ sur l'intervalle $\left]0, \infty\right[$.

Par conséquent, le coût minimal pour clôturer le terrain est de 4 000 $ lorsque ses dimensions sont

Largeur : $x = 50$ m

Longueur : $y = \dfrac{4\,000}{x} = \dfrac{4\,000}{50} = 80$ m

52. Le coût minimal pour construire l'enclos est de $360\sqrt{5} \approx 804{,}98$ $ lorsque sa largeur est de $3\sqrt{5} \approx 6{,}71$ m et sa longueur est de $6\sqrt{5} \approx 13{,}42$ m.

53. a) La superficie minimale du terrain que doit acheter l'entrepreneure est de 28 880 m^2 pour y construire un entrepôt dont la largeur est de 128 m et la longueur est de 160 m.

b) La largeur du terrain sera alors de 152 m et sa longueur sera de 190 m.

54. La longueur et la largeur de la caisse de coût de fabrication mimimal sont toutes deux de $\sqrt[3]{\frac{16}{5}} \approx 1{,}47$ m, tandis que sa hauteur est de $\dfrac{4}{\left(\sqrt[3]{\frac{16}{5}}\right)^2} \approx 1{,}84$ m.

55. Le réservoir le plus économique à fabriquer est celui dont le rayon de la calotte hémisphérique mesure $r = \sqrt[3]{\frac{45}{8\pi}} \approx 1{,}2$ m.

56. Le rayon du contenant cylindrique le plus léger est de $\frac{5}{\sqrt[3]{\pi}} \approx 3{,}41$ cm, tandis que sa hauteur est de $\dfrac{500}{\pi\left(\frac{5}{\sqrt[3]{\pi}}\right)^2} \approx 13{,}66$ cm.

57. a) $x = 2\pi r$

b) $h = \dfrac{8\,000}{\pi r^2}$

c) $Q = \dfrac{16\,000}{r} + 8r^2$

d) La plus petite quantité de métal requise pour fabriquer le contenant métallique cylindrique est de 2 400 cm^2.

e) La pièce métallique rectangulaire mesure 20π cm sur $\frac{80}{\pi}$ cm, soit environ 62,83 cm sur 25,46 cm. Les pièces carrées mesurent 20 cm de côté.

58. Soit v la vitesse du camion (en kilomètres par heure), t le temps (en heures) pour parcourir le trajet de 250 km et C le coût total (en dollars) du trajet.

On veut minimiser C, soit la somme des frais d'exploitation du camion et du salaire du camionneur, c'est-à-dire

$$C = \underbrace{\left(0{,}75 + \frac{v}{400}\right)(250)}_{\text{frais d'exploitation du camion}} + \underbrace{20t}_{\text{salaire du camionneur}} = 187{,}5 + \frac{5}{8}v + 20t$$

Exprimons C en fonction d'une seule variable. Si le déplacement s'effectue à une vitesse v km/h, on a

$$\left.\begin{array}{r} v \text{ km} : 1 \text{ h} \\ 250 \text{ km} : \ t \end{array}\right\} \Rightarrow t = \frac{(250 \cancel{\text{km}})(1 \text{ h})}{v \cancel{\text{km}}} = \frac{250}{v} \text{ h}$$

Le temps requis pour effectuer le trajet de 250 km est donc de $t = \dfrac{250}{v}$. Par conséquent,

$$C = 187{,}5 + \frac{5}{8}v + 20t = 187{,}5 + \frac{5v}{8} + 20\left(\frac{250}{v}\right) = 187{,}5 + \frac{5v}{8} + \frac{5\,000}{v}$$

Comme la vitesse du camion est positive et qu'on ne connaît pas la vitesse maximale à laquelle ce camion peut rouler, on veut minimiser la fonction $C(v) = 187{,}5 + \dfrac{5v}{8} + \dfrac{5\,000}{v}$, où $v \in \,]0, \infty[$. Or,

$$C'(v) = \frac{d}{dv}\left(187{,}5 + \frac{5v}{8} + 5\,000v^{-1}\right) = \frac{5}{8} - 5\,000v^{-2}$$

$$= \frac{5}{8} - \frac{5\,000}{v^2} = \frac{5v^2 - 40\,000}{8v^2} = \frac{5(v^2 - 8\,000)}{8v^2}$$

Déterminons les valeurs critiques appartenant à $]0, \infty[$:

- $C'(v)$ existe toujours, car $8v^2 \neq 0$ pour tout $v \in]0, \infty[$.
- $C'(v) = 0 \Leftrightarrow v^2 - 8\,000 = 0 \Leftrightarrow v^2 = 8\,000$

$$\Leftrightarrow \underbrace{v = -\sqrt{8\,000}}_{\substack{\text{à rejeter, car} \\ -\sqrt{8\,000} \notin]0,\, \infty[}} \text{ ou } v = \sqrt{8\,000} = 40\sqrt{5}$$

Construisons le tableau des signes de $C'(v)$ sur $]0, \infty[$:

v	$]0, 40\sqrt{5}[$	$40\sqrt{5}$	$]40\sqrt{5}, \infty[$
$C'(v)$	$-$	0	$+$
$C(v)$	↘	$187{,}5 + 50\sqrt{5}$ min. rel.	↗

Alors, sur l'intervalle $]0, \infty[$, la fonction $C(v) = 187{,}5 + \dfrac{5v}{8} + \dfrac{5\,000}{v}$ atteint un minimum relatif de $187{,}5 + 50\sqrt{5} \approx 299{,}30$ en $v = 40\sqrt{5}$. Vérifions si ce minimum est également le minimum absolu de la fonction $C(v)$.

Comme la fonction $C(v)$ est décroissante sur $]0, 40\sqrt{5}]$ et croissante sur $[40\sqrt{5}, \infty[$, elle atteint sa plus petite valeur en $v = 40\sqrt{5}$ sur l'intervalle $]0, \infty[$.

Par conséquent, on obtient le trajet le plus économique (environ 299,30 $) lorsque le camionneur conduit à une vitesse de $40\sqrt{5} \approx 89{,}4$ km/h.

59. Afin de maximiser la valeur du bois que le producteur forestier peut tirer du terrain exploité, il devrait attendre encore environ 25,7 ans.

60. L'aire maximale de l'arbelos délimité par un demi-cercle extérieur dont le rayon mesure 1 m est de $\frac{\pi}{4} \approx 0{,}79$ m^2 lorsque les rayons des demi-cercles intérieurs sont tous les deux de 0,5 m.

61. Soit r le rayon (en centimètres) de la pizza, θ l'angle au centre (en radians) du secteur circulaire représentant la pointe de pizza, L la longueur (en centimètres) de l'arc délimité par la pointe de pizza et A l'aire (en centimètres carrés) de la pointe de pizza.

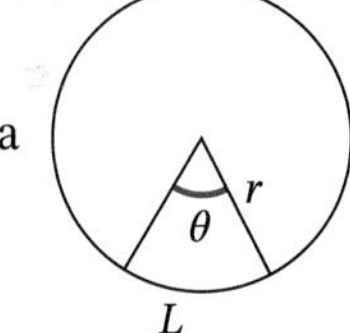

On veut maximiser $A = \frac{1}{2}\theta r^2$. Exprimons A en fonction d'une seule variable.

Comme le périmètre de la pointe de pizza est de 60 cm, on a

$$2r + L = 60 \Leftrightarrow 2r + r\theta = 60 \Leftrightarrow r\theta = 60 - 2r \Leftrightarrow \theta = \frac{60 - 2r}{r}$$

Par conséquent, $A = \dfrac{1}{2}\theta r^2 = \dfrac{1}{2}\left(\dfrac{60 - 2r}{r}\right)r^2 = \dfrac{1}{2}(60 - 2r)r = (30 - r)r = 30r - r^2$.

Comme le rayon d'une pizza doit être positif, on a $r > 0$. De plus, l'angle au centre de la pointe de pizza doit être positif et ne pas dépasser 2π, d'où $\theta \in]0, 2\pi]$. Or,

$$\theta = \frac{60 - 2r}{r} > 0 \Leftrightarrow 60 - 2r > 0 \Leftrightarrow -2r > -60 \Leftrightarrow r < 30$$

$$\theta = \frac{60 - 2r}{r} \leq 2\pi \Leftrightarrow 60 - 2r \leq 2\pi r \Leftrightarrow -2(r - 30) \leq 2\pi r \Leftrightarrow r - 30 \geq -\pi r$$

$$\Leftrightarrow r + \pi r \geq 30 \Leftrightarrow r(1 + \pi) \geq 30 \Leftrightarrow r \geq \tfrac{30}{1 + \pi}$$

On veut donc maximiser $A(r) = 30r - r^2$, où $r \in \left[\frac{30}{1+\pi}, 30\right[$. On a

$$A'(r) = \frac{d}{dr}(30r - r^2) = 30 - 2r$$

Déterminons les valeurs critiques appartenant à $\left]\frac{30}{1+\pi}, 30\right[$:

- $A'(r)$ existe toujours.
- $A'(r) = 0 \Leftrightarrow 30 - 2r = 0 \Leftrightarrow -2r = -30 \Leftrightarrow r = 15$.

CHAPITRE 5

Construisons le tableau des signes de $A'(r)$ sur $\left[\frac{30}{1+\pi}, 30\right[$:

		$\left]\frac{30}{1+\pi}, 15\right[$		**]15, 30[**
r	$\frac{30}{1+\pi}$		**15**	
$A'(r)$		+	0	−
$A(r)$	$\frac{900\pi}{(1+\pi)^2}$ min. rel.	↗	225 max. rel.	↘

Alors, sur l'intervalle $\left[\frac{30}{1+\pi}, 30\right[$, la fonction $A(r) = 30r - r^2$ atteint un minimum relatif de $\frac{900\pi}{(1+\pi)^2} \approx 164{,}84$ en $r = \frac{30}{1+\pi} \approx 7{,}24$ et un maximum relatif de 225 en $r = 15$.

Vérifions si ce maximum est également le maximum absolu de la fonction $A(r)$.

Comme la fonction $A(r)$ est croissante sur $\left[\frac{30}{1+\pi}, 15\right]$ et décroissante sur $[15, 30[$, elle atteint sa plus grande valeur en $r = 15$ sur l'intervalle $\left[\frac{30}{1+\pi}, 30\right[$.

Par conséquent, la pointe de pizza dont le périmètre est de 60 cm admet une aire maximale de 225 cm^2 lorsque le rayon de la pizza est de 15 cm.

62. Le périmètre du secteur circulaire prend sa plus petite valeur de $4\sqrt{10} \approx 12{,}65$ cm lorsque le rayon est de $r = \sqrt{10} \approx 3{,}16$ cm et l'angle au centre est de
$\theta = \frac{20}{r^2} = \frac{20}{\left(\sqrt{10}\right)^2} = 2$ rad.

63. L'aire maximale du rectangle est de $\sqrt{2}e^{-1/2} \approx 0{,}86$ unité^2 lorsque sa base est de $\sqrt{2} \approx 1{,}41$ unité et sa hauteur est de $e^{-1/2} \approx 0{,}61$ unité.

64. L'aire maximale du rectangle est de $e^{-1} \approx 0{,}37$ unité^2 lorsque les coordonnées des sommets du rectangle sont $(0, 0)$, $(e^{-1}, 0)$, $(0, 1)$ et $(e^{-1}, 1)$.

65. a) Soit $Q(x, y)$ un point de la courbe décrite par la fonction $f(x) = \sqrt{x}$. La distance entre les points $P(4, 0)$ et $Q(x, y)$ est donnée par

$$D = \sqrt{(x-4)^2 + (y-0)^2} = \sqrt{(x-4)^2 + y^2}$$

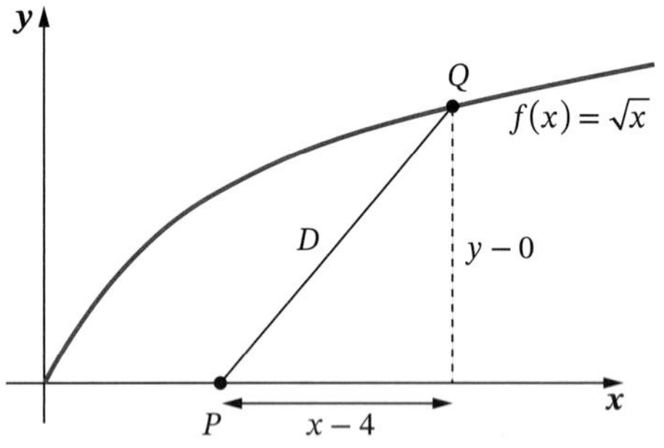

On veut minimiser $D = \sqrt{(x-4)^2 + y^2}$. Exprimons D en fonction d'une seule variable.

Comme $Q(x, y)$ est un point de la courbe, on a $y = f(x) = \sqrt{x}$. Par conséquent,

$$D = \sqrt{(x-4)^2 + y^2} = \sqrt{(x-4)^2 + \left(\sqrt{x}\right)^2}$$
$$= \sqrt{x^2 - 8x + 16 + x} = \sqrt{x^2 - 7x + 16}$$

Puisque la fonction $f(x) = \sqrt{x}$ n'est définie que sur l'intervalle $[0, \infty[$, alors l'abscisse du point $Q(x, y)$ appartient à cet intervalle.

On veut donc minimiser la fonction $D(x) = \sqrt{x^2 - 7x + 16}$, où $x \in [0, \infty[$. Or,

$$D'(x) = \frac{d}{dx}(x^2 - 7x + 16)^{1/2} = \frac{1}{2}(x^2 - 7x + 16)^{-1/2}\frac{d}{dx}(x^2 - 7x + 16)$$
$$= \frac{1}{2\sqrt{x^2 - 7x + 16}}(2x - 7) = \frac{2x - 7}{2\sqrt{x^2 - 7x + 16}}$$

Déterminons les valeurs critiques appartenant à $]0, \infty[$:

- $D'(x)$ existe toujours, car $2\underbrace{\sqrt{x^2 - 7x + 16}}_{D} \neq 0$ pour tout $x \in]0, \infty[$. En effet, $D \neq 0$ pour tout $x \in]0, \infty[$ puisque le point $P(4, 0)$ n'est pas sur la courbe décrite par la fonction $f(x) = \sqrt{x}$.
- $D'(x) = 0 \Leftrightarrow 2x - 7 = 0 \Leftrightarrow 2x = 7 \Leftrightarrow x = \frac{7}{2}$.

Construisons le tableau des signes de $D'(x)$ sur $[0, \infty[$:

		$]0, 7/2[$		$]7/2, \infty[$
x	0		$7/2$	
$D'(x)$		$-$	0	$+$
$D(x)$	4 max. rel.	↘	$\sqrt{15}/2$ min. rel.	↗

Par conséquent, sur l'intervalle $[0, \infty[$, la fonction $D(x) = \sqrt{x^2 - 7x + 16}$ atteint un maximum relatif de 4 en $x = 0$ et un minimum relatif de $\frac{\sqrt{15}}{2} \approx 1{,}94$ en $x = \frac{7}{2}$. Vérifions si ce minimum est également le minimum absolu de la fonction $D(x)$. Comme la fonction $D(x)$ est décroissante sur $\left[0, \frac{7}{2}\right]$ et croissante sur $\left[\frac{7}{2}, \infty\right[$, elle atteint sa plus petite valeur en $x = \frac{7}{2}$ sur l'intervalle $[0, \infty[$.

Or, $f\left(\frac{7}{2}\right) = \sqrt{\frac{7}{2}}$, de sorte que le point $Q\left(\frac{7}{2}, \sqrt{\frac{7}{2}}\right)$ est le point de la courbe décrite par la fonction $f(x) = \sqrt{x}$ qui est le plus proche du point $P(4, 0)$. La distance entre ces deux points est de $\frac{\sqrt{15}}{2} \approx 1{,}94$ unité.

b) Le point $Q(5, 5)$ est le point de la courbe décrite par la fonction $f(x) = \sqrt{2x + 15}$ qui est le plus proche du point $P(6, 0)$. La distance entre ces deux points est de $\sqrt{26} \approx 5{,}1$ unités.

c) Le point $Q(2\sqrt{2}, 2\sqrt{2})$ est le point de la courbe décrite par la fonction $f(x) = \frac{8}{x}$ (où $x > 0$) qui est le plus proche du point $P(0, 0)$. La distance entre ces deux points est de 4 unités.

66. La plus courte distance séparant les deux voitures est de $\sqrt{\frac{9}{34}} \approx 0{,}514$ km (ou 514 m), lorsque $t = \frac{1}{68}$ h, soit environ 52,9 s après que la voiture se dirigeant dans l'axe ouest-est a franchi l'intersection.

67. a) Comme $x(0) = 0$, l'objet X est initialement situé à l'origine.

b) $\frac{dx}{dt} = \frac{d}{dt}(t) = 1$ m/min $\Rightarrow \left.\frac{dx}{dt}\right|_{t=0{,}75} = 1$ m/min

c) Comme $y(0) = 0^2 - 2 = -2$, l'objet Y est initialement situé 2 m en dessous de l'origine.

d) $\frac{dy}{dt} = \frac{d}{dt}(t^2 - 2) = (2t)$ m/min $\Rightarrow \left.\frac{dy}{dt}\right|_{t=0{,}75} = 1{,}5$ m/min

e) $D(t) = \sqrt{[x(t)]^2 + [y(t)]^2} = \sqrt{t^2 + (t^2 - 2)^2} = \sqrt{t^2 + t^4 - 4t^2 + 4} = \sqrt{t^4 - 3t^2 + 4}$

f) La plus courte distance séparant les deux objets est de $\frac{\sqrt{7}}{2} \approx 1{,}32$ m, après $t = \frac{\sqrt{6}}{2} \approx 1{,}22$ min.

68. La distance minimale de 2 m par rapport à l'origine est atteinte pour la première fois lorsque $t = \frac{7\pi}{12} \approx 1{,}83$ s.

69. Soit x la distance (en mètres) entre le bas de l'échelle et la clôture, et L la longueur (en mètres) de l'échelle.

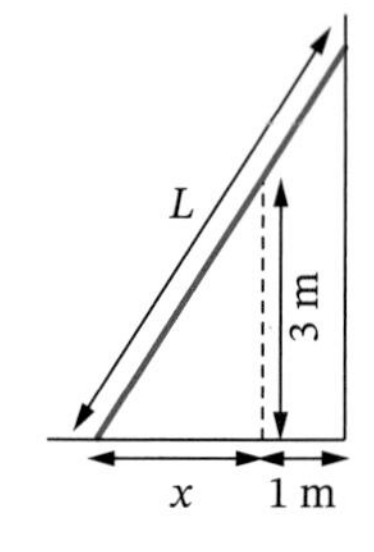

On veut minimiser L. En vertu du théorème de Pythagore, l'hypoténuse du petit triangle est donnée par $\sqrt{x^2+9}$.

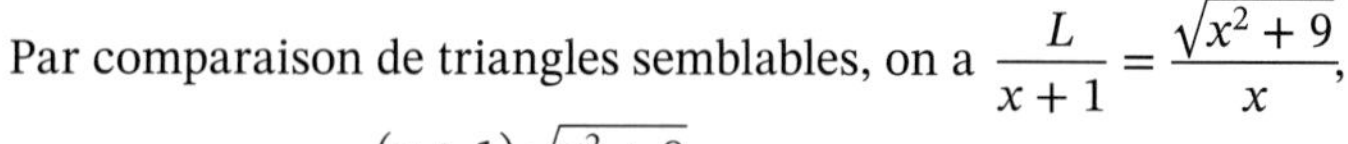

Par comparaison de triangles semblables, on a $\dfrac{L}{x+1} = \dfrac{\sqrt{x^2+9}}{x}$,

de sorte que $L = \dfrac{(x+1)\sqrt{x^2+9}}{x}$, où $x > 0$. Or,

$$L'(x) = \frac{d}{dx}\left[\frac{(x+1)\sqrt{x^2+9}}{x}\right] = \frac{x\frac{d}{dx}\left[(x+1)\sqrt{x^2+9}\right] - (x+1)\sqrt{x^2+9}\,\frac{d}{dx}(x)}{x^2}$$

$$= \frac{x\left[(x+1)\frac{d}{dx}(x^2+9)^{1/2} + \sqrt{x^2+9}\,\frac{d}{dx}(x+1)\right] - (x+1)\sqrt{x^2+9}}{x^2}$$

$$= \frac{x\left[(x+1)\frac{1}{2}(x^2+9)^{-1/2}\frac{d}{dx}(x^2+9) + \sqrt{x^2+9}\right] - x\sqrt{x^2+9} - \sqrt{x^2+9}}{x^2}$$

$$= \frac{x\left[\frac{x+1}{\cancel{2}\sqrt{x^2+9}}(\cancel{2}x)\right] + \cancel{x\sqrt{x^2+9}} - \cancel{x\sqrt{x^2+9}} - \sqrt{x^2+9}}{x^2}$$

$$= \frac{x\left[\frac{x(x+1)}{\sqrt{x^2+9}}\right] - \frac{\sqrt{x^2+9}\,\sqrt{x^2+9}}{\sqrt{x^2+9}}}{x^2} = \frac{\frac{x^2(x+1) - (x^2+9)}{\sqrt{x^2+9}}}{x^2}$$

$$= \frac{x^3 + \cancel{x^2} - \cancel{x^2} - 9}{\sqrt{x^2+9}} \cdot \frac{1}{x^2} = \frac{x^3-9}{x^2\sqrt{x^2+9}}$$

Déterminons les valeurs critiques appartenant à $]0, \infty[$:

- $L'(x)$ existe toujours, car $x^2 \neq 0$ et $x^2 + 9 > 0$ pour tout $x \in \,]0, \infty[$.
- $L'(x) = 0 \Leftrightarrow x^3 - 9 = 0 \Leftrightarrow x^3 = 9 \Leftrightarrow x = \sqrt[3]{9}$.

Construisons le tableau des signes de $L'(x)$ sur $]0, \infty[$:

	$]0, \sqrt[3]{9}[$		$]\sqrt[3]{9}, \infty[$
x		$\sqrt[3]{9}$	
$L'(x)$	−	0	+
$L(x)$	↘	≈ 5,41 min. rel.	↗

Par conséquent, sur l'intervalle $]0, \infty[$, la fonction $L = \dfrac{(x+1)\sqrt{x^2+9}}{x}$ atteint un minimum relatif d'environ 5,41 en $x = \sqrt[3]{9}$. Vérifions si ce minimum est également le minimum absolu de la fonction $L(x)$.

Comme la fonction $L(x)$ est décroissante sur $]0, \sqrt[3]{9}]$ et croissante sur $[\sqrt[3]{9}, \infty[$, elle atteint sa plus petite valeur en $x = \sqrt[3]{9} \approx 2{,}1$ sur l'intervalle $]0, \infty[$.

Par conséquent, la longueur de la plus courte échelle est d'environ 5,41 m. Le bas de l'échelle est alors en contact avec le sol à environ 2,1 m de la clôture, soit à environ 3,1 m du mur de l'immeuble.

70. La longueur de la plus longue tige métallique non flexible qu'on peut transporter horizontalement d'un couloir à l'autre est d'environ 7,02 m.

71. Le rythme de transformation d'une substance A en une substance X le plus rapide est de $\frac{ka^2}{4}$ lorsque $x = \frac{a}{2}$, soit lorsque la quantité du catalyseur correspond à la moitié de la quantité initiale du produit A.

CHAPITRE 5

72. Dans le cas de la circulation sanguine, le nombre de Reynolds atteint sa valeur maximale de $A \ln\left(\frac{A}{B}\right) - A$ lorsque $r = \frac{A}{B}$.

73. a) La réaction maximale au médicament est de $\frac{4ab^3}{27}$ lorsque la dose de médicament est de $q = \frac{2}{3}b$.

b) La sensibilité maximale au médicament est de $\frac{ab^2}{3}$ lorsque la dose de médicament est de $q = \frac{1}{3}b$.

74. Dans le modèle de Ricker, on veut maximiser $y = axe^{-bx}$, où $x \in \,]0, \infty[$. Or,

$$\begin{aligned}\frac{dy}{dx} &= \frac{d}{dx}(axe^{-bx}) = a\left[x\frac{d}{dx}(e^{-bx}) + e^{-bx}\frac{d}{dx}(x)\right]\\ &= a\left[xe^{-bx}\frac{d}{dx}(-bx) + e^{-bx}\right] = a\left(-bxe^{-bx} + e^{-bx}\right)\\ &= ae^{-bx}(1 - bx)\end{aligned}$$

Déterminons les valeurs critiques appartenant à $]0, \infty[$:

- $\frac{dy}{dx}$ existe toujours.
- Comme $a > 0$ et $b > 0$, on a $ae^{-bx} > 0$ pour tout $x \in \,]0, \infty[$. Par conséquent, $\frac{dy}{dx} = 0 \Leftrightarrow 1 - bx = 0 \Leftrightarrow -bx = -1 \Leftrightarrow x = \frac{1}{b}$.

Construisons le tableau des signes de $\frac{dy}{dx}$ sur $]0, \infty[$:

	$]0, 1/b[$		$]1/b, \infty[$
x		$1/b$	
$\frac{dy}{dx}$	+	0	−
y	↗	$a/b\, e^{-1}$ max. rel.	↘

Par conséquent, sur l'intervalle $]0, \infty[$, la fonction $y = axe^{-bx}$ atteint un maximum relatif de $\frac{a}{b}e^{-1}$ en $x = \frac{1}{b}$. Vérifions si ce maximum est également le maximum absolu de la fonction $y = axe^{-bx}$.

Comme la fonction $y = axe^{-bx}$ est croissante sur $\left]0, \frac{1}{b}\right]$ et décroissante sur $\left[\frac{1}{b}, \infty\right[$, elle atteint sa plus grande valeur en $x = \frac{1}{b}$ sur l'intervalle $]0, \infty[$.

Par conséquent, selon le modèle de Ricker, le nombre de poissons dans le site de reproduction sera maximal dans 1 an si on y dénombre actuellement $x = \frac{1}{b}$ individus.

Selon le modèle de Shepherd, le nombre de poissons dans le site de reproduction sera maximal dans 1 an si on y dénombre actuellement $x = \frac{1}{b}$ individus.

75. a) Puisque $a > 0$ et $0 < x < 1$, alors $\ln x < 0$ et $v(x) = -ax^2 \ln x > 0$.

b) Quand x s'approche de 0 par la droite $(x \to 0^+)$,

x	0,001	0,01	0,1
$\frac{v(x)}{a}$	0,000 007	0,000 461	0,023 026

$\frac{v(x)}{a}$ s'approche de 0.

Alors, $\lim\limits_{x\to 0^+} \frac{v(x)}{a} = 0$, d'où $\lim\limits_{x\to 0^+} v(x) = \lim\limits_{x\to 0^+} \frac{av(x)}{a} = a \lim\limits_{x\to 0^+} \frac{v(x)}{a} = 0$.

c) 0

d) La fonction $v(x)$ atteint sa valeur maximale en $x = e^{-1/2} \approx 0{,}61$, qui est une valeur voisine de celle observée dans les fibres nerveuses.

76. La dépense énergétique est minimale lorsque le poisson se déplace à une vitesse de $v = \frac{av_c}{a-1}$.

77. On veut minimiser la fonction $C(x) = \frac{a}{x^2} + \frac{b}{(6-x)^2}$, où $x \in \,]0, 6[$. Or,

$$\begin{aligned} C'(x) &= \frac{d}{dx}\left[\frac{a}{x^2} + \frac{b}{(6-x)^2}\right] = \frac{d}{dx}\left[ax^{-2} + b(6-x)^{-2}\right] \\ &= -2ax^{-3} - 2b(6-x)^{-3}\frac{d}{dx}(6-x) \\ &= -2ax^{-3} + 2b(6-x)^{-3} = \frac{-2a}{x^3} + \frac{2b}{(6-x)^3} \\ &= \frac{-2a(6-x)^3 + 2bx^3}{x^3(6-x)^3} \end{aligned}$$

Déterminons les valeurs critiques appartenant à $]0, 6[$:

- $C'(x)$ existe toujours puisque $x^3 \neq 0$ et $(6-x)^3 \neq 0$ lorsque $x \in \,]0, 6[$.
- $C'(x) = 0 \Leftrightarrow -2a(6-x)^3 + 2bx^3 = 0 \Leftrightarrow 2bx^3 = 2a(6-x)^3$

$$\begin{aligned} &\Leftrightarrow \frac{\not{2}b}{\not{2}a} = \frac{(6-x)^3}{x^3} \Leftrightarrow \frac{b}{a} = \left(\frac{6-x}{x}\right)^3 \Leftrightarrow \sqrt[3]{\frac{b}{a}} = \frac{6-x}{x} \\ &\Leftrightarrow \frac{\sqrt[3]{b}}{\sqrt[3]{a}}x = 6 - x \Leftrightarrow \left(1 + \frac{\sqrt[3]{b}}{\sqrt[3]{a}}\right)x = 6 \\ &\Leftrightarrow \left(\frac{\sqrt[3]{a} + \sqrt[3]{b}}{\sqrt[3]{a}}\right)x = 6 \Leftrightarrow x = \frac{6\sqrt[3]{a}}{\sqrt[3]{a} + \sqrt[3]{b}} \end{aligned}$$

De plus,

$$\begin{aligned} C''(x) &= \frac{d}{dx}\left[-2ax^{-3} + 2b(6-x)^{-3}\right] = 6ax^{-4} - 6b(6-x)^{-4}\frac{d}{dx}(6-x) \\ &= 6ax^{-4} + 6b(6-x)^{-4} \end{aligned}$$

Comme a et b sont positifs, $C''(x) = 6ax^{-4} + 6b(6-x)^{-4} > 0$ pour tout $x \in \,]0, 6[$, et en particulier pour $x = \frac{6\sqrt[3]{a}}{\sqrt[3]{a} + \sqrt[3]{b}}$, de sorte que la fonction $C(x) = \frac{a}{x^2} + \frac{b}{(6-x)^2}$ admet un minimum relatif en $x = \frac{6\sqrt[3]{a}}{\sqrt[3]{a} + \sqrt[3]{b}}$.

Comme il n'y a qu'une seule valeur critique et que la fonction $C(x)$ est continue sur l'intervalle $]0, 6[$ (puisqu'elle est la somme de deux fonctions rationnelles dont les dénominateurs ne s'annulent pas sur cet intervalle), ce minimum relatif est un minimum absolu.

Par conséquent, la chaleur est la plus faible à une distance $x = \frac{6\sqrt[3]{a}}{\sqrt[3]{a} + \sqrt[3]{b}}$ m de la source A.

78. a) $Q(0) = 0$: initialement, soit en $t = 0$ h, on ne trouve aucune trace du médicament dans le sang puisqu'il n'a pas encore été injecté.

b) Comme $a > 0$ et $b > 0$, on a $\underbrace{\lim_{t\to\infty} e^{-at}}_{\text{forme } e^{-\infty}} = 0$ et $\underbrace{\lim_{t\to\infty} e^{-bt}}_{\text{forme } e^{-\infty}} = 0$.

Par conséquent, $\lim_{t\to\infty} Q(t) = \lim_{t\to\infty}\left[\frac{c}{b-a}\left(e^{-at} - e^{-bt}\right)\right] = \frac{c}{b-a}(0 - 0) = 0$.

À long terme, la concentration du médicament dans le sang devient nulle puisque le médicament s'élimine naturellement du corps humain.

c) On a $Q'(t) = \frac{c}{b-a}\left(-ae^{-at} + be^{-bt}\right)$. Il s'agit du rythme auquel la concentration du médicament varie dans le sang.

CHAPITRE 5

d) $Q''(t) = \dfrac{c}{b-a}\left(a^2e^{-at} - b^2e^{-bt}\right)$

e) La fonction $Q(t)$ n'admet qu'une seule valeur critique sur $[0, \infty[$, soit $t = \frac{\ln b - \ln a}{b-a}$.

f) La concentration du médicament dans le sang est maximale environ 1,91 h après l'injection du médicament.

79. a) $n(0) = 1$: au départ, il doit y avoir une première personne qui adopte la nouvelle technologie.

b) Comme $k > 0$, on a $\underbrace{\lim_{t\to\infty} e^{-kt}}_{\text{forme } e^{-\infty}} = 0$. Par conséquent,

$$\lim_{t\to\infty} n(t) = \underbrace{\lim_{t\to\infty} \frac{N}{1+(N-1)e^{-kt}}}_{\text{forme } \frac{N}{1+(N-1)e^{-\infty}}} = \frac{N}{1+(N-1)(0)} = N$$

À long terme, le changement technologique atteindra l'ensemble de la population.

c) $\dfrac{dn}{dt} = \dfrac{N(N-1)ke^{-kt}}{\left[1+(N-1)e^{-kt}\right]^2}$ personnes/unité de temps

d) La vitesse maximale de propagation se produit au temps $t = \frac{\ln(N-1)}{k}$.

80. La valeur de l'angle apical qui minimise l'aire latérale de l'alvéole est de

$\theta = \arccos\left(\frac{\sqrt{3}}{3}\right) \approx 0{,}955$ rad.

81. La luminosité au point R est maximale lorsque la source lumineuse est située à une hauteur de $10\sqrt{2} \approx 14{,}14$ cm au-dessus du sol.

82. Le schéma suivant décrit la situation du problème.

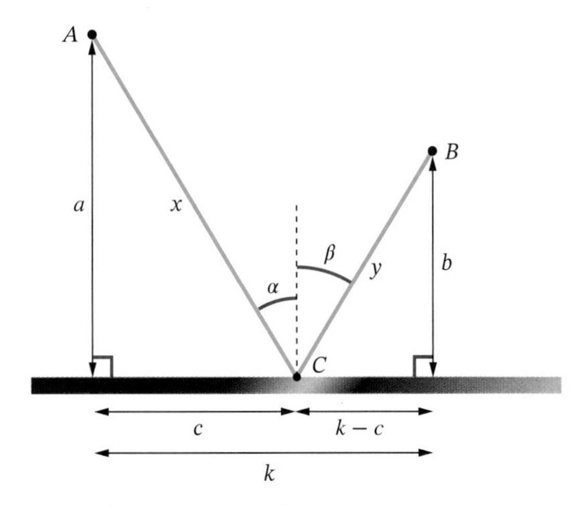

Par le théorème de Pythagore, on a

$$x^2 = a^2 + c^2 \Rightarrow x = \sqrt{a^2+c^2} \quad (\text{car } x > 0)$$

$$y^2 = b^2 + (k-c)^2 \Rightarrow y = \sqrt{b^2+(k-c)^2} \quad (\text{car } y > 0)$$

Si v représente la vitesse du faisceau lumineux et si t_1 représente le temps requis pour que le faisceau lumineux passe du point A au point C, alors

$$v = \frac{x}{t_1} \Rightarrow v = \frac{\sqrt{a^2+c^2}}{t_1} \Rightarrow t_1 = \frac{\sqrt{a^2+c^2}}{v}$$

De même, si t_2 représente le temps requis pour que le faisceau lumineux passe du point C au point B, alors $v = \dfrac{y}{t_2} \Rightarrow v = \dfrac{\sqrt{b^2+(k-c)^2}}{t_2} \Rightarrow t_2 = \dfrac{\sqrt{b^2+(k-c)^2}}{v}$.

CHAPITRE 5

Par conséquent, le temps t requis pour que la lumière passe de A à B est

$$t = t_1 + t_2 = \frac{\sqrt{a^2 + c^2}}{v} + \frac{\sqrt{b^2 + (k-c)^2}}{v} = \frac{1}{v}\sqrt{a^2 + c^2} + \frac{1}{v}\sqrt{b^2 + (k-c)^2}$$

On a alors

$$\begin{aligned}
\frac{dt}{dc} &= \frac{d}{dc}\left[\frac{1}{v}\sqrt{a^2 + c^2} + \frac{1}{v}\sqrt{b^2 + (k-c)^2}\right] \\
&= \frac{1}{2v}(a^2 + c^2)^{-1/2}\frac{d}{dc}(a^2 + c^2) + \frac{1}{2v}\left[b^2 + (k-c)^2\right]^{-1/2}\frac{d}{dc}\left[b^2 + (k-c)^2\right] \\
&= \frac{1}{\cancel{2}v\sqrt{a^2 + c^2}}(\cancel{2}c) + \frac{1}{\cancel{2}v\sqrt{b^2 + (k-c)^2}}\left[\cancel{2}(k-c)\frac{d}{dc}(k-c)\right] \\
&= \frac{c}{v\sqrt{a^2 + c^2}} + \frac{k-c}{v\sqrt{b^2 + (k-c)^2}}(-1) \\
&= \frac{1}{v}\left[\frac{c}{\sqrt{a^2 + c^2}} - \frac{k-c}{\sqrt{b^2 + (k-c)^2}}\right]
\end{aligned}$$

De plus, $\sin\alpha = \frac{c}{x} = \frac{c}{\sqrt{a^2 + c^2}}$ et $\sin\beta = \frac{k-c}{y} = \frac{k-c}{\sqrt{b^2 + (k-c)^2}}$, de sorte que $\frac{dt}{dc} = \frac{1}{v}(\sin\alpha - \sin\beta)$.

Comme $\alpha \in \left]0, \frac{\pi}{2}\right[$ et $\beta \in \left]0, \frac{\pi}{2}\right[$, on a

$$\frac{dt}{dc} = 0 \Leftrightarrow \sin\alpha - \sin\beta = 0 \Leftrightarrow \sin\alpha = \sin\beta \Leftrightarrow \alpha = \beta$$

Par conséquent, le temps de parcours est minimal lorsque l'angle d'incidence α et l'angle de réflexion β sont égaux.

83. a) Si t_1 représente le temps requis pour que le faisceau lumineux passe du point A au point C, et si t_2 représente le temps requis pour que le faisceau lumineux passe du point C au point B, alors le temps t requis pour que la lumière passe de A à B est

$$t = t_1 + t_2 = \frac{\sqrt{a^2 + c^2}}{v_a} + \frac{\sqrt{b^2 + (k-c)^2}}{v_e}.$$

b) On a $\frac{dt}{dc} = \frac{c}{v_a\sqrt{a^2 + c^2}} - \frac{k-c}{v_e\sqrt{b^2 + (k-c)^2}}$. De plus, en vertu de la trigonométrie du triangle rectangle, $\sin\alpha = \frac{c}{\sqrt{a^2 + c^2}}$ et $\sin\beta = \frac{k-c}{\sqrt{b^2 + (k-c)^2}}$, de sorte que $\frac{dt}{dc} = \frac{\sin\alpha}{v_a} - \frac{\sin\beta}{v_e}$, d'où $\frac{dt}{dc} = 0$ lorsque $\frac{\sin\alpha}{\sin\beta} = \frac{v_a}{v_e}$.

Par conséquent, le temps est minimal lorsque l'angle d'incidence α et l'angle de réfraction β satisfont à la loi de Snell.

CHAPITRE 6

1. a) $\text{Dom}_f = \mathbb{R}\backslash\{0, 3\}$

b) La fonction $f(x) = \frac{3x + 4}{e^{-x} - 2}$ est définie lorsque son dénominateur est non nul. Alors,

$$\begin{aligned}
f(x) \text{ est définie } &\Leftrightarrow e^{-x} - 2 \neq 0 \Leftrightarrow e^{-x} \neq 2 \Leftrightarrow -x \neq \ln 2 \\
&\Leftrightarrow x \neq -\ln 2 \Leftrightarrow x \neq \ln(2^{-1}) \Leftrightarrow x \neq \ln\left(\tfrac{1}{2}\right)
\end{aligned}$$

Par conséquent, $\text{Dom}_f = \mathbb{R}\backslash\{-\ln 2\}$ ou $\text{Dom}_f = \mathbb{R}\backslash\left\{\ln\left(\frac{1}{2}\right)\right\}$.

c) $\text{Dom}_f = \mathbb{R}$

d) La fonction $f(x) = \sqrt[4]{-2x+5}$ est une racine paire et est définie seulement si la quantité sous le radical n'est pas négative. Alors,

$$f(x) \text{ est définie } \Leftrightarrow -2x+5 \geq 0 \Leftrightarrow -2x \geq -5 \Leftrightarrow x \leq \tfrac{5}{2}$$

Par conséquent, $\text{Dom}_f = \left]-\infty, \frac{5}{2}\right]$.

e) $\text{Dom}_f =]-\infty, -3] \cup [3, \infty[$ ou $\text{Dom}_f = \mathbb{R}\backslash]-3, 3[$.

f) $\text{Dom}_f = \mathbb{R}\backslash\{-3, 3\}$

g) On a $f(x) = \log_2(x^3+8)$. On ne peut évaluer le logarithme d'une quantité que si elle est positive. Alors,

$$f(x) \text{ est définie } \Leftrightarrow x^3+8>0 \Leftrightarrow x^3>-8 \Leftrightarrow x>-2$$

Par conséquent, $\text{Dom}_f =]-2, \infty[$.

h) $\text{Dom}_f =]-4, 4[$

i) $\text{Dom}_f =]-\infty, -1[\cup]1, \infty[$ ou $\text{Dom}_f = \mathbb{R}\backslash[-1, 1]$.

j) La fonction $f(x) = x - \sec x = x - \dfrac{1}{\cos x} = \dfrac{x\cos x - 1}{\cos x}$ est définie lorsque son dénominateur est non nul. Alors,

$$f(x) \text{ est définie } \Leftrightarrow \cos x \neq 0 \Leftrightarrow x \neq (2k+1)\tfrac{\pi}{2} \text{ où } k \in \mathbb{Z}$$

Par conséquent, $\text{Dom}_f = \mathbb{R}\backslash\left\{(2k+1)\dfrac{\pi}{2}\middle| k \in \mathbb{Z}\right\}$.

2. a) Asymptote verticale : aucune.
Asymptote horizontale : $y=0$.

b) Asymptote verticale : $x=0$.
Asymptote horizontale : aucune.

c) Trouvons les valeurs de x qui annulent le dénominateur de $f(x) = \dfrac{x^2-3x}{9-x^2}$:

$$9-x^2=0 \Leftrightarrow (3-x)(3+x)=0 \Leftrightarrow 3-x=0 \text{ ou } 3+x=0$$
$$\Leftrightarrow x=3 \text{ ou } x=-3$$

Les deux seules valeurs de x qui annulent le dénominateur de $f(x)$ sont $x=-3$ et $x=3$.

Étudions le comportement de la fonction $f(x)$ autour de $x=-3$:

$$\lim_{x\to-3^-} f(x) = \lim_{x\to-3^-} \frac{x^2-3x}{9-x^2} = \underbrace{\lim_{x\to-3^-} \frac{x^2-3x}{(3-x)(3+x)}}_{\text{forme } \frac{18}{0^-}} = -\infty$$

et

$$\lim_{x\to-3^+} f(x) = \lim_{x\to-3^+} \frac{x^2-3x}{9-x^2} = \underbrace{\lim_{x\to-3^+} \frac{x^2-3x}{(3-x)(3+x)}}_{\text{forme } \frac{18}{0^+}} = \infty$$

Par conséquent, la droite $x=-3$ est une asymptote verticale à la courbe décrite par la fonction $f(x) = \dfrac{x^2-3x}{9-x^2}$.

Étudions le comportement de la fonction $f(x)$ autour de $x=3$:

$$\lim_{x\to3} f(x) = \underbrace{\lim_{x\to3} \frac{x^2-3x}{9-x^2}}_{\text{forme } \frac{0}{0}} \overset{\text{H}}{=} \lim_{x\to3} \frac{2x-3}{-2x} = \frac{3}{-6} = -\frac{1}{2}$$

Comme cette limite ne donne ni ∞ ni $-\infty$, la droite $x=3$ n'est pas une asymptote verticale à la courbe décrite par la fonction $f(x)$. On observe plutôt une discontinuité non essentielle par trou en $x=3$.

Par ailleurs,

$$\lim_{x\to-\infty} f(x) = \underbrace{\lim_{x\to-\infty} \frac{x^2-3x}{9-x^2}}_{\text{forme } \frac{\infty}{-\infty}} \overset{\text{H}}{=} \underbrace{\lim_{x\to-\infty} \frac{2x-3}{-2x}}_{\text{forme } \frac{-\infty}{\infty}} \overset{\text{H}}{=} \lim_{x\to-\infty} \frac{2}{-2} = -1$$

CHAPITRE 6

et

$$\lim_{x\to\infty} f(x) = \underbrace{\lim_{x\to\infty} \frac{x^2 - 3x}{9 - x^2}}_{\text{forme } \frac{\infty}{-\infty}} \overset{\text{H}}{=} \underbrace{\lim_{x\to\infty} \frac{2x - 3}{-2x}}_{\text{forme } \frac{\infty}{-\infty}} \overset{\text{H}}{=} \lim_{x\to\infty} \frac{2}{-2} = -1$$

Par conséquent, la droite $y = -1$ est l'asymptote horizontale à la courbe décrite par la fonction $f(x) = \dfrac{x^2 - 3x}{9 - x^2}$.

d) Asymptotes verticales : $x = -\frac{3}{2}$ et $x = 2$.
Asymptote horizontale : $y = 0$.

e) Asymptote verticale : $x = 3$.
Asymptote horizontale : $y = 4$.

f) Asymptote verticale : $x = -\frac{1}{3}$.
Asymptotes horizontales : $y = -\frac{4}{3}$ et $y = \frac{4}{3}$.

g) Trouvons les valeurs de x qui annulent l'argument du logarithme de la fonction $f(x) = \ln(32 - 2x^2)$.

$$32 - 2x^2 = 0 \Leftrightarrow 2(16 - x^2) = 0 \Leftrightarrow 2(4 - x)(4 + x) = 0$$
$$\Leftrightarrow 4 - x = 0 \text{ ou } 4 + x = 0 \Leftrightarrow x = 4 \text{ ou } x = -4$$

Les deux seules valeurs de x qui annulent l'argument du logarithme de la fonction $f(x) = \ln(32 - 2x^2)$ sont $x = -4$ et $x = 4$.

Étudions le comportement de $f(x)$ à droite de $x = -4$ puisqu'on a déterminé au numéro 1 *h* que $\text{Dom}_f =]-4, 4[$:

$$\lim_{x\to -4^+} f(x) = \lim_{x\to -4^+} \ln(32 - 2x^2) = \underbrace{\lim_{x\to -4^+} \ln[2(4 - x)(4 + x)]}_{\text{forme } \ln(0^+)} = -\infty$$

Par conséquent, la droite $x = -4$ est une asymptote verticale à la courbe décrite par la fonction $f(x) = \ln(32 - 2x^2)$.

Étudions le comportement de $f(x)$ à gauche de $x = 4$ puisqu'on a déterminé au numéro 1 *h* que $\text{Dom}_f =]-4, 4[$:

$$\lim_{x\to 4^-} f(x) = \lim_{x\to 4^-} \ln(32 - 2x^2) = \underbrace{\lim_{x\to 4^-} \ln[2(4 - x)(4 + x)]}_{\text{forme } \ln(0^+)} = -\infty$$

Par conséquent, la droite $x = 4$ est aussi une asymptote verticale à la courbe décrite par la fonction $f(x) = \ln(32 - 2x^2)$.

Par ailleurs, comme $\text{Dom}_f =]-4, 4[$, il n'est pas pertinent d'évaluer $\lim\limits_{x\to\infty} f(x)$ et $\lim\limits_{x\to-\infty} f(x)$. La fonction $f(x) = \ln(32 - 2x^2)$ n'admet donc pas d'asymptote horizontale.

h) Asymptotes verticales : $x = -1$ et $x = 1$.
Asymptote horizontale : aucune.

i) Asymptote verticale : $x = 1$.
Asymptotes horizontales : $y = 0$ et $y = 1$.

j) Trouvons les valeurs de x qui annulent le dénominateur de la fonction $f(x) = \dfrac{e^x + e^{-x}}{e^x - e^{-x}}$:

$$e^x - e^{-x} = 0 \Leftrightarrow e^x = e^{-x} \Leftrightarrow x = -x \Leftrightarrow 2x = 0 \Leftrightarrow x = 0$$

Alors, $x = 0$ est la seule valeur de x qui annule le dénominateur de la fonction $f(x)$. On a

$$\lim_{x\to 0^-} f(x) = \underbrace{\lim_{x\to 0^-} \frac{e^x + e^{-x}}{e^x - e^{-x}}}_{\text{forme } \frac{2}{0^-}} = -\infty \text{ et } \lim_{x\to 0^+} f(x) = \underbrace{\lim_{x\to 0^+} \frac{e^x + e^{-x}}{e^x - e^{-x}}}_{\text{forme } \frac{2}{0^+}} = \infty$$

Par conséquent, la droite $x = 0$ est l'asymptote verticale à la courbe décrite par la fonction $f(x) = \frac{e^x + e^{-x}}{e^x - e^{-x}}$.

Par ailleurs, en effectuant une mise en évidence au numérateur et au dénominateur (puisque la règle de L'Hospital ne permet pas d'évaluer ces limites), on obtient

$$\lim_{x\to-\infty} f(x) = \underbrace{\lim_{x\to-\infty} \frac{e^x + e^{-x}}{e^x - e^{-x}}}_{\text{forme } \frac{e^{-\infty}+e^{\infty}}{e^{-\infty}-e^{\infty}} \text{ donc } \frac{\infty}{-\infty}} = \lim_{x\to-\infty} \frac{\cancel{e^{-x}}(e^{2x}+1)}{\cancel{e^{-x}}(e^{2x}-1)} = \underbrace{\lim_{x\to-\infty} \frac{e^{2x}+1}{e^{2x}-1}}_{\text{forme } \frac{e^{-\infty}+1}{e^{-\infty}-1}} = \frac{0+1}{0-1} = -1$$

et

$$\lim_{x\to\infty} f(x) = \underbrace{\lim_{x\to\infty} \frac{e^x + e^{-x}}{e^x - e^{-x}}}_{\text{forme } \frac{e^{\infty}+e^{-\infty}}{e^{\infty}-e^{-\infty}} \text{ donc } \frac{\infty}{\infty}} = \lim_{x\to\infty} \frac{\cancel{e^{x}}(1+e^{-2x})}{\cancel{e^{x}}(1-e^{-2x})} = \underbrace{\lim_{x\to\infty} \frac{1+e^{-2x}}{1-e^{-2x}}}_{\text{forme } \frac{1+e^{-\infty}}{1-e^{-\infty}}} = \frac{1+0}{1-0} = 1$$

Par conséquent, les droites $y = -1$ et $y = 1$ sont les asymptotes horizontales à la courbe décrite par la fonction $f(x) = \frac{e^x + e^{-x}}{e^x - e^{-x}}$.

3. a) La fonction $f(x) = 6x^2 + 13x - 5$ est toujours définie. Alors, $\text{Dom}_f = \mathbb{R}$.
On a $f(0) = 6(0)^2 + 13(0) - 5 = -5$, de sorte que l'ordonnée à l'origine de la fonction $f(x) = 6x^2 + 13x - 5$ est -5.
Pour obtenir les zéros de la fonction $f(x) = 6x^2 + 13x - 5$, on détermine les valeurs de x pour lesquelles $f(x) = 0$:

$$\begin{aligned} f(x) = 0 &\Leftrightarrow 6x^2 + 13x - 5 = 0 \\ &\Leftrightarrow x = \frac{-13 \pm \sqrt{13^2 - 4(6)(-5)}}{2(6)} = \frac{-13 \pm \sqrt{289}}{12} \\ &\Leftrightarrow x = -\tfrac{5}{2} \text{ ou } x = \tfrac{1}{3} \end{aligned}$$

Les zéros de la fonction $f(x) = 6x^2 + 13x - 5$ sont donc $x = -\frac{5}{2}$ et $x = \frac{1}{3}$.

b) Ordonnée à l'origine : aucune.
Zéro : $x = 1$.

c) Ordonnée à l'origine : -4.
Zéro : $x = -\frac{4}{3}$.

d) Pour que la fonction $f(x) = \frac{x^3 - 16x}{2x - x^2}$ soit définie, il faut que son dénominateur soit non nul. Alors,

$$\begin{aligned} f(x) \text{ est définie} &\Leftrightarrow 2x - x^2 \neq 0 \Leftrightarrow x(2 - x) \neq 0 \Leftrightarrow x \neq 0 \text{ et } 2 - x \neq 0 \\ &\Leftrightarrow x \neq 0 \text{ et } x \neq 2 \end{aligned}$$

Par conséquent, $\text{Dom}_f = \mathbb{R}\backslash\{0, 2\}$.

Comme $0 \notin \text{Dom}_f$, la fonction $f(x) = \frac{x^3 - 16x}{2x - x^2}$ n'admet pas d'ordonnée à l'origine.

Pour obtenir les zéros de la fonction $f(x) = \frac{x^3 - 16x}{2x - x^2}$, on détermine les valeurs de x pour lesquelles $f(x) = 0$:

$$\begin{aligned} f(x) = 0 &\Leftrightarrow \frac{x^3 - 16x}{2x - x^2} = 0 \Leftrightarrow x^3 - 16x = 0 \Leftrightarrow x(x^2 - 16) = 0 \\ &\Leftrightarrow x(x - 4)(x + 4) = 0 \Leftrightarrow x = 0, x - 4 = 0 \text{ ou } x + 4 = 0 \\ &\Leftrightarrow \underbrace{x = 0}_{\substack{\text{à rejeter, car} \\ 0 \notin \text{Dom}_f}}, x = 4 \text{ ou } x = -4 \end{aligned}$$

Les zéros de la fonction $f(x) = \frac{x^3 - 16x}{2x - x^2}$ sont donc $x = -4$ et $x = 4$.

CHAPITRE 6

e) Ordonnée à l'origine : 2.
Zéro : $x = -6$.

f) Pour que la fonction $f(x) = 4\sqrt{x-3} + 1$ soit définie, il faut que la quantité sous le radical soit supérieure ou égale à 0. Alors,

$$f(x) \text{ est définie } \Leftrightarrow x - 3 \geq 0 \Leftrightarrow x \geq 3$$

Par conséquent, $\text{Dom}_f = [3, \infty[$.

Comme $0 \notin \text{Dom}_f$, la fonction $f(x) = 4\sqrt{x-3} + 1$ n'admet pas d'ordonnée à l'origine.

Pour obtenir les zéros de la fonction $f(x) = 4\sqrt{x-3} + 1$, on détermine les valeurs de x pour lesquelles $f(x) = 0$:

$$f(x) = 0 \Leftrightarrow 4\sqrt{x-3} + 1 = 0 \Leftrightarrow 4\sqrt{x-3} = -1 \Leftrightarrow \sqrt{x-3} = -\frac{1}{4}$$

La dernière égalité est toujours fausse, car $\sqrt{x-3} \geq 0$ pour tout $x \in \text{Dom}_f$. La fonction $f(x) = 4\sqrt{x-3} + 1$ ne possède donc aucun zéro.

g) Ordonnée à l'origine : 4.
Zéro : $x = -1$.

h) Ordonnée à l'origine : $\frac{3}{2}$.
Zéro : aucun.

i) Ordonnée à l'origine : ln3.
Zéro : aucun.

j) Ordonnée à l'origine : aucune.
Zéro : $x = \frac{5}{2}$.

4. a) $\text{Dom}_f = \mathbb{R}\setminus\left\{\frac{1}{2}, 3\right\}$

b) La fonction admet une discontinuité essentielle infinie en $x = \frac{1}{2}$.

c) On a $\lim\limits_{x\to 3^-} f(x) = \lim\limits_{x\to 3^-} \dfrac{x^2 - 5x + 6}{2x^2 - 7x + 3} = \dfrac{1}{5}$ et $\lim\limits_{x\to 3^+} f(x) = \lim\limits_{x\to 3^+} \dfrac{8 - 2x}{5x - 5} = \dfrac{1}{5}$.

Par conséquent, $\lim\limits_{x\to 3} f(x) = \dfrac{1}{5}$. Il faut donc que $f(3) = \dfrac{1}{5} = \lim\limits_{x\to 3} f(x)$ pour que $f(x)$ soit continue en $x = 3$.

d) $x = \frac{1}{2}$

e) $y = -\frac{3}{2}$ et $y = -\frac{2}{5}$.

f) -3

g) $x = 2$ et $x = 4$.

5. a) $f'(x) = -15x^4 + 60x^2$

$f''(x) = -60x^3 + 120x = -60x(x - \sqrt{2})(x + \sqrt{2})$

Déterminons les valeurs susceptibles de produire un point d'inflexion :

- $f''(x)$ existe toujours.
- $f''(x) = 0 \Leftrightarrow -60x(x - \sqrt{2})(x + \sqrt{2}) = 0$

$$\Leftrightarrow -60x = 0, x - \sqrt{2} = 0 \text{ ou } x + \sqrt{2} = 0$$

$$\Leftrightarrow x = 0, x = \sqrt{2} \text{ ou } x = -\sqrt{2}$$

Construisons un tableau des signes :

	$]-\infty, -\sqrt{2}[$		$]-\sqrt{2}, 0[$		$]0, \sqrt{2}[$		$]\sqrt{2}, \infty[$
x		$-\sqrt{2}$		**0**		$\sqrt{2}$	
$f''(x)$	+	0	−	0	+	0	−
$f(x)$	∪	$4 - 28\sqrt{2}$ p.i.	∩	4 p.i.	∪	$4 + 28\sqrt{2}$ p.i.	∩

La fonction $f(x) = -3x^5 + 20x^3 + 4$ est concave vers le haut sur $]-\infty, -\sqrt{2}]$ et sur $[0, \sqrt{2}]$. Elle est concave vers le bas sur $[-\sqrt{2}, 0]$ et sur $[\sqrt{2}, \infty[$. Les points $(-\sqrt{2}, 4 - 28\sqrt{2})$, $(0, 4)$ et $(\sqrt{2}, 4 + 28\sqrt{2})$ sont les points d'inflexion de la fonction $f(x)$.

b) La fonction $f(x) = x^5 + 5x^4 - 3$ est concave vers le haut sur $[-3, \infty[$ et concave vers le bas sur $]-\infty, -3]$. Le point $(-3, 159)$ est le seul point d'inflexion de la fonction $f(x)$.

c) $f'(x) = \dfrac{2x}{3(x^2 - 9)^{2/3}}$ et $f''(x) = \dfrac{-2(x^2 + 27)}{9(x^2 - 9)^{5/3}}$.

Déterminons les valeurs susceptibles de produire un point d'inflexion:

- $f''(x)\nexists \Leftrightarrow 9(x^2 - 9)^{5/3} = 0 \Leftrightarrow x^2 - 9 = 0 \Leftrightarrow x^2 = 9$
  $\Leftrightarrow x = -3$ ou $x = 3$
- $f''(x) \neq 0$ pour tout $x \in \mathbb{R}$, car $x^2 + 27 \neq 0$ quelle que soit la valeur de x.

Construisons un tableau des signes:

x	$]-\infty, -3[$	-3	$]-3, 3[$	3	$]3, \infty[$
$f''(x)$	$-$	$\nexists$	$+$	$\nexists$	$-$
$f(x)$	$\cap$	0 p.i.	$\cup$	0 p.i.	$\cap$

La fonction $f(x) = \sqrt[3]{x^2 - 9}$ est concave vers le haut sur $[-3, 3]$. Elle est concave vers le bas sur $]-\infty, -3]$ et sur $[3, \infty[$. Les points $(-3, 0)$ et $(3, 0)$ sont les points d'inflexion de la fonction $f(x)$.

d) La fonction $f(x) = \dfrac{6x}{x^2 + 9}$ est concave vers le haut sur $[-3\sqrt{3}, 0]$ et sur $[3\sqrt{3}, \infty[$. Elle est concave vers le bas sur $]-\infty, -3\sqrt{3}]$ et sur $[0, 3\sqrt{3}]$. Les points $\left(-3\sqrt{3}, -\frac{\sqrt{3}}{2}\right)$, $(0, 0)$ et $\left(3\sqrt{3}, \frac{\sqrt{3}}{2}\right)$ sont les points d'inflexion de la fonction $f(x)$.

e) $f'(x) = -\dfrac{6x + 8}{(x + 2)^{1/2}}$ et $f''(x) = -\dfrac{3x + 8}{(x + 2)^{3/2}}$.

Le domaine de la fonction $f(x)$ est $\text{Dom}_f = [-2, \infty[$. Sur $]-2, \infty[$, la dérivée seconde est toujours négative, de sorte que la fonction est concave vers le bas sur son domaine et que la courbe décrite par la fonction n'admet aucun point d'inflexion.

f) La fonction $f(x) = \ln(1 + x^2)$ est concave vers le haut sur $[-1, 1]$. Elle est concave vers le bas sur $]-\infty, -1]$ et sur $[1, \infty[$. Les points $(-1, \ln 2)$ et $(1, \ln 2)$ sont les points d'inflexion de la fonction $f(x)$.

g) $f'(x) = 2e^{-3x}(-3x + 1)$ et $f''(x) = 6e^{-3x}(3x - 2)$.

Déterminons les valeurs susceptibles de produire un point d'inflexion:

- $f''(x)$ existe toujours.
- Comme $e^{-3x} > 0$ pour tout $x \in \mathbb{R}$, on a
  $f''(x) = 0 \Leftrightarrow \underbrace{6e^{-3x}}_{>0}(3x - 2) = 0 \Leftrightarrow 3x - 2 = 0 \Leftrightarrow 3x = 2 \Leftrightarrow x = \frac{2}{3}$

Construisons un tableau des signes:

x	$]-\infty, 2/3[$	$2/3$	$]2/3, \infty[$
$f''(x)$	$-$	0	$+$
$f(x)$	$\cap$	$\frac{4}{3e^2}$ p.i.	$\cup$

La fonction $f(x) = 2xe^{-3x}$ est concave vers le haut sur $\left[\frac{2}{3}, \infty\right[$ et concave vers le bas sur $\left]-\infty, \frac{2}{3}\right]$. Le point $\left(\frac{2}{3}, \frac{4}{3e^2}\right)$ est le seul point d'inflexion de la fonction $f(x)$.

h) Sur l'intervalle $\left[-\frac{\pi}{4}, \frac{\pi}{4}\right]$, la fonction $f(x) = x - \text{tg}\, x$ est concave vers le haut sur $\left[-\frac{\pi}{4}, 0\right]$ et concave vers le bas sur $\left[0, \frac{\pi}{4}\right]$. Le point $(0, 0)$ est le seul point d'inflexion de la fonction $f(x)$ sur l'intervalle $\left[-\frac{\pi}{4}, \frac{\pi}{4}\right]$.

i) Sur l'intervalle $[0, \pi]$, la fonction $f(x) = \cos^2(2x)$ est concave vers le haut sur $\left[\frac{\pi}{8}, \frac{3\pi}{8}\right]$ et sur $\left[\frac{5\pi}{8}, \frac{7\pi}{8}\right]$. Elle est concave vers le bas sur $\left[0, \frac{\pi}{8}\right]$, $\left[\frac{3\pi}{8}, \frac{5\pi}{8}\right]$ et sur $\left[\frac{7\pi}{8}, \pi\right]$. Les points $\left(\frac{\pi}{8}, \frac{1}{2}\right)$, $\left(\frac{3\pi}{8}, \frac{1}{2}\right)$, $\left(\frac{5\pi}{8}, \frac{1}{2}\right)$ et $\left(\frac{7\pi}{8}, \frac{1}{2}\right)$ sont les points d'inflexion de la fonction $f(x)$ sur l'intervalle $[0, \pi]$.

j) La fonction $f(x) = x - 2\text{arctg}x$ est concave vers le haut sur $[0, \infty[$ et concave vers le bas sur $]-\infty, 0]$. Le point $(0, 0)$ est le seul point d'inflexion de la fonction $f(x)$.

6. a) $x = x_1$, $x = x_3$ et $x = x_5$.

b) $[x_1, x_3]$ et $[x_5, b]$.

c) $[a, x_1]$ et $[x_3, x_5]$.

d) La fonction $f(x)$ atteint un maximum absolu (et relatif) en $x = a$ et des maximums relatifs en $x = x_3$ et en $x = b$.

e) La fonction $f(x)$ atteint un minimum absolu (et relatif) en $x = x_5$ et un minimum relatif en $x = x_1$.

f) $x = x_2$ et $x = x_4$.

g) $x = x_2$ et $x = x_4$.

h) $[x_2, x_4]$

i) $[a, x_2]$ et $[x_4, b]$.

7. a) $\text{Dom}_f = \mathbb{R}$

Asymptote verticale : aucune.

Asymptote horizontale : aucune.

Ordonnée à l'origine : 0.

Zéros : $x = -6$ et $x = 0$.

$f'(x) = 3x^2 + 12x = 3x(x + 4)$

Les valeurs critiques de $f(x)$ sont $x = -4$ et $x = 0$.

$f''(x) = 6x + 12 = 6(x + 2)$

La seule valeur susceptible de produire un point d'inflexion est $x = -2$.

	]−∞, −4[		**]−4, −2[**		**]−2, 0[**		**]0, ∞[**
x		**−4**		**−2**		**0**	
$f'(x)$	+	0	−	−	−	0	+
$f''(x)$	−	−	−	0	+	+	+
$f(x)$	↗(	32 max. rel.	↘)	16 p.i.	↘(	0 min. rel.	↗)

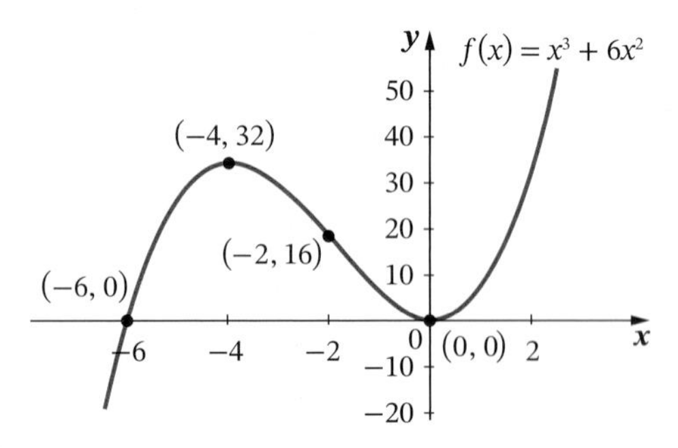

b) $\text{Dom}_f = \mathbb{R}$

Asymptote verticale : aucune.

Asymptote horizontale : aucune.

Ordonnée à l'origine : −3.

Zéros : $x = -\sqrt{3}$ et $x = \sqrt{3}$.

$f'(x) = 4x(x - 1)(x + 1)$

Les valeurs critiques de $f(x)$ sont $x = -1$, $x = 0$ et $x = 1$.

$f''(x) = 12x^2 - 4$

Les valeurs susceptibles de produire un point d'inflexion sont $x = -\frac{\sqrt{3}}{3}$ et $x = \frac{\sqrt{3}}{3}$.

x	$]-\infty, -1[$	-1	$]-1, -\sqrt{3}/3[$	$-\sqrt{3}/3$	$]-\sqrt{3}/3, 0[$	0	$]0, \sqrt{3}/3[$	$\sqrt{3}/3$	$]\sqrt{3}/3, 1[$	1	$]1, \infty[$
$f'(x)$	$-$	0	$+$	$+$	$+$	0	$-$	$-$	$-$	0	$+$
$f''(x)$	$+$	$+$	$+$	0	$-$	$-$	$-$	0	$+$	$+$	$+$
$f(x)$	↘ ∪	-4 min. rel. et abs.	↗ ∪	$-32/9$ p.i.	↗ ∩	-3 max. rel.	↘ ∩	$-32/9$ p.i.	↘ ∪	-4 min. rel. et abs.	↗ ∪

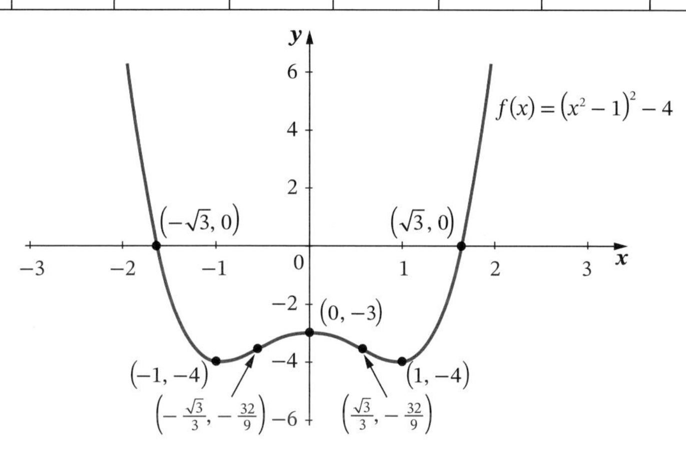

c) $\text{Dom}_f = \mathbb{R}$

Asymptote verticale : aucune.

Asymptote horizontale : aucune.

Ordonnée à l'origine : -1.

Zéros : $x = -1$ et $x = 1$.

$f'(x) = (x-1)^2(4x+2) = 2(x-1)^2(2x+1)$

Les valeurs critiques de $f(x)$ sont $x = -\frac{1}{2}$ et $x = 1$.

$f''(x) = 12x(x-1)$

Les valeurs susceptibles de produire un point d'inflexion sont $x = 0$ et $x = 1$.

x	$]-\infty, -1/2[$	$-1/2$	$]-1/2, 0[$	0	$]0, 1[$	1	$]1, \infty[$
$f'(x)$	$-$	0	$+$	$+$	$+$	0	$+$
$f''(x)$	$+$	$+$	$+$	0	$-$	0	$+$
$f(x)$	↘ ∪	$-27/16$ min. rel. et abs.	↗ ∪	-1 p.i.	↗ ∩	0 p.i.	↗ ∪

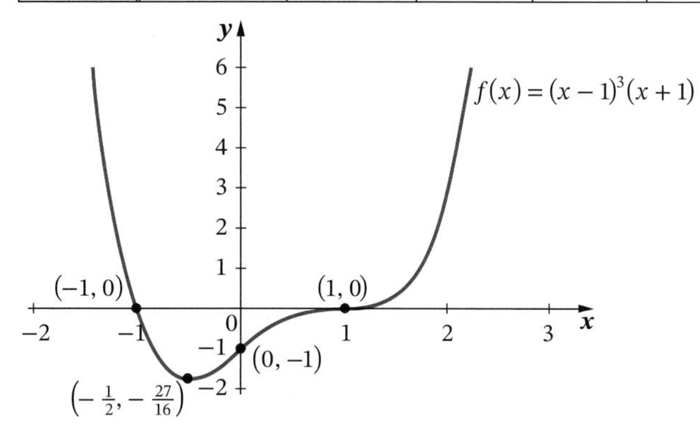

CHAPITRE 6

d) $\text{Dom}_f = \mathbb{R}$

Asymptote verticale : aucune.

Asymptote horizontale : aucune.

Ordonnée à l'origine : 1.

Zéros : $x = -1$ et $x = 1$.

$f'(x) = \dfrac{4x}{3(x^2 - 1)^{1/3}}$

Les valeurs critiques de $f(x)$ sont $x = -1$, $x = 0$ et $x = 1$.

$f''(x) = \dfrac{4(x^2 - 3)}{9(x^2 - 1)^{4/3}}$

Les valeurs susceptibles de produire un point d'inflexion sont $x = -\sqrt{3}$, $x = -1$, $x = 1$ et $x = \sqrt{3}$.

	$]-\infty, -\sqrt{3}[$		$]-\sqrt{3}, -1[$		$]-1, 0[$		$]0, 1[$		$]1, \sqrt{3}[$		$]\sqrt{3}, \infty[$
x		$-\sqrt{3}$		-1		0		1		$\sqrt{3}$	
$f'(x)$	−	−	−	∄	+	0	−	∄	+	+	+
$f''(x)$	+	0	−	∄	−	−	−	∄	−	0	+
$f(x)$	↘(	$\sqrt[3]{4}$ p.i.	↘)	0 min. rel. et abs.	↗(	1 max. rel.	↘)	0 min. rel. et abs.	↗(	$\sqrt[3]{4}$ p.i.	↗)

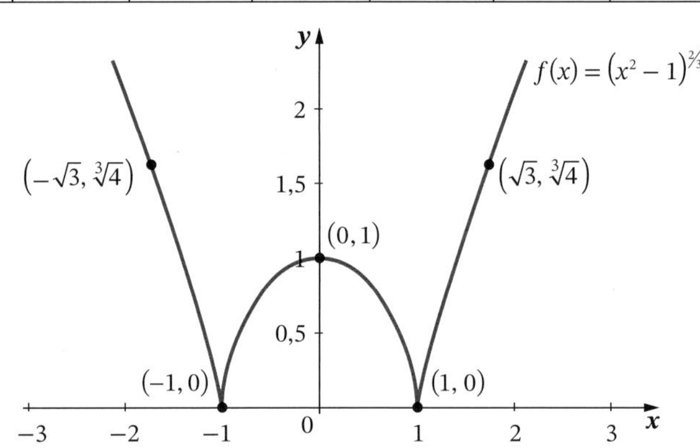

e) $\text{Dom}_f = \mathbb{R}$

Asymptote verticale : aucune.

Asymptote horizontale : aucune.

Ordonnée à l'origine : 0.

Zéros : $x = -1$ et $x = 0$.

$f'(x) = \dfrac{1 + 4x}{3x^{2/3}}$

Les valeurs critiques de $f(x)$ sont $x = -\frac{1}{4}$ et $x = 0$.

$f''(x) = \dfrac{-2 + 4x}{9x^{5/3}}$

Les valeurs susceptibles de produire un point d'inflexion sont $x = 0$ et $x = \frac{1}{2}$.

	$]-\infty, -1/4[$		$]-1/4, 0[$		$]0, 1/2[$		$]1/2, \infty[$
x		$-1/4$		0		$1/2$	
$f'(x)$	−	0	+	∄	+	+	+
$f''(x)$	+	+	+	∄	−	0	+
$f(x)$	↘(	−0,47 min. rel. et abs.	↗)	0 p.i.	↗(	1,19 p.i.	↗)

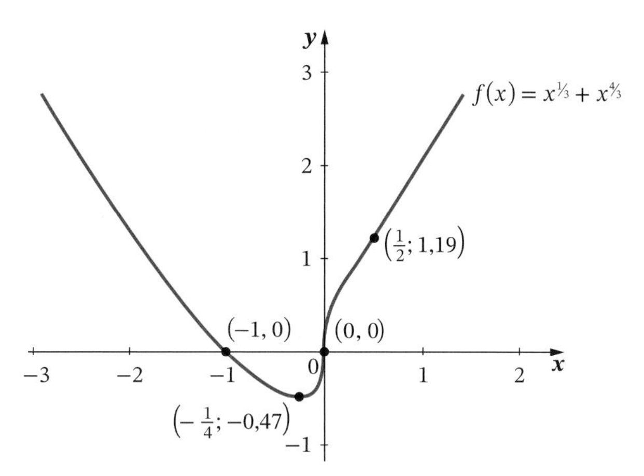

f) $\text{Dom}_f = \mathbb{R}$

Asymptote verticale : aucune.
Asymptote horizontale : aucune.
Ordonnée à l'origine : 0.
Zéros : $x = 0$ et $x = 8$.

$$f'(x) = \frac{5x - 16}{3x^{1/3}}$$

Les valeurs critiques de $f(x)$ sont $x = 0$ et $x = \frac{16}{5}$.

$$f''(x) = \frac{10x + 16}{9x^{4/3}}$$

Les valeurs susceptibles de produire un point d'inflexion sont $x = -\frac{8}{5}$ et $x = 0$.

x	$]-\infty, -8/5[$	$-8/5$	$]-8/5, 0[$	0	$]0, 16/5[$	$16/5$	$]16/5, \infty[$
$f'(x)$	+	+	+	∄	−	0	+
$f''(x)$	−	0	+	∄	+	+	+
$f(x)$	↗ (	−13,1 p.i.	↗)	0 max. rel.	↘ (	−10,4 min. rel.	↗)

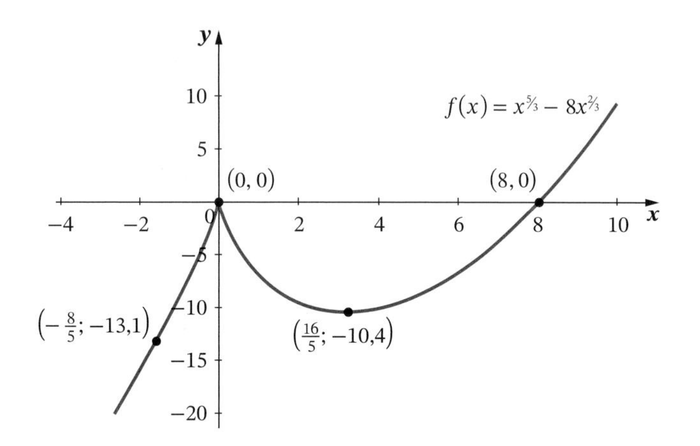

g) $\text{Dom}_f = [0, \infty[$

Asymptote verticale : aucune.
Asymptote horizontale : aucune.
Ordonnée à l'origine : 0.
Zéros : $x = 0$ et $x = \frac{1}{3}$.

$$f'(x) = \frac{15x^{3/2} - 3x^{1/2}}{2} = \frac{3x^{1/2}(5x - 1)}{2}$$

La seule valeur critique de $f(x)$ sur l'intervalle $]0, \infty[$ est $x = \frac{1}{5}$.

CHAPITRE 6

$f''(x) = \dfrac{45x - 3}{4\sqrt{x}}$

La seule valeur susceptible de produire un point d'inflexion sur l'intervalle $]0, \infty[$ est $x = \frac{1}{15}$.

x	0	$]0, 1/15[$	$1/15$	$]1/15, 1/5[$	$1/5$	$]1/5, \infty[$
$f'(x)$		−	−	−	0	+
$f''(x)$		−	0	+	+	+
$f(x)$	0 max. rel.	↘ ⌋	−0,014 p.i.	↘ ⌊	−0,036 min. rel. et abs.	↗ ⌊

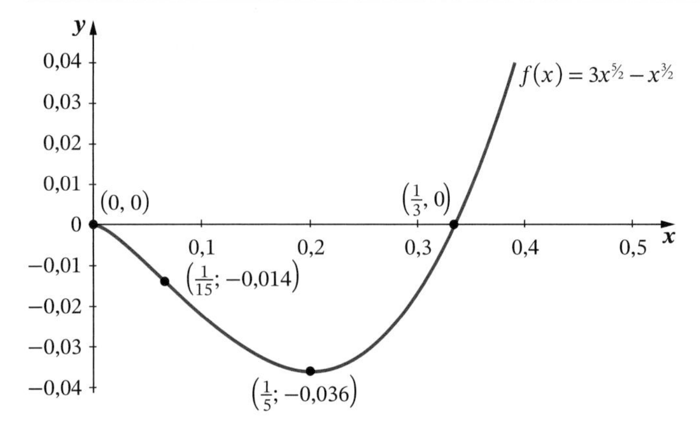

h) $\text{Dom}_f = \mathbb{R}$

Asymptote verticale : aucune.

Asymptote horizontale : aucune.

Ordonnée à l'origine : 1.

Zéro : aucun.

$f'(x) = (2\ln 2)x\left(2^{x^2}\right)$

La seule valeur critique de $f(x)$ est $x = 0$.

$f''(x) = (2\ln 2)\left(2^{x^2}\right)\left[(2\ln 2)\,x^2 + 1\right]$

La fonction $f(x)$ n'admet donc aucune valeur susceptible de produire un point d'inflexion.

x	$]-\infty, 0[$	0	$]0, \infty[$
$f'(x)$	−	0	+
$f''(x)$	+	+	+
$f(x)$	↘ ⌊	1 min. rel. et abs.	↗ ⌊

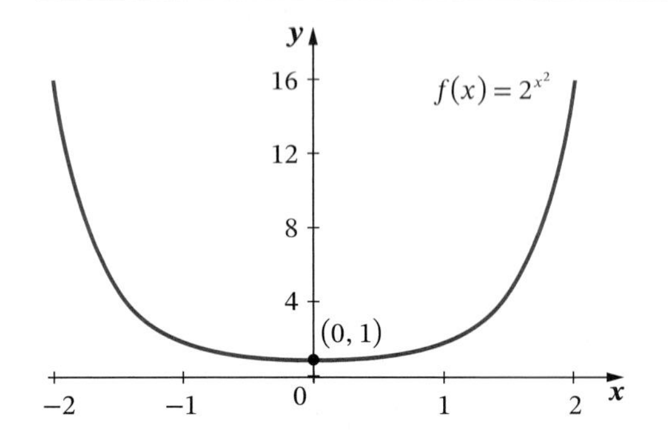

i) $\text{Dom}_f = \mathbb{R}$

Asymptote verticale : aucune.

Asymptote horizontale : aucune.

Ordonnée à l'origine : 0.

Zéro : $x = 0$.

$f'(x) = e^x + e^{-x}$

La fonction $f(x)$ n'admet aucune valeur critique puisque la fonction $f'(x)$ est définie partout sur les réels, et que $f'(x) \neq 0$ pour tout $x \in \mathbb{R}$, car $e^x > 0$ et $e^{-x} > 0$ pour tout $x \in \mathbb{R}$.

$f''(x) = e^x - e^{-x}$

Or, la fonction $f''(x) = e^x - e^{-x}$ est définie partout sur les réels et

$$f''(x) = 0 \quad \Leftrightarrow \quad e^x - e^{-x} = 0 \quad \Leftrightarrow \quad e^x = e^{-x} \quad \Leftrightarrow \quad x = -x \quad \Leftrightarrow \quad 2x = 0 \quad \Leftrightarrow \quad x = 0$$

La seule valeur susceptible de produire un point d'inflexion est $x = 0$.

x	$]-\infty, \mathbf{0}[$	**0**	$]\mathbf{0}, \infty[$
$f'(x)$	+	+	+
$f''(x)$	−	0	+
$f(x)$	↗(	0 p.i.	↗)

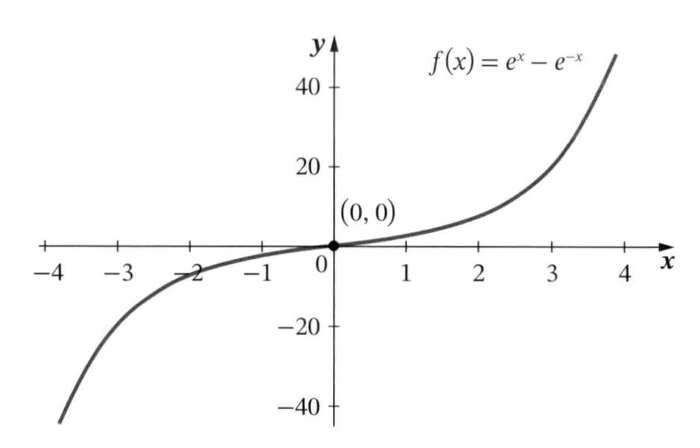

j) $\text{Dom}_f = \mathbb{R}$

Asymptote verticale : aucune.

Asymptote horizontale : aucune.

Ordonnée à l'origine : 0.

Zéro : $x = 0$.

$f'(x) = \dfrac{2x}{1 + x^2}$

La valeur critique de $f(x)$ est $x = 0$.

$f''(x) = \dfrac{2 - 2x^2}{(1 + x^2)^2}$

Les valeurs susceptibles de produire un point d'inflexion sont $x = -1$ et $x = 1$.

x	$]-\infty, \mathbf{-1}[$	**−1**	$]\mathbf{-1}, \mathbf{0}[$	**0**	$]\mathbf{0}, \mathbf{1}[$	**1**	$]\mathbf{1}, \infty[$
$f'(x)$	−	−	−	0	+	+	+
$f''(x)$	−	0	+	+	+	0	−
$f(x)$	↘)	ln 2 p.i.	↘(	0 min. rel. et abs.	↗)	ln 2 p.i.	↗(

CHAPITRE 6

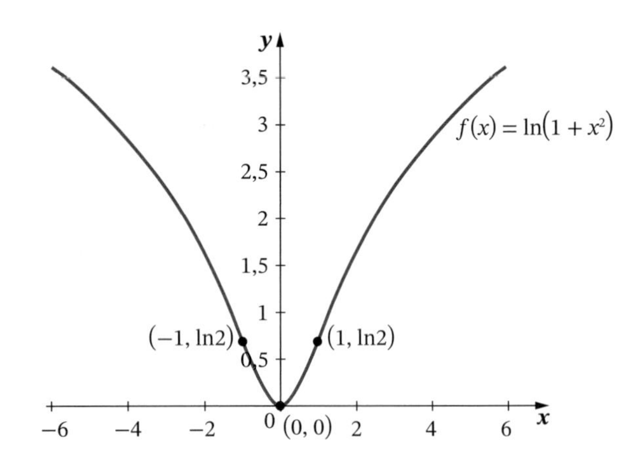

8. a) $\text{Dom}_f = \mathbb{R}$

Asymptote verticale : aucune.

Asymptote horizontale : $y = 0$.

Ordonnée à l'origine : 0.

Zéro : $x = 0$.

$$f'(x) = \frac{4 - x^2}{(x^2 + 4)^2}$$

Les valeurs critiques de $f(x)$ sont $x = -2$ et $x = 2$.

$$f''(x) = \frac{-2x(12 - x^2)}{(x^2 + 4)^3}$$

Les valeurs susceptibles de produire un point d'inflexion sont $x = -2\sqrt{3}$, $x = 0$ et $x = 2\sqrt{3}$.

x	$]-\infty, -2\sqrt{3}[$	$-2\sqrt{3}$	$]-2\sqrt{3}, -2[$	-2	$]-2, 0[$	0	$]0, 2[$	2	$]2, 2\sqrt{3}[$	$2\sqrt{3}$	$]2\sqrt{3}, \infty[$
$f'(x)$	−	−	−	0	+	+	+	0	−	−	−
$f''(x)$	−	0	+	+	+	0	−	−	−	0	+
$f(x)$	↘ ∩	$-\sqrt{3}/8$ p.i.	↘ ∪	$-1/4$ min. rel. et abs.	↗ ∪	0 p.i.	↗ ∩	$1/4$ max. rel. et abs.	↘ ∩	$\sqrt{3}/8$ p.i.	↘ ∪

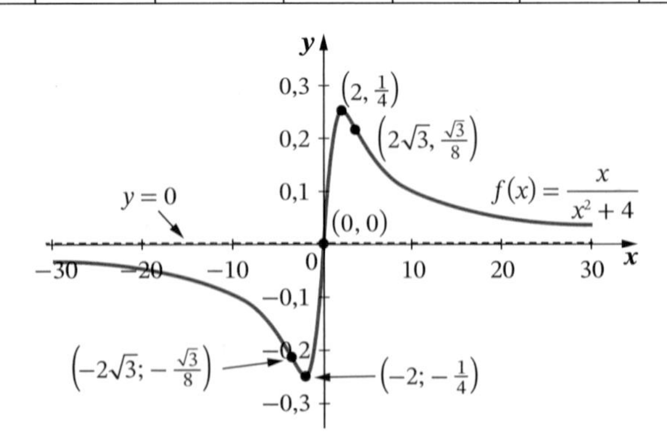

b) $\text{Dom}_f = \mathbb{R} \setminus \{3\}$

Asymptote verticale : $x = 3$.

Asymptote horizontale : aucune.

Ordonnée à l'origine : 0.

Zéro : $x = 0$.

CHAPITRE 6

$$f'(x) = \frac{x^2(2x - 9)}{(x - 3)^2}$$

Les seules valeurs critiques de $f(x)$ sont $x = 0$ et $x = \frac{9}{2}$ puisque $3 \notin \text{Dom}_f$.

$$f''(x) = \frac{2x(x^2 - 9x + 27)}{(x - 3)^3}$$

La seule valeur susceptible de produire un point d'inflexion est $x = 0$ puisque $3 \notin \text{Dom}_f$.

	$]-\infty, 0[$		$]0, 3[$		$]3, 9/2[$		$]9/2, \infty[$
x		**0**		**3**		**9/2**	
f′(x)	−	0	−	∄	−	0	+
f″(x)	+	0	−	∄	+	+	+
f(x)	↘∪	0 p.i.	↘∩	∄ a.v.	↘∪	243/4 min. rel.	↗∪

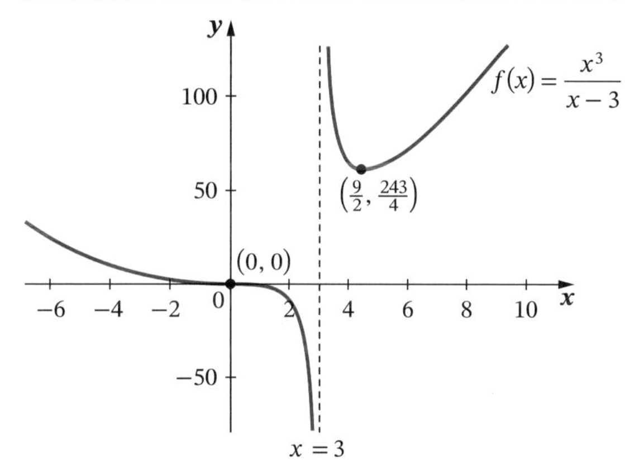

c) $\text{Dom}_f = \mathbb{R} \setminus \{2\}$

Asymptote verticale : $x = 2$.

Asymptote horizontale : $y = -1$.

Ordonnée à l'origine : $\frac{5}{2}$.

Zéro : $x = -5$.

$$f'(x) = \frac{7}{(2 - x)^2}$$

La fonction $f(x)$ n'admet aucune valeur critique puisque $2 \notin \text{Dom}_f$.

$$f''(x) = \frac{14}{(2 - x)^3}$$

Aucune valeur n'est susceptible de produire un point d'inflexion puisque $2 \notin \text{Dom}_f$.

	$]-\infty, 2[$		$]2, \infty[$
x		**2**	
f′(x)	+	∄	+
f″(x)	+	∄	−
f(x)	↗∪	∄ a.v.	↗∩

CHAPITRE 6

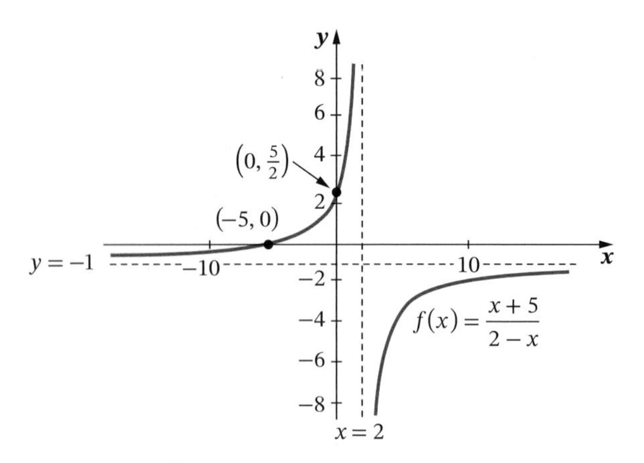

d) $\text{Dom}_f = \mathbb{R}\backslash\{0\}$

Asymptote verticale : $x = 0$.

Asymptote horizontale : $y = 0$.

Ordonnée à l'origine : aucune.

Zéro : $x = 1$.

$f'(x) = \dfrac{6x - 12}{x^3}$

La seule valeur critique de $f(x)$ est $x = 2$ puisque $0 \notin \text{Dom}_f$.

$f''(x) = \dfrac{36 - 12x}{x^4}$

La seule valeur susceptible de produire un point d'inflexion est $x = 3$ puisque $0 \notin \text{Dom}_f$.

x	]−∞, 0[	0	]0, 2[	2	]2, 3[	3	]3, ∞[
$f'(x)$	+	∄	−	0	+	+	+
$f''(x)$	+	∄	+	+	+	0	−
$f(x)$	↗∪	∄ a.v.	↘∪	$-3/2$ min. rel. et abs.	↗∪	$-4/3$ p.i.	↗∩

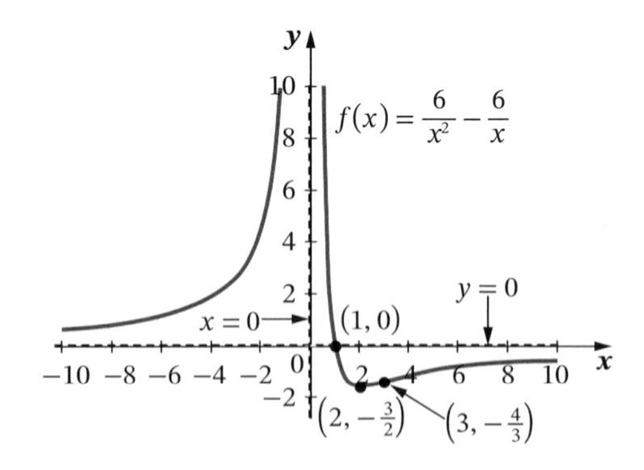

e) $\text{Dom}_f = \mathbb{R}\backslash\{-2, 2\}$

Asymptotes verticales : $x = -2$ et $x = 2$.

Asymptote horizontale : $y = 0$.

Ordonnée à l'origine : 0.

Zéro : $x = 0$.

$f'(x) = -\dfrac{x^2 + 4}{(x^2 - 4)^2}$

La fonction $f(x)$ n'admet aucune valeur critique puisque $-2 \notin \text{Dom}_f$ et $2 \notin \text{Dom}_f$.

$f''(x) = \dfrac{2x(x^2 + 12)}{(x^2 - 4)^3}$

La seule valeur susceptible de produire un point d'inflexion est $x = 0$ puisque $-2 \notin \text{Dom}_f$ et $2 \notin \text{Dom}_f$.

	$]-\infty, -2[$		$]-2, 0[$		$]0, 2[$		$]2, \infty[$
x		-2		0		2	
$f'(x)$	$-$	$\nexists$	$-$	$-$	$-$	$\nexists$	$-$
$f''(x)$	$-$	$\nexists$	$+$	0	$-$	$\nexists$	$+$
$f(x)$	↘︎)	$\nexists$ a.v.	↘︎(	0 p.i.	↘︎)	$\nexists$ a.v.	↘︎(

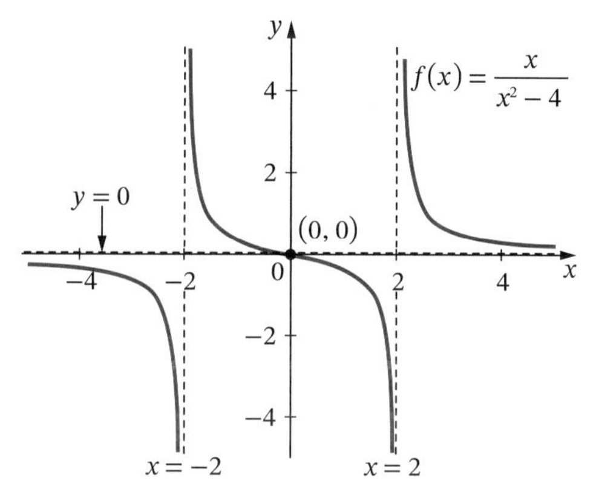

f) $\text{Dom}_f = \mathbb{R}$

Asymptote verticale : aucune.

Asymptote horizontale : $y = 1$.

Ordonnée à l'origine : -1.

Zéros : $x = -1$ et $x = 1$.

$f'(x) = \dfrac{4x}{(x^2 + 1)^2}$

La seule valeur critique de $f(x)$ est $x = 0$.

$f''(x) = -\dfrac{4(3x^2 - 1)}{(x^2 + 1)^3}$

Les valeurs susceptibles de produire un point d'inflexion sont $x = -\frac{\sqrt{3}}{3}$ et $x = \frac{\sqrt{3}}{3}$.

	$]-\infty, -\sqrt{3}/3[$		$]-\sqrt{3}/3, 0[$		$]0, \sqrt{3}/3[$		$]\sqrt{3}/3, \infty[$
x		$-\sqrt{3}/3$		0		$\sqrt{3}/3$	
$f'(x)$	$-$	$-$	$-$	0	$+$	$+$	$+$
$f''(x)$	$-$	0	$+$	$+$	$+$	0	$-$
$f(x)$	↘︎)	$-1/2$ p.i.	↘︎(	-1 min. rel. et abs.	↗︎)	$-1/2$ p.i.	↗︎(

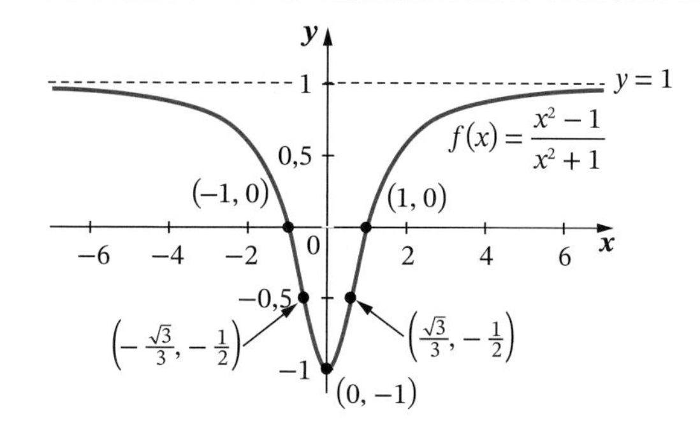

g) $\text{Dom}_f = \mathbb{R}\backslash\{-4, 4\}$

Asymptote verticale : $x = -4$.

Asymptote horizontale : $y = 0$.

Ordonnée à l'origine : $\frac{1}{4}$.

Zéro : aucun.

$f'(x) = -\frac{1}{(x+4)^2}$

La fonction $f(x)$ n'admet aucune valeur critique puisque $-4 \notin \text{Dom}_f$.

$f''(x) = \frac{2}{(x+4)^3}$

Aucune valeur n'est susceptible de produire un point d'inflexion puisque $-4 \notin \text{Dom}_f$.

]−∞, −4[**]−4, 4[**   **]4, ∞[**

x		−4		4	
$f'(x)$	−	$\nexists$	−	$\nexists$	−
$f''(x)$	−	$\nexists$	+	$\nexists$	+
$f(x)$	↘)	$\nexists$ a.v.	↘(	$\nexists$ trou	↘(

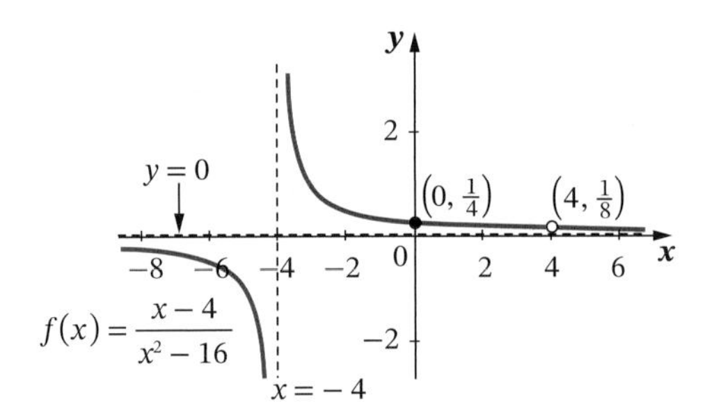

h) $\text{Dom}_f = \mathbb{R} \backslash \{0\}$

Asymptote verticale : $x = 0$.

Asymptote horizontale : $y = 1$.

Ordonnée à l'origine : aucune.

Zéros : $x = \frac{-1-\sqrt{5}}{2}$ et $x = \frac{-1+\sqrt{5}}{2}$.

$f'(x) = \frac{2-x}{x^3}$

La seule valeur critique de $f(x)$ est $x = 2$ puisque $0 \notin \text{Dom}_f$.

$f''(x) = \frac{2x-6}{x^4}$

La seule valeur susceptible de produire un point d'inflexion est $x = 3$ puisque $0 \notin \text{Dom}_f$.

]−∞, 0[**]0, 2[**   **]2, 3[**   **]3, ∞[**

x		0		2		3	
$f'(x)$	−	$\nexists$	+	0	−	−	−
$f''(x)$	−	$\nexists$	−	−	−	0	+
$f(x)$	↘)	$\nexists$ a.v.	↗(	5/4 max. rel. et abs.	↘)	11/9 p.i.	↘(

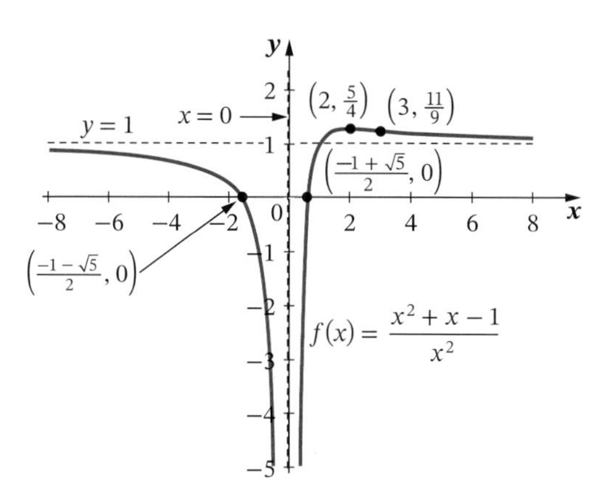

i) $\text{Dom}_f = \mathbb{R}$

Asymptote verticale : aucune.

Asymptote horizontale : $y = 0$.

Ordonnée à l'origine : 1.

Zéro : aucun.

$f'(x) = -2xe^{-x^2}$

La seule valeur critique de $f(x)$ est $x = 0$.

$f''(x) = 2e^{-x^2}(2x^2 - 1)$

Les valeurs susceptibles de produire un point d'inflexion sont $x = -\frac{\sqrt{2}}{2}$ et $x = \frac{\sqrt{2}}{2}$.

	$]-\infty, -\sqrt{2}/2[$		$]-\sqrt{2}/2, 0[$		$]0, \sqrt{2}/2[$		$]\sqrt{2}/2, \infty[$
x		$-\sqrt{2}/2$		**0**		$\sqrt{2}/2$	
f′(x)	+	+	+	0	−	−	−
f″(x)	+	0	−	−	−	0	+
f(x)	↗ ∪	$e^{-1/2}$ p.i.	↗ ∩	1 max. rel. et abs.	↘ ∩	$e^{-1/2}$ p.i.	↘ ∪

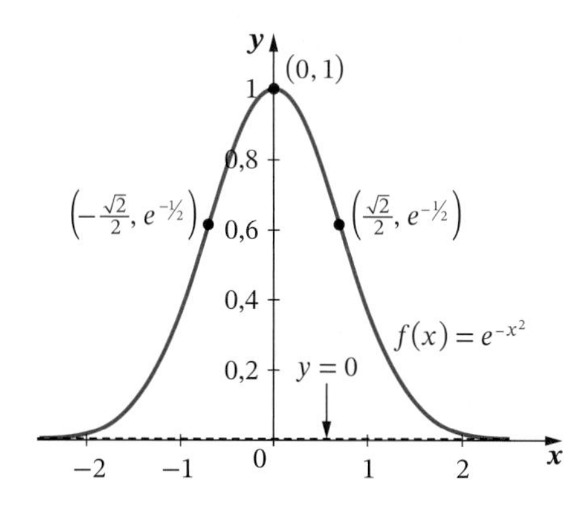

j) $\text{Dom}_f = \mathbb{R}$

Asymptote verticale : aucune.

Asymptotes horizontales : $y = 0$ et $y = 8$.

Ordonnée à l'origine : $\dfrac{8}{1 + e^2} \approx 0{,}95$.

Zéro : aucun.

$f'(x) = \dfrac{8e^{2-x}}{(1 + e^{2-x})^2}$

La fonction $f(x)$ n'admet aucune valeur critique puisque $f'(x) > 0$ pour tout $x \in \mathbb{R}$.

CHAPITRE 6

$$f''(x) = \frac{8e^{2-x}\left(e^{2-x} - 1\right)}{\left(1 + e^{2-x}\right)^3}$$

La seule valeur susceptible de produire un point d'inflexion est $x = 2$.

	$]-\infty, 2[$		$]2, \infty[$
x		**2**	
$f'(x)$	+	+	+
$f''(x)$	+	0	−
$f(x)$	↗∪	4 p.i.	↗∩

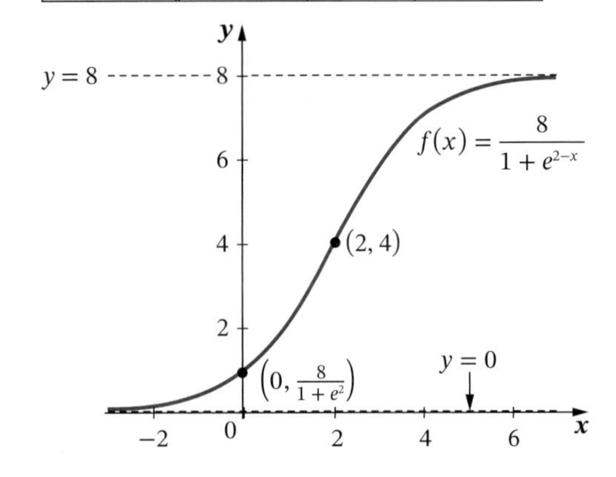

9. a) $\text{Dom}_f = \mathbb{R}$

Asymptote verticale : aucune.

Asymptote horizontale : aucune.

Ordonnée à l'origine : 64.

Zéros : $x = -2$ et $x = 2$.

$f'(x) = -6x(4 - x^2)^2$

Les valeurs critiques de $f(x)$ sont $x = -2$, $x = 0$ et $x = 2$.

$f''(x) = 6(4 - x^2)(5x^2 - 4)$

Les valeurs susceptibles de produire un point d'inflexion sont $x = -2$, $x = -\frac{2\sqrt{5}}{5}$, $x = \frac{2\sqrt{5}}{5}$ et $x = 2$.

	$]-\infty, -2[$		$]-2, -2\sqrt{5}/5[$		$]-2\sqrt{5}/5, 0[$		$]0, 2\sqrt{5}/5[$		$]2\sqrt{5}/5, 2[$		$]2, \infty[$
x		**−2**		$-2\sqrt{5}/5$		**0**		$2\sqrt{5}/5$		**2**	
$f'(x)$	+	0	+	+	+	0	−	−	−	0	−
$f''(x)$	−	0	+	0	−	−	−	0	+	0	−
$f(x)$	↗∩	0 p.i.	↗∪	$4\,096/125$ p.i.	↗∩	64 max. rel. et abs.	↘∩	$4\,096/125$ p.i.	↘∪	0 p.i.	↘∩

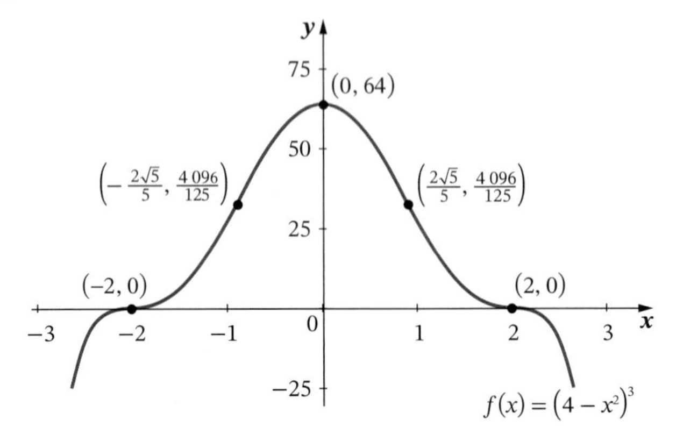

b) $\text{Dom}_f = \mathbb{R} \setminus \{0\}$

Asymptote verticale : $x = 0$.

Asymptote horizontale : $y = 0$.

Ordonnée à l'origine : aucune.

Zéro : aucun.

$f'(x) = \dfrac{e^x(x-1)}{2x^2}$

La seule valeur critique de $f(x)$ est $x = 1$ puisque $0 \notin \text{Dom}_f$.

$f''(x) = \dfrac{e^x(x^2 - 2x + 2)}{2x^3}$

Aucune valeur n'est susceptible de produire un point d'inflexion puisque $0 \notin \text{Dom}_f$.

	$]-\infty, 0[$		$]0, 1[$		$]1, \infty[$
x		**−4**		**1**	
$f'(x)$	−	∄	−	0	+
$f''(x)$	−	∄	+	+	+
$f(x)$	↘ ⌢	∄ a.v.	↘ ⌣	$\frac{e}{2}$ min. rel.	↗ ⌣

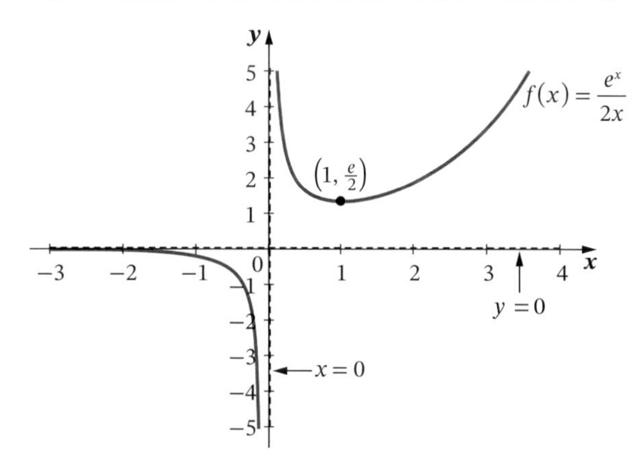

c) $\text{Dom}_f =]0, \infty[$

Asymptote verticale : $x = 0$.

Asymptote horizontale : $y = 0$.

Ordonnée à l'origine : aucune.

Zéro : $x = 1$.

$f'(x) = \dfrac{1 - \ln x}{x^2}$

Sur l'intervalle $]0, \infty[$, la seule valeur critique de $f(x)$ est $x = e$.

$f''(x) = \dfrac{2\ln x - 3}{x^3}$

Sur l'intervalle $]0, \infty[$, la seule valeur susceptible de produire un point d'inflexion est $x = e^{3/2}$.

	$]0, e[$		$]e, e^{3/2}[$		$]e^{3/2}, \infty[$
x		e		$e^{3/2}$	
$f'(x)$	+	0	−	−	−
$f''(x)$	−	−	−	0	+
$f(x)$	↗ ⌢	e^{-1} max. rel. et abs.	↘ ⌢	$\frac{3}{2}e^{-3/2}$ p.i.	↘ ⌣

CHAPITRE 6

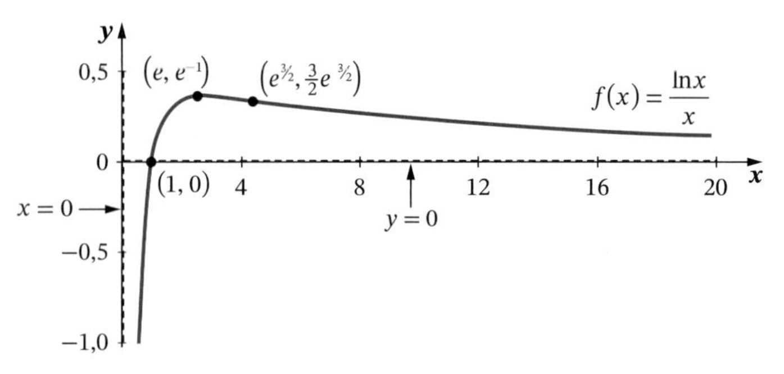

d) $\text{Dom}_f = \mathbb{R}$

Asymptote verticale : aucune.

Asymptote horizontale : $y = 0$.

Ordonnée à l'origine : 0.

Zéro : $x = 0$.

$f'(x) = 2xe^{2x}(x + 1)$

Les valeurs critiques de $f(x)$ sont $x = -1$ et $x = 0$.

$f''(x) = 2e^{2x}(2x^2 + 4x + 1)$

Les valeurs susceptibles de produire un point d'inflexion sont $x = -1 - \frac{\sqrt{2}}{2} \approx -1{,}71$ et $x = -1 + \frac{\sqrt{2}}{2} \approx -0{,}29$.

	]−∞; −1,71[		]−1,71; −1[		]−1; −0,29[		]−0,29; 0[		]0; ∞[
x		**−1,71**		**−1**		**−0,29**		**0**	
f′(x)	+	+	+	0	−	−	−	0	+
f″(x)	+	0	−	−	−	0	+	+	+
f(x)	↗∪	0,10 p.i.	↗∩	e^{-2} max.rel.	↘∩	0,05 p.i.	↘∪	0 min. rel. et abs.	↗∪

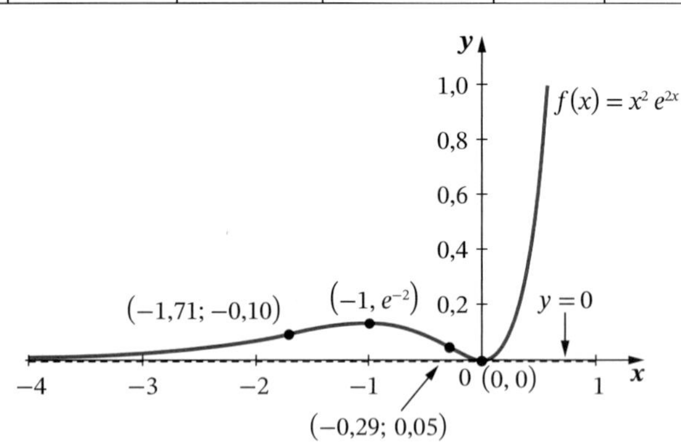

e) $\text{Dom}_f = [-1, 1]$

Asymptote verticale : aucune.

Asymptote horizontale : aucune.

Ordonnée à l'origine : 0.

Zéros : $x = -1$, $x = 0$ et $x = 1$.

$$f'(x) = \frac{1 - 2x^2}{\sqrt{1 - x^2}}$$

Sur $]-1, 1[$, les valeurs critiques de $f(x)$ sont $x = -\frac{\sqrt{2}}{2}$ et $x = \frac{\sqrt{2}}{2}$.

$$f''(x) = \frac{2x^3 - 3x}{(1 - x^2)^{3/2}} = \frac{x(2x^2 - 3)}{\sqrt{(1 - x^2)^3}}$$

Sur $]-1, 1[$, la seule valeur susceptible de produire un point d'inflexion est $x = 0$.

		$]-1, -\sqrt{2}/2[$		$]-\sqrt{2}/2, 0[$		$]0, \sqrt{2}/2[$		$]\sqrt{2}/2, 1[$	
x	**-1**		$-\sqrt{2}/2$		**0**		$\sqrt{2}/2$		**1**
$f'(x)$		$-$	0	+	+	+	0	$-$	
$f''(x)$		+	+	+	0	$-$	$-$	$-$	
$f(x)$	0 max. rel.	↘(	$-1/2$ min. rel. et abs.	↗)	0 p.i.	↗(	$1/2$ max. rel. et abs.	↘)	0 min. rel.

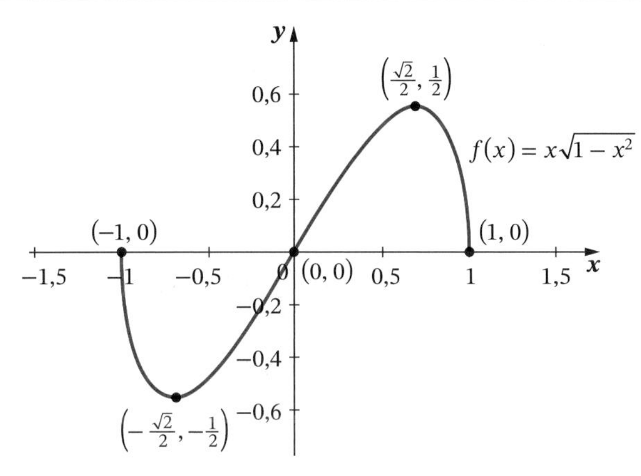

f) $\text{Dom}_f = \mathbb{R}\backslash\{-5, 1\}$

Asymptotes verticales : $x = -5$ et $x = 1$.

Asymptote horizontale : $y = 2$.

Ordonnée à l'origine : $-\frac{6}{5}$.

Zéros : $x = -3$ et $x = -1$.

$$f'(x) = \frac{-32(x+2)}{(x^2+4x-5)^2}$$

La seule valeur critique de $f(x)$ est $x = -2$ puisque $-5 \notin \text{Dom}_f$ et $1 \notin \text{Dom}_f$.

$$f''(x) = \frac{96(x^2+4x+7)}{(x^2+4x-5)^3}$$

Aucune valeur n'est susceptible de produire un point d'inflexion puisque $-5 \notin \text{Dom}_f$ et $1 \notin \text{Dom}_f$.

	$]-\infty, -5[$		$]-5, -2[$		$]-2, 1[$		$]1, \infty[$
x		**-5**		**-2**		**1**	
$f'(x)$	+	∄	+	0	$-$	∄	$-$
$f''(x)$	+	∄	$-$	$-$	$-$	∄	+
$f(x)$	↗)	∄ a.v.	↗(	$2/9$ max. rel.	↘)	∄ a.v.	↘(

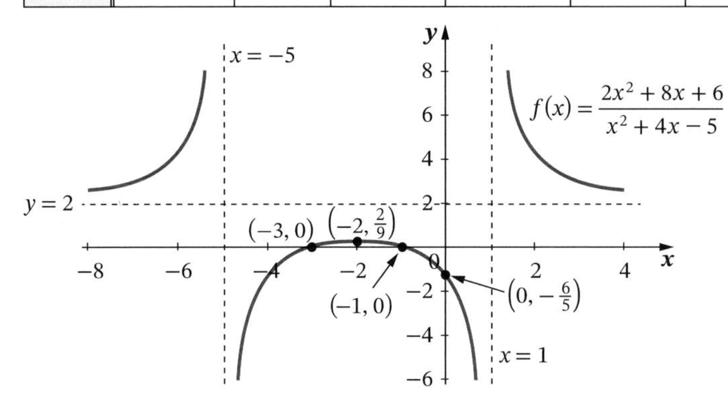

g) $\text{Dom}_f = [0, \pi]$

Asymptote verticale : aucune.

Asymptote horizontale : aucune.

Ordonnée à l'origine : 1.

Zéro : $x = \frac{3\pi}{4}$.

$f'(x) = \cos x - \sin x$

Sur $]0, \pi[$, la seule valeur critique de $f(x)$ est $x = \frac{\pi}{4}$.

$f''(x) = -\sin x - \cos x$

Sur $]0, \pi[$, la seule valeur de x susceptible de produire un point d'inflexion est $x = \frac{3\pi}{4}$.

x	0	$]0, \pi/4[$	$\pi/4$	$]\pi/4, 3\pi/4[$	$3\pi/4$	$]3\pi/4, \pi[$	π
$f'(x)$		+	0	−	−	−	
$f''(x)$		−	−	−	0	+	
$f(x)$	1 min. rel.	↗ ∩	$\sqrt{2}$ max. rel. et abs.	↘ ∩	0 p.i.	↘ ∪	−1 min. rel. et abs.

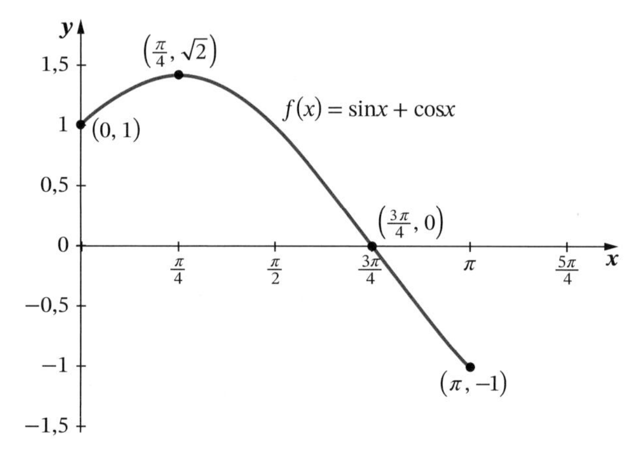

h) $\text{Dom}_f = \left[0, \frac{\pi}{2}\right]$

Asymptote verticale : aucune.

Asymptote horizontale : aucune.

Ordonnée à l'origine : 1.

Zéro : $x = \frac{\pi}{4}$.

$f'(x) = -4\cos(2x)\sin(2x) = -2\sin(4x)$

Sur l'intervalle $\left]0, \frac{\pi}{2}\right[$, la seule valeur critique de $f(x)$ est $x = \frac{\pi}{4}$.

$f''(x) = -8\cos(4x)$

Sur l'intervalle $\left]0, \frac{\pi}{2}\right[$, les valeurs susceptibles de produire un point d'inflexion sont $x = \frac{\pi}{8}$ et $x = \frac{3\pi}{8}$.

x	0	$]0, \pi/8[$	$\pi/8$	$]\pi/8, \pi/4[$	$\pi/4$	$]\pi/4, 3\pi/8[$	$3\pi/8$	$]3\pi/8, \pi/2[$	$\pi/2$
$f'(x)$		−	−	−	0	+	+	+	
$f''(x)$		−	0	+	+	+	0	−	
$f(x)$	1 max. rel. et abs.	↘ ∩	½ p.i.	↘ ∪	0 min. rel. et abs.	↗ ∪	½ p.i.	↗ ∩	1 max. rel. et abs.

CHAPITRE 6

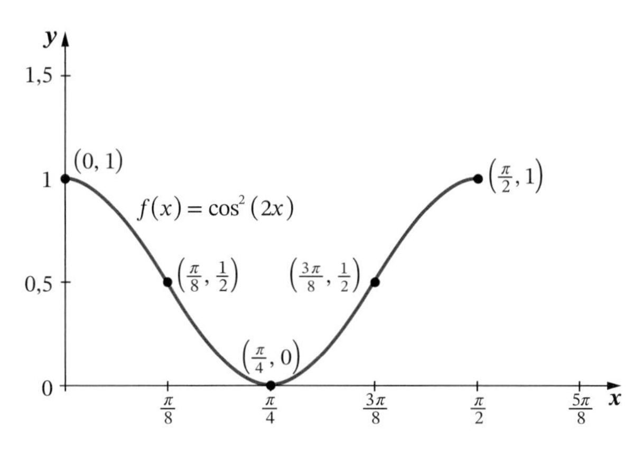

i) $\text{Dom}_f = \mathbb{R}$

Asymptote verticale : aucune.

Asymptote horizontale : $y = \frac{\pi}{2}$.

Ordonnée à l'origine : 0.

Zéro : $x = 0$.

$f'(x) = \dfrac{2x}{1 + x^4}$

La seule valeur critique de $f(x)$ est $x = 0$.

$f''(x) = \dfrac{2(1 - 3x^4)}{(1 + x^4)^2}$

Les valeurs susceptibles de produire un point d'inflexion sont $x = -\sqrt[4]{\frac{1}{3}}$ et $x = \sqrt[4]{\frac{1}{3}}$.

x	$\left]-\infty, -\sqrt[4]{\frac{1}{3}}\right[$	$-\sqrt[4]{\frac{1}{3}}$	$\left]-\sqrt[4]{\frac{1}{3}}, 0\right[$	**0**	$\left]0, \sqrt[4]{\frac{1}{3}}\right[$	$\sqrt[4]{\frac{1}{3}}$	$\left]\sqrt[4]{\frac{1}{3}}, \infty\right[$
$f'(x)$	−	−	−	0	+	+	+
$f''(x)$	−	0	+	+	+	0	−
$f(x)$	↘)	$\frac{\pi}{6}$ p.i.	↘(	0 min. rel. et abs.	↗)	$\frac{\pi}{6}$ p.i.	↗(

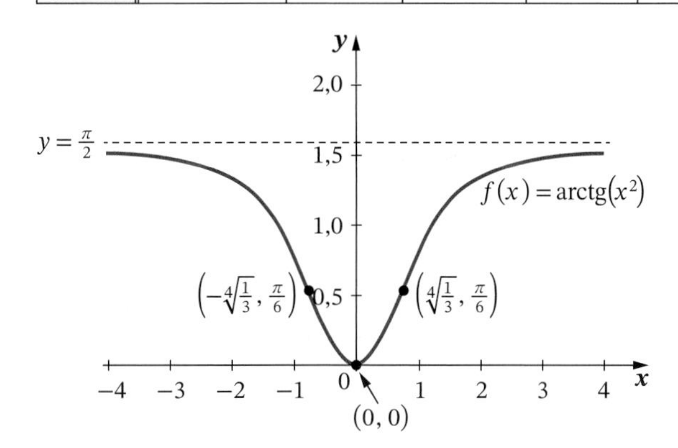

j) $\text{Dom}_f = [-1, 1]$

Asymptote verticale : aucune.

Asymptote horizontale : aucune.

Ordonnée à l'origine : $\frac{\pi}{2}$.

Zéro : aucun.

$f'(x) = 2 - \dfrac{1}{\sqrt{1 - x^2}}$

Sur l'intervalle $]-1, 1[$, les valeurs critiques de $f(x)$ sont $x = -\frac{\sqrt{3}}{2}$ et $x = \frac{\sqrt{3}}{2}$.

$$f''(x) = -\frac{x}{(1-x^2)^{3/2}} = -\frac{x}{\sqrt{(1-x^2)^3}}$$

Sur l'intervalle $]-1, 1[$, la seule valeur susceptible de produire un point d'inflexion est $x = 0$.

		$]-1, -\sqrt{3}/2[$		$]-\sqrt{3}/2, 0[$		$]0, \sqrt{3}/2[$		$]\sqrt{3}/2, 1[$	
x	**-1**		$-\sqrt{3}/2$		**0**		$\sqrt{3}/2$		**1**
$f'(x)$		$-$	0	+	+	+	0	$-$	
$f''(x)$		+	+	+	0	$-$	$-$	$-$	
$f(x)$	$-2+\pi$ max. rel.	↘	$-\sqrt{3} + 5\pi/6$ min. rel. et abs.	↗	$\pi/2$ p.i.	↗	$\sqrt{3} + \pi/6$ max. rel. et abs.	↘	2 min. rel.

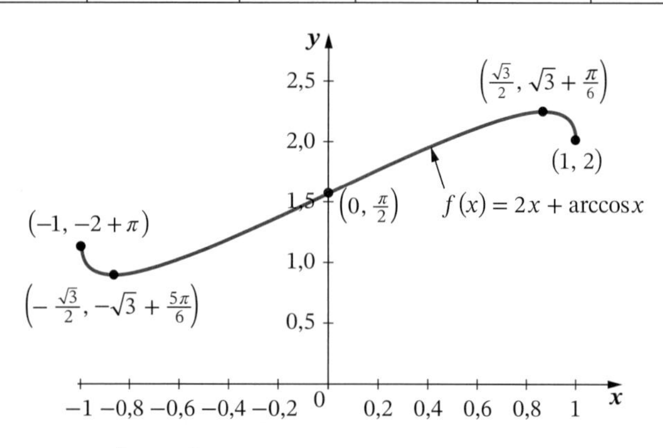

10. $\text{Dom}_A = [0, 100]$

Asymptote verticale : aucune.

Asymptote horizontale : aucune.

Ordonnée à l'origine : 0.

Zéro : $x = 0$.

$A'(x) = -0{,}000\,03x(x - 120)$

La fonction $A(x)$ n'admet aucune valeur critique sur l'intervalle $]0, 100[$.

$A''(x) = -0{,}000\,06(x - 60)$

Sur l'intervalle $]0, 100[$, la seule valeur susceptible de produire un point d'inflexion est $x = 60$.

		$]0, 60[$		$]60, 100[$	
x	**0**		**60**		**100**
$A'(x)$		+	+	+	
$A''(x)$		+	0	$-$	
$A(x)$	0 min. rel. et abs.	↗	4,32 p.i.	↗	8 max. rel. et abs.

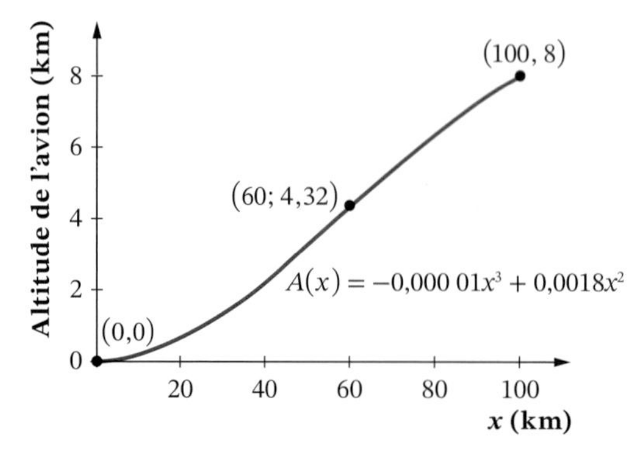

11. a) Comme une quantité de médicament est une variable non négative, on a $x \geq 0$. Par conséquent, $\text{Dom}_p = [0, \infty[$.

b) $\text{Dom}_p = [0, \infty[$

Asymptote verticale : aucune.

Asymptote horizontale : $y = 100$.

Ordonnée à l'origine : 0.

Zéro : $x = 0$.

$$p'(x) = \frac{9\,600x}{(48x^2 + 1)^2}$$

La fonction $p(x)$ n'admet aucune valeur critique sur l'intervalle $]0, \infty[$.

$$p''(x) = \frac{9\,600(1 - 12x)(1 + 12x)}{(48x^2 + 1)^3}$$

Sur l'intervalle $]0, \infty[$, la seule valeur susceptible de produire un point d'inflexion est $x = \frac{1}{12}$.

		$]0, 1/12[$		$]1/12, \infty[$
x	**0**		**1/12**	
$p'(x)$		+	+	+
$p''(x)$		+	0	−
$p(x)$	0 min. rel. et abs.	↗∪	25 p.i.	↗∩

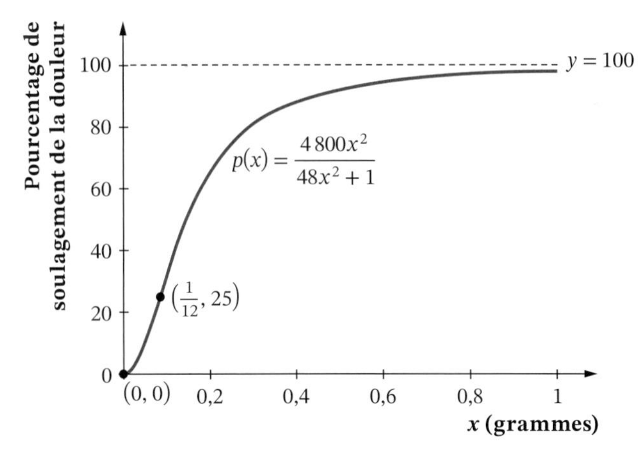

c) Le pourcentage de soulagement de la douleur augmente en fonction de la dose de médicament absorbée. Ce pourcentage est nul si la dose de médicament est nulle et il tend vers 100 % à mesure que la dose augmente. Le rythme de croissance du pourcentage de soulagement augmente plus rapidement jusqu'à une dose de $\frac{1}{12}$ g et diminue par la suite.

12. a) Comme le temps écoulé depuis la consommation d'une bière est une variable non négative, on a $t \geq 0$. Par conséquent, $\text{Dom}_A = [0, \infty[$.

b) $\text{Dom}_A = [0, \infty[$

Asymptote verticale : aucune.

Asymptote horizontale : $y = 0$.

Ordonnée à l'origine : 0.

Zéro : $t = 0$.

$$A'(t) = \frac{1{,}4(1 - 4t^2)}{(4t^2 + 1)^2}$$

Sur l'intervalle $]0, \infty[$, la seule valeur critique de $A(t)$ est $t = \frac{1}{2}$.

CHAPITRE 6

$$A''(t) = \frac{-11{,}2t(3 - 4t^2)}{(4t^2 + 1)^3}$$

Sur l'intervalle $]0, \infty[$, la seule valeur susceptible de produire un point d'inflexion est $t = \frac{\sqrt{3}}{2}$.

		]0, ½[		**]½, √3/2[**		**]√3/2, ∞[**
t	**0**		**½**		**√3/2**	
***A*′(*t*)**		+	0	−	−	−
***A*″(*t*)**		−	−	−	0	+
***A*(*t*)**	0 min. rel. et abs.	↗(	7/20 max. rel. et abs.	↘)	7√3/40 p.i.	↘(

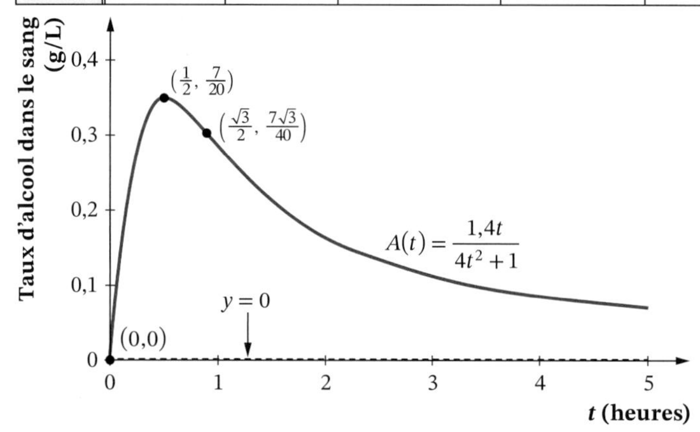

c) Au moment où la bière est consommée ($t = 0$), le taux d'alcool dans le sang est de 0 g/L. Ce taux est croissant pendant la première demi-heure pour atteindre une valeur maximale de $\frac{7}{20}$ g/L = 0,35 g/L. Par la suite, le taux d'alcool dans le sang est décroissant et il tend vers 0 g/L à long terme.

13. a) Comme le temps écoulé après un déversement de pétrole est une variable non négative, on a $t \geq 0$. Par conséquent, $\text{Dom}_N = [0, \infty[$.

b) $\text{Dom}_N = [0, \infty[$

Asymptote verticale : aucune.

Asymptote horizontale : $y = 10$.

Ordonnée à l'origine : 10.

Zéro : aucun.

$$N'(t) = \frac{60(t - 5)}{(t + 5)^3}$$

Sur l'intervalle $]0, \infty[$, la seule valeur critique de $N(t)$ est $t = 5$.

$$N''(t) = -\frac{120(t - 10)}{(t + 5)^4}$$

Sur l'intervalle $]0, \infty[$, la seule valeur susceptible de produire un point d'inflexion est $t = 10$.

		]0, 5[		**]5, 10[**		**]10, ∞[**
t	**0**		**5**		**10**	
***N*′(*t*)**		−	0	+	+	+
***N*″(*t*)**		+	+	+	0	−
***N*(*t*)**	10 max. rel. et abs.	↘(	7 min. rel. et abs.	↗)	22/3 p.i.	↗(

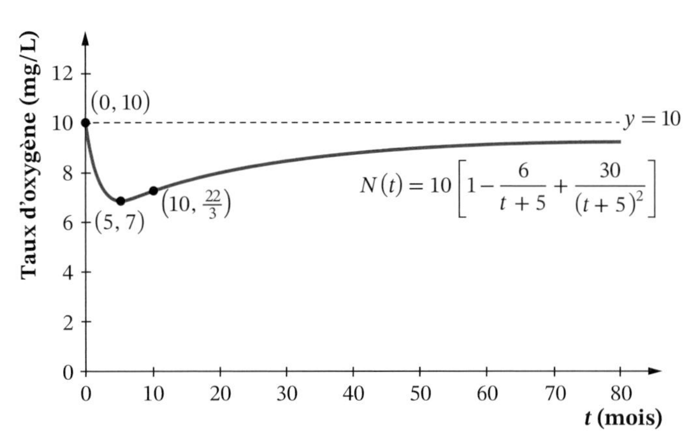

c) Au moment où le déversement de pétrole se produit ($t = 0$), le taux d'oxygène dans le plan d'eau est de 10 mg/L. Ce taux est décroissant pendant les 5 premiers mois pour atteindre une valeur minimale de 7 mg/L. Par la suite, le taux d'oxygène dans le plan d'eau est croissant et il tend vers 10 mg/L à long terme.

14. a) 1 cm

b) e^2 cm $\approx$ 7,39 cm

c) $\dfrac{dy}{dt} = \frac{14}{5}e^{2-\frac{7}{5}t-2e^{-\frac{7}{5}t}}$ cm/année

d) $\text{Dom}_y = [0, \infty[$, car l'âge d'un rongeur est une variable non négative.

Asymptote verticale : aucune.

Asymptote horizontale : $y = e^2$.

Ordonnée à l'origine : 1.

Zéro : aucun.

$y'(t) = \frac{14}{5}e^{2-\frac{7}{5}t-2e^{-\frac{7}{5}t}}$

Sur l'intervalle $]0, \infty[$, la fonction $y(t)$ n'admet aucune valeur critique parce que la dérivée est toujours positive.

$y''(t) = \frac{98}{25}e^{2-\frac{7}{5}t-2e^{-\frac{7}{5}t}}\left(2e^{-\frac{7}{5}t} - 1\right)$

Sur l'intervalle $]0, \infty[$, la seule valeur susceptible de produire un point d'inflexion est $t = \frac{5}{7}\ln 2 \approx 0{,}495$.

t	0	$]0, \frac{5}{7}\ln 2[$	$\frac{5}{7}\ln 2$	$]\frac{5}{7}\ln 2, \infty[$
$y'(t)$		+	+	+
$y''(t)$		+	0	−
$y(t)$	1 min. rel. et abs.	↗ ∪	e p.i.	↗ ∩

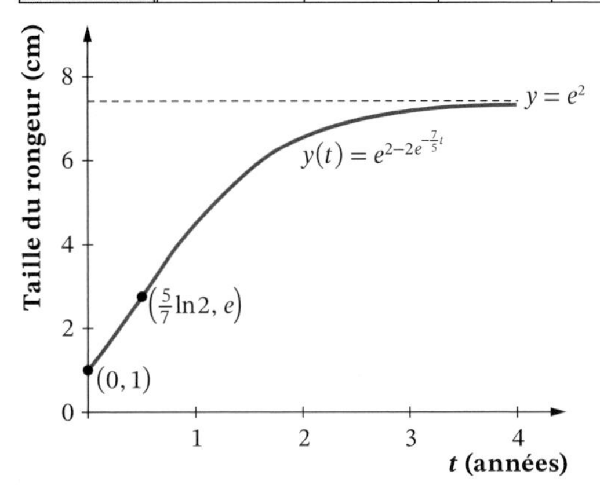

15. a) $P'(t) = \dfrac{ACre^{-rt}}{(1 + Ce^{-rt})^2}$ individus/année

b) $P''(t) = \dfrac{ACr^2e^{-rt}(Ce^{-rt} - 1)}{(1 + Ce^{-rt})^3}$

Comme $A > 0$, $C > 0$, $r > 0$ et $e^{-rt} > 0$ pour tout $t \in [0, \infty[$, on a

$$P''(t) = 0 \Leftrightarrow \frac{ACr^2e^{-rt}(Ce^{-rt} - 1)}{(1 + Ce^{-rt})^3} = 0 \Leftrightarrow Ce^{-rt} - 1 = 0 \Leftrightarrow Ce^{-rt} = 1$$

$$\Leftrightarrow e^{-rt} = \tfrac{1}{C} \Leftrightarrow -rt = \ln\left(\tfrac{1}{C}\right) \Leftrightarrow -rt = \ln(C^{-1})$$

$$\Leftrightarrow -rt = -\ln C \Leftrightarrow t = \tfrac{\ln C}{r}$$

Le taux de croissance est maximal lorsque $t = \frac{\ln C}{r}$ années.

c) 3 000 individus

d) 0 individu/année

e) Effectuons l'étude de la fonction $P(t) = \dfrac{3\,000}{1 + 5e^{-0,4t}}$ en respectant les étapes proposées.

$\text{Dom}_P = [0, \infty[$, car le temps est une variable non négative.

Asymptote verticale : aucune.

Asymptote horizontale : $y = 3\,000$.

Ordonnée à l'origine : 500.

Zéro : aucun.

$P'(t) = \dfrac{6\,000e^{-0,4t}}{(1 + 5e^{-0,4t})^2}$

Sur l'intervalle $]0, \infty[$, la fonction $P(t)$ n'admet aucune valeur critique parce que la dérivée est toujours positive.

$P''(t) = \dfrac{2\,400e^{-0,4t}(5e^{-0,4t} - 1)}{(1 + 5e^{-0,4t})^3}$

En vertu du calcul effectué en b, la seule valeur susceptible de produire un point d'inflexion sur l'intervalle $]0, \infty[$ est $t = \frac{\ln C}{r} = \frac{\ln 5}{0,4} = \frac{5}{2}\ln 5 \approx 4{,}02$.

		$]0, \frac{5}{2}\ln 5[$		$]\frac{5}{2}\ln 5, \infty[$
t	**0**		$\frac{5}{2}\ln 5$	
$P'(t)$		+	+	+
$P''(t)$		+	0	−
$P(t)$	500 min.rel. et abs.	↗ ∪	1 500 p.i.	↗ ∩

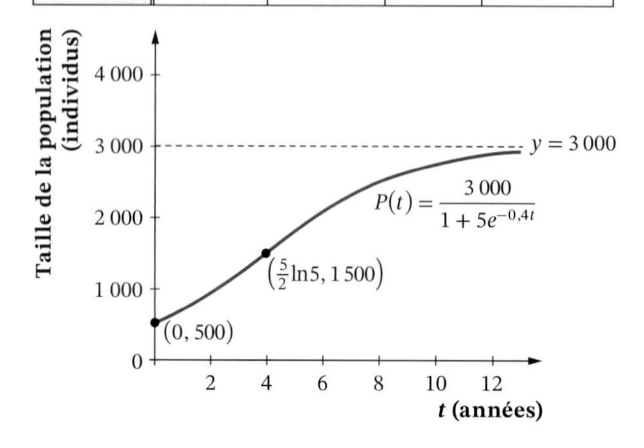

16. a) $\underbrace{\lim_{r\to\infty} D\left[1 - e^{a(r_e - r)}\right]^2}_{\text{forme } D(1-e^{-\infty})^2} = D(1-0)^2 = D$

b) $E'(r) = 2aDe^{a(r_e - r)}\left[1 - e^{a(r_e - r)}\right]$

Sur l'intervalle $]0, \infty[$, la seule valeur critique de la fonction $E(r)$ est $r = r_e$.
Construisons un tableau des signes:

	$]0, r_e[$		$]r_e, \infty[$
r		**r_e**	
$E'(r)$	−	0	+
$E(r)$	↘	0 min. rel. et abs.	↗

Sur l'intervalle $]0, \infty[$, le minimum relatif de 0 en $r = r_e$ est également le minimum absolu de $E(r)$, car la fonction $E(r)$ est décroissante sur $]0, r_e]$ et croissante sur $[r_e, \infty[$. Elle atteint donc sa plus petite valeur en $r = r_e$ sur l'intervalle $]0, \infty[$. Par conséquent, la distance donnant la plus faible énergie potentielle est $r = r_e$.

c) $E(r_e) = D\left[1 - e^{a(r_e - r_e)}\right]^2 = D(1 - e^0)^2 = 0$

d) Effectuons l'étude de la fonction $E(r) = 6\left(1 - e^{\frac{4}{5} - r}\right)^2$ en respectant les étapes proposées.

$\text{Dom}_E =]0, \infty[$, car la distance entre 2 atomes est une variable positive.

Asymptote verticale: aucune.

Asymptote horizontale: $y = 6$.

Ordonnée à l'origine: aucune.

Zéro: $r = \frac{4}{5}$.

$E'(r) = 12e^{\frac{4}{5} - r}\left(1 - e^{\frac{4}{5} - r}\right)$

Sur l'intervalle $]0, \infty[$, la seule valeur critique de la fonction $E(r)$ est $r = \frac{4}{5}$.

$E''(r) = 12e^{\frac{4}{5} - r}\left(2e^{\frac{4}{5} - r} - 1\right)$

Sur l'intervalle $]0, \infty[$, la seule valeur susceptible de produire un point d'inflexion est $r = \frac{4}{5} + \ln 2$.

	$]0, 4/5[$		$]4/5, 4/5 + \ln 2[$		$]4/5 + \ln 2, \infty[$
r		**$4/5$**		**$4/5 + \ln 2$**	
$E'(r)$	−	0	+	+	+
$E''(r)$	+	+	+	0	−
$E(r)$	↘∪	0 min. rel. et abs.	↗∪	$3/2$ p.i.	↗∩

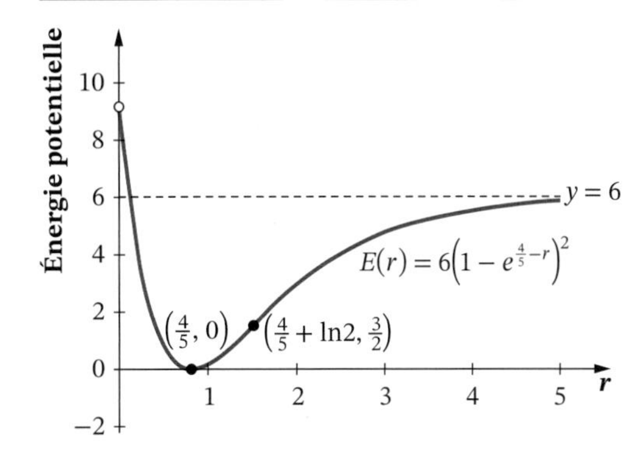

CHAPITRE 6

17. a) $y'(v) = -2k_1 v e^{-k_2 v^2}(k_2 v^2 - 1)$

Or, puisque $k_1 > 0$, $v > 0$ et $e^{-k_2 v^2} > 0$ pour tout $v \in]0, \infty[$, on a

$y'(v) = 0 \quad \Leftrightarrow \quad v = \frac{\sqrt{k_2}}{k_2}$. Par conséquent, la fonction $y(v)$ n'admet qu'une seule valeur critique sur l'intervalle $]0, \infty[$.

De plus, si $0 < v < \frac{\sqrt{k_2}}{k_2}$, alors $y'(v) > 0$ et la fonction $y(v)$ est croissante. Par ailleurs, si $v > \frac{\sqrt{k_2}}{k_2}$, alors $y'(v) < 0$ et la fonction $y(v)$ est décroissante. Par conséquent, la fonction $y(v)$ atteint sa valeur maximale en $v = \frac{\sqrt{k_2}}{k_2}$ sur l'intervalle $]0, \infty[$.

b) Effectuons l'étude de la fonction $y(v) = v^2 e^{-\frac{1}{16}v^2}$ en respectant les étapes proposées.

$\text{Dom}_y =]0, \infty[$, car on spécifie dans l'énoncé que la vitesse v est positive.

Asymptote verticale : aucune.

Asymptote horizontale : $y = 0$.

Ordonnée à l'origine : aucune.

Zéro : aucun.

$y'(v) = -\frac{1}{8} v e^{-\frac{1}{16}v^2}(v^2 - 16)$

Sur l'intervalle $]0, \infty[$, la seule valeur critique de la fonction $y(v)$ est $v = 4$.

$y''(v) = \frac{1}{64} e^{-\frac{1}{16}v^2}(v^4 - 40v^2 + 128)$

Sur l'intervalle $]0, \infty[$, les valeurs susceptibles de produire un point d'inflexion sont $v = 2\sqrt{5 - \sqrt{17}} \approx 1{,}87$ et $v = 2\sqrt{5 + \sqrt{17}} \approx 6{,}04$.

	]0 ; 1,87[		**]1,87 ; 4[**		**]4 ; 6,04[**		**]6,04 ; ∞[**
v		**1,87**		**4**		**6,04**	
$y'(v)$	+	+	+	0	−	−	−
$y''(v)$	+	0	−	−	−	0	+
$y(v)$	↗∪	2,82 p.i.	↗∩	5,89 max. rel. et abs.	↘∩	3,73 p.i.	↘∪

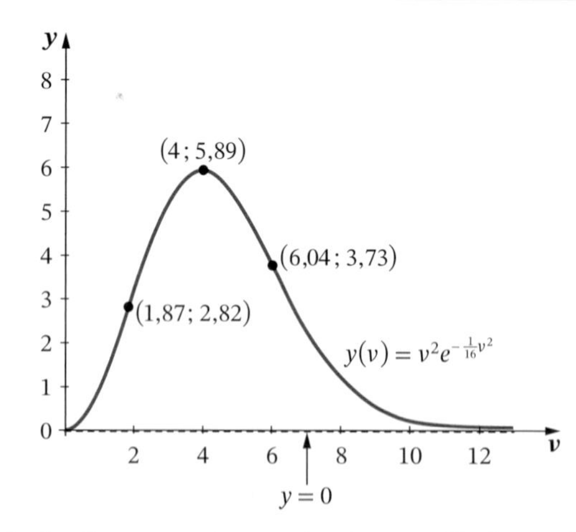

18. a) La distance r séparant les deux molécules est la variable indépendante et l'énergie potentielle E est la variable dépendante.

b) $r > 0$ ou $r \in]0, \infty[$.

c) $\lim_{r \to \infty} E(r) = 0$

d) La droite $y = 0$ est une asymptote horizontale à la courbe décrite par la fonction $E(r) = \frac{4\varepsilon\sigma^6}{r^6}\left(\frac{\sigma^6}{r^6} - 1\right)$.

e) $\lim_{r \to 0^+} E(r) = \infty$

CHAPITRE 6

f) $E'(r) = \frac{d}{dr}\left[\frac{4\varepsilon\sigma^6}{r^6}\left(\frac{\sigma^6}{r^6} - 1\right)\right] = 4\varepsilon\sigma^6 \frac{d}{dr}\left(\frac{\sigma^6}{r^{12}} - \frac{1}{r^6}\right)$

$= 4\varepsilon\sigma^6 \frac{d}{dr}(\sigma^6 r^{-12} - r^{-6}) = 4\varepsilon\sigma^6(-12\sigma^6 r^{-13} + 6r^{-7})$

$= 4\varepsilon\sigma^6\left(-\frac{12\sigma^6}{r^{13}} + \frac{6}{r^7}\right) = 4\varepsilon\sigma^6\left(\frac{-12\sigma^6 + 6r^6}{r^{13}}\right)$

$= \frac{24\varepsilon\sigma^6(r^6 - 2\sigma^6)}{r^{13}}$

g) $r = \sqrt[6]{2}\sigma$

h) $E(\sqrt[6]{2}\sigma) = \frac{4\varepsilon\sigma^6}{(\sqrt[6]{2}\sigma)^6}\left[\frac{\sigma^6}{(\sqrt[6]{2}\sigma)^6} - 1\right] = \frac{4\varepsilon\sigma^6}{2\sigma^6}\left(\frac{\sigma^6}{2\sigma^6} - 1\right) = 2\varepsilon\left(-\frac{1}{2}\right) = -\varepsilon$

i) Le tableau des signes sur l'intervalle $]0, \infty[$ est le suivant :

	$]\mathbf{0}, \sqrt[6]{2}[$		$]\sqrt[6]{2}, \sqrt[6]{26/7}[$		$]\sqrt[6]{26/7}, \infty[$
r		$\sqrt[6]{2}$		$\sqrt[6]{26/7}$	
E′(r)	−	0	+	+	+
E″(r)	+	+	+	0	−
E(r)	↘ (	−1 min. rel. et abs.	↗)	−0,79 p.i.	↗ (

j)

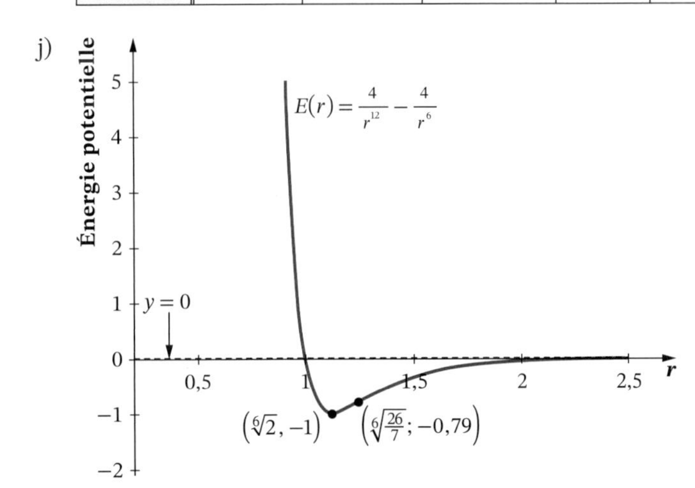

RÉPONSES AUX EXERCICES de l'annexe

Exercices A.1

1. a) Faux c) Vrai e) Vrai
b) Faux d) Faux f) Vrai

2. $A \cup B = \{1, 2, 3, 4, 6, 8, 9, 12, 15, 18, 21, 24, 27\}$
$A \cap B = \{3, 6, 12, 24\}$
$A \backslash B = \{9, 15, 18, 21, 27\}$
$B \backslash A = \{1, 2, 4, 8\}$

Exercices A.2

1. a) $^{105}\!/_{3} = 35$
b) -4, $^{105}\!/_{3} = 35$ et $\sqrt[3]{-512} = -8$.
c) -4, $1{,}\overline{3}$, $^{105}\!/_{3} = 35$, $\sqrt[3]{-512} = -8$ et 2,48.
d) $^{\pi}\!/_{4}$ et $\sqrt{15}$.
e) Tous les nombres donnés sont des nombres réels.

2. a) Faux c) Vrai e) Vrai g) Faux i) Vrai
b) Vrai d) Faux f) Faux h) Vrai j) Faux

Exercices A.3

1. a) $[-^1\!/_4, 2] = \{x \in \mathbb{R} \mid -^1\!/_4 \leq x \leq 2\}$
b) $[1{,}62; \infty[= \{x \in \mathbb{R} \mid x \geq 1{,}62\}$
c) $]-\infty, 1[= \{x \in \mathbb{R} \mid x < 1\}$
d) $]3, ^{16}\!/_{3}] = \{x \in \mathbb{R} \mid 3 < x \leq ^{16}\!/_{3}\}$
e) $]-8, -^5\!/_2[= \{x \in \mathbb{R} \mid -8 < x < -^5\!/_2\}$
f) $]-\infty, -2] = \{x \in \mathbb{R} \mid x \leq -2\}$

2. a) $[^2\!/_3, 5[$ c) $[-\sqrt{2}, 5]$ e) $[-0{,}76; \infty[$
b) $]2{,}84; \infty[$ d) $]-\infty, \pi]$ f) $]-4, -^2\!/_3[$

Exercice A.4

a) $5^6 = 15\,625$
b) $\dfrac{4^4}{3^4} = \dfrac{256}{81}$
c) $\dfrac{3^{17}}{8^8} = \dfrac{129\,140\,163}{16\,777\,216}$
d) $\dfrac{16y^2}{25x^2}$
e) $\dfrac{x^6}{49y^2}$
f) x^{16}
g) $\dfrac{9x^6}{y^2}$
h) $\dfrac{1}{x^3y^3}$
i) $\dfrac{1}{x^8y^{24}}$
j) $\dfrac{16}{27x^4}$

Exercices A.5

1. a) $|-8| = 8$
b) $|^3\!/_4| = ^3\!/_4$
c) $|2 - 3(4)| = |-10| = 10$
d) $|3 - 5(^9\!/_{15})| = |0| = 0$
e) $|2^5 - 3^2| = |23| = 23$
f) $|^1\!/_{12} - ^4\!/_5| = |-^{43}\!/_{60}| = ^{43}\!/_{60}$

2. a) $x = 0$
b) $x = 9$ ou $x = -9$.
c) $x = 1/2$ ou $x = -1/2$.
d) $x = \sqrt{2}$ ou $x = -\sqrt{2}$.
e) Il n'y a aucune solution.
f) $x = 4{,}8$ ou $x = -4{,}8$.

Exercices A.6

1. a) 32 768
b) 78 125
c) $\frac{16}{81}$
d) -64
e) 25
f) $\frac{1}{8}$
g) 81
h) -8
i) $\frac{5}{3}$
j) $-\frac{4}{3}$
k) $\frac{27}{8}$
l) $\frac{9}{4}$

2. a) $2\sqrt[4]{2}$
b) $3\sqrt{6}$
c) $70\sqrt{3}$
d) $6\sqrt[3]{2}$
e) 15
f) $\sqrt[3]{|a|}$
g) $\sqrt[8]{a}$
h) $4|a|$
i) $\frac{2a}{5}$
j) $\frac{-3x^2}{y^7}$

Exercice A.7

a) $2\sqrt{2}$
b) $-\frac{3\sqrt{14}}{7}$
c) $\frac{3\sqrt{2}-4}{2}$
d) $4\sqrt{3}$
e) $\frac{2\sqrt{5a}}{3}$
f) $3(3-\sqrt{7})$
g) $\frac{\sqrt{15}-3}{2}$
h) $\frac{\sqrt{a}+3}{a-9}$
i) $\sqrt{a}+2$
j) $5(\sqrt{a+4}+\sqrt{a})$

Exercice A.8

a) $11x^3 - 4x^2 + 4x - 1$
b) $-2t^2 + 3$
c) $-x^2 - 4x - 3$
d) $2x^3 - x^2 + 4x + 3$
e) $-8x^2 + 26x - 15$
f) $-2x^4 + 7x^3 - 16x^2 + 17x - 12$
g) $4x^2 - 20x + 25$
h) $8x - \frac{11}{2} + \frac{9}{x}$
i) $-9 - \frac{52}{5}x + 13x^2$
j) $3x^2 - 2x + 4$
k) $4x^2 - 4x + 1$
l) $32x^4 + 16x^2 + 8 + \frac{7}{2x^2-1}$
m) $-x^3 - x^2 + \frac{1}{1-x}$
n) $x^3 + 3x^2 + 10x + 27 + \frac{68x-29}{x^2-3x+1}$

Exercice A.9

a) $3x^2(x-5)$
b) $(x+2)(x^2+2)$
c) $-2x^2(2x-3)(3x^2+1)$
d) $(x-3)(x+3)$
e) $(2-5x)(2+5x)$
f) $(x-5)(x-7)$
g) $(x+2)(x-9)$
h) Le polynôme est irréductible.
i) $(x-11)^2$
j) $\left(x+\frac{5+\sqrt{29}}{2}\right)\left(x+\frac{5-\sqrt{29}}{2}\right)$
k) $(2-x)(x+4)$
l) $8(x+7/4)(x-1/2) = (4x+7)(2x-1)$
m) $4(x+1/2)^2 = (2x+1)^2$
n) Le polynôme est irréductible.
o) $25(x-2/5)(x-8/5) = (5x-2)(5x-8)$
p) $4\left(x+\frac{3+\sqrt{41}}{8}\right)\left(x+\frac{3-\sqrt{41}}{8}\right)$

Exercices A.10

1. a) $\mathbb{R}\setminus\{-5, 5\}$
b) $\mathbb{R}\setminus\{-6, 3\}$
c) $\mathbb{R}\setminus\{-4/3, 3\}$
d) $\mathbb{R}\setminus\{-3, 3\}$
e) $\mathbb{R}\setminus\{-5, 1/2\}$
f) $\mathbb{R}\setminus\{0, 1/2, 3/2\}$

2. a) $\dfrac{x-5}{25-x^2}=\dfrac{-1}{x+5}$ si $x\neq -5$ et $x\neq 5$.

b) $\dfrac{x-3}{x^2+3x-18}=\dfrac{1}{x+6}$ si $x\neq -6$ et $x\neq 3$.

c) $\dfrac{x^2-9x+18}{3x^2-5x-12}=\dfrac{x-6}{3x+4}$ si $x\neq -4/3$ et $x\neq 3$.

d) $\dfrac{4x^2+24x+36}{4x^2-36}=\dfrac{x+3}{x-3}$ si $x\neq -3$ et $x\neq 3$.

e) $\dfrac{2x^3-x^2}{2x^2+9x-5}=\dfrac{x^2}{x+5}$ si $x\neq -5$ et $x\neq 1/2$.

f) $\dfrac{6x^2+3x-3}{8x^3-16x^2+6x}=\dfrac{3(x+1)}{2x(2x-3)}$ si $x\neq 0$, $x\neq 1/2$ et $x\neq 3/2$.

3. a) $\dfrac{x^2-2x+1}{x^3+x}\times\dfrac{4x^2+4}{x^2+x-2}=\dfrac{4(x-1)}{x(x+2)}$ si $x\notin\{-2, 0, 1\}$.

b) $\dfrac{3x^2+15}{x^2+16x+15}\times\dfrac{x^2+2x+1}{x^2-1}=\dfrac{3(x^2+5)}{(x+15)(x-1)}$ si $x\notin\{-15, -1, 1\}$.

c) $\dfrac{1-x^2}{5x^2-26x+5}\times\dfrac{5x^2+14x-3}{x^2+2x-3}=\dfrac{-(x+1)}{x-5}$ si $x\notin\{-3, 1/5, 1, 5\}$.

d) $\dfrac{x^2-25}{x^2-5x-14}\div\dfrac{x+5}{2x^2-13x-7}=\dfrac{(x-5)(2x+1)}{x+2}$ si $x\notin\{-5, -2, -1/2, 7\}$.

e) $\dfrac{2x^2-x}{4x^2-4x+1}\div\dfrac{x^2}{8x-4}=\dfrac{4}{x}$ si $x\notin\{0, 1/2\}$.

f) $\dfrac{49-x^2}{x^2-4x-21}\div\dfrac{2x^2-13x+15}{2x^2-15x+18}=\dfrac{-(7+x)(x-6)}{(x+3)(x-5)}$ si $x\notin\{-3, 3/2, 5, 6, 7\}$.

g) $\dfrac{5x}{x^2-9}-\dfrac{5}{2x-6}=\dfrac{5}{2(x+3)}$ si $x\notin\{-3, 3\}$.

h) $\dfrac{1}{x-3}+\dfrac{2}{x^2+3x}+\dfrac{12}{x^3-9x}=\dfrac{x+2}{x(x-3)}$ si $x\notin\{-3, 0, 3\}$.

i) $\dfrac{x+3}{x^2-x-2}+\dfrac{2x-1}{x^2+2x-8}=\dfrac{3x^2+8x+11}{(x+1)(x-2)(x+4)}$ si $x\notin\{-4, -1, 2\}$.

j) $\dfrac{6x}{2x^2+5x+2}-\dfrac{5}{2x^2-3x-2}=\dfrac{3x-10}{(x+2)(x-2)}$ si $x\notin\{-2, -1/2, 2\}$.

Exercices A.11

1. a) $S=\{-7\}$ c) $S=\{35\}$ e) $S=\{-5/23\}$
   b) $S=\{5/2\}$ d) $S=\varnothing$ f) $S=\mathbb{R}$

2. a) $S=\{-1/3, 6\}$ d) $S=\varnothing$
   b) $S=\{-4\}$ e) $S=\{1/4, 3/2\}$
   c) $S=\left\{\dfrac{3-\sqrt{21}}{4}, \dfrac{3+\sqrt{21}}{4}\right\}$ f) $S=\{-5/2\}$

3. a) $S=\{7/11\}$ c) $S=\{-6\}$ e) $S=\{5\}$
   b) $S=\varnothing$ d) $S=\{-3/4, 2\}$ f) $S=\{-8/3, 3\}$

Exercices A.12

1. a) La courbe ne représente pas une fonction, car il existe au moins une droite verticale coupant la courbe en plus d'un point.
   b) La courbe représente une fonction, car aucune droite verticale ne coupe la courbe en plus d'un point.

c) La courbe représente une fonction, car aucune droite verticale ne coupe la courbe en plus d'un point.

d) La courbe ne représente pas une fonction, car il existe au moins une droite verticale coupant la courbe en plus d'un point.

2. a) $f(-2) = 6(-2) + 2 = -10$

$f(1/2) = 6(1/2) + 2 = 5$

$f(3) = 6(3) + 2 = 20$

$f(x+h) = 6(x+h) + 2 = 6x + 6h + 2$

b) $f(-2) = 2(-2)^2 - 8 = 0$

$f(1/2) = 2(1/2)^2 - 8 = -15/2$

$f(3) = 2(3)^2 - 8 = 10$

$f(x+h) = 2(x+h)^2 - 8 = 2x^2 + 4xh + 2h^2 - 8$

c) $f(-2) = \dfrac{3}{2(-2)+1} = -1$

$f(1/2) = \dfrac{3}{2(1/2)+1} = \dfrac{3}{2}$

$f(3) = \dfrac{3}{2(3)+1} = \dfrac{3}{7}$

$f(x+h) = \dfrac{3}{2(x+h)+1} = \dfrac{3}{2x+2h+1}$

d) $f(-2) = \sqrt{3(-2)+7} - 5 = -4$

$f(1/2) = \sqrt{3(1/2)+7} - 5 = \sqrt{17/2} - 5 \approx -2{,}085$

$f(3) = \sqrt{3(3)+7} - 5 = -1$

$f(x+h) = \sqrt{3(x+h)+7} - 5 = \sqrt{3x+3h+7} - 5$

3. a) $\text{Dom}_f = \mathbb{R}$

b) $\text{Dom}_h = \mathbb{R}\backslash\{-1/2\}$

c) $\text{Dom}_f = \mathbb{R}\backslash\{0, 2\}$

d) $\text{Dom}_g = [-7/3, \infty[$

e) $\text{Dom}_h = \mathbb{R}$

f) $\text{Dom}_g = [1, 4[\cup]4, \infty[$

4. a) Le domaine de la fonction $f(x)$ est $\text{Dom}_f =]-2, 1[$, son image est $\text{Ima}_f = [-1/3, 3/2]$, son ordonnée à l'origine est 1 et son zéro est $x = -1/2$.

b) Le domaine de la fonction $g(x)$ est $\text{Dom}_g = \mathbb{R}$, son image est $\text{Ima}_g = [-8/3, \infty[$, son ordonnée à l'origine est 0 et ses zéros sont $x = 0$ et $x = 8/3$.

Exercice A.13

a) $(f \circ g)(x) = -2x + 4$, $\text{Dom}_{f \circ g} = \mathbb{R}$, $(g \circ f)(x) = -2x - 4$ et $\text{Dom}_{g \circ f} = \mathbb{R}$.

b) $(f \circ g)(x) = 3x^2 + 10$, $\text{Dom}_{f \circ g} = \mathbb{R}$, $(g \circ f)(x) = 9x^2 + 6x + 4$ et $\text{Dom}_{g \circ f} = \mathbb{R}$.

c) $(f \circ g)(x) = 4x^4 + 12x^2 + 8$, $\text{Dom}_{f \circ g} = \mathbb{R}$, $(g \circ f)(x) = 2x^4 - 4x^2 + 5$ et $\text{Dom}_{g \circ f} = \mathbb{R}$.

d) $(f \circ g)(x) = \sqrt{2x+3}$, $\text{Dom}_{f \circ g} = [-3/2, \infty[$, $(g \circ f)(x) = 2\sqrt{x} + 3$ et $\text{Dom}_{g \circ f} = [0, \infty[$.

e) $(f \circ g)(x) = \sqrt{3x+1}$, $\text{Dom}_{f \circ g} = [-1/3, \infty[$, $(g \circ f)(x) = 3\sqrt{x+3} - 2$ et $\text{Dom}_{g \circ f} = [-3, \infty[$.

f) $(f \circ g)(x) = \sqrt{-2x-1}$, $\text{Dom}_{f \circ g} =]-\infty, -1/2]$, $(g \circ f)(x) = 1 - 2\sqrt{x-2}$ et $\text{Dom}_{g \circ f} = [2, \infty[$.

Exercices A.14

1. a) Voici la représentation graphique de la fonction $f(x) = 5x - 1$:

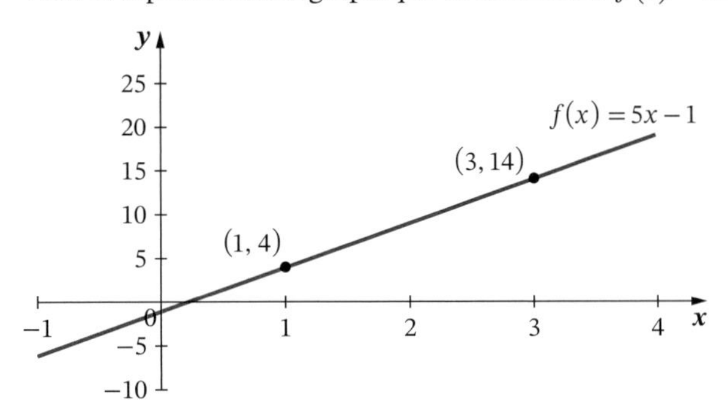

Le domaine de la fonction $f(x) = 5x - 1$ est $\text{Dom}_f = \mathbb{R}$, son image est $\text{Ima}_f = \mathbb{R}$, son ordonnée à l'origine est -1 et son zéro est $x = 1/5$.

b) Voici la représentation graphique de la fonction $f(x) = -2x - 3$:

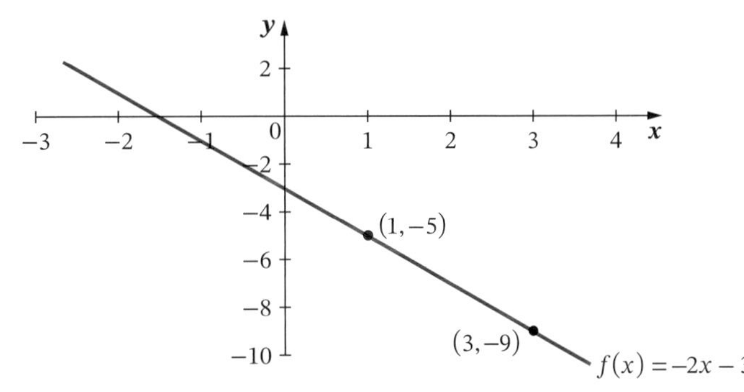

Le domaine de la fonction $f(x) = -2x - 3$ est $\text{Dom}_f = \mathbb{R}$, son image est $\text{Ima}_f = \mathbb{R}$, son ordonnée à l'origine est -3 et son zéro est $x = -3/2$.

c) Voici la représentation graphique de la fonction $f(x) = 3/4\,x + 2$:

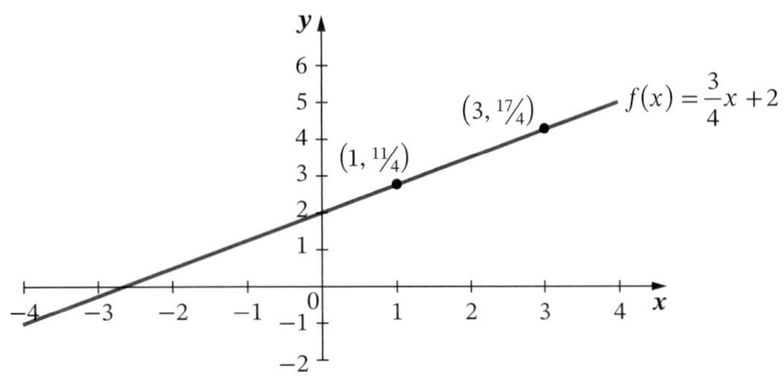

Le domaine de la fonction $f(x) = 3/4\,x + 2$ est $\text{Dom}_f = \mathbb{R}$, son image est $\text{Ima}_f = \mathbb{R}$, son ordonnée à l'origine est 2 et son zéro est $x = -8/3$.

d) Voici la représentation graphique de la fonction $f(x) = 4$:

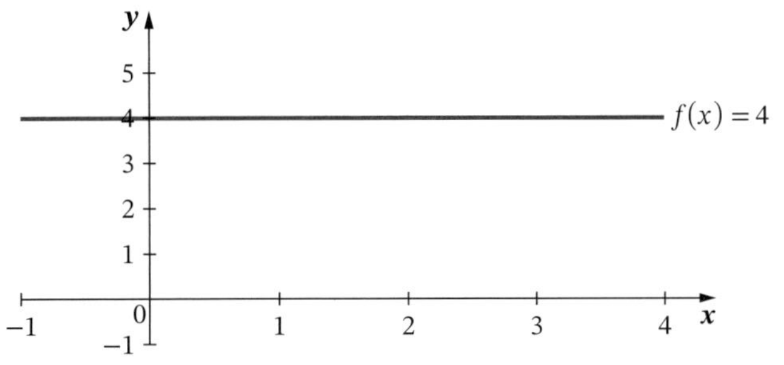

Le domaine de la fonction $f(x) = 4$ est $\text{Dom}_f = \mathbb{R}$, son image est $\text{Ima}_f = \{4\}$, son ordonnée à l'origine est 4, et la fonction n'admet aucun zéro.

e) Voici la représentation graphique de la fonction $f(x) = -\frac{1}{2}$:

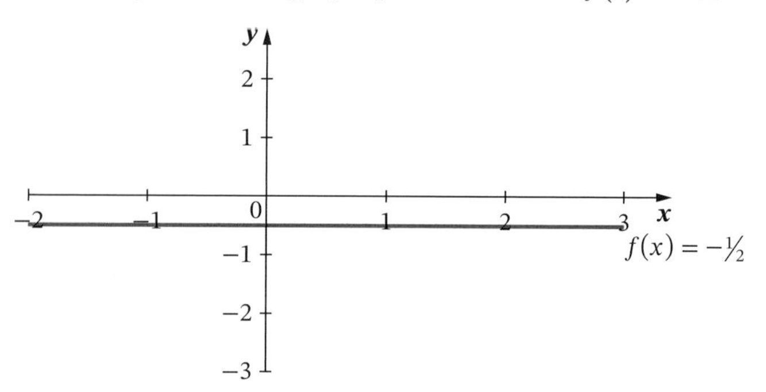

Le domaine de la fonction $f(x) = -\frac{1}{2}$ est $\text{Dom}_f = \mathbb{R}$, son image est $\text{Ima}_f = \{-\frac{1}{2}\}$, son ordonnée à l'origine est $-\frac{1}{2}$, et la fonction n'admet aucun zéro.

f) Voici la représentation graphique de la fonction $f(x) = 0$ (elle est confondue avec l'axe des abscisses) :

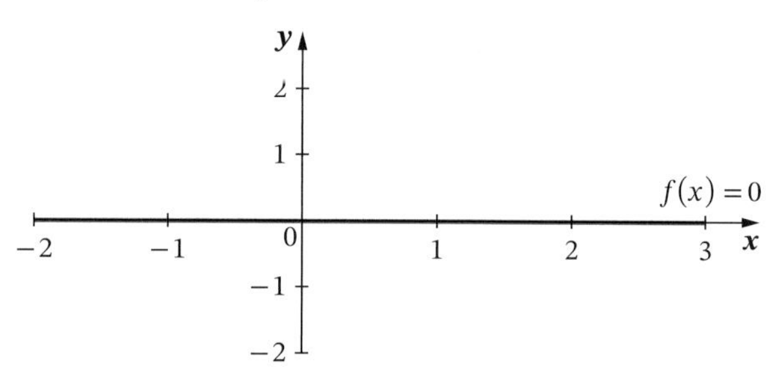

Le domaine de la fonction $f(x) = 0$ est $\text{Dom}_f = \mathbb{R}$, son image est $\text{Ima}_f = \{0\}$, son ordonnée à l'origine est 0 et toutes les valeurs réelles de x sont des zéros de $f(x) = 0$.

2. a) $y = 3x - 5$ c) $y = \frac{3}{4}x + \frac{3}{2}$ e) $y = -1$

b) $y = -4x - 7$ d) $y = \frac{2}{5}x + \frac{14}{5}$ f) $y = 0$

Exercice A.15

a) La parabole décrite par $f(x) = -3x^2 + 6x + 9$ est ouverte vers le bas. Son sommet est le point $(1, 12)$, ses zéros sont $x_1 = 3$ et $x_2 = -1$, son ordonnée à l'origine est 9, son domaine est $\text{Dom}_f = \mathbb{R}$ et son image est $\text{Ima}_f =]-\infty, 12]$.

Voici la représentation graphique de la fonction $f(x) = -3x^2 + 6x + 9$:

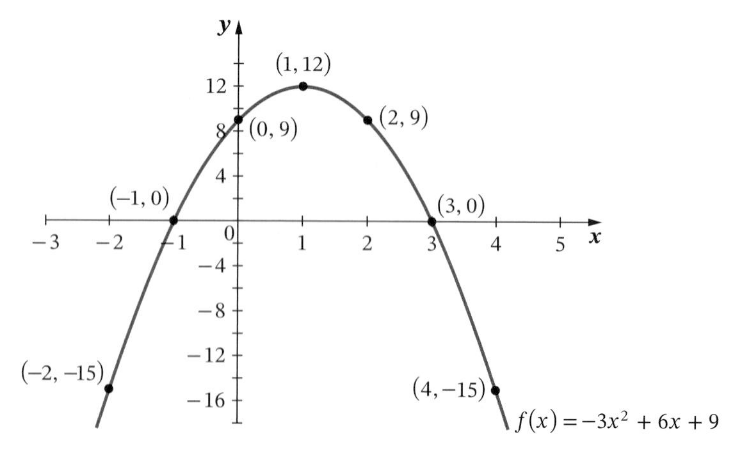

b) La parabole décrite par $f(x) = 4x^2 + 4x + 3$ est ouverte vers le haut. Son sommet est le point $(-\frac{1}{2}, 2)$, elle n'admet aucun zéro, son ordonnée à l'origine est 3, son domaine est $\text{Dom}_f = \mathbb{R}$ et son image est $\text{Ima}_f = [2, \infty[$.

Voici la représentation graphique de la fonction $f(x) = 4x^2 + 4x + 3$:

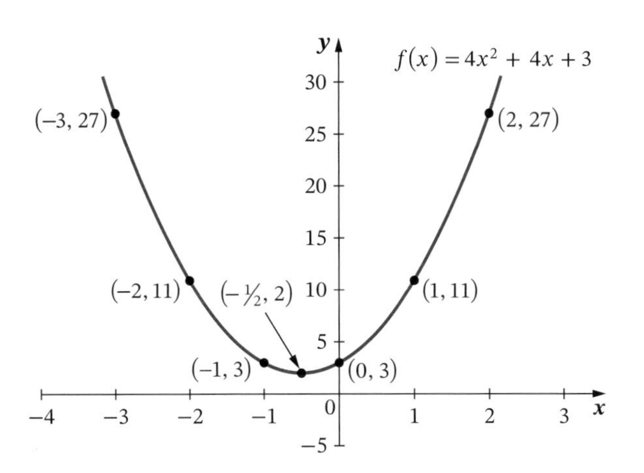

c) La parabole décrite par $f(x) = -2x^2 + 8x - 8$ est ouverte vers le bas. Son sommet est le point $(2, 0)$, son zéro est $x = 2$, son ordonnée à l'origine est -8, son domaine est $\text{Dom}_f = \mathbb{R}$ et son image est $\text{Ima}_f =]-\infty, 0]$.

Voici la représentation graphique de la fonction $f(x) = -2x^2 + 8x - 8$:

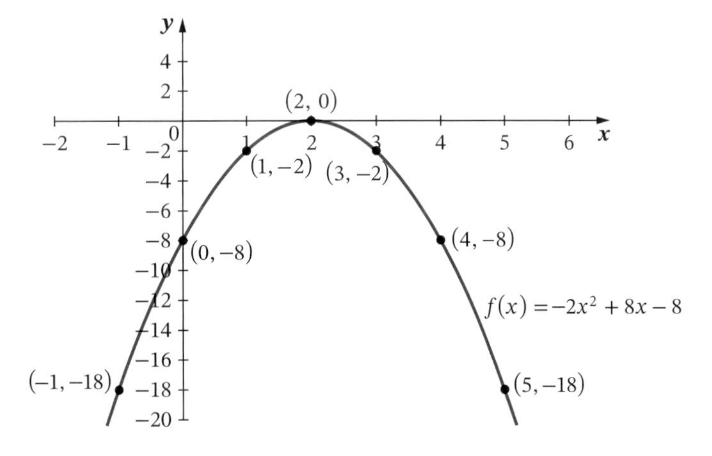

d) La parabole décrite par $f(x) = 4x^2 - 15x + 9$ est ouverte vers le haut. Son sommet est le point $(15/8, -81/16)$, ses zéros sont $x_1 = 3/4$ et $x_2 = 3$, son ordonnée à l'origine est 9, son domaine est $\text{Dom}_f = \mathbb{R}$ et son image est $\text{Ima}_f = [-81/16, \infty[$.

Voici la représentation graphique de la fonction $f(x) = 4x^2 - 15x + 9$:

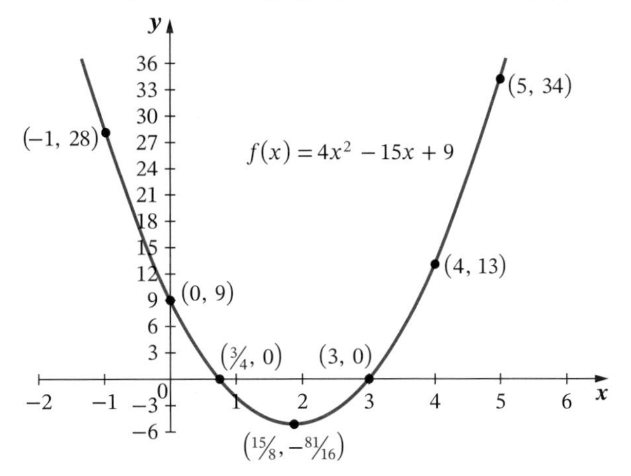

e) La parabole décrite par $f(x) = 9x^2 + 24x + 16$ est ouverte vers le haut. Son sommet est le point $(-4/3, 0)$, son zéro est $x = -4/3$, son ordonnée à l'origine est 16, son domaine est $\text{Dom}_f = \mathbb{R}$ et son image est $\text{Ima}_f = [0, \infty[$.

Voici la représentation graphique de la fonction $f(x) = 9x^2 + 24x + 16$:

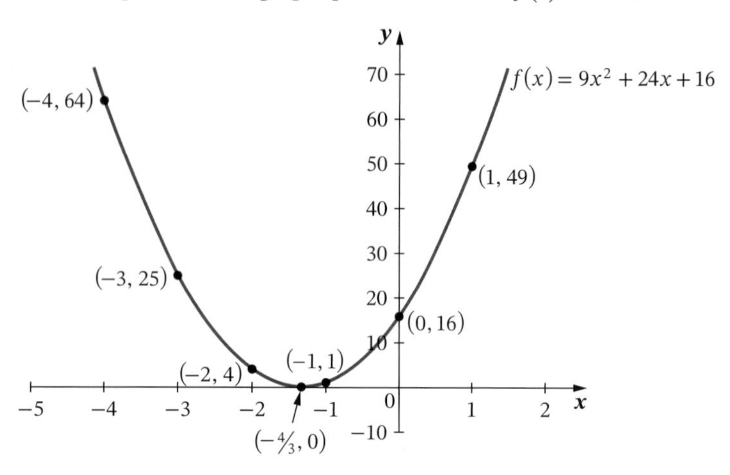

f) La parabole décrite par $f(x) = -5x^2 + 10x - 6$ est ouverte vers le bas. Son sommet est le point $(1, -1)$, elle n'admet aucun zéro, son ordonnée à l'origine est -6, son domaine est $\text{Dom}_f = \mathbb{R}$ et son image est $\text{Ima}_f =]-\infty, -1]$.

Voici la représentation graphique de la fonction $f(x) = -5x^2 + 10x - 6$:

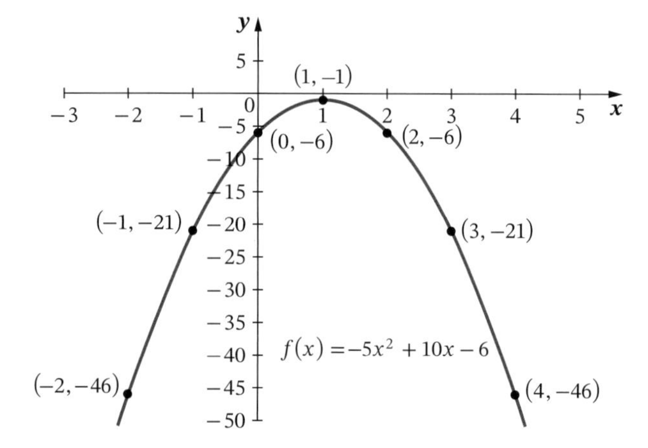

g) La parabole décrite par $f(x) = 2x^2 + 6x + 3$ est ouverte vers le haut. Son sommet est le point $(-3/2, -3/2)$, ses zéros sont $x_1 = \dfrac{-3 - \sqrt{3}}{2} \approx -2{,}366$ et $x_2 = \dfrac{-3 + \sqrt{3}}{2} \approx -0{,}634$, son ordonnée à l'origine est 3, son domaine est $\text{Dom}_f = \mathbb{R}$ et son image est $\text{Ima}_f = [-3/2, \infty[$.

Voici la représentation graphique de la fonction $f(x) = 2x^2 + 6x + 3$:

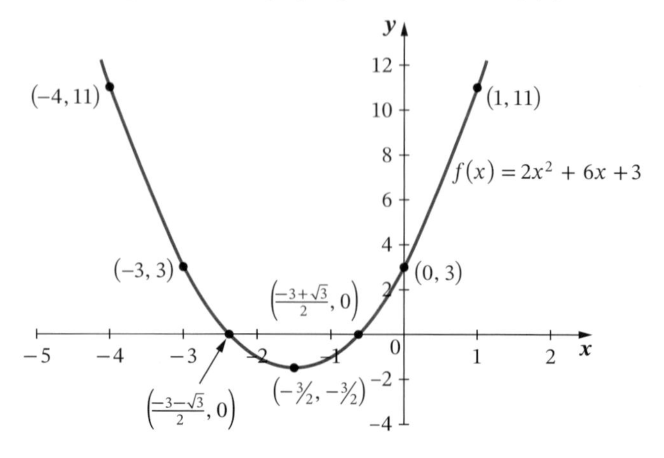

h) La parabole décrite par $f(x) = -3/4x^2 + 21/8x - 15/8$ est ouverte vers le bas. Son sommet est le point $(7/4, 27/64)$, ses zéros sont $x_1 = 5/2$ et $x_2 = 1$, son ordonnée à l'origine est $-15/8$, son domaine est $\text{Dom}_f = \mathbb{R}$ et son image est $\text{Ima}_f =]-\infty, 27/64]$.
Voici la représentation graphique de la fonction $f(x) = -3/4x^2 + 21/8x - 15/8$:

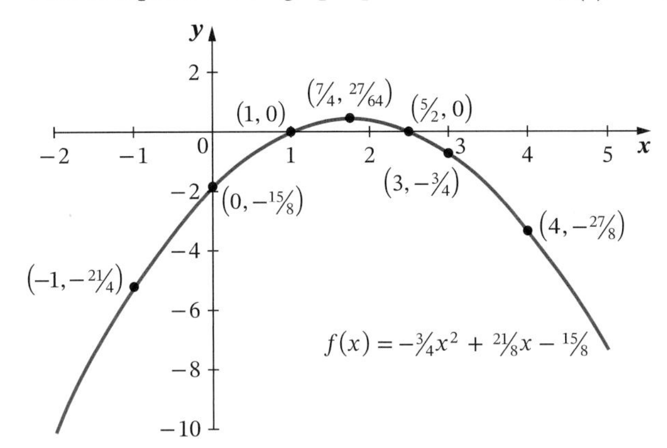

Exercice A.16

a) $S = \{-2, 10\}$
b) $S = \{-1, 2\}$
c) $S = \varnothing$
d) $S = \{-3/2, 13/2\}$
e) $S = \{3\}$
f) $S = \{-3, 1/3\}$

Exercice A.17

a) $x = 23$
b) $x = 3/2$
c) $x = 1$
d) Aucune solution.
e) $x = 1/6$
f) $x = 15/4$

Exercices A.18

1. a) $x = \dfrac{\ln 15}{2\ln 3} \approx 1{,}232$

b) $x = -\dfrac{\log 0{,}0025 - 2}{3} \approx 1{,}534$

c) $t = \dfrac{\ln(1/4)}{-0{,}2} \approx 6{,}931$

d) $x = -1/2$ et $x = 3/2$.

e) $x = \dfrac{3\ln 3 + 3\ln 5}{\ln 5 - 2\ln 3} \approx -13{,}822$

f) $x = \dfrac{-\ln 4}{2\ln 4 - \ln 6} \approx -1{,}413$

2. a) $x = 22$
b) $x = -12/5$
c) $x = 37/12$
d) $x = 1$ et $x = 4/3$.
e) $x = 0$
f) $x = -2$ et $x = 5/2$.

Exercices A.19

1. a) 420° b) 247,5° c) −340° d) Environ −171,89°.

2. a) $\dfrac{4\pi}{3}$ rad b) $-\dfrac{5\pi}{12}$ rad c) $\dfrac{17\pi}{6}$ rad d) $-\dfrac{7\pi}{4}$ rad

3. a) $(-\sqrt{2}/2, \sqrt{2}/2)$
b) $(0, 1)$
c) $(\sqrt{3}/2, -1/2)$
d) $(-1/2, \sqrt{3}/2)$
e) $(-\sqrt{3}/2, 1/2)$
f) $(-1, 0)$

4. a) $\cos(-5\pi/4) = -\sqrt{2}/2$ $\sec(-5\pi/4) = -\sqrt{2}$
$\sin(-5\pi/4) = \sqrt{2}/2$ $\text{cosec}(-5\pi/4) = \sqrt{2}$
$\text{tg}(-5\pi/4) = -1$ $\text{cotg}(-5\pi/4) = -1$

b) $\cos(540°) = -1$ $\sec(540°) = -1$
$\sin(540°) = 0$ $\text{cosec}(540°)$ n'est pas définie.
$\text{tg}(540°) = 0$ $\text{cotg}(540°)$ n'est pas définie.

c) $\cos(10\pi/3) = -1/2$ $\quad \sec(10\pi/3) = -2$

$\sin(10\pi/3) = -\sqrt{3}/2$ $\quad \operatorname{cosec}(10\pi/3) = -\dfrac{2\sqrt{3}}{3}$

$\operatorname{tg}(10\pi/3) = \sqrt{3}$ $\quad \operatorname{cotg}(10\pi/3) = \dfrac{\sqrt{3}}{3}$

5. a) $\cos 48° \approx 0{,}669$ $\quad \sec 48° \approx 1{,}494$

$\sin 48° \approx 0{,}743$ $\quad \operatorname{cosec} 48° \approx 1{,}346$

$\operatorname{tg} 48° \approx 1{,}111$ $\quad \operatorname{cotg} 48° \approx 0{,}900$

b) $\cos(5\pi/9) \approx -0{,}174$ $\quad \sec(5\pi/9) \approx -5{,}759$

$\sin(5\pi/9) \approx 0{,}985$ $\quad \operatorname{cosec}(5\pi/9) \approx 1{,}015$

$\operatorname{tg}(5\pi/9) \approx -5{,}671$ $\quad \operatorname{cotg}(5\pi/9) \approx -0{,}176$

Exercices A.20

1. a) $\left(\operatorname{cotg}\theta + \dfrac{1}{\operatorname{cotg}\theta}\right)\sin\theta\cos\theta = \left(\dfrac{\cos\theta}{\sin\theta} + \dfrac{1}{\dfrac{\cos\theta}{\sin\theta}}\right)\sin\theta\cos\theta$ définition de $\operatorname{cotg}\theta$

$= \left(\dfrac{\cos\theta}{\sin\theta} + \dfrac{\sin\theta}{\cos\theta}\right)\sin\theta\cos\theta$ multiplication par l'inverse

$= \left(\dfrac{\cos\theta}{\cancel{\sin\theta}}\right)\cancel{\sin\theta}\cos\theta + \left(\dfrac{\sin\theta}{\cancel{\cos\theta}}\right)\sin\theta\cancel{\cos\theta}$ distributivité

$= \cos^2\theta + \sin^2\theta$ simplification des facteurs communs

$= 1$ identité 1

b) $\operatorname{tg} t + \operatorname{cotg} t = \dfrac{\sin t}{\cos t} + \dfrac{\cos t}{\sin t}$ définitions de $\operatorname{tg} t$ et de $\operatorname{cotg} t$

$= \dfrac{\sin^2 t + \cos^2 t}{\cos t \sin t}$ mise au même dénominateur

$= \dfrac{1}{\cos t \sin t}$ identité 1

$= \left(\dfrac{1}{\cos t}\right)\left(\dfrac{1}{\sin t}\right)$ multiplication de fractions

$= \sec t \operatorname{cosec} t$ définitions de $\sec t$ et de $\operatorname{cosec} t$

c) $\dfrac{1}{\sin x} - \dfrac{\cos x}{\operatorname{tg} x} = \dfrac{1}{\sin x} - \dfrac{\cos x}{\dfrac{\sin x}{\cos x}}$ définition de $\operatorname{tg} x$

$= \dfrac{1}{\sin x} - \dfrac{\cos^2 x}{\sin x}$ multiplication par l'inverse

$= \dfrac{1 - \cos^2 x}{\sin x}$ soustraction de fractions

$= \dfrac{\sin^2 x}{\sin x}$ identité 1 : $1 - \cos^2 x = \sin^2 x$

$= \sin x$ simplification du facteur commun

d) $\sin(\pi/6 + \theta) + \cos(\pi/3 + \theta)$

$= (\sin \pi/6 \cos\theta + \cos \pi/6 \sin\theta) + (\cos \pi/3 \cos\theta - \sin \pi/3 \sin\theta)$ identités 4 et 5

$= 1/2 \cos\theta + \sqrt{3}/2 \sin\theta + 1/2 \cos\theta - \sqrt{3}/2 \sin\theta$ évaluation des fonctions trigonométriques

$= \cos\theta$ regroupement des termes semblables

e) $\dfrac{1-\cos(2x)}{\sin(2x)} = \dfrac{1-\left(1-2\sin^2 x\right)}{2\sin x \cos x}$ identités 11 et 12

$= \dfrac{1-1+2\sin^2 x}{2\sin x \cos x}$ distributivité

$= \dfrac{\cancel{2}\sin^2 x}{\cancel{2}\sin x \cos x}$ regroupement des termes semblables

$= \dfrac{\sin x}{\cos x}$ simplification des facteurs communs

$= \operatorname{tg} x$ définition de $\operatorname{tg} x$

f) $\dfrac{\cos\theta+\sin\theta}{\cos\theta-\sin\theta} - \dfrac{\cos\theta-\sin\theta}{\cos\theta+\sin\theta}$

$= \dfrac{(\cos\theta+\sin\theta)^2-(\cos\theta-\sin\theta)^2}{(\cos\theta-\sin\theta)(\cos\theta+\sin\theta)}$ mise au même dénominateur

$= \dfrac{(\cos^2\theta+2\cos\theta\sin\theta+\sin^2\theta)-(\cos^2\theta-2\cos\theta\sin\theta+\sin^2\theta)}{\cos^2\theta+\cos\theta\sin\theta-\sin\theta\cos\theta-\sin^2\theta}$ distributivité

$= \dfrac{4\cos\theta\sin\theta}{\cos^2\theta-\sin^2\theta}$ regroupement des termes semblables

$= \dfrac{2(2\sin\theta\cos\theta)}{\cos^2\theta-\sin^2\theta}$ mise en évidence de 2 au numérateur

$= \dfrac{2\sin(2\theta)}{\cos(2\theta)}$ identités 9 et 12

$= 2\operatorname{tg}(2\theta)$ définition de $\operatorname{tg}(2\theta)$

g) $(\operatorname{cosec} t+\operatorname{cotg} t)(\operatorname{cosec} t-\operatorname{cotg} t)$

$= \operatorname{cosec}^2 t-\operatorname{cosec} t\operatorname{cotg} t+\operatorname{cotg} t\operatorname{cosec} t-\operatorname{cotg}^2 t$ distributivité

$= \operatorname{cosec}^2 t-\operatorname{cotg}^2 t$ regroupement des termes semblables

$= 1$ identité 3 : $\operatorname{cosec}^2 t-\operatorname{cotg}^2 t = 1$

h) $1-\dfrac{\sin^2\theta}{1-\cos\theta} = \dfrac{1-\cos\theta-\sin^2\theta}{1-\cos\theta}$ mise au même dénominateur

$= \dfrac{-\cos\theta+\cos^2\theta}{1-\cos\theta}$ identité 1 : $1-\sin^2\theta = \cos^2\theta$

$= \dfrac{-\cos\theta\cancel{(1-\cos\theta)}}{\cancel{1-\cos\theta}}$ mise en évidence de $-\cos\theta$

$= -\cos\theta$ simplification du facteur commun

i) $\dfrac{1-\operatorname{tg}^2\theta}{1+\operatorname{tg}^2\theta}+1 = \dfrac{1-\operatorname{tg}^2\theta+1+\operatorname{tg}^2\theta}{1+\operatorname{tg}^2\theta}$ mise au même dénominateur

$= \dfrac{2}{1+\operatorname{tg}^2\theta}$ regroupement des termes semblables

$= \dfrac{2}{\sec^2\theta}$ identité 2

$= \dfrac{2}{\dfrac{1}{\cos^2\theta}}$ définition de $\sec^2\theta$

$= 2\cos^2\theta$ multiplication par l'inverse

j) $$\frac{\operatorname{cotg}x - \operatorname{tg}x}{\operatorname{cotg}x + \operatorname{tg}x} = \frac{\dfrac{\cos x}{\sin x} - \dfrac{\sin x}{\cos x}}{\dfrac{\cos x}{\sin x} + \dfrac{\sin x}{\cos x}}$$ définitions de cotg$x$ et de tg$x$

$$= \frac{\dfrac{\cos^2 x - \sin^2 x}{\sin x \cos x}}{\dfrac{\cos^2 x + \sin^2 x}{\sin x \cos x}}$$ mise au même dénominateur

$$= \left(\frac{\cos^2 x - \sin^2 x}{\cancel{\sin x \cos x}}\right)\left(\frac{\cancel{\sin x \cos x}}{\cos^2 x + \sin^2 x}\right)$$ multiplication par l'inverse

$$= \frac{\cos^2 x - \sin^2 x}{\cos^2 x + \sin^2 x}$$ simplification des facteurs communs

$$= \frac{\cos(2x)}{1}$$ identités 1 et 9

$$= \cos(2x)$$

k) $$\frac{\sec^2\theta}{2 - \sec^2\theta} = \frac{\dfrac{1}{\cos^2\theta}}{2 - \dfrac{1}{\cos^2\theta}}$$ définition de $\sec^2\theta$

$$= \frac{\dfrac{1}{\cos^2\theta}}{\dfrac{2\cos^2\theta - 1}{\cos^2\theta}}$$ mise au même dénominateur

$$= \left(\frac{1}{\cancel{\cos^2\theta}}\right)\left(\frac{\cancel{\cos^2\theta}}{2\cos^2\theta - 1}\right)$$ multiplication par l'inverse

$$= \frac{1}{2\cos^2\theta - 1}$$ simplification du facteur commun

$$= \frac{1}{\cos(2\theta)}$$ identité 10

$$= \sec(2\theta)$$ définition de $\sec(2\theta)$

l) $$\sec^2(t/2) = \frac{1}{\cos^2(t/2)}$$ définition de $\sec^2(t/2)$

$$= \frac{1}{1/2[1 + \cos(2t/2)]}$$ identité 14

$$= \frac{2}{1 + \cos t}$$ car $\frac{1}{1/2} = 2$

2. On a

$$\sin(\pi + \theta) = \sin\pi\cos\theta + \cos\pi\sin\theta$$ identité 5

$$= (0)\cos\theta + (-1)\sin\theta$$ évaluation des fonctions trigonométriques

$$= -\sin\theta$$

De même,

$$\sin(\pi - \theta) = \sin\pi\cos\theta - \cos\pi\sin\theta$$ identité 5

$$= (0)\cos\theta - (-1)\sin\theta$$ évaluation des fonctions trigonométriques

$$= \sin\theta$$

Par conséquent, $\sin(\pi \pm \theta) = \mp\sin\theta$. Par ailleurs,

$$\cos(\pi + \theta) = \cos\pi\cos\theta - \sin\pi\sin\theta$$ identité 4

$$= (-1)\cos\theta - (0)\sin\theta$$ évaluation des fonctions trigonométriques

$$= -\cos\theta$$

De même,

$$\begin{aligned}\cos(\pi-\theta) &= \cos\pi\cos\theta+\sin\pi\sin\theta && \text{identité 4}\\ &= (-1)\cos\theta+(0)\sin\theta && \text{évaluation des fonctions trigonométriques}\\ &= -\cos\theta\end{aligned}$$

Par conséquent, $\cos(\pi\pm\theta)=-\cos\theta$. On peut alors obtenir les autres fonctions trigonométriques:

$$\operatorname{tg}(\pi\pm\theta)=\frac{\sin(\pi\pm\theta)}{\cos(\pi\pm\theta)}=\frac{\mp\sin\theta}{-\cos\theta}=\pm\operatorname{tg}\theta$$

$$\operatorname{cosec}(\pi\pm\theta)=\frac{1}{\sin(\pi\pm\theta)}=\frac{1}{\mp\sin\theta}=\mp\operatorname{cosec}\theta$$

$$\sec(\pi\pm\theta)=\frac{1}{\cos(\pi\pm\theta)}=\frac{1}{-\cos\theta}=-\sec\theta$$

$$\operatorname{cotg}(\pi\pm\theta)=\frac{\cos(\pi\pm\theta)}{\sin(\pi\pm\theta)}=\frac{-\cos\theta}{\mp\sin\theta}=\pm\operatorname{cotg}\theta$$

Exercice A.21

a) $f(-3)=\arcsin(-3)$ n'est pas définie.
$f(-1/2)=\arcsin(-1/2)=-30°$ (ou $-\pi/6$ rad)
$f(2/3)=\arcsin(2/3)\approx 41{,}810°$ (ou 0,730 rad)
$f(1)=\arcsin(1)=90°$ (ou $\pi/2$ rad)
$f(2)=\arcsin(2)$ n'est pas définie.

b) $f(-3)=\arccos(-3)$ n'est pas définie.
$f(-1/2)=\arccos(-1/2)=120°$ (ou $2\pi/3$ rad)
$f(2/3)=\arccos(2/3)\approx 48{,}190°$ (ou 0,841 rad)
$f(1)=\arccos(1)=0°$ (ou 0 rad)
$f(2)=\arccos(2)$ n'est pas définie.

c) $f(-3)=\operatorname{arctg}(-3)\approx -71{,}565°$ (ou $-1{,}249$ rad)
$f(-1/2)=\operatorname{arctg}(-1/2)\approx -26{,}565°$ (ou $-0{,}464$ rad)
$f(2/3)=\operatorname{arctg}(2/3)\approx 33{,}690°$ (ou 0,588 rad)
$f(1)=\operatorname{arctg}(1)=45°$ (ou $\pi/4$ rad)
$f(2)=\operatorname{arctg}(2)\approx 63{,}435°$ (ou 1,107 rad)

d) $f(-3)=\operatorname{arccotg}(-3)=\operatorname{arctg}(-1/3)+180°\approx 161{,}565°$ (ou 2,820 rad)
$f(-1/2)=\operatorname{arccotg}(-1/2)=\operatorname{arctg}(-2)+180°\approx 116{,}565°$ (ou 2,034 rad)
$f(2/3)=\operatorname{arccotg}(2/3)=\operatorname{arctg}(3/2)\approx 56{,}310°$ (ou 0,983 rad)
$f(1)=\operatorname{arccotg}(1)=\operatorname{arctg}(1)=45°$ (ou $\pi/4$ rad)
$f(2)=\operatorname{arccotg}(2)=\operatorname{arctg}(1/2)\approx 26{,}565°$ (ou 0,464 rad)

e) $f(-3)=\operatorname{arcsec}(-3)=\arccos(-1/3)\approx 109{,}471°$ (ou 1,911 rad)
$f(-1/2)=\operatorname{arcsec}(-1/2)$ n'est pas définie.
$f(2/3)=\operatorname{arcsec}(2/3)$ n'est pas définie.
$f(1)=\operatorname{arcsec}(1)=\arccos(1)=0°$ (ou 0 rad)
$f(2)=\operatorname{arcsec}(2)=\arccos(1/2)=60°$ (ou $\pi/3$ rad)

f) $f(-3)=\operatorname{arccosec}(-3)=\arcsin(-1/3)\approx -19{,}471°$ (ou $-0{,}340$ rad)
$f(-1/2)=\operatorname{arccosec}(-1/2)$ n'est pas définie.
$f(2/3)=\operatorname{arccosec}(2/3)$ n'est pas définie.
$f(1)=\operatorname{arccosec}(1)=\arcsin(1)=90°$ (ou $\pi/2$ rad)
$f(2)=\operatorname{arccosec}(2)=\arcsin(1/2)=30°$ (ou $\pi/6$ rad)

Exercices A.22

1. a) La mesure du côté manquant est $\sqrt{15}$. Alors,

$$\sin\theta = \frac{1}{4} = 0{,}25 \qquad \operatorname{cosec}\theta = \frac{4}{1} = 4$$

$$\cos\theta = \frac{\sqrt{15}}{4} \approx 0{,}9682 \qquad \sec\theta = \frac{4}{\sqrt{15}} \approx 1{,}0328$$

$$\operatorname{tg}\theta = \frac{1}{\sqrt{15}} \approx 0{,}2582 \qquad \operatorname{cotg}\theta = \frac{\sqrt{15}}{1} = \sqrt{15} \approx 3{,}8730$$

b) La mesure du côté manquant est $\sqrt{13{,}85}$. Alors,

$$\sin\theta = \frac{1{,}9}{\sqrt{13{,}85}} \approx 0{,}5105 \qquad \operatorname{cosec}\theta = \frac{\sqrt{13{,}85}}{1{,}9} \approx 1{,}9587$$

$$\cos\theta = \frac{3{,}2}{\sqrt{13{,}85}} \approx 0{,}8599 \qquad \sec\theta = \frac{\sqrt{13{,}85}}{3{,}2} \approx 1{,}1630$$

$$\operatorname{tg}\theta = \frac{1{,}9}{3{,}2} = \frac{19}{32} = 0{,}593\,75 \qquad \operatorname{cotg}\theta = \frac{3{,}2}{1{,}9} = \frac{32}{19} \approx 1{,}6842$$

c) La mesure du côté manquant est $\sqrt{30{,}2225}$. Alors,

$$\sin\theta = \frac{\sqrt{30{,}2225}}{5{,}85} \approx 0{,}9397 \qquad \operatorname{cosec}\theta = \frac{5{,}85}{\sqrt{30{,}2225}} \approx 1{,}0641$$

$$\cos\theta = \frac{2}{5{,}85} \approx 0{,}3419 \qquad \sec\theta = \frac{5{,}85}{2} = 2{,}925$$

$$\operatorname{tg}\theta = \frac{\sqrt{30{,}2225}}{2} \approx 2{,}7487 \qquad \operatorname{cotg}\theta = \frac{2}{\sqrt{30{,}2225}} \approx 0{,}3638$$

2. a) $\theta \approx 14{,}5°$ b) $\theta \approx 30{,}7°$ c) $\theta \approx 70{,}0°$

3. a) On a m$\angle A = 40°$, $a \approx 9{,}40$ et $b \approx 12{,}66$.

b) On a $d \approx 6{,}05$, m $\angle E \approx 55{,}42°$ et m $\angle F \approx 29{,}58°$.

c) On a m $\angle G \approx 138{,}19°$, m $\angle H \approx 11{,}81°$ et $h \approx 1{,}23$.

d) On a m $\angle J \approx 101{,}54°$, m $\angle K \approx 34{,}05°$ et m $\angle L \approx 44{,}41°$.

GLOSSAIRE

Accélération (p. 122)
L'accélération $a(t)$ d'un mobile est le taux de variation de la vitesse $v(t)$ de ce mobile.

Approximation linéaire (p. 259)
Soit une fonction dérivable $f(x)$. L'expression

$$f(x) + f'(x)dx$$

permet de donner une approximation linéaire de la valeur de $f(x + dx)$. Plus $\Delta x = dx$ est de faible amplitude, meilleure est l'approximation.

Asymptote (p. 19 et 348)
Une asymptote est une droite dont la distance aux points d'une courbe tend vers 0 lorsqu'on laisse un point sur la courbe s'éloigner de l'origine à l'infini.

Asymptote horizontale (p. 21 et 351)
La droite $y = b$ (où $b \in \mathbb{R}$) est une asymptote horizontale à la courbe décrite par la fonction $f(x)$ si $\lim_{x\to\infty} f(x) = b$ ou si $\lim_{x\to-\infty} f(x) = b$.

Asymptote verticale (p. 19 et 349)
La droite $x = a$ (où $a \in \mathbb{R}$) est une asymptote verticale à la courbe décrite par la fonction $f(x)$ si au moins une des deux limites $\lim_{x\to a^-} f(x)$ ou $\lim_{x\to a^+} f(x)$ donne ∞ ou $-\infty$.

Cercle trigonométrique (p. 185)
Le cercle trigonométrique est un cercle de rayon 1 centré à l'origine.

Conjugué (p. 38)
Le conjugué de l'expression $f(x) + g(x)$ est $f(x) - g(x)$. Réciproquement, le conjugué de l'expression $f(x) - g(x)$ est $f(x) + g(x)$.

Degré (p. 184)
Lorsque l'on divise un cercle en 360 parties égales avec des rayons, l'angle au centre entre deux rayons consécutifs mesure un degré (1°).

Dérivation implicite (p. 133)
Soit une équation implicite contenant les variables x et y. La dérivation implicite est une technique de dérivation qui consiste à dériver par rapport à x chaque membre de l'équation implicite en considérant y comme une fonction dérivable de x, puis à isoler $\frac{dy}{dx}$.

Dérivation logarithmique (p. 178)
La dérivation logarithmique est une technique de dérivation qui consiste à appliquer le logarithme naturel à chaque membre d'une équation, puis à utiliser les propriétés des logarithmes pour simplifier chaque membre de l'équation ainsi obtenue et, finalement, à dériver implicitement pour obtenir $\frac{dy}{dx}$.

Dérivée d'ordre *n* (p. 121)
La dérivée d'ordre n de la fonction $f(x)$ est la fonction que l'on obtient en dérivant la dérivée d'ordre $(n - 1)$, $f^{(n-1)}(x)$. On note

$$f^{(n)}(x) \text{ ou } \frac{d^n f}{dx^n}$$

la dérivée d'ordre n.

Dérivée d'une fonction (p. 89)
La dérivée de la fonction $y = f(x)$, notée $\frac{df}{dx}$, $\frac{dy}{dx}$, $f'(x)$ ou y', est (lorsqu'elle existe) la fonction définie par

$$\begin{aligned}\frac{df}{dx} = \frac{dy}{dx} &= f'(x) = y' \\ &= \lim_{\Delta x\to 0} \frac{f(x + \Delta x) - f(x)}{\Delta x}\end{aligned}$$

Dérivée d'une fonction en un point (p. 86)
La dérivée d'une fonction $f(x)$ en un point $x = a$ est le taux de variation instantané de la fonction $f(x)$ en $x = a$. On utilise principalement deux notations pour la dérivée d'une fonction en un point, soit $f'(a)$ et $\left.\frac{df}{dx}\right|_{x=a}$. La dérivée d'une fonction $f(x)$ en $x = a$ est donc définie par

$$f'(a) = \lim_{\Delta x\to 0} \frac{f(a + \Delta x) - f(a)}{\Delta x}$$

ou, de manière équivalente, par

$$f'(a) = \lim_{b\to a} \frac{f(b) - f(a)}{b - a}$$

Dérivée seconde (p. 121)
La dérivée seconde d'une fonction $f(x)$ est la dérivée de la fonction dérivée $f'(x)$. On utilise principalement deux notations pour la dérivée seconde de $f(x)$:

$$f''(x) \text{ ou } \frac{d^2 f}{dx^2}$$

Dérivée troisième (p. 121)

La dérivée troisième d'une fonction $f(x)$ est la dérivée de la dérivée seconde $f''(x)$. On utilise principalement deux notations pour la dérivée troisième de $f(x)$:

$$f'''(x) \text{ ou } \frac{d^3f}{dx^3}$$

Différentielle de *x* (p. 251)

La différentielle de x, notée dx, est égale à Δx, la variation de la variable indépendante x.

Différentielle de *y* (p. 251)

Si $y = f(x)$, alors la différentielle de y, notée dy, est définie par $dy = f'(x)dx$. Elle représente une bonne approximation de la variation de la variable dépendante, soit $\Delta y = f(x + \Delta x) - f(x)$, à la suite d'une faible variation Δx de la variable indépendante.

Discontinuité essentielle infinie (p. 46)

La fonction $f(x)$ admet une discontinuité essentielle infinie en $x = a$ si au moins une des deux limites, $\lim_{x \to a^-} f(x)$ ou $\lim_{x \to a^+} f(x)$, donne ∞ ou $-\infty$.

Discontinuité essentielle par saut (p. 46)

La fonction $f(x)$ admet une discontinuité essentielle par saut en $x = a$ si les limites à gauche et à droite de $x = a$ sont des nombres réels, mais que $\lim_{x \to a^-} f(x) \neq \lim_{x \to a^+} f(x)$.

Discontinuité non essentielle par déplacement (p. 46)

La fonction $f(x)$ admet une discontinuité non essentielle par déplacement en $x = a$ si elle est définie en $x = a$, mais que $\lim_{x \to a} f(x) = b \neq f(a)$, où b est un nombre réel.

Discontinuité non essentielle par trou (p. 46)

La fonction $f(x)$ admet une discontinuité non essentielle par trou en $x = a$ si elle n'est pas définie en $x = a$, mais que $\lim_{x \to a} f(x) = b$, où b est un nombre réel.

Discriminant (p. 113)

Soit $P(x) = ax^2 + bx + c$ un polynôme en x de degré 2. L'expression $b^2 - 4ac$ est appelée discriminant.

Domaine d'une fonction (p. 13 et 346)

Le domaine d'une fonction $f(x)$ est l'ensemble des valeurs de x pour lesquelles la fonction $f(x)$ est définie. On note cet ensemble par Dom_f.

Droite (p. 76)

Une droite est la représentation graphique d'une fonction linéaire (ou affine) $f(x) = mx + b$, où m et b sont des nombres réels appelés respectivement *pente* et *ordonnée à l'origine*. On écrit aussi $y = mx + b$.

Droite normale (p. 83)

La droite normale à la courbe décrite par une fonction $f(x)$ en un point $(a, f(a))$ est la droite perpendiculaire à la droite tangente à la courbe décrite par la fonction $f(x)$ en ce point.

Droite sécante (p. 77)

Une droite sécante est une droite coupant la courbe décrite par une fonction $f(x)$ en un ou plusieurs points.

Droite tangente (p. 80)

Soit la droite sécante passant par les points $(a, f(a))$ et $(b, f(b))$ situés sur la courbe décrite par une fonction $f(x)$. Si on fait tendre b vers a, la droite sécante pivote sur le point $(a, f(a))$ pour s'approcher de plus en plus d'une droite appelée la droite tangente à la courbe décrite par la fonction $f(x)$ en $x = a$.

Droites parallèles (p. 77)

Deux droites sont parallèles si elles ont la même pente ou si elles sont toutes deux verticales.

Droites perpendiculaires (p. 77)

Deux droites non verticales sont perpendiculaires si le produit de leurs pentes vaut -1. Toute droite verticale est perpendiculaire à une droite horizontale.

Équation explicite (p. 132)

Une équation explicite est une équation dans laquelle la variable dépendante est exprimée directement par rapport à la variable indépendante.

Équation implicite (p. 132)

Une équation implicite est une équation dans laquelle aucune des variables n'est exprimée explicitement en fonction de l'autre.

Extremums absolus (p. 299)

Le minimum absolu et le maximum absolu d'une fonction $f(x)$ sont appelés extremums absolus (ou *extremums globaux*) de la fonction $f(x)$.

Extremums relatifs (p. 285)

Les minimums relatifs et les maximums relatifs d'une fonction $f(x)$ sont appelés extremums relatifs de la fonction $f(x)$.

Fonction composée (p. 53)

Si f et g sont deux fonctions, alors la fonction composée de f et de g est la fonction $h(x) = f(g(x))$. On note aussi cette fonction $f \circ g$ et on dit « f rond g ».

Fonction concave vers le bas (p. 357)

Une fonction $f(x)$ est concave vers le bas sur un intervalle ouvert I si la courbe décrite par la fonction $f(x)$ est située au-dessous des droites tangentes sur l'intervalle I.

Fonction concave vers le haut (p. 357)

Une fonction $f(x)$ est concave vers le haut sur un intervalle ouvert I si la courbe décrite par la fonction $f(x)$ est située au-dessus des droites tangentes sur l'intervalle I.

Fonction continue en un point (p. 47)

Une fonction $f(x)$ est continue en un point $x = a$ si et seulement si $f(a)$ existe, $\lim_{x \to a} f(x)$ existe et $\lim_{x \to a} f(x) = f(a)$.

Fonction continue sur un intervalle (p. 54)

- Une fonction $f(x)$ est continue sur un intervalle $]a, b[$ si elle est continue pour tout $x \in]a, b[$.
- Une fonction $f(x)$ est continue sur un intervalle $[a, b[$ si elle est continue pour tout $x \in]a, b[$ et si $\lim_{x \to a^+} f(x) = f(a)$.
- Une fonction $f(x)$ est continue sur un intervalle $]a, b]$ si elle est continue pour tout $x \in]a, b[$ et si $\lim_{x \to b^-} f(x) = f(b)$.
- Une fonction $f(x)$ est continue sur un intervalle $[a, b]$ si elle est continue pour tout $x \in]a, b[$ et si $\lim_{x \to a^+} f(x) = f(a)$ et $\lim_{x \to b^-} f(x) = f(b)$.

Fonction croissante (p. 280)

Une fonction $f(x)$ est croissante sur un intervalle I si $f(x_1) < f(x_2)$ lorsque $x_1 < x_2$ pour $x_1 \in I$ et $x_2 \in I$.

Fonction décroissante (p. 280)

Une fonction $f(x)$ est décroissante sur un intervalle I si $f(x_1) > f(x_2)$ lorsque $x_1 < x_2$ pour $x_1 \in I$ et $x_2 \in I$.

Fonction dérivable en un point (p. 87)

Une fonction $f(x)$ est dérivable en un point $x = a$ si $f'(a)$ existe.

Fonction discontinue en un point (p. 47)

Une fonction $f(x)$ est discontinue en $x = a$ si elle n'est pas continue en ce point.

Fonction exponentielle (p. 161)

La fonction exponentielle est une fonction de la forme $f(x) = b^x$, où $b > 0$ et $b \neq 1$. On appelle b la base de la fonction exponentielle.

Fonction logarithmique (p. 166)

La fonction logarithmique est une fonction de la forme $f(x) = \log_b x$, où $b > 0$ et $b \neq 1$. On appelle b la base de la fonction logarithmique. Si $y = \log_b x$, alors y est l'exposant que l'on attribue à b pour obtenir x: $b^y = x$.

Fonction racine carrée (p. 30)

La fonction racine carrée, notée $f(x) = \sqrt{x}$, est la fonction qui associe à chaque nombre réel $x \geq 0$, le nombre $k \geq 0$ tel que $k^2 = x$. On a alors, $f(x) = \sqrt{x} = k$ si $k \geq 0$ et $k^2 = x$.

Fonction rationnelle (p. 32)

Une fonction rationnelle est une fonction de la forme $f(x) = \frac{P(x)}{Q(x)}$, où $P(x)$ et $Q(x)$ sont des polynômes, c'est-à-dire une fonction qui se présente sous la forme d'un quotient où le numérateur et le dénominateur sont des polynômes.

Fonctions algébriques (p. 160)

Les fonctions algébriques sont des fonctions qu'on obtient en effectuant des opérations algébriques sur des polynômes (addition, soustraction, multiplication, division, puissance et extraction d'une racine).

Fonctions transcendantes (p. 160)

Les fonctions qui ne sont pas algébriques sont des fonctions transcendantes. Les fonctions exponentielles, logarithmiques, trigonométriques et trigonométriques inverses sont des exemples de fonctions transcendantes.

Fonction valeur absolue (p. 30)

La fonction valeur absolue est la fonction qui donne la distance séparant un nombre réel x de l'origine. Elle est notée $f(x) = |x|$ et est définie par $f(x) = |x| = \begin{cases} -x & \text{si } x < 0 \\ x & \text{si } x \geq 0 \end{cases}$

Forme indéterminée (p. 32)

On dit d'une expression qu'elle présente une forme indéterminée en x_0 si cette expression évaluée en x_0 prend l'une des formes $\frac{0}{0}, \frac{\infty}{\infty}, \infty - \infty, 0 \times \infty, 1^\infty, 0^0$ ou ∞^0.

Grandeur d'une vitesse (p. 117)

La grandeur d'une vitesse $v(t)$ est $|v(t)|$. C'est la lecture que l'on fait sur un odomètre.

Incertitude absolue (p. 257)

On appelle incertitude absolue l'évaluation quantifiée des difficultés éprouvées lors de la prise de mesure. On la note Δx, et elle dépend de la précision de l'instrument de mesure et d'autres facteurs difficilement quantifiables (par exemple, la dextérité de la personne qui prend la mesure).

Incertitude relative (p. 257)

L'incertitude relative, notée $\frac{\Delta x}{x}$, donne l'importance de l'incertitude absolue par rapport à la mesure prise sur l'instrument. On l'exprime généralement en pourcentage, et plus elle est faible, plus la mesure est précise.

Limite (p. 12)

On dit que la limite de la fonction $f(x)$ quand x tend vers a vaut L si la fonction $f(x)$ prend des valeurs de plus en plus proches de L lorsque x prend des valeurs de plus en plus proches de a, mais différentes de a. On écrit alors $\lim_{x \to a} f(x) = L$.

Limite à droite (p. 15)

On dit que la limite de la fonction $f(x)$, quand x tend vers a par la droite, vaut L [ce qui se traduit en langage symbolique par $\lim_{x \to a^+} f(x) = L$] si la fonction $f(x)$ prend des valeurs de plus en plus proches de L lorsque x prend des valeurs de plus en plus proches de a, mais supérieures à a.

Limite à gauche (p. 15)

On dit que la limite de la fonction $f(x)$, quand x tend vers a par la gauche, vaut L [ce qui se traduit en langage symbolique par $\lim_{x \to a^-} f(x) = L$] si la fonction $f(x)$ prend des valeurs de plus en plus proches de L lorsque x prend des valeurs de plus en plus proches de a, mais inférieures à a.

Limite à l'infini (p. 21)

La limite à l'infini d'une fonction $f(x)$, notée $\lim_{x \to \infty} f(x)$, représente le comportement de la fonction quand $x \to \infty$. Elle peut être finie, infinie ou ne pas exister.

Limite à moins l'infini (p. 21)

La limite à moins l'infini d'une fonction $f(x)$, notée $\lim_{x \to -\infty} f(x)$, représente le comportement de la fonction quand $x \to -\infty$. Elle peut être finie, infinie ou ne pas exister.

Limite infinie (p. 17)

Lorsqu'on écrit $\lim_{x \to a^-} f(x) = \infty$ [respectivement $\lim_{x \to a^+} f(x) = \infty$], cela signifie que $f(x)$ prend des valeurs de plus en plus grandes [c'est-à-dire $f(x) \to \infty$] quand $x \to a^-$ (respectivement $x \to a^+$).

Lorsqu'on écrit $\lim_{x \to a^-} f(x) = -\infty$ [respectivement $\lim_{x \to a^+} f(x) = -\infty$], cela signifie que $f(x)$ prend des valeurs de plus en plus petites [c'est-à-dire $f(x) \to -\infty$] quand $x \to a^-$ (respectivement $x \to a^+$).

Dans les deux cas, on parle de limite infinie.

Logarithme décimal (p. 166)

Le logarithme décimal ou *logarithme de Briggs* d'un nombre réel positif x est le logarithme de base 10 de x. On le note $\log x$.

Logarithme naturel (p. 166)

Le logarithme naturel ou *logarithme népérien* d'un nombre réel positif x est le logarithme de base e de x. On le note $\ln x$.

Maximum absolu (p. 299)

Le maximum absolu d'une fonction sur un intervalle I est la valeur maximale atteinte par la fonction sur cet intervalle.

Maximum relatif (p. 285)

Une fonction $f(x)$ définie sur un intervalle I admet un maximum relatif (ou un *maximum local*) de $f(c)$ en $x = c$ s'il existe un intervalle ouvert $]a, b[$ tel que $c \in]a, b[$ et que $f(c) \geq f(x)$ pour tout $x \in]a, b[\cap I$.

Minimum absolu (p. 299)

Le minimum absolu d'une fonction sur un intervalle I est la valeur minimale atteinte par la fonction sur cet intervalle.

Minimum relatif (p. 285)

Une fonction $f(x)$ définie sur un intervalle I admet un minimum relatif (ou un *minimum local*) de $f(d)$ en $x = d$ s'il existe un intervalle ouvert $]e, g[$ tel que $d \in]e, g[$ et que $f(d) \leq f(x)$ pour tout $x \in]e, g[\cap I$.

Ordonnée à l'origine (p. 76)

L'ordonnée à l'origine de la droite $y = mx + b$ est la valeur de y lorsque $x = 0$, c'est-à-dire $y = m(0) + b = b$. C'est l'ordonnée du point de rencontre de la droite avec l'axe des y, soit l'axe des ordonnées.

Ordonnée à l'origine d'une fonction (p. 353)

L'ordonnée à l'origine d'une fonction $f(x)$ est la valeur de $f(0)$ lorsque $0 \in \text{Dom}_f$. Dans un graphique, l'ordonnée à l'origine d'une fonction est l'ordonnée du point d'intersection de la courbe décrite par la fonction $f(x)$ et de l'axe vertical.

Pente d'une droite (p. 76)

La pente de la droite $y = mx + b$ est la valeur de m. Elle est donnée par

$$m = \frac{\text{Variation de } y}{\text{Variation de } x} = \frac{\Delta y}{\Delta x} = \frac{y_2 - y_1}{x_2 - x_1}$$

où (x_1, y_1) et (x_2, y_2) sont deux points de la droite tels que $x_1 \neq x_2$.

Point anguleux (p. 95)

Le point $(a, f(a))$ est un point anguleux de la courbe décrite par la fonction $f(x)$ si la fonction $f(x)$ est continue en $x = a$ et si

$$\lim_{\Delta x \to 0^-} \frac{f(a + \Delta x) - f(a)}{\Delta x} \neq \lim_{\Delta x \to 0^+} \frac{f(a + \Delta x) - f(a)}{\Delta x}$$

Point d'inflexion (p. 360)

Un point $(c, f(c))$ de la courbe décrite par la fonction $f(x)$ est un point d'inflexion de $f(x)$ s'il se produit un changement de concavité en $x = c$.

Propriété de linéarité (p. 100)

On dit que la dérivée possède la propriété de linéarité, car elle satisfait à la caractéristique suivante :

$$\frac{d}{dx}(au \pm bv) = a\frac{du}{dx} \pm b\frac{dv}{dx}$$

où a et b sont des constantes et u et v sont des fonctions dérivables de x.

Radian (p. 184)

La mesure de l'angle au centre compris entre deux rayons qui interceptent, sur la circonférence du cercle, un arc de longueur L égale au rayon r est un radian (1 rad).

Règle de L'Hospital (p. 218)

La règle de L'Hospital est une stratégie utilisée pour lever certaines indéterminations. Dans son expression la plus simple, elle affirme que si $\frac{f(x)}{g(x)}$ est une forme indéterminée du type $\frac{0}{0}$ ou $\frac{\infty}{\infty}$ en $x = a$, alors $\lim\limits_{x \to a} \frac{f(x)}{g(x)} = \lim\limits_{x \to a} \frac{f'(x)}{g'(x)}$, pour autant que la limite du membre de droite de l'équation existe ou encore est infinie.

Taux de variation instantané (p. 9)

Le taux de variation instantané d'une fonction est la limite des taux de variation moyens lorsque la longueur des intervalles sur lesquels ces taux de variation moyens sont calculés tend vers 0.

Taux de variation instantané (p. 81)

Le taux de variation instantané de la fonction $f(x)$ en $x = a$ est la pente de la droite tangente à la courbe décrite par la fonction $f(x)$ en $x = a$. Il est donné par

$$\lim_{\Delta x \to 0} \frac{f(a + \Delta x) - f(a)}{\Delta x}$$

ou

$$\lim_{b \to a} \frac{f(b) - f(a)}{b - a}$$

Taux de variation moyen (p. 8)

Le taux de variation moyen d'une fonction $f(x)$ sur un intervalle $[a, b]$ est le quotient obtenu en divisant la variation de la fonction sur l'intervalle par la longueur de cet intervalle, soit $\frac{\Delta f}{\Delta x} = \frac{f(b) - f(a)}{b - a}$.

Taux de variation moyen (p. 77)

Le taux de variation moyen de la fonction $f(x)$ sur l'intervalle $[a, b]$ est

$$\frac{\Delta f}{\Delta x} = \frac{f(b) - f(a)}{b - a}$$

Il correspond à la pente de la droite sécante joignant les points $(a, f(a))$ et $(b, f(b))$.

Valeurs critiques (p. 284)

Les valeurs critiques d'une fonction $f(x)$ sont les valeurs de $x \in \text{Dom}_f$ pour lesquelles $f'(x) = 0$ ou $f'(x)$ n'existe pas.

Variation de la variable indépendante (p. 75)

La variation de la variable indépendante x sur l'intervalle $[a, b]$, notée Δx, est la longueur de l'intervalle, c'est-à-dire $\Delta x = b - a$.

Variation d'une fonction (p. 75)

La variation d'une fonction continue $f(x)$ sur l'intervalle $[a, b]$, notée Δf, est la différence entre la valeur de la fonction à la fin de l'intervalle et la valeur de la fonction au début de l'intervalle, soit $\Delta f = f(b) - f(a)$.

Vitesse instantanée (p. 7)

La vitesse instantanée d'un mobile est la limite des vitesses moyennes du mobile lorsque la longueur des intervalles de temps sur lesquels les vitesses moyennes sont calculées tend vers 0.

Vitesse instantanée (p. 85)

La vitesse instantanée d'un mobile est le taux de variation instantané de la position du mobile.

Vitesse moyenne (p. 6)

La vitesse moyenne d'un mobile est le quotient de la distance parcourue par le mobile par rapport au temps de parcours.

Vitesse moyenne (p. 78)

La vitesse moyenne d'un mobile est le taux de variation moyen de la position du mobile.

Zéro d'une fonction (p. 353)

Un zéro (ou *abscisse à l'origine*) d'une fonction $f(x)$ est une valeur $x \in \text{Dom}_f$ pour laquelle $f(x) = 0$. Dans un graphique, un zéro d'une fonction est l'abscisse d'un point d'intersection de la courbe décrite par la fonction $f(x)$ et de l'axe horizontal.

Zéro d'un polynôme (p. 32)

Soit $P(x) = a_n x^n + a_{n-1} x^{n-1} + \cdots + a_1 x + a_0$, où $a_i \in \mathbb{R}$ (pour $i = 0, 1, ..., n$) et où $a_n \neq 0$, un polynôme en x de degré $n \geq 1$. Le nombre réel r est un zéro (ou une *racine*) du polynôme $P(x)$ si $P(r) = 0$.

BIBLIOGRAPHIE

ADAMS, Robert A., et Christopher ESSEX. *Calculus. A Complete Course*, 6e éd., Toronto, Pearson Canada, 2010, 973 p.

ANTON, Howard. *Calculus: A New Horizon*, 6e éd., New York, John Wiley & Sons, 1999, 1130 p.

ARMSTRONG, Bill, et Don DAVIS. *College Mathematics: Solving Problems in Finite Mathematics and Calculus*, Upper Saddle River, Prentice Hall, 2003, 1335 p.

AYRES, Frank Jr. *Théorie et applications du calcul différentiel et intégral*, Paris, McGraw-Hill, 1977, 346 p.

BALL, Walter William Rouse. *A Short Account of the History of Mathematics*, New York, Dover Publications, 1960, 522 p.

BARDI, Jason Socrates. *The Calculus Wars. Newton, Leibniz, and the Greatest Mathematical Clash of All Time*, New York, Thunder Mouth Press, 2006, 277 p.

BARNETT, Raymond A., Michael R. ZIEGLER, et Karl E. BYLEEN. *Calculus for Business, Economics, Life Sciences, and Social Sciences*, Boston, Prentice Hall, 2011, 602 p.

BARUK, Stella. *Dictionnaire de mathématiques élémentaires*, Paris, Seuil, 1995, 1345 p.

BEAUDET, Jean. *Nouvel abrégé d'histoire des mathématiques*, Paris, Vuibert, 2002, 332 p.

BELL, Eric Temple. *Men of Mathematics*, New York, Simon and Schuster, 1965, 590 p.

BERKEY, Dennis D. *Calculus*, 2e éd., New York, Saunders College Publishing, 1988, 1025 p.

BERRESFORD, Geoffrey C., et Andrew M. ROCKETT. *Applied Calculus*, 3e éd., Boston, Houghton Mifflin Company, 2004, 863 p.

BITTINGER, Marvin L. *Calculus*, 6e éd., Reading, Addison-Wesley, 1996, 582 p.

BOROWSKI, Ephraim J., et Jonathan M. BORWEIN. *Collins Dictionary of Mathematics*, 2e éd., Glasgow, Harper Collins publishers, 2002, 641 p.

BOUVERESSE, Jacques, et coll. *Histoire des mathématiques*, Paris, Larousse, 1977, 255 p.

BOUVIER, Alain, Michel GEORGE, et François LE LIONNAIS. *Dictionnaire des mathématiques*, Paris, Quadrige/PUF, 2001, 960 p.

BOYER, Carl B. *The History of the Calculus and its Conceptual Development*, New York, Dover Publications, 1959, 346 p.

BOYER, Carl B., et Uta C. MERZBACH. *A History of Mathematics*, 2e éd., New York, John Wiley & Sons, 1991, 715 p.

BRADLEY, Gerald L., et Karl J. SMITH. *Calcul intégral*, Saint-Laurent, Éditions du Renouveau Pédagogique, 1999, 301 p.

BRIGGS, William, et Lyle COCHRAN. *Calculus*, Boston, Addison-Wesley, 2011, 1049 p.

BRUNELLE, Éric, et Marc-André Désautels. *Calcul différentiel*, Anjou, CEC, 2011, 344 p.

CAJORI, Florian. *A History of Mathematical Notations*, New York, Dover Publications, 1993, 820 p.

CHARRON, Gilles, et Pierre PARENT. *Calcul différentiel*, 8e éd., Montréal, Chenelière éducation, 2014, 528 p.

COLLETTE, Jean-Paul. *Histoire des mathématiques*, Montréal, Éditions du Renouveau Pédagogique, 1979, 2 vol., 587 p.

COURANT, Richard, et Fritz JOHN. *Introduction to Calculus and Analysis*, vol. 1, New York, Interscience Publishers, 1965, 661 p.

CULLEN, Michael R. *Mathematics for the Biosciences*, Fairfax, TechBooks, 1983, 712 p.

DAHAN-DALMEDICO, Amy, et Jeanne PEIFFER. *Une histoire des mathématiques: Routes et dédales*, Paris, Seuil, 1986, 309 p.

DEMIDOVITCH, Boris (dir.). *Recueil d'exercices et de problèmes d'analyse mathématiques*, 8e éd., Moscou, Mir, 1982, 558 p.

DHOMBRES, Jean, et coll. *Mathématiques au fil des âges*, Paris, Gauthier-Villars, 1987, 327 p.

DIEUDONNÉ, Jean. *Abrégé d'histoire des mathématiques – 1700-1900*, Paris, Hermann, 1978, 517 p.

DUVILLIÉ, Bernard. *Sur les traces de l'Homo mathematicus*, Paris, Ellipses, 1999, 461 p.

EDWARDS, Charles Henry. *The Historical Development of the Calculus*, New York, Springer-Verlag, 1979, 351 p.

EDWARDS, Charles Henry, et David E. PENNEY. *Calculus with Analytic Geometry: Early Transcendentals*, 5e éd., Upper Saddle River, Prentice-Hall, 1998, 1022 p.

ELLIS, Robert, et Denny GULLICK. *Calculus with Analytic Geometry*, 5e éd., Forth Worth, Saunders College Publishing, 1994, 1024 p.

ENCYCLOPEDIA UNIVERSALIS. *Dictionnaire des mathématiques, algèbre, analyse, géométrie*, Paris, Albin Michel, 1997, 924 p.

FREIBERGER, Walter F. (dir.). *The International Dictionary of Applied Mathematics*, Princeton, D. Van Nostrand Company, 1960, 1173 p.

GAITHER, Carl C., et Alma E. CAVAZOS-GAITER. *Mathematically Speaking. A Dictionary of Quotations*, Bristol, Institute of Physics Publishing, 1998, 484 p.

GOLDSTEIN, Larry J., David C. LAY, David I. SCHNEIDER, et Nakhlé H. ASMAR. *Calculus and its Applications*, 12e éd., Upper Saddle River, Prentice Hall, 2010, 595 p.

GREENWELL, Raymond N., Nathan P. RITCHEY, et Margaret L. LIAL. *Calculus with Applications for the Life Sciences*, Boston, Addison-Wesley, 2003, 767 p.

HARSHBARGER, Ronald J., et James J. REYNOLDS. *Mathematical Applications for the Management, Life and Social Sciences*, 7e éd., Boston, Houghton Mifflin Company, 2004, 1061 p.

HAUCHECORNE, Bertrand. *Les mots & les maths*, Paris, Ellipses, 2003, 223 p.

HAUCHECORNE, Bertrand, et Adrian SHAW. *Lexique bilingue du vocabulaire mathématique*, Paris, Ellipses, 2000, 176 p.

HAUCHECORNE, Bertrand, et Daniel SURATTEAU. *Des mathématiciens de A à Z*, 2e éd., Paris, Ellipses, 1996, 381 p.

HELLEMANS, Alexander, et Brian BUNCH. *The Timetables of Science. A Chronology of the Most Important People and Events in the History of Science*, éd. revue et corrigée, New York, Touchstone Books, 1988, 660 p.

HOFFMANN, Laurence D., Gerald L. BRADLEY et Dot MINERS, *Applied Calculus for Business, Economics, and the Social and Life Sciences*, Canadian Edition, Whitby, McGraw-Hill Ryerson, 2012, 1004 p.

IREM. *Histoire de problèmes, histoire des mathématiques*, Paris, Ellipses, 1993, 432 p.

JAMES, Glenn, et Robert C. JAMES. *Mathematics Dictionnary*, 4e éd., New York, Van Nostrand Reinhold Company, 1976, 509 p.

KASS-SIMON, Gabrielle et Patricia FARNES. *Women of Science: Righting the Record*, Bloomington, Indiana University Press, 1993, 398 p.

KATZ, Victor J. *A History of Mathematics: An Introduction*, 2e éd., Reading, Addison-Wesley, 1998, 862 p.

KLINE, Morris. *Mathematical Thought from Ancient to Modern Times*, New York, Oxford University Press, 1972, 1238 p.

LARSON, Ron, Robert HOSTETLER, et Bruce H. EDWARDS. *Calculus. Early Transcendental Functions*, 4e éd., Boston, Houghton Mifflin Company, 2007, 1138 p.

LEFEBVRE, Jacques. « Moments et aspects de l'histoire du calcul différentiel et intégral. Première partie: Problématique générale et Antiquité grecque », *Bulletin de l'AMQ*, vol. XXXV, no 4, décembre 1995, p. 43-51.

LEFEBVRE, Jacques. « Moments et aspects de l'histoire du calcul différentiel et intégral. Deuxième partie: Moyen Âge et dix-septième siècle avant Newton et Leibniz », *Bulletin de l'AMQ*, vol. XXXVI, no 1, mars 1996, p. 29-40.

LEFEBVRE, Jacques. « Moments et aspects de l'histoire du calcul différentiel et intégral. Troisième partie: Newton et Leibniz », *Bulletin de l'AMQ*, vol. XXXVI, no 2, mai 1996, p. 43-54.

LE LIONNAIS, François (dir.). *Les grands courants de la pensée mathématique*, Paris, Rivages, 1986, 533 p.

LIAL, Margaret L., et Charles D. MILLER. *Finite Mathematics and Calculus with Applications*, 3e éd., Glenview, Scott, Foresman and Company, 1989, 1020 p.

LIAL, Margaret L., Raymond N. GREENWELL, et Nathan P. RITCHEY. *Calculus with Applications*, brief version, 8e éd., Boston, Addison-Wesley, 2005, 567 p.

MANKIEWICZ, Richard. *L'histoire des mathématiques*, Paris, Seuil, 2001, 192 p.

MILLAR, David, et coll. *The Cambridge Dictionary of Scientists*, Cambridge, Cambrige University Press, 1996, 387 p.

MORITZ, Robert Edouard. *On Mathematics: A Collection of Witty, Profound, Amusing Passages about Mathematics and Mathematicians*, New York, Dover Publications, 1942, 410 p.

MORROW, Charlene, et Teri PERL. *Notable Women in Mathematics. A Biographical Dictionary*, Westport, Greenwood Press, 1998, 302 p.

MUIR, Hazel (dir.). *Dictionary of Scientists*, Édimbourg, Larousse, 1994, 595 p.

MUIR, Jane. *Of Men and Numbers. The Story of the Great Mathematicians*, New York, Dover Publications, 1996, 249 p.

MUNEM, Mustafa A., et David J. FOULIS. *Calculus with Analytic Geometry*, New York, Worth Publishers, 1978, 1004 p.

NELSON, David (dir.). *The Penguin Dictionary of Mathematics*, 2e éd., London, Penguin Books, 1998, 461 p.

NEUHAUSER, Claudia. *Calculus for Biology and Medicine*, 2e éd., Upper Saddle River, Prentice Hall, 2004, 919 p.

NOWLAN, Robert A. *A Dictionary of Quotations in Mathematics*, Jefferson, McFarland & Company, Publishers, 2002, 314 p.

OSEN, Lynn M. *Women in Mathematics*, Cambridge, MIT Press, 1974, 185 p.

OUELLET, Gilles. *Calcul 1: Introduction au calcul différentiel*, 4e éd., Sainte-Foy, Le Griffon d'argile, 1999, 488 p.

PAGOULATOS, K. (dir.). *Petite encyclopédie des mathématiques*, Paris, Éditions K. Pagoulatos, 1980, 828 p.

PAPAS, Theoni. *The Music of Reason: Experience the Beauty of Mathematics Through Quotations*, San Carlos, Wide World Publishing/Tetra, 1995, 138 p.

PASS, Christopher, et coll. *Dictionary of Economics*, New York, Harper Perennial, 1991, 562 p.

PEARCE, David W. (dir.). *The MIT Dictionary of Modern Economics*, Cambridge, MIT Press, 1992, 474 p.

PERL, Teri. *Women and Numbers*, San Carlos, Wide World Publishing/Tetra, 1997, 211 p.

PERL, Teri. *Math Equals. Biographies of Women Mathematicians + Related Activities*, Menlo Park, Addison-Wesley, 1978, 249 p.

PISKOUNOV, Nikolaï. *Calcul différentiel et intégral*, 7e éd., Moscou, Mir, 1978, 2 vol., 511 p. et 614 p.

PORTER, Roy (dir.). *The Hutchinson Dictionary of Scientific Biography*, Oxford, Helicon, 1994, 891 p.

REBIÈRE, Alphonse. *Mathématiques et mathématiciens: Pensées et curiosités*, Paris, Librairie Nony & Cie, 1898, 566 p.

ROGAWSKI, Jon. *Calculus: Early Transcendentals*, New York, W. H. Freeman and Company, 2008, 1050 p.

SCHMALZ, Rosemary. *Out of the Mouths of Mathematicians: A Quotation Book for the Philomaths*, Washington, Mathematical Association of America, 1993, 294 p.

SMITH, David Eugene. *History of Mathematics*, New York, Dover Publications, 1958, 2 vol., 1299 p.

SPENCER, Donald D. *Dictionary of Mathematical Quotations*, Ormond Beach, Camelot Publishing Company, 1999, 145 p.

SPIEGEL, Murray R. *Formules et tables de mathématiques*, Paris, McGraw-Hill, 1974, 272 p.

SPIEGEL, Murray R., et John LIU. *Mathematical Handbook of Formulas and Tables*, 2e éd., New York, McGraw-Hill, Schaum's Outline, 1998, 278 p.

STEWART, James. *Analyse, concepts et contextes*, 2e éd., Bruxelles, DeBoeck, 2006, 767 p.

STRUIK, Dirk J. *A Concise History of Mathematics*, New York, Dover Publications, 1967, 195 p.

SWETZ, Frank J. (dir.). *From Five Fingers to Infinity: A Journey through the History of Mathematics*, Chicago, Open Court, 1994, 770 p.

SWOKOWSKY, Earl. *Analyse*, Paris, DeBoeck, 1993, 1053 p.

TAN, Soo T., *Applied Calculus for the Managerial, Life, and Social Sciences*, Boston, CENGAGE Learning, 2017, 902 p.

THOMAS, George B., et coll. *Calculus*, 12e éd., Boston, Addison Wesley, 2010, 1006 p.

TRIM, Donald. *Calculus for Engineers*, 3e éd., Toronto, Prentice Hall, 2004, 1091 p.

VARBERG Dale, Edwin J. PURCELL, et Steven E. RIGDON. *Calculus*, 9e éd., Upper Saddle River, Prentice Hall, 2007, 774 p.

VODNEV, Vladimir Trofimovitch, et Adolf Federovitch NAOUMOVITCH. *Dictionnaire des mathématiques*, Paris, Ellipses, 1994, 528 p.

VYGODSKY, Mark Yakovlevich. *Mathematical Handbook – Higher Mathematics*, Moscou, Mir, 1975, 872 p.

WASHINGTON, Allyn J. *Basic Technical Mathematics with Calculus*, 6e éd., Reading, Addison-Wesley, 1995, 934 p.

WELLS, David. *The Penguin Book of Curious and Interesting Mathematics*, Londres, Penguin books, 1997, 319 p.

WELLS, David. *The Penguin Dictionary of Curious and Interesting numbers*, Londres, Penguin books, 1986, 229 p.

WILSON, Robin J. *Stamping through Mathematics*, New York, Springer, 2001, 126 p.

YOUNT, Lisa. *A Biographical Dictionary, A to Z of Women in Science and Math*, New York, Facts on File, 1999, 254 p.

ZILL, Denis G., et Warren S. WRIGHT. *Calculus. Early Transcendentals,* 4e éd., Sudbury, Jones and Bartlett Publishers, 2011, 898 p.

SOURCES DES PHOTOGRAPHIES

Couverture : Bernd Dittrich/Unsplash.

Chapitre 1

Page 2 : Instants/iStockphoto. **Page 4 :** The History Collection/Alamy Stock Photo. **Page 10 :** Franz Aberham/Getty. **Page 32 :** KATERYNA KON/SCIENCE PHOTO LIBRARY. **Page 48 :** Ulrich Mueller/Shutterstock.com. **Page 60 :** n° 16 : StockMedia-Seller/Shutterstock.com ; n° 20 : Melissa King/Shutterstock.com. **Page 62 :** Sundry Photography/Shutterstock.com. **Page 67 :** ER_09/Shutterstock.com.

Chapitre 2

Page 70 : Brandon Colbert Photography/Getty Images. **Page 72 :** Heritage Image Partnership Ltd/Alamy Stock Photo. **Page 85 :** Joseph Sohm/Shutterstock.com. **Page 93 :** grebcha/Shutterstock.com.

Chapitre 3

Page 156 : Miguel Zagran/Shutterstock.com. **Page 158 :** Historic Collection/Alamy Stock Photo. **Page 17 :** 43quarks/iStockphoto. **Page 229 :** Netrun78/Shutterstock.com.

Chapitre 4

Page 240 : Patricia Thomas. **Page 242 :** FineArt/Alamy Stock Photo. **Page 249 :** Robert Buchel/Shutterstock.com. **Page 255 :** KPixMining/Shutterstock.com.

Chapitre 5

Page 276 : Olga Grinblat/Shutterstock.com. **Page 278 :** Science History Images/Alamy Stock Photo. **Page 316 :** AMA/Shutterstock.com.

Chapitre 6

Page 342 : Merkushev Vasiliy/Shutterstock.com. **Page 344 :** Pictorial Press Ltd/Alamy Stock Photo.

INDEX

Les numéros de pages qui renvoient à une définition sont en **caractères gras**. Ceux qui sont suivis d'un *f* renvoient à une figure et ceux qui sont suivis d'un *t*, à un tableau.

E

F

G

Q

R

S

T

U

V

W

Z

Géométrie du plan

Périmètre (P), longueur d'arc (L), aire (A)

Rectangle

$P = 2(a + b)$

$A = ab$

Parallélogramme

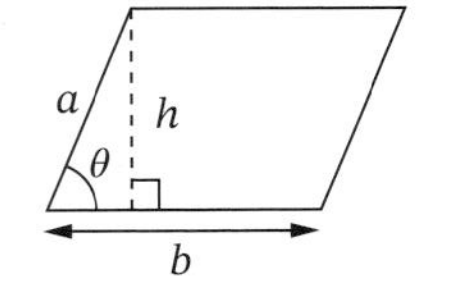

$P = 2(a + b)$

$A = bh = ab \sin\theta$

Triangle

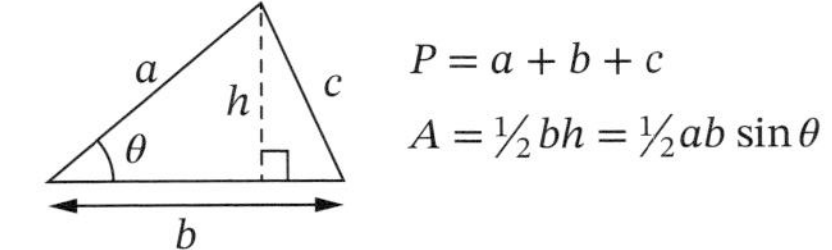

$P = a + b + c$

$A = \frac{1}{2} bh = \frac{1}{2} ab \sin\theta$

Cercle

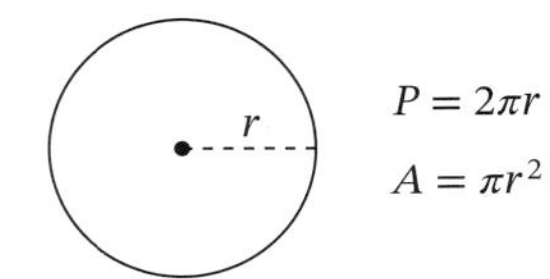

$P = 2\pi r$

$A = \pi r^2$

Secteur circulaire (θ est en radians)

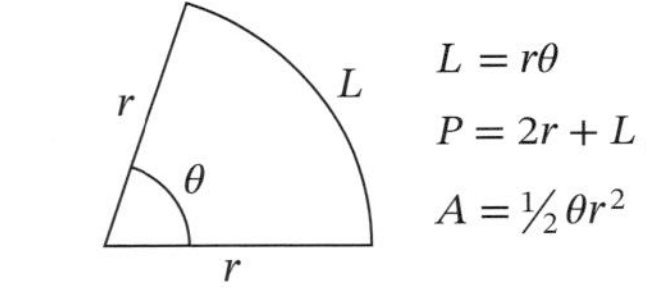

$L = r\theta$

$P = 2r + L$

$A = \frac{1}{2}\theta r^2$

Trapèze

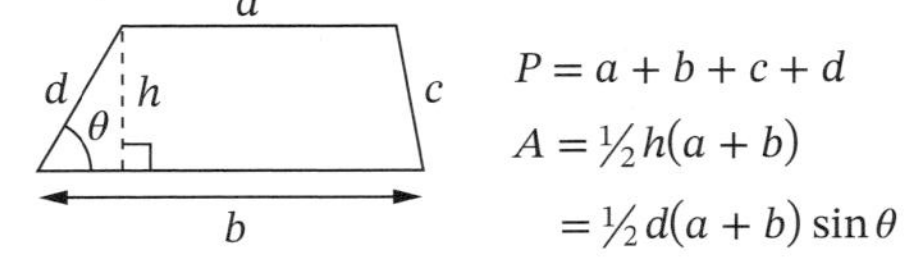

$P = a + b + c + d$

$A = \frac{1}{2} h(a + b)$

$= \frac{1}{2} d(a + b) \sin\theta$

Géométrie de l'espace

Aire latérale (A_L), aire totale (A_T), volume (V)

Cube

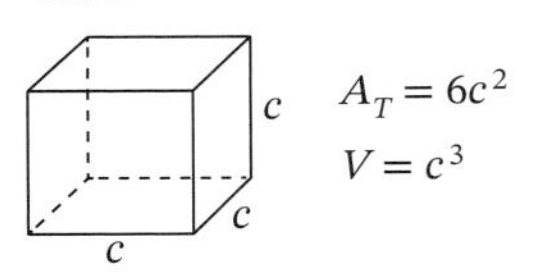

$A_T = 6c^2$

$V = c^3$

Parallélépipède rectangle

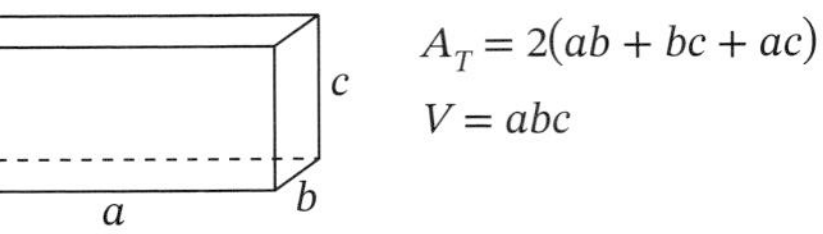

$A_T = 2(ab + bc + ac)$

$V = abc$

Sphère

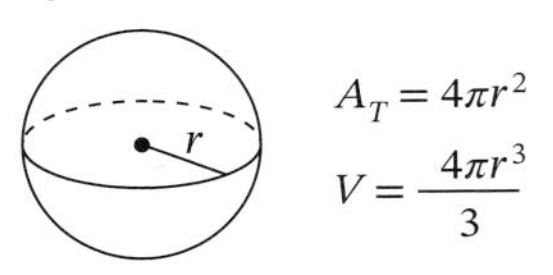

$A_T = 4\pi r^2$

$V = \frac{4\pi r^3}{3}$

Cylindre circulaire

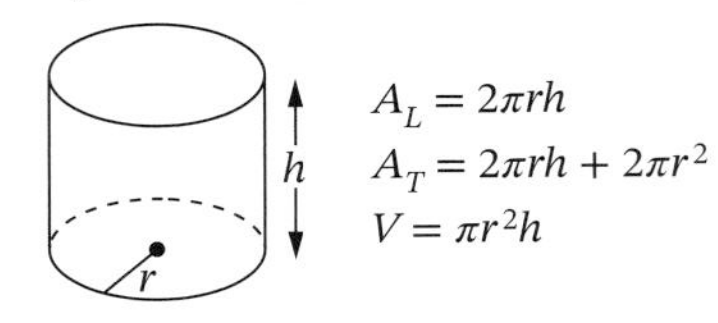

$A_L = 2\pi rh$

$A_T = 2\pi rh + 2\pi r^2$

$V = \pi r^2 h$

Cône circulaire

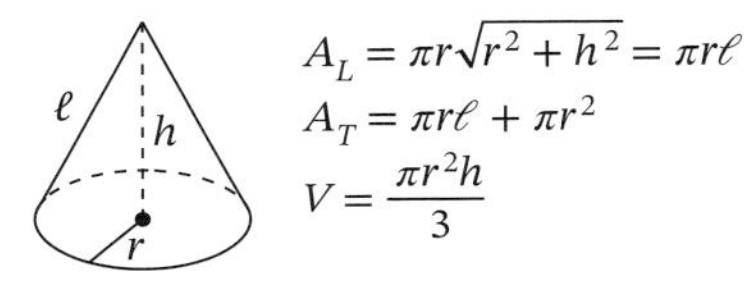

$A_L = \pi r\sqrt{r^2 + h^2} = \pi r\ell$

$A_T = \pi r\ell + \pi r^2$

$V = \frac{\pi r^2 h}{3}$

Pyramide

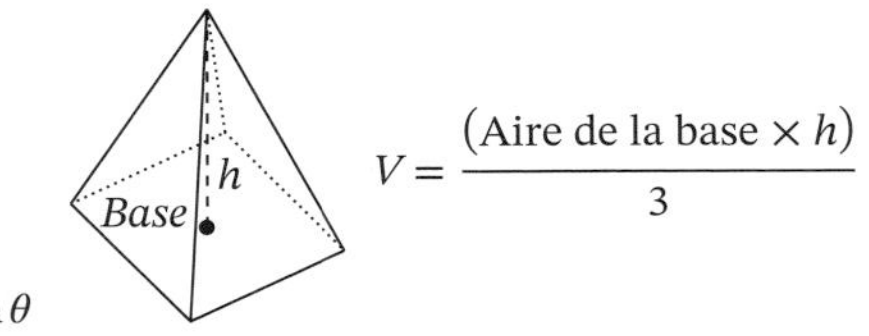

$V = \frac{(\text{Aire de la base} \times h)}{3}$

Valeur absolue

$|a| = \begin{cases} -a & \text{si } a < 0 \\ a & \text{si } a \geq 0 \end{cases}$ $\sqrt{a^2} = |a|$

Propriétés des exposants

$b^0 = 1$ pour $b \neq 0$

$b^p b^q = b^{p+q}$

$\frac{b^p}{b^q} = b^{p-q}$

$(b^p)^q = b^{pq}$

$\left(\frac{a}{b}\right)^p = \frac{a^p}{b^p}$

$(ab)^p = a^p b^p$

$b^{1/n} = \sqrt[n]{b}$

$b^{m/n} = \sqrt[n]{b^m}$

$\frac{1}{b^p} = b^{-p}$

$\sqrt[n]{ab} = \sqrt[n]{a}\sqrt[n]{b}$

$\sqrt[n]{\frac{a}{b}} = \frac{\sqrt[n]{a}}{\sqrt[n]{b}}$

$\sqrt[m]{\sqrt[n]{b}} = \sqrt[mn]{b}$

Propriétés des logarithmes

$\log_b(MN) = \log_b M + \log_b N$

$\log_b\left(\frac{M}{N}\right) = \log_b M - \log_b N$

$\log_b(M^p) = p\log_b M$

$\log_b N = \frac{\log_a N}{\log_a b}$

$\log_{10} N = \log N$

$\log_e N = \ln N$

$\log_b(b^p) = p$

$\ln(e^p) = p$

$b^{\log_b N} = N$

$e^{\ln N} = N$

Formule quadratique

$ax^2 + bx + c = 0 \Leftrightarrow x = \frac{-b \pm \sqrt{b^2 - 4ac}}{2a}$

Remarque : si $b^2 - 4ac < 0$, l'équation n'admet aucune solution réelle.

Identités trigonométriques

$\sin^2\theta + \cos^2\theta = 1$

$1 + \text{tg}^2\theta = \sec^2\theta$

$1 + \text{cotg}^2\theta = \text{cosec}^2\theta$

$\cos(\alpha \pm \beta) = \cos\alpha\cos\beta \mp \sin\alpha\sin\beta$

$\sin(\alpha \pm \beta) = \sin\alpha\cos\beta \pm \sin\beta\cos\alpha$

$\cos\alpha\cos\beta = \frac{1}{2}[\cos(\alpha - \beta) + \cos(\alpha + \beta)]$

$\sin\alpha\sin\beta = \frac{1}{2}[\cos(\alpha - \beta) - \cos(\alpha + \beta)]$

$\sin\alpha\cos\beta = \frac{1}{2}[\sin(\alpha - \beta) + \sin(\alpha + \beta)]$

$\cos(2\theta) = \cos^2\theta - \sin^2\theta$

$\cos(2\theta) = 2\cos^2\theta - 1$

$\cos(2\theta) = 1 - 2\sin^2\theta$

$\sin(2\theta) = 2\sin\theta\cos\theta$

$\sin^2\theta = \frac{1}{2}[1 - \cos(2\theta)]$

$\cos^2\theta = \frac{1}{2}[1 + \cos(2\theta)]$

$\sin(-\theta) = -\sin\theta$ et $\cos(-\theta) = \cos\theta$

$\text{arcsec}\, x = \arccos(1/x)$, si $|x| \geq 1$

$\text{arccosec}\, x = \arcsin(1/x)$, si $|x| \geq 1$

$\text{arccotg}\, x = \begin{cases} \text{arctg}(1/x) + \pi & \text{si } x < 0 \\ \pi/2 & \text{si } x = 0 \\ \text{arctg}(1/x) & \text{si } x > 0 \end{cases}$

Loi des sinus et loi des cosinus

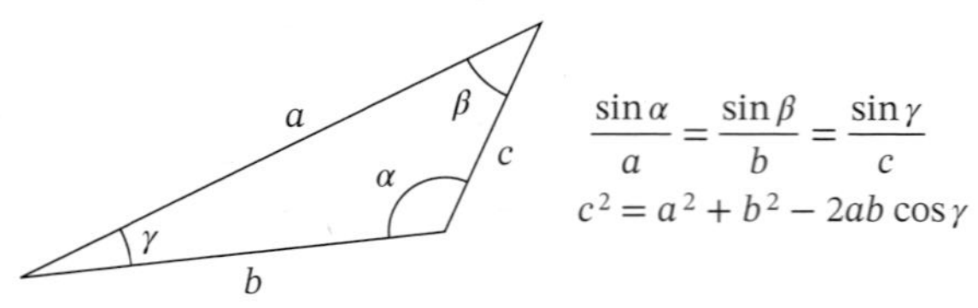

$$\frac{\sin\alpha}{a} = \frac{\sin\beta}{b} = \frac{\sin\gamma}{c}$$

$$c^2 = a^2 + b^2 - 2ab\cos\gamma$$

Trigonométrie dans le triangle rectangle

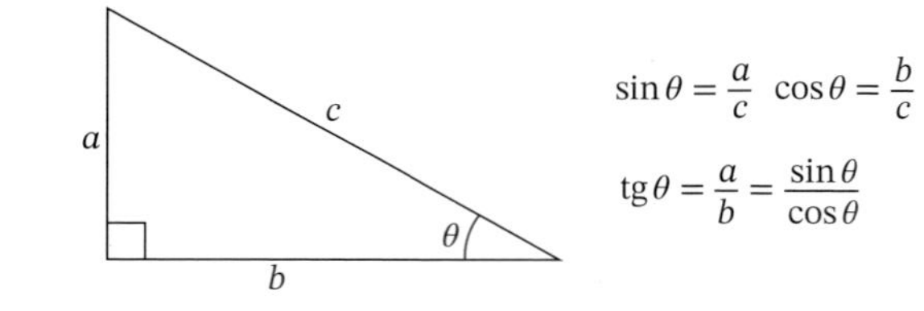

$$\sin\theta = \frac{a}{c} \quad \cos\theta = \frac{b}{c}$$

$$\operatorname{tg}\theta = \frac{a}{b} = \frac{\sin\theta}{\cos\theta}$$

Quart de cercle trigonométrique

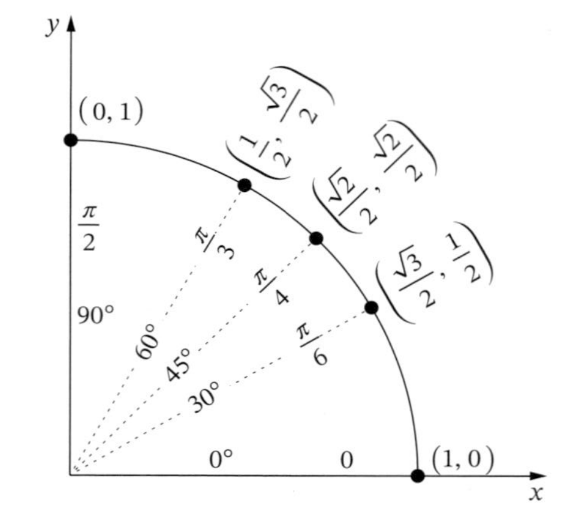

Arithmétique de l'infini

($k \in \mathbb{R}$, $b > 0$ et $b \neq 1$)

Forme	Résultat
$\infty \pm k$	∞
$\infty + \infty$	∞
$\infty \times \infty$	∞
$k \times \infty$	$\begin{cases} -\infty & \text{si } k < 0 \\ \infty & \text{si } k > 0 \end{cases}$
k/∞	0
$k/0^+$	$\begin{cases} -\infty & \text{si } k < 0 \\ \infty & \text{si } k > 0 \end{cases}$
$k/0^-$	$\begin{cases} \infty & \text{si } k < 0 \\ -\infty & \text{si } k > 0 \end{cases}$
b^∞	$\begin{cases} 0 & \text{si } 0 < b < 1 \\ \infty & \text{si } b > 1 \end{cases}$
$b^{-\infty}$	$\begin{cases} \infty & \text{si } 0 < b < 1 \\ 0 & \text{si } b > 1 \end{cases}$
$\log_b(0^+)$	$\begin{cases} \infty & \text{si } 0 < b < 1 \\ -\infty & \text{si } b > 1 \end{cases}$
$\log_b(\infty)$	$\begin{cases} -\infty & \text{si } 0 < b < 1 \\ \infty & \text{si } b > 1 \end{cases}$

Formules de dérivation

($k \in \mathbb{R}$, $n \in \mathbb{R}^*$, $b > 0$ et $b \neq 1$;
u et v sont des fonctions de x)

$$\frac{d}{dx}(k) = 0 \qquad \frac{d}{dx}(\sin u) = \cos u\frac{du}{dx}$$

$$\frac{d}{dx}(x) = 1 \qquad \frac{d}{dx}(\cos u) = -\sin u\frac{du}{dx}$$

$$\frac{d}{dx}(ku) = k\frac{du}{dx} \qquad \frac{d}{dx}(\operatorname{tg} u) = \sec^2 u\frac{du}{dx}$$

$$\frac{d}{dx}(u \pm v) = \frac{du}{dx} \pm \frac{dv}{dx} \qquad \frac{d}{dx}(\operatorname{cotg} u) = -\operatorname{cosec}^2 u\frac{du}{dx}$$

$$\frac{d}{dx}(uv) = u\frac{dv}{dx} + v\frac{du}{dx} \qquad \frac{d}{dx}(\sec u) = \sec u \operatorname{tg} u\frac{du}{dx}$$

$$\frac{d}{dx}\left(\frac{u}{v}\right) = \frac{v\frac{du}{dx} - u\frac{dv}{dx}}{v^2} \qquad \frac{d}{dx}(\operatorname{cosec} u) = -\operatorname{cosec} u \operatorname{cotg} u\frac{du}{dx}$$

$$\frac{d}{dx}(x^n) = nx^{n-1} \qquad \frac{d}{dx}(\arcsin u) = \frac{1}{\sqrt{1-u^2}}\frac{du}{dx}$$

$$\frac{d}{dx}(u^n) = nu^{n-1}\frac{du}{dx} \qquad \frac{d}{dx}(\arccos u) = \frac{-1}{\sqrt{1-u^2}}\frac{du}{dx}$$

$$\frac{d}{dx}(e^u) = e^u\frac{du}{dx} \qquad \frac{d}{dx}(\operatorname{arctg} u) = \frac{1}{1+u^2}\frac{du}{dx}$$

$$\frac{d}{dx}(b^u) = b^u(\ln b)\frac{du}{dx} \qquad \frac{d}{dx}(\operatorname{arccotg} u) = \frac{-1}{1+u^2}\frac{du}{dx}$$

$$\frac{d}{dx}(\ln u) = \frac{1}{u}\frac{du}{dx} \qquad \frac{d}{dx}(\operatorname{arcsec} u) = \frac{1}{|u|\sqrt{u^2-1}}\frac{du}{dx}$$

$$\frac{d}{dx}(\log_b u) = \frac{1}{u(\ln b)}\frac{du}{dx} \qquad \frac{d}{dx}(\operatorname{arccosec} u) = \frac{-1}{|u|\sqrt{u^2-1}}\frac{du}{dx}$$